***ACCESO GRATIS** a la Lectura en la Nube + Actualizaciones*

Para visualizar el libro electrónico en la nube de lectura envíe junto a su nombre y apellidos una fotografía del código de barras situado en la contraportada del libro y otra del ticket de compra a la dirección:

ebooktirant@tirant.com

En un máximo de 72 horas laborables le enviaremos el código de acceso con sus instrucciones.

Código Penal del Estado de México. Código Nacional de Procedimientos Penales Ejecución penal. Justicia penal para adolescentes. MASC. Extinción de dominio. Víctimas. Jurisprudencia

Código Penal del Estado de México. Código Nacional de Procedimientos Penales. Ejecución penal. Justicia penal para adolescentes. MASC. Extinción de dominio. Víctimas. Jurisprudencia

9ª Edición

MIGUEL CARBONELL

tirant lo blanch
Ciudad de México, 2026

© EDITA: TIRANT LO BLANCH
DISTRIBUYE: TIRANT LO BLANCH MÉXICO
Av. Tamaulipas 150, Oficina 502
Hipódromo, Cuauhtémoc, 06100, Ciudad de México
Telf: +52 1 55 65502317
infomex@tirant.com
www.tirant.com/mex/
www.tirant.es
ISBN: 979-13-7040-144-3

Si tiene alguna queja o sugerencia, envíenos un mail a: *atencioncliente@tirant.com*. En caso de no ser atendida su sugerencia, por favor, lea en *www.tirant.net/index.php/empresa/politicas-de-empresa* nuestro Procedimiento de quejas.

Responsabilidad Social Corporativa: http://www.tirant.net/Docs/RSCTirant.pdf

ÍNDICE

CÓDIGO NACIONAL DE PROCEDIMIENTOS PENALES

LEY NACIONAL DE EJECUCIÓN PENAL

LEY NACIONAL DEL SISTEMA INTEGRAL DE JUSTICIA PENAL PARA ADOLESCENTES

LEY NACIONAL DE MECANISMOS ALTERNATIVOS DE SOLUCIÓN DE CONTROVERSIAS EN MATERIA PENAL

LEY NACIONAL DE EXTINCIÓN DE DOMINIO

LEY GENERAL DE VÍCTIMAS

Estudio preliminar
El marco jurídico del nuevo derecho penal mexicano

MIGUEL CARBONELL
Director del Centro de Estudios Jurídicos Carbonell AC

La reforma constitucional publicada en el *Diario Oficial de la Federación* el 18 de junio de 2008 nos suministra la base para realizar una profunda comprensión del sistema penal mexicano. Sus disposiciones tocan varios de los ámbitos sustantivos de dicho sistema, dado que abarcan temas como la seguridad pública (cuerpos policiacos y prevención del delito), la procuración de justicia (el trabajo del ministerio público, el monopolio de la acción penal que desaparece al menos en parte), la administración de justicia (a través de la incorporación de elementos del debido proceso legal y de los llamados juicios orales) y la ejecución de las penas privativas de la libertad.

Se trata de una de las reformas más importantes de los años recientes. Aunque se ha debatido con intensidad acerca de su contenido y sobre las ventajas y riesgos que ofrece, lo cierto es que casi todos los que la han comentado reconocen que se trata de una reforma que no solamente era necesaria, sino también urgente.

La reforma surge a partir del reconocimiento de que el procedimiento penal mexicano está en completa bancarrota: es muy caro y no satisface ni garantiza los derechos de las víctimas, de los procesados y de los agentes de la autoridad que intervienen en su desarrollo. Las diferentes etapas que integran el proceso penal presentan enormes problemas, que se han intentado atender con mayor o menor éxito a partir de las bases que suministra la reforma de 2008 y los desarrollos normativos posteriores.

Cualquier análisis garantista de nuestros ordenamientos jurídicos no debería dejar de preguntarse una y otra vez cuándo y cómo se deben llevar a cabo los juicios, especialmente aquellos en materia penal, que suelen ser muy gravosos para los involucrados.

No hace falta subrayar el vínculo estrecho que existe entre el modelo de derecho penal sustantivo que se siga en un determinado ordenamiento, y su correspondiente modelo de procedimiento penal.[1] Las garantías penales sustantivas cobran sentido y se hacen realidad cuando cuentan con un contexto procesal adecuado, en el que se aseguren a niveles aceptables ciertas pautas normativas postuladas ya por el pensamiento penal de la Ilustración.[2] Para decirlo con las palabras de Ferrajoli, "tanto las garantías penales como las procesales valen no sólo por sí mismas, sino también unas y otras como garantía recíproca de su efectividad".[3]

Las garantías adjetivas en materia penal pueden ser dividas en dos distintas categorías: orgánicas por un lado y procesales por otro. Las orgánicas se refieren a la colocación institucional del poder judicial respecto a los otros poderes del Estado y respecto a los sujetos del proceso; son garantías tales como la independencia, la imparcialidad, la responsabilidad, la separación entre juez y acusación, el derecho al juez natural, obligatoriedad de la acción penal, etcétera. La garantías procesales, por su parte, son aquellas que se dirigen a la formación del juicio, lo que comprende la recolección de las pruebas, el desarrollo de la defensa y la convicción del órgano judicial; se trata de garantías como la formulación de una acusación exactamente determinada, la carga de la prueba,[4] el principio de contradicción,[5] las formas de los interrogatorios y demás actos de la

---

[1] "Esquemas y culturas penales y procesal-penales... están siempre conectadas entre sí. Y esta conexión es histórica, además de teórica, puesto que los avatares del derecho penal material y de la teoría del delito han estado siempre modelados sobre las instituciones judiciales, y a la inversa", Ferrajoli, Luigi, *Derecho y razón*, Madrid, Trotta, 1995, p. 538.

[2] Prieto Sanchís, Luis, *El pensamiento penal de la Ilustración*, México, INACIPE, 2003.

[3] *Derecho y razón*, cit., p. 537.

[4] Ver el artículo 20, apartado A fracción V de la Constitución.

[5] Ver el encabezado del artículo 20, así como su apartado A fracciones IV y VI de la Constitución.

instrucción, la publicidad,[6] la oralidad,[7] los derechos de la defensa,[8] la motivación de los actos judiciales, etcétera.[9]

Las garantías del proceso penal, tanto orgánicas como procesales, sirven para construir un modelo procesal de corte cognoscitivo, cuyo objetivo es conocer una "verdad mínima", pero siempre controlada, de conformidad con los estándares del proceso acusatorio.

En este esquema las garantías tienen un objetivo no solamente de libertad, sino también de verdad, de modo que se genera una especie de derecho fundamental de la persona frente a puniciones arbitrarias a cargo del Estado.[10] Un esquema que se suele contraponer el cognoscitivo es el decisionista, que busca alcanzar una verdad sustancial, y global, fundada sobre todo en valoraciones; bajo este esquema, que suele darse en procesos de corte inquisitivo, los términos de la acusación pueden ser discrecionales, la instrucción puede ser secreta, el papel de la defensa resulta irrelevante y el objeto principal del proceso no es el hecho cometido y su valoración, sino la personalidad del reo.[11]

Es precisamente el valor de la verdad, junto al de la libertad, lo que permite legitimar un proceso penal; al respecto Ferrajoli indica que "el objetivo justificador del proceso penal se identifica con la garantía de las *libertades* de los ciudadanos, a través de la garantía de la *verdad* —una verdad no caída del cielo, sino obtenida mediante pruebas y refutaciones— frente al abuso y al error". El valor de la verdad se proyecta de forma directa sobre el quehacer judicial, o sea sobre el desempeño profesional del juez, al que se exige "tolerancia para las razones controvertidas, atención y control sobre todas las hipótesis y las contrahipótesis en conflicto,

---

6 Ver el encabezado del artículo 20, así como su apartado B fracción V de la Constitución.

7 Ver el encabezado del artículo 20, así como su apartado A fracción IV de la Constitución.

8 Ver el artículo 20, apartado B fracción VI de la Constitución.

9 Ferrajoli, *Derecho y razón*, cit., pp. 539-540.

10 Ferrajoli, *Derecho y razón*, cit., pp. 540-541 y 543.

11 Ferrajoli, *Derecho y razón*, cit., p. 541.

imparcialidad frente a la contienda, prudencia, equilibrio, ponderación y duda como hábito profesional y como estilo intelectual".[12]

Por otro lado, mediante una reforma constitucional al artículo 73 fracción XXI de nuestra Carta Magna, publicada en el Diario Oficial de la Federación el 8 de octubre de 2013, se facultó al Congreso de la Unión para legislar en materia de legislación única de procedimientos penales. La fracción en cuestión quedó con el siguiente texto:

> **Artículo 73.** El Congreso tiene facultad:
>
> I. a XX...
>
> XXI. Para expedir:
>
> a) Las leyes generales en materias de secuestro y trata de personas, que establezcan como mínimo, los tipos penales y sus sanciones.
>
> Las leyes generales contemplarán también la distribución de competencias y las formas de coordinación entre la Federación, las entidades federativas, el Distrito Federal y los municipios;
>
> b) La legislación que establezca los delitos y las faltas contra la Federación y las penas y sanciones que por ellos deban imponerse; así como legislar en materia de delincuencia organizada;
>
> c) La **legislación única en materia procedimental penal,** de mecanismos alternativos de solución de controversias y de ejecución de penas que regirá en la República en el orden federal y en el fuero común.
>
> Las autoridades federales podrán conocer de los delitos del fuero común, cuando éstos tengan conexidad con delitos federales o delitos contra periodistas, personas o instalaciones que afecten, limiten o menoscaben el derecho a la información o las libertades de expresión o imprenta.
>
> En las materias concurrentes previstas en esta Constitución, las leyes federales establecerán los supuestos en que las autoridades del fuero común podrán conocer y resolver sobre delitos federales;
>
> XXII. a XXX...

Contando con esa base constitucional, el Congreso de la Unión expidió el Código Nacional de Procedimientos Penales cuyo contenido el lector podrá encontrar en las páginas siguientes, junto con las demás leyes penales relevantes para el estudio de tan relevante materia.

---

[12] Ferrajoli, *Derecho y razón*, cit., p. 546 (las dos citas de este párrafo se encuentran en la misma página).

La comprensión detallada del proceso penal debe enmarcarse dentro de la prohibición existente en los Estados contemporáneos de la histórica venganza privada. Son los órganos públicos y no los propios afectados los que deben imponer las sanciones a aquellas personas que violan las normas jurídico-penales, tal como lo señala el artículo 17 de la Constitución mexicana. Se tiende, en consecuencia, a un sistema de "hetero-composición" de los conflictos sociales.[13]

Esta tarea de los órganos públicos en materia punitiva requiere de límites claros, pues también la persecución penal puede caer en excesos y ser fuentes de graves injusticias. La historia demuestra que la imposición de las penas y de los castigos por parte del Estado ha sido una permanente fuente de injusticias. El proceso penal moderno intenta limitar dichos excesos a través, por ejemplo, de resaltar la presunción de inocencia a la que alude precisamente el artículo 2 del Código Nacional de Procedimientos Penales (y que se encuentra enunciado de manera más amplia en el artículo 13 del mismo Código), el cual es un derecho humano reconocido por la Constitución, por los tratados de derechos humanos firmados por México y desarrollado en la jurisprudencia de nuestra Suprema Corte de Justicia de la Nación.

Todo proceso penal moderno debe luchar por la consecución del objetivo de proteger a las personas inocentes y evitar los excesos en el ejercicio de la facultad de imponer sanciones a cargo del Estado, requiere una estricta formalización de la respuesta jurídico-penal frente a la realización de conductas que la ley señala como delitos. Al respecto Claus Roxin y Bernd Schünemann apuntan que "Los límites de la facultad de intervención estatal, que protegen al inocente en contra de persecuciones injustas y de excesivas restricciones de la libertad, y, que también deben garantizar al culpable de salvaguardia de todos sus derechos de defensa, caracterizan al *principio de formalidad* del procedimiento".[14]

---

13 Alcalá-Zamora y Castillo, Niceto, *Proceso, autocomposición y autodefensa. Contribución al estudio de los fines del proceso*, 3ª edición (reimpresión), México, UNAM, 2018.

14 Roxin, Claus y Schünemann, Bernd, *Derecho procesal penal*, Buenos Aires, Ediciones Didot, 2019, p. 58.

Solamente el respeto a dicha formalidad va a permitir que exista una justicia penal que resguarde a la vez el valor de la verdad (aunque sea una verdad contextualizada por las exigencias y finalidades del proceso penal),[15] evite castigos arbitrarios, permita a las víctimas obtener reparación y respeto a sus derechos humanos, y (al menos como aspiración), permita restaurar la paz social.[16]

El objetivo de la presente compilación legislativa es contribuir a que se difundan las normas jurídicas en materia penal, para que entre todos tengamos un conocimiento profundo de ellas, sepamos cómo aplicarlas y podamos contar con los fundamentos normativos esenciales para lograr una mejor justicia penal. Ojalá que así sea.

---

[15] Sobre las exigencias contextuales que existen en el proceso moderno en relación al objetivo de la búsqueda de la verdad, ver las atinadas reflexiones de Taruffo, Michele, *La prueba de los hechos*, Madrid, Trotta, 2002, páginas 21 y siguientes; así como las aportaciones de Gascón, Marina, *Los hechos en el derecho. Bases argumentales de la prueba*, 3ª edición, Madrid, Marcial Pons, 2010, páginas 113 y siguientes.

[16] Roxin, Claus y Schünemann, Bernd, *Derecho procesal penal*, cit., p. 59.

Código Penal del Estado de México

Última reforma 25 de noviembre de 2025

LIBRO PRIMERO

TÍTULO PRIMERO
APLICACIÓN DE LA LEY PENAL

CAPÍTULO I
VALIDEZ ESPACIAL

Artículo 1. Este código se aplicará en el Estado de México, en los casos que sean de la competencia de sus tribunales:

I. Por los delitos cuya ejecución se inicie o consume en el territorio del estado;

II. Por los delitos cuya ejecución se inicie fuera del territorio del estado, si se consuman dentro del mismo; y

III. Por los delitos permanentes o continuados, cuando un momento o acto cualquiera de ejecución, se realice dentro del territorio del estado.

En los casos comprendidos en las fracciones II y III de este artículo, se aplicará este código cuando el inculpado se encuentre en el territorio del mismo o no se haya ejercitado en su contra acción penal en otra entidad federativa, cuyos tribunales sean competentes, por disposiciones análogas a las de este código, para conocer del delito.

CAPÍTULO II
VALIDEZ TEMPORAL

Artículo 2. La ley penal aplicable es la vigente en el tiempo de realización del delito.

Si después de cometido el delito y antes de que cause ejecutoria la sentencia que deba pronunciarse, entraran en vigor una o más leyes que disminuyan la pena o la substituyan por otra que sea menos grave, se aplicará la nueva ley y, en su caso, el órgano jurisdiccional concederá los substitutivos penales que legalmente procedieren.

Si pronunciada la sentencia ejecutoria se dictare una ley que dejando subsistente la pena señalada para el delito, disminuya su duración o cambie su naturaleza, se individualizará conforme a la nueva ley.

Sin embargo, la ley abrogada deberá continuar aplicándose por los hechos ejecutados durante su vigencia, a menos que la nueva ley sea más favorable.

CAPÍTULO III
VALIDEZ PERSONAL

Artículo 3. Este Código se aplicará a nacionales o extranjeros que hayan cumplido 18 años de edad. Respecto de los segundos, se estará a lo pactado en los tratados internacionales. Los que tengan entre 12 años cumplidos y menos de 18 años de edad quedan sujetos a la legislación especializada.

Artículo 3 Bis. Tratándose de delitos cometidos en contra de niñas, niños y adolescentes se atenderá en todo momento el interés superior de niñas, niños y adolescentes en toda la aplicación de ley.

CAPÍTULO IV
LEYES ESPECIALES Y CONCURSO APARENTE DE NORMAS

Artículo 4. Cuando se comete un delito previsto en una ley general o local especial, se aplicarán éstas y, en lo conducente, las disposiciones del presente Código.

Artículo 5. Cuando una misma materia esté regulada por diversas disposiciones penales, la especial prevalecerá sobre la general, la de mayor entidad absorberá a la de menor entidad, la del hecho posterior de agotamiento cederá ante la del hecho anterior, y la subsidiaria se aplicará cuando no sea posible aplicar la principal.

TÍTULO SEGUNDO
DELITO Y RESPONSABILIDAD

CAPÍTULO I
EL DELITO Y SUS CLASES

Artículo 6. El delito es la conducta típica, antijurídica, culpable y punible.

Artículo 7. Los delitos pueden ser realizados por acción y por omisión.

En los delitos de resultado material, también será atribuible el resultado típico producido al que omita impedirlo, si tenía el deber jurídico de evitarlo. En estos casos se estimará que el resultado es consecuencia de una conducta omisiva, cuando se acredite que el que omite impedirlo tenía el deber de actuar para ello, derivado de la ley, de un contrato o de su actuar precedente.

Artículo 8. Los delitos pueden ser:

I. Dolosos;

El delito es doloso cuando se obra conociendo los elementos del tipo penal o previendo como posible el resultado típico queriendo o aceptando la realización del hecho descrito por la ley.

II. Culposos;

El delito es culposo cuando se produce un resultado típico que pudo preverse o proveerse para evitarlo, en virtud de la violación a un deber de cuidado, que debía o podía observarse según las circunstancias y condiciones personales.

III. Instantáneos;

Es instantáneo, cuando la consumación se agota en el mismo momento en que se han realizado todos sus elementos constitutivos.

Lo será con unidad de evento, cuando la conducta sea ejecutada en varias acciones típicas sucesivas de naturaleza patrimonial, siempre que los ofendidos sean distintos y la forma en que se afecte el bien jurídico tutelado lo permita, se considerará que existe unidad de evento cuando la misma conducta típica sea ejecutada sobre diversos pasivos. La unidad de evento excluye el concurso de delitos.

IV. Permanentes;

Es permanente, cuando la consumación se prolonga en el tiempo.

V. Continuados.

Es continuado, cuando existe unidad de propósito delictivo, pluralidad de conductas e identidad de ofendido y se viola el mismo precepto legal.

CAPÍTULO II
LOS DELITOS GRAVES

Artículo 9. Se califican como delitos graves para todos los efectos legales: el cometido por conductores de vehículos de motor, indicado en el artículo

61 segundo párrafo, fracciones I, II, III y V, el de rebelión, previsto en los artículos 107 último párrafo, 108 primer y tercer párrafos y 110, el de sedición, señalado en el artículo 113 segundo párrafo; el de cohecho, previsto en los artículos 129 y 130 en términos del párrafo segundo del artículo 131, si es cometido por elementos de cuerpos policíacos o servidores de seguridad pública; el de abuso de autoridad, contenido en los artículos 136 fracciones V y X y 137 fracción II; el de peculado, señalado en el artículo 140 fracción II; el de prestación ilícita del servicio público de transporte de pasajeros, señalado en el artículo 148 párrafo segundo; el de encubrimiento, previsto en el artículo 152 párrafo segundo; el de falso testimonio, contenido en las fracciones III y IV del artículo 156, el de evasión a que se refiere el artículo 160, el delito de falsificación de documentos, previsto en el artículo 170 fracción II, el que se refiere a la falsificación y utilización indebida de títulos al portador, documentos de crédito público y documentos relativos al crédito señalado en el artículo 174, el delito de usurpación de funciones públicas o de profesiones, previsto en el artículo 176 penúltimo párrafo, el de uso indebido de uniformes, insignias, distinciones o condecoraciones previsto en el artículo 177, el de delincuencia organizada; previsto en el artículo 178, los delitos en contra del desarrollo urbano, señalados en el primer y segundo párrafos del artículo 189, el de ataques a las vías de comunicación y transporte, contenido en los artículos 193 tercer párrafo y 195, el que se comete en contra de las personas menores de edad y quienes no tienen la capacidad para comprender el significado del hecho, establecidos en el artículo 204 y 205, los contemplados con la utilización de imágenes y/o voz de personas menores de edad o personas que no tienen la capacidad para comprender el significado del hecho para la pornografía, establecidos en el artículo 206, el de lenocinio, previsto en los artículos 209 y 209 Bis, el tráfico de menores, contemplado en el artículo 219, el de cremación de cadáver señalado en el artículo 225, el cometido en contra de los productos de los montes o bosques, señalado en los párrafos segundo, tercero, cuarto y quinto fracciones I, II y III del artículo 229; el deterioro de área natural protegida, previsto en el artículo 230, el de lesiones, que señala el artículo 238, fracción V, el de homicidio, contenido en el artículo 241, el de feminicidio, previsto en el artículo 242 Bis, el transfeminicidio, contenido en el artículo 281 Bis, el de privación de la libertad de menor de edad, previsto en el artículo 262 primer párrafo, el de extorsión contenido en los párrafos tercero y cuarto del artículo 266; el asalto a una población a que se refiere el artículo 267, el de trata de personas, contemplado en el artículo 268 Bis, el de abuso

sexual, señalado en el artículo 270, el de violación, señalado por los artículos 273 y 274, el de robo, contenido en los artículos 290, fracción I en su primer y quinto párrafos, II, III, IV, V, XVI, XVII y XVIII y 292, el de abigeato, señalado en los artículos 297 fracciones II y III, 298 fracción II, y 299 fracciones I y IV, el de despojo, a que se refieren los artículos 308 y 308 Bis, y el de daño en los bienes, señalado en el artículo 311 y; en su caso, su comisión en grado de tentativa como lo establece este código, 314 Bis, segundo párrafo, y los previstos en las leyes especiales cuando la pena máxima exceda de diez años de prisión.

CAPÍTULO III
TENTATIVA DEL DELITO

Artículo 10. Es punible la tentativa del delito y ésta lo es cuando la intención se exterioriza ejecutando la actividad que debería consumar el delito u omitiendo la que debería evitarlo, si por causas ajenas a la voluntad del agente, no hay consumación pero si pone en peligro el bien jurídico.

Si la ejecución del delito quedare interrumpida por desistimiento propio y espontáneo del inculpado, sólo se castigará a éste con la pena señalada a los actos ejecutados que constituyan por sí mismos delitos.

CAPÍTULO IV
RESPONSABLES DE LOS DELITOS

Artículo 11. La responsabilidad penal en el hecho delictuoso se produce bajo las formas de autoría y participación:

I. La autoría; y

II. La participación.

Son autores:

a) Los que conciben el hecho delictuoso;

b) Los que ordenan su realización;

c) Los que lo ejecuten materialmente;

d) Los que con dominio del hecho intervengan en su realización; y

e) Los que se aprovechen de otro que actúa sin determinación propia, conciencia o conocimiento del hecho.

Son partícipes:

a) Los que instiguen a otros, mediante convencimiento, a intervenir en el hecho delictuoso;

b) Los que cooperen en forma previa o simultánea en la realización del hecho delictuoso, sin dominio del mismo; y

c) Los que auxilien a quienes han intervenido en el hecho delictuoso, después de su consumación, por acuerdo anterior.

Artículo 11 Bis. Las personas jurídicas colectivas serán responsables penalmente de los delitos previstos en este Código, y en las leyes especiales cuando:

I. Sean cometidos en su nombre, y en su beneficio directo o indirecto, o a través de los medios que ellas proporcionen, cuando se haya determinado que además existió inobservancia del debido control en su organización, por sus representantes, apoderados legales o administradores de hecho o de derecho.

II. Sean cometidos, por cuenta y en beneficio directo o indirecto de las mismas, por quienes, estando subordinados o sometidos a la autoridad de las personas físicas mencionadas en la fracción anterior, cometan el delito por falta de supervisión, vigilancia y control de la persona jurídica indebidamente organizada, atendidas las concretas circunstancias del caso.

Lo anterior, con independencia de la responsabilidad penal en que puedan incurrir los representantes, apoderados legales o administradores de hecho o de derecho de las personas jurídicas colectivas.

Artículo 11 Ter. En términos de la fracción V del artículo 422 del Código Nacional de Procedimientos Penales, cuando sea una consecuencia racional y proporcional a la conducta desplegada, se podrán imponer adicionalmente alguna o varias de las siguientes sanciones a las personas jurídicas colectivas:

I. Suspensión de actividades, por un plazo de seis meses a seis años.

II. Disolución, en caso de que su actividad sea preponderantemente ilícita.

III. Prohibición de realizar por un plazo de seis meses a diez años, las actividades en cuyo ejercicio se haya cometido o participado en su comisión.

IV. Remoción, que consiste en la sustitución de los administradores por uno designado por el juez, por un plazo de seis meses a seis años.

V. Intervención judicial para salvaguardar los derechos de los trabajadores, o de los acreedores en un plazo de seis meses a seis años.

VI. Clausura de locales y establecimientos, por un plazo de seis meses a seis años.

VII. Multa por el doble de la cantidad que por el delito cometido corresponda a la persona física que sea autor o partícipe.

VIII. Inhabilitación temporal, consistente en la suspensión de derechos para participar de manera directa o por interpósita persona en procedimientos de contratación, o celebrar contratos regulados por la Ley de Contratación Pública del Estado de México y Municipios relacionados con las mismas, por un plazo de seis meses a seis años.

IX. Decomiso de los instrumentos, objetos o productos del delito.

X. La nulidad de operaciones ilícitas realizadas.

La intervención decretada por autoridad judicial, podrá afectar a la totalidad de la persona jurídica colectiva o limitarse a alguna de sus instalaciones, secciones o unidades de negocio. Se determinará exactamente el alcance de la intervención, y quién se hará cargo de la misma, así como los plazos en que deberán realizarse los informes de seguimiento para el órgano judicial.

La intervención judicial se podrá modificar o suspender en todo momento, previo informe del interventor y del Ministerio Público. El interventor tendrá derecho a acceder a todas las instalaciones y locales de la empresa o persona jurídica, así como a recibir cuanta información estime necesaria para el ejercicio de sus funciones. La legislación aplicable determinará los aspectos relacionados con las funciones del interventor y su retribución respectiva.

La sanción impuesta a la persona jurídica colectiva de acuerdo a este Código y demás leyes aplicables, no extingue la responsabilidad civil en que pueda incurrir ésta.

Artículo 11 Quáter. Las disposiciones relativas a la responsabilidad penal de las personas jurídicas no serán aplicables a instituciones públicas.

No obstante, cuando estas sean utilizadas por una persona física para cometer un delito será sancionada por el delito o delitos cometidos. Lo anterior también será aplicable a los fundadores como administradores o representantes que se aprovechen de alguna institución estatal o municipal para eludir alguna responsabilidad penal.

Artículo 11 Quinquies. Para los efectos de lo previsto por este Código y en artículo 421 del Código Nacional de Procedimientos Penales, a las personas jurídicas podrá imponérseles alguna o varias de las penas o medidas de seguridad, cuando hayan sido declaradas responsables penalmente respecto de alguno o algunos de los siguientes delitos:

I. Quebrantamiento de sellos, previsto en los artículos 124 y 124 Bis;

II. Fraude procesal, previsto en el artículo 165 Bis;

III. Falsificación de documentos, previsto en los artículos 167, 168, 169 y 170;

IV. Delitos en contra del desarrollo urbano, previsto en el artículo 189;

V. Delitos contra el consumo, previsto en los artículos 199, 200 y 201;

VI. Delitos contra la Economía Pecuaria, previsto en los artículos 201 Bis, 201 Ter, 201 Quater y 201 Quinquies;

VII. Delitos contra el Trabajo y la Previsión Social, previsto en los artículos 202 y 203;

VIII. De las personas menores de edad y quienes no tienen la capacidad para comprender el significado del hecho, previsto en el artículo 204;

IX. Utilización de imágenes y/o voz de personas menores de edad o personas que no tienen la capacidad para comprender el significado del hecho para la pornografía, previsto en los artículos 206 y 207;

X. Discriminación, previsto en el artículo 211;

XI. Delito contra el ambiente, previsto en los artículos 228, 228 Bis, 229, 230, 231, 232 y 233;

XII. Delitos contra la Flora y la Fauna Silvestre, previsto en el artículo 235;

XIII. Extorsión, previsto en el artículo 266;

XIV. Abuso de confianza, previsto en los artículos 302 y 303;

XV. Fraude, previsto en los artículos 305, 306 y 307;

XVI. Despojo, previsto en el artículo 308;

XVII. Daño en los bienes, previsto en los artículos 309, 310 y 311;

XVIII. Cohecho, previsto en el artículo 346;

XIX. Trata de personas, previsto en el artículo 268 Bis;

XX. Privación de libertad, previsto en el artículo 258;

XXI. Robo, previsto en los artículos; 287, 288, 291 y 292, y

XXII. En los demás casos expresamente previstos en la legislación aplicable.

Artículo 12. Los instigadores y los ordenadores son responsables de los delitos que se cometan con motivo de la instigación u orden, pero no de los demás que se ejecuten, a no ser que debieran haberlos previsto racionalmente.

Artículo 13. Las circunstancias modificativas o calificativas del delito aprovechan o perjudican a todos los inculpados que tuvieren conocimiento de ellas en el momento de su intervención, o debieran preverlas racionalmente.

Las circunstancias personales de alguno o algunos de los inculpados que sean modificativas o calificativas del delito, o constituyan un elemento de éste, aprovecharán o perjudicarán únicamente a aquellos en quienes concurran.

Artículo 14. Si varias personas convienen en ejecutar un delito determinado y alguna o algunas de ellas cometen un delito distinto, todas responderán de la comisión del nuevo delito siempre que concurran las circunstancias siguientes:

I. Que el nuevo delito sea una consecuencia necesaria del primeramente convenido o sirva de medio para cometerlo; y

II. Que el nuevo delito debiera ser previsto racionalmente por los que convinieron en ejecutar el primero.

CAPÍTULO V
CAUSAS EXCLUYENTES DEL DELITO Y DE LA RESPONSABILIDAD

Artículo 15. Son causas que excluyen el delito y la responsabilidad penal:

I. La ausencia de conducta, cuando el hecho se realice sin la intervención de la voluntad del agente por una fuerza física exterior irresistible;

II. Cuando falte alguno de los elementos del hecho delictuoso de que se trate;

III. Las causas permisivas, como:

a) Se actúe con el consentimiento del titular del bien jurídico afectado, siempre que se llenen los siguientes requisitos:

1. Que se trate de un delito perseguible por querella;

2. Que el titular del bien tenga capacidad de disponer libremente del mismo; y

3. Que el consentimiento sea expreso o tácito y sin que medie algún vicio de la voluntad.

b) Se repela una agresión real, actual o inminente y sin derecho en protección de bienes jurídicos propios o ajenos, siempre que exista necesidad de la defensa y racionalidad de los medios empleados y no medie provocación dolosa, suficiente e inmediata por parte del agredido o de la persona a quien se defiende.

Se presumirá como defensa legítima, salvo prueba en contrario, el hecho de causar daño a quien por cualquier medio trata de penetrar o haya penetrado sin derecho al hogar del agente, al de su familia, o sus dependencias o a los de cualquier persona que tenga la obligación de defender, al sitio donde se encuentren bienes propios o ajenos, respecto de los que exista la misma obligación; o lo encuentre en alguno de aquellos lugares en circunstancias tales que revelen la probabilidad de una agresión.

c) Se obre por la necesidad de salvaguardar un bien jurídico propio o ajeno de un peligro real, actual o inminente, no ocasionado dolosamente por el agente, lesionando otro bien de menor o igual valor que el salvaguardado, siempre que el peligro no sea evitable por otros medios y el agente no tuviere el deber jurídico de afrontarlo; y

d) La acción o la omisión se realicen en cumplimiento de un deber jurídico o en ejercicio de un derecho, siempre que exista necesidad racional del medio empleado para cumplir el deber o ejercer el derecho, y que este último no se realice con el sólo propósito de perjudicar a otro.

IV. Las causas de inculpabilidad:

a) Al momento de realizar el hecho típico el agente padezca un trastorno mental transitorio que le impida comprender el carácter ilícito del hecho o conducirse de acuerdo con esa comprensión, a no ser que el agente hubiese provocado dolosamente o por culpa grave su propio trastorno. En este caso responderá por el hecho cometido.

b) Se realice la acción o la omisión bajo un error invencible:

1. Sobre alguno de los elementos esenciales que integran el tipo penal;

2. Respecto de la ilicitud de la conducta, ya sea porque el sujeto desconozca el alcance de la ley, o porque crea que está justificada su conducta.

c) Atentas las circunstancias que concurren en la realización de una conducta ilícita, no sea racionalmente exigible al agente una conducta diversa a la que realizó, en virtud de no haberse podido determinar a actuar conforme a derecho;

Que el resultado típico se produzca por caso fortuito y el activo haya ejecutado un hecho lícito con todas las precauciones debidas.

Artículo 16. Es inimputable el sujeto activo cuando padezca:

I. Alienación u otro trastorno similar permanente;

II. Trastorno mental transitorio producido en forma accidental o involuntaria; y

III. Sordomudez, careciendo totalmente de instrucción.

Estos padecimientos deben tener como consecuencia la ausencia de la capacidad de comprender la antijuricidad o ilicitud de su acción y omisión, antes o durante la comisión del ilícito.

Artículo 17. Las causas excluyentes del delito y de la responsabilidad se harán valer de oficio por el Ministerio Público o por el órgano jurisdiccional.

CAPÍTULO VI
CONCURSO DE DELITOS

Artículo 18. Existe concurso ideal, cuando con una sola acción u omisión se cometen varios delitos.

Existe concurso real, cuando con pluralidad de acciones u omisiones se cometen varios delitos.

CAPÍTULO VII
REINCIDENCIA Y HABITUALIDAD

Artículo 19. Será reincidente quien cometa un nuevo delito después de haber sido condenado por sentencia ejecutoriada. Si esta fue dictada por un órgano jurisdiccional del país o del extranjero, será menester que la condena sea por un delito que tenga ese carácter en este código o leyes especiales. No habrá reincidencia si ha transcurrido desde la fecha de la sentencia ejecutoria o del indulto, un término igual al de la prescripción de la pena.

No se aplicará cuando el agente haya obtenido el reconocimiento judicial de inocencia.

Artículo 20. Será considerado delincuente habitual el reincidente que cometa un nuevo delito, siempre que los tres delitos anteriores se hayan cometido en un periodo que no exceda de quince años.

Artículo 21. Las disposiciones del presente capítulo serán aplicables aún en el caso de tentativa, pero no a los delitos contra el estado cualquiera que sea el grado de su ejecución.

TÍTULO TERCERO
PENAS Y MEDIDAS DE SEGURIDAD

Artículo 22. Son penas y medidas de seguridad que pueden imponerse con arreglo a este código, las siguientes:

A. Penas:

I. Prisión;

II. Multa;

III. Reparación del daño; que comprenderá los rubros citados por el artículo 26 de este ordenamiento.

IV. Trabajo en favor de la comunidad;

V. Suspensión, destitución, inhabilitación o privación del empleo, cargo o comisión.

VI. Suspensión o privación de derechos vinculados al hecho;

VII. Publicación especial de sentencia;

VIII. Decomiso de bienes producto del enriquecimiento ilícito; y

IX. Decomiso de los instrumentos, objetos y efectos del delito.

B. Medidas de seguridad:

I. Confinamiento;

II. Prohibición de residir o ir a lugares determinados;

III. Vigilancia de la autoridad;

IV. Tratamiento de inimputables;

V. Amonestación;

VI. Caución de no ofender; y

VII. Tratamiento.

CAPÍTULO I
PRISIÓN

Artículo 23. La prisión consiste en la privación de la libertad, la que podrá ser de tres meses a vitalicia, entendiéndose por ésta una duración igual a la vida del sentenciado, y se cumplirá en los términos y con las modalidades previstas en las leyes de la materia.

SUBTÍTULO PRIMERO

CAPÍTULO II
MULTA

Artículo 24. La multa consiste en el pago de una suma de dinero al Estado que se fijará por días multa, los cuales podrán ser de treinta a cinco mil.

El día multa equivale a la percepción neta diaria del inculpado en el momento de consumar el delito, tomando en cuenta todos sus ingresos, que en ningún caso serán inferiores al salario mínimo general vigente en el lugar donde se consumó.

En los delitos continuados se atenderá al salario mínimo vigente en el momento consumativo de la última conducta y para los permanentes el que esté en vigor en el momento en que cesó la conducta delictiva.

En caso de insolvencia del sentenciado, la autoridad judicial la sustituirá, total o parcialmente, por prestación de trabajo en favor de la comunidad, saldándose un día multa por cada jornada de trabajo.

En caso de insolvencia e incapacidad física del sentenciado, la autoridad judicial sustituirá la multa por el confinamiento, saldándose un día multa por cada día de confinamiento.

Artículo 25. Para los efectos de este capítulo y a falta de elementos específicos, se tomara como base por día multa, salvo prueba en contrario:

I. Que los empleados, técnicos, profesionistas y similares, obtienen un ingreso diario equivalente a por lo menos dos y medio veces el salario mínimo general vigente;

II. Que los jefes en mandos intermedios, patrones, empleadores y similares, obtienen un ingreso diario equivalente a por lo menos cinco veces el salario mínimo general vigente;

III. Que los de mayor jerarquía y capacidad económica que estos últimos, obtienen ingresos diarios equivalentes a por lo menos diez veces el salario mínimo general vigente; y

IV. Que las personas que vivan y se desarrollen en los más altos estratos económico-sociales, obtienen ingresos diarios equivalentes a por lo menos veinticinco veces el salario mínimo general vigente.

CAPÍTULO III
REPARACIÓN DEL DAÑO

Artículo 26. La reparación del daño deberá ser plena, efectiva, proporcional a la gravedad del daño causado y a la afectación del desarrollo integral de la víctima u ofendido y, según la naturaleza del delito de que se trate, comprenderá:

I. En términos generales:

a) El restablecimiento de las cosas en el estado en que se encontraban antes de cometerse el delito;

b) La restitución del bien obtenido por el delito, con sus frutos y accesiones, y el pago en su caso del deterioro y menoscabo, o de los derechos afectados.

La restitución se hará aún en el caso de que el bien hubiere pasado a ser propiedad de terceros; a menos que sea irreivindicable o se haya extinguido el derecho de propiedad, los terceros serán escuchados en audiencia en la forma que señala el Código Nacional de Procedimientos Penales.

Si se trata de bienes fungibles, el juez podrá condenar a la entrega de un objeto igual al que fuese materia de delito sin necesidad de recurrir a prueba pericial;

c) La indemnización del daño material y moral causado a la víctima o a las personas con derecho a la reparación del daño, incluyendo el pago de los tratamientos que, como consecuencia del delito, sean necesarios para la recuperación de su salud física y psicológica;

El monto de la indemnización será el suficiente para cubrir los gastos a que se refiere el párrafo anterior.

d) El resarcimiento de los perjuicios ocasionados;

II. Tratándose de los delitos de violencia familiar, violencia de género y lesiones que se deriven de éstos, así como del feminicidio, la reparación del daño a la víctima u ofendido incluirá:

a) Las hipótesis a que se refiere la fracción anterior;

b) El restablecimiento de su honor, mediante disculpa pública, a través de los mecanismos que señale la autoridad judicial;

c) La reparación por la afectación en su entorno laboral, educativo y psicológico, a fin de lograr su restablecimiento, ante la imposibilidad de este, la indemnización correspondiente, en términos del Código Nacional de Procedimientos Penales.

La indemnización a que se refiere el párrafo anterior se cuantificará en base a diversos factores como la pérdida del empleo, la inasistencia a las jornadas laborales, la necesidad de cambio de plantel educativo o inasistencia a éste, y demás datos relevantes que permitan realizar la cuantificación correspondiente, y

d) El pago de los gastos indispensables para su subsistencia y, si los hubiere, de los hijos menores de edad o discapacitados, cuando como consecuencia del delito sufrido, se haya visto imposibilitada para desarrollarse en el ámbito laboral; lo anterior, por el tiempo que determine la autoridad judicial, atendiendo a su grado de estudios, edad y estado de salud.

III. La indemnización del daño material y moral causado, incluyendo el pago de los tratamientos que, como consecuencia del delito, sean necesarios para la recuperación de la salud del ofendido.

El monto de la indemnización por el daño moral no podrá ser inferior a treinta ni superior a mil días multa y será fijado considerando las circunstancias objetivas del delito, las subjetivas del delincuente y las repercusiones del delito sobre la víctima u ofendido.

Artículo 27. La reparación del daño se impondrá de oficio al responsable del delito, pero cuando sea exigible a terceros tendrá el carácter de responsabilidad civil.

Artículo 28. Los comprendidos en el artículo 16, estarán obligados en todo caso a la reparación del daño conforme a las disposiciones de este capítulo. Si fueren insolventes, responderán de dicha reparación los que los tengan bajo su patria potestad, tutela o guarda.

Artículo 29. La reparación del daño proveniente del delito que deba cubrir el sentenciado tiene el carácter de pena pública; el Ministerio Público deberá acreditar su procedencia y monto, estando obligado a solicitarla íntegramente, sin menoscabo de que lo pueda solicitar directamente la víctima o el ofendido, en términos del Código Nacional de Procedimientos Penales y otros ordenamientos legales aplicables.

Quien se considere con derecho a la reparación del daño y no pueda obtenerla ante el órgano jurisdiccional penal en virtud de sobreseimiento o sentencia absolutoria, o del no ejercicio de la acción penal por el Ministerio Público, podrá recurrir a la vía civil en los términos de la legislación correspondiente.

Artículo 30. En caso de lesiones, violación y a falta de pruebas específicas respecto al daño causado, los jueces tomarán como base el doble de la tabulación de indemnizaciones que fija la Ley Federal del Trabajo y el salario mínimo general más alto del Estado.

Tratándose de homicidio, la indemnización será el equivalente a dos mil ciento noventa días de salario mínimo general vigente, más alto en el Estado.

En los casos de feminicidio, así como de los delitos antes mencionados, si se cometen en vehículos de transporte público de pasajeros, vehículos oficiales, de personal, escolar en servicio u otro que sin contar con la autorización oficial preste un servicio equivalente, el monto de la reparación del daño será el triple de la tabulación de indemnizaciones que fija la Ley Federal del Trabajo.

Tratándose de lesiones y homicidio cometidos por la conducción de vehículos de transporte público de pasajeros, vehículos oficiales, de personal, escolar en servicio u otro que sin contar con la autorización oficial preste un servicio equivalente, y a falta de pruebas específicas respecto al daño causado, los jueces tomarán como base la tabulación de indemnizaciones que fija la Ley Federal del Trabajo y el salario mínimo general más alto del Estado.

Artículo 31. En caso de delitos contra el ambiente, el derecho a la reparación del daño se instituye en beneficio de la comunidad y a favor del fondo financiero a que refiere la ley de la materia.

El órgano jurisdiccional tomará en cuenta para la determinación del daño causado en materia ambiental el dictamen técnico emitido por la autoridad estatal correspondiente que precisará los elementos cuantificables del daño.

Artículo 32. En orden de preferencia, tienen derecho a la reparación del daño:

I. La víctima;

II. El ofendido;

III. Las personas que dependieran económicamente de él;

IV. Sus descendientes, cónyuge o concubinario;

V. Sus ascendientes;

VI. Sus herederos; y

VII. El Estado a través de la institución encargada de la asistencia a las víctimas del delito.

Artículo 33. Son terceros obligados a la reparación del daño:

I. Los ascendientes por los delitos de sus descendientes que se hallaren bajo su patria potestad;

II. Los tutores y los custodios por los delitos de los incapacitados que se hallen bajo su autoridad;

III. Los directores de internados o talleres que reciban en su establecimiento discípulos o aprendices, por los delitos que éstos ejecuten durante el tiempo que se hallen bajo el cuidado y dirección de aquéllos;

IV. Las personas físicas o jurídicas colectivas por los delitos que cometan sus obreros, jornaleros, empleados, domésticos o artesanos, con motivo y en el desempeño de sus servicios;

V. Las personas jurídicas colectivas, por los delitos de sus socios, agentes, o directores en los mismos términos en que, conforme a las leyes, sean responsables de las demás obligaciones que aquéllas contraigan;

VI. En el caso de la fracción III inciso c) del artículo 15, la persona o personas beneficiadas con la afectación del bien jurídico; y

VII. El Estado, los municipios y organismos descentralizados subsidiariamente por sus servidores públicos, cuando el delito se cometa con motivo o en el desempeño de sus empleos, cargos o comisiones.

Artículo 34. Los responsables de un delito están obligados solidariamente a cubrir el importe de la reparación del daño.

Artículo 35. El sentenciado cubrirá de preferencia la reparación del daño y, en su caso, se distribuirá proporcionalmente entre los ofendidos, por los daños que hubieren sufrido; y una vez cubierto el importe de esta reparación se hará efectiva la multa.

Artículo 36. Si las personas que tienen derecho a la reparación del daño no lo reclaman dentro de los treinta días siguientes de haber sido requerido para ello, su importe se aplicará en forma equitativa a la procuración y administración de justicia.

Artículo 37. Cuando el procesado se sustraiga a la acción de la justicia, los depósitos que garanticen la reparación del daño se entregarán al ofendido o a sus causahabientes inmediatamente después del acuerdo de reaprehensión o de revocación de libertad que corresponda.

Artículo 38. Los objetos de uso lícito con que se cometa el delito y sean propiedad del inculpado o de un tercero obligado a la reparación, se asegurarán de oficio por el Ministerio Público o por la autoridad judicial para garantizar el pago de la reparación del daño y solamente se levantará el aseguramiento si los propietarios otorgan garantía en cualquiera de las modalidades que la ley señala para cubrir ese pago. Se exceptúan de lo establecido en este precepto todo tipo de vehículos automotores de uso particular y no podrán ser trasladados al depósito vehicular. Únicamente se asegurarán los vehículos que se encuentren relacionados en delitos graves que ameriten prisión preventiva oficiosa establecida en el Código Nacional de Procedimientos Penales y los destinados al transporte público.

CAPÍTULO IV
TRABAJO EN FAVOR DE LA COMUNIDAD

Artículo 39. El trabajo en favor de la comunidad consiste en la prestación de servicios no remunerados, preferentemente en instituciones públicas educativas y de asistencia social o en instituciones privadas asistenciales y se desarrollará en forma que no resulte denigrante para el sentenciado, en jornadas de trabajo dentro de los periodos distintos al horario normal de sus labores, sin que exceda de la jornada extraordinaria que determine la ley laboral y bajo la orientación y vigilancia de la autoridad ejecutora.

CAPÍTULO V
SUSPENSIÓN DE FUNCIONES, DESTITUCIÓN, INHABILITACIÓN O PRIVACIÓN DE EMPLEOS, CARGOS O COMISIONES

Artículo 40. La suspensión de funciones, inhabilitación, destitución o privación de empleos, cargos o comisiones, es de dos clases:

I. La que por ministerio de ley es consecuencia necesaria de otra pena; y

II. La que se impone como pena independiente.

En el primer caso, la suspensión o la inhabilitación comienzan y concluyen con la pena de que son consecuencia, salvo determinación de la ley.

En el segundo, la suspensión o la inhabilitación se imponen con otra privativa de libertad. Comenzarán al quedar cumplida ésta. Si no van acompañadas de prisión, se empezará a contar desde que cause ejecutoria la sentencia.

Artículo 41. La pena de prisión inhabilita para desempeñar toda clase de funciones, empleos y comisiones y suspende el ejercicio de las funciones y empleos que desempeñe el inculpado, aunque se suspendiere la ejecución de la misma.

Artículo 42. La destitución se impondrá siempre como pena independiente cuando esté señalada expresamente por la ley al delito, o éste fuere cometido por el inculpado haciendo uso de la autoridad, ocasión o medios que le proporcionare la función, empleo o comisión.

CAPÍTULO VI
SUSPENSIÓN O PRIVACIÓN DE DERECHOS

Artículo 43. La suspensión de derechos es de dos clases:

I. La que por ministerio de ley es consecuencia necesaria de otra pena; y

II. La que se impone como pena independiente.

En el primer caso, la suspensión comienza y concluye con la pena de que es consecuencia.

En el segundo caso, si se impone con otra pena privativa de libertad, comenzará al quedar compurgada ésta; si la suspensión no va acompañada de prisión, empezará a contar desde que cause ejecutoria la sentencia.

Artículo 44. La prisión suspende o interrumpe los derechos políticos y de tutela, curatela, apoderado, defensor, albacea, perito, interventor de quiebra, árbitro y representante de ausentes.

Concluido el tiempo o causa de la suspensión de derechos, la rehabilitación operara sin necesidad de declaratoria judicial.

Artículo 45. Quienes concurran con las personas que estuvieran bajo su patria potestad, tutela, curatela, guarda, o de un sujeto a interdicción, a la comisión de un delito o cometa alguno de ellos contra bienes jurídicos de éstos, será privado definitivamente de los derechos inherentes a la patria potestad, tutela, curatela o la guarda.

CAPÍTULO VII
PUBLICACIÓN ESPECIAL DE SENTENCIA

Artículo 46. La publicación especial de sentencia consiste en la inserción total o parcial de ella hasta en dos periódicos de mayor circulación en la localidad. El juez escogerá los periódicos y resolverá la forma en que debe hacerse la publicación.

La publicación de sentencia se hará a costa del sentenciado, del ofendido o del Estado a petición de cualquiera de ellos, si el órgano jurisdiccional lo estima procedente.

La publicación de sentencia podrá ordenarse igualmente a petición del sentenciado cuando éste fuere absuelto, el hecho imputado no constituya delito o aquél no lo hubiere cometido.

Si el delito por el que se impuso la publicación de sentencia, fue cometido por medio de la prensa, además de la publicación a que se refiere este artículo, se hará también en el periódico empleado para cometer el delito, con el mismo tipo de letra, igual color de tinta, la misma página, lugar y dimensiones.

CAPÍTULO VIII
DECOMISO DE BIENES PRODUCTO DEL ENRIQUECIMIENTO ILÍCITO

Artículo 47. El decomiso de los bienes producto del enriquecimiento ilícito consiste en la pérdida de su propiedad o posesión, su importe se aplicará en forma equitativa a la procuración y administración de justicia.

CAPÍTULO IX
DECOMISO DE LOS INSTRUMENTOS, OBJETOS Y EFECTOS DEL DELITO Y POR VALOR EQUIVALENTE

Artículo 48. El decomiso consiste en la pérdida de la propiedad o posesión de los instrumentos, objetos y efectos del delito, a favor y en forma equitativa de la procuración y administración de justicia. Los de uso ilícito se decomisarán todos. Los de uso lícito sólo los que deriven de delitos dolosos, salvo determinación de la ley.

Los bienes inmuebles decomisados por la comisión de los delitos en contra del desarrollo urbano, pasarán al dominio del organismo público encargado de la regularización de la tenencia de la tierra en el Estado de México, para su regularización o reserva territorial, con el objeto del ordenamiento urbano de los municipios, autorizándose las anotaciones necesarias a través de oficios que envíen los jueces al registro de la propiedad, o en su caso al registro agrario, que corresponda.

En los casos de los delitos a que se refiere el Título Quinto del Libro Segundo de este Código, también se podrán decomisar bienes del imputado cuyo valor sea equivalente, cuando los instrumentos, objetos y productos del delito se hayan perdido, consumido o extinguido, no sea posible localizarlos o se trate de bienes que constituyan garantías de créditos preferentes. En los casos que así se establezca, se podrá decretar el aseguramiento de bienes propiedad del o los imputados, así como de aquéllos respecto de los cuales se conduzca como dueño.

En caso de que el objeto de decomiso sean animales vivos, deberán ser conducidos a lugares especializados, como zoológicos, santuarios o unidades de control que cubran las necesidades del animal durante el procedimiento. En todo caso de animales domésticos, las asociaciones u organizaciones legalmente constituidas podrán solicitar su resguardo temporal. Las personas que sean responsables de maltrato o crueldad animal, perderán todo derecho sobre los animales que hayan tenido bajo su custodia o resguardo.

CAPÍTULO X
CONFINAMIENTO

Artículo 49. El confinamiento consiste en la obligación de residir en determinado lugar y no salir de él.

El órgano jurisdiccional hará la designación del lugar y fijará el término de su duración que no excederá de cinco años, conciliando las necesidades de la tranquilidad pública y la del sentenciado.

CAPÍTULO XI
PROHIBICIÓN DE IR A LUGAR DETERMINADO

Artículo 50. La prohibición de ir a lugar determinado se extenderá únicamente a aquellos lugares en los que el sentenciado haya cometido el delito y residiere el ofendido o sus familiares. Será impuesta por el órgano jurisdiccional quien fijará en su sentencia el término de la duración, que no excederá de cinco años, salvo determinación de la ley.

CAPÍTULO XII
VIGILANCIA DE LA AUTORIDAD

Artículo 51. La vigilancia de la autoridad tendrá un doble carácter:

I. La que se impone por disposición expresa de la ley; y

II. La que se podrá imponer, discrecionalmente, a los responsables de delitos de robo, lesiones y homicidios dolosos, y a los reincidentes o habituales.

En el primer caso, la duración de la vigilancia será señalada en la sentencia.

En el segundo, la vigilancia comenzará a partir del momento en que el sentenciado extinga la pena de prisión y no podrá exceder de un lapso de cinco años.

CAPÍTULO XIII
TRATAMIENTO DE INIMPUTABLES

Artículo 52. Cuando exista alguna de las causas de inimputabilidad a que se refiere el artículo 16, el inculpado, previa determinación pericial según sea el caso, será declarado en estado de interdicción para efectos penales e internado en hospitales psiquiátricos o establecimientos especiales por el término necesario para su tratamiento bajo la vigilancia de la autoridad.

Artículo 53. Si el órgano jurisdiccional lo estima prudente, los trastornados mentales o sordomudos no peligrosos, serán confiados al cuidado de las personas que deban hacerse cargo de ellos para que ejerciten la vigilancia y tratamiento necesario, previo el otorgamiento de las garantías que el juez estime adecuadas.

Artículo 54. La medida de tratamiento no podrá exceder en su duración del máximo de la punibilidad privativa de la libertad que se aplicaría por ese mismo delito, a los sujetos imputables. Si concluido ese tiempo, la autoridad ejecutora considera que el internado continúa necesitando tratamiento o no tiene familiares o éstos se niegan a recibirlo, será puesto a disposición de las autoridades de salud para que procedan conforme a las leyes correspondientes.

CAPÍTULO XIV
AMONESTACIÓN

Artículo 55. La amonestación consiste en la advertencia que el órgano jurisdiccional hace al inculpado, explicándole las consecuencias del delito que cometió, excitándole a la enmienda y previniéndole de las penas que se imponen a los reincidentes. La amonestación se hará en privado o públicamente a juicio del juez, y se impondrá en toda sentencia condenatoria.

CAPÍTULO XV
CAUCIÓN DE NO OFENDER

Artículo 56. La caución de no ofender consiste en la garantía que el órgano jurisdiccional puede exigir al sentenciado para que no repita el daño causado al ofendido. Si se realiza el nuevo daño, la garantía se hará efectiva en forma equitativa a la procuración y administración de justicia en la sentencia que se dicte por el nuevo delito.

Si desde que causa ejecutoria la sentencia que impuso la caución transcurre un lapso de tres años sin que el sentenciado haya repetido el daño, el órgano jurisdiccional ordenará de oficio, o a solicitud de parte, la cancelación de la garantía.

Si el sentenciado no puede otorgar la garantía, ésta será substituida por vigilancia de la autoridad durante un lapso que no excederá de tres años.

CAPÍTULO XVI
TRATAMIENTO

Artículo 56 Bis. El tratamiento consiste en la aplicación de medidas de naturaleza psicoterapéutica, psicológica, psiquiátrica o reeducativa, con perspectiva de género.

El tratamiento tendrá un doble carácter:

a) El que se imponga por disposición expresa de la ley; y

b) El que se imponga discrecionalmente, a los responsables de los delitos de lesiones, violación y homicidio doloso.

La medida de tratamiento no podrá exceder del máximo de la pena privativa de libertad impuesta.

TÍTULO CUARTO
APLICACIÓN DE PENAS

CAPÍTULO I
REGLAS GENERALES

Artículo 57. El órgano jurisdiccional, al dictar sentencia, fijará la pena que estime justa, dentro de los límites establecidos en el código para cada delito, considerando la gravedad del delito y el grado de culpabilidad del sentenciado, teniendo en cuenta:

I. La naturaleza de la acción u omisión y de los medios empleados para ejecutarla;

II. La magnitud del daño causado al bien jurídico y del peligro a que hubiere sido expuesto el ofendido;

III. Las circunstancias de tiempo, lugar, modo u ocasión del hecho realizado;

IV. La forma y grado de intervención del agente en la comisión del delito, así como su calidad y la de la víctima u ofendido y en su caso, su carácter de servidores públicos, para tal efecto, se considerará la circunstancia de que se haya cometido el delito en razón del origen étnico o nacional, género, edad, discapacidades, condición social, condiciones de salud, religión, opiniones, preferencias o estado civil de la víctima, así como los antecedentes de cualquier tipo de violencia de género ejercida por el sujeto activo en contra de la mujer, en razones de género, con motivo del ejercicio de las funciones del servicio público.

V. La edad, la educación, la ilustración, las costumbres, las condiciones sociales y económicas del sujeto, así como los motivos que lo impulsaron o determinaron a delinquir. Cuando el procesado perteneciere a un grupo étnico, indígena se tomarán en cuenta, además, sus usos y costumbres;

VI. El comportamiento posterior del sentenciado con relación al delito cometido;

VII. Las demás condiciones especiales y personales en que se encontraba el agente en el momento de la comisión del delito, siempre y cuando sean relevantes para determinar la posibilidad de haber ajustado su conducta a las exigencias de la norma;

VIII. La calidad del activo como delincuente primario, reincidente o habitual;

En tratándose de delitos culposos, se considerará, además:

IX. La mayor o menor posibilidad de prever y de evitar el daño que resultó;

X. El deber de cuidado del sentenciado que le es exigible por las circunstancias y condiciones personales que el oficio o actividad que desempeñe le impongan;

XI. Si el inculpado ha delinquido anteriormente en circunstancias semejantes;

XII. Si tuvo tiempo para desplegar el cuidado posible y adecuado para no producir o evitar el daño que se produjo;

XIII. El estado y funcionamiento mecánico del objeto que manipulaba el agente; y

XIV. El estado del medio ambiente en el que actuaba.

Artículo 58. Si se trata de un delincuente primario, de escaso desarrollo intelectual, de indigente situación económica y de mínima peligrosidad, podrá el órgano jurisdiccional, en el momento de dictar sentencia, reducir hasta la mitad de la pena que le correspondería conforme a este Código.

Derogado

Derogado

La reducción a que se refiere este artículo no se concederá en delitos de extorsión, lesiones que se infieran a menores, incapaces o pupilos por quien ejerza la patria potestad, tutela o custodia, o por un integrante de su núcleo familiar, homicidio doloso con modificativas que lo califiquen o lo agraven, violación y robo que ocasione la muerte.

CAPÍTULO II
CASOS DE TENTATIVA

Artículo 59. A los inculpados del delito en grado de tentativa, se les aplicarán de uno a dos tercios de la pena prevista para el delito consumado.

CAPÍTULO III
CULPA Y ERROR

Artículo 60. Los delitos culposos serán castigados con prisión de seis meses a diez años, de treinta a noventa días multa y suspensión hasta por cinco años, o privación definitiva de derechos para ejercer profesión u oficio, cuando el delito se haya cometido por infracción de las reglas aconsejadas por la ciencia, arte o disposiciones legales que norman su ejercicio.

Cuando el delito se cometa con motivo de la conducción de vehículos automotores y el imputado se encuentre en estado de ebriedad o bajo el influjo de drogas, enervantes y otras análogas que produzcan efectos similares, además de la pena señalada, se le impondrán de seis meses a un año de prisión, de treinta a cien días multa, y suspensión por un año o privación del derecho de manejar.

Si el delito se comete por conductores de vehículos de transporte público de pasajeros, de personal o escolar en servicio, y el imputado se encuentre en estado de ebriedad o bajo el influjo de drogas enervantes y otras análogas que produzcan efectos similares, siempre que no se cause homicidio, además de la pena señalada, se le impondrán de dos a cuatro años de prisión y de treinta a doscientos días multa y suspensión por un año o privación definitiva del derecho de manejar en caso de reincidencia.

Artículo 61. Si el delito culposo se comete con motivo de la conducción de vehículo de motor de transporte público de pasajeros, de personal o escolar en servicio y se cause el homicidio de una ó más personas, la pena será de tres a doce años de prisión y de cincuenta a doscientos días multa y suspensión del derecho para conducir vehículos de motor de tres a doce años o privación definitiva de este derecho. En caso de reincidencia se le privará definitivamente de este derecho.

Se considerará como grave cuando en la comisión de este delito el conductor incurra en cualquiera de las siguientes circunstancias:

I. Se encuentre en estado de ebriedad;

II. Se encuentre bajo el influjo de drogas, enervantes o psicotrópicos;

III. Abandone a la víctima o no le preste auxilio;

IV. Derogada

V. Cause lesiones a más de tres personas, de las que pongan en peligro la vida o se cause la muerte de dos o más personas.

Cuando por manejar en estado de ebriedad o bajo el influjo de drogas, enervantes y otras análogas que produzcan efectos similares se maneje un vehículo de motor, además de la pena por el delito cometido, se le impondrán de seis meses a un año de prisión, de treinta a cien días multa, y suspensión por un año o privación del derecho de manejar. Si el delito se comete por conductores de vehículos de transporte público de pasajeros, de personal o escolar en servicio, siempre que no se cause homicidio, además de la pena por el delito cometido, se le impondrán de dos a cuatro años de prisión y de treinta a doscientos días multa y suspensión por un año o privación definitiva del derecho de manejar en caso de reincidencia.

Artículo 62. El delito se castigará únicamente con la multa señalada en el párrafo primero del artículo 60, independientemente de la reparación del daño y se perseguirá a petición del ofendido, siempre y cuando el inculpado no se hubiere encontrado en estado de ebriedad o bajo el influjo de drogas u otras substancias que produzcan efectos análogos, cuando la acción culposa origine lesiones de las previstas en los artículos 237 fracción II o 238 fracción II, de este Código.

Tratándose de delitos culposos ocasionados con motivo del tránsito de vehículos, el Ministerio Público podrá aplicar los criterios de oportunidad que establezcan las disposiciones jurídicas.

Artículo 63. No se impondrá pena alguna a quien por culpa y con motivo del tránsito de vehículos en que viaje en compañía de su cónyuge, concubina, concubinario, ascendientes o descendientes consanguíneos y afines, parientes colaterales por consanguinidad hasta el cuarto grado y por afinidad hasta el segundo, ocasione lesiones u homicidio a alguno o algunos de éstos.

Artículo 64. En caso de que el error a que se refiere el inciso b) y numeral 1 de la fracción IV del artículo 15 sea vencible, se impondrá la punibilidad del delito culposo, si el hecho de que se trata admite dicha forma de realización.

Si el error vencible es el previsto en el inciso b) apartado 2, de dicho precepto, la pena será de hasta una tercera parte del delito de que se trate.

Artículo 65. En el caso del primer párrafo del artículo anterior, se sancionarán como delitos culposos: el homicidio simple previsto en el artículo 242 fracción I; homicidio en razón del parentesco contenido en el artículo 242 fracción III; las lesiones contempladas en los artículos 236, 237 y 238; el abandono de incapaz señalado en el artículo 254; el allanamiento de morada previsto en el artículo 268; la revelación de secreto contenida en el artículo 186; el abigeato contemplado en los artículos 296, 297, 298, 299 y 301; daño en los bienes señalado en los artículos 310 y 311; el ejercicio indebido de función pública contenida en el artículo 133 fracciones I, II y III; la evasión referida en los artículos 158 y 161; los ataques a vías de comunicación contemplado en el artículo 192; el delito cometido en el ejercicio de actividades profesionales o técnicas regulado en el artículo 185.

CAPÍTULO IV
CASOS DE EXCESO EN LA LEGITIMA DEFENSA, DE ESTADO DE NECESIDAD Y DE IMPUTABILIDAD DISMINUIDA

Artículo 66. A quien se excediere en los límites señalados para la defensa o la necesidad, porque el daño que iba a sufrir era fácilmente reparable por medios legales o era de menor magnitud que el que causó o bien por no haber tenido necesidad racional del medio empleado, se le impondrá prisión de seis meses a siete años y de treinta a noventa días multa, sin que en ningún caso la pena exceda de las dos terceras partes de la que correspondería al delito simple.

Artículo 67. Cuando la capacidad de comprender el carácter ilícito del hecho típico no puede ser considerado como causa de inculpabilidad del activo por estar solo considerablemente disminuida, se le impondrá de una a dos terceras partes de la pena prevista para el delito cometido.

CAPÍTULO V
CASOS DE CONCURSO

Artículo 68. En caso de concurso se impondrá la pena correspondiente al delito que merezca la mayor, la que deberá aumentarse inclusive hasta la suma de las penas de los demás delitos sin que el total exceda de setenta años de prisión, salvo en los casos previstos en este Código, en que se imponga la pena de prisión vitalicia.

CAPÍTULO VI
CASOS DE REINCIDENCIA Y HABITUALIDAD

Artículo 69. La reincidencia y habitualidad referida en los artículos 19 y 20 será tomada en cuenta para la individualización de la pena y para el otorgamiento o no de los beneficios o de los sustitutivos penales que la Ley prevé.

No se otorgarán beneficios, sustitutivos ni la suspensión de la pena de prisión, aún en el caso de delincuentes primarios, cuando se trate de delitos de:

I. Extorsión;

II. Robo con violencia, a excepción de los casos permitidos en el artículo 83 Bis de este Código;

III. Robo de vehículo;

IV. Robo a casa habitación;

V. Abuso sexual;

VI. Lesiones que se infieran a menores, incapaces o pupilos por quien ejerza la patria potestad, tutela o custodia, o por un integrante de su núcleo familiar;

VII. Homicidio doloso con modificativas que lo califiquen o lo agraven;

VIII. Violación;

IX. Robo que cause la muerte;

X. Feminicidio;

XI. Contra las personas menores de edad y quienes no tienen la capacidad para comprender el significado del hecho previsto en los artículos 204 y 205 de éste Código;

XII. Utilización de imágenes y/o voz de personas menores de edad o personas que no tienen la capacidad para comprender el significado del hecho para la pornografía, previsto en los artículos 206 y 207 de éste Código.

Tratándose de delitos cometidos con violencia de género, no procederán sustitutivos penales, independientemente de la reincidencia o habitualidad del responsable.

CAPÍTULO VII
SUSTITUCIÓN DE PENA

Artículo 70. La pena de prisión impuesta podrá ser sustituida, a juicio del juzgador en los siguientes términos:

I. Por multa, de cincuenta a trescientos días, cuando la pena de prisión no exceda de cuatro años;

II. Por tratamiento en libertad o semilibertad, cuando no exceda de cinco años. En ambos casos, su duración no podrá exceder de la correspondiente a la pena de prisión sustituida, en los siguientes términos:

El tratamiento en libertad consiste en la aplicación de medidas médicas, psicoterapéuticas, psicológicas, psiquiátricas o reeducativas.

La semilibertad implica alternación de periodos de privación de libertad y de tratamiento en libertad. Se aplicarán según las circunstancias del caso del siguiente modo: externamiento durante la semana de trabajo o educativa, con reclusión el fin de semana; salida el fin de semana, con reclusión durante el resto de ésta o salida diurna con reclusión nocturna. El cumplimiento de estas modalidades de semilibertad deberá de llevarse a cabo en instituciones abiertas del sistema penitenciario.

El tratamiento en libertad y el de semilibertad, quedarán bajo la orientación y cuidado del Juez de Ejecución de Sentencias.

La modalidad de la semilibertad la determinará el juez, la que podrá ser modificada por razones de tratamiento, sin alterar su esencia.

III. Por cincuenta a quinientas jornadas de trabajo a favor de la comunidad, cuando la pena de prisión no exceda de cinco años.

IV. Derogada
V. Derogada
VI. Derogada
VII. Derogada
VIII. Cuando se ordene sustituir la pena o la multa por jornadas de trabajo, éstas podrán realizarse a favor de la comunidad en actividades organizadas por instituciones públicas, previo convenio de colaboración y coordinación entre el Tribunal Superior de Justicia del Estado de México y la Subsecretaría de Control Penitenciario a través de la Dirección General de Prevención y Reinserción Social del Estado de México.
IX. Por libertad condicionada al sistema de localización y rastreo cuando la pena no exceda de seis años de prisión.

Artículo 70 Bis. La sustitución de la sanción privativa de libertad procederá cuando se cubran los siguientes requisitos:
I. Que el sentenciado no haya sido condenado con anterioridad por delito doloso que se persiga de oficio;
II. Que haya demostrado buena conducta con anterioridad al delito;
III. Que no se haya sustraído de la acción judicial durante el procedimiento;
IV. Que haya pagado la reparación del daño y la multa;
V. En el caso de las fracciones II y III del artículo 70, que cuente con una persona conocida que se comprometa y garantice a la autoridad ejecutora, el cumplimiento de las obligaciones contraídas por el sustitutivo; y
VI. Que el sentenciado se adhiera al beneficio dentro de los treinta días siguientes a los que cause ejecutoria la sentencia, salvo que se encuentre privado de la libertad, en cuyo caso podrá hacerlo hasta antes de compurgar la pena de prisión impuesta. El Órgano Jurisdiccional, discrecionalmente, a petición del sentenciado que se encuentre en libertad y atendiendo sus condiciones personales, podrá prorrogar este término hasta por treinta días más.
VII. Tratándose de la fracción IX del artículo 70, además de los requisitos anteriores deberá observarse lo siguiente:
a) Tratándose del delito de robo con violencia solo cuando el monto de lo robado sea de hasta noventa veces el valor diario de la Unidad de Medida y Actualización vigente y no se hayan causado lesiones de las comprendidas en las fracciones II o III del artículo 237 o del 238, de este Código.

b) Que compruebe contar en el exterior con un ofrecimiento de trabajo, un oficio, arte o profesión que le permita tener ingresos, o exhiba las constancias que acrediten que continuará estudiando;

c) Que cuente con apoyo familiar o de la sociedad civil que garantice su vinculación a las condiciones que le fueron fijadas para el otorgamiento del beneficio;

d) Que no se encuentre sujeto a ningún proceso pendiente por causa distinta ni tener sentencia ejecutoriada que cumplir en reclusión del fuero común o federal, sea cual fuere el delito;

e) Que se cuente con los elementos técnicos necesarios para el funcionamiento del sistema de posicionamiento global en el domicilio laboral y de reinserción;

f) Que se comprometa a no abandonar el perímetro permitido por el juez y a no comunicarse con la víctima u ofendido, familiares ni testigos que depusieron en su contra, sin autorización judicial; y

g) Que cuente con domicilio laboral y de reinserción, que garantice la finalidad de la reinserción social, a juicio del Juez de Ejecución.

El juez dejará sin efectos la sustitución y ordenará que se ejecute la pena de prisión impuesta cuando al sentenciado se le condene en otro proceso por delito doloso que cause ejecutoria, o cuando el sentenciado no cumpla con las condiciones que le fueren señaladas para tal efecto por la Autoridad Ejecutora, salvo que el juzgador estime conveniente en este último caso, apercibirlo de que si incurre en una nueva falta, se hará efectiva la sanción sustituida.

CAPÍTULO VIII
SUSPENSIÓN CONDICIONAL DE LA CONDENA

Artículo 71. La pena de prisión impuesta podrá ser suspendida motivadamente por el órgano jurisdiccional, a petición de parte o de oficio, cuando no exceda de cinco años y además se reúnan los requisitos siguientes:

I. Derogada.

II. Que el sentenciado no haya sido condenado con anterioridad por delito doloso que se persiga de oficio;

III. Que haya demostrado buena conducta con anterioridad al delito;

IV. Que tenga modo honesto de vivir;

V. Que no se haya sustraído a la acción judicial durante el procedimiento; y

VI. Que haya pagado la reparación del daño y la multa.

El sentenciado se podrá adherir al beneficio hasta antes de compurgar la pena de prisión impuesta.

No procederá este beneficio en los delitos de violencia de género.

Artículo 72. Para gozar del beneficio a que se refiere el artículo anterior, el sentenciado estará obligado a:

I. Sujetarse a las medidas que le fijen para asegurar su presentación ante la autoridad siempre que fuere requerido;

II. Observar buena conducta durante el término de suspensión;

III. Desempeñar ocupación lícita;

IV. Presentarse mensualmente ante la autoridad que ejerza el cuidado y vigilancia;

V. Presentarse ante las autoridades judiciales o del órgano ejecutor de sentencias cuantas veces sea requerido para ello;

VI. Obligarse a residir en determinado lugar del que no podrá ausentarse sin permiso de la autoridad ejecutora;

VII. Abstenerse de causar molestias al ofendido o a sus familiares;

VIII. Acreditar que se ha cubierto la reparación del daño y la multa; y

IX. Cuente con una persona conocida, que se comprometa y garantice a la Autoridad Ejecutora, el cumplimiento de las obligaciones contraídas por el beneficio.

Artículo 73. La suspensión tendrá una duración igual a la de la pena suspendida. Una vez transcurrida ésta, se considerará extinguida la pena impuesta, siempre que durante este término el sentenciado no diere lugar a nuevo proceso por delito doloso que concluya con sentencia condenatoria, en cuyo caso el juez revocará la suspensión concedida y ordenará la ejecución de la sentencia.

Si el sentenciado falta al cumplimiento de las obligaciones contraídas, el juez podrá hacer efectiva la pena suspendida o apercibirlo de que si vuelve a faltar a alguna de las condiciones fijadas, se hará efectiva dicha pena.

Al sentenciado que se le haya suspendido la pena se le harán saber las obligaciones a las que queda sujeto, así como los efectos del incumplimiento de las mismas, lo que se asentará en diligencia formal, sin que la falta de ésta impida en su caso la aplicación de lo previsto en este artículo.

Artículo 73 Bis. El sentenciado que considere que al dictarse sentencia, en la que no hubo pronunciamiento sobre la sustitución o suspensión de la pena, reunía las condiciones fijadas para su obtención y que está en aptitud de cumplir con los requisitos para su otorgamiento, podrá promover ante el juez de la causa, una vez que la sentencia haya causado ejecutoria.

Las jornadas de trabajo a favor de la comunidad consisten en la prestación de servicios no remunerados, preferentemente en instituciones públicas educativas y de asistencia social o en instituciones privadas asistenciales; el sentenciado deberá acreditar haber realizado por lo menos en una semana, tres jornadas de trabajo no remuneradas a favor de la comunidad, en razón de dos horas por jornada, las cuales se ajustarán a los horarios en los que éste pueda realizarlas, de acuerdo al programa que para ese fin establezca la institución en la cual va a realizarlas.

Artículo 74. La infracción a cualquiera de estas obligaciones será motivo de revocación de la suspensión condicional de la pena.

Artículo 75. Para lograr el cumplimiento de todas estas obligaciones, el beneficiado con la suspensión condicional otorgará ante el órgano jurisdiccional una fianza que éste señalará tomando en consideración las posibilidades económicas del inculpado, la pena impuesta, la naturaleza del delito y las circunstancias de su comisión. La fianza podrá ser sustituida parcial o totalmente por trabajo en favor de la comunidad.

Artículo 76. A los sentenciados a quienes se conceda el beneficio de la suspensión condicional, se les harán saber las obligaciones que adquieren en los términos del artículo 73, lo que se asentará en diligencia formal, sin que la falta de ésta impida en su caso, la aplicación de lo previsto en el artículo 74.

Artículo 77. El beneficiado debe cumplir durante el término de suspensión con las demás condiciones que la Ley Nacional de Ejecución Penal señale.

Artículo 78. Si transcurrido el término de suspensión el sentenciado no ha cometido un nuevo delito se extinguirá la pena suspendida y, en caso contrario, se ejecutará.

CAPÍTULO IX
REMISIÓN JUDICIAL DE LA PENA

Artículo 79. El órgano jurisdiccional, al pronunciar sentencia, podrá recomendar al juez ejecutor de sentencias, la remisión de la pena, si concurren las siguientes circunstancias:

I. Que el sentenciado haya obrado por motivos excepcionales, o que considere el órgano jurisdiccional que no es necesaria la pena por las circunstancias particulares del caso;

II. Que no revele peligrosidad; y

La remisión de la pena no exime de la obligación de reparar el daño.

Artículo 80. La recomendación deberá ser confirmada por el tribunal de alzada correspondiente.

CAPÍTULO X
EJECUCIÓN DE PENAS

Artículo 81. La ejecución de penas privativas y restrictivas de la libertad corresponde al Poder Ejecutivo y al Poder Judicial del Estado en la forma expresada en el Código Nacional de Procedimientos Penales y en la legislación en materia de ejecución de penas. Estos no podrán ejecutar pena alguna en otra forma que la expresada en la Legislación aplicable.

Artículo 82. La imposición de una pena de inhabilitación para ejercer funciones, empleos, y comisiones o de privación o de suspensión de derechos origina el deber jurídico de cumplirlas, y su quebrantamiento constituye delito de quebrantamiento de pena.

Artículo 83. La multa y la reparación del daño en el caso del artículo 36 se ejecutarán mediante el ejercicio del procedimiento fiscal respectivo. En los demás casos la reparación del daño se hará efectiva a instancia de parte y conforme al Código Nacional de Procedimientos Penales.

CAPÍTULO XI
BENEFICIO DE LIBERTAD CONDICIONADA AL SISTEMA DE LOCALIZACIÓN Y RASTREO

Artículo 83 Bis. El beneficio de la libertad condicionada al sistema de localización y rastreo podrá ser otorgado, siempre y cuando se cubran los siguientes requisitos:

I. Que sea delincuente primario;

II. Tratándose del delito de robo con violencia solo cuando el monto de lo robado sea de hasta noventa veces el valor diario de la Unidad de Medida y Actualización vigente y no se hayan causado lesiones de las comprendidas en la fracción III del artículo 237 o del 238, de este Código;

III. Que la pena privativa de libertad sea desde tres años hasta quince años;

IV. Que sea solicitado dentro de los dos años antes de tener derecho a la libertad condicional;

V. Que pague la reparación del daño y la multa impuesta;

VI. Que alguna persona con reconocida solvencia moral y arraigo se obligue a supervisar y cuidar que el beneficiado cumpla con las condiciones impuestas al momento de su liberación, la cual deberá residir en la misma localidad a la que se integrará el beneficiado;

VII. Que compruebe contar en el exterior con un ofrecimiento de trabajo, un oficio, arte o profesión que le permita tener ingresos, o exhiba las constancias que acrediten que continuará estudiando;

VIII. Que cuente con apoyo familiar o de la sociedad civil que garantice su vinculación a las condiciones que le fueron fijadas para el otorgamiento del beneficio;

IX. Que no se encuentre sujeto a ningún proceso pendiente por causa distinta ni tener sentencia ejecutoriada que cumplir en reclusión del fuero común o federal, sea cual fuere el delito;

X. Que se cuente con los elementos técnicos necesarios para el funcionamiento del sistema de posicionamiento global en el domicilio laboral y de reinserción;

XI. Que se comprometa a no abandonar el perímetro permitido por el juez y a no comunicarse con la víctima u ofendido, familiares ni testigos que depusieron en su contra, sin autorización judicial;

XII. Que cuente con domicilio laboral y de reinserción, que garantice la finalidad de la reinserción social, a juicio del Juez de Ejecución.

A quien se le revoque este beneficio, no volverá a gozar del mismo por cualquier delito.

El beneficio de libertad condicionada al sistema de localización y rastreo es un medio de ejecutar la sanción penal hasta en tanto se alcance la prelibertad, o libertad condicional.

Tratándose delitos cometidos con violencia de género no se aplicará este beneficio.

Artículo 83 Ter. El beneficio de libertad condicionada al sistema de localización y rastreo, será revocado por el Juez Ejecutor de Sentencias en los siguientes casos:

I. Por estar vinculado a un nuevo proceso penal por delito sancionado con prisión; dejándose sin efecto la revocación al existir resolución que lo deje en libertad definitiva;

II. Cuando incumpla las condiciones con que le fue otorgada, sin causa justificada; y

III. Cuando el sentenciado presente conductas no acordes al tratamiento preliberacional instaurado.

TÍTULO QUINTO
EXTINCIÓN DE LA PRETENSIÓN PUNITIVA

CAPÍTULO I
CUMPLIMIENTO DE LA PENA O MEDIDA DE SEGURIDAD

Artículo 84. Las penas y medidas de seguridad se extinguen con todos sus efectos, en el momento en que se agota su cumplimiento o por las que hayan sido sustituidas o conmutadas. Asimismo, la que se hubiese suspendido se extinguirá por el cumplimiento de los requisitos establecidos al otorgarla, en los términos y dentro de los plazos legalmente aplicables.

CAPÍTULO II
SENTENCIA O PROCEDIMIENTO PENAL ANTERIOR

Artículo 85. Nadie puede ser juzgado dos veces por el mismo delito, ya sea que en el juicio se le absuelva o se le condene. Cuando se hubiese dictado sentencia en un proceso y aparezca que exista otro en relación con la misma persona o por los mismos hechos considerados en aquél, concluirá el segundo proceso mediante resolución que dictará de oficio la autoridad que esté conociendo. Si existen dos sentencias sobre los mismos hechos, se extinguirán los efectos de la dictada en segundo término.

CAPÍTULO III
LEY MÁS FAVORABLE

Artículo 86. Cuando por virtud de una nueva ley se suprima un tipo penal, se extinguirá la potestad punitiva correspondiente y se pondrá en absoluta e inmediata libertad al inculpado o sentenciado y cesarán todos los efectos del procedimiento penal o de la condena misma. El Ministerio Público, el juez o en su caso el órgano ejecutor, aplicará de oficio la nueva ley más favorable.

CAPÍTULO IV
EXTINCIÓN DE LAS MEDIDAS DE TRATAMIENTO DE INIMPUTABLES

Artículo 87. La ejecución de la medida de tratamiento se considerará extinguida si se acredita que las condiciones personales del sujeto no corresponden a las que hubieran dado origen a su imposición.

CAPÍTULO V
MUERTE DEL INCULPADO

Artículo 88. La muerte del inculpado extingue la pretensión punitiva, incluso la pena impuesta, con excepción del decomiso de los instrumentos y efectos del delito.

CAPÍTULO VI
AMNISTÍA

Artículo 89. La amnistía extingue la pretensión punitiva y todas las consecuencias jurídicas del delito, como si éste no se hubiere cometido, sin perjuicio de la reparación del daño.

CAPÍTULO VII
INDULTO

Artículo 90. El indulto por gracia de la pena impuesta en la sentencia irrevocable, la extingue por lo que respecta a su cumplimiento, pero no en sus efectos en cuanto se refiere a la reincidencia ni a la obligación de reparar el daño.

El indultado no podrá habitar en el mismo lugar que el ofendido, su cónyuge, ascendientes o descendientes por el tiempo que, a no mediar indulto, debería durar la condena, quedando en caso contrario, sin efecto el indulto concedido.

En delitos de violencia de género no procederá el indulto.

CAPÍTULO VIII
PERDÓN DEL OFENDIDO

Artículo 91. El perdón del ofendido extingue la pretensión punitiva y la pena en su caso, respecto de los delitos que se persiguen por querella necesaria. Otorgado el perdón y no habiendo oposición a él, no podrá revocarse.

Tratándose de delitos cometidos con violencia de género no se admitirá el perdón.

El perdón puede ser otorgado por la persona ofendida o por su representante legal. Si la persona ofendida cuenta con la designación de apoyos extraordinarios el órgano jurisdiccional o el Ministerio Público, deberán a su prudente arbitrio, determinar si conceden o no eficacia al otorgado por la persona designada como apoyo extraordinario y en caso de no aceptarlo, seguir el procedimiento. Cuando la persona ofendida sea menor de edad, el órgano jurisdiccional o el Ministerio Público, deberán valorar si conceden o no eficacia al perdón tomando en cuenta la opinión de la Procuraduría de Protección de Niñas, Niños y Adolescentes, y en caso de no aceptarse se continuará con el procedimiento.

El perdón concedido a uno de los inculpados se extenderá a todos los demás. Igualmente se extenderá al encubridor.

El perdón podrá ser otorgado en cualquiera de las etapas del procedimiento penal. Si la sentencia ha causado ejecutoria, la victima u ofendido podrán otorgarlo ante el tribunal de alzada.

Si se trata de delito que amerite prisión preventiva oficiosa o si el inculpado se sustrae a la acción de la justicia, el delito prescribirá en un término igual a la pena máxima del ilícito de que se trate.

CAPÍTULO IX
REVISIÓN EXTRAORDINARIA

Artículo 92. La sentencia dictada en recurso de revisión extraordinaria, sólo en el caso de que declare la inocencia del inculpado, extingue las penas impuestas si el reo está cumpliéndolas. Si las ha cumplido, viva o no, da derecho a él o a sus herederos, en sus respectivos casos, a obtener la declaratoria de su inocencia.

CAPÍTULO X
REHABILITACIÓN

Artículo 93. La rehabilitación tiene por objeto reintegrar al sentenciado en el ejercicio de los derechos políticos, civiles o de familia que hubiere perdido o estuvieron en suspenso.

CAPÍTULO XI
REGLAS GENERALES DE LA PRESCRIPCIÓN

Artículo 94. La prescripción extingue la pretensión punitiva y las penas.

Serán imprescriptibles los delitos que establezcan como pena máxima la prisión vitalicia y aquellos que sean en perjuicio de niñas, niños, adolescentes y mujeres víctimas de violencia de género.

Artículo 95. La prescripción es personal y para ella bastará el simple transcurso del tiempo señalado por la ley.

La prescripción producirá su efecto, aunque no la alegue en su defensa el inculpado. El Ministerio Público y el órgano jurisdiccional la harán valer de oficio, sea cual fuere el estado del proceso.

CAPÍTULO XII
PRESCRIPCIÓN DE LA PRETENSIÓN PUNITIVA

Artículo 96. El término para la prescripción de la pretensión punitiva será continuo y se contará a partir del día en que se cometió el delito, si fuere instantáneo; desde que cesó, si fuere permanente; desde el día en que se hubiere realizado el último acto de ejecución, si fuere continuado o en caso de tentativa.

En los casos de delitos cometidos en contra de menores de edad, el plazo para la prescripción comenzará a contar a partir de que la víctima sea mayor de edad.

Artículo 97. La pretensión punitiva del delito que se persigue de oficio, prescribirá en un lapso igual al término medio aritmético de la pena privativa de la libertad que le corresponde, pero en ningún caso será menor de tres años, siempre que no se haya ejercitado acción penal pues en caso contrario se atenderá al delito señalado en el auto de vinculación a proceso.

Si la pena asignada al delito no fue la de prisión, la pretensión punitiva prescribirá en un año.

Si se trata de delito grave o si el inculpado se sustrae de la justicia, el delito prescribirá en un término igual a la pena máxima del ilícito de que se trate.

El delito que se persigue de querella o el acto equivalente, prescribirá en un año, contado a partir de que quien pueda formularla tenga conocimiento del delito. En ningún caso podrá exceder de tres años contados a partir de su consumación.

Artículo 98. En el caso de concurso de delitos, las acciones penales que de ellos resulten, prescribirán separadamente en el término señalado en cada uno.

Artículo 99. Cuando para deducir una acción penal sea necesaria la terminación de un juicio por sentencia ejecutoria o la declaración previa de alguna autoridad, la prescripción no empezará a correr sino hasta que se hayan satisfecho estos requisitos.

Artículo 100. La prescripción de la acción penal se interrumpirá por las actuaciones del Ministerio Público que se practiquen en la investigación del delito.

Si se dejare de actuar, la prescripción comenzará a contarse de nuevo desde el día siguiente a la última actuación.

Durante la suspensión condicional del proceso a prueba, se interrumpe la prescripción de la acción penal.

El plazo fijado para el cumplimiento de las obligaciones pactadas en un acuerdo reparatorio, interrumpe la prescripción de la acción penal.

CAPÍTULO XIII
PRESCRIPCIÓN DE LAS PENAS

Artículo 101. Los términos para la prescripción de las sanciones serán continuos y correrán desde el día siguiente a aquél en que el inculpado las quebrante si fueren privativas de libertad, y si no lo fueren desde la fecha en que cause ejecutoria la sentencia.

Artículo 102. Las penas privativas de libertad prescribirán por el transcurso de un término igual al de su duración y una cuarta parte más, pero en ningún caso será menor de cinco años ni mayor de treinta y cinco. Las demás sanciones prescribirán en cinco años.

Artículo 103. Cuando se haya cumplido parte de la pena privativa de la libertad, se necesitará para la prescripción un tiempo igual al que falte para cumplir la condena, y una cuarta parte más de dicho tiempo, sin que pueda exceder de veinte años.

Artículo 104. La prescripción de las penas privativas de libertad, sólo se interrumpirá aprehendiendo al inculpado, aunque sea por diverso delito.

Artículo 105. La reparación del daño prescribe en diez años contados a partir de la fecha en que cause ejecutoria la sentencia.

Artículo 106. La prescripción de las penas de multa y reparación del daño a favor de la procuración y administración de justicia se interrumpirá, en el caso del artículo 36 por el inicio del procedimiento fiscal respectivo y, en cualquier otro por la presentación de la demanda para hacerla efectiva.

CAPÍTULO XIV
CRITERIO DE OPORTUNIDAD

Artículo 106 Bis. La aplicación de un criterio de oportunidad, extingue la acción penal, con respecto del autor o partícipe en cuyo beneficio se dispuso.

Si la decisión se funda en la insignificancia del hecho, sus efectos se entenderán a todos los que reúnan las mismas condiciones.

Tratándose de delitos cometidos con violencia de género no aplicarán los criterios de oportunidad.

CAPÍTULO XV
ACUERDO REPARATORIO

Artículo 106 Ter. El cumplimiento de lo acordado a través de un mecanismo alternativo de solución de controversias, extingue la acción penal.

CAPÍTULO XVI
SUSPENSIÓN CONDICIONAL DEL PROCESO A PRUEBA

Artículo 106 Quater. La suspensión condicional del proceso a prueba no revocada, extingue la acción penal.

CAPÍTULO XVII
NO EJERCICIO DE LA ACCIÓN PENAL

Derogado

Artículo 106 Quintus. Derogado

LIBRO SEGUNDO

TÍTULO PRIMERO
DELITOS CONTRA EL ESTADO

SUBTÍTULO PRIMERO
DELITOS CONTRA LA SEGURIDAD DEL ESTADO

CAPÍTULO I
REBELIÓN

Artículo 107. Cometen el delito de rebelión los que no siendo militares en ejercicio, con violencia y uso de armas, traten de:

I. Abolir o reformar la Constitución Política del Estado o las instituciones públicas que de ella emanen;

II. Impedir la integración y funcionamiento de las instituciones públicas o su libre ejercicio; y

III. Separar de sus cargos al gobernador del Estado, a los secretarios de gobierno, al procurador general de justicia, a los diputados de la legislatura local, a los magistrados del tribunal superior de justicia, a los presidentes municipales y cualquier servidor público de elección popular.

A los responsables de este delito se les impondrán de uno a seis años de prisión y de treinta a ciento cincuenta días multa.

A los autores intelectuales y a quienes dirijan, organicen, inciten, compelan o patrocinen económicamente a otros, para cometer el delito de rebelión, se les impondrán de seis a doce años de prisión y de cien a mil días multa.

Artículo 108. Comete el mismo delito el que residiendo en territorio ocupado por el gobierno bajo la protección y garantía de éste, proporcione voluntariamente a los rebeldes, hombres para el servicio de las armas, municiones, dinero, víveres, medios de transporte o de comunicación, o impida que las fuerzas de seguridad pública del gobierno reciban esos auxilios, se le impondrán de dos a quince años de prisión y de treinta a doscientos días multa.

La prisión será de uno a tres años, si residieren en territorio ocupado por los rebeldes.

A los servidores públicos del Estado y municipios, de organismos auxiliares estatales o municipales y fideicomisos públicos, que teniendo por razón de su cargo documentos de interés estratégico, los proporcionen a los rebeldes, se les impondrán de dos a quince años de prisión y de cincuenta a quinientos días multa.

Artículo 109. También incurren en el mismo delito los que:

I. No siendo militares, en cualquier forma o por cualquier medio inviten a una rebelión;

II. Estando bajo la protección y garantía del gobierno, oculten o auxilien a los espías o exploradores de los rebeldes, sabiendo que lo son;

III. Rotas las hostilidades y estando en las mismas condiciones, mantenga relaciones con el enemigo, para proporcionarle informes concernientes a las operaciones militares u otros que le sean útiles; y

IV. Voluntariamente acepten un empleo, cargo o comisión, en el lugar ocupado por los rebeldes.

A éstos, se les impondrán de seis meses a dos años de prisión.

Artículo 110. A los servidores públicos, así como a los rebeldes que después del combate, dieren muerte a los prisioneros, se les impondrán de quince a treinta y cinco años de prisión.

Artículo 111. Los rebeldes no serán responsables de las muertes ni lesiones inferidas en el acto de un combate; pero sí, de todo homicidio que se cometa y de toda lesión que se cause fuera de la lucha.

Artículo 112. No se impondrá pena a los que depongan las armas antes de ser tomados prisioneros si no hubiesen cometido algún otro delito además del de rebelión.

CAPÍTULO II
SEDICIÓN

Artículo 113. Cometen el delito de sedición los que, reunidos tumultuariamente, sin uso de armas, se resistan a la autoridad o la ataquen para impedir el libre ejercicio de sus funciones, con alguno de los propósitos a que se refiere el artículo 107 y se les impondrán de seis meses a dos años de prisión.

A los autores intelectuales, a quienes dirijan, organicen, inciten, compelan o patrocinen económicamente a otros, para cometer el delito de sedición, se les impondrán de dos a doce años de prisión y de cincuenta a trescientos días multa.

CAPÍTULO III
MOTÍN

Artículo 114. Cometen el delito de motín quienes para hacer uso de un derecho o pretextando su ejercicio, o para evitar el cumplimiento de una ley, se reúnan tumultuariamente y perturben el orden público, o amenacen a la autoridad para intimidarla y obligarla a tomar alguna determinación, y se les impondrán de tres a seis meses de prisión y de treinta a ciento cincuenta días multa.

A los autores intelectuales, a quienes dirijan, organicen, inciten, compelan o patrocinen económicamente a otros, para cometer el delito de motín, se les impondrán de uno a tres años de prisión y de cincuenta a doscientos días multa.

CAPÍTULO IV
DISPOSICIONES GENERALES

Artículo 115. Para todos los efectos legales se considerarán como delitos contra el Estado los consignados en este subtítulo, con excepción de los previstos en el artículo 110 y los demás que se cometan con motivo de la rebelión, sedición o motín y no estén comprendidos en este subtítulo.

Artículo 116. Además de las penas señaladas en los delitos de rebelión, sedición o motín, se impondrá a los inculpados la suspensión o la privación de sus derechos políticos.

CAPÍTULO V
USO INDEBIDO DE LOS SISTEMAS DE EMERGENCIA

Artículo 116 Bis. Comete el delito de uso indebido de los sistemas de emergencia el que dolosamente por cualquier medio reporte hechos falsos a instituciones públicas o privadas que presten servicios de emergencia, protección civil, bomberos o seguridad pública, que haga necesaria la movilización y presencia de elementos de dichas instituciones.

Al responsable de esta conducta se le se impondrá de tres meses a un año de prisión y de diez a cincuenta días multa.

En caso de reincidencia se impondrá de dos a tres años de prisión y de doscientos a quinientos días multa.

SUBTÍTULO SEGUNDO
DELITOS CONTRA LA ADMINISTRACIÓN PÚBLICA

CAPÍTULO I
DESOBEDIENCIA

Artículo 117. Comete el delito de desobediencia el que sin causa legítima rehusare prestar un servicio de interés público a que la ley lo obligue.

También comete este delito, quien desobedezca una medida cautelar, providencia precautoria o medida de protección dictada por el Ministerio Público o por una autoridad judicial o cualquier mandato legítimo de una autoridad competente.

También incurre en este delito, quien sujeto a la libertad condicionada al sistema de localización y rastreo intente abandonar el perímetro permitido o lo abandone. De igual forma, el servidor público que propicie o auxilie el abandono del sentenciado del perímetro permitido o que le ayude en su intento de abandonarlo. En esta última hipótesis, la pena se incrementará hasta en un tercio, con independencia de las sanciones administrativas que correspondan al servidor público.

Al responsable de este delito, se le impondrán de uno a cinco años de prisión y de sesenta a doscientos días multa.

Artículo 118. También comete este delito el que debiendo ser examinado por la autoridad, sin que le aprovechen las excepciones constitucionales ni las establecidas por este código o el de procedimientos penales, se niegue a otorgar la protesta de ley o a declarar y se le impondrán de treinta a cien días multa. En caso de reincidencia se le impondrá prisión de seis meses a un año y de cuarenta a doscientos días multa.

Cuando el conductor de cualquier vehículo de transporte público de pasajeros que, al ser requerido por la autoridad competente, no comparezca o se niegue a acudir a formular su denuncia ante el Ministerio Público por la comisión de una conducta presuntamente constitutiva de delito en su agravio o de los usuarios durante la prestación del servicio correspondiente, se impondrá una pena de seis meses a tres años de prisión y suspensión del derecho para conducir vehículo automotor por un término igual al de la pena impuesta, sin perjuicio de las penas que le correspondan por cualquier otra conducta.

Artículo 119. Cuando la ley autorice el empleo de medios de apremio para hacer efectivas las determinaciones de la autoridad, el delito se comete cuando se haya agotado el medio idóneo impuesto, previo apercibimiento por parte de la autoridad.

CAPÍTULO II
RESISTENCIA

Artículo 120. Comete el delito de resistencia el que empleando la fuerza, el amago o la amenaza, se oponga a que la autoridad o sus agentes ejerzan alguna de sus funciones o se niegue al cumplimiento de un mandato dictado en forma legal, y se le impondrán de uno a dos años de prisión y de treinta a cien días multa.

CAPÍTULO III
COACCIÓN

Artículo 121. Comete este delito quien coaccione a la autoridad por medio de la violencia física o moral, para obligarla a que ejecute un acto oficial, sin los requisitos legales, u otro que no esté en sus atribuciones, y se le impondrán de seis meses a un año de prisión y de treinta a cien días multa.

CAPÍTULO IV
OPOSICIÓN A LA EJECUCIÓN DE OBRAS O TRABAJOS PÚBLICOS

Artículo 122. Comete este delito el que impida en forma material la ejecución de una obra, trabajo público, programa o cualquier otro tipo de beneficio colectivo, ordenados con los requisitos legales por la autoridad competente o con su autorización y se le impondrán seis meses de prisión y de treinta a sesenta días multa.

Artículo 123. Cuando el delito se cometa por varias personas de común acuerdo, si no hubiere violencia a las personas, la pena será de seis meses a dos años de prisión y de treinta a ciento cincuenta días multa. Habiéndola, podrá extenderse la pena de uno a cuatro años de prisión y de cincuenta a doscientos días multa. Se impondrán de dos a seis años de prisión y de cincuenta a quinientos días multa, a los autores intelectuales, a quienes dirijan, organicen, inicien, compelan o patrocinen económicamente a otros, para cometer el delito de oposición a la ejecución de obras o trabajos públicos.

CAPÍTULO V
QUEBRANTAMIENTO DE SELLOS

Artículo 124. Comete este delito el que quebrante los sellos puestos por orden de la autoridad competente o quebrante la restricción impuesta por la autoridad aun sin afectar los sellos y se le impondrán de uno a siete años de prisión y de cien a quinientos días multa.

Cuando el quebrantamiento se haga en sellos colocados en unidades económicas con venta de bebidas alcohólicas, las penas se aumentarán hasta en una mitad.

Se equipara al delito de quebrantamiento de sellos y se sancionará con una pena de cuatro a ocho años de prisión y de quinientos a mil días multa al titular, propietario o responsable en unidades económicas con venta de bebidas alcohólicas y en las unidades económicas dedicadas al aprovechamiento de vehículos usados, en estado de clausura o suspensión de actividades, que use, realice, promueva o tolere actos de comercio, o prestación de un servicio en el inmueble, aun cuando los sellos permanezcan incólumes.

Artículo 124 Bis. Incurre en igual delito y se le impondrá de tres a ocho años y seis meses de prisión y de quinientos a mil días multa, al que obligado por una resolución de autoridad competente a mantener el estado de clausura o de suspensión de actividades, no la acate.

Artículo 125. Incurren en igual delito las partes en un juicio civil, cuando de común acuerdo alteren, destruyan o quiten, los sellos puestos por la autoridad y se les impondrán de treinta a doscientos días multa.

CAPÍTULO VI
ULTRAJES

(Derogado)

Artículo 126. Derogado.

Artículo 127. Derogado.

CAPÍTULO VII
COHECHO

(Derogado)

Artículo 128. Derogado.

Artículo 129. Derogado.

Artículo 130. Derogado.

Artículo 131. Derogado.

CAPÍTULO VIII
INCUMPLIMIENTO, EJERCICIO INDEBIDO Y ABANDONO DE FUNCIONES PÚBLICAS

(Derogado)

Artículo 132. Derogado.

Artículo 133. Derogado.

Artículo 134. Derogado.

CAPÍTULO IX
COALICIÓN

(Derogado)

Artículo 135. Derogado.

CAPÍTULO X
ABUSO DE AUTORIDAD

(Derogado)

Artículo 136. Derogado.

Artículo 136 Bis. Derogado.

Artículo 136 Ter. Derogado.

Artículo 137. Derogado.

Artículo 137 Bis. Derogado.

CAPÍTULO XI
TRÁFICO DE INFLUENCIA

(Derogado)

Artículo 138. Derogado.

CAPÍTULO XII
CONCUSIÓN

(Derogado)

Artículo 139. Derogado.

CAPÍTULO XIII
PECULADO

(Derogado)

Artículo 140. Derogado.

CAPÍTULO XIV
ENRIQUECIMIENTO ILÍCITO

(Derogado)

Artículo 141. Derogado.

Artículo 142. Derogado.

Artículo 143. Derogado.

CAPÍTULO XV
DISPOSICIONES COMUNES

(Derogado)

Artículo 144. Derogado.

Artículo 145. Derogado.

CAPÍTULO XV BIS
DE LOS DELITOS CONTRA EL SERVICIO PÚBLICO Y DISTRIBUCIÓN DEL AGUA

Artículo 145 Bis. A quien teniendo la obligación legal, no supervise o ejecute el proceso de desinfección del agua potable que se encuentre bajo su responsabilidad, se le impondrán de dos a seis años de prisión y de cincuenta a doscientos días multa.

Si el responsable es servidor público, además de las penas señaladas en el párrafo anterior, se le destituirá e inhabilitará hasta por seis años.

Artículo 145 Ter. A quien distribuya o suministre agua potable a través de pipa u otro medio de almacenamiento, sin contar con el permiso de distribución o la evaluación correspondiente, expedidos por la autoridad competente, con la finalidad de obtener un beneficio económico, se le impondrán de dos a seis años de prisión y de cincuenta a doscientas unidades de medida y actualización.

Artículo 145 Quater. A quien distribuya agua potable a través de pipa, y la extraiga u obtenga de una fuente de abastecimiento diversa a la autorizada, se le impondrá de uno a tres años de prisión y de veinticinco a cien unidades de medida y actualización.

Artículo 145 Quinquies. Al que sin causa justificada altere, impida o restrinja de cualquier forma el flujo de agua destinado al suministro de los usuarios de dicho servicio, se impondrá de dos a seis años de prisión y de cincuenta a doscientas unidades de medida y actualización.

Artículo 145 Sexies. Al que, sin autorización, concesión, licencia o permiso expedido por la autoridad competente, sustraiga o se apropie del agua potable de la infraestructura hidráulica, independientemente del uso que se le destine, se le impondrá de dos a seis años de prisión y de cien a quinientas unidades de medida y actualización.

Si la persona es servidora pública, que disponga, supervise, controle, maneje, o por su encargo o comisión, puedan abastecer o facilitar la sustracción de agua potable de la infraestructura hidráulica estatal, además de las penas señaladas en el párrafo anterior, se incrementará con una mitad adicional; lo anterior, sin perjuicio de las sanciones que procedan por la responsabilidad administrativa en la que incurran.

Artículo 145 Septies. Se equiparán al delito de sustracción o apropiación de agua potable las siguientes conductas:

I. El comercializar o explotar agua potable sustraída o apropiada.

II. El almacenar, ocultar, poseer o resguardar agua potable sustraída o apropiada para su uso o consumo en cualquier modalidad.

III. El transportar, suministrar o distribuir por cualquier medio el agua potable sustraída o apropiada.

Las conductas señaladas en el párrafo anterior, se sancionarán de la siguiente manera:

a) Cuando la cantidad sea mayor a cuatrocientos litros, se le impondrá de uno a tres años de prisión y de cien a doscientas unidades de medida y actualización.

b) Cuando la cantidad sea mayor a quinientos litros, pero menor o equivalente a cinco mil litros, se le impondrá de dos a seis años de prisión y de ciento cincuenta a trescientas unidades de medida y actualización.

c) Cuando la cantidad sea mayor a cinco mil litros, se le impondrá de cuatro a ocho años de prisión y de doscientas a cuatrocientas unidades de medida y actualización.

Artículo 145 Octies. Al propietario, arrendatario, poseedor, detentador o a quien se ostente como tal de algún predio donde exista una toma que sustraiga o se apropie del agua potable de la infraestructura hidráulica, se le impondrá de dos a cuatro años de prisión y de ciento cincuenta a trescientas unidades de medida y actualización.

CAPÍTULO XVI
DE LOS DELITOS COMETIDOS POR SERVIDORES PÚBLICOS EN AGRAVIO DE LA HACIENDA PÚBLICA ESTATAL O MUNICIPAL Y DE ORGANISMOS DEL SECTOR AUXILIAR

Artículo 146. Incurren en la responsabilidad penal, a que se refiere este capítulo, los servidores públicos de la hacienda pública estatal, municipal y de organismos del sector auxiliar en los siguientes casos:

I. Los que por imprevisión o negligencia, falta de cuidado por no tomar las precauciones necesarias, ocasionen daño a la hacienda pública estatal, municipal u organismos del sector auxiliar;

II. Los que autoricen o impriman formas fiscales sin tener facultad para hacerlo;

III. Los que omitan ingresar a la hacienda pública estatal o municipal o a los organismos del sector auxiliar los donativos que cualquier persona les otorgue;

IV. Los que hagan uso personal de los fondos de la hacienda pública estatal, municipal o de organismos del sector auxiliar.

V. Los que dispongan del patrimonio del Estado, municipios o de organismos del sector auxiliar, ya sea en dinero o en especie sin sujetarse al trámite legal correspondiente.

VI. Los que intencionalmente o por omisión notoria, dejen de efectuar la gestión fiscal correspondiente en perjuicio de la hacienda estatal o municipal; y

VII. Los servidores públicos que realicen labores de fiscalización, auditoría o glosa y que intencionalmente, por imprevisión, negligencia o por falta de cuidado, propician el ocultamiento de algún delito cometido por los servidores públicos de la hacienda pública estatal, municipal y de organismos del sector auxiliar.

Se impondrán de tres a cinco años de prisión a los servidores públicos de la hacienda estatal, municipal, de la contaduría general de glosa, de la contraloría estatal y municipal y de otros organismos del sector auxiliar, obligados conforme a la Ley Orgánica de la Contaduría General de Glosa, que realicen los actos señalados en las fracciones I, II, VI y VII de este artículo.

Se sancionará con la pena que para los delitos de fraude establece este código, a los servidores públicos de la hacienda estatal o municipal o de organismos del sector auxiliar, que realicen actos establecidos en las fracciones III, IV y V de este artículo.

Se equipara este delito a aquellas personas jurídicas colectivas o físicas que realicen funciones de auditoría al sector público.

CAPÍTULO XVII
OCUPACIÓN ILEGAL DE EDIFICIOS E INMUEBLES DESTINADOS A UN SERVICIO PUBLICO

Artículo 147. A quienes ocupen o impidan el acceso, transitoriamente, a edificios o inmuebles destinados a un servicio público, sea cual fuere la forma o el medio empleado, se les impondrán de uno a tres años de prisión y de treinta a cien días multa.

A los autores intelectuales, a quienes dirijan la comisión de este delito y a quienes la instiguen, se les impondrán de uno a cinco años de prisión y de treinta a ciento cincuenta días multa.

CAPÍTULO XVIII
PRESTACIÓN ILÍCITA DEL SERVICIO PUBLICO DE TRANSPORTE DE PASAJEROS

Artículo 148. A quien preste el servicio público de transporte de pasajeros sin concesión, permiso o autorización correspondiente se le impondrá de uno a cinco años de prisión y de treinta a ciento cincuenta días multa, y suspensión por un año del derecho de manejar.

Si en este delito tuviere intervención cualquier integrante del consejo de administración, socio o representante legal de una empresa concesionaria o permisionaria del servicio público de transporte y se cometiere bajo el amparo de aquélla, la pena aplicable se aumentará de una a dos terceras partes de las que le correspondan por el delito cometido y se le impondrá además la suspensión y privación de derechos para prestar el servicio público que se haya otorgado.

Las sanciones previstas en este artículo se impondrán sin perjuicio de las medidas que disponga la legislación administrativa y las sanciones que correspondan, en su caso.

Este delito se perseguirá por querella de la dependencia u órgano estatal del ramo.

CAPÍTULO XIX
VENTA ILÍCITA DE BEBIDAS ALCOHÓLICAS

Artículo 148 Bis. Derogado.

CAPÍTULO XX
IMPARTICIÓN ILÍCITA DE EDUCACIÓN

Artículo 148 Ter. Al que preste servicios educativos que conforme a la ley requieren autorización o reconocimiento de validez oficial de estudios y no los haya obtenido, se le impondrá de cinco a diez años de prisión y una multa de mil a mil quinientos días. En caso de reincidencia la pena se incrementará de una a dos terceras partes. La situación de trámite de la incorporación no libera de la responsabilidad.

Si en este delito tuviere intervención cualquier servidor público del ámbito educativo, la pena aplicable se aumentará de una a dos terceras partes de las que le corresponda por el delito cometido y se le impondrá, además, la destitución y su inhabilitación de ocho a veinte años para desempeñar empleo, cargo o comisión públicos.

Las sanciones previstas en este artículo se impondrán sin perjuicio de las medidas que disponga la legislación administrativa y las sanciones que correspondan, en su caso.

Este delito se perseguirá de oficio.

CAPÍTULO XXI
AUTORIZACIÓN DE BAILE CON CONTENIDO SEXUAL EN UNIDADES ECONÓMICAS

Artículo 148 Quater. A la autoridad, al propietario, al titular, al responsable o al encargado de una unidad económica que autorice o permita el baile de hombres y/o mujeres desnudos y/o semidesnudos con mensaje explícito de carácter erótico y/o sexual para el público asistente, se le impondrá de cinco a diez años de prisión y de mil a mil quinientos días multa.

SUBTÍTULO TERCERO
DELITOS CONTRA LA ADMINISTRACIÓN DE JUSTICIA

CAPÍTULO I
ENCUBRIMIENTO

Artículo 149. Comete el delito de encubrimiento, el que:

I. Sin haber participado en el hecho delictuoso, albergue, oculte o proporcione la fuga al inculpado de un delito con el propósito de que se substraiga a la acción de la justicia;

II. Sin haber participado en el hecho delictuoso, altere, destruya o sustraiga las huellas o los instrumentos del delito u oculte los objetos o los efectos del mismo para impedir su descubrimiento; y

III. Sin haber participado en el hecho delictuoso altere, destruya o sustraiga las huellas o los instrumentos del delito u oculte los objetos o efectos del mismo para evitar o dificultar la investigación o reconstrucción del hecho delictuoso.

A los responsables de este delito se les impondrán de uno a tres años de prisión y de treinta a ciento cincuenta días multa.

Cuando las conductas establecidas en este artículo se refieran a procedimientos penales por los delitos previstos en los artículos 241, 268 Bis, 274 y 281 de este Código, se impondrá por el encubrimiento de cuatro a ocho años de prisión y de cien a trescientos días multa.

Si el delito fuera cometido por servidores públicos de las Instituciones de Seguridad Pública o de administración de justicia, la pena se aumentará hasta en una mitad más de la que le corresponda, y será destituido e inhabilitado por un plazo igual a la pena privativa de libertad impuesta.

Artículo 150. Al médico cirujano, enfermero o cualquier otro profesional, técnico o auxiliar de la salud que omitiera denunciar a la autoridad correspondiente los delitos contra la vida o la integridad corporal de que hubiere tenido conocimiento con motivo del ejercicio de su profesión, se le impondrán de uno a tres años de prisión y de treinta a ciento cincuenta días multa más suspensión del derecho de ejercicio de profesión de uno a tres años.

Artículo 151. Al servidor público a quien se le haya hecho ofrecimiento o promesa de dinero o de cualquier otra dádiva con el propósito de realizar cohecho, y que no lo haga del conocimiento del Ministerio Público, se le impondrán de uno a tres años de prisión y de treinta a ciento cincuenta días multa y destitución de su empleo, cargo o comisión.

Si el delito fuera cometido por servidores públicos de la administración y procuración de justicia, así como de la policía pública o privada, se aumentará la pena hasta en una mitad más de la que le corresponda.

Artículo 152. Comete el delito de encubrimiento por receptación, el que sin haber participado en la comisión de un hecho delictivo:

I. Acepte, reciba, adquiera, posea, venda, enajene, comercialice, trafique, pignore, traslade, use u oculte el o los objetos, productos o instrumentos del delito, con conocimiento de esta circunstancia. Al responsable de este delito se le impondrán dos terceras partes de la pena del delito encubierto y multa igual a cinco veces el valor de los bienes, sin exceder de un mil días multa.

En el caso que se trate de un vehículo automotor, se impondrá la pena de dos a ocho años de prisión y multa igual a cinco veces el valor del bien.

II. Acepte, reciba, adquiera, posea, pignore, traslade, use u oculte mediante cualquier forma o título, objetos, productos o instrumentos del delito, sin haber adoptado las precauciones indispensables para cerciorarse de su procedencia lícita o para asegurarse de que la persona de quien los recibió tenía derecho para disponer de ellos.

Al responsable de este delito se le impondrán las penas correspondientes al delito culposo. Cuando se trate de un vehículo automotor, se le impondrán de uno a tres años de prisión y multa igual a tres veces el valor de los bienes.

Se entiende por adoptar las precauciones indispensables, contar con la documentación que acredite la propiedad o posesión del bien, como la factura, contrato de arrendamiento, endoso, entre otros.

Para el caso de vehículos automotores se entiende por adoptar las precauciones indispensables, cuando en la documentación probatoria de trasmisión de la propiedad se establezca la fecha de adquisición y el precio de su trasmisión, el nombre, el domicilio y el número de identificación oficial del vendedor, así como la constancia o certificación obtenida electrónicamente, de que el vehículo no aparece en la base de datos de autos robados del Registro Público Vehicular al momento de la compra-venta.

Lo anterior, sin perjuicio de que durante la investigación se acredite que la documentación es apócrifa o que los medios de identificación del vehículo hayan sido alterados.

Artículo 153. Estarán exentos de las penas impuestas a los encubridores, los que lo sean de su cónyuge, concubino, ascendientes y descendientes consanguíneos o afines, parientes colaterales, por consanguinidad hasta el cuarto grado o por afinidad hasta el segundo, o que estén ligados con el responsable por respeto, gratitud o estrecha amistad, siempre que no lo hiciere por un interés ilegítimo ni empleare algún medio delictuoso. Esto no se aplicará en el caso del artículo anterior.

Las excusas absolutorias previstas en el párrafo anterior no serán aplicables cuando la persona imputada a quien se está encubriendo sea responsable del delito de feminicidio u homicidio.

CAPÍTULO II
ACUSACIÓN O DENUNCIAS FALSAS

Artículo 154. Al que impute falsamente a otro un hecho considerado como delito, si esta imputación se hiciera ante un servidor público, que por razón de su cargo, empleo o comisión deba proceder a la investigación del mismo, se impondrán de dos a seis años de prisión de cincuenta a quinientos días multa y hasta un mil días multa por concepto de reparación del daño.

No se procederá contra el autor de este delito, sino en virtud de sentencia ejecutoriada o auto de sobreseimiento dictado por el órgano jurisdiccional que hubiese conocido del delito imputado.

La reparación del daño comprenderá una indemnización por concepto de daño moral y la publicación de sentencia absolutoria a costa del sentenciado o presunto ofendido según sea el caso.

Artículo 155. Se impondrá igual pena a la señalada en el artículo anterior al que para hacer que un inocente aparezca como culpable ponga sobre la persona o en cualquier lugar adecuado para ese propósito un bien que pueda dar indicios o presunciones de responsabilidad. A la pena señalada se le agregará la de publicación de sentencia.

Si se tratare de un servidor público de la administración o procuración de justicia se aumentarán las penas hasta con una mitad de la que le corresponde, destitución e inhabilitación de cuatro a doce años, para desempeñar empleo, cargo o comisión públicos.

CAPÍTULO III
FALSO TESTIMONIO

Artículo 156. Comete el delito de falso testimonio, el que:

I. Entrevistado o interrogado por alguna autoridad pública o fedatario en ejercicio de sus funciones o con motivo de ellas faltare a la verdad;

II. Al rendir su entrevista o declaración como testigo, faltare a la verdad en relación con el hecho, que se trata de investigar ya sea afirmando, negando u ocultando la existencia de alguna circunstancia que pueda servir de prueba sobre la verdad o falsedad del hecho principal o que aumente o disminuya la gravedad;

III. Soborne a un testigo, a un perito o a un intérprete para que se produzca con falsedad en juicio; o los obligue o comprometa a ella en cualquier forma; y

IV. Siendo perito o intérprete, afirmare una falsedad, negare o callare la verdad, al rendir un dictamen o hacer una traducción.

Al responsable de este delito se le impondrán de dos a seis años de prisión y de treinta a setecientos cincuenta días multa.

Cuando la falsedad o el ocultamiento de la verdad a que se refiere la fracción I de este artículo, se hagan en procedimientos que versen sobre alimentos se le impondrán de tres a siete años de prisión y de cincuenta a mil días multa.

En el caso de la fracción II, la pena será de tres a quince años de prisión y de cien a quinientos días multa, para el testigo que fuere examinado en un procedimiento penal, cuando al imputado se le haya impuesto una pena mayor de tres años de prisión y el testimonio falso haya servido de base para la condena.

Artículo 157. Al testigo, perito o intérprete que se retracte espontáneamente de sus falsas declaraciones rendidas ante cualquier autoridad antes de que se pronuncie sentencia ejecutoriada, se le impondrán de treinta a sesenta días multa. Pero si en la retractación faltare a la verdad, se le impondrá la pena que corresponda con arreglo a lo prevenido en el artículo anterior, considerándolo como reincidente.

CAPÍTULO IV
EVASIÓN

Artículo 158. Al que auxilie o favorezca la evasión de algún detenido, procesado o condenado, se le impondrán de uno a siete años de prisión y de treinta a doscientos cincuenta días multa. Si fuere el encargado de conducir o custodiar al evadido será además destituido de su empleo.

Si el detenido, procesado o sentenciado lo fuera por delito que amerite prisión preventiva oficiosa, se impondrá una pena de siete a quince años de prisión.

Artículo 159. No se aplicará pena alguna a los ascendientes, descendientes, cónyuge, concubino o hermanos del evadido, sus parientes por afinidad hasta el segundo grado, excepto en el caso de que hayan proporcionado la fuga por medio de violencia en las personas o fuerza en las cosas, o fueran los encargados de conducir o custodiar al prófugo.

Artículo 160. Al que propicie al mismo tiempo y en un sólo acto la evasión de varias personas privadas de la libertad por la autoridad competente, se le impondrán de cuatro a doce años de prisión y de cincuenta a trescientos cincuenta días multa. Si el inculpado prestara sus servicios en el establecimiento o fuera custodio de los evadidos, quedará además destituido de su empleo y se le inhabilitará de ocho a veinte años.

Artículo 161. Si la reaprehensión del evadido se lograre por gestiones del responsable de la evasión, se le impondrán de tres meses a un año de prisión y de treinta a cien días multa;

Artículo 162. Al detenido, procesado o condenado que se evada, se le impondrá de uno a dos años de prisión y de cincuenta a trescientos días multa, independientemente de los delitos que cometa en su evasión.

CAPÍTULO V
QUEBRANTAMIENTO DE PENAS NO PRIVATIVAS DE LA LIBERTAD Y MEDIDAS DE SEGURIDAD

Artículo 163. Al sentenciado a confinamiento que salga del lugar que se haya fijado para su residencia antes de extinguirla, se le impondrá prisión por el tiempo que le falte para extinguir el confinamiento.

Al que favorezca el quebrantamiento de la pena o medida de seguridad, se impondrá de seis meses a un año de prisión. Si se trata de un servidor público que tenga a su cargo el cumplimiento de la pena o medida, la pena de prisión será de uno a tres años y privación definitiva del cargo o comisión e inhabilitación para ocupar otro de igual naturaleza durante un período de dos a seis años.

Artículo 164. Se impondrán de tres a seis meses de prisión:

I. Al inculpado sometido a la vigilancia de la autoridad que no ministre a ésta los informes que se le pidan sobre su conducta; y

II. A aquél a quién se hubiere prohibido ir a determinado lugar o residir en él, si violare la prohibición.

Artículo 165. Al reo suspendido o inhabilitado en su profesión u oficio o suspendido o inhabilitado para ejercer, que quebrante su condena, se le impondrán de treinta a doscientos cincuenta días multa. En caso de reincidencia, se impondrán de uno a seis años de prisión y se duplicará la multa.

CAPÍTULO V BIS
FRAUDE PROCESAL

Artículo 165 Bis. Comete el delito de fraude procesal quien simule actos jurídicos, un acto o escrito judicial, altere condiciones de trabajo, altere elementos de prueba o escritos oficiales y los presente o exhiba en los procedimientos jurisdiccionales, con el propósito de provocar o inducir una resolución judicial o administrativa de la que derive un beneficio o un perjuicio indebido para sí o para otro, con independencia de la obtención del resultado. Se le impondrán de uno a seis años de prisión, y de cincuenta a doscientos cincuenta días multa.

De concretarse el perjuicio o los beneficios referidos en el párrafo anterior, las penas se incrementaran hasta en dos tercios.

Cuando en la comisión de este delito participe un profesional del derecho, perito o litigante legalmente autorizado, además de las penas anteriores, se le suspenderá el derecho de ejercer la actividad indicada por un término igual al de la prisión impuesta.

Este delito se perseguirá por querella, salvo que la cuantía o monto del litigio exceda de cinco mil veces el valor diario de la Unidad de Medida y Actualización vigente, al momento de realizarse el hecho.

CAPÍTULO VI
DELITOS COMETIDOS POR SERVIDORES PÚBLICOS DE LA PROCURACIÓN Y ADMINISTRACIÓN DE JUSTICIA

(Derogado)

Artículo 166. Derogado.

CAPÍTULO VII
DELITOS CONTRA EL CORRECTO FUNCIONAMIENTO DE LAS INSTITUCIONES DE SEGURIDAD PÚBLICA Y ÓRGANOS JURISDICCIONALES, Y DE LA SEGURIDAD DE LOS SERVIDORES PÚBLICOS Y PARTICULARES

Artículo 166 Bis. Comete este delito quien:

I. Aceche, vigile, espíe, rastree, proporcione información, o realice actos tendientes a obtener información sobre las actividades oficiales o personales, ubicación, operativos o, en general, relacionadas con sus funciones, que realicen o pretendan realizar los servidores públicos de las Instituciones de Seguridad Pública, los integrantes del ejército, marina armada o fuerza aérea nacional, cuando actúen en auxilio de las autoridades u Órganos Jurisdiccionales del Estado, con la finalidad de que, por sí o por tercera persona, se entorpezca o evite el cumplimiento de sus funciones o se ocasione un daño a dichas instituciones, órganos o servidores públicos;

II. Ingrese, altere o acceda a información de las instituciones de seguridad pública u órganos jurisdiccionales con los fines señalados en el párrafo anterior;

III. Aceche, vigile, espíe o proporcione información, sobre las actividades que realice o pretenda realizar cualquier persona con la finalidad de ocasionarle un daño; y

IV. Para la realización de alguna de las conductas y fines descritos en la fracción I de este artículo, porte o posea teléfono celular, sistemas de telecomunicaciones o de radiocomunicación;

V. Permita, tolere o facilite la introducción de teléfonos celulares, sistemas de comunicación electrónica o radiocomunicación, dinero, drogas o enervantes, armas, o cualquier objeto o substancia prohibida al interior de los Centros Penitenciarios del Estado de México, con excepción de los casos previstos en las disposiciones jurídicas aplicables;

VI. Trafique o introduzca teléfonos celulares, sistemas de comunicación electrónica o de radiocomunicación, dinero, drogas o enervantes, armas o cualquier otro objeto o substancia prohibida al interior de los Centros Penitenciarios del Estado de México, con excepción de los casos previstos en las disposiciones jurídicas aplicables.

Las conductas establecidas en este artículo se sancionarán con pena de 6 a 10 años de prisión y de cien a doscientos días multa, sin perjuicio de las penas que les correspondan por los delitos que cometan.

No se actualizará el delito en el caso de los visitantes que ingresen y salgan de los Centros Penitenciarios del Estado de México portando dinero de su propiedad, hasta por un monto de 17 días de salario mínimo, el cual deberá ser declarado al ingreso.

Si derivado de la realización de alguna de las conductas del delito previstas en este artículo se cometiere otro delito, se sancionará al partícipe por ambos delitos, de conformidad con las reglas del concurso de delitos.

Artículo 166 Ter. La pena señalada en el artículo anterior se agravará en los siguientes términos:

I. Si el delito es cometido por servidores públicos de Instituciones de Seguridad Pública u Órganos Jurisdiccionales del Estado de México, se aumentará la pena hasta una mitad más de la que corresponda. Además, se impondrá la destitución definitiva del empleo, cargo o comisión públicos e inhabilitación para desempeñar otro de 5 a 15 años;

II. Tratándose de miembros de Instituciones Policiales de la Federación, del Distrito Federal o de otros Entidades Federativas, se aumentará la pena hasta una mitad más de la que corresponda. Además se impondrá inhabilitación para desempeñar igual o similar empleo, cargo o comisión de 5 a 15 años; y

III. Si el delito fuera cometido por ex servidores públicos de Instituciones de Seguridad Pública u Órganos Jurisdiccionales de la Federación, del Distrito Federal, de los Estados o los Municipios, o de ex integrantes de las fuerzas armadas se aumentará la pena hasta una tercera parte más de la que corresponda.

IV. Cuando el delito se cometa utilizando cualquier medio de comunicación mediante el cual se pueda realizar la emisión, transmisión o recepción de: signos, señales, escritos, imágenes, voz, sonidos o información de cualquier naturaleza que se efectúe a través de hilos, medios de transmisión inalámbrica de ondas o señales electromagnéticas, medios ópticos, o cualquier medio físico, se le aumentará la pena hasta una tercera parte más de la que corresponda.

SUBTÍTULO CUARTO
DELITOS CONTRA LA FE PÚBLICA

CAPÍTULO I
FALSIFICACIÓN DE DOCUMENTOS

Artículo 167. A quien falsifique documentos públicos o privados, ya sean físicos o electrónicos, se le impondrán de dos a ocho años de prisión y de cien a mil días multa.

La penalidad será de tres a siete años de prisión y de trescientos a mil quinientos días multa, si el documento es una credencial o medio de identificación de los autorizados oficialmente para los miembros del Ministerio Público o de las corporaciones policiacas, así como de los integrantes del Poder Judicial.

La pena a que se refiere el párrafo anterior se adicionará de un tercio a una mitad, a los particulares que falsifiquen documentos para obtener de un notario público la certificación de hechos, alguna escritura, acta notarial, testimonio, copia certificada o certificación notarial.

Si en esta conducta participare algún empleado o gestor de una notaría pública o quien hubiese trabajado para alguna notaría pública, la pena señalada en el párrafo anterior se incrementará de un tercio a una mitad más.

Al que para eludir responsabilidades fiscales o administrativas de cualquier índole, proporcione a la autoridad documentos físicos o electrónicos, informes o declaraciones falsas que ocasionen perjuicio directo o indirecto al fisco estatal o municipal, se le impondrán de seis meses a siete años de prisión.

Si quien realiza la falsificación es un servidor público, las penas de que se trate aumentarán hasta en una mitad y se inhabilitará de uno a diez años para desempeñar empleo, cargo o comisión públicos.

Este delito se perseguirá de oficio.

Artículo 168. El delito de falsificación de documentos se comete por alguno de los medios siguientes:

I. Estampando una firma o rúbrica falsa, aunque sea imaginaria, o alterando una verdadera;

II. Aprovechando indebidamente una firma o rúbrica en blanco ajena, la firma electrónica avanzada o el sello electrónico en su caso, extendiendo una obligación o liberación o cualquier otro documento que pueda comprometer los bienes, la honra, la persona o la reputación de otra, o causar un perjuicio a la sociedad, al Estado, al municipio o a un tercero.

III. Alterando el contexto de un documento físico o electrónico verdadero, después de concluido y firmado o sellado, si esto cambiare su sentido sobre alguna circunstancia o punto substancial, ya sea que se haga añadiendo, enmendando o borrando, en todo o en parte, una o más palabras, cifras o cláusulas o variando la puntuación.

IV. Variando la fecha o cualquier otra circunstancia relativa al tiempo de la ejecución del acto que se exprese en el documento;

V. Atribuyéndose el que extienda el documento físico o electrónico o a la persona en cuyo nombre lo hace, un nombre o una investidura, calidad o circunstancia que no tenga y que sea necesaria para la validez del acto.

VI. Redactando un documento en términos que cambien el convenio celebrado, en otra diversa, en que varíen las declaraciones o disposiciones del otorgante, las obligaciones que se propuso contraer a los derechos que debió adquirir;

VII. Añadiendo o alterando cláusulas o declaraciones o asentando como ciertos hechos falsos, como confesados los que no están, si el documento en que se asientan se extendiere para hacerlos constar como prueba de ellos;

VIII. Expidiendo un testimonio supuesto de documentos que no existen; dándolo de otro existente que carece de requisitos legales suponiendo falsamente que los tiene; o de otro que no carece de ellos, pero agregando o suprimiendo en la copia algo que importe una variación sustancial;

IX. Alterando un perito traductor o paleógrafo el contenido de un documento, al traducirlo o descifrarlo; y

X. Reproduciendo credenciales, medios de identificación, o formas oficiales, sin autorización y si éstas fueran empleadas para cometer un ilícito.

XI. Entregando documentación falsa en formatos electrónicos a los sujetos de la Ley de Gobierno Digital del Estado de México y Municipios, para llevar a cabo la sustanciación de trámites, servicios, procesos administrativos y jurisdiccionales, actos, comunicaciones y procedimientos, realizados a través de los portales que se creen para tal efecto.

Artículo 169. Para que el delito de falsificación de documentos sea penado, se necesita que concurra cualquiera de los requisitos siguientes:

I. Que el falsario se proponga sacar algún provecho para sí o para otro;

II. Que resulte o pueda resultar perjuicio a la sociedad, al Estado, municipio o a un particular, ya sea en los bienes de éste o en su persona, en su honra o reputación; y

III. Que el falsario haga la falsificación sin consentimiento de la persona a quien resulte o pueda resultar perjuicio o sin el de aquella en cuyo nombre se hizo el documento.

Artículo 170. También se impondrá la pena señalada en el artículo 167, al que:

I. Por engaño o sorpresa, hiciere que alguien firme un documento público físico o electrónico, que no habría firmado o sellado de saber su contenido.

II. En ejercicio de funciones notariales, expida una certificación de hechos que no sean ciertos o de fe de lo que no conste en asuntos, registros, protocolos o documentos físicos o electrónicos.

III. Para eximirse de un servicio debido legalmente o de una obligación impuesta por la ley, exhiba una certificación de enfermedad o impedimento que no tiene, como expedida por un médico o cirujano, sea que exista realmente la persona a quien la atribuya, o sea imaginaria; y

III. Bis. Permita por acción u omisión la prestación de servicios exclusivos de la función notarial a través de la utilización de sellos, marcas, protocolos o cualquier otro instrumento exclusivo de la función notarial que esté a su cargo, en oficina o establecimiento diverso al registrado ante la autoridad competente en materia notarial.

Las sanciones previstas en la presente fracción se impondrán sin perjuicio de las demás responsabilidades administrativas, civiles o penales que se configuren

IV. Certifique falsamente que una persona tiene una enfermedad u otro impedimento bastante para dispensarla de prestar un servicio que exija la ley o de cumplir una obligación que ésta impone para adquirir algún derecho.

V. A quien falsifique documentos o instrumentos propios de la Función Notarial.

Si quien realiza la falsificación es empleado o gestor de alguna notaria publica o servidor público las penas se incrementarán de un tercio hasta una mitad más.

Artículo 170 Bis. A quien por medio de la violencia física o moral obligue a un fedatario público a asentar en sus protocolos, actos o hechos que no correspondan a la realidad, con el propósito de obtener para sí o para otro, un provecho, beneficio o lucro indebido, se impondrá una pena de ocho a quince años de prisión y de dos mil a cinco mil días multa.

CAPÍTULO II
FALSIFICACIÓN DE SELLOS, LLAVES O MARCAS

Artículo 171. Se impondrán de tres a ocho años de prisión y de trescientos a mil días multa, al que con el propósito de obtener un provecho o causar un daño:

I. Falsifique llaves, sellos o marcas oficiales; y

II. Falsifique la marca o contraseña que alguna autoridad usare para identificar cualquier objeto o para asegurar el pago de algún impuesto.

Artículo 172. Al que falsifique llaves, el sello de un particular, o un sello, marca, estampilla, o contraseña de establecimientos comerciales, industriales, de servicio y otras similares, o un boleto o ficha de un espectáculo público, se le impondrán de tres meses a tres años de prisión y de treinta a doscientos cincuenta días multa.

CAPÍTULO III
USO DE OBJETO O DOCUMENTO FALSO O ALTERADO

Artículo 173. Al que dolosamente haga uso de un objeto o documento falso o alterado, pretendiendo que produzca efectos legales, se le impondrá prisión de dos a siete años y de cien a quinientos días multa.

Se impondrá la misma pena al que dolosamente haga uso de un documento verdadero expedido a favor de otro como si fuera expedido para sí.

Se impondrán de tres a siete años de prisión y de trescientos a mil días multa, si los objetos o documentos fueren oficiales.

Al que para obtener de un notario público la certificación de hechos, alguna escritura, acta notarial, testimonio, copia certificada o certificación notarial, haga uso de un objeto o documento falso o alterado, pretendiendo que produzca efectos legales, se le aumentará la pena de un tercio hasta una mitad más.

Si en esta conducta participare algún empleado o gestor de una notaría pública o quien hubiese trabajado para alguna notaría pública, la pena señalada en el párrafo anterior se incrementará de un tercio a una mitad más.

CAPÍTULO IV
FALSIFICACIÓN Y UTILIZACIÓN INDEBIDA DE TITULOS AL PORTADOR, DOCUMENTOS DE CRÉDITO PÚBLICO Y DOCUMENTOS RELATIVOS AL CRÉDITO

Artículo 174. Se impondrán de cuatro a diez años de prisión y de ciento cincuenta a quinientos días multa al que:

I. Produzca, imprima, enajene aún gratuitamente, distribuya, altere o falsifique tarjetas, títulos o documentos para el pago de bienes y servicios o para disposición de efectivo, sin consentimiento de quien esté facultado para ello;

II. Adquiera, utilice, posea o detente indebidamente, tarjetas, títulos o documentos para el pago de bienes y servicios, a sabiendas de que son alterados o falsificados;

III. Adquiera, utilice, posea o detente indebidamente, tarjetas, títulos o documentos auténticos para el pago de bienes y servicios, sin consentimiento de quien esté facultado para ello;

IV. Altere los medios de identificación electrónica de tarjetas, títulos o documentos para el pago de bienes y servicios;

V. Acceda indebidamente a los equipos de electromagnéticos de las instituciones emisoras de tarjetas, títulos o documentos para el pago de bienes y servicios o para disposición de efectivo; y

VI. Sin consentimiento de quien esté facultado para ello, produzca, imprima, enajene, distribuya, altere o falsifique vales en papel o impresos o cualquier dispositivo en forma de tarjeta plástica, asociado a un sistema de pagos y prestaciones emitido por personas morales, utilizados para canjear bienes y servicios.

Las mismas penas se impondrán a quien utilice indebidamente información confidencial o reservada de la institución o persona que legalmente esté facultada para emitir tarjetas, títulos, documentos, vales o dispositivos en forma de tarjeta plástica utilizados para el pago de bienes y servicios.

Si el sujeto activo es empleado o dependiente del ofendido, las penas aumentarán en una mitad.

En el caso de que se actualicen otros delitos con motivo de las conductas a que se refiere este artículo se aplicarán las reglas del concurso.

CAPÍTULO V
VARIACIÓN DE NOMBRE, DOMICILIO O NACIONALIDAD

Artículo 175. Comete este delito el que:

I. Oculte su nombre o apellido y adopte otro, al declarar ante la autoridad;

II. Oculte su domicilio o niegue de cualquier modo el verdadero, para eludir la práctica de una diligencia judicial o una notificación o citación de una autoridad;

III. Siendo servidor público, en los actos propios de su cargo, atribuyere a una persona un nombre a sabiendas que no le pertenece y con perjuicio de alguien; y

IV. Ante la autoridad diere una nacionalidad falsa o que sin derecho para ello se haga pasar como mexicano o extranjero en cualquier documento público.

Al que incurra en este delito, se le impondrá prisión de uno a tres años y de treinta a sesenta días multa.

CAPÍTULO VI
USURPACIÓN DE FUNCIONES PUBLICAS O DE PROFESIONES

Artículo 176. Comete este delito el que:

I. Sin ser funcionario público se atribuya ese carácter o ejerza alguna función pública sin derecho; y

II. Se atribuya o acepte por cualquier medio el carácter de profesionista o grado académico sin tener título legal o ejerza los actos propios de una profesión sin título o sin autorización legal;

Por las conductas contenidas en las fracciones I y II del presente artículo, se impondrán de dos a siete años de prisión y de quinientos a dos mil días multa.

III. Se equipara a la usurpación de funciones públicas la prestación u ostentación de servicios de seguridad privada, por parte de persona física, miembros o representantes legales de una persona jurídica o de una sociedad, corporación o empresa, sin la autorización otorgada por la autoridad estatal. Al responsable de este delito, se le impondrán de tres a ocho años de prisión y de cien a mil días multa.

Derogado

Cuando el usurpador se atribuya en vías de hecho la condición de miembro de una corporación policiaca pública o privada sin serlo, la penalidad será de tres a ocho años de prisión y de cincuenta a trescientos cincuenta días multa.

Derogado

IV. Se equipara a la usurpación de funciones públicas la prestación de servicios educativos por parte de persona física, miembros o representantes legales de una persona jurídica o de una sociedad, corporación, empresa o grupo, con la promesa de entregar un certificado, título o grado académico o de que se obtendrá o se encuentra en trámite la incorporación correspondiente. Lo anterior, sin autorización o reconocimiento de validez oficial de estudios, expedido por autoridad educativa competente. Al responsable de este delito se le impondrán de cinco a diez años de prisión y de mil a cinco mil días de multa. En caso de reincidencia la pena se incrementará de una a dos terceras partes.

Si en este delito tuviere intervención cualquier servidor público del ámbito educativo, la pena aplicable se aumentará de una a dos terceras partes de las que correspondan por el delito cometido y se le impondrá además la destitución e inhabilitación para desempeñar empleo, cargo o comisión públicos.

V. Al servidor público que, en ejercicio de sus funciones, coadyuve, a un tercero para que éste simule ser parte de la institución pública que representa.

La conducta antes descrita se sancionará de conformidad con lo establecido por el párrafo segundo, de la fracción II, del presente artículo; y aumentará en una mitad cuando los servidores públicos sean los encargados de la seguridad pública.

El delito contenido en el presente artículo se perseguirá de oficio.

CAPÍTULO VII
USO INDEBIDO DE UNIFORMES, INSIGNIAS, DISTINTIVOS O CONDECORACIONES

Artículo 177. Comete este delito el que usare credenciales o cualquier medio de identificación, uniforme, insignias, distintivos o condecoraciones oficiales a que no tenga derecho, y se le impondrán de uno a cinco años de prisión y de treinta a ciento cincuenta días multa. Si son utilizados para cometer algún ilícito, la pena aumentará hasta en una mitad.

CAPÍTULO VIII
SIMULACIÓN DE VEHÍCULO OFICIAL PERTENECIENTE A INSTITUCIONES DE SEGURIDAD PÚBLICA O AL SERVICIO PÚBLICO DE EMERGENCIA

Artículo 177 Bis. A quien utilice un vehículo automotor no oficial con balizaje, colores o equipamiento originales, falsificados o con apariencia tal que se asemeje a los de uso exclusivo para vehículos de instituciones de seguridad pública o del servicio público de emergencia; se le impondrá una pena de dos a seis años de prisión y de doscientos a cuatrocientos días multa.

La pena prevista en este artículo se incrementará hasta una mitad de la que corresponda si el vehículo se utilizó para cometer algún delito, sin perjuicio de las penas que correspondan por la comisión del delito diverso.

Cuando en el delito cometido esté implicado un servidor público se impondrá de cuatro a ocho años de prisión y de trescientos a seiscientos días multa, así como inhabilitación para desempeñar algún empleo, cargo o comisión en el servicio público por un plazo igual a la pena privativa de libertad impuesta.

TÍTULO SEGUNDO
DELITOS CONTRA LA COLECTIVIDAD

SUBTÍTULO PRIMERO
DELITOS CONTRA LA SEGURIDAD PÚBLICA

CAPÍTULO I
DELINCUENCIA ORGANIZADA

Artículo 178. A quienes participen habitual u ocasionalmente en una agrupación de tres o más personas, de cualquier manera organizada con la finalidad de cometer delitos graves, se les impondrán de dos a diez años de prisión y de cincuenta a doscientos cincuenta días multa, sin perjuicio de las penas que les correspondan por los delitos que cometan.

CAPÍTULO I BIS
ASOCIACIÓN DELICTUOSA

Artículo 178 Bis. Se impondrá prisión de dos a seis años y de cien a quinientos días multa, al que forme parte de una asociación o banda de tres o más personas para delinquir en la comisión de delitos del fuero común, independientemente de la sanción que le corresponda por el delito que cometa.

Artículo 178 Ter. Si el miembro de la asociación delictuosa es o ha sido servidor público o autoridad encargada de la función de seguridad pública o miembro de una empresa de seguridad privada y por virtud del ejercicio de las funciones a él encomendadas, se facilitó la comisión del o los ilícitos relacionados con el artículo anterior, las penas se aumentarán hasta en una mitad y se impondrá además, en su caso, la destitución del empleo, cargo o comisión e inhabilitación por un tiempo igual al señalado como prisión para desempeñar otro empleo, cargo o comisión públicos, en cuyo caso se computará a partir de que se haya cumplido con la pena de prisión.

CAPÍTULO I TER
PANDILLA

Artículo 178 Quater. Cuando se cometa algún delito por pandilla, se impondrá hasta una mitad más de las penas que le correspondan por el o los delitos cometidos, a los que intervengan en su comisión.

Se entiende por pandilla, para los efectos de este artículo, la reunión habitual, ocasional o transitoria, de tres o más personas que sin estar organizadas con fines delictuosos, cometen en común algún delito.

Cuando el miembro de la pandilla sea o haya sido servidor público de alguna institución de seguridad pública o miembro de una empresa de seguridad privada o que, siendo mayor de edad utilice a menores o incapaces, se aumentará en dos terceras partes la pena que le corresponda por el o los delitos cometidos y se impondrá, además, destitución del empleo, cargo o comisión e inhabilitación de uno a cinco años para desempeñar otro empleo, cargo o comisión públicos, según corresponda.

CAPÍTULO II
PORTACIÓN, TRÁFICO Y ACOPIO DE ARMAS PROHIBIDAS

Artículo 179. Son armas prohibidas:

I. Los puñales, cuchillos, puntas y las armas ocultas o disimuladas;

II. Los boxer, manoplas, macanas, ondas, correas con balas y pesas;

III. Las bombas, aparatos explosivos o de gases asfixiantes o tóxicos; y

IV. Otras que por sus características o circunstancias de portación puedan generar peligro.

Artículo 180. A quien porte, fabrique, importe, regale, trafique, o acopie sin un fin lícito las armas prohibidas en el artículo precedente, se le impondrá prisión de seis meses a seis años y de treinta a doscientos cincuenta días multa y decomiso de objetos.

Se entiende por acopio la reunión de tres o más armas de las mencionadas en el artículo anterior.

Se aumentará la pena de prisión de uno a dos años y la multa de sesenta a cien días, cuando la portación ocurra en:

I. Medios de transporte público de pasajeros; y

II. Actos deportivos, artísticos, culturales, religiosos o de culto, mítines políticos, ceremonias cívicas y desfiles.

CAPÍTULO III
DELITOS COMETIDOS EN EL EJERCICIO DE ACTIVIDADES PROFESIONALES O TÉCNICAS

Artículo 181. Cometen este delito:

I. Los abogados que abandonen el mandato, patrocinio o defensa de un negocio judicial, administrativo o de trabajo, sin causa justificada;

II. Los abogados del inculpado que se concreten a solicitar la libertad provisional, sin promover pruebas ni dirigirlo en su defensa;

III. Los abogados que patrocinen o representen a diversos contendientes en negocio judicial, administrativo o de trabajo con intereses opuestos, o cuando después de haber aceptado el patrocinio o representación de una parte, admitan el de la contraria; y

IV. Los abogados que teniendo a su cargo la custodia de documentos, los extraviaren por negligencia inexcusable.

A los responsables de este delito se les impondrán de uno a tres años de prisión y de cincuenta a setecientos días multa, además de seis meses a dos años de suspensión del derecho de ejercer la actividad profesional y privación definitiva en caso de reincidencia.

Artículo 182. Se impondrán las penas señaladas en el artículo anterior a:

I. Los médicos, que habiendo otorgado responsiva para hacerse cargo de la curación de algún lesionado o enfermo lo abandonen en su tratamiento sin causa justificada o no cumplan con los deberes que les impone el Código Nacional de Procedimientos Penales;

II. Los médicos, cirujanos, parteros, enfermeros y demás profesionales y similares y auxiliares que se nieguen a prestar sus servicios a un lesionado o enfermo, en caso de notoria urgencia, por exigir el pago anticipado de sus servicios, sin dar inmediato aviso a las autoridades correspondientes u organismos de asistencia pública para que procedan a su atención.

III. Los médicos, cirujanos, parteros, enfermeros y demás profesionales y similares y auxiliares o cualquier persona, los propietarios de clínicas u hospitales que participen o faciliten por cualquier medio el tráfico, comercialización o cirugía de un transplante de órgano o tejido humano, sin la autorización necesaria de la secretaría del ramo, se le impondrá de tres a ocho años de prisión y de cincuenta a quinientos días multa, así como la suspensión del derecho del ejercicio de la profesión por veinte años y la cancelación de la licencia de funcionamiento por veinte años. Independientemente de los delitos que se cometan.

Si se trata de servidores públicos del sector salud, se les destituirá e inhabilitará de seis a dieciséis años del empleo, cargo o comisión públicos

Artículo 183. Al profesionista que con actos propios de su profesión o abusando de su actividad profesional, cometiere algún delito doloso o coopere a su ejecución por otros, se le impondrán prisión de uno a cuatro años y privación del derecho a ejercer la profesión.

Artículo 184. Las penas señaladas en los artículos anteriores se impondrán sin perjuicio de las que correspondan por el delito cometido o por su participación en él.

Artículo 185. A los propietarios, responsables, encargados, empleados o dependientes de una botica o farmacia, que al surtir una receta sustituyan por otra la medicina específicamente recetada, se les impondrán de seis meses a dos años de prisión y de cincuenta a setecientos días multa, salvo que se trate de los medicamentos genéricos intercambiables.

Artículo 186. Al que sin justa causa, con perjuicio de alguien y sin consentimiento de quien pueda otorgarlo, revele algún secreto o comunicación reservada que le haya sido confiada o haya recibido con motivo de su empleo, cargo o comisión, se le impondrán de uno a cinco años de prisión y de treinta a cien días multa.

Se impondrán de dos a siete años de prisión, de cien a quinientos días multa y la suspensión del derecho de ejercer la profesión, la actividad técnica o desempeñar el cargo de dos a siete años, cuando la revelación punible sea hecha por persona que preste sus servicios profesionales o técnicos o por servidor público.

CAPÍTULO IV
ESTORBO DEL APROVECHAMIENTO DE BIENES DE USO COMÚN

Artículo 187. Al que sin derecho estorbare de cualquier forma el aprovechamiento de bienes de uso común ó vías públicas y no retirare el estorbo a pesar del requerimiento que le haga la autoridad competente, se le impondrán de seis meses a un año de prisión y de treinta a cien días multa, si llegare a privar del uso de los bienes, se le impondrán de uno a dos años de prisión y de treinta a ciento cincuenta días multa.

Artículo 188. Comete el delito de utilización indebida de la vía pública:

I. El que utilice la vía pública para consumir, distribuir o vender substancia ilícitas o para inhalar sustancia lícitas no destinadas para ese fin y que produzcan efectos psicotrópicos, sin perjuicio de lo dispuesto por otros ordenamientos jurídicos; para los efectos de este artículo, son substancias ilícitas las así calificadas por la Ley General de Salud; y

II. El que dirija a otros a ejercer el comercio en la vía pública sin permiso de la autoridad competente.

Al que incurra en la comisión de alguna de las conductas señaladas en la fracción I se le impondrán de seis meses a un año de prisión y multa de treinta a setenta días multa. Cuando la conducta realizada consista en el consumo o la inhalación, la pena será de hasta seis meses del tratamiento de desintoxicación o deshabituación que corresponda en el centro de atención destinado para tal efecto.

Al que incurra en la comisión de alguna de las conductas señaladas en la fracción II de este artículo se le impondrán de uno a tres años de prisión y multa de cien a trescientos días multa.

CAPÍTULO V
DELITOS EN CONTRA DEL DESARROLLO URBANO

Artículo 189. Se impondrán de cuatro a diez años de prisión y de trescientos a mil días multa a quien fraccione o divida un inmueble en lotes y los comercialice, transfiera o prometa transferir la propiedad, la posesión o cualquier otro derecho, careciendo del previo permiso, licencia o autorización de la autoridad administrativa correspondiente.

Se impondrá la misma pena prevista en el párrafo anterior al tercero que enajene, prometa hacerlo o comercialice lotes que hayan sido fraccionados o divididos sin contar con el permiso previo, licencia o autorización de autoridad administrativa correspondiente.

Se impondrá de dos a ocho años de prisión a quien contando con la autorización de la autoridad administrativa competente para fraccionar o dividir en lotes un inmueble, dolosamente:

I. No cumpla con el número de lotes autorizados o con las medidas y superficies de los lotes autorizados y transfiera la propiedad o la posesión;

II. No cuente con permiso para vender lotes y enajene uno o más de éstos; y

III. No haya ejecutado o concluido las obras de urbanización o equipamiento urbano motivo de la autorización, en los plazos de ejecución, ni cuente con instrumento vigente que garantice su ejecución y transfiera la propiedad o la posesión.

Se sancionará de dos a ocho años de prisión al tercero que dolosamente enajene o comercialice lotes que tengan alguna de las irregularidades previstas en el párrafo anterior.

Se aplicará de ocho a veinte años de prisión y destitución e inhabilitación para desempeñar cualquier empleo, cargo o comisión públicos, hasta por el mismo tiempo de la pena de prisión, al servidor público que participe o coopere en alguna forma en las siguientes conductas:

I. Realice indebidamente el trámite o expida licencias de uso de suelo sin haberse cumplido los requisitos que exige la ley de la materia;

II. Realice indebidamente el trámite o expida autorizaciones de división, licencias o permisos de uso de suelo sin tener la facultad legal para hacerlo;

III. Modifique o permita se modifiquen los términos de una autorización, licencia o permiso sin cumplir con los requisitos que exige la ley en la materia; y

IV. Falte a la verdad en la supervisión de las obras de urbanización, infraestructura y equipamiento urbano autorizados.

El agente del Ministerio Público asegurará y procederá a poner el inmueble objeto del ilícito, en administración del Instituto de Administración de Bienes Vinculados al Procedimiento Penal y a la Extinción de Dominio del Estado de México y en custodia de la institución policial que determine, e informará al Presidente Municipal y a las autoridades estatales encargadas del desarrollo urbano, para que en el ámbito de su competencia eviten la continuación del ilícito.

En la etapa de investigación, según sea el caso, el ministerio público deberá imponer medidas de protección, con el propósito de evitar la consolidación de un asentamiento humano irregular.

El incumplimiento de las medidas de protección impuestas por el ministerio público será causa de responsabilidad penal y administrativa.

Artículo 190. No se sancionará este delito:

I. Si el objeto de fraccionar o dividir un lote se hace en consecuencia de adjudicación por herencia, juicio de prescripción o usucapión, división de copropiedad que no simulen fraccionamiento o por la constitución del minifundio.

II. Cuando se trata de donaciones y compraventas realizadas entre parientes, en línea ascendente hasta el segundo grado, descendente hasta el tercer grado, cónyuges, concubinos y entre hermanos.

III. Cuando se incurra en lo previsto en los párrafos tercero y cuarto del artículo que antecede y antes de que el ministerio público formule imputación, se regularice su incumplimiento ante la autoridad competente y se repare el daño causado.

Artículo 190 Bis. A quien realice la ilegítima sustracción, apoderamiento, comercialización, detentación o posesión del equipamiento o mobiliario urbano, se le impondrá una pena de dos a cuatro años de prisión y hasta mil veces la Unidad de Medida y Actualización.

Para efectos del presente artículo se entenderá por mobiliario urbano los elementos complementarios al equipamiento urbano, ya sean fijos, móviles, permanentes o temporales, ubicados en la vía pública o en espacios públicos formando parte de la imagen de la Ciudad, los que, según su función, se aplican para el descanso, comunicación, información, necesidades fisiológicas, comercio, seguridad, higiene, servicio, jardinería, así como aquellos otros muebles que determinen la Secretaría de Desarrollo Urbano e Infraestructura, o su equivalente.

En el caso de tapas de registro o rejillas de alcantarillado propiedad gubernamental se aumentará la pena hasta en una mitad.

SUBTÍTULO SEGUNDO
DELITOS CONTRA LA SEGURIDAD DE LAS VÍAS DE COMUNICACIÓN Y MEDIOS DE TRANSPORTE

CAPÍTULO I
ATAQUES A LAS VÍAS DE COMUNICACIÓN Y MEDIOS DE TRANSPORTE

Artículo 191. Para los efectos de este capítulo se entiende por vía de comunicación los bienes de uso común con su correspondiente derecho de vía, que por razón del servicio se destine al libre tránsito de vehículos, comprendiéndose también en aquellos las vías de comunicación objeto de concesión estatal.

Artículo 192. Incurre en este delito quien por cualquier medio altere, destruya, construya o invada alguna vía de comunicación o medio de transporte público local de pasajeros o de carga, modifique o inutilice las señales correspondientes interrumpiendo o dificultando los servicios. Al responsable de este delito se le impondrán de uno a cuatro años de prisión y de treinta a ciento cincuenta días multa.

Si el medio de transporte a que se refiere el párrafo anterior estuviere ocupado por dos o más personas, las sanciones se aumentarán en una tercera parte.

Artículo 193. Al que en la comisión de un delito, conduzca o utilice un vehículo de motor sin las placas de circulación, se encuentren ocultas o no sean visibles o la tarjeta que autorice su debida circulación, o con documentación que no corresponda a la autorizada oficialmente para circular, se le impondrán de dos a cuatro años de prisión y de cien a trescientos días multa. Si el delito que se comete es grave, se duplicará la pena. Esta agravante no se aplicará a los delitos culposos.

Al que maneje o utilice un vehículo de motor con placas o tarjeta o documentación que no correspondan al vehículo o a la autorizada oficialmente para circular, se le impondrá de uno a tres años de prisión y de cincuenta a doscientos días multa.

Derogado.

Si se trata de un elemento de cualquier corporación policíaca se le impondrán de cuatro a doce años de prisión, destitución e inhabilitación de ocho a veinte años para desempeñar empleo, cargo o comisión públicos.

Artículo 194. Al que dolosamente obstaculice una vía de comunicación o la prestación de un servicio público local de comunicación o transporte, se le impondrán de seis meses a seis años de prisión y de treinta a ciento cincuenta días multa.

Artículo 195. Al que, para la ejecución de los hechos a que se refieren los artículos anteriores de este capítulo, se valga de explosivos, se le impondrán de quince a cuarenta años de prisión.

CAPÍTULO II
DELITOS COMETIDOS POR CONDUCTORES DE VEHÍCULOS DE MOTOR

Artículo 196. Derogado

CAPÍTULO III
VIOLACIÓN DE CORRESPONDENCIA

Artículo 197. Al que dolosamente abra o intercepte una comunicación escrita que no esté dirigida a él, se le impondrán de tres meses a un año de prisión y de treinta a sesenta días multa.

Esta disposición no comprende la correspondencia que circule por estafeta, los telegramas y radiogramas, respecto de los cuales se observará lo dispuesto por la legislación federal sobre la materia.

Artículo 198. No se impondrá pena a los que obren ejerciendo la patria potestad, la tutela o la custodia, abran o intercepten las comunicaciones escritas dirigidas a los menores, o a las personas que se hallen bajo su tutela o guarda; los cónyuges o concubinos entre sí.

SUBTÍTULO TERCERO
DELITOS CONTRA LA ECONOMÍA

CAPÍTULO I
DELITOS CONTRA EL CONSUMO

Artículo 199. A los comerciantes o industriales que, por cualquier medio, alteren en su cantidad o calidad las mercancías o productos de venta al público o les atribuyan cualidades que no tengan, se les impondrán de tres meses a cinco años de prisión y de cien a mil días multa.

Artículo 199 Bis. A quien, por medio de la violencia, obligue a una persona o unidad económica:

I. A comprar, obtener o adquirir, de otra persona, comercio o empresa determinados bienes, insumos, mercancías o servicios para su giro comercial;

II. A vender o distribuir bienes, insumos, mercancías o servicios, a personas o empresas determinadas, o

III. A imponer o fijar, en una localidad o región, un precio por encima del mercado, para la venta de bienes, mercancías o insumos o para la prestación de un servicio.

Al responsable de este delito, se impondrá de seis a diez años de prisión, y de mil a mil quinientas unidades de medida y actualización.

Son circunstancias que agravan la penalidad de este delito y se sancionarán, además de las penas señaladas en el párrafo anterior, con las siguientes:

I. Si en la comisión de este delito participan dos o más personas, se impondrán de tres a cinco años de prisión y de quinientos a ochocientos días multa;

II. Cuando en la comisión de este delito el o los sujetos activos se ostenten y/o identifiquen como miembros de alguna asociación o grupo delictivo, se impondrán de siete a quince años de prisión, y de mil trescientos a dos mil días multa, y

III. Cuando el delito sea cometido por alguna persona que tenga el carácter de servidor público, se impondrán de ocho a veinte años de prisión y de mil quinientos a dos mil quinientos días multa.

Artículo 200. Al que dolosamente venda, adquiera, posea o trafique con semillas, fertilizantes, plaguicidas, implementos u otros materiales destinados a la producción agropecuaria, que se hayan entregado a los productores por alguna entidad o dependencia pública a precio subsidiado, se le impondrán de dos a nueve años de prisión y de cien a mil días multa,

Se impondrán de tres meses a tres años de prisión, si el que entregue los insumos o materiales referidos fuere el productor que los recibió de las instituciones oficiales. Se harán acreedores a la misma sanción, los servidores públicos de alguna entidad o dependencia estatal que entreguen estos insumos a quienes no tengan derecho a recibirlos.

Artículo 201. También comete este delito, quien:

I. Elabore comestibles, bebidas o medicinas de tal modo que puedan causar daños a la salud, o comercie con ellos;

II. Falsifique o adultere comestibles, bebidas o medicinas, de tal modo que puedan causar daños a la salud o que, tratándose de las últimas, carezcan de las propiedades curativas que les atribuyan; y

III. Oculte, sustraiga, venda o compre efectos que la autoridad competente haya mandado destruir por ser nocivos a la salud.

Al responsable de este delito se le impondrán de tres meses a tres años de prisión y de treinta a cien días multa.

CAPÍTULO I BIS
DELITOS CONTRA LA ECONOMÍA PECUARIA

Artículo 201 Bis. Comete este delito, quien introduzca ganado bovino al Estado o zona de baja prevalencia y acreditada en la Entidad, sin serlo o lo movilice sin cumplir con la normatividad aplicable, al responsable, se le impondrán de seis meses a dos años de prisión y de cincuenta a cien días multa.

Artículo 201 Ter. A quien movilice ganado bovino declarado en cuarentena por autoridad agropecuaria competente o a quien utilice cualquier contaminante de los referidos en la Ley Federal de Sanidad Animal en el ganado, se le impondrán de uno a dos años de prisión y de ciento cincuenta a doscientos días multa.

Artículo 201 Quater. Si la movilización a que se refiere el artículo anterior se realiza con fines de comercialización, se le impondrán al sujeto activo, de dos a cinco años de prisión y de trescientos a cuatrocientos días multa.

Artículo 201 Quinquies. A quien presente o pretenda documentar ganado bovino como nacido en una zona de baja prevalencia y acreditada en la Entidad, sin serlo, se le impondrán de dos a ocho años de prisión y de quinientos a mil días multa.

En los casos de reincidencia en la comisión de las conductas descritas en los artículos anteriores o si se afecta el estatus zoosanitario del Estado, las penas se incrementarán hasta en un tercio.

CAPÍTULO II
DELITOS CONTRA EL TRABAJO Y LA PREVISIÓN SOCIAL

Artículo 202. Comete este delito el patrón que habitualmente y violando la Ley Federal del Trabajo:

I. Pague los salarios a los trabajadores en mercancías, vales, fichas, tarjetas o en moneda que no sea de curso legal;

II. Retenga, en todo o en parte, los salarios de los trabajadores por concepto de multa, o cualquier otro que no esté autorizado legalmente;

III. Pague los salarios de los trabajadores en tabernas, cantinas, prostíbulos o en cualquier otro lugar de vicio, excepto que se trate de empleados de esos lugares;

IV. Obligue a sus trabajadores a realizar jornadas sin descanso, que excedan de ocho horas en las labores diurnas y de siete en las nocturnas;

V. Imponga labores insalubres o peligrosas y trabajos nocturnos injustificados a un adulto mayor o a menores de dieciocho años.

VI. No pague a sus trabajadores el salario mínimo que les corresponda.

VII. Despida a los trabajadores por contar con una orden judicial de descuento de alimentos o un incidente de pensión alimenticia.

Al responsable de este delito se le impondrán de tres meses a un año de prisión.

Artículo 203. Al patrón que con el sólo propósito de eludir el cumplimiento de las obligaciones que le impone la Ley Federal del Trabajo, impute indebidamente a uno o más de sus trabajadores, la comisión de un delito o falta, se le impondrán de dos a cinco años de prisión y de treinta a trescientos cincuenta días multa.

CAPÍTULO III
OBSTRUCCIÓN A LA INVERSIÓN

Artículo 203 Bis. Incurre en el delito de obstrucción a la inversión el servidor público que desempeñe un empleo, cargo o comisión en alguno de los poderes del Estado, municipios u organismos auxiliares estatales o municipales, que en la tramitación, apertura, instalación, operación, ampliación o funcionamiento de obras, unidades económicas, inversiones o proyectos en el Estado de México, dolosamente:

I. Retrase notoriamente la substanciación de trámites, servicios, actos, procesos o procedimientos que la Ley de Competitividad y Ordenamiento Comercial del Estado de México, la Ley de Fomento Económico para el Estado de México, el Código Administrativo del Estado de México, la Ley de la Comisión de Impacto Estatal, los reglamentos respectivos, así como otras leyes de la materia le obligan a realizar en términos de las disposiciones jurídicas aplicables;

II. Exija o solicite más requisitos de los señalados en las leyes u ordenamientos de la materia, para la substanciación del trámite, servicio, acto, proceso o procedimientos para autorizar una inversión económica.

III. Solicite pagos no contemplados en la ley u ordenamientos en la materia para continuar los trámites, servicios, actos, procesos o Procedimientos que la ley le obliga a realizar, que obstruya una inversión económica.

También comete este delito la persona que dolosamente obstruya por cualquier medio ilícito, el desarrollo de proyectos de obras, unidades económicas o inversiones que hayan cumplido con los requisitos y trámites legales correspondientes para su ejecución.

Al responsable de este delito se le impondrá una pena de cinco a diez años de prisión y de mil a mil quinientos días multa, la destitución del cargo e inhabilitación de cinco a diez años para desempeñar empleo, cargo o comisión públicos.

SUBTÍTULO CUARTO
DELITOS CONTRA EL PLENO DESARROLLO Y LA DIGNIDAD DE LA PERSONA

CAPÍTULO I
DE LAS PERSONAS MENORES DE EDAD Y QUIENES NO TIENEN LA CAPACIDAD PARA COMPRENDER EL SIGNIFICADO DEL HECHO.

Artículo 204. Comete el delito contra las personas menores de edad y quienes no tienen la capacidad para comprender el significado del hecho al que por cualquier medio, obligue, procure, induzca, coaccione, solicite, gestione, oferte, ofrezca o facilite a una persona menor de edad o quien no tenga la capacidad para comprender el significado del hecho o la capacidad de resistirlo, a realizar las siguientes conductas:

I. Al consumo de bebidas alcohólicas, narcóticos o sustancias toxicas, se le impondrá pena de cuatro a ocho años de prisión y de quinientos a cuatro mil días multa.

Derogado.

Se impondrá la pena señalada en el párrafo primero, al que organice o realice eventos, reuniones, fiestas o convivios al interior de inmuebles particulares, vendiendo o facilitando para el consumo de alcohol, drogas, estupefacientes a menores de 18 años o personas que no tengan la capacidad de comprender el significado del hecho, o personas que no tienen capacidad de resistir la conducta.

II. A formar parte de una asociación delictuosa o pandilla, se le impondrá pena de cinco a diez años de prisión y de quinientos a dos mil días multa.

Si la finalidad de la asociación delictuosa o la pandilla es cometer delitos graves, se incrementará la pena en una tercera parte.

III. A fabricar, portar, usar o traficar armas prohibidas sin un fin licito, se le impondrá la pena de cinco a diez años de prisión y de trescientos a mil quinientos días multa.

IV. A realizar a través de cualquier medio y sin fines de lucro actos eróticos o sexuales, así como exhibiciones corporales, lascivas o sexuales, públicas o privadas, será castigado con pena de prisión de cinco a diez años de prisión y de mil a cuatro mil días multa.

V. A establecer matrimonio, concubinato, cohabitación forzada o cualquier relación de hecho para vivir en conjunto y hacer una vida en común sin fines de lucro o a cambio de un pago en efectivo o en especie, a una persona menor de edad con alguien también menor de edad o con persona mayor de dieciocho años de edad, aun cuando sean los padres, quienes realicen las conductas antes descritas, se impondrá la pena de cinco a diez años de prisión y de mil a cuatro mil días multa. Las penas señaladas podrán incrementarse hasta en una mitad cuando se comenta con violencia o en contra de personas menores de edad que padezcan alguna discapacidad, o pertenezcan a algún pueblo o comunidad indígena o afromexicana.

A quien emplee, aun gratuitamente, a personas menores de dieciocho años o que no tengan la capacidad de comprender el significado del hecho o de resistirlo, utilizando sus servicios en lugares o establecimientos donde preponderantemente se expendan bebidas alcohólicas o sustancias tóxicas para su consumo inmediato o en lugares que por su naturaleza sean nocivos para el libre desarrollo de su personalidad o para su salud, se le aplicará prisión dos a cuatro años y de mil a cinco mil días multa así como el cierre definitivo del establecimiento.

A quien permita directa o indirectamente el acceso a personas menores de edad a escenas, espectáculos, obras gráficas o audiovisuales de carácter pornográfico, incluyendo la información generada o comunicada por medios electrónicos o cualquier otra tecnología se le aplicará prisión de seis meses a dos años y multa de cincuenta a trescientos días multa.

Al que ejecutare o hiciere ejecutar a otra persona actos de exhibicionismo corporal, eróticos o sexuales ante personas menores de edad o que no tengan la capacidad para comprender el significado del hecho o de resistirlo, se le impondrá pena de tres a seis años de prisión y de doscientos a mil días multa.

El que, por cualquier medio, venda, difunda o exhiba material pornográfico entre personas menores de edad o personas que no tengan la capacidad para comprender el significado del hecho o de resistirlo, será castigado con pena de prisión de seis meses a un año y de doscientos a quinientos días multa.

La pena se aumentará hasta el doble, cuando una persona mayor de edad por medio del engaño, simule ser una niña, niño o adolescente, con el propósito de solicitar u obtener de esta, imágenes, audios, videos, o grabaciones de voz con contenido sexual explicito u actos de connotación sexual en las que participe, o con la finalidad de concertar un encuentro o acercamiento físico.

No se actualizará el delito tratándose de programas preventivos, educativos o informativos que diseñen e impartan las instituciones públicas, privadas o sociales, que tengan por objeto la educación sexual, educación sobre la función reproductiva, prevención de infecciones de transmisión sexual y embarazo de adolescentes.

Las penas a que se refiere este artículo se incrementarán hasta en una mitad, cuando la conducta se realice en un radio menor o igual a quinientos metros de alguna estancia infantil, institución educativa, parques públicos o centros deportivos.

Derogado.

Artículo 205. A quien pague o prometa pagar con dinero u otra ventaja de cualquier naturaleza a una persona menor de dieciocho años con la intención de tener cópula o sostener actos eróticos sexuales con ella, se le impondrá una pena de tres a seis años de prisión y de mil quinientos a dos mil días multa, sin perjuicio de las penas que correspondan por la comisión de otros delitos.

Esta conducta se actualizará incluso cuando el pago o promesa de pago con dinero u otra ventaja de cualquier naturaleza sea para una tercera persona

CAPÍTULO I BIS
PEDERASTIA

Artículo 205 Bis. Se aplicarán de nueve a dieciocho años de prisión y de setecientos cincuenta a dos mil doscientos cincuenta días multa, a quien se aproveche de la confianza, subordinación o superioridad que tiene sobre un menor de dieciocho años, derivada de su parentesco en cualquier grado, tutela, curatela, guarda o custodia, relación docente, religiosa, laboral, médica, cultural, doméstica o de cualquier índole y ejecute, obligue, induzca o convenza a ejecutar cualquier acto sexual, con o sin su consentimiento.

La misma pena se aplicará a quien cometa la conducta descrita del párrafo anterior, en contra de la persona que no tenga la capacidad de comprender el significado del hecho o no tenga capacidad para resistirlo.

Si el sujeto activo hace uso de violencia física, las penas se aumentarán en una mitad más.

El autor del delito podrá ser sujeto a tratamiento médico integral el tiempo que se requiera, mismo que no podrá exceder el tiempo que dure la pena de prisión impuesta.

Además de las anteriores penas, el autor del delito perderá, en su caso, la patria potestad, la tutela, la curatela, la adopción, el derecho de alimentos y el derecho que pudiera tener respecto de los bienes de la víctima, en términos de la legislación civil.

Cuando el delito fuere cometido por un servidor público o un profesionista en ejercicio de sus funciones o con motivo de ellas, además de la pena de prisión antes señalada, será inhabilitado, destituido o suspendido, de su empleo público o profesión por un término igual a la pena impuesta.

CAPÍTULO II
UTILIZACIÓN DE IMÁGENES Y/O VOZ DE PERSONAS MENORES DE EDAD O PERSONAS QUE NO TIENEN LA CAPACIDAD PARA COMPRENDER EL SIGNIFICADO DEL HECHO PARA LA PORNOGRAFÍA

Artículo 206. Comete el delito de utilización de imágenes y/o voz de personas menores de edad o personas que no tienen la capacidad para comprender el significado del hecho para la pornografía, el que realice las siguientes conductas:

I. Produzca, fije, grabe, videograbe, fotografíe o filme e imprima de cualquier forma imágenes, sonidos o la voz de una persona menor de edad o de una persona que no tenga la capacidad para comprender el significado del hecho o de resistirlo, sea en forma directa, informática, audiovisual, virtual o por cualquier otro medio en las que se manifiesten actividades sexuales o eróticas, explícitas o no, reales o simuladas.

II. Reproduzca, publique, ofrezca, publicite, almacene, distribuya, difunda, exponga, envíe, transmita, importe, exporte o comercialice de cualquier forma imágenes, sonidos o la voz de una persona menor de edad o de una persona que no tenga la capacidad para comprender el significado del hecho o de resistirlo, sea en forma directa, informática, audiovisual, virtual o por cualquier otro medio en las que se manifiesten actividades sexuales o eróticas, explícitas o no, reales o simuladas.

III. Posea intencionalmente para cualquier fin, imágenes, sonidos o la voz de personas menores de edad o de personas que no tengan la capacidad de comprender el significado del hecho o de resistirlo, sea en forma directa, informática, audiovisual, virtual o por cualquier otro medio en las que se manifiesten actividades sexuales o eróticas, explícitas o no, reales o simuladas.

IV. Financie, dirija, administre o supervise cualquiera de las actividades anteriores con la finalidad de que se realicen las conductas previstas en las fracciones anteriores.

Al autor de los delitos previstos en las fracciones I y II se le impondrá pena siete a doce años de prisión y de quinientos a tres mil días multa. Al autor de los delitos previstos en la fracción III se le impondrá la pena de seis a diez años de prisión y de quinientos a mil días multa. A quien cometa el delito previsto en la fracción IV, se le impondrá pena de prisión de diez a catorce años y de mil a dos mil días multa.

Las anteriores sanciones se impondrán sin perjuicio de las penas que correspondan por la comisión de los delitos contemplados en el capítulo noveno del subtítulo tercero "delitos contra la libertad y la seguridad", del título tercero "delitos contra las personas", del libro segundo del Código Penal del Estado de México.

Artículo 207. Las penas que resulten aplicables por los delitos previstos en los capítulos I y II de este título se aumentarán hasta en una mitad más de acuerdo con lo siguiente:

I. Si el sujeto activo se valiese de la función pública, la profesión u oficio que desempeña, aprovechándose de los medios o circunstancias que ellos le proporcionan. En este caso, además, se le destituirá del empleo, cargo o comisión públicos e inhabilitará de ocho a veinte años para desempeñar otro, o se le suspenderá del ejercicio de la profesión u oficio por un tiempo igual al de la pena de prisión impuesta; y

II. Si el sujeto activo del delito tiene parentesco por consanguinidad, afinidad o civil hasta en cuarto grado o habite ocasional o permanentemente en el mismo domicilio con la víctima, o tenga una relación análoga de cualquier tipo con el sujeto pasivo; además cuando corresponda, perderá la patria potestad, guarda y custodia o régimen de visitas y convivencias, el derecho de alimentos que le correspondiera por su relación con la víctima y el derecho que pudiere tener respecto de los bienes de ésta.

Artículo 208. Los sujetos activos de los delitos a que se refiere este capítulo quedarán inhabilitados para ser tutores o curadores.

CAPÍTULO III
LENOCINIO

Artículo 209. Comete el delito de lenocinio quien habitual o reiteradamente obtenga una ventaja económica u otro beneficio procedente de los servicios sexuales de otra persona mayor de edad. A quien cometa este delito se le aplicará prisión de dos a seis años y de quinientos a mil días multa.

Artículo 209 Bis. A quien administre, sostenga, supervise o financie directa o indirectamente prostíbulos, casas de citas o lugares donde se lleven a cabo las conductas señaladas en el artículo anterior se le sancionará con una pena de dos a cinco años de prisión y de mil a dos mil días multas.

Artículo 210. Si los delitos de que hablan los artículos anteriores fueran cometidos al amparo de una persona jurídica colectiva o con medios que ésta proporcione para tal fin a los delincuentes, el juez ordenará la disolución la empresa.

CAPÍTULO IV
DISCRIMINACIÓN

Artículo 211. Se impondrán de uno a tres años de prisión o de veinticinco a cien días de trabajo en favor de la comunidad y de cincuenta a doscientos días multa al que, por razón de origen étnico o nacional, género, edad, discapacidades, condición social, trabajo o profesión, condiciones de salud, religión, opiniones, preferencias sexuales, estado civil o alguna otra que atente contra la dignidad humana y tenga por efecto impedir, menoscabar o anular el reconocimiento o el ejercicio de los derechos fundamentales en condiciones de equidad e igualdad de oportunidades y de trato a las personas:

I. Provoque o incite al odio o a la violencia;

II. Niegue o retarde a una persona un trámite, servicio o una prestación a la que tenga derecho;

III. Repudie, desprecie, veje o excluya a alguna persona o grupo de personas; o

IV. Niegue o restrinja derechos laborales.

Si las conductas descritas en este artículo las realiza un servidor público, se aumentará en una mitad la pena prevista en el primer párrafo del presente artículo y, además, se le destituirá e inhabilitara para el desempeño de cualquier cargo, empleo o comisión públicos, por el mismo tiempo de la privación de la libertad impuesta.

No serán consideradas discriminatorias todas aquellas medidas tendientes a la protección de los grupos socialmente desfavorecidos.

Este delito se perseguirá por querella.

CAPÍTULO V
PROVOCACIÓN DE UN DELITO Y APOLOGÍA DE ESTE O DE ALGÚN VICIO

Artículo 211 Bis. Al que provoque públicamente a cometer un delito, o haga la apología de éste o de algún vicio, si el delito no se ejecutare, se le impondrán de tres a seis meses de prisión y de treinta a sesenta días multa. En caso contrario, se impondrá la pena que le corresponda como instigador del delito cometido.

Se excluye de este delito, al servidor público que en cumplimiento de su deber realice alguno de los actos de investigación reconocidos en el Código

Nacional de Procedimientos Penales, siempre y cuando ejerza su función en términos de las disposiciones jurídicas aplicables.

CAPÍTULO VI
VIOLENCIA EJERCIDA A TRAVÉS DE LAS TECNOLOGÍAS DE LA INFORMACIÓN Y LA COMUNICACIÓN

Artículo 211 Ter. A quien con la anuencia del sujeto pasivo, haya obtenido imágenes, audios, textos, grabaciones de voz o contenidos audiovisuales de naturaleza erótico, sexual o pornográfico; y las revele, publique, difunda o exhiba sin consentimiento de la víctima, a través de cualquier tecnología de la información y la comunicación, se le impondrá de uno a cinco años de prisión y multa de doscientas a quinientas unidades de medida y actualización.

La misma pena se aplicará a la persona que le sea entregada por parte de la o el receptor original, a través de cualquiera de los medios previstos en el párrafo anterior, o bien encuentre en algún medio físico o cualquier tecnología de la información, comunicación o transmisión de datos, el material señalado y publique, difunda, adquiera, intercambie o comparta por cualquier medio sin el consentimiento de la persona que aparece en el mismo.

Las penas y sanciones referidas en los párrafos anteriores, se aumentarán hasta una mitad cuando el sujeto activo sea o haya sido la o el cónyuge, concubina o concubinario o haya tenido alguna relación sentimental, afectiva, de confianza, laboral o análoga con la víctima, o haya cometido la conducta con fines lucrativos o haciendo uso de su calidad de servidor público y cuando sin el consentimiento expreso de las personas involucradas, por cualquier medio obtenga grabaciones, fotografías, filmaciones o capte la imagen o audio con contenido erótico, sexual, de actos íntimos, interpersonales, efectuados en lugar privado, y las publique, difunda, exhiba o propague sin el consentimiento de las personas involucradas.

Este delito se perseguirá por querella de la parte de la ofendida.

Artículo 211 Quater. A quien coaccione, intimide, hostigue, exija o engañe a otra persona, para la elaboración o remisión de imágenes o grabaciones de voz o contenidos audiovisuales de naturaleza erótico, sexual o pornográfico bajo la amenaza de revelar, publicar, difundir o exhibir sin su consentimiento el material de la misma naturaleza que previamente la víctima le haya compartido directamente o que haya obtenido por cualquier otro medio, o bien, con la finalidad de concertar un encuentro o acercamiento físico, se le impondrá de tres a siete años de prisión y multa de doscientas a cuatrocientas unidades de medida y actualización.

Asimismo, a quien mediante amenazas y engaños, haciendo uso de las tecnologías de la información y la comunicación o cualquier otro medio escrito, electrónico o de mensajería, pretenda o logre concertar un encuentro o acercamiento físico con una persona para obtener concesiones de índole sexual o material audiovisual con contenido explícito, se le impondrá de cuatro a ocho años de prisión y multa de doscientas a cuatrocientas unidades de medida y actualización.

La pena se aumentará hasta el doble, independientemente de que exista coacción, intimidación, hostigamiento, amenazas y engaños, cuando la víctima sea menor de edad, requiera apoyos para comprender el significado de los hechos o requiera apoyos extraordinarios; así también, cuando para la obtención de imágenes o grabaciones de voz o contenidos audiovisuales de naturaleza erótico, sexual o pornográfico, la víctima se encuentre en estado de ebriedad o bajo el influjo de drogas, enervantes y otras análogas que produzcan efectos similares y que les hagan perder el control de su persona.

Artículo 211 Quinquies. Las penas a que se refieren los dos artículos anteriores, se aumentarán hasta el doble cuando el delito se cometa en contra de una persona menor de dieciocho años o que no tenga la capacidad de comprender el significado del hecho o que por cualquier causa no pueda resistirlo, aun y cuando mediare su consentimiento.

Esta conducta será perseguida de oficio.

CAPÍTULO VII
DELITOS CONTRA EL LIBRE DESARROLLO DE LA PERSONALIDAD Y LA IDENTIDAD SEXUAL

Artículo 211 Sexies. A quien someta, coaccione u obligue a otro, a recibir o realizar procedimientos o métodos con la finalidad de cambiar su orientación sexual, y derivado de éstos se afecte su integridad física o psicológica, se le impondrá de uno a tres años de prisión o de veinticinco a cien días de trabajo en favor de la comunidad y de cincuenta a doscientos días multa.

Se entiende por terapias de conversión aquellas prácticas consistentes en sesiones psicológicas, psiquiátricas o tratamientos en las que se emplea violencia física, moral, psicoemocional o sexual, mediante tratos crueles, inhumanos o degradantes que atenten contra la autodeterminación sexual de las personas.

Si la conducta se lleva a cabo contra personas menores de edad, con discapacidad, adultas mayores, privadas de libertad o que no tienen la capacidad para comprender el significado del hecho, la pena se aumentará en una mitad.

También se aumentará la pena en una mitad, cuando la víctima sea ascendiente, descendiente, hermano, pupilo, tutor, cónyuge, concubina o concubinario del inculpado.

En el caso de los dos párrafos anteriores, el delito se perseguirá de oficio.

Las sanciones previstas en este artículo se impondrán con independencia de las que correspondan por la comisión de otro u otros delitos.

SUBTÍTULO QUINTO
DELITOS CONTRA LA FAMILIA

CAPÍTULO I
DELITOS CONTRA EL ESTADO CIVIL DE LAS PERSONAS

Artículo 212. A quien con el fin de alterar el estado civil, suprima, altere o usurpe el estado civil de otro, registre un nacimiento inexistente o substituya a un niño por otro, se le impondrán de seis meses a seis años de prisión y de cincuenta a cuatrocientos días multa

CAPÍTULO II
MATRIMONIOS ILEGALES

Artículo 213. Al que contraiga o autorice matrimonio con conocimiento de la existencia de un impedimento, o sin que hayan transcurrido los términos suspensivos que para contraerlo señala la ley civil, se le impondrán de seis meses a dos años de prisión y de treinta a doscientos cincuenta días multa.

CAPÍTULO III
BIGAMIA

Artículo 214. Al que estando unido en matrimonio no disuelto ni declarado nulo, contraiga otro matrimonio, con las formalidades legales, se le impondrán de uno a cuatro años de prisión y de cincuenta a cuatrocientos días multa.

Igual pena se impondrá al otro contrayente si obrare con conocimiento del vínculo anterior.

Artículo 215. A los testigos y a las personas que intervengan en la celebración del nuevo matrimonio, a sabiendas de la vigencia legal del anterior, se les impondrá hasta la mitad de las penas previstas en el artículo precedente. Igual pena se impondrá a quienes ejerzan la patria potestad o la tutela que, a sabiendas de la existencia de ese impedimento, dieren su consentimiento para la celebración del nuevo matrimonio.

Artículo 216. El término para la prescripción de la bigamia, empezará a correr desde que uno de los dos matrimonios haya quedado disuelto por la muerte de uno de los cónyuges, o que el segundo haya sido declarado nulo. El término de la prescripción del matrimonio ilegal empieza a correr desde la disolución del matrimonio o por la muerte de uno de los cónyuges.

CAPÍTULO IV
INCUMPLIMIENTO DE OBLIGACIONES

Artículo 217. Comete el delito de incumplimiento de obligaciones, quien incurra en las siguientes conductas:

I. El que estando obligado por la ley, sin motivo justificado abandone a sus descendientes, ascendientes, cónyuge, concubina, concubinario o acreedor alimentario, sin recursos para atender sus necesidades de subsistencia, aun cuando éstos, con motivo del abandono, se vean obligados a allegarse por cualquier medio de recursos para satisfacer sus requerimientos indispensables, independientemente de que se inicie o no la instancia civil. El delito se sancionará con prisión de dos a cinco años y de treinta a quinientos días multa;

II. El que intencionalmente se coloque en estado de insolvencia, con el objeto de eludir el cumplimiento de las obligaciones alimentarias que la ley determina, se le impondrán de dos a siete años de prisión y de treinta a trescientos días multa. El órgano jurisdiccional determinará la aplicación del producto del trabajo que realice el inculpado, para satisfacer las obligaciones alimentarias a su cargo; y

III. El padre, madre, tutor o quien tenga legalmente la custodia de un menor de edad, que por incurrir en negligencia u omisión en más de una ocasión en las obligaciones que le impone la ley, ponga en riesgo la salud mental o física del menor, se le impondrán de tres a ocho años de prisión y de cincuenta a trescientos cincuenta días multa.

El Ministerio Público solicitará al Sistema Estatal para el Desarrollo Integral de la Familia, información sobre antecedentes a que se refiere este artículo; asimismo podrá solicitar a la Dirección del Registro Civil del Estado de México información relacionada con quienes tengan la calidad de acreedor alimentario, en los términos de las disposiciones jurídicas aplicables.

Este delito se perseguirá por querella, salvo cuando los ofendidos sean menores de edad o incapaces; en cuyo caso, se perseguirá de oficio. En el caso de las fracciones I y II, para que el perdón concedido por el ofendido pueda extinguir la pretensión punitiva, deberá el inculpado pagar todas las cantidades que hubiere dejado de ministrar por concepto de alimentos y garantizará el pago futuro de los mismos, por un término no menor a un año.

Al inculpado de este delito, además de las sanciones señaladas, se le impondrá la pérdida de los derechos inherentes a la patria potestad del menor o incapaz agraviado, por resolución judicial.

El inculpado de este delito, durante la investigación del mismo y al rendir su declaración, será apercibido por el Ministerio Público para que se abstenga de realizar cualquier conducta que pudiere causar daño a los pasivos.

En los casos de reincidencia del delito de incumplimiento de obligaciones alimentarias, las penas a que se refiere este artículo se incrementarán hasta en una mitad.

CAPÍTULO V
VIOLENCIA FAMILIAR

Artículo 218. Al integrante de un núcleo familiar que haga uso de la violencia física o moral en contra de otro integrante de ese núcleo que afecte o ponga en peligro su integridad física, psíquica o ambas, o cause menoscabo en sus derechos, bienes o valores de algún integrante del núcleo familiar, se le impondrán de tres a siete años de prisión y de doscientos a seiscientos días multa y tratamiento psicoterapéutico, psicológico, psiquiátrico o reeducativo, sin perjuicio de las penas que correspondan por otros delitos que se consumen.

En caso de que existan datos que establezcan que se han cometido amenazas o advertencias de causar algún daño, en contra de la víctima, denunciante o terceros, derivado de la noticia criminal que se haya hecho del conocimiento de la autoridad, la pena se incrementará hasta en una mitad.

Por núcleo familiar debe entenderse el lugar en donde habitan o concurran familiares o personas con relaciones de familiaridad en intimidad, o el vínculo de mutua consideración y apoyo que existe entre las personas con base en la filiación o convivencia fraterna.

Este delito se perseguirá por querella, salvo cuando los ofendidos sean menores de edad, incapaces, mujeres o adultos mayores; en cuyo caso, se perseguirá de oficio.

El inculpado de este delito, durante la investigación del mismo y al rendir su declaración, será apercibido por el Ministerio Público para que se abstenga de realizar cualquier conducta que pudiere causar daño a los pasivos.

Si el inculpado de este delito lo cometiese de manera reiterada, o en contra de una persona mayor de sesenta años, se le impondrá la perdida de los derechos hereditarios, los inherentes a la patria potestad, tutela o guarda y cuidado del menor o incapaz agraviado, a quien tenga el ejercicio de ésta, por resolución judicial.

Las penas previstas en el presente artículo se elevarán hasta en un tercio, si se comete en agravio de una persona mayor de sesenta años.

A quien condicione a un adulto mayor el acceso y permanencia a su propio domicilio, o cualquiera de sus bienes inmuebles, le restrinja o condicione el uso de sus bienes muebles; presione por medio de la violencia física o moral para que teste o cambie su testamento a favor de un tercero, disponga sin la autorización correspondiente de los recursos económicos del pasivo; o sustraiga, despoje, retenga o condicione la entrega de los documentos de identidad o de acceso a los servicios de salud y de asistencia social, en perjuicio de una persona adulta mayor, la pena aumentará hasta en una mitad.

CAPÍTULO VI
TRAFICO DE MENORES

Artículo 219. Al que con el consentimiento de un ascendiente que ejerza la patria potestad o de quien tenga a su cargo la custodia de un menor, aunque ésta no haya sido declarada, o sin el consentimiento de aquél, lo entregue ilegítimamente a un tercero para su custodia definitiva, a cambio de un beneficio económico, se le impondrán de tres a diez años de prisión y de cincuenta a cuatrocientos días multa.

La misma pena a que se refiere el párrafo anterior, se impondrá a los que otorguen el consentimiento a que alude este artículo y al tercero que reciba al menor.

Si la entrega definitiva del menor se hace sin la finalidad de obtener un beneficio económico, se impondrán de uno a tres años de prisión.

Además de las sanciones señaladas, se privará de los derechos de la patria potestad, tutela o custodia, en su caso, a quienes teniendo el ejercicio de éstas, cometan el delito a que se refiere este artículo.

CAPÍTULO VII
EXPLOTACIÓN DE PERSONAS

Artículo 220. Derogado

CAPÍTULO VIII
INCESTO

Artículo 221. A los ascendientes que tengan cópula con sus descendientes, teniendo conocimiento del parentesco, se les impondrán de tres a siete años de prisión y de treinta a doscientos días multa. La pena aplicable a estos últimos será de uno a tres años de prisión.

Se impondrá esta última sanción en caso de incesto entre hermanos.

CAPÍTULO IX

Derogado

Artículo 222. Derogado.

Artículo 223. Derogado.

SUBTÍTULO SEXTO
DELITOS CONTRA EL RESPETO A LOS MUERTOS Y VIOLACIONES A LAS LEYES DE INHUMACIÓN Y EXHUMACIÓN

CAPÍTULO ÚNICO

Artículo 224. Al que por sí o a través de otro, oculte, destruya, mutile, sepulte, o exhume un cadáver, un feto, partes o restos humanos, sin los requisitos que exige la ley, se le impondrán de seis meses a dos años de prisión y de treinta a sesenta días multa.

Artículo 225. Al que por sí o a través de otro realice u ordene la cremación de un cadáver, feto, partes o restos humanos, sin la autorización que deba otorgar la persona legalmente facultada para ello o, en su caso, la autoridad correspondiente, se le impondrán prisión de seis a doce años y de ciento cincuenta a trescientos días multa.

Artículo 226. A los que retengan cadáveres, partes o restos humanos en una clínica, sanatorio, hospital o en otro lugar similar por mayor tiempo del aconsejado por las normas de salud con el objeto de que los familiares o deudos paguen gastos de hospitalización, atención, tratamiento u operaciones, salvo que sea por instrucciones del Ministerio Público o autoridad judicial que requieran la retención del cadáver para el cumplimiento de sus funciones, se les impondrán de tres meses a dos años de prisión y de treinta a sesenta días multa.

La misma pena se impondrá a la persona de alguna institución, clínica, sanatorio u hospital público o privado, que retenga un cadáver, partes o restos humanos para realizar estudios de carácter científico, sin previa autorización del Ministerio Público, de la autoridad judicial, de los familiares o de los deudos.

Artículo 227. También incurre en este delito quien:

I. Viole un túmulo, un sepulcro, una sepultura o féretro; y

II. Profane un cadáver o restos humanos con actos de vilipendio, mutilación, brutalidad o necrofilia.

Al responsable se le impondrán de uno a tres años de prisión y de treinta a cien días multa.

Se impondrán de cuatro a ocho años de prisión y de cuarenta a doscientos días multa, si los actos de necrofilia consisten en la realización del coito.

Artículo 227 Bis. A la persona que sin tratarse de programas preventivos, educativos o informativos que diseñen e impartan las instituciones públicas, privadas o sociales, que tengan por objeto la educación; que realice actos de difusión, entrega, publicación, transmisión, distribución, videograbación, reproducción, exposición, filmación, fotografía o compartan, oferten e intercambien imágenes relacionadas con cadáveres de personas, causando menoscabo en la dignidad, el honor y la intimidad de la víctima o la seguridad, paz y privacidad de sus familiares, se le impondrá de cuatro a ocho años de prisión y multa de quinientas a mil veces el valor diario de la Unidad de Medida y Actualización, así como la reparación integral del daño.

Cuando en la comisión de este delito participen servidores públicos de Salud, Protección Civil, Seguridad Pública, Procuración y Administración de Justicia, o cualquier otro inherente a la cadena de justicia, que por su empleo, cargo o comisión tengan acceso a la información y documentos relacionados con objetos, indicios, evidencias, hallazgos o instrumentos vinculados a un procedimiento penal o a una investigación relacionada con un hecho delictivo, se le impondrá de tres a siete años de prisión y multa de trescientas a ochocientas veces el valor diario de la Unidad de Medida y Actualización en el momento de cometerse el delito.

Cuando el sujeto pasivo de este delito sean mujeres, niñas, niños, adolescentes o persona en situación de vulnerabilidad, la pena se incrementará hasta en una mitad más de la que le corresponda.

SUBTÍTULO SÉPTIMO
DELITOS CONTRA EL AMBIENTE

CAPÍTULO I

Artículo 228. Al que en contravención a las disposiciones legales en materia de protección al ambiente o normas técnicas ambientales:

I. El que derribe o trasplante un árbol en la vía pública o afecte negativamente áreas verdes o jardineras públicas, dolosamente, sin autorización correspondiente;

II. Provoque por cualquier medio una enfermedad en las plantas, cultivos agrícolas o bosques, causando daño a la salud pública o desequilibrio a los ecosistemas;

III. Provoque intencionalmente un incendio forestal;

IV. Descargue, deposite, infiltre o derrame aguas residuales de carácter industrial, comerciales, de servicios y agropecuarios, desechos o contaminantes en las aguas o en los suelos de jurisdicción estatal o municipal, que causen daños a la salud pública, la flora, la fauna o los ecosistemas;

V. Despida o descargue en la atmósfera gases, humos, polvos, líquidos que ocasionen o puedan ocasionar daños a la salud pública, la flora, la fauna o los ecosistemas, en zonas o fuentes emisoras de jurisdicción estatal o municipal;

VI. Genere emisiones de ruido, vibraciones, energía lumínica o térmica en zonas de jurisdicción estatal o municipal que ocasionen o puedan ocasionar daños a la salud pública, flora, fauna o los ecosistemas;

VII. Debiendo obtener la autorización de impacto y riesgo ambiental, realice obras o actividades, sin contar con la misma o no implemente las medidas preventivas y correctivas que indique la autoridad correspondiente para la mitigación de impactos ambientales y de seguridad de las personas, sus bienes y el ambiente, ocasionando daños a la salud pública, la flora, la fauna o los ecosistemas;

VIII. Rebase el doble de los parámetros y límites permisibles en las normas oficiales mexicanas o en las normas técnicas estatales vigentes;

IX. Sin contar con la autorización de impacto y riesgo ambiental, preste el servicio de guarda, custodia, reparación o depósito de vehículos;

X. Sin contar con la autorización de impacto y riesgo ambiental, guarde, comercie, deposite o almacene vehículos de desecho o autopartes usadas.

A los responsables de este delito se les impondrá prisión de dos a ocho años y de treinta a ciento cincuenta días multa.

Artículo 228 Bis. Al que ilícitamente posea, adquiera, venda, reciba, transporte o almacene material peligroso al que alude el Código para la Biodiversidad del Estado de México, se le impondrá de dos a seis años de prisión y de doscientos a cuatrocientos días multa.

Artículo 229. Al que sin autorización legal realice, auxilie, coopere, consienta o participe en la transportación, almacenamiento, distribución, procesamiento, comercialización o destrucción de productos de los montes o bosques cualquiera que sea su régimen de propiedad, tenencia o posesión de la tierra, se le aplicarán de diez a veinte años de prisión y de mil a mil quinientos días multa.

Comete también este delito y se le aplicará igual pena al servidor público que autorice cambio de uso de suelo sobre un área natural protegida o reserva ecológica, sin que exista causa de excepción justificada, establecida en la Ley General de Desarrollo Forestal Sustentable.

Cuando la destrucción de los productos de los montes o bosques sea a consecuencia de la tala de árboles, sin autorización de la autoridad correspondiente, se le impondrán quince a veinticinco años de prisión y de dos mil a tres mil quinientos días multa.

A los autores intelectuales, instigadores, a quienes obtengan un lucro indebido o a quienes controlen o inciten a personas menores de edad o adultas mayores para cometer este delito, se les impondrá una pena de quince a veinticinco años de prisión y de dos mil a tres mil quinientos días multa.

Se impondrán de quince a veinticinco años de prisión y de dos mil a tres mil quinientos días multa:

I. Cuando en la comisión de este delito se empleen instrumentos como motosierras, sierras manuales o sus análogas y demás objetos utilizados para el daño y destrucción de los montes o bosques;

II. Cuando en la comisión de este ilícito se utilicen vehículos, camionetas o camiones cargados con tocones de madera;

III. Cuando en la comisión de este delito participen servidores públicos, en cuyo caso, además de la pena señalada será destituido e inhabilitado por un plazo igual a la pena privativa de libertad impuesta.

IV. Cuando los delitos contemplados en el presente artículo sean cometidos en áreas naturales protegidas, con violencia o mediante el uso de armas prohibidas.

Los instrumentos y efectos del delito se asegurarán de oficio por el Ministerio Público, quien los pondrá a disposición de la autoridad judicial para el decomiso correspondiente, independientemente de que puedan estar a disposición de otra autoridad.

No será punible el uso de leña para consumo doméstico, de material leñoso proveniente de vegetación forestal sin ningún proceso de transformación que podrá ser utilizado como combustible en el hogar, para rituales o productos artesanales, hasta en un volumen menor a medio metro cubico.

No será punible la comercialización y transporte de árboles de navidad obtenidos de plantaciones forestales autorizadas legalmente o registradas ante la autoridad forestal con fines de comercialización o uso doméstico.

Lo anterior sin perjuicio que, en los operativos que las autoridades realicen en el ámbito de su competencia, se acredite su legal procedencia.

Artículo 230. A quien dolosamente deteriore, por el uso, la ocupación o el aprovechamiento, un inmueble que por decreto del ejecutivo del Estado haya sido declarado área natural protegida, en sus diferentes modalidades de reservas estatales, parques estatales, parques municipales, reservas naturales privadas o comunitarias, parajes protegidos, zonas de preservación ecológica de los centros de población y las demás que determinen las leyes y reglamentos de la materia, se le impondrán de cinco a quince años de prisión y de cien a quinientos días multa.

Artículo 231. A quien circule en vehículos automotores que hubieren sido retirados de la circulación por ser ostensiblemente contaminantes, se le impondrán de tres a seis meses de prisión y de cincuenta a cien días multa.

Artículo 232. Comete también el delito a que se refiere el artículo anterior, el que incurra en cualquiera de las conductas siguientes:

I. Altere en cualquier forma, sustituya, destruya, trafique o haga uso indebido de documentos oficiales relativos al programa de verificación de vehículos automotores;

II. Destine sus establecimientos a actividades diferentes a la verificación de emisiones contaminantes, realice en éstos reparaciones mecánicas, venta de refacciones automotrices o cualquier otra actividad comercial o de servicio distinta a la verificación, sin contar con la autorización emitida por la autoridad competente;

III. Siendo propietario, responsable o técnico de los verificentros, condicione la aprobación de la verificación vehicular, a la entrega de dádivas en efectivo o en especie, o por cualquier motivo cobre por la verificación una cantidad superior a la autorizada oficialmente;

IV. Siendo propietario, responsable o técnico de los verificentros o usuario del servicio, proporcione documentos falsos, para llevar a cabo la verificación vehicular; y

V. En calidad de usuario del servicio de verificación vehicular, ofrezca, prometa o entregue dinero o cualquier dádiva, con el fin de alterar los resultados de la verificación vehicular obligatoria.

Al responsable de este delito se le impondrán de uno a cuatro años de prisión y de treinta a cien días multa.

Artículo 233. A los prestadores de servicios ambientales autorizados que proporcionen documentos o información falsos u omitan datos con el objeto de que las autoridades ambientales competentes otorguen o avalen licencias, autorizaciones, registros, constancias o permisos de cualquier tipo, se les impondrán de uno a ocho años de prisión y de treinta a ciento cincuenta días multa.

Artículo 234. Será necesario que la secretaría del ramo formule la denuncia correspondiente para proceder penalmente por los delitos previstos en este capítulo, a excepción de lo señalado en el artículo 229 de este código, en cuyo caso la denuncia la podrá formular cualquier ciudadano

Se perseguirán de oficio las conductas establecidas en el artículo 228, fracciones IX y X del presente Código.

CAPÍTULO II
DELITOS CONTRA LA FLORA Y LA FAUNA SILVESTRE

Artículo 235. Al que intencionalmente y en contravención a las disposiciones legales en materia de protección a la flora y la fauna o normas técnicas relacionadas con esta materia de competencia estatal:

I. Realice cualquier acto que cause la destrucción, daño o perturbación de la vida silvestre o de su hábitat, incluidos los actos de contaminación que representen una destrucción, daño o perturbación de la vida silvestre;

II. Utilice el suelo y demás recursos con fines agrícolas, ganaderos o forestales sin realizar las medidas de preservación de poblaciones y ejemplares de la vida silvestre y su hábitat;

III. Utilice ejemplares vivos confinados de especies o poblaciones en riesgo o de particular importancia para la preservación en actividades distintas a las autorizadas oficialmente;

IV. Maneje ejemplares de especies exóticas fuera de confinamiento controlado o sin respetar los términos del plan del manejo aprobado;

V. Viole los tiempos de los programas de restauración o veda establecidas por las autoridades competentes;

VI. Emplee cercos u otros métodos parta retener o atraer ejemplares de la vida silvestre, cuando ello implique un perjuicio a la evolución y continuidad de las especies;

VII. Posea ejemplares vivos de la vida silvestre fuera de su hábitat natural o los comercialice sin contar con los medios para acreditar su legal procedencia o en contravención a las disposiciones para su manejo establecidas por las autoridades;

VIII. Traslade ejemplares, partes y derivados de la vida silvestre sin la autorización correspondiente;

IX. Realice aprovechamientos extractivos o no extractivos de la vida silvestre sin autorización o en contravención a los términos en que hubiere sido otorgada y a las disposiciones aplicables;

X. Aproveche, traslade, exhiba, entrene, sacrifique o someta a cuarentena ejemplares de la vida silvestre sin observar las disposiciones sobre trato digno y respetuoso establecidas por la ley correspondiente; y

XI. Practique la caza deportiva sin la autorización correspondiente.

A los responsables de este delito, se les impondrá de uno a seis años de prisión y treinta a cien días multa.

Será necesario que la secretaria del ramo formule la denuncia correspondiente para proceder penalmente por los delitos previstos en este capitulo.

La reparación del daño respecto de los delitos contenidos en este subtítulo, se aplicará en favor de la colectividad a través de la autoridad correspondiente.

CAPÍTULO III
MALTRATO ANIMAL

Artículo 235 Bis. Comete el delito de maltrato animal, el que cause lesiones dolosas a cualquier animal que no constituya plaga, con el propósito o no, de causarle la muerte y se le impondrá pena de seis meses a cuatro años de prisión y de ciento cincuenta a trescientos días multa.

La pena prevista en el párrafo anterior también se aplicará a quien abandone a cualquier animal de tal manera que quede expuesto a riesgos que amenacen su integridad, la de otros animales o de las personas.

A quien realice actos eróticos sexuales a un animal o le introduzca por vía vaginal o rectal el miembro viril, cualquier parte del cuerpo, objeto o instrumento, se le impondrá una pena de seis meses a cuatro años de prisión y de cincuenta a ciento cincuenta días multa.

La pena contenida en el presente artículo se incrementará hasta en una mitad cuando el maltrato animal sea fotografiado, videograbado y/o difundido.

En cualquier caso, se procederá inmediatamente al aseguramiento de los animales, de conformidad con lo dispuesto en el cuarto párrafo del artículo 48 del presente código.

Artículo 235 Ter. A quien cause la muerte no inmediata, utilizando cualquier medio que prolongue la agonía de cualquier animal que no constituya plaga, se le impondrá una pena de tres a seis años de prisión y de doscientos a cuatrocientos días multa. Las penas contenidas en este capítulo se incrementarán hasta en una mitad cuando el maltrato animal sea cometido por servidores públicos que tengan por encargo el manejo de animales.

Artículo 235 Quater. La reparación del daño respecto de los delitos cometidos en este Capítulo se aplicará al Fondo para la Protección a los Animales del Estado de México.

Quedan exceptuadas de este Capítulo las charreadas, jaripeos, rodeos, lidia de toros, novillos o becerros; peleas de gallos, el adiestramiento de animales; las actividades con fines cinegéticos, de pesca o de rescate, siempre y cuando estas actividades se realicen en términos de las disposiciones jurídicas aplicables.

TÍTULO TERCERO
DELITOS CONTRA LAS PERSONAS

SUBTÍTULO PRIMERO
DELITOS CONTRA LA VIDA Y LA INTEGRIDAD CORPORAL

CAPÍTULO I
LESIONES

Artículo 236. Lesión es toda alteración que cause daños en la salud producida por una causa externa.

Artículo 237. El delito de lesiones se sancionará en los siguientes términos:

I. Cuando el ofendido tarde en sanar hasta quince días y no amerite hospitalización, se impondrán de tres a seis meses de prisión o de treinta a sesenta días multa;

II. Cuando el ofendido tarde en sanar más de quince días o amerite hospitalización, se impondrán de cuatro meses a dos años de prisión y de cuarenta a cien días multa;

III. Cuando ponga en peligro la vida, se impondrán de dos a seis años de prisión y de sesenta a ciento cincuenta días multa.

Para efectos de este capítulo, se entiende que una lesión amerita hospitalización, cuando el ofendido con motivo de la lesión o lesiones sufridas, quede impedido para dedicarse a sus ocupaciones habituales, aun cuando materialmente no sea internado en una casa de salud, sanatorio u hospital.

El Ministerio Público se abstendrá de ejercer acción penal, tratándose de lesiones culposas de las que según la clasificación médica tarden en sanar menos de quince días, causadas con motivo de accidentes ocasionados por el tránsito de vehículos. En estos casos, la autoridad que conozca de los hechos remitirá el asunto a la instancia conciliadora establecida en la Ley Orgánica Municipal del Estado de México, siempre y cuando el conductor que ocasione el hecho de tránsito no se encuentre en estado de ebriedad o bajo el influjo de estupefacientes o sustancias psicotrópicas.

En los casos de lesiones causadas con motivo de accidentes ocasionados por el tránsito de vehículos, distintas a las señaladas en el párrafo anterior, el Ministerio Público podrá aplicar los criterios de oportunidad, dependiendo de las particularidades de cada caso, en términos de lo dispuesto por el Código Nacional de Procedimientos Penales.

Las diligencias practicadas por la autoridad que conozca de los hechos en primer orden, serán turnadas a la autoridad que le corresponda, para que siga conociendo de los hechos.

Las lesiones a que se refieren las fracciones I y II, se perseguirán por querella.

Artículo 238. Son circunstancias que agravan la penalidad del delito de lesiones y se sancionarán, además de las penas señaladas en el artículo anterior, con las siguientes:

I. Cuando las lesiones se produzcan por disparo de arma de fuego o con alguna de las armas consideradas como prohibidas, se aplicarán de uno a dos años de prisión y de treinta a sesenta días multa;

II. Cuando las lesiones dejen al ofendido cicatriz notable y permanente en la cara o en uno o ambos pabellones auriculares, se aplicarán de seis meses a dos años de prisión y de cuarenta a cien días multa;

III. Cuando las lesiones produzcan debilitamiento, disminución o perturbación de las funciones, órganos o miembros, se aplicarán de uno a cuatro años de prisión y de sesenta a ciento cincuenta días multa;

IV. Cuando las lesiones produzcan debilitamiento, disminución o perturbación de las funciones, órganos o miembros y con motivo de ello el ofendido quede incapacitado para desarrollar la profesión, arte u oficio que constituía su modo de vivir al momento de ser lesionado, se aplicarán de dos a seis años de prisión y de noventa a doscientos días multa;

V. Cuando las lesiones produzcan enfermedad incurable, enajenación mental, pérdida definitiva de algún miembro o de cualquier función orgánica o causen una incapacidad permanente para trabajar, se aplicarán de dos a ocho años de prisión y de ciento veinte a doscientos cincuenta días multa;

VI. Cuando las lesiones sean calificadas, se aumentará la pena de prisión de seis meses a tres años;

VII. Cuando la víctima u ofendido sea ascendiente, descendiente, hermano, pupilo, tutor, cónyuge, concubina o concubinario, o mantenga una relación sentimental o afectiva con el inculpado, se aumentarán de seis meses a dos años de prisión, salvo lo señalado por la siguiente fracción;

VIII. Cuando las lesiones se infieran a menores, personas adultas mayores, incapaces o pupilos por quien ejerza la patria potestad, tutela o custodia, o por un integrante de su núcleo familiar, se aplicarán de diez a quince años de prisión y de doscientos a cuatrocientos días multa, además la suspensión o privación de esos derechos.

A quien ejerza la patria potestad, tutela o custodia del menor víctima de las lesiones que haya consentido la conducta, se le aplicará la misma pena, además de la suspensión o privación de esos derechos. Se entenderá que hubo consentimiento cuando haya omitido realizar la denuncia correspondiente;

IX. Cuando las lesiones se produzcan contra una persona en ejercicio de la actividad periodística o persona defensora de derechos humanos, se aplicarán de uno a tres años de prisión y de cien a doscientos días multa;

X. Cuando las lesiones se produzcan por discriminación, aversión o rechazo en contra de la víctima, condición social o económica, por su origen étnico, raza, religión, discapacidad, orientación sexual o identidad de género, se aplicarán de seis meses a dos años de prisión, y de cincuenta a ciento cincuenta días multa.

XI. Cuando las lesiones se produzcan dolosamente mediante el uso de ácidos, sustancias corrosivas, o químicas o flamables, se aplicarán de cinco a diez años de prisión y de cien a doscientos días multa.

XII. Cuando las lesiones sean cometidas en contra de personal del sector salud público o privado, en el ejercicio lícito de sus funciones o con motivo de ellas, se aplicarán de seis meses a dos años de prisión, y de cincuenta a ciento cincuenta días multa.

Artículo 239. Son circunstancias que atenúan la penalidad en el delito de lesiones y se sancionarán de la siguiente forma:

I. Cuando las lesiones sean inferidas en riña o duelo, la pena que corresponda se disminuirá hasta la mitad, considerando quien fue el provocado, quien el provocador y el grado de provocación;

II. Cuando las lesiones sean inferidas:

a) En estado de emoción violenta; en los casos de este delito cometido con violencia de género, no se aplicará esta atenuante.

b) En vindicación próxima de una ofensa grave, causada al autor de la lesión, su cónyuge, concubina, concubinario, ascendientes, descendientes, pupilo, tutor o hermanos.

La pena que corresponda se reducirá en una mitad;

III. Cuando dos o más personas realicen sobre otra u otras, actos idóneos para lesionarlas y el resultado se produzca, sin posibilidad de determinarse quién o quiénes de los que intervinieron lo produjeron, a todos los participantes se les impondrán de dos tercios a cinco sextos de la pena que corresponda al delito simple.

Artículo 240. Las penas a que se refiere el artículo 237 se incrementarán hasta en una mitad, sin perjuicio de las agravantes a que se refiere el artículo 238, en los siguientes casos:

a) Cuando las lesiones sean cometidas por un hombre en agravio de una mujer, por razones de género.

Se entiende por razones de género, a las lesiones asociadas a la exclusión, subordinación, discriminación, misoginia o explotación del sujeto pasivo, o

b) Cuando las lesiones se produzcan de forma dolosa a una mujer embarazada; en este caso, cuando haya una lesión al producto, la pena a que se refiere el artículo 237 de este Código se incrementará hasta en dos tercios, sin perjuicio de las demás agravantes a que se refiere este artículo;

c) Cuando las lesiones se cometan por un hombre en agravio de una mujer, con quien haya tenido una relación sentimental, afectiva o de confianza, o haya estado vinculada con el sujeto activo por una relación de hecho en su centro de trabajo o institución educativa, o por razones de carácter técnico o profesional, y

d) Cuando exista la intención de realizar un delito sexual, independientemente que se consume o no.

CAPÍTULO II
HOMICIDIO

Artículo 241. Comete el delito de homicidio el que priva de la vida a otro. Se sancionará como homicidio a quien a sabiendas de que padece una enfermedad grave, incurable y mortal, contagie a otro o le cause la muerte.

Artículo 242. El delito de homicidio, se sancionará en los siguientes términos:

I. Al responsable de homicidio simple, se le impondrán de diez a quince años de prisión y de doscientos cincuenta a trescientos setenta y cinco días multa;

Cuando el homicidio se cometa contra una persona en ejercicio de la actividad periodística o persona defensora de derechos humanos, se le impondrán de quince a veinticinco años de prisión y de cuatrocientos a seiscientos cincuenta días multa.

II. Al responsable de homicidio calificado, se le impondrán de cuarenta a setenta años de prisión o prisión vitalicia y de setecientos a cinco mil días multa;

III. Al responsable de homicidio cometido en contra de su cónyuge, concubina, concubinario, ascendientes, descendientes consanguíneos en línea recta o hermanos, teniendo conocimiento el inculpado del parentesco, se le impondrán de cuarenta a setenta años de prisión o prisión vitalicia y de setecientos a cinco mil días multa; y

IV. Al responsable del homicidio de dos o más personas, en el mismo o en distintos hechos, se le impondrán de cuarenta a setenta años de prisión o prisión vitalicia y de setecientos a cinco mil días multa.

V. Al responsable del delito de homicidio con ensañamiento, crueldad o de odio manifiesto motivado por discriminación, aversión o rechazo a la víctima por su condición social o económica, religión, origen étnico, raza, discapacidad, orientación sexual o identidad de género de la víctima, se le impondrán de cuarenta a sesenta años de prisión [o prisión vitalicia] y de setecientos a cinco mil días multa.

Sentencia en la acción de inconstitucionalidad 78/2019 por la que se declara la invalidez del artículo 242, fracción V, en su porción normativa 'o prisión vitalicia'. Publicado en el Periódico Oficial "Gaceta del Gobierno" el 23 de abril de 2025.

CAPÍTULO II BIS
FEMINICIDIO

Derogado

Artículo 242. Bis. Derogado.

Artículo 243. Son circunstancias que atenúan la penalidad en el delito de homicidio y se sancionarán de la siguiente forma:

I. Cuando el delito se cometa en riña o duelo se impondrán de tres a diez años de prisión y de cincuenta a doscientos cincuenta días multa, tomando en cuenta quien fue el provocado, quien el provocador y el grado de provocación;

II. Cuando el delito se cometa bajo alguna de las siguientes circunstancias, se impondrán de cinco a veinte años de prisión y de cincuenta a trescientos días multa.

a) En estado de emoción violenta, en los casos a que se refiere el artículo 281, no se aplicará esta atenuante.

b) En vindicación próxima de una ofensa grave causada al autor del delito, su cónyuge, concubina, concubinario, ascendientes, descendientes, hermanos, tutor, pupilo, adoptante o adoptado;

c) Por móviles de piedad, mediante súplicas notorias y reiteradas de la víctima, ante la inutilidad de todo auxilio para salvar su vida.

III. Cuando dos o más personas realicen sobre otra u otras actos idóneos para privarlos de la vida y este resultado se produzca ignorándose quién o quiénes de los que intervinieron lo produjeron, a todos se impondrán de diez a quince años de prisión y de ciento setenta y cinco a trescientos veinticinco días multa; y

IV. A la madre que diere muerte a su propio hijo dentro de las setenta y dos horas de nacido, se le impondrán de tres a cinco años de prisión y de setenta y cinco a ciento veinticinco días multa, siempre que concurran las siguientes circunstancias:

a) Que no tenga mala fama;

b) Que haya ocultado su embarazo;

c) Que el nacimiento del infante haya sido oculto y que no se hubiere inscrito en el Registro Civil;

d) Que el infante no sea legítimo.

Si en este delito tuviere participación un médico cirujano, comadrona o partera, además de la pena privativa que corresponda, se le suspenderá de uno a tres años en el ejercicio de su profesión.

CAPÍTULO III
REGLAS COMUNES PARA LESIONES Y HOMICIDIO

Artículo 244. Riña es la contienda de obra entre dos o más personas con intención de dañarse.

Artículo 245. Las lesiones y el homicidio serán calificados cuando se cometan con alguna de las siguientes circunstancias:

I. Premeditación: cuando se cometen después de haber reflexionado sobre su ejecución;

II. Ventaja: cuando el inculpado no corra riesgo alguno de ser muerto o lesionado por el ofendido;

III. Alevosía: cuando se sorprende intencionalmente a alguien de improviso o empleando asechanza; y

IV. Traición: cuando se emplea la perfidia, violando la fe o la seguridad que expresamente se había prometido a la víctima, o la tácita que ésta debía esperar en razón del parentesco, gratitud, amistad o cualquier otra que inspire confianza.

V. Tratándose del delito de homicidio, también se considerará calificado cuando:

a) Exista retribución, entendiéndose por ésta cuando el sujeto activo lo cometa por pago o prestación prometida o dada.

b) En el momento de la privación de la vida, o posteriormente a ello, se realice la decapitación, mutilación, quemaduras o desmembramiento de la víctima.

c) En el momento de la privación de la vida, o posteriormente a ello, se deje o utilice uno o más mensajes intimidatorios dirigidos a la población, autoridades o cualquier persona. O se deje uno o más mensajes que atenten contra la dignidad humana, por la exhibición de la causa de la muerte.

d) Se cometa en contra de una mujer o de un menor de edad.

Artículo 245 Bis. Se impondrá la pena establecida en la fracción II del artículo 242 de este Código, cuando el delito de homicidio sea cometido en contra de servidores públicos de las instituciones de Seguridad Pública, procuración o administración de justicia, al ejercer lícitamente sus funciones o con motivo de ellas. Tratándose de lesiones se aplicará la pena prevista en la fracción VI del artículo 238 de este Código.

CAPÍTULO IV
AUXILIO O INDUCCIÓN AL SUICIDIO

Artículo 246. Al que preste auxilio o instigue a otro al suicidio, sin que este se produzca, se le impondrán de uno a cinco años de prisión y de veinte a cien días multa; y si se produce, se le impondrán de tres a diez años de prisión y de cincuenta a doscientos cincuenta días multa.

Artículo 247. Si el suicida fuere menor de edad o enajenado mental, se impondrá además de uno a tres años de prisión y de treinta a cincuenta días multa.

CAPÍTULO V
INTERRUPCIÓN DEL EMBARAZO

Artículo 248. No se considerará delito la interrupción del embarazo, siempre que esté dentro de las primeras doce semanas de gestación.

La interrupción del embarazo se sancionará en los términos de este capítulo a:

I. La mujer o persona gestante que, voluntariamente practique la interrupción del embarazo después de las doce semanas completas de gestación;

II. A la mujer embarazada o persona gestante que consintiere en que otra persona se lo hiciere y a quien lo practique con su consentimiento después de las doce semanas completas de gestación; y

III. A quien cometa la interrupción del embarazo en cualquier momento de la gestación sin el consentimiento de la mujer o persona gestante, se le impondrá de cinco a diez años de prisión y de cincuenta a cuatrocientos días multa y si en su comisión se emplea violencia física, psicológica, obstétrica o negligencia en los cuidados ginecobstétricos, la pena prevista aumentará en una mitad; en caso de que lo causare personal médico, de enfermería o partería, además de las sanciones que le correspondan conforme al presente artículo, se le suspenderá de tres a seis años en el ejercicio de su profesión, en caso de reincidencia la suspensión será hasta de veinte años.

A la persona responsable de las conductas previstas en las fracciones I y II del presente artículo, se le impondrán de seis meses a un año de prisión.

Para los efectos de este código se entiende por embarazo a la parte del proceso de la reproducción humana que comienza con la implantación del embrión en el endometrio.

Para los efectos de este Código se entiende por persona gestante a cualquier persona con aparato reproductor con capacidad de gestar, independientemente de su edad, identidad o expresión de género u orientación sexual.

Artículo 249. Derogado.

Artículo 250. Derogado.

Artículo 251. No se considerará delito la interrupción del embarazo, aun cuando se realice después de las doce semanas completas de gestación cuando:

I. Aquél que sea resultado de una acción culposa de la mujer o persona gestante;

II. El embarazo sea resultado de una violación, implantación de ovulo fecundado o inseminación artificial no consentida, independientemente de que exista o no denuncia de esos hechos;

III. De no provocarse la interrupción del embarazo, la mujer o persona gestante corra peligro de muerte, o su salud se vea severamente afectada física o mentalmente a juicio del médico que la asista;

IV. A juicio del médico que la asista, exista prueba suficiente para diagnosticar que el producto sufre alteraciones genéticas o congénitas que puedan dar por resultado el nacimiento de un ser con trastornos físicos o mentales graves;

V. La mujer embarazada o persona gestante haya sido ocultada, obstaculizada, amenazada o privada de su libertad para evitar realizar la interrupción dentro del plazo de las doce semanas, y

VI. Exista un trastorno ginecológico que, a juicio de médico especialista, haya impedido a la mujer o persona gestante tener el conocimiento del embarazo.

En el caso de las fracciones II, III, IV, V y VI se deberá contar con el consentimiento informado por parte de la mujer embarazada o persona gestante. El personal médico y de salud deberá proporcionar a la mujer embarazada o persona gestante, información objetiva, veraz, suficiente y oportuna sobre los procedimientos, riesgos, consecuencias y efectos; así como de los apoyos y alternativas existentes.

CAPÍTULO VI
MANIPULACIÓN GENÉTICA

Artículo 251 Bis. Se impondrán de dos a seis años de prisión, inhabilitación hasta por el mismo tiempo para desempeñar empleo, cargo o comisión públicos, profesión u oficio y hasta de trescientos días multa, a quien:

I. Con finalidad distinta a la eliminación o disminución de enfermedades graves o taras, manipule genes humanos de manera que se altere el genotipo;

II. Fecunde óvulos humanos con cualquier fin distinto a la procreación humana; o

III. Mediante la clonación u otros procedimientos, pretendan la creación de seres humanos.

CAPÍTULO VII
DISPOSICIÓN DE CÉLULAS Y PROCREACIÓN ASISTIDA

Artículo 251 Ter. Se impondrán de dos a siete años de prisión y quinientos días de multa a quien:

I. Disponga de óvulos o esperma para fines distintos a los autorizados por sus donantes o depositarios;

II. Implante a una mujer un óvulo fecundado, sin su consentimiento o sin el de los donantes o depositarios, aún con el consentimiento de una menor de edad o de un incapaz para comprender el hecho o para resistirlo.

Este delito se perseguirá por querella. Si el delito se realiza con violencia o del mismo resultare un embarazo, la pena aplicable será de cinco a catorce años de prisión y hasta de quinientos días multa.

Además de las penas previstas, se impondrá privación del derecho para ejercer la profesión por un tiempo igual al de la pena de prisión impuesta. Si se trata de servidores públicos, se impondrán también, en los mismos términos, la destitución e inhabilitación de catorce a diecinueve años para el desempeño de empleo, cargo o comisión públicos.

SUBTÍTULO SEGUNDO
DELITOS DE PELIGRO CONTRA LAS PERSONAS

CAPÍTULO I
PELIGRO DE CONTAGIO

Artículo 252. A quien sabiendo que padece una enfermedad grave en período infectante, ponga en peligro de contagio a otro, por cualquier medio de transmisión, se le aplicará una pena de seis meses a dos años de prisión y de treinta a sesenta días multa.

En este delito sólo se procederá por querella del ofendido.

CAPÍTULO II
DISPARO DE ARMA DE FUEGO Y ATAQUE PELIGROSO

Artículo 253. Comete este delito quien:

I. Dispare un arma de fuego sobre una persona o grupo de personas, o en domicilio particular, en la vía pública, en un establecimiento comercial, de servicios, o fuera de un campo de tiro debidamente autorizado, o en algún lugar concurrido.

II. Ataque a alguien de tal manera que, en razón del arma empleada, de la fuerza o destreza del agresor o de cualquier otra circunstancia semejante, pueda producir como resultado lesiones o la muerte.

III. El que haga uso de armas de municiones, ballestas o cualquier objeto que dispare o proyecte objetos, con el propósito de causar daño o atacar a alguna persona.

Al responsable se le impondrán de dos a cinco años de prisión y de sesenta a cien días multa.

La misma pena se aplicará al que amenace o intimide a una persona haciendo uso de armas falsas, de juguete, utilería o réplicas, aun cuando no sean aptas para causar un daño físico, y cause temor efectivo e inminente en la víctima u ofendido.

Este artículo sólo se aplicará cuando no causare daño, o los hechos no constituyan tentativa de homicidio, en caso contrario, se impondrán las penas del delito consumado o en grado de tentativa que resultare.

CAPÍTULO III
ABANDONO DE INCAPAZ

Artículo 254. Al que abandone a una persona incapaz de valerse por si misma teniendo la obligación de cuidarla, se le impondrán de seis meses a dos años de prisión y treinta a trescientos días multa, o trabajo a favor de la comunidad, perdiendo además los derechos inherentes a la patria potestad, custodia o tutela, si fuere ascendiente o tutor del ofendido, así como del derecho a heredar si estuviere en aptitud legal para ello.

No incurre en este delito la mujer que haya solicitado mantener en secreto su identidad en el momento del parto y la reserva sobre el nacimiento, conforme a lo establecido en la ley que regula la materia.

No incurre en este delito la mujer que dé en adopción, en los términos de las leyes y tratados en la materia, y haya solicitado mantener en secreto su identidad en el momento del parto y la reserva sobre el nacimiento.

CAPÍTULO IV
OMISIÓN DE AUXILIO A LESIONADOS

Artículo 255. Al conductor de un vehículo cualquiera o jinete que deje en estado de abandono, sin prestarle ni facilitarle asistencia a la persona a quien lesionó sin dolo, o dejare de avisar inmediatamente a la autoridad, se le impondrán de seis meses a dos años de prisión y de treinta a sesenta días multa.

CAPÍTULO V
OMISIÓN DE AUXILIO

Artículo 256. Al que omita auxiliar a una persona que por cualquier circunstancia, estuviese amenazada de un peligro, cuando pudiera hacerlo sin riesgo alguno, o al que no estando en condiciones de llevarlo a cabo, no diere inmediato aviso a la autoridad, se le impondrán de tres a seis meses de prisión y de treinta a sesenta días multa.

CAPÍTULO VI
DISPOSICIONES GENERALES

Artículo 257. Si de las omisiones a que se refieren los tres artículos anteriores, resultare la muerte, se impondrán de dos a ocho años de prisión y de cincuenta a trescientos cincuenta días multa. Si resultaren lesiones se impondrán hasta las dos terceras partes de la pena que correspondería a éstas.

SUBTÍTULO TERCERO
DELITOS CONTRA LA LIBERTAD, SEGURIDAD Y TRANQUILIDAD DE LAS PERSONAS

CAPÍTULO I
PRIVACIÓN DE LIBERTAD

Artículo 258. Comete el delito de privación de libertad, el particular que:

I. Prive a una persona de su libertad;

II. Por cualquier medio obligue a una persona a prestarle trabajos y servicios personales sin la debida retribución, o celebre un contrato que ponga en condiciones de servidumbre a otro, o afecte su libertad de cualquier modo; y

III. Por medio de la violencia o la coacción impida a una persona ejecutar un acto lícito o la obligue a ejecutar lo que no quiere, sea lícito o ilícito.

A quien incurra en este delito se le impondrán de uno a cuatro años de prisión y de treinta a cien días multa.

CAPÍTULO II
SECUESTRO

Derogado

Artículo 259. Derogado

Artículo 260. Derogado

Artículo 261. Derogado

CAPÍTULO III
PRIVACIÓN DE LA LIBERTAD DE MENORES DE EDAD

Artículo 262. A quien siendo un extraño a su familia se apodere de un menor de dieciocho años de edad, se le impondrán de diez a cuarenta años de prisión y de quinientos a mil días multa.

Cuando el delito lo cometa un familiar, que no sea el padre o la madre, y obre con mala fe y no por móviles afectivos, se le impondrán de dos a seis años de prisión y de treinta a ciento veinticinco días multa.

Si el menor es restituido espontáneamente a su familia o a la autoridad dentro de tres días y sin causar daño, se le impondrán de tres meses a cuatro años de prisión y de treinta a cien días multa. Si se causare daño, se impondrán de seis meses a seis años de prisión y de treinta a ciento cincuenta días multa.

CAPÍTULO IV
SUSTRACCIÓN DE HIJO

Artículo 263. Al padre o la madre que se apodere de su hijo menor de edad o familiares que participen en el apoderamiento, respecto del cual no ejerza la patria potestad o la custodia, privando de este derecho a quien legítimamente lo tenga, o a quién aún sin saber la determinación de un Juez sobre el ejercicio la patria potestad o la custodia, impida al otro progenitor ver y convivir con el menor, se le impondrán de uno a cinco años de prisión y de cuarenta a ciento veinticinco días multa.

Este delito se perseguirá por querella.

CAPÍTULO V
USURPACIÓN DE IDENTIDAD

Artículo 264. Se le impondrán de uno a cuatro años de prisión y de cien a quinientos días multa, a quien ejerza con fines ilícitos un derecho o use cualquier tipo de datos, informaciones o documentos que legítimamente pertenezcan a otra persona física o jurídico colectiva, que la individualiza ante la sociedad y que le permite a una persona física o jurídica colectiva ser identificada o identificable, para hacerse pasar por ella.

Se equiparan a la usurpación de identidad y se impondrán las mismas penas previstas en el párrafo que precede prevista en el presente artículo a quienes:

I. Cometan un hecho ilícito previsto en las disposiciones legales con motivo de la usurpación de la identidad;

II. Utilicen datos personales, sin consentimiento de quien deba otorgarlo;

III. Otorguen el consentimiento para llevar a cabo la usurpación de su identidad; y

IV. Se valgan de la homonimia para cometer algún ilícito.

Las sanciones previstas en este artículo se impondrán con independencia de las que correspondan por la comisión de otro u otros delitos.

Artículo 265. Las penas señaladas en el artículo anterior se incrementarán hasta en una mitad, cuando el ilícito sea cometido por un servidor público aprovechándose de sus funciones, o por quien sin serlo, se valga de su profesión o empleo para ello.

Artículo 265 Bis. Se aumentará la penalidad hasta en una tercera parte cuando se cometa mediante manipulación de medios electrónicos, telemáticos, informáticos, redes sociales, o intercepción de datos de envío.

CAPÍTULO VI
EXTORSIÓN

Artículo 266. Al que sin derecho obligue a otro a hacer, tolerar o dejar de hacer algo, con la finalidad de obtener un lucro o beneficio para sí o para otro o causar un daño, se le impondrán de ocho a doce años de prisión y de mil a mil quinientos días multa.

Las sanciones previstas en el párrafo anterior se aplicarán también al que intencionalmente provoque un incidente de tránsito con el propósito de obtener un beneficio económico indebido para sí o para otro, a través de amenazas o engaños, simulando ser víctima del siniestro.

Las penas referidas en el párrafo que antecede se incrementarán hasta el doble en los incidentes de tránsito premeditados cuando la conducta delictiva se cometa en perjuicio de persona adulta mayor, persona con discapacidad, mujeres o persona en situación de vulnerabilidad.

Cuando este delito se cometa utilizando cualquier medio de comunicación mediante los cuales se pueda realizar la emisión, transmisión o recepción de signos, señales, escritos, imágenes, voz, sonidos o información de cualquier naturaleza que se efectúe a través de hilos, medios de transmisión inalámbrica de ondas o señales electromagnéticas, medios ópticos, o cualquier medio físico, se le impondrán de doce a quince años de prisión y de mil quinientos a dos mil días multa.

Se impondrán de cuarenta a setenta años de prisión o prisión vitalicia y de setecientos a cinco mil días multa, cuando concurra cualquiera de las siguientes circunstancias:

I. Se ostente como miembro de alguna asociación o grupo delictuoso;

II. Intervengan dos o más personas armadas, o con objetos peligrosos para su comisión;

III. Se cometa con violencia;

IV. El sujeto pasivo del delito sea menor de edad, mujer, persona con discapacidad o persona mayor de sesenta años;

V. El sujeto activo del delito sea o haya sido, miembro de una institución de seguridad pública o privada, militar, organismos auxiliares de la función de seguridad pública, servidor público, o se ostente como tal; así mismo cuando porte vestimentas o instrumentos de identificación, utilizados por integrantes de instituciones de seguridad pública;

VI. Para su comisión, el sujeto activo se aproveche de tener alguna relación de confianza, laboral, de parentesco o de negocios con la víctima o con sus familiares;

VII. Con motivo de la amenaza de muerte al pasivo o un tercero, intimidación y/o violencia cometidas por el activo del delito, entreguen o dejen a disposición del sujeto activo o de un tercero, ya sea la víctima o un tercero, alguna cantidad de dinero o cosas, o bien otorguen beneficios tales como contratos, empleos, cargos o comisiones, para evitar cualquier daño, en su persona, familia o bienes, lo anterior aun cuando se cumpla en apariencia los procedimientos para tal efecto;

VIII. Se cometa en contra de un servidor público en funciones, electo o de un candidato a puesto de elección popular; o

IX. El sujeto activo del delito manifieste su pretensión de continuar obteniendo alguna cantidad de dinero o en especie por concepto de cobro de cuotas o prestaciones de cualquier índole, adicionales a los exigidos originalmente por el ilícito.

Si el beneficio a obtener u obtenido por el sujeto activo o un tercero proviene del erario público, la pena se incrementará desde un tercio hasta una mitad más de la señalada en el párrafo anterior.

CAPÍTULO VII
ASALTO

Artículo 267. Al que en lugar solitario o despoblado haga uso de la violencia sobre una persona o grupo de personas con el propósito de causarles un mal, lograr un beneficio o su asentimiento para cualquier fin, se le impondrán de tres a diez años de prisión y de cincuenta a ciento setenta y cinco días multa, independientemente de los grados o medios de violencia empleados.

Si el asalto lo realizan dos o más personas, se impondrán de cinco a doce años de prisión y de setenta y cinco a doscientos días multa.

Si los asaltantes atacaren una población, se les impondrán de veinte a treinta y cinco años de prisión a los jefes y de quince a treinta años a los demás participantes.

CAPÍTULO VIII
ALLANAMIENTO DE MORADA

Artículo 268. Al que sin causa justificada, sin mandamiento de autoridad competente, o sin el consentimiento de la persona que lo deba otorgar se introduzca en casa habitación ajena, se le impondrán de seis meses a cinco años de prisión y de treinta a cincuenta días multa.

Este delito sólo se perseguirá por querella.

CAPÍTULO IX
TRATA DE PERSONAS

Artículo 268 Bis. Comete el delito de trata de personas quien para sí o para un tercero induzca, procure, promueva, capte, reclute, facilite, traslade, consiga, solicite, ofrezca, mantenga, entregue o reciba a una persona recurriendo a la coacción física o moral, a la privación de la libertad, al engaño, al abuso de poder, al aprovechamiento de una situación de vulnerabilidad o a la entrega de pagos o beneficios para someterla a cualquier forma de explotación o para extraer sus órganos, tejidos o sus componentes.

Para efectos de este artículo se entenderá por explotación el obtener provecho económico o cualquier otro beneficio para sí o para otra persona, mediante la prostitución ajena u otras formas de explotación sexual, los trabajos o servicios forzados, la esclavitud, la servidumbre o la mendicidad ajena.

Se aplicarán las mismas penas a que se refiere el artículo 268 Bis-1, a quien solicite o contrate la publicación o anuncio en medios de comunicación impresos o electrónicos, que ofrezcan servicios que tengan por objeto alguna de las formas de explotación a que se refiere este artículo.

Igualmente se aplicarán, a quien teniendo facultades para autorizar la publicación de anuncios en medios de comunicación impresos o electrónicos, realice o contrate o permita la contratación de anuncios que tengan por objeto cualquier forma de explotación que establece este artículo.

Cuando las conductas anteriores recaigan en una persona menor de dieciocho años de edad o persona que no tenga la capacidad de comprender el significado del hecho, se considerará como trata de personas incluso cuando no se recurra a ninguno de los medios comisivos señalados en el primer párrafo del presente artículo.

El consentimiento otorgado por la víctima en cualquier modalidad del delito de trata de personas no constituirá causa excluyente del delito.

Artículo 268 Bis 1. A quien cometa el delito de trata de personas se le impondrá:

I. De seis a doce años de prisión y de quinientos a mil quinientos días multa;

II. De nueve a dieciocho años de prisión y de quinientos a dos mil días multa, si el sujeto activo se valiese de la función pública que tuviere o hubiese ostentado sin tener. Además, se impondrá la destitución del empleo, cargo o comisión públicos e inhabilitación para desempeñar otro de doce a veinte años; y

III. Las penas que resulten de las fracciones I y II de este artículo se incrementarán hasta una mitad;

a) Si el delito es cometido en contra de una persona menor de dieciocho años de edad;

b) Si el delito es cometido en contra de una persona mayor de sesenta años de edad;

c) Si el delito es cometido en contra de quien no tenga capacidad para comprender el significado del hecho o de resistirlo;

d) Cuando el sujeto activo del delito tenga parentesco por consaguinidad, afinidad o civil, habite en el mismo domicilio con la víctima, tenga una relación similar al parentesco o una relación sentimental o de confianza con el sujeto pasivo; además, en los casos que proceda, perderá la patria potestad, guarda y custodia o régimen de visitas y convivencias, el derecho de alimentos que le correspondiera por su relación con la víctima y el derecho que pudiere tener respecto de los bienes de ésta.

e) Si el delito es cometido en contra de una persona perteneciente a un grupo indígena o persona en condición de marginalidad o vulnerabilidad social.

CAPÍTULO X
REQUERIMIENTO ILÍCITO DE PAGO

Artículo 268 Ter. A quien con la intención de requerir el pago de una deuda, se valga del engaño o lo pretenda, amenace, hostigue al deudor, o cometa actos de violencia en su contra, o de su aval, fiador, referencia, o a cualquier otra persona ligada con éstos, se le sancionará con una pena de seis meses a tres años de prisión y de ciento ochenta a trescientos sesenta días multa.

CAPÍTULO XI
IRRUPCIÓN DE EVENTO PÚBLICO

Artículo 268 Quater. Comete este delito quien sin derecho interrumpa de manera intempestiva o violenta un evento público, provocando la suspensión temporal o definitiva de éste, ya sea ingresando al lugar donde se desarrolla o provocando desorden entre la multitud que haya acudido a presenciarlo.

Para los efectos de este artículo, se considerarán eventos públicos:

a) El espectáculo deportivo, artístico o cultural;

b) La congregación religiosa o de culto;

c) El mitin político; y

d) La ceremonia cívica.

Al responsable se le impondrán de seis meses a dos años de prisión y de treinta a sesenta días multa.

Este artículo sólo se aplicará cuando no causare daño, o los hechos no constituyan tentativa punible, en caso contrario, se impondrán las penas del delito consumado o en grado de tentativa que resultare.

CAPÍTULO XII
ACECHO

Artículo 268 Quinquies. Se le impondrán de seis meses a dos años de prisión y de cien a trescientos días multa a quien, de manera directa o por interpósita persona, aceche o intimide a una persona con la finalidad de generarle un daño, amenaza o temor fundado por su seguridad o integridad personal o de su familia, llevando a cabo de manera reiterada una o varias de las conductas siguientes:

I. La vigile, siga, persiga, rastree o busque cercanía física en contra de su voluntad;

II. Establezca o busque establecer comunicación persistentemente, en dos o más ocasiones, con ella, a través de cualquier medio de comunicación o redes sociales;

La conducta se considerará reiterada cuando se repita más de dos ocasiones.

Este delito se perseguirá por querella, excepto cuando las víctimas sean niñas, niños o adolescentes, en este caso se perseguirá de oficio.

No se considerarán constitutivas de este delito las conductas descritas en el presente artículo, cuando deriven del ejercicio de la libertad de expresión, la actividad periodística, la defensa de derechos humanos, la protesta social o la crítica a personas servidoras públicas en razón de sus funciones.

Artículo 268 Sexis. Las penas establecidas en el artículo anterior se agravarán desde una mitad hasta dos tercios cuando concurran las circunstancias siguientes:

I. Cuando cometiere la conducta haciendo uso de cualquier arma u objeto punzocortante, aun cuando no provoque daño físico;

II. Realice actos o conductas que dañen a la persona o sus bienes, o los de quienes mantengan lazos de parentesco o amistad con ella, con el fin de intimidarles;

III. Cuando los actos se cometan para ejercer presión a la víctima para obligarla a realizar alguna acción o a desistir de algún proceso legal; y

IV. Cuando se utilicen directamente por el agente activo o por interpósita persona, dispositivos tecnológicos para la vigilancia, persecución, rastreo o contacto no deseado.

Artículo 268 Septies. Las penas previstas en este Capítulo se incrementarán hasta el doble cuando concurran una o varias de las circunstancias siguientes:

I. Cuando sea cometida por persona servidora pública.

En este caso, además de la pena señalada, será destituido del cargo y se le inhabilitará para desempeñar empleos, cargos o comisiones en el servicio público hasta por la duración de la pena de prisión impuesta;

II. Se cometa el delito quebrantando o incumpliendo alguna medida de protección o cautelar;

III. Cuando el sujeto activo sea persona mayor de edad y el sujeto pasivo sea niña, niño o adolescente;

IV. Se cause daño físico o psicológico a la víctima o a cualquier persona con la que mantenga lazos de parentesco o amistad, sin perjuicio de las penas previstas para el daño que pudiere causar y que incurriere en otros delitos;

V. Cuando los actos se cometan en contra de una mujer embarazada, persona adulta mayor o persona con discapacidad;

VI. Cuando los actos se hayan cometido por quienes tengan o hayan tenido relación con la víctima por motivos familiares, afectivos, laborales, docentes, médicos, domésticos, religiosos o cualquier otro que implique confianza o subordinación;

VII. Cuando los actos se cometan en razón de la identidad de género u orientación sexual de la víctima;

VIII. Cuando se cometa por razón de género o existan antecedentes de violencia de género con la víctima; y

IX. Cuando quien comete el delito haya sido condenado por el mismo con anterioridad.

SUBTÍTULO CUARTO
DELITOS CONTRA LA LIBERTAD SEXUAL

CAPÍTULO I
HOSTIGAMIENTO Y ACOSO SEXUAL

Artículo 269. Comete el delito de hostigamiento sexual, quien con fines de lujuria asedie a persona de cualquier sexo que le sea subordinada, valiéndose de su posición derivada de sus relaciones laborales, docentes, domésticas o cualquiera otra que implique jerarquía; y se le impondrán de seis meses a dos años de prisión o de treinta a ciento veinte días multa.

Si el sujeto activo fuera servidor público y utilizare los medios o circunstancias que el cargo le proporciona, además de la pena señalada, será destituido del cargo y se le inhabilitará para desempeñar empleos, cargos o comisiones en el servicio público de uno a tres años.

Tratándose de una persona servidora pública de institución educativa pública o personal que se desempeñe en institución educativa privada y utilizare los medios o circunstancias que el cargo le proporciona, la pena señalada en el primer párrafo se incrementará en una mitad, será destituido del cargo y se le inhabilitará para desempeñar empleos, cargos o comisiones en el servicio público de uno a diez años.

Artículo 269 Bis. Comete el delito de acoso sexual, quien realice una conducta de naturaleza sexual no consentida a persona de cualquier sexo, que lesione su dignidad o que sea indeseable para quien la recibe.

De igual forma incurre en acoso sexual quien, sin consentimiento del sujeto pasivo y con propósitos de lujuria o erótico sexual, grabe, reproduzca, fije, publique, ofrezca, almacene, exponga, envíe, transmita, importe o exporte de cualquier forma, imágenes, texto, sonidos o la voz, de una persona, sea en forma directa, informática, audiovisual, virtual o por cualquier otro medio.

Si la imagen obtenida, sin consentimiento, muestra al sujeto pasivo desnudo o semidesnudo, se acredita por ese sólo hecho, los propósitos señalados en el párrafo anterior.

Comete también el delito de acoso sexual quien realice una conducta de naturaleza sexual a cualquier persona, sin su consentimiento, en lugares públicos, en instalaciones o vehículos destinados al transporte público de pasajeros.

En estos casos se impondrán penas de un año a cuatro años de prisión y de cien a trescientos días de multa. Si el pasivo del delito fuera menor de edad o persona que no tenga la capacidad para comprender el significado del hecho o de resistirlo, la pena se incrementará en un tercio.

Cuando la conducta prevista en este artículo sea realizada de manera reiterada, o aprovechándose de cualquier circunstancia que produzca desventaja, indefensión o riesgo inminente para la víctima la pena se incrementará en una mitad.

Si el sujeto activo del delito es servidor público, además de las penas previstas se le inhabilitará para desempeñar empleos, cargos o comisiones en el servicio público de uno a tres años.

Tratándose de una persona servidora pública de institución educativa pública o personal que se desempeñe en institución educativa privada y utilizare los medios o circunstancias que el cargo le proporciona, la pena señalada en el primer párrafo se incrementará en una mitad, será destituido del cargo y se le inhabilitará para desempeñar empleos, cargos o comisiones en el servicio público de uno a diez años.

La persona servidora pública integrante de instituciones policiales, de procuración o administración de justicia que se niegue a recibir la denuncia de la víctima del delito previsto en este artículo, siempre que corresponda al ámbito de su competencia, o la persuada, disuada o intimide para no interponerla, se le impondrán de dos a seis años de prisión y de doscientos a quinientos días multa, además de la destitución e inhabilitación por un plazo igual al de la pena de prisión impuesta, para ejercer empleo, cargo o comisión públicos.

En la interpretación y aplicación de este delito deberá considerarse la perspectiva de género y los contextos de vulnerabilidad de la víctima.

CAPÍTULO II
ABUSO SEXUAL

Artículo 270. Comete el delito de abuso sexual:

I. Quien ejecute en una persona un acto erótico o sexual sin su consentimiento y sin el propósito de llegar a la cópula o a quien lo realice en su presencia o haga ejecutarlo para sí o en otra persona. A quien cometa este delito, se le impondrá pena de dos a cuatro años de prisión y de doscientos a cuatrocientos días multa.

La reparación de los daños y perjuicios ocasionados deberá ser integral.

II. Quien ejecute en una persona menor de edad o que no tenga la capacidad de comprender las cosas o de resistir al hecho, un acto erótico o sexual sin el propósito de llegar a la cópula o a quien lo realice en su presencia o haga ejecutarlo para sí o en otra persona. A quien cometa este delito, se le impondrá pena de ocho a quince años de prisión y de quinientos a mil días multa.

La reparación de los daños y perjuicios ocasionados deberá ser integral.

Artículo 270 Bis. Las penas previstas para el abuso sexual se aumentarán hasta en una tercera parte en su mínimo y máximo, cuando:

I. Se hiciere uso de la violencia física o moral;

II. El delito fuere cometido por uno de los cónyuges, por un ascendiente contra su descendiente, por éste contra aquél, por un hermano contra otro, por el tutor en contra de su pupilo o por el padrastro, madrastra, concubina, concubinario, amasio o amasia en contra del hijastro o hijastra. Además de la pena de prisión, el culpable perderá la patria potestad o la tutela, en los casos en que la ejerciere sobre la víctima;

III. Cuando el delito sea cometido por quienes tengan o hayan tenido relación con la víctima por motivos laborales, docentes, médicos, domésticos, religiosos o cualquier otro que implique confianza o subordinación. Además de la pena de prisión, si el delito es contra una persona menor de edad, el condenado será destituido del cargo o empleo, inhabilitado o suspendido hasta por el término de cinco años en el ejercicio de su profesión, independientemente de las sanciones a que se haga acreedor, y

IV. Cuando el ofendido tenga alguna discapacidad, que limite las actividades de su vida diaria e impida su desarrollo individual y social.

Es obligación de quien ejerza la patria potestad de las niñas, niños y adolescentes, hacer del conocimiento o denunciar ante las instancias competentes, cualquier presunto caso de abuso sexual en su contra.

CAPÍTULO III
ESTUPRO

Artículo 271. Comete delito de estupro quien tenga cópula con una persona mayor de quince años y menor de dieciocho obteniendo su consentimiento por medio de cualquier tipo de seducción. A quien cometa este delito se le impondrán de uno a cinco años de prisión.

Artículo 272. No se procederá contra el inculpado del estupro, si no es por querella de la parte ofendida, de sus padres o, a falta de éstos, de sus representantes legítimos.

CAPÍTULO IV
VIOLACIÓN

Artículo 273. Al que por medio de la violencia física o moral tenga cópula con una persona sin la voluntad de ésta, se le impondrán de diez a veinte años de prisión, y de doscientos a dos mil días multa.

Comete también el delito de violación y se sancionará como tal, el que introduzca por vía vaginal o anal cualquier parte del cuerpo, objeto o instrumento diferente al miembro viril, por medio de la violencia física o moral, sea cual fuere el sexo del ofendido.

Se equipara a la violación la cópula o introducción por vía vaginal o anal cualquier parte del cuerpo, objeto o instrumento diferente al miembro viril, con persona privada de razón, de sentido o cuando por cualquier enfermedad o cualquier otra causa no pudiere resistir o cuando la víctima fuera menor de quince años. En estos casos, se aplicará la pena establecida en el párrafo primero de este artículo.

Cuando el ofendido sea menor de quince años y mayor de trece, haya dado su consentimiento para la cópula y no concurra modificativa, exista una relación afectiva con el inculpado y la diferencia de edad no sea mayor a cinco años entre ellos, se extinguirá la acción penal o la pena en su caso.

Para los efectos de este artículo, se entiende por cópula la introducción del miembro viril en el cuerpo de la víctima por vía vaginal, anal u oral, independientemente de su sexo, exista eyaculación o no.

Artículo 273 Bis. Derogado.

Artículo 274. Son circunstancias que modifican el delito de violación:

I. Cuando en la comisión del delito de violación participen dos o más personas se impondrán de cuarenta a setenta años de prisión o prisión vitalicia y de seiscientos a cuatro mil días multa;

II. Si el delito fuere cometido por uno de los cónyuges, por un ascendiente contra su descendiente, por éste contra aquél, por un hermano contra otro, por el tutor en contra de su pupilo o por el padrastro, madrastra, concubina, concubinario, amasio o amasia en contra del hijastro o hijastra, además de las sanciones previstas en el artículo 273 se impondrán de tres a nueve años de prisión y de treinta a setenta y cinco días multa, así como la pérdida de la patria potestad o la tutela en aquellos casos en que la ejerciere sobre la víctima;

III. Cuando el delito de violación sea cometido por quien desempeña un empleo, cargo o comisión públicos o ejerza una profesión utilizando los vehículos oficiales, circunstancias o cualquier medio que éstos le proporcionen, además de las sanciones previstas en el artículo 273, se aumentará la pena hasta en una mitad, también será destituido del cargo o empleo o suspendido hasta por el término de diez años en el ejercicio de su profesión, independientemente de las sanciones a que se haga acreedor;

IV. Cuando por razón del delito de violación se causare la muerte, se impondrán de cuarenta a setenta años de prisión o prisión vitalicia y de setecientos a cinco mil días multa;

V. Cuando el ofendido sea menor de quince años o mayor de sesenta, se le impondrá de quince a treinta años de prisión y de trescientos a dos mil quinientos días multa. Sin perjuicio, en su caso, de la agravante contenida en la fracción II de este artículo; y

VI. Cuando el ofendido tenga alguna discapacidad, que limite las actividades de su vida diaria e impida su desarrollo individual y social, se impondrán de quince a treinta años de prisión y de trescientos a dos mil quinientos días multa.

VII. Cuando se cometa en un vehículo de transporte público de pasajeros, de personal o escolar, vehículo oficial u otro que sin contar con la autorización oficial preste un servicio equivalente, se aumentará la pena que corresponda hasta en una mitad.

VIII. Cuando el delito sea cometido por quienes tengan o hayan tenido relación con la víctima por motivos laborales, docentes, médicos, domésticos, religiosos o cualquier otro que implique confianza o subordinación, se aumentará la pena que corresponda hasta en un tercio.

SUBTÍTULO QUINTO
DELITOS DE VIOLENCIA DE GÉNERO

CAPÍTULO I
VIOLENCIA INSTITUCIONAL

Artículo 275. A quien en el ejercicio de la función pública dilate, obstaculice, niegue la debida atención o impida el goce y ejercicio de los derechos humanos de las mujeres, así como su acceso a programas, acciones, recursos públicos y al disfrute de políticas públicas, se le impondrán de seis meses a dos años de prisión y de cincuenta a trescientos días multa.

CAPÍTULO II
VIOLENCIA OBSTÉTRICA

Artículo 276. La violencia obstétrica se configura por parte del personal médico, paramédico, de enfermería y administrativo de las instituciones de salud públicas o privadas, cuando se dañe o denigre a la mujer durante el embarazo, el parto, puerperio o en emergencias obstétricas, vulnerando sus derechos por medio de tratos crueles, inhumanos o degradantes.

Comete este delito el personal de salud que:

I. No atienda o no brinde atención oportuna y eficaz a las mujeres en el embarazo, parto, puerperio o en emergencias obstétricas.

II. Altere el proceso natural del parto de bajo riesgo, a través del uso de técnicas de aceleración, sin obtener el consentimiento voluntario, expreso e informado de la mujer.

III. No obstante existir condiciones para el parto natural, practique el parto por vía de cesárea, sin obtener el consentimiento voluntario, expreso e informado de la mujer.

IV. Acose o presione psicológica u ofensivamente a una parturienta, con el fin de inhibir la libre decisión de su maternidad.

V. Sin causa médica justificada, obstaculice el apego del niño o la niña con su madre, a través de la negación a ésta de la posibilidad de cargarle o de amamantarle inmediatamente después de nacer.

VI. Aun cuando existan los medios necesarios para la realización del parto vertical, obligue a la mujer a parir acostada sobre su columna y con las piernas levantadas o en forma distinta a la que sea propia de sus usos, costumbres y tradiciones obstétricas.

A quien ejecute las conductas señaladas en las fracciones I, II, III y VI, se le impondrán de tres a seis años de prisión y de cincuenta a trescientos días multa, quien incurra en los supuestos descritos en las fracciones IV y V será sancionado con prisión de seis meses a tres años y de cincuenta a doscientos días multa.

Artículo 277. Cuando por motivo del supuesto establecido en la fracción I del artículo anterior se cause la muerte del producto de la concepción, con independencia de las penas que se señalan, además se aplicarán las establecidas para el delito de homicidio.

Artículo 278. Comete el delito de esterilidad provocada quien, sin el consentimiento de la mujer, practique en ella procedimientos quirúrgicos, químicos o de cualquier otra índole para hacerla estéril.

Al responsable de esterilidad provocada se le impondrán de cuatro a siete años de prisión y de cincuenta a setenta días multa, así como el pago total de la reparación de los daños y perjuicios ocasionados, que incluirán los gastos de hospitalización, los del procedimiento quirúrgico correspondiente para revertir la esterilidad y tratamiento médico.

Además de las penas señaladas en el párrafo anterior, se impondrá al responsable la suspensión del empleo o profesión por un plazo igual al de la pena de prisión impuesta hasta la inhabilitación definitiva, siempre que en virtud de su ejercicio haya resultado un daño para la mujer.

CAPÍTULO III
VIOLENCIA LABORAL

Artículo 279. A quien obstaculice o condicione el acceso de una mujer a un empleo, por el establecimiento de requisitos referidos a su sexo, edad, apariencia física, estado civil, condición de madre, se le impondrán de seis meses a dos años de prisión y de cincuenta a trescientos días multa.

La misma pena se le impondrá, a quien:

I. Exija la presentación de certificados médicos de no embarazo para el ingreso, permanencia o ascenso en el empleo.

II. Despida o coaccione, directa o indirectamente, para que renuncie, a una mujer por estar embarazada, por cambio de estado civil o por tener el cuidado de hijos menores.

III. Impida a una mujer disfrutar la incapacidad por maternidad o enfermedad.

IV. Autorice que una mujer durante el período del embarazo realice trabajos que exijan esfuerzos considerables y signifiquen un peligro para su salud en relación con la gestación, tales como levantar, tirar o empujar grandes pesos, que produzcan trepidación, estar de pie durante largo tiempo o que actúen o puedan alterar su estado psíquico y nervioso.

V. Imponga labores insalubres o peligrosas y trabajos nocturnos injustificados a las mujeres.

VI. Impida a una mujer ejercer su periodo de lactancia o a quien no le otorgue la licencia respectiva.

VII. Permita o tolere actos de hostigamiento y/o acoso sexual en contra de alguna mujer en el centro de trabajo.

CAPÍTULO IV
VIOLENCIA POR PARENTESCO

Artículo 280. A quien en contra de una mujer por razón de parentesco realice las conductas siguientes:

I. Ejerza una selección nutricional o diferencia alimentaria en perjuicio de su salud.

II. Prohíba injustificadamente iniciar o continuar actividades escolares o laborales lícitas.

III. Asigne trabajo doméstico que la subordine en favor de los integrantes del sexo masculino de la familia.

IV. Imponga profesión u oficio.

V. Obligue a establecer relación de noviazgo, concubinato o matrimonio con persona ajena a su voluntad.

VI. Limite, prohíba o condicione el acceso y uso de métodos de salud sexual y reproductiva. Lo anterior sin perjuicio del derecho a la educación, de los padres, de quienes ejerzan la patria potestad, tutela o guarda y custodia.

VII. Controle el ingreso de sus percepciones económicas.

Se impondrán de seis meses a dos años de prisión y de cincuenta a doscientos días multa.

CAPÍTULO IV BIS
VIOLENCIA POLÍTICA

Artículo 280 Bis. A quien por cualquier medio impida u obstaculice a una mujer el acceso a los cargos de elección popular, su debido desempeño o la induzca a la toma de decisiones en contra de su voluntad, se le impondrá de seis meses a dos años de prisión y de cincuenta a trescientos días multa.

CAPÍTULO V
FEMINICIDIO

Artículo 281. Comete el delito de feminicidio quien prive de la vida a una mujer por razones de género. Se considera que existen razones de género cuando concurra alguna de las siguientes circunstancias:

I. La víctima presente signos de violencia sexual de cualquier tipo.

II. A la víctima se le hayan infligido lesiones o mutilaciones infamantes o degradantes, previas o posteriores a la privación de la vida o actos de necrofilia.

III. Existan antecedentes, datos o medios de prueba de cualquier tipo de violencia en el ámbito familiar, laboral o escolar, del sujeto activo en contra de la víctima.

IV. Haya existido entre el activo y la víctima una relación sentimental, afectiva o de confianza.

V. Existan datos o medios de prueba que establezcan que hubo amenazas relacionadas con el hecho delictuoso, acecho, acoso o lesiones del sujeto activo en contra de la víctima.

VI. La víctima haya sido incomunicada, cualquiera que sea el tiempo previo a la privación de la vida.

VII. El cuerpo de la víctima sea expuesto o exhibido en un lugar público.

VIII. Como resultado de violencia de género, pudiendo ser el sujeto activo persona conocida o desconocida y sin ningún tipo de relación.

En los casos a que se refiere este artículo, la penalidad será de cuarenta a setenta años de prisión o prisión vitalicia y de setecientos a cinco mil días multa, misma pena se aplicará, cuando se cometa frente a las hijas o hijos de la víctima directa.

Además de las sanciones descritas en el presente artículo, el sujeto activo perderá todos los derechos con relación a la víctima, incluidos los de carácter sucesorio, así como los inherentes a la patria potestad, tutela o curatela, guarda y custodia sobre las y los hijos.

La pena se agravará hasta en un tercio cuando la víctima sea mujer menor de edad, embarazada o discapacitada, así como cuando el sujeto activo sea servidor público y haya cometido la conducta valiéndose de esta condición.

En caso que no se acredite que existieron razones de género al privar de la vida a una mujer, al momento de resolver, para la imposición de las sanciones penales correspondientes, el juez aplicará las disposiciones señaladas en los artículos 242, fracción II y 245 fracción V, inciso d) de este ordenamiento.

Se entenderá como homicidio doloso, la privación de la vida de una mujer por razones de género, para los efectos de:

1) La imposición de la prisión preventiva oficiosa.

2) La remisión parcial de la pena, tratamiento preliberacional, libertad condicionada al sistema de localización y rastreo y libertad condicional.

3) La suspensión provisional de la patria potestad o tutela y del régimen de convivencia con los descendientes o ascendientes de la víctima en los casos en los que las hijas e hijos menores de edad sean testigos presenciales del hecho.

CAPÍTULO V BIS
TRANSFEMINICIDIO

Artículo 281 Bis. Comete el delito de transfeminicidio quien, por razones de identidad o expresión de género, prive de la vida a una mujer trans, o a una persona cuya identidad o expresión de género se identifique como mujer, en un contexto de discriminación.

Se considera que existen razones de identidad o expresión de género cuando concurra alguna de las siguientes circunstancias:

I. La víctima presente signos de violencia sexual de cualquier tipo;

II. A la víctima se le hayan infligido lesiones infamantes, degradantes o mutilaciones, previas o posteriores a la privación de la vida o actos de necrofilia;

III. Existan antecedentes o datos que establezcan que el sujeto activo ha cometido cualquier tipo de violencia en los ámbitos familiar, institucional, político, en la comunidad, laboral o escolar;

IV. Haya existido entre el sujeto activo y la víctima una relación sentimental, afectiva, de subordinación y/o de confianza;

V. Haya existido entre el sujeto activo y la víctima una relación de parentesco por consanguinidad, afinidad o civil;

VI. El cuerpo de la víctima sea exhibido, expuesto, depositado o arrojado en un lugar público;

VII. Cuando la comisión del delito o el cuerpo de la víctima se exponga, difunda, publique o transmita, a través de cualquier tecnología de la información, comunicación, transmisión de datos o se comparta por cualquier medio;

VIII. Cuando el cuerpo de la víctima presente señales de ensañamiento vinculadas con su identidad o expresión de género, ya sea de manera directa en su persona o a través de sus objetos personales que resulten distintivos de dicha identidad o expresión;

IX. Cuando testigos o evidencia indiquen que previo o posterior al delito el sujeto activo utilizó expresiones verbales que indiquen rechazo u odio a la víctima por motivo de su identidad o expresión de género;

X. Cuando el sujeto activo despoje a la víctima de los elementos distintivos de su identidad o expresión de género;

XI. Cuando los artículos personales de la víctima sean intercambiados por artículos relacionados con el género opuesto a los de su identidad o expresión de género; y

XII. Cuando el sujeto activo argumente la comisión del delito de forma expresa por motivos de su identidad o expresión de género en contra de la víctima.

En los casos a que se refiere este artículo, la penalidad será de cuarenta a setenta años de prisión y de setecientos a cinco mil días multa.

Tratándose de las fracciones IV y V el sujeto activo perderá todos los derechos civiles y familiares en relación con la víctima, incluidos los de carácter sucesorio.

La pena se agravará hasta en un tercio cuando la víctima sea menor de edad, así como cuando el sujeto activo sea servidor público y haya cometido la conducta valiéndose de esta condición.

CAPÍTULO VI
DISPOSICIONES GENERALES

Artículo 282. Cuando en los delitos de este Subtítulo se ejerza violencia, se sancionarán además de las penas señaladas para cada caso con las siguientes:

I. Cuando se cometa con violencia física o psicológica se impondrá de uno a cuatro años de prisión y de cien a cuatrocientos días multa.

La violencia física consistirá en la utilización de la fuerza física o de algún tipo de arma u objeto que pueda provocar o no lesiones ya sean internas, externas o ambas.

Por violencia psicológica se entenderá a cualquier acto u omisión que dañe la estabilidad emocional o mental que conduzca a la mujer a la depresión, al aislamiento, a la devaluación de su autoestima e incluso al suicidio.

II. Cuando se cometa con violencia sexual se impondrá de dos a ocho años de prisión y de doscientos a quinientos días multa.

Por violencia sexual se entiende a cualquier acto que degrade o dañe el cuerpo y/o la sexualidad de la víctima y por tanto atente contra su libertad, dignidad e integridad física.

III. Cuando se cometa con violencia patrimonial se impondrá de uno a tres años de prisión y de cincuenta a doscientos cincuenta días multa.

La violencia patrimonial consistirá en transformar, sustraer, destruir, retener documentos personales, bienes y valores, derechos patrimoniales o recursos económicos y pueden abarcar los daños a los bienes comunes o propios de la mujer.

IV. Cuando se ejerzan actos individuales o colectivos que trasgredan los derechos fundamentales de las mujeres y las niñas propiciando su degradación, discriminación, marginación o exclusión en el ámbito público, se le impondrán de seis meses a dos años de prisión y de cincuenta a trescientos días multa.

Artículo 283. Tratándose de los delitos señalados en los artículos 262, 263, 270 y 307 Bis además de las penas señaladas para cada caso se entenderá lo señalado en el artículo anterior.

Artículo 284. Si el sujeto activo del delito fuere servidor público las penas señaladas para cada caso se incrementarán hasta en una mitad, además se le impondrá destitución e inhabilitación por un plazo igual al de la pena de prisión impuesta, para ejercer empleo, cargo o comisión públicos.

Artículo 285. Al servidor público que no proceda bajo los protocolos de actuación establecidos para estos delitos se le impondrán de dos a seis años de prisión y de doscientos a quinientos días multa, además se le impondrá destitución e inhabilitación por un plazo igual al de la pena de prisión impuesta, para ejercer empleo, cargo o comisión públicos.

Artículo 286. Los delitos señalados en el presente Subtítulo serán perseguibles de oficio, e incluirán la reparación del daño en los términos a que se refiere el presente Código.

Artículo 286 Bis. Para efectos de lo dispuesto en el presente Subtítulo se entenderá por:

I. Perspectiva de Género: Es una visión científica, analítica y política sobre las mujeres y los hombres, se propone eliminar las causas de la opresión de género como la desigualdad, la injusticia y la jerarquización de las personas basada en el género. Promueve la igualdad entre los géneros a través de la equidad, el adelanto y el bienestar de las mujeres, contribuye a construir una sociedad en donde las mujeres y los hombres tengan el mismo valor, la igualdad de derechos y oportunidades para acceder a los recursos económicos y a la representación política y social en los ámbitos de toma de decisiones.

II. Violencia de Género: Al conjunto de amenazas, agravios, maltrato, lesiones y daños asociados a la exclusión, la subordinación, la discriminación y la explotación de las mujeres y las niñas y que es consubstancial a la opresión de género en todas sus modalidades. La violencia de género contra las mujeres y las niñas involucra tanto a las personas como a la sociedad en sus distintas formas y organizaciones, comunidades, relaciones, prácticas e instituciones sociales y al Estado que la reproduce al no garantizar la igualdad, al perpetuar formas legales, jurídicas, judiciales, políticas androcéntricas y de jerarquía de género y al no dar garantías de seguridad a las mujeres. La violencia de género se ejerce tanto en el ámbito privado como en el ámbito público manifestándose en diversos tipos y modalidades como la familiar, en la comunidad, institucional, laboral, docente y feminicida de manera enunciativa y no limitativa.

TÍTULO CUARTO
DELITOS CONTRA EL PATRIMONIO

CAPÍTULO I
ROBO

Artículo 287. Comete el delito de robo, el que se apodera de un bien ajeno mueble, sin derecho y sin consentimiento de la persona que pueda disponer de él, conforme a la ley.

El robo estará consumado desde el momento en que el ladrón tiene en su poder el bien, aun cuando después lo abandone o lo desapoderen de él.

Para estimar la cuantía del robo, se atenderá únicamente al valor intrínseco del objeto de apoderamiento.

El delito de robo podrá acreditarse cuando se detenga al sujeto en posesión de la cosa ajena mueble desapoderada sin consentimiento y sin derecho de quien legítimamente pueda disponer de él, y el imputado no acredite la adquisición lícita del mismo.

Para efectos de este capítulo, se entiende por Unidad de Medida y Actualización, a la unidad de cuenta, índice, base, medida o referencia para determinar la cuantía del pago de las obligaciones y supuestos previstos vigente al momento de cometerse el delito.

Artículo 288. También comete el delito de robo el que:

I. Se apodere o disponga de un bien mueble propio, que se encuentre en poder de otra por cualquier título legítimo o por disposición de la autoridad;

II. Aproveche la energía eléctrica o cualquier otro fluido, sin derecho y sin el consentimiento de la persona que legalmente pueda disponer de ellos; y

III. Se encuentre un bien perdido y no lo devuelva a su dueño, sabiendo quién es.

Artículo 289. El delito de robo se sancionará en los siguientes términos:

I. Cuando el valor de lo robado no exceda de treinta veces el valor diario de la Unidad de Medida y Actualización vigente, se impondrán de seis meses a dos años de prisión y de cincuenta a cien días multa.

II. Cuando el valor de lo robado exceda de treinta pero no de noventa veces el valor diario de la Unidad de Medida y Actualización vigente, se impondrán de uno a tres años de prisión y de cien a ciento cincuenta días multa.

III. Cuando el valor de lo robado exceda de noventa pero no de cuatrocientas veces el valor diario de la Unidad de Medida y Actualización vigente, se impondrán de dos a cuatro años de prisión y de ciento cincuenta a doscientos días multa.

IV. Cuando el valor de lo robado exceda de cuatrocientas pero no de dos mil veces el valor diario de la Unidad de Medida y Actualización vigente, se impondrán de cuatro a ocho años de prisión y de doscientos a doscientos cincuenta días multa.

V. Cuando el valor de lo robado exceda de dos mil veces el valor diario de la Unidad de Medida y Actualización vigente, se impondrán de seis a doce años de prisión y de doscientos cincuenta a trescientos días multa.

VI. Si por alguna circunstancia la cuantía del robo no fuere estimable en dinero o si por su naturaleza no se hubiere fijado su valor, se impondrán de uno a cinco años de prisión y de cincuenta a ciento veinticinco días multa.

Artículo 290. Son circunstancias que agravan la penalidad en el delito de robo y se sancionarán además de las penas señaladas en el artículo anterior con las siguientes:

I. Cuando se cometa con violencia sobre persona o personas se impondrán de ocho a doce años de prisión y de uno a tres veces el valor de lo robado sin exceder mil quinientos días multa.

Cuando se cometa violencia sobre un bien o bienes se impondrá de dos a cuatro años de prisión y de uno a tres veces el valor de lo robado sin exceder mil quinientos días multa.

Para efectos de este artículo se entenderá por violencia:

a) Física: utilización de la fuerza material por el sujeto activo sobre el sujeto pasivo de la conducta;

b) Moral: utilización de amagos, amenazas o cualquier tipo de intimidación que el sujeto activo realice sobre el sujeto pasivo o personas vinculadas a éste, para causarle en su persona o en la de las personas vinculadas a éste o en sus bienes, males o se realice en desventaja numérica sobre el sujeto pasivo o haciendo uso de armas de juguete, utilería o réplicas, aun cuando no sean aptas para causar un daño físico; y

c) Sobre los bienes: cuando para perpetrar el delito se rompa una o varias paredes, cristales, techos o pisos, se horade o excave interiores o exteriores, se fracturen puertas, ventanas, cerraduras, aldabas o cierres, se use llave falsa, o la verdadera que haya sido sustraída o hallada, ganzúa u otro instrumento análogo; se violenten los mecanismos de seguridad o de antirrobo de algún vehículo automotor.

Cuando se trate de vehículos automotores y de transporte en todas sus modalidades, para el caso de las autopartes que lo integran, de la mercancía transportada o de la mercancía que se encuentre a bordo de aquel.

Igualmente, se considera violencia la que utiliza el sujeto activo sobre persona o personas distintas del sujeto pasivo o sobre sus bienes, con el propósito de consumar el delito o lo que se realice después de ejecutado este, para propiciarse la fuga o quedarse con lo robado.

Esta conducta se considerará como delito grave, cuando el monto de lo robado exceda de ciento cincuenta veces el valor diario de la Unidad de Medida y Actualización vigente o que se causen lesiones de las previstas en los artículos 237, fracciones II y III y 238, fracciones III, IV y V de este Código.

II. Cuando se cometa en el interior de casa habitación, se impondrán de doce a dieciséis años de prisión y de uno a tres veces el valor de lo robado, sin que exceda de mil quinientos días multa.

Si en su ejecución participan dos o más personas la pena se incrementará de dos a cinco años de prisión.

Se comprende dentro de la denominación de casa habitación, el aposento, cualquier dependencia de ella y las movibles cualquiera que sea el material con el que estén construidas;

III. Cuando se cometa en el interior de casa habitación y se utilice en su ejecución:

A) Violencia sobre los bienes, se impondrán de 15 a 22 años de prisión y multa de uno a tres veces el valor de lo robado sin que exceda de dos mil días de multa, o,

B) Violencia sobre las personas, se impondrán de 20 a 30 años de prisión y multa de uno a tres veces el valor de lo robado sin que exceda de dos mil días de multa.

IV. Cuando por motivo del delito de robo se causare la muerte, se impondrán de cuarenta a setenta años de prisión o prisión vitalicia y de setecientos a cinco mil días multa;

V. Cuando se cometa el robo de un vehículo automotor, de la mercancía transportada o de la mercancía que se encuentre a bordo de aquel, se impondrán de nueve a quince años de prisión y de uno a tres veces el valor de lo robado, sin que exceda de mil quinientos días multa, sin perjuicio en su caso, de la agravante a que se refiere la fracción I de este artículo.

Cuando el robo se cometa estando el vehículo estacionado con o sin ocupante u ocupantes a bordo, la penalidad aumentará en una mitad.

Además de las penas señaladas, cuando en la ejecución de este delito existan dos o más sujetos pasivos se impondrán a los sujetos activos, por cada pasivo de uno a dos años de prisión.

Si en alguno de los supuestos del artículo 292 del presente Código, el vehículo de que se trate es una motocicleta, además de las sanciones a que se refiere este artículo, se aumentará la pena de prisión en un tercio más.

VI. Cuando se cometa aprovechando la falta de vigilancia o la confusión ocasionado por un siniestro o un desorden de cualquier tipo, se impondrán de dos a siete años de prisión y de uno a tres veces el valor de lo robado, sin que exceda de mil días multa.

Si se comete por elementos pertenecientes a una corporación de auxilio, socorro u organismos similares o por miembros de alguna corporación policíaca, además de la pena anterior, se agregarán de dos a cuatro años de prisión y destitución del cargo e inhabilitación de cuatro a ocho años para desempeñar empleo, cargo o comisión públicos;

VII. Cuando lo cometa un dependiente o un doméstico contra su patrón, algún miembro de su familia, huésped o invitado, en cualquier parte que lo cometa, se impondrán de tres meses a tres años de prisión.

Se entiende por doméstico, aquél que sirva a otro y viva o no en la casa de éste, por un salario, estipendio o emolumento;

VIII. Cuando un huésped o comensal o alguno de su familia o de los domésticos que lo acompañen, lo cometan en la casa donde reciban hospedaje, acogida o agasajo, se impondrán de tres meses a tres años de prisión;

IX. Cuando lo cometa el anfitrión o alguno de sus familiares en la casa del primero, contra su huésped o domésticos o contra cualquier persona invitada o acompañantes de éste, se impondrán de tres meses a tres años de prisión;

X. Cuando lo cometan los trabajadores encargados de empresas o establecimientos comerciales, en los lugares en que presten sus servicios al público, o en los bienes de los huéspedes o clientes, se impondrán de seis meses a tres años de prisión;

XI. Cuando se cometa por los obreros, artesanos o discípulos, en la casa, taller o escuela en que habitualmente trabajen, estudien o en la habitación, oficina, bodega u otros sitios a los que tengan libre entrada por el carácter indicado, se impondrán de seis meses a tres años de prisión;

XII. Cuando el robo recaiga en expedientes o documentos de protocolo, oficina o archivos públicos o en documentos que contengan obligación, liberación o transmisión de deberes que obren en expediente judicial, se impondrán de uno a cinco años de prisión. Si el delito lo comete el servidor público de la dependencia en que se encuentre el expediente o documento, se le impondrán además destitución e inhabilitación de dos a diez años para desempeñar otro empleo, cargo o comisión públicos;

XIII. Cuando el robo se cometa en lugar cerrado, la pena será de tres a nueve años. Se entenderá por lugar cerrado, cualquier recinto notoriamente aislado del espacio circundante al que el activo no tenga libre acceso, independientemente de que se encuentren abiertas la puertas o rotos los muros.

Si en los actos mencionados participa algún servidor público que tenga a su cargo funciones de prevención, persecución, sanción del delito o de ejecución de penas, además de las sanciones a que se refiere este artículo, se le aumentará la pena de prisión en una mitad más, destitución definitiva e inhabilitación por veinte años para desempeñar cualquier empleo, cargo o comisión públicos.

Además de la pena señalada, cuando en la ejecución de este delito existan dos o más sujetos pasivos se impondrán, a los sujetos activos, por cada pasivo de uno a dos años de prisión.

XIV. Cuando el robo se cometa al interior de un vehículo automotor particular o recaiga sobre una o más de las partes que lo conforman o sobre objetos meramente ornamentales o de aquellos que transitoriamente se encuentran en su interior, se impondrán de seis meses a seis años de prisión y de uno a tres veces el valor de lo robado, sin que exceda de quinientos días multa, sin perjuicio en su caso, del agravante a que se refiere la fracción I de este artículo.

XV. Salvo los casos previstos en las fracciones VI y XII de este artículo, si en las conductas descritas en las demás, participa algún servidor público que tenga a su cargo funciones de prevención, persecución, sanción del delito o de ejecución de penas o alguna persona que pertenezca o haya pertenecido a empresa o corporación de seguridad privada, además de las sanciones a que se refiere este artículo, se le aumentará la pena de prisión de un medio a dos tercios y se le destituirá e inhabilitará de dos a veinte años para desempeñar cualquier empleo, cargo o comisión públicos o se determinará en los mismos términos, la suspensión de derechos de prestar el servicio de seguridad privada, los cuales se computarán a partir del cumplimiento de la pena privativa de libertad.

XVI. Si en los actos mencionados en las fracciones anteriores, participa, en ejercicio de sus funciones o con motivo de ellas, algún servidor público, además de las sanciones a que se refiere este artículo se le aumentará la pena de prisión en una mitad más, destitución definitiva e inhabilitación hasta por veinte años para desempeñar cualquier empleo, cargo o comisión públicos.

XVII. Cuando se cometa a escuelas e inmuebles destinados a actividades educativas, se impondrán de tres a doce años de prisión y de uno a tres veces el valor de lo robado, sin que exceda de mil días multa.

XVIII. Cuando se cometa en medios de transporte público de pasajeros en sus diversas clases y modalidades, transporte de personal, de turismo o escolar, se impondrán de doce a dieciocho años de prisión y multa de uno a tres veces el valor de lo robado, sin que exceda de mil días multa, sin perjuicio en su caso, de la agravante a que se refiere la fracción I de este artículo.

Además de la pena señalada en el párrafo anterior, se impondrán las penas siguientes:

a) Cuando en la ejecución de este delito existan dos o más sujetos pasivos se impondrá a los sujetos activos por cada pasivo, de uno a dos años de prisión.

b) Cuando en este delito los sujetos pasivos sean mujeres, niñas, niños, adolescentes o adultos mayores se impondrá una pena de cuatro a seis años de prisión al sujeto activo.

c) Cuando se trate únicamente de equipaje o valores de turistas o pasajeros, en cualquier lugar durante el trayecto del viaje, se impondrá una pena de cuatro a seis años de prisión al sujeto activo, con independencia del valor de lo robado.

XIX. Cuando una vez retirado dinero en efectivo de una institución financiera o de sus equipos, el robo se cometa en contra de la persona que lo porta, custodie o transporte dentro del lugar de retiro o en el camino de este último a su des tino inmediato, se impondrán de uno a tres años de prisión y de cien a trescientos días multa.

Si en la ejecución de este delito se utiliza algún tipo de violencia, además de lo previsto en el párrafo anterior, se impondrá la pena prevista en la fracción I de este artículo.

Al que siendo empleado de una institución financiera participe en la comisión de este delito, se le impondrá además de la pena por el robo y de la agravante señalada en el primer párrafo de la presente fracción, de tres a cinco años de prisión y de cien a trescientos días multa.

XX. Cuando se cometa en contra de transeúnte, que se encuentre en la vía pública o en espacios abiertos que permitan el acceso público, se impondrán de uno a tres años de prisión.

XXI. Además de las anteriores, cuando se violen los mecanismos de seguridad de la unidad, haciendo uso de tecnologías o dispositivos electrónicos que inhiben la señal del Sistema de Geolocalización o de cualquier herramienta u objeto.

XXII. Cuando se cometa contra una unidad económica, se impondrán de cinco a diez años de prisión y de uno a tres veces el valor de lo robado sin exceder mil quinientos días multa, sin perjuicio de las penas que correspondan por la comisión de otros delitos.

XXIII. Tratándose de robo de un vehículo automotor, cuando se alteren sus medios físicos de identificación, como son el número de identificación vehicular, las placas metálicas, la factura o carta factura del automóvil, las calcomanías, los hologramas, la tarjeta de circulación, los formatos de permisos y el certificado de verificación vehicular.

En caso de reincidencia en las conductas previstas en el presente artículo, se impondrán, además de la que corresponda a la conducta realizada por el sujeto activo, de cuatro a ocho años de prisión y de cuatrocientos a mil días multa.

Artículo 291. Al que se apodere de un bien ajeno mueble, sin consentimiento del dueño o legítimo poseedor, con carácter temporal y no para apropiárselo o venderlo y lo restituya espontáneamente antes de que la autoridad tome conocimiento, se le impondrán de seis meses a dos años de prisión.

Artículo 292. Se equipara al delito de robo y se sancionará en los siguientes términos, al que:

I. Desmantele uno o más vehículos robados, enajene o trafique conjunta o separadamente las partes que los conforman;

II. Enajene o trafique de cualquier manera con uno o más vehículos robados;

III. Detente, posea, custodie, altere o modifique de cualquier manera la documentación que acredite la propiedad o los medios de identificación originales de algún o algunos vehículos robados;

IV. Traslade el o los vehículos robados a otra entidad federativa o al extranjero;

V. Utilice el o los vehículos robados en la comisión de otro u otros delitos; y

VI. Utilice el o los vehículos robados en la prestación de un servicio público o actividad oficial.

En estos casos, se impondrán de ocho a veinte años de prisión y de uno a tres veces el valor del vehículo robado; tratándose de una motocicleta, además de las sanciones señaladas, se aumentará la pena de prisión hasta por cinco años más.

Si en los actos mencionados participa algún servidor público que tenga a su cargo funciones de prevención, persecución, sanción del delito o de ejecución de penas, además de las sanciones a que se refiere este artículo, se le aumentará la pena de prisión en una mitad más y se le inhabilitará de dos a veinte años para desempeñar cualquier empleo, cargo o comisión públicos.

Quienes compren o vendan un vehículo automotor, deberán obtener la constancia o certificación electrónica de que el vehículo no aparece en la base de datos de autos robados del Registro Público Vehicular al momento de la compra-venta.

Artículo 293. No será punible el delito de robo:

I. Cuando sin emplear la violencia, alguien se apodera por una sola vez de los objetos estrictamente indispensables para satisfacer sus necesidades personales o familiares del momento;

II. Cuando el valor de lo robado no exceda de veinte veces el valor diario de la Unidad de Medida y Actualización vigente, se restituya el bien espontáneamente por el sujeto activo, se paguen los daños y perjuicios ocasionados, no se ejecute con alguna de las circunstancias a que se refieren las fracciones II a V del artículo 290 de este código y aún no tome conocimiento del delito la autoridad.

III. Derogada.

IV. Derogada.

Artículo 294. En todo caso de robo, el juez podrá suspender al inculpado, de un mes a seis años, en los derechos de patria potestad, tutela, curatela, perito, depositario o interventor judicial, síndico o interventor en concurso o quiebras o representante de ausentes, y en el ejercicio de cualquier profesión de las que exijan título.

Artículo 295. El delito de robo es perseguible por querella del ofendido en los siguientes casos:

I El robo a que se refieren los artículos 288 fracciones I, II y III y 291, siempre que no concurra alguna de las circunstancias a que se refieren las fracciones I, II, III, IV, V y VI del artículo 290;

II. El robo a que se refieren los artículos 289 fracciones I, II, III y VI; 290 fracciones VII, VIII, IX, X y XI, siempre que no concurra alguna de las circunstancias a que se refieren las fracciones I, II, III, IV, V, VI y XVIII de este último artículo y que el sujeto activo sea primodelincuente; circunstancias que deberán verificarse fehacientemente, con los elementos necesarios, entre otros, los antecedentes penales que obren en los archivos correspondientes, por el Ministerio Público Investigador o por la autoridad judicial, en su caso;

III. Cuando sean cometidos por un ascendiente, descendiente, cónyuge, parientes por consanguinidad hasta el segundo grado, adoptante o adoptado, concubina o concubinario, parientes, por afinidad, hasta el segundo grado.

Respecto a la persona que intervenga en la comisión del delito con los sujetos a que se refiere esta fracción.

IV. Derogada.

CAPÍTULO II
ABIGEATO

Artículo 296. Comete el delito de abigeato quien se apodere de una o más cabezas de ganado ajeno, sin consentimiento de quien legalmente pueda disponer de ellas.

Artículo 297. Cuando se trate de ganado vacuno, equino, mular o asnal, se sancionará conforme a las siguientes reglas:

I. De una a tres cabezas, con prisión de dos a cinco años y de cincuenta a ciento veinticinco días multa;

II. De cuatro a diez cabezas, con prisión de tres a ocho años y de setenta y cinco a doscientos días multa; y

III. Más de diez cabezas, con prisión de cuatro a doce años y de cien a trescientos días multa.

Artículo 298. Cuando se trate de ganado porcino, ovino o caprino, se sancionará conforme a las siguientes reglas:

I. De una a diez cabezas, con prisión de uno a tres años y de treinta a setenta y cinco días multa; y

II. Más de diez cabezas, con prisión de dos a cinco años y de cincuenta a ciento veinticinco días multa.

En el caso de este artículo y el que le antecede, si el delito es cometido por dos o más personas, las penas se incrementarán en una mitad.

Artículo 299. Se equiparan al delito de abigeato las siguientes conductas:

I. Cambiar, vender, comprar, comerciar, transportar u ocultar de cualquier forma animales, carne en canal o pieles, a sabiendas de que son producto de abigeato;

II. Alterar, eliminar las marcas de animales vivos o pieles, contramarcar o contraseñar sin derecho para ello;

III. Marcar o señalar animales ajenos, aunque sea en campo propio; y

IV. Expedir certificados falsos para obtener guías simulando ventas o hacer conducir animales que no sean de su propiedad, sin estar debidamente autorizado para ello o hacer uso de certificados o guías falsificados, para cualquier negociación sobre ganado o pieles.

V. Extraer sin consentimiento de quien legalmente pueda realizarlo, los dispositivos electrónicos de identificación del ganado, así como duplicar, alterar o modificar los componentes de dichos dispositivos.

Al que cometa cualquiera de las conductas señaladas en las fracciones anteriores se le impondrán de uno a ocho años de prisión y de treinta a doscientos días multa.

Artículo 300. Derogado.

Artículo 301. Es aplicable al delito de abigeato, en lo conducente, lo dispuesto en la fracción III del artículo 295.

CAPÍTULO III
ABUSO DE CONFIANZA

Artículo 302. Comete el delito de abuso de confianza, el que con perjuicio de alguien disponga para sí o para otro de cualquier bien ajeno mueble, del que se le hubiese transmitido la tenencia y no el dominio.

Artículo 303. Se equipara al delito de abuso de confianza:

I. El que en perjuicio de otro disponga de bien mueble propio, que tenga en su poder y del cual no pueda disponer legalmente;

II. El que se haga del importe del depósito que garantice la libertad caucional de un inculpado o parte de él cuando no le corresponda;

III. La ilegítima posesión de bien retenido, si el tenedor o poseedor no lo devuelve a pesar de ser requerido formalmente por quien tenga derecho o no lo entregue a la autoridad para que ésta disponga del mismo conforme a la ley; y

IV. Quien no siendo servidor público disponga o distraiga de los bienes públicos en su beneficio o de terceros.

Artículo 304. El delito de abuso de confianza se sancionará en los siguientes términos:

I. Cuando no exceda de treinta veces el valor diario de la Unidad de Medida y Actualización vigente, se impondrán de seis meses a dos años de prisión o de treinta a sesenta días multa.

II. Cuando exceda de treinta pero no de noventa veces el valor diario de la Unidad de Medida y Actualización vigente, se impondrán de uno a tres años de prisión o de cuarenta a setenta y cinco días multa.

III. Cuando exceda de noventa pero no de cuatrocientas veces el valor diario de la Unidad de Medida y Actualización vigente, se impondrán de dos a cuatro años de prisión y de cincuenta a cien días multa.

IV. Cuando exceda de cuatrocientas pero no de dos mil veces el valor diario de la Unidad de Medida y Actualización vigente, se impondrán de cuatro a ocho años de prisión y de cien a doscientos días multa.

V. Cuando exceda de dos mil veces el valor diario de la Unidad de Medida y Actualización vigente, se impondrán de seis a doce años de prisión y de ciento cincuenta a trescientos días multa.

VI. Si por alguna circunstancia la cuantía del abuso de confianza no pudiere ser determinada, se impondrán de uno a cinco años de prisión y de treinta a ciento veinticinco días multa.

El delito de abuso de confianza sólo se perseguirá por querella de la parte ofendida.

CAPÍTULO IV
FRAUDE

Artículo 305. Comete el delito de fraude el que engañando a otro o aprovechándose del error en que éste se halla, se haga ilícitamente de una cosa o alcance un lucro indebido para si o para otro.

Artículo 306. Igualmente comete el delito de fraude:

I. El que obtenga dinero, valores o cualesquiera otra cosa, ofreciendo encargarse de la defensa o gestión a favor de un inculpado, o de la dirección o patrocinio en un asunto civil, familiar, mercantil, laboral o administrativo si no efectúa aquélla o no realiza éste, sea porque no se haga cargo legalmente de la misma o porque renuncie o abandone el negocio o la causa sin motivo justificado;

II. Al que por título oneroso, enajene algún bien ajeno con conocimiento de que no tiene derecho para disponer de él, o lo arriende, hipoteque, empeñe o grave de cualquier forma, si ha recibido el precio, la renta o alquiler, la cantidad en que la gravó, parte de ellos o un lucro equivalente;

III. Al que disponga de un bien propio, como libre, con el conocimiento de que está gravado;

IV. Al que obtenga de otro una cantidad de dinero o cualquier otro lucro, otorgándole o endosándole a nombre propio o de otro, un documento nominativo, a la orden o al portador contra una persona supuesta o que el otorgante sabe que no ha de pagarlo;

V. El que se haga servir algún bien o admita un servicio en cualquier establecimiento comercial, y no pague su importe conforme a los precios usuales o autorizados para establecimientos de su clase;

VI. El que compre un bien mueble ofreciendo pagar su precio de contado y después de recibirlo rehuse hacer el pago o devolverlo si el vendedor, mediante requerimiento, le exigiere lo primero dentro de quince días de haber recibido el bien el comprador;

VII. El que hubiere vendido un bien mueble y recibido su precio, si no lo entrega dentro de los quince días del plazo convenido o no devuelve su importe en el mismo término en el caso de que se le exija esto último, o no entregue el bien en la cantidad o calidad convenidas;

VIII. El que venda a dos o más personas un mismo bien, sea mueble o inmueble y reciba el precio de una u otra venta o ambas o parte de él, con perjuicio del primer o siguientes compradores;

IX. Derogada.

X. El que para obtener un lucro indebido, ponga en circulación fichas, tarjetas u otros objetos de cualquier materia, como signos convencionales en sustitución de la moneda legal;

XI. El que, por sorteos, rifas, loterías, promesa de venta o por cualquier otro medio, se quede en todo o en parte con las cantidades recibidas sin entregar la mercancía u objeto ofrecido;

XII. El que realice o celebre un acto jurídico, convenio, contrato, acto o escrito judicial, simulados con perjuicio de otro, o para obtener un beneficio indebido;

XIII. El fabricante, empresario, contratista o constructor de una obra o instalación, que emplee en la construcción de la misma materiales o realice construcción de inferior calidad o cantidad a la estipulada, si ha recibido el precio convenido, con perjuicio del contratante.

XIV. El que para obtener un lucro indebido explote las preocupaciones, las supersticiones o la ignorancia de las personas, por medio de supuestas evocaciones de espíritus, adivinaciones o curaciones u otros procedimientos carentes de validez técnica o científica;

XV. El que altere por cualquier medio los medidores de algún fluido o las indicaciones registradas en esos aparatos para aprovecharse indebidamente de ellos en perjuicio del proveedor o consumidor;

XVI. El que por cualquier razón tuviere a su cargo la administración o el cuidado de bienes ajenos y perjudique al titular de éstos, alterando las cuentas o condiciones de los contratos, simulando operaciones o gastos o exagerando los que hubiere hecho, ocultando o reteniendo valores o empleándolos indebidamente;

XVII. Derogado

XVIII. El que venda o intercambie por algún otro bien, vales de papel o impresos o cualquier dispositivo en forma de tarjeta plástica que sean falsos, asociado a un sistema de pagos y prestaciones emitido por personas morales utilizados para canjear bienes y servicios;

XIX. El que haga efectivos vales de papel o impresos o cualquier dispositivo en forma de tarjeta plástica que sean falsos, asociado a un sistema de pagos y prestaciones emitido por personas morales utilizados para canjear bienes y servicios; y

XX. El que posea vales de papel o impresos o cualquier dispositivo en forma de tarjeta plástica que sean falsos, con fines de enajenarlos, distribuirlos, intercambiarlos o hacerlos efectivos.

Artículo 307. El delito de fraude se sanciona con las penas siguientes:

I. De seis meses a dos años de prisión o de treinta a sesenta días multa, cuando el valor de lo defraudado no exceda de quince veces el valor diario de la Unidad de Medida y Actualización vigente.

II. De uno a cuatro años de prisión o de cuarenta a cien días multa, cuando el valor de lo defraudado exceda de quince, pero no de noventa veces el valor diario de la Unidad de Medida y Actualización vigente.

III. De dos a seis años de prisión y de cincuenta a ciento cincuenta días multa, cuando el valor de lo defraudado exceda de noventa pero no de seiscientas veces el valor diario de la Unidad de Medida y Actualización vigente.

IV. De cuatro a ocho años de prisión y de cien a doscientos días multa, cuando el valor de lo defraudado exceda de seiscientas pero no de tres mil quinientas veces el valor diario de la Unidad de Medida y Actualización vigente.

V. De seis a doce años de prisión y de ciento cincuenta a trescientos días multa cuando el valor de lo defraudado exceda de tres mil quinientas veces el valor diario de la Unidad de Medida y Actualización vigente.

VI. Si por alguna circunstancia la cuantía de lo defraudado no pudiere ser determinada, se impondrán de uno a cinco años de prisión y de treinta a ciento veinticinco días multa.

Este delito se perseguirá por querella de la parte ofendida.

CAPÍTULO IV BIS
FRAUDE FAMILIAR

Artículo 307 Bis. A la o el cónyuge o concubino, que sin causa justificada y en detrimento de la sociedad conyugal o del patrimonio común, generado durante el matrimonio o concubinato, oculte o transfiera por cualquier medio, o adquiera a nombre de terceros, los bienes de éstos, se le aplicará sanción de uno a cinco años de prisión, hasta trescientos días de multa y la reparación de daño.

CAPÍTULO IV TER
USURA

Artículo 307 Ter. Comete el delito de usura quien, aprovechándose de la necesidad económica apremiante, ignorancia o inexperiencia de otro, mediante contratos, convenios o documentos mercantiles o civiles, formales o informales, incluidos aquellos simulados, otorgue préstamos de dinero, bienes o servicios, obteniendo intereses superiores al doble de las tasas fijadas por el Banco de México a intermediarios financieros para operaciones similares; éste delito se sancionará con pena de uno a quince años de prisión, y multa de cien a tres mil quinientas veces el valor diario de la Unidad de Medida y Actualización vigente.

CAPÍTULO V
DESPOJO

Artículo 308. Comete el delito de despojo:

I. La persona que dé propia autoridad ocupe un inmueble ajeno o haga uso de él o de un derecho real que no le pertenezca o impida materialmente el disfrute de uno o de otro;

II. La persona que dé propia autoridad ocupe un inmueble de su propiedad, en los casos que la ley no le permita, por hallarse en poder de otras personas, o ejerza actos de dominio que lesionen derechos legítimos del ocupante;

III. La persona que desvíe o utilice aguas, propias o ajenas, en contravención a lo dispuesto por la ley de la materia, o ejerza un derecho real sobre aguas que no le pertenezcan; o

IV. La persona que realice actos de dominio que afecten o lesionen los derechos legítimos de uso, disfrute o aprovechamiento de aguas por parte de su titular.

Al responsable de este delito se le impondrán de cinco a diez años de prisión y de setecientos a mil días multa.

Cuando se trate de un predio que por decreto del Ejecutivo del Estado haya sido declarado área natural protegida en sus diferentes modalidades de parques estatales, parques municipales, zonas sujetas a conservación ambiental y las demás que determinen las leyes, se impondrán de siete a doce años de prisión y de setecientos a mil días multa.

A los autores intelectuales; a las personas servidoras públicas que tengan autoría o participación; a quienes dirijan la invasión; a quienes instiguen a la ocupación del inmueble; o cuando el despojo se realice por dos o más personas, se les impondrán como sanción individualmente de diez a diecisiete años de prisión y de setecientos a mil días multa.

Si al realizarse el despojo se cometen otros delitos, aún sin la participación física de los autores intelectuales, personas servidoras públicas o, de quienes dirijan la invasión e instigadores, se considerará a todos éstos como inculpados de los delitos cometidos.

Este delito tendrá la calidad de permanente, mientras subsista la detentación material del inmueble objeto del ilícito por el activo.

Este delito se sancionará sin importar si el derecho a la posesión sea dudoso o esté en disputa.

Artículo 308 Bis. La sanción prevista en el artículo anterior se incrementará hasta en una mitad cuando el delito se cometa en cualquiera de los siguientes supuestos:

I. Con violencia física o moral, o mediante el rompimiento de cerraduras, o el forzado de puertas o ventanas;

II. Cuando se cometa en contra de un ascendiente o descendientes;

III. Aprovechando clandestinamente la ausencia del legítimo poseedor o propietario, o mediante engaño o abuso de confianza;

IV. Cuando la víctima sea una persona mayor de sesenta años, menor de dieciocho, mujer embarazada, persona con discapacidad o perteneciente a un pueblo o comunidad indígena;

V. Cuando para la comisión del delito se formalice o inscriba, ante el Instituto de la Función Registral del Estado de México o su equivalente, un acto jurídico traslativo de dominio o posesión, un contrato de mandato o poderes, en cualquiera de los siguientes casos:

a) Se utilicen documentos falsos para su formalización o inscripción;

b) Se suplante la identidad del legítimo propietario o poseedor del bien inmueble o de su representante legal o apoderado;

VI. Cuando el sujeto activo obtenga o intente obtener un lucro, a través de sí o interpósita persona, mediante la ejecución de actos de dominio sobre el inmueble despojado o sobre los bienes muebles ubicados en él;

VII. Cuando participe dolosamente en la comisión del delito una persona servidora pública con acceso, por razón de su cargo, a información o procedimientos relativos al registro de bienes inmuebles;

VIII. Cuando el despojo se ocasione o facilite dolosamente mediante la intervención de una persona titular de notaría pública, en ejercicio o con motivo de sus funciones, al formalizar actos jurídicos, dar fe de hechos o intervenir en procedimientos no contenciosos.

Se considerará igualmente actualizada esta agravante cuando la conducta se lleve a cabo con conocimiento y voluntad dolosa por parte de personas que, sin tener el carácter de notario o notaria, colaboren en la notaría respectiva o tengan acceso, uso, tratamiento o manejo de documentos, papelería, sellos, bases de datos o sistemas de información notarial, en virtud de una relación laboral, o de prestación de servicios, o de gestión o de hecho con la oficina notarial.

En todos los supuestos previstos en esta fracción, deberá acreditarse que la intervención tuvo como propósito facilitar, consumar o encubrir el acto de despojo, y que existió un vínculo funcional, o material o de confianza que haya sido aprovechado indebidamente para vulnerar la posesión legítima del bien afectado;

IX. Cuando se cometa, o realice, o formalice o convenga a través de mecanismos alternativos de solución de controversias, o mediante acuerdos que den como resultado el despojo.

La persona facilitadora o abogada colaborativa ante la que se realicen los mecanismos será responsable cuando partícipe dolosamente con el propósito de facilitar, o consumar o encubrir el despojo;

X. Cuando el bien inmueble objeto del despojo sea propiedad o esté bajo la administración de cualquier ente público estatal o municipal, independientemente de su naturaleza jurídica.

CAPÍTULO VI
DAÑO EN LOS BIENES

Artículo 309. Comete este delito el que por cualquier medio dañe, destruya o deteriore un bien ajeno o propio en perjuicio de otro.

El Ministerio Público se abstendrá de ejercer acción penal tratándose de daño en bienes muebles o inmuebles de propiedad privada, causado por accidentes ocasionados con motivo del tránsito de vehículos. En estos casos, la autoridad que conozca de los hechos remitirá el asunto a la instancia conciliadora establecida en la Ley Orgánica Municipal del Estado de México, siempre y cuando el conductor que ocasione el hecho de tránsito no se encuentre en estado de ebriedad o bajo el influjo de estupefacientes o sustancias psicotrópicas.

Si como resultado de un accidente de tránsito se ocasionan daños en bienes de la administración pública municipal o estatal, el Ministerio Público podrá aplicar los criterios de oportunidad en términos de lo dispuesto por el Código Nacional de Procedimientos Penales.

Las diligencias practicadas por la autoridad que conozca de los hechos en primer orden, serán turnadas a la autoridad que le corresponda, para que siga conociendo de los hechos.

Artículo 310. A los responsables de este delito se les sancionará en los siguientes términos:

I. Cuando no exceda de quince veces el valor diario de la Unidad de Medida y Actualización vigente, se impondrán de seis meses a dos años de prisión o de treinta a sesenta días multa.

II. Cuando exceda de quince pero no de noventa veces el valor diario de la Unidad de Medida y Actualización vigente, se impondrán de uno a tres años de prisión o de cuarenta a ochenta días multa.

III. Cuando exceda de noventa pero no de cuatrocientas veces el valor diario de la Unidad de Medida y Actualización vigente, se impondrán de dos a cuatro años de prisión y de cincuenta a cien días multa.

IV. Cuando exceda de cuatrocientas pero no de dos mil veces el valor diario de la Unidad de Medida y Actualización vigente, se impondrán de cuatro a ocho años de prisión y de cien a doscientos días multa.

V. Cuando exceda de dos mil veces el valor diario de la Unidad de Medida y Actualización vigente, se impondrán de seis a doce años de prisión y de ciento cincuenta a trescientos días multa.

VI. Si por alguna circunstancia la cuantía del daño en los bienes no pudiere ser determinada, se impondrán de uno a cinco años de prisión y de treinta a ciento veinticinco días multa.

Este delito se perseguirá por querella de la parte ofendida, excepto en los casos señalados en el artículo siguiente.

Artículo 311. Cuando el delito se cometa por medio de inundación, incendio o explosión, a las penas señaladas en el artículo anterior se agregarán:

I. De uno a cinco años de prisión y de veinticinco a ciento veinticinco días multa, cuando se ocasione a bosques o cultivos de cualquier género;

II. De dos a siete años de prisión y de cincuenta a ciento setenta y cinco días multa, cuando se ocasione a bienes de valor científico, artístico o cultural; y

III. De tres a ocho años de prisión y de setenta y cinco a doscientos días multa, cuando se ocasione a bienes muebles o inmuebles, o documentos afectos a él, de manera que interrumpa el servicio público.

CAPÍTULO VII
DELITOS CONTRA LA SEGURIDAD DE LA PROPIEDAD Y LA POSESIÓN DE INMUEBLES Y LIMITES DE CRECIMIENTO DE LOS CENTROS DE POBLACIÓN

Artículo 312. Al que altere linderos de poblados o cualquier clase de señales destinadas a fijar los límites de predios contiguos, se le impondrán de tres a seis meses de prisión y de treinta a sesenta días multa.

Artículo 313. Al que altere por cualquier medio las señales o marcas que delimiten el crecimiento de los centros de población fijados en los planes de desarrollo urbano, se le impondrán de seis meses a dos años de prisión y de cuarenta a ochenta días multa.

Artículo 314. Al que sin permiso y fuera de los casos en que la ley lo permita, se introduzca en un predio cercado, se le impondrán de tres a seis meses de prisión y de treinta a sesenta días multa.

Artículo 314 Bis. Al que sin permiso y fuera de los casos en que la ley lo permita, invada con ánimo de dominio un inmueble destinado a casa habitación o al comercio que se encuentre en construcción o desocupado o consignado para su venta, se le impondrán de cuatro a diez años de prisión y de trescientos a mil días multa.

A los autores intelectuales, a quienes dirijan la invasión, y a quienes instiguen a la ocupación del inmueble, cuando la invasión se realice por dos o más personas se les impondrá de seis a doce años de prisión y de trescientos a mil días multa.

CAPÍTULO VIII
TRANSFERENCIA ILEGAL DE BIENES SUJETOS A RÉGIMEN EJIDAL O COMUNAL

Artículo 315. A quienes compren, vendan o en cualquier forma transfieran o adquieran ilegalmente la tenencia de bienes sujetos a régimen ejidal o comunal, con propósito de lucro o para obtener un beneficio para sí o para otros, se les impondrán de dos a diez años de prisión y de cien a mil días multa.

TÍTULO QUINTO
OPERACIONES CON RECURSOS DE PROCEDENCIA ILÍCITA

CAPÍTULO ÚNICO
OPERACIONES CON RECURSOS DE PROCEDENCIA ILÍCITA

Artículo 316. Se impondrá de cinco a quince años de prisión y de mil a cinco mil días multa al que, por sí o por interpósita persona, realice cualquiera de las siguientes conductas:

I. Adquiera, enajene, administre, custodie, posea, cambie, convierta, deposite, retire, dé o reciba por cualquier motivo, invierta, traspase, transporte o transfiera dentro del territorio estatal, de éste hacia las demás Entidades Federativas y Distrito Federal o a la inversa, recursos, derechos, valores o bienes de cualquier naturaleza que procedan o representen el producto de una actividad ilícita;

II. Oculte, encubra o pretenda ocultar o encubrir la naturaleza, origen, ubicación, destino, movimiento, propiedad o titularidad de recursos, derechos, valores o bienes de procedencia ilícita.

En la realización de estas conductas el sujeto activo deberá tener conocimiento de que los recursos, derechos, valores o bienes, proceden o representan el producto de una actividad ilícita;

III. Para efectos de lo dispuesto en este artículo, se entenderá que una persona tiene conocimiento de que los recursos, derechos, valores o bienes, proceden o representan el producto de una actividad ilícita cuando:

A) No verifique las circunstancias del bien de la operación o de los sujetos involucrados y elementos objetivos acreditables en el caso concreto, pudiendo hacerlo;

B) Se realicen actos u operaciones a nombre de un tercero, sin el consentimiento de éste o sin título jurídico que lo justifique, de manera que no se actualice la gestión de negocios en términos de la legislación civil aplicable.

Cuando la Secretaría de Finanzas, en ejercicio de sus facultades de fiscalización, encuentre elementos que permitan presumir la comisión de alguno de los delitos referidos en este Capítulo, deberá ejercer respecto de los mismos las facultades de comprobación que le confieren las leyes, denunciar los hechos que probablemente puedan constituir dichos ilícitos, y atender sin demora las solicitudes de información que le realice el Ministerio Público.

Artículo 317. Para efectos de este Capítulo, se entenderá que son producto de una actividad ilícita, los recursos, derechos, valores o bienes de cualquier naturaleza, cuando existan indicios fundados o certeza de que provienen directa o indirectamente, o representan las ganancias derivadas de la comisión de algún delito.

Artículo 318. Se impondrán de tres a diez años de prisión y de ochocientos a dos mil seiscientos días multa a quien haga uso de recursos, derechos, valores o bienes de procedencia ilícita para alentar alguna actividad que la Ley prevea como hecho ilícito a través de la realización de cualquiera de las conductas señaladas en las fracciones I y II del artículo 316, siempre que no se incurra en el delito de operaciones con recursos de procedencia ilícita.

Artículo 319. Se impondrá de tres a diez años de prisión y de ochocientos a dos mil seiscientos días multa, a quien ponga a nombre de terceros recursos, derechos, valores o bienes de procedencia ilícita para llevar a cabo la ocultación de éstos; aun cuando los terceros no tengan conocimiento de la procedencia ilícita de los recursos, derechos, valores o bienes.

La misma sanción prevista en el párrafo anterior se impondrá a quien permita que se pongan bajo su nombre recursos, derechos, valores o bienes que procedan o representen el producto de una actividad ilícita.

Artículo 320. Se sancionará con prisión de tres a diez años y de mil a cinco mil días multa a quien auxilie, colabore o asesore profesional o técnicamente a otros para la realización de cualquiera de las conductas previstas en los artículos 316, 318 y 319 de este Código.

Artículo 321. Las penas previstas en este Capítulo se aumentarán de la siguiente manera:

Desde un tercio hasta en una mitad, cuando quien cometa el delito, tenga el carácter de consejero, administrador, funcionario, empleado, apoderado o prestador de servicios de cualquier persona sujeta al régimen de prevención de operaciones con recursos de procedencia ilícita, o las realice dentro de los dos años siguientes de haberse separado de alguno de dichos cargos.

Desde una mitad hasta el doble, si la conducta es cometida por servidores públicos encargados de prevenir, detectar, denunciar, investigar o juzgar la comisión de delitos o ejecutar las sanciones penales, o sea cometida por ex servidores públicos encargados de tales funciones, cuando dicha conducta ilícita sea cometida en los dos años posteriores a la terminación del servicio público desempeñado.

En ambos casos, además, se les impondrá inhabilitación para desempeñar empleo, cargo o comisión hasta por un tiempo igual al de la pena de prisión impuesta, la cual comenzará a partir del cumplimiento de dicha pena.

Asimismo, las penas previstas en este Capítulo se aumentarán hasta en una mitad si quien realice cualquiera de las conductas previstas en los artículos 316, 318, 319 y 320, utiliza a personas menores de dieciocho años de edad o personas que no tienen capacidad para comprender el significado del hecho o que no tienen capacidad para resistirlo.

Artículo 322. Tratándose de la comisión culposa del delito previsto en el presente Capítulo se impondrá una pena de tres a doce años de prisión y de quinientos a tres mil días multa.

Artículo 323. Cuando la persona que realiza los actos jurídicos descritos en este delito, revele a la autoridad competente la identidad de quien haya aportado los recursos o de quien se conduzca como dueño, la pena podrá ser reducida hasta en una tercera parte de la misma.

Artículo 324. Derogado

Artículo 325. Derogado

Artículo 326. Derogado

Artículo 327. Derogado

TÍTULO SEXTO
DELITOS POR HECHOS DE CORRUPCIÓN

CAPÍTULO I
DISPOSICIONES GENERALES

Artículo 328. Para los efectos de este Título, es servidor público toda persona que desempeñe un empleo, cargo o comisión en alguno de los poderes del Estado, órganos constitucionales autónomos, en los municipios y organismos auxiliares, así como los titulares o quienes hagan sus veces en empresas de participación estatal o municipal, sociedades o asociaciones asimiladas a éstas y en los fideicomisos públicos. Por lo que toca a los demás trabajadores del sector auxiliar, su calidad de servidores públicos estará determinada por los ordenamientos legales respectivos. Las disposiciones contenidas en el presente Título, son aplicables al Titular del Poder Ejecutivo Estatal, a los Diputados Locales, a los Jueces y Magistrados de los Tribunales de Justicia del Estado de México.

Se impondrán las mismas sanciones previstas para el delito que se trate, a cualquier persona que participe en la comisión de alguno de los delitos previstos en este Título.

Además, se impondrá a los responsables de su comisión, la pena de destitución e inhabilitación para desempeñar cualquier empleo, cargo o comisión en el servicio público, así como para participar en adquisiciones, arrendamientos, servicios u obras públicas, concesiones de prestación de servicio público o de explotación, aprovechamiento y uso de bienes de dominio del Estado o Municipio por un plazo de uno a veinte años, atendiendo a los criterios siguientes:

I. Será por un plazo de uno a diez años cuando no exista daño o perjuicio, o cuando el monto de la afectación o beneficio obtenido por la comisión del delito no exceda de doscientas veces el valor diario de la Unidad de Medida y Actualización.

II. Será por un plazo de diez a veinte años, si dicho monto excede el límite señalado en la fracción anterior.

Para efectos de lo anterior, el juez deberá considerar, en caso de que el responsable tenga el carácter de servidor público, además de lo previsto en el artículo 329 de este Código, el tipo de empleo, cargo o comisión que desempeñaba cuando incurrió en el delito.

Cuando el responsable tenga el carácter de particular, el juez deberá imponer la sanción de inhabilitación para desempeñar un cargo público, así como para participar en adquisiciones, arrendamientos, concesiones, servicios u obras públicas, considerando, en su caso, lo siguiente:

a) Los daños y perjuicios patrimoniales causados por los actos u omisiones.

b) Las circunstancias socioeconómicas del responsable.

c) Las condiciones exteriores y los medios de ejecución.

d) El monto del beneficio que haya obtenido el responsable.

Sin perjuicio de lo anterior, la categoría de servidor público de confianza será una circunstancia que podrá dar lugar a una agravante de la pena.

Artículo 329. Para la individualización de las sanciones previstas en este Título, el juez tomará en cuenta, en su caso, el nivel jerárquico del servidor público y el grado de responsabilidad del encargo, su antigüedad en el empleo, sus antecedentes de servicio, sus percepciones, su grado de instrucción, la necesidad de reparar los daños y perjuicios causados por la conducta ilícita, y las circunstancias especiales de los hechos constitutivos del delito.

Artículo 330. Cuando los delitos a que se refieren los artículos 335, 336, 337, 338, 339, 343, 346, 347, 348, 349 y 350 del presente Código, sean cometidos por servidores públicos miembros de alguna institución de seguridad pública, aduanera o migratoria, las penas previstas serán aumentadas hasta en una mitad.

Cuando los delitos a que se refieren los artículos 332, 340, 341, 345, 346, 347, 348, 349, 350, 351 y 352 del presente Código sean cometidos por servidores públicos electos popularmente o cuyo nombramiento esté sujeto a ratificación de la Legislatura del Estado, las penas previstas serán aumentadas hasta en un tercio.

CAPÍTULO II
INCUMPLIMIENTO, EJERCICIO INDEBIDO Y ABANDONO DE FUNCIONES PÚBLICAS

Artículo 331. Comete el delito de incumplimiento de funciones públicas, el servidor público que incurra en alguna de las conductas siguientes:

I. Omitir la denuncia de alguna privación ilegal de la libertad de la que tenga conocimiento, o consentir en ella, si está dentro de sus facultades evitarla.

II. Impedir el cumplimiento de una ley, decreto, reglamento o resolución judicial o administrativa, o el cobro de una contribución fiscal, o utilizar el auxilio de la fuerza pública para tal objeto.

III. El defensor público que, habiendo aceptado la defensa de algún inculpado, la abandone o descuide por negligencia.

IV. El asesor jurídico que habiendo sido designado para representar a una víctima y ofendido, la abandone o descuide por negligencia.

V. Omitir la denuncia o querella de algún ilícito del que tenga conocimiento, cometido en perjuicio o en contra de la Administración Pública Estatal o Municipal.

Al responsable de los delitos previstos en este artículo, se le impondrá de uno a cinco años de prisión, de treinta a doscientos días multa y la destitución e inhabilitación correspondiente, para desempeñar empleo, cargo o comisión públicos.

Artículo 332. Comete el delito de ejercicio indebido de función pública, el servidor público que:

I. Ejerza las funciones de un empleo, cargo o comisión sin haber rendido protesta constitucional.

II. Ejerza las funciones de un empleo, cargo o comisión sin satisfacer los requisitos legales.

III. Ejerza las funciones de un empleo, cargo o comisión después de haber sido notificado de la suspensión, destitución o revocación de su nombramiento o después de haber renunciado, salvo que por disposición legal o reglamentaria deba continuar ejerciendo sus funciones hasta ser relevado.

IV. Se atribuya funciones o comisiones distintas a las que legalmente tenga encomendadas, en perjuicio de terceros o de la función pública.

V. Teniendo conocimiento por razón de su empleo, cargo o comisión sobre la afectación al patrimonio o a los intereses de alguna dependencia, organismo auxiliar o Entidad de la Administración Pública Estatal, Poderes Legislativo y Judicial del Estado de México, órganos constitucionales autónomos, municipios, Órganos Jurisdiccionales que no forman parte del Poder Judicial del Estado de México, empresas de participación estatal y municipal, así como cualquier otro ente sobre el que tenga control cualquiera de los poderes y órganos públicos antes señalados a nivel Estatal y Municipal, por cualquier acto u omisión, y no informe por escrito a su superior jerárquico o lo evite si está dentro de sus facultades.

Al responsable de los delitos previstos en las fracciones I, II y III, se le impondrán de seis meses a dos años de prisión, de treinta a cien días multa, así como la destitución e inhabilitación que corresponda.

A quien cometa el delito previsto en las fracciones IV y V, se le impondrán de dos a siete años de prisión, de treinta a ciento cincuenta días multa y destitución e inhabilitación correspondiente, para desempeñar empleo, cargo o comisión públicos.

Artículo 333. Al servidor público, que sin causa justificada abandone sus funciones sin haber presentado licencia o renuncia, o sin que se le haya autorizado o aceptado, o al que habiéndole sido autorizada o aceptada, o concluido el periodo constitucional para el que fuera electo o designado, no cumpla con la entrega de índole administrativo del despacho, de toda aquella documentación inherente al cargo, o no entregue todo aquello que haya sido objeto de su responsabilidad a la persona autorizada para recibirlo; se le impondrán de uno a cuatro años de prisión, multa de treinta a ciento cincuenta días multa, destitución e inhabilitación correspondiente, para desempeñar empleo, cargo o comisión públicos.

CAPÍTULO III
COALICIÓN

Artículo 334. Cometen el delito de coalición los servidores públicos, que se coaliguen para tomar medidas contrarias a una ley, reglamento u otras disposiciones de carácter general, impedir su ejecución o para hacer dimisión de sus puestos con el fin de impedir o suspender la administración pública en cualquiera de sus ramas. No cometen este delito los trabajadores que se coaliguen en ejercicio de sus derechos constitucionales o que hagan uso del derecho de huelga.

Al que cometa el delito de coalición de servidores públicos se le impondrán de dos a siete años de prisión, y multa de cien a trescientos días multa, así como la destitución e inhabilitación que corresponda.

CAPÍTULO IV
ABUSO DE AUTORIDAD

Artículo 335. Comete el delito de abuso de autoridad, el servidor público que incurra en alguna de las conductas siguientes:

I. El que en razón de su empleo, cargo o comisión, realice un hecho arbitrario o indebido.

II. Cuando en razón de su empleo, cargo o comisión, violente de palabra o de obra, a una persona sin causa legítima.

III. Cuando sin causa justificada, retrase o niegue a los particulares la protección o servicio que sea su obligación prestar; o impida la presentación o el curso de una solicitud.

IV. Cuando teniendo bajo su mando una fuerza pública, se niegue a auxiliar a alguna autoridad competente que lo requiera.

V. Cuando siendo responsable de cualquier establecimiento destinado a la ejecución de las sanciones privativas de libertad, de instituciones de reinserción social o de custodia y rehabilitación de menores y de reclusorios preventivos o administrativos, sin los requisitos legales reciba, en calidad de detenida, arrestada, sujeta a prisión preventiva o a prisión como pena, a una persona, o la mantenga privada de su libertad sin dar parte del hecho a la autoridad correspondiente, niegue esta condición si lo estuviere, o no cumpla la orden de libertad girada por la autoridad competente dentro del término legal.

VI. Cuando se detenga a una persona fuera de los casos previstos por la ley, la retenga por más de cuarenta y ocho horas, ejercite acción penal, sin que preceda denuncia o querella o la mantenga en incomunicación.

VII. Cuando sin orden de la autoridad competente, obligue a los particulares a presentar documentos o realice la inspección en bienes de su propiedad o posesión, en incomunicación, vínculo familiar, de negocio o afectivo.

VIII. Cuando después de haber ejecutado una orden de aprehensión, reaprehensión, detención en flagrancia o por caso urgente, no ponga de forma inmediata al imputado a disposición de la autoridad competente, fuera de los términos legales establecidos.

IX. Los servidores públicos de la Unidad de Servicios Periciales que indebidamente:

a) Destruyan, alteren o sustraigan documentos del registro.

b) Retengan, modifiquen o divulguen información.

c) Expidan certificaciones de inscripciones que obren en el registro.

X. Cuando el personal al cuidado o disposición de los registros de audiograbación y videograbación de los juicios orales, haga uso indebido de los mismos, los sustraiga, entregue, copie, reproduzca, altere, modifique, venda, o facilite información contenida en aquéllos, o parte de la misma, o de cualquier otra forma los utilice para fines distintos a lo previsto por la Ley.

XI. Cuando sin tener facultades de tránsito pretenda sancionar o imponer una medida de seguridad con motivo de la aplicación de la normatividad de tránsito del Estado.

XII. La autoridad que fomente, tolere, autorice, o intervenga en la imposición indebida de sanciones o de medidas de seguridad, con motivo de la aplicación de la normatividad de tránsito del Estado.

XIII. Cuando obligue al inculpado a declarar, usando la incomunicación, la intimidación o cualquier otro trato que vulnere o restrinja sus derechos humanos.

XIV. Cuando autorice o contrate a quien se encuentre inhabilitado por resolución firme de autoridad competente para desempeñar un empleo, cargo o comisión en el servicio público, o para participar en adquisiciones, arrendamientos, servicios u obras públicas, siempre que lo haga con conocimiento de tal situación.

XV. Retarde o entorpezca dolosamente el servicio de procuración de justicia, se le impondrá pena de prisión de tres a ocho años y de quinientos a mil quinientos días multa, además será destituido e inhabilitado para desempeñar otro empleo, cargo o comisión públicos.

Al responsable de las conductas señaladas de las fracciones I a la XIV se le impondrán de dos a nueve años de prisión, y setenta a ciento cincuenta días multa, así como la destitución e inhabilitación que corresponda.

Artículo 336. De la misma forma comete el delito de abuso de autoridad, el servidor público que, sin causa justificada, remita a algún corralón o depósito de vehículos para su resguardo, uno o más vehículos.

Al responsable de este delito se le impondrán de uno a cinco años de prisión y de treinta a ciento cincuenta días multa, asimismo la destitución e inhabilitación correspondiente, para desempeñar empleo, cargo o comisión públicos.

Artículo 337. También comete el delito de abuso de autoridad, el servidor público que autorice o expida licencia de funcionamiento, que permita la venta de bebidas alcohólicas, sin que se hayan cumplido las disposiciones legales y reglamentarias correspondientes.

Al responsable de este delito, se le impondrán de tres a cinco años de prisión y de quinientos a dos mil días multa, la destitución e inhabilitación correspondiente, para desempeñar empleo, cargo o comisión públicos.

Artículo 338. Comete el delito de abuso de autoridad con contenido patrimonial, el servidor público que utilice su empleo, cargo o comisión para obtener la entrega de fondos, valores o cualquiera otra cosa que no le haya sido confiada, para aprovecharse o disponer de ella en su favor o de un tercero.

Al que cometa este delito, se le impondrán las siguientes sanciones:

I. De uno a tres años de prisión y de treinta a trescientos días multa, destitución e inhabilitación correspondiente para desempeñar empleo, cargo o comisión públicos, cuando la cantidad o el valor de lo obtenido no exceda del equivalente de noventa veces el valor diario de la Unidad de Medida y Actualización vigente, o no sea cuantificable.

II. De tres a ocho años de prisión, de quinientos a mil días multa, destitución e inhabilitación correspondiente para desempeñar empleo, cargo o comisión públicos cuando la cantidad o el valor de lo obtenido exceda de noventa veces el valor diario de la Unidad de Medida y Actualización vigente.

Artículo 339. Comete el delito de abuso de autoridad contra subalterno, el servidor público que haciendo uso de su empleo, cargo o comisión:

I. Obtenga, exija o solicite sin derecho alguno o causa legítima, para sí o para cualquier otra persona, parte del sueldo o remuneración de uno o más de sus subalternos, dádivas u otros bienes o servicios.

II. Obligue a uno o más de sus subalternos a realizar cualquier acto que le reporte beneficios económicos para sí o para un tercero.

Al que cometa este delito, se le impondrán las sanciones siguientes:

I. De uno a cinco años de prisión y de treinta a quinientos días multa, destitución e inhabilitación correspondiente para desempeñar empleo, cargo o comisión en el servicio público, cuando la cantidad o el valor de lo obtenido no exceda del equivalente de noventa veces el valor diario de la Unidad de Medida y Actualización vigente, o no sea cuantificable.

II. De ocho a doce años de prisión y de mil a mil quinientos días multa, destitución e inhabilitación correspondiente para desempeñar empleo, cargo o comisión en el servicio público, cuando la cantidad o el valor de lo obtenido exceda de noventa veces el valor diario de la Unidad de Medida y Actualización vigente.

CAPÍTULO V
USO ILÍCITO DE ATRIBUCIONES Y FACULTADES

Artículo 340. Comete el delito de uso ilícito de atribuciones y facultades:

I. El servidor público que ilícitamente:

a) Otorgue concesiones de prestación de servicio público o de explotación, aprovechamiento y uso de bienes del Estado de México o de sus municipios.

b) Otorgue permisos, licencias, adjudicaciones o autorizaciones de contenido económico.

c) Otorgue franquicias, exenciones, deducciones o subsidios sobre impuestos, derechos, productos, aprovechamientos o aportaciones y cuotas de seguridad social en general, sobre los ingresos fiscales y sobre precios y tarifas de los bienes y servicios producidos, o prestados en la administración pública estatal o municipal.

d) Otorgue, realice o contrate obras públicas, adquisiciones, arrendamientos, enajenaciones de bienes o servicios, con recursos públicos.

e) Contrate deuda o realice colocaciones de fondos y valores con recursos públicos.

II. El servidor público, que a sabiendas de la ilicitud del acto y en perjuicio del patrimonio o del servicio público estatal o municipal o de otra persona:

a) Niegue el otorgamiento o contratación de las operaciones a que hacen referencia la presente fracción, existiendo todos los requisitos establecidos en la normatividad aplicable para su otorgamiento.

b) Siendo responsable de administrar y verificar directamente el cumplimiento de los términos de una concesión, permiso, asignación o contrato, se haya abstenido de cumplir con dicha obligación.

III. Toda persona que solicite o promueva la realización, el otorgamiento o la contratación indebidos de las operaciones a que hacen referencia la fracción I del presente artículo, o sea parte en las mismas.

IV. El servidor público, que teniendo a su cargo fondos públicos, les dé una aplicación distinta de aquélla a que estuvieren destinados o haga un pago ilegal.

Se impondrán las mismas sanciones previstas a cualquier persona, que a sabiendas de la ilicitud del acto y en perjuicio del patrimonio, o el servicio público, o de otra persona, participe, solicite, o promueva la perpetración de cualquiera de los delitos previstos en este artículo.

Al que cometa el delito a que se refiere el presente artículo, se le impondrán de seis meses a doce años de prisión, de treinta a ciento cincuenta días multa, y la destitución e inhabilitación que corresponda.

Artículo 341. Al particular que, en su carácter de contratista, permisionario, asignatario, titular de una concesión de prestación de un servicio público de explotación, aprovechamiento, o uso de bienes del dominio del Estado o Municipio, con la finalidad de obtener un beneficio para sí o para un tercero:

I. Genere y utilice información falsa o alterada, respecto de los rendimientos o beneficios que obtenga.

II. Cuando estando legalmente obligado a entregar a una autoridad información sobre los rendimientos o beneficios que obtenga, la oculte.

Al que cometa el delito a que se refiere el presente artículo, se le impondrán de tres meses a nueve años de prisión, y de treinta a cien días multa, así como la destitución e inhabilitación que corresponda.

CAPÍTULO VI
CONCUSIÓN

Artículo 342. Comete el delito de concusión el servidor público que, a título de impuesto, contribución, derecho, recargo, cooperación, renta, rédito, salario o emolumento, exija en beneficio propio, por sí o por interpósita persona, dinero, valores, servicios o cualquier cosa no debida o en mayor cantidad de la que señala la ley.

Al que cometa este delito, se le impondrán las sanciones siguientes:

I. De uno a tres años de prisión y de treinta a quinientos días multa y la destitución e inhabilitación correspondiente, cuando la cantidad o el valor de lo exigido no exceda del equivalente de noventa veces el valor diario de la Unidad de Medida y Actualización vigente, o no sean cuantificables.

II. De tres a nueve años de prisión, de quinientos a un mil días multa y la destitución e inhabilitación correspondiente, cuando la cantidad o el valor de lo exigido, exceda de noventa veces el valor diario de la Unidad de Medida y Actualización vigente.

CAPÍTULO VII
INTIMIDACIÓN

Artículo 343. Comete el delito de intimidación:

I. El servidor público que, por sí, o por interpósita persona, utilizando la violencia física o moral, inhiba o intimide a cualquier persona para evitar que ésta o un tercero denuncie, formule querella o aporte información relativa a la presunta comisión u omisión de una conducta constitutiva de delito, o de responsabilidad administrativa, en términos de la Legislación Penal o la Ley de Responsabilidades Administrativas del Estado de México y Municipios.

II. El servidor público que con motivo de la querella, denuncia o información a que hace referencia la fracción anterior, realice una conducta ilícita u omita una lícita debida, que lesione los intereses de las personas que las presenten o aporten, o de algún tercero con quien dichas personas guarden algún vínculo familiar, de negocios o afectivo.

Al que cometa el delito de intimidación, se le impondrán de dos a nueve años de prisión, y de treinta a cien días multa y la destitución e inhabilitación que corresponda.

CAPÍTULO VIII
EJERCICIO ABUSIVO DE FUNCIONES

Artículo 344. Comete el delito de ejercicio abusivo de funciones:

I. El servidor público que en el desempeño de su empleo, cargo o comisión, ilícitamente otorgue por sí o por interpósita persona, contratos, concesiones, permisos, licencias, autorizaciones, franquicias, exenciones o efectúe compras o ventas, o realice cualquier acto jurídico que produzca beneficios económicos al propio servidor público, a su cónyuge, descendiente o ascendiente, parientes por consanguinidad o afinidad hasta el cuarto grado, a cualquier tercero con el que tenga vínculos afectivos, económicos o de dependencia administrativa directa, socios o sociedades de las que el servidor público o las personas antes referidas formen parte.

II. El servidor público que valiéndose de la información que posea por razón de su empleo, cargo o comisión, sea o no materia de sus funciones, y que no sea del conocimiento público, haga por sí, o por interpósita persona, inversiones, enajenaciones o adquisiciones, o cualquier otro acto que le produzca algún beneficio económico indebido al servidor público o a alguna de las personas mencionadas en la primera fracción.

Cuando la cuantía a que asciendan las operaciones a que hace referencia este artículo no exceda del equivalente a quinientas veces el valor diario de la Unidad de Medida y Actualización en el momento de cometerse el delito, se impondrán de tres meses a dos años de prisión, y de treinta a cien días multa, así como la destitución e inhabilitación que corresponda.

Cuando la cuantía a que asciendan las operaciones a que hace referencia este artículo, exceda de quinientas veces el valor diario de la Unidad de Medida y Actualización en el momento de cometerse el delito, se impondrán de dos años a doce años de prisión y de cien a ciento cincuenta días multa, así como la destitución e inhabilitación que corresponda.

CAPÍTULO IX
TRÁFICO DE INFLUENCIA

Artículo 345. Incurre en el delito de tráfico de influencia, el servidor público que por sí o por interpósita persona promueva, gestione o se preste a la tramitación o resolución lícita o ilícita de negocios públicos de particulares, ajenos a las responsabilidades inherentes a su empleo, cargo o comisión.

Al particular que, sin estar autorizado legalmente para intervenir en un negocio público, afirme tener influencia ante los servidores públicos facultados para tomar decisiones dentro de dichos negocios, e intervenga ante ellos para promover la resolución ilícita de los mismos, a cambio de obtener un beneficio para sí o para otro.

Al que cometa este delito se le impondrán las sanciones siguientes:

I. De uno a tres años de prisión y de treinta a trescientos días multa, destitución e inhabilitación correspondiente, cuando el beneficio económico no exceda del equivalente de noventa veces el valor diario de la Unidad de Medida y Actualización vigente, o no sea cuantificable.

II. De tres a ocho años de prisión, de quinientos a mil días multa y destitución e inhabilitación correspondiente, cuando el beneficio económico exceda de noventa veces el valor diario de la Unidad de Medida y Actualización vigente.

CAPÍTULO X
COHECHO

Artículo 346. Comete el delito de cohecho, el particular que ofrezca, prometa o entregue dinero o cualquier dádiva, a algún servidor público, para que realice u omita un acto, o actos lícitos o ilícitos relacionados con sus funciones.

Al que cometa este delito se le impondrán las sanciones siguientes:

I. De seis meses a tres años de prisión, y de treinta a trescientos días multa, cuando el beneficio obtenido o la cantidad o el valor de la dádiva o promesa, no exceda del equivalente de noventa veces el valor diario de la Unidad de Medida y Actualización vigente, o no sean cuantificables.

II. De tres a ocho años de prisión y de quinientos a mil días multa, cuando el beneficio obtenido o la cantidad o el valor de la dádiva o promesa, exceda de noventa veces el valor diario de la Unidad de Medida y Actualización vigente.

Artículo 347. Incurre en el delito de cohecho, el servidor público que solicite u obtenga para sí o para otro u otros, de los particulares o de otros servidores públicos, por sí o por interpósita persona, dádivas de cualquier tipo, en numerario o en especie para permitir, realizar u omitir un acto o actos lícitos o ilícitos, relacionados con sus funciones.

Al servidor público que cometa este delito, se le impondrán las sanciones siguientes:

I. De uno a tres años de prisión, y de treinta a trescientos días multa, destitución e inhabilitación correspondiente para desempeñar empleo, cargo o comisión públicos, cuando el beneficio obtenido o la cantidad o el valor de la dádiva no exceda el equivalente de noventa veces el valor diario de la Unidad de Medida y Actualización vigente, o no sean cuantificables.

II. De cuatro a diez años de prisión, de quinientos a mil días multa, destitución e inhabilitación correspondiente para desempeñar empleo, cargo o comisión públicos, cuando el beneficio obtenido o la cantidad o el valor de la dádiva exceda de noventa veces el valor diario de la Unidad de Medida y Actualización vigente.

Artículo 348. También incurre en cohecho, el servidor público que con el propósito de obtener dádivas de cualquier tipo, realice dolosamente alguna de las conductas siguientes:

I. Impedir u obstaculizar a cualquier persona por actos u omisiones indebidos la presentación de peticiones, escritos o promociones.

II. Retardar o negar a cualquier persona el curso, despacho o resolución de los asuntos, de las prestaciones o de los servicios que tenga el deber de atender.

A quien cometa este delito, se le impondrá pena de prisión de uno a tres años, o de treinta a trescientos días multa, o ambas sanciones, así como destitución e inhabilitación correspondiente para desempeñar empleo, cargo o comisión públicos.

Artículo 349. En ningún caso se devolverá a los responsables del delito de cohecho, el dinero o dádiva entregadas. Las mismas se aplicarán en beneficio de la procuración y administración de justicia.

Cuando el delito de cohecho sea cometido por algún elemento de los cuerpos policíacos o servidor de seguridad pública o servidor de la administración o procuración de justicia, se aumentarán las penas hasta en una mitad.

Artículo 350. Además, incurre en cohecho:

El legislador estatal o integrantes del ayuntamiento, que en el ámbito de sus competencias, y en el ejercicio de sus funciones o atribuciones, en el marco del proceso de aprobación del presupuesto de egresos respectivo, gestione o solicite:

a) La asignación de recursos a favor de un ente público, exigiendo u obteniendo, para sí o para un tercero, una comisión, dádiva o contraprestación, en dinero o en especie, distinta a la que le corresponde por el ejercicio de su encargo.

b) El otorgamiento de contratos de obra pública o de servicios a favor de determinadas personas físicas o jurídicas colectivas.

Se aplicará la misma pena a cualquier persona que gestione, solicite a nombre o en representación del legislador estatal, o integrantes del ayuntamiento, las asignaciones de recursos u otorgamiento de contratos a que se refieren los incisos a) y b) de este artículo.

Al que comete el delito de cohecho se le impondrán las sanciones siguientes:

Cuando la cantidad o el valor de la dádiva, de los bienes o la promesa no exceda del equivalente de quinientas veces el valor diario de la Unidad de Medida y Actualización en el momento de cometerse el delito, o no sea valuable, se impondrán de tres meses a dos años de prisión y de treinta a cien días multa, así como la destitución e inhabilitación que corresponda.

Cuando la cantidad o el valor de la dádiva, los bienes, promesa o prestación exceda de quinientas veces el valor diario de la Unidad de Medida y Actualización en el momento de cometerse el delito, se impondrán de dos a catorce años de prisión y de cien a ciento cincuenta días multa, así como la destitución e inhabilitación que corresponda.

CAPÍTULO XI
PECULADO

Artículo 351. Comete el delito de peculado:

I. El servidor público que disponga para su beneficio o el de una tercera persona física o jurídica colectiva, con o sin ánimo de lucro, de dinero, rentas, fondos, valores, fincas o sus rendimientos que tenga confiados en razón de su cargo, pertenecientes al Estado, municipios, organismos auxiliares, empresas de participación municipal mayoritaria, fideicomisos públicos o particulares, los hubiere recibido en administración, depósito, posesión o por otra causa.

II. El servidor público, que ilícitamente utilice fondos públicos u otorgue alguno de los actos a que se refiere el artículo 340 de este Código, haga uso ilícito de atribuciones y facultades, con el objeto de promover la imagen política o social de su persona, la de su superior jerárquico, o la de un tercero, o a fin de denigrar a cualquier persona.

III. Cualquier persona que solicite o acepte realizar las promociones o denigraciones a que se refiere la fracción anterior, a cambio de fondos públicos, o del disfrute de los beneficios derivados de los actos a que se refiere el artículo de uso ilícito de atribuciones y facultades.

IV. Cualquier persona que sin tener el carácter de servidor público, y estando obligada legalmente a la custodia, administración o aplicación de recursos públicos, los distraiga de su objeto para usos propios o ajenos, o les dé una aplicación distinta a la que se les destinó.

Al que cometa este delito, se le impondrán las sanciones siguientes:

I. Cuando el monto de los fondos utilizados indebidamente no exceda del equivalente de quinientas veces el valor diario de la Unidad de Medida y Actualización, en el momento de cometerse el delito, o no sea valuable, se impondrán de tres meses a dos años de prisión, y de treinta a cien días multa, así como la destitución e inhabilitación que corresponda.

II. Cuando el monto de lo distraído o de los fondos utilizados indebidamente, exceda de quinientas veces el valor diario de la Unidad de Medida y Actualización en el momento de cometerse el delito, se impondrán de tres a diez años de prisión, de setenta y cinco a doscientos días multa, así como la destitución e inhabilitación que corresponda.

III. Cuando los recursos materia del peculado sean aportaciones del Estado para los fines de seguridad pública, se aplicará hasta un tercio más de las penas señaladas en los párrafos anteriores.

La disposición de bienes para asegurar su conservación y evitar su destrucción, siempre que se destinen a la función pública, no será sancionada.

CAPÍTULO XII
ENRIQUECIMIENTO ILÍCITO

Artículo 352. Se sancionará a quien, con motivo de su empleo, cargo o comisión en el servicio público, haya incurrido en enriquecimiento ilícito.

Existe enriquecimiento ilícito cuando el servidor público no pudiere acreditar el legítimo aumento de su patrimonio, o la legítima procedencia de los bienes a su nombre, o de aquéllos respecto de los cuales se conduzca como dueño.

Para efectos del párrafo anterior, se computarán entre los bienes que adquieran los servidores públicos o con respecto de los cuales se conduzcan como dueños, los que reciban o de los que dispongan su cónyuge y sus dependientes económicos directos, salvo que el servidor público acredite que éstos los obtuvieron por sí mismos.

No será enriquecimiento ilícito en caso que el aumento del patrimonio sea producto de una conducta que encuadre en el presente Código. En este caso, se aplicará la hipótesis y la sanción correspondientes, sin que dé lugar al concurso de delitos.

Al que cometa el delito de enriquecimiento ilícito se le impondrán las sanciones siguientes:

I. Decomiso en beneficio del Estado de aquellos bienes cuya procedencia no logre acreditar.

II. Cuando el monto a que ascienda el enriquecimiento ilícito no exceda del equivalente de cinco mil veces el valor diario de la Unidad de Medida y Actualización, se impondrán de tres meses a dos años de prisión, y de treinta a cien días multa, así como la destitución e inhabilitación que corresponda.

III. Cuando el monto a que ascienda el enriquecimiento ilícito exceda del equivalente de cinco mil veces el valor diario de la Unidad de Medida y Actualización, se impondrán de dos años a catorce años de prisión y multa de cien a ciento cincuenta días multa, así como la destitución e inhabilitación que corresponda.

CAPÍTULO XIII
DELITOS COMETIDOS POR SERVIDORES PÚBLICOS DE LA PROCURACIÓN Y ADMINISTRACIÓN DE JUSTICIA

Artículo 353. Son delitos cometidos por los servidores de la procuración y administración de justicia:

I. Conocer de negocios para los cuales tengan impedimento legal o abstenerse de conocer de los que les corresponda, sin tener impedimento legal para ello.

II. Desempeñar algún otro empleo oficial, puesto o cargo particular que la ley les prohíba.

III. Litigar por sí o por interpósita persona, cuando la ley les prohíba el ejercicio de su profesión.

IV. Dirigir o aconsejar a las personas que ante ellos litiguen.

V. No cumplir una disposición que legalmente se les comunique por su superior competente, sin causa fundada para ello.

VI. Dictar, a sabiendas, una resolución de fondo o una sentencia definitiva que sean ilícitas por violar algún precepto terminante de la ley, o ser contrarias a las actuaciones seguidas en juicio, u omitir dictar una resolución de trámite, de fondo o una sentencia definitiva lícita, dentro de los términos dispuestos en la ley.

VII. Ejecutar actos o incurrir en omisiones que produzcan un daño, o concedan a alguien una ventaja indebida.

VIII. Retardar o entorpecer maliciosamente o por negligencia la administración de justicia.

IX. Abstenerse injustificadamente de ejercer la acción penal que corresponda, de una persona que se encuentre detenida a su disposición como imputado de algún delito, cuando ésta sea procedente conforme a la Constitución, a las leyes de la materia, en los casos en que la ley les imponga esa obligación o ejercitar la acción penal cuando no proceda denuncia o querella.

X. Ocultar al imputado el nombre de quien le acusa, salvo en los casos previstos por la ley, no darle a conocer el delito que se le atribuye o no realizar el descubrimiento probatorio, conforme a lo que establece el Código Nacional de Procedimientos Penales.

XI. Prolongar la prisión preventiva por más tiempo del que, como máximo, fije la ley al delito que motive el procedimiento.

XII. Imponer gabelas o contribuciones en cualquier lugar de detención o internamiento.

XIII. Demorar injustificadamente el cumplimiento de las resoluciones judiciales, en las que se ordene poner en libertad a un detenido.

XIV. No dictar auto de vinculación al proceso o de libertad de un detenido, dentro de las setenta y dos horas siguientes a que lo pongan a su disposición, a no ser que el inculpado haya solicitado ampliación del plazo, caso en el cual se estará al nuevo plazo.

XV. Ordenar o practicar cateos o visitas domiciliarias fuera de los casos autorizados por la ley.

XVI. Abrir procedimiento penal contra un servidor público, con fuero, sin habérsele retirado éste previamente, conforme a lo dispuesto por la ley.

XVII. Ordenar la aprehensión de un individuo por delito que no amerite pena privativa de libertad, o en casos en que no proceda denuncia, acusación o querella, o realizar la aprehensión sin poner al detenido a disposición del juez en el término señalado por la Constitución Federal.

XVIII. A los encargados o empleados de los centros penitenciarios que cobren cualquier cantidad a los imputados, sentenciados o a sus familiares, a cambio de proporcionarles bienes o servicios que gratuitamente brinde el Estado, para otorgarles condiciones de privilegio en el alojamiento, alimentación o régimen.

XIX. Rematar, en favor de ellos mismos, por sí o por interpósita persona, los bienes objeto de un remate en cuyo juicio hubieren intervenido.

XX. Admitir o nombrar un depositario, o entregar a éste los bienes secuestrados, sin el cumplimiento de los requisitos legales correspondientes.

XXI. Advertir al demandado, ilícitamente, respecto de la providencia de embargo decretada en su contra.

XXII. Nombrar síndico o interventor en un concurso o quiebra, a una persona que sea deudor, pariente o que haya sido abogado del fallido, o a persona que tenga con el funcionario relación de parentesco, estrecha amistad o esté ligada con él por negocios de interés común.

XXIII. Permitir, fuera de los casos previstos por la ley, la salida temporal de las personas que están recluidas.

XXIV. Negar la libertad de un imputado, cuando el delito o modalidad tenga señalada pena no privativa de libertad o alternativa.

XXV. Dar a conocer a quien no tenga derecho, documentos, constancias o información que obren en una carpeta de investigación o en un proceso penal y que, por disposición de la ley o resolución de la autoridad judicial, sean reservados o confidenciales.

XXVI. Retener al imputado sin cumplir con los requisitos que establece la Constitución Federal y las leyes respectivas.

XXVII. Alterar, modificar, ocultar, destruir, perder o perturbar el lugar de los hechos o del hallazgo, indicios, evidencias, objetos, instrumentos o productos relacionados con un hecho delictivo o el procedimiento de cadena de custodia.

XXVIII. Desviar u obstaculizar la investigación del hecho delictuoso que se trate, o favorecer que el imputado se sustraiga a la acción de la justicia.

XXIX. Obligar a una persona o a su representante a otorgar el perdón en los delitos que se persiguen por querella.

XXX. Obligar a una persona a renunciar a su cargo o empleo para evitar responder a acusaciones de acoso, hostigamiento o para ocultar violaciones a la legislación laboral.

XXXI. A quien ejerciendo funciones de supervisor de libertad o con motivo de ellas hiciere amenazas, hostigue o ejerza violencia en contra de la persona procesada, sentenciada, su familia y posesiones.

XXXII. A quien ejerciendo funciones de supervisor de libertad indebidamente requiera favores, acciones o cualquier transferencia de bienes o posesiones de la persona procesada, sentenciada o su familia.

XXXIII. A quien ejerciendo funciones de supervisor de libertad, falseé informes o reportes al Juez de Ejecución.

A quien cometa los delitos previstos en las fracciones I, II y III, se le impondrán de uno a tres años de prisión, de diez a trescientos días multa y la destitución e inhabilitación correspondiente.

A quien cometa el delito previsto en la fracción IV, se le impondrán de dos a seis años de prisión, de veinte a seiscientos días multa y la destitución e inhabilitación correspondiente.

A quien cometa los delitos previstos en las fracciones VII, VIII, IX, XVII, XXI, XXII y XXIII, se le impondrán de tres a ocho años de prisión, de treinta a cien días multa y la destitución e inhabilitación que corresponda.

A quien cometa los delitos previstos en las fracciones V, VI, X, XI, XII, XIII, XIV, XV, XVI, XVIII, XIX, XX, XXIV, XXV, XXVI, XXVII, XXVIII, XXIX, XXX, XXXI, XXXII y XXXIII, se le impondrán de cuatro a diez años de prisión, de cien a ciento cincuenta días multa y la destitución e inhabilitación que corresponda.

En caso de tratarse de particulares realizando funciones propias del supervisor de libertad y con independencia de la responsabilidad penal individual de trabajadores o administradores, la organización podrá ser acreedora a las penas y medidas en materia de responsabilidad penal de las personas jurídicas estipuladas en este Código.

CAPÍTULO XIV
DISPOSICIONES COMUNES

Artículo 354. A quien en nombre de un servidor público solicite dinero, valores, servicios o cualquier otra dádiva, en los casos a que se refieren los delitos de cohecho, concusión y tráfico de influencia, se le impondrán de tres a ocho años de prisión, y de setenta y cinco a doscientos días multa.

En ningún caso, se devolverá a los inculpados de los delitos mencionados en el párrafo anterior, el dinero o dádiva entregadas. Las mismas se aplicarán en beneficio de la administración y procuración de justicia.

Artículo 355. Además de las penas señaladas a los delitos de cohecho cometido por servidores públicos, abuso de autoridad con o sin contenido patrimonial, tráfico de influencia, concusión, peculado y enriquecimiento ilícito, en todos los casos el responsable de los delitos anteriores será sancionado con pago de la reparación del daño.

TÍTULO SÉPTIMO
DE LOS DELITOS CONTRA LA LIBERTAD DE EXPRESIÓN

CAPÍTULO ÚNICO
DISPOSICIONES GENERALES

Artículo 356. Se considerarán delitos cometidos contra las personas defensoras de derechos humanos o periodistas, cualquier conducta tendente a impedir, interferir, limitar o que atenten en contra de la actividad periodística y vulneren la libertad de expresión de periodistas y medios de comunicación.

Artículo 357. Cuando se cometa un delito doloso en contra de alguna persona defensora de derechos humanos o periodista o instalación periodística con la intención de afectar, limitar o menoscabar el derecho a la información o las libertades de expresión o de imprenta, se aumentará hasta en una cuarta parte la pena establecida para tal efecto.

Artículo 358. Cuando cualquiera de los delitos cometidos contra personas defensoras de derechos humanos o periodistas, sea realizado por un servidor público en ejercicio de sus funciones o la víctima sea mujer y concurran razones de género en la comisión del delito, se aumentará la pena hasta en una mitad.

TRANSITORIOS

PRIMERO. Publíquese el presente Código en la "Gaceta del Gobierno".

SEGUNDO. Este Código, entrará en vigor cinco días después de su publicación en la "Gaceta del Gobierno".

TERCERO. Se abroga el Código Penal para el Estado de México publicado en la Gaceta del Gobierno el veintiséis de enero de mil novecientos ochenta y seis.

CUARTO. El Código abrogado seguirá aplicándose para los hechos u omisiones ejecutados durante su vigencia, a menos que conforme al nuevo Código, hayan dejado de considerarse como delitos o que los sujetos al mismo manifiesten su voluntad de acogerse, al presente ordenamiento como mas favorable.

QUINTO. El artículo 148, que se refiere al delito de prestación ilícita del servicio público de transporte de pasajeros, entrará en vigor a los tres años, a partir del inicio de la vigencia del presente decreto.

Lo tendrá entendido el Gobernador Constitucional del Estado, haciendo que se publique y se cumpla.

Dado en el Palacio del Poder Legislativo, en la ciudad de Toluca de Lerdo, capital del Estado de México, a los veintinueve días del mes de febrero del dos mil. Diputados Vicepresidente. C. Gustavo Alonso Donis García. Diputados Prosecretarios. C. Rubén Colín Cortez. C. Alfonso Rodríguez Tinajero. Rúbricas.

Por lo tanto mando se publique, circule, observe y se le dé el debido cumplimiento.

Toluca de Lerdo, Méx., a 17 de marzo del 2000.

EL GOBERNADOR CONSTITUCIONAL DEL ESTADO DE MEXICO

ARTURO MONTIEL ROJAS
(RUBRICA).

EL SECRETARIO GENERAL DE GOBIERNO

MANUEL CADENA MORALES
(RUBRICA).

APROBACIÓN: 29 de febrero del 2000.

PROMULGACIÓN: 17 de marzo del 2000.

PUBLICACIÓN: 20 de marzo del 2000.

VIGENCIA: 25 de marzo del 2000.

Código Nacional de Procedimientos Penales

Nuevo Código publicado en el Diario Oficial de la Federación el 5 de marzo de 2014

Última reforma publicada DOF 28-11-2025

Al margen un sello con el Escudo Nacional, que dice: Estados Unidos Mexicanos.- Presidencia de la República.

ENRIQUE PEÑA NIETO, Presidente de los Estados Unidos Mexicanos, a sus habitantes sabed:

Que el Honorable Congreso de la Unión, se ha servido dirigirme el siguiente

DECRETO

"EL CONGRESO GENERAL DE LOS ESTADOS UNIDOS MEXICANOS, D E C R E T A:

SE EXPIDE EL CÓDIGO NACIONAL DE PROCEDIMIENTOS PENALES

Artículo Único.- Se expide el Código Nacional de Procedimientos Penales.

CÓDIGO NACIONAL DE PROCEDIMIENTOS PENALES

LIBRO PRIMERO
DISPOSICIONES GENERALES

TÍTULO I
DISPOSICIONES PRELIMINARES

CAPÍTULO ÚNICO
ÁMBITO DE APLICACIÓN Y OBJETO

Artículo 1o. Ámbito de aplicación

Las disposiciones de este Código son de orden público y de observancia general en toda la República Mexicana, por los delitos que sean competencia de los órganos jurisdiccionales federales y locales en el marco de los principios y derechos consagrados en la Constitución Política de los Estados Unidos Mexicanos y en los Tratados Internacionales de los que el Estado mexicano sea parte.

Artículo 2o. Objeto del Código

Este Código tiene por objeto establecer las normas que han de observarse en la investigación, el procesamiento y la sanción de los delitos, para esclarecer los hechos, proteger al inocente, procurar que el culpable no quede impune y que se repare el daño, y así contribuir a asegurar el acceso a la justicia en la aplicación del derecho y resolver el conflicto que surja con motivo de la comisión del delito, en un marco de respeto a los derechos humanos reconocidos en la Constitución y en los Tratados Internacionales de los que el Estado mexicano sea parte.

Artículo 3o. Glosario

Para los efectos de este Código, según corresponda, se entenderá por:

I. Asesor jurídico: Los asesores jurídicos de las víctimas, federales y de las Entidades federativas;

II. Código: El Código Nacional de Procedimientos Penales;

III. Consejo: El Consejo de la Judicatura Federal, los Consejos de las Judicaturas de las Entidades federativas o el órgano judicial, con funciones propias del Consejo o su equivalente, que realice las funciones de administración, vigilancia y disciplina;

IV. Constitución: La Constitución Política de los Estados Unidos Mexicanos;

V. Defensor: El defensor público federal, defensor público o de oficio de las Entidades federativas, o defensor particular;

VI. Entidades federativas: Las partes integrantes de la Federación a que se refiere el artículo 43 de la Constitución;

VII. Juez de control: El Órgano jurisdiccional del fuero federal o del fuero común que interviene desde el principio del procedimiento y hasta el dictado del auto de apertura a juicio, ya sea local o federal;

VIII. Ley Orgánica: La Ley Orgánica del Poder Judicial de la Federación o la Ley Orgánica del Poder Judicial de cada Entidad federativa;

IX. Ministerio Público: El Ministerio Público de la Federación o al Ministerio Público de las Entidades federativas;

X. Órgano jurisdiccional: El Juez de control, el Tribunal de enjuiciamiento o el Tribunal de alzada ya sea del fuero federal o común;

XI. Perspectiva de Género: Concepto que se refiere a la metodología y los mecanismos que permiten identificar, cuestionar y valorar la discriminación, desigualdad y exclusión de las mujeres, que se pretende justificar con base en las diferencias biológicas entre mujeres y hombres, así como las acciones que deben emprenderse para actuar sobre los factores de género y crear las condiciones de cambio que permitan avanzar en la construcción de la igualdad de género;

Fracción adicionada DOF 25-04-2023

XII. Policía: Los cuerpos de Policía especializados en la investigación de delitos del fuero federal o del fuero común, así como los cuerpos de seguridad pública de los fueros federal o común, que en el ámbito de sus respectivas competencias actúan todos bajo el mando y la conducción del Ministerio Público para efectos de la investigación, en términos de lo que disponen la Constitución, este Código y demás disposiciones aplicables;

Fracción recorrida DOF 25-04-2023

XIII. Procurador: El titular del Ministerio Público de la Federación o del Ministerio Público de las Entidades federativas o los Fiscales Generales en las Entidades federativas;

Fracción recorrida DOF 25-04-2023

XIV. Procuraduría: La Procuraduría General de la República, las Procuradurías Generales de Justicia y Fiscalías Generales de las Entidades federativas;

Fracción recorrida DOF 25-04-2023

XV. Tratados: Los Tratados Internacionales en los que el Estado mexicano sea parte;

Fracción recorrida DOF 25-04-2023

XVI. Tribunal de enjuiciamiento: El Órgano jurisdiccional del fuero federal o del fuero común integrado por uno o tres juzgadores, que interviene después del auto de apertura a juicio oral, hasta el dictado y explicación de sentencia, y

Fracción recorrida DOF 25-04-2023

XVII. Tribunal de alzada: El Órgano jurisdiccional integrado por uno o tres magistrados, que resuelve la apelación, federal o de las Entidades federativas.

Fracción recorrida DOF 25-04-2023

TÍTULO II
PRINCIPIOS Y DERECHOS EN EL PROCEDIMIENTO

CAPÍTULO I
PRINCIPIOS EN EL PROCEDIMIENTO

Artículo 4o. Características y principios rectores

El proceso penal será acusatorio y oral, en él se observarán los principios de publicidad, contradicción, concentración, continuidad e inmediación y aquellos previstos en la Constitución, Tratados y demás leyes.

Este Código y la legislación aplicable establecerán las excepciones a los principios antes señalados, de conformidad con lo previsto en la Constitución. En todo momento, las autoridades deberán respetar y proteger tanto la dignidad de la víctima como la dignidad del imputado.

Artículo 5o. Principio de publicidad

Las audiencias serán públicas, con el fin de que a ellas accedan no sólo las partes que intervienen en el procedimiento sino también el público en general, con las excepciones previstas en este Código.

Los periodistas y los medios de comunicación podrán acceder al lugar en el que se desarrolle la audiencia en los casos y condiciones que determine el Órgano jurisdiccional conforme a lo dispuesto por la Constitución, este Código y los acuerdos generales que emita el Consejo.

Artículo 6o. Principio de contradicción

Las partes podrán conocer, controvertir o confrontar los medios de prueba, así como oponerse a las peticiones y alegatos de la otra parte, salvo lo previsto en este Código.

Artículo 7o. Principio de continuidad

Las audiencias se llevarán a cabo de forma continua, sucesiva y secuencial, salvo los casos excepcionales previstos en este Código.

Artículo 8o. Principio de concentración

Las audiencias se desarrollarán preferentemente en un mismo día o en días consecutivos hasta su conclusión, en los términos previstos en este Código, salvo los casos excepcionales establecidos en este ordenamiento.

Asimismo, las partes podrán solicitar la acumulación de procesos distintos en aquellos supuestos previstos en este Código.

Artículo 9o. Principio de inmediación

Toda audiencia se desarrollará íntegramente en presencia del Órgano jurisdiccional, así como de las partes que deban de intervenir en la misma, con las excepciones previstas en este Código. En ningún caso, el Órgano jurisdiccional podrá delegar en persona alguna la admisión, el desahogo o la valoración de las pruebas, ni la emisión y explicación de la sentencia respectiva.

Artículo 10. Principio de igualdad ante la ley

Todas las personas que intervengan en el procedimiento penal recibirán el mismo trato y tendrán las mismas oportunidades para sostener la acusación o la defensa. No se admitirá discriminación motivada por origen étnico o nacional, género, edad, discapacidad, condición social, condición de salud, religión, opinión, preferencia sexual, estado civil o cualquier otra que atente contra la dignidad humana y tenga por objeto anular o menoscabar los derechos y las libertades de las personas.

Las autoridades velarán por que las personas en las condiciones o circunstancias señaladas en el párrafo anterior, sean atendidas a fin de garantizar la igualdad sobre la base de la equidad en el ejercicio de sus derechos. En el caso de las personas con discapacidad, deberán preverse ajustes razonables al procedimiento cuando se requiera.

Artículo 11. Principio de igualdad entre las partes

Se garantiza a las partes, en condiciones de igualdad, el pleno e irrestricto ejercicio de los derechos previstos en la Constitución, los Tratados y las leyes que de ellos emanen.

Artículo 12. Principio de juicio previo y debido proceso

Ninguna persona podrá ser condenada a una pena ni sometida a una medida de seguridad, sino en virtud de resolución dictada por un Órgano jurisdiccional previamente establecido, conforme a leyes expedidas con anterioridad al hecho, en un proceso sustanciado de manera imparcial y con apego estricto a los derechos humanos previstos en la Constitución, los Tratados y las leyes que de ellos emanen.

Artículo 13. Principio de presunción de inocencia

Toda persona se presume inocente y será tratada como tal en todas las etapas del procedimiento, mientras no se declare su responsabilidad mediante sentencia emitida por el Órgano jurisdiccional, en los términos señalados en este Código.

Artículo 14. Principio de prohibición de doble enjuiciamiento

La persona condenada, absuelta o cuyo proceso haya sido sobreseído, no podrá ser sometida a otro proceso penal por los mismos hechos.

CAPÍTULO II
DERECHOS EN EL PROCEDIMIENTO

Artículo 15. Derecho a la intimidad y a la privacidad

En todo procedimiento penal se respetará el derecho a la intimidad de cualquier persona que intervenga en él, asimismo se protegerá la información que se refiere a la vida privada y los datos personales, en los términos y con las excepciones que fijan la Constitución, este Código y la legislación aplicable.

Artículo 16. Justicia pronta

Toda persona tendrá derecho a ser juzgada dentro de los plazos legalmente establecidos. Los servidores públicos de las instituciones de procuración e impartición de justicia deberán atender las solicitudes de las partes con prontitud, sin causar dilaciones injustificadas.

Artículo 17. Derecho a una defensa y asesoría jurídica adecuada e inmediata

La defensa es un derecho fundamental e irrenunciable que asiste a todo imputado, no obstante, deberá ejercerlo siempre con la asistencia de su Defensor o a través de éste. El Defensor deberá ser licenciado en derecho o abogado titulado, con cédula profesional.

Se entenderá por una defensa técnica, la que debe realizar el Defensor particular que el imputado elija libremente o el Defensor público que le corresponda, para que le asista desde su detención y a lo largo de todo el procedimiento, sin perjuicio de los actos de defensa material que el propio imputado pueda llevar a cabo.

La víctima u ofendido tendrá derecho a contar con un Asesor jurídico gratuito en cualquier etapa del procedimiento, en los términos de la legislación aplicable.

Corresponde al Órgano jurisdiccional velar sin preferencias ni desigualdades por la defensa adecuada y técnica del imputado.

Artículo 18. Garantía de ser informado de sus derechos

Todas las autoridades que intervengan en los actos iniciales del procedimiento deberán velar porque tanto el imputado como la víctima u ofendido conozcan los derechos que le reconocen en ese momento procedimental la Constitución, los Tratados y las leyes que de ellos emanen, en los términos establecidos en el presente Código.

Artículo 19. Derecho al respeto a la libertad personal

Toda persona tiene derecho a que se respete su libertad personal, por lo que nadie podrá ser privado de la misma, sino en virtud de mandamiento dictado por la autoridad judicial o de conformidad con las demás causas y condiciones que autorizan la Constitución y este Código.

La autoridad judicial sólo podrá autorizar como medidas cautelares, o providencias precautorias restrictivas de la libertad, las que estén establecidas en este Código y en las leyes especiales. La prisión preventiva será de carácter excepcional y su aplicación se regirá en los términos previstos en este Código.

TÍTULO III
COMPETENCIA

CAPÍTULO I
GENERALIDADES

Artículo 20. Reglas de competencia

Para determinar la competencia territorial de los Órganos jurisdiccionales federales o locales, según corresponda, se observarán las siguientes reglas:

I. Los Órganos jurisdiccionales del fuero común tendrán competencia sobre los hechos punibles cometidos dentro de la circunscripción judicial en la que ejerzan sus funciones, conforme a la distribución y las disposiciones establecidas por su Ley Orgánica, o en su defecto, conforme a los acuerdos expedidos por el Consejo;

II. Cuando el hecho punible sea del orden federal, conocerán los Órganos jurisdiccionales federales;

III. Cuando el hecho punible sea del orden federal pero exista competencia concurrente, deberán conocer los Órganos jurisdiccionales del fuero común, en los términos que dispongan las leyes;

IV. En caso de concurso de delitos, el Ministerio Público de la Federación podrá conocer de los delitos del fuero común que tengan conexidad con delitos federales cuando lo considere conveniente, asimismo los Órganos jurisdiccionales federales, en su caso, tendrán competencia para juzgarlos. Para la aplicación de sanciones y medidas de seguridad en delitos del fuero común, se atenderá a la legislación de su fuero de origen. En tanto la Federación no ejerza dicha facultad, las autoridades estatales estarán obligadas a asumir su competencia en términos de la fracción primera de este artículo;

V. Cuando el hecho punible haya sido cometido en los límites de dos circunscripciones judiciales, será competente el Órgano jurisdiccional del fuero común o federal, según sea el caso, que haya prevenido en el conocimiento de la causa;

VI. Cuando el lugar de comisión del hecho punible sea desconocido, será competente el Órgano jurisdiccional del fuero común o federal, según sea el caso, de la circunscripción judicial dentro de cuyo territorio haya sido detenido el imputado, a menos que haya prevenido el Órgano jurisdiccional de la circunscripción judicial donde resida. Si, posteriormente, se descubre el lugar de comisión del hecho punible, continuará la causa el Órgano jurisdiccional de este último lugar;

VII. Cuando el hecho punible haya iniciado su ejecución en un lugar y consumado en otro, el conocimiento corresponderá al Órgano jurisdiccional de cualquiera de los dos lugares, y

VIII. Cuando el hecho punible haya comenzado su ejecución o sea cometido en territorio extranjero y se siga cometiendo o produzca sus efectos en territorio nacional, en términos de la legislación aplicable, será competencia del Órgano jurisdiccional federal.

Artículo 21. Facultad de atracción de los delitos cometidos contra la libertad de expresión

En los casos de delitos del fuero común cometidos contra algún periodista, persona o instalación, que dolosamente afecten, limiten o menoscaben el derecho a la información o las libertades de expresión o imprenta, el Ministerio Público de la Federación podrá ejercer la facultad de atracción para conocerlos y perseguirlos, y los Órganos jurisdiccionales federales tendrán, asimismo, competencia para juzgarlos. Esta facultad se ejercerá cuando se presente alguna de las siguientes circunstancias:

I. Existan indicios de que en el hecho constitutivo de delito haya participado algún servidor público de los órdenes estatal o municipal;

II. En la denuncia o querella u otro requisito equivalente, la víctima u ofendido hubiere señalado como probable autor o partícipe a algún servidor público de los órdenes estatal o municipal;

III. Se trate de delitos graves así calificados por este Código y legislación aplicable para prisión preventiva oficiosa;

IV. La vida o integridad física de la víctima u ofendido se encuentre en riesgo real;

V. Lo solicite la autoridad competente de la Entidad federativa de que se trate;

VI. Los hechos constitutivos de delito impacten de manera trascendente al ejercicio del derecho a la información o a las libertades de expresión o imprenta;

VII. En la Entidad federativa en la que se hubiere realizado el hecho constitutivo de delito o se hubieren manifestado sus resultados, existan circunstancias objetivas y generalizadas de riesgo para el ejercicio del derecho a la información o las libertades de expresión o imprenta;

VIII. El hecho constitutivo de delito trascienda el ámbito de una o más Entidades federativas, o

IX. Por sentencia o resolución de un órgano previsto en cualquier Tratado, se hubiere determinado la responsabilidad internacional del Estado mexicano por defecto u omisión en la investigación, persecución o enjuiciamiento de delitos contra periodistas, personas o instalaciones que afecten, limiten o menoscaben el derecho a la información o las libertades de expresión o imprenta.

En cualquiera de los supuestos anteriores, la víctima u ofendido podrá solicitar al Ministerio Público de la Federación el ejercicio de la facultad de atracción.

Artículo 22. Competencia por razón de seguridad

Será competente para conocer de un asunto un Órgano jurisdiccional distinto al del lugar de la comisión del delito, o al que resultare competente con motivo de las reglas antes señaladas, cuando atendiendo a las características del hecho investigado, por razones de seguridad en las prisiones o por otras que impidan garantizar el desarrollo adecuado del proceso.

Lo anterior es igualmente aplicable para los casos en que por las mismas razones la autoridad judicial, a petición de parte, estime necesario trasladar a un imputado a algún centro de reclusión de máxima seguridad, en el que será competente el Órgano jurisdiccional del lugar en que se ubique dicho centro.

Con el objeto de que los procesados por delitos federales puedan cumplir su medida cautelar en los centros penitenciarios más cercanos al lugar en el que se desarrolla su procedimiento, las entidades federativas deberán aceptar internarlos en los centros penitenciarios locales con el fin de llevar a cabo su debido proceso, salvo la regla prevista en el párrafo anterior y en los casos en que sean procedentes medidas especiales de seguridad no disponibles en dichos centros.

Párrafo reformado DOF 17-06-2016

Artículo 23. Competencia auxiliar

Cuando el Ministerio Público o el Órgano jurisdiccional actúe en auxilio de otra jurisdicción en la práctica de diligencias urgentes, debe resolver conforme a lo dispuesto en este Código.

Artículo 24. Autorización judicial para diligencias urgentes

El Juez de control que resulte competente para conocer de los actos o cualquier otra medida que requiera de control judicial previo, se pronunciará al respecto durante el procedimiento correspondiente; sin embargo, cuando estas actuaciones debieran efectuarse fuera de su jurisdicción y se tratare de diligencias que requieran atención urgente, el Ministerio Público podrá pedir la autorización directamente al Juez de control competente en aquel lugar; en este caso, una vez realizada la diligencia, el Ministerio Público lo informará al Juez de control competente en el procedimiento correspondiente.

CAPÍTULO II
INCOMPETENCIA

Artículo 25. Tipos o formas de incompetencia

La incompetencia puede decretarse por declinatoria o por inhibitoria.

La parte que opte por uno de estos medios no lo podrá abandonar y recurrir al otro, ni tampoco los podrá emplear simultánea ni sucesivamente, debiendo sujetarse al resultado del que se hubiere elegido.

La incompetencia procederá a petición del Ministerio Público, el imputado o su Defensor, la víctima u ofendido o su Asesor jurídico y será resuelta en audiencia con las formalidades previstas en este Código.

Artículo 26. Reglas de incompetencia

Para la decisión de la incompetencia se observarán las siguientes reglas:

I. Las que se susciten entre Órganos jurisdiccionales de la Federación se decidirán a favor del que haya prevenido, conforme a las reglas previstas en este Código y en la Ley Orgánica del Poder Judicial de la Federación y si hay dos o más competentes, a favor del que haya prevenido;

II. Las que se susciten entre los Órganos jurisdiccionales de una misma Entidad federativa se decidirán conforme a las reglas previstas en este Código y en la Ley Orgánica aplicable, y si hay dos o más competentes a favor del que haya prevenido, o

III. Las que se susciten entre la Federación y una o más Entidades federativas o entre dos o más Entidades federativas entre sí, se decidirán por el Poder Judicial Federal en los términos de su Ley Orgánica.

El Órgano jurisdiccional que resulte competente podrá confirmar, modificar, revocar, o en su caso reponer bajo su criterio y responsabilidad, cualquier tipo de acto procesal que estime pertinente conforme a lo previsto en este Código.

Dirimida la incompetencia, el imputado, en su caso, será puesto inmediatamente a disposición del Órgano jurisdiccional que resulte competente, así como los antecedentes que obren en poder del Órgano jurisdiccional incompetente.

Artículo 27. Procedencia de incompetencia por declinatoria

En cualquier etapa del procedimiento, salvo las excepciones previstas en este Código, el Órgano jurisdiccional que reconozca su incompetencia remitirá los registros correspondientes al que considere competente y, en su caso, pondrá también a su disposición al imputado.

La declinatoria se podrá promover por escrito, o de forma oral, en cualquiera de las audiencias ante el Órgano jurisdiccional que conozca del asunto hasta antes del auto de apertura a juicio, pidiéndole que se abstenga del conocimiento del mismo y que remita el caso y sus registros al que estime competente.

Si la incompetencia es del Órgano jurisdiccional deberá promoverse dentro del plazo de tres días siguientes a que surta sus efectos la notificación de la resolución que fije la fecha para la realización de la audiencia de juicio. En este supuesto, se promoverá ante el Juez de control que fijó la competencia del Tribunal de enjuiciamiento, sin perjuicio de ser declarada de oficio.

No se podrá promover la declinatoria en los casos previstos de competencia en razón de seguridad.

Artículo 28. Procedencia de incompetencia por inhibitoria

En cualquier etapa del procedimiento, la inhibitoria se tramitará a petición de cualquiera de las partes ante el Órgano jurisdiccional que crea competente para que se avoque al conocimiento del asunto; en caso de ser procedente, el Órgano jurisdiccional que reconozca su incompetencia remitirá los registros correspondientes al que se determine competente y, en su caso, pondrá también a su disposición al imputado.

La inhibitoria se podrá promover por escrito, o de forma oral, en audiencia ante el Juez de control que se considere debe conocer del asunto hasta antes de que se dicte auto de apertura a juicio.

Si la incompetencia es del Tribunal de enjuiciamiento, deberá promover la incompetencia dentro del plazo de tres días siguientes a que surta sus efectos la notificación de la resolución que fije la fecha para la realización de la audiencia de juicio. En este supuesto, se promoverá ante el Tribunal de enjuiciamiento que se considere debe conocer del asunto.

No se podrá promover la inhibitoria en los casos previstos de competencia en razón de seguridad.

Artículo 29. Actuaciones urgentes ante Juez de control incompetente

La competencia por declinatoria o inhibitoria no podrá resolverse sino hasta después de que se practiquen las actuaciones que no admitan demora como las providencias precautorias y, en caso de que exista detenido, cuando se haya resuelto sobre la legalidad de la detención, formulado la imputación, resuelto la procedencia de las medidas cautelares solicitadas y la vinculación a proceso.

El Juez de control incompetente por declinatoria o inhibitoria enviará de oficio los registros y en su caso, pondrá a disposición al imputado del Juez de control competente después de haber practicado las diligencias urgentes enunciadas en el párrafo anterior.

Si la autoridad judicial a quien se remitan las actuaciones no admite la competencia, devolverá los registros al declinante; si éste insiste en rechazarla, elevará las diligencias practicadas ante el Órgano jurisdiccional competente, de conformidad con lo que establezca la Ley Orgánica respectiva, con el propósito de que se pronuncie sobre quién deba conocer. Ningún Órgano jurisdiccional puede promover competencia a favor de su superior en grado.

CAPÍTULO III
ACUMULACIÓN Y SEPARACIÓN DE PROCESOS

Artículo 30. Causas de acumulación y conexidad

Para los efectos de este Código, habrá acumulación de procesos cuando:

I. Se trate de concurso de delitos;

II. Se investiguen delitos conexos;

III. En aquellos casos seguidos contra los autores o partícipes de un mismo delito, o

IV. Se investigue un mismo delito cometido en contra de diversas personas.

Se entenderá que existe conexidad de delitos cuando se hayan cometido simultáneamente por varias personas reunidas, o por varias personas en diversos tiempos y lugares en virtud de concierto entre ellas, o para procurarse los medios para cometer otro, para facilitar su ejecución, para consumarlo o para asegurar la impunidad.

Existe concurso real cuando con pluralidad de conductas se cometen varios delitos. Existe concurso ideal cuando con una sola conducta se cometen varios delitos. No existirá concurso cuando se trate de delito continuado en términos de la legislación aplicable. En estos casos se harán saber los elementos indispensables de cada clasificación jurídica y la clase de concurso correspondiente.

Artículo 31. Competencia en la acumulación

Cuando dos o más procesos sean susceptibles de acumulación, y se sigan por diverso Órgano jurisdiccional, será competente el que corresponda, de conformidad con las reglas generales previstas en este Código, ponderando en todo momento la competencia en razón de seguridad; en caso de que persista la duda, será competente el que conozca del delito cuya punibilidad sea mayor. Si los delitos establecen la misma punibilidad, la competencia será del que conozca de los actos procesales más antiguos, y si éstos comenzaron en la misma fecha, el que previno primero. Para efectos de este artículo, se entenderá que previno quien dictó la primera resolución del procedimiento.

Artículo 32. Término para decretar la acumulación

La acumulación podrá decretarse hasta antes de que se dicte el auto de apertura a juicio.

Artículo 33. Sustanciación de la acumulación

Promovida la acumulación, el Juez de control citará a las partes a una audiencia que deberá tener lugar dentro de los tres días siguientes, en la que podrán manifestarse y hacer las observaciones que estimen pertinentes respecto de la cuestión debatida y sin más trámite se resolverá en la misma lo que corresponda.

Artículo 34. Efectos de la acumulación

Si se resuelve la acumulación, el Juez de control solicitará la remisión de los registros, y en su caso, que se ponga a su disposición inmediatamente al imputado o imputados.

El Juez de control notificará a aquellos que tienen una medida cautelar diversa a la prisión preventiva la obligación de presentarse en un término perentorio ante él, así como a la víctima u ofendido.

Artículo 35. Separación de los procesos

Podrá ordenarse la separación de procesos cuando concurran las siguientes circunstancias:

I. Cuando la solicite una de las partes antes del auto de apertura al juicio, y

II. Cuando el Juez de control estime que de continuar la acumulación el proceso se demoraría.

La separación de procesos se promoverá en la misma forma que la acumulación. La separación se podrá promover hasta antes de la audiencia de juicio.

Decretada la separación de procesos, conocerá de cada asunto el Juez de control que conocía antes de haberse efectuado la acumulación. Si dicho juzgador es diverso del que decretó la separación de procesos, no podrá rehusarse a conocer del caso, sin perjuicio de que pueda suscitarse una cuestión de competencia.

La resolución del Juez de control que declare improcedente la separación de procesos, no admitirá recurso alguno.

CAPÍTULO IV
EXCUSAS, RECUSACIONES E IMPEDIMENTOS

Artículo 36. Excusa o recusación

Los jueces y magistrados deberán excusarse o podrán ser recusados para conocer de los asuntos en que intervengan por cualquiera de las causas de impedimento que se establecen en este Código, mismas que no podrán dispensarse por voluntad de las partes.

Artículo 37. Causas de impedimento

Son causas de impedimento de los jueces y magistrados:

I. Haber intervenido en el mismo procedimiento como Ministerio Público, Defensor, Asesor jurídico, denunciante o querellante, o haber ejercido la acción penal particular; haber actuado como perito, consultor técnico, testigo o tener interés directo en el procedimiento;

II. Ser cónyuge, concubina o concubinario, conviviente, tener parentesco en línea recta sin limitación de grado, en línea colateral por consanguinidad y por afinidad hasta el segundo grado con alguno de los interesados, o que éste cohabite o haya cohabitado con alguno de ellos;

III. Ser o haber sido tutor, curador, haber estado bajo tutela o curatela de alguna de las partes, ser o haber sido administrador de sus bienes por cualquier título;

IV. Cuando él, su cónyuge, concubina, concubinario, conviviente, o cualquiera de sus parientes en los grados que expresa la fracción II de este artículo, tenga un juicio pendiente iniciado con anterioridad con alguna de las partes;

V. Cuando él, su cónyuge, concubina, concubinario, conviviente, o cualquiera de sus parientes en los grados que expresa la fracción II de este artículo, sea acreedor, deudor, arrendador, arrendatario o fiador de alguna de las partes, o tengan alguna sociedad con éstos;

VI. Cuando antes de comenzar el procedimiento o durante éste, haya presentado él, su cónyuge, concubina, concubinario, conviviente o cualquiera de sus parientes en los grados que expresa la fracción II de este artículo, querella, denuncia, demanda o haya entablado cualquier acción legal en contra de alguna de las partes, o cuando antes de comenzar el procedimiento hubiera sido denunciado o acusado por alguna de ellas;

VII. Haber dado consejos o manifestado extrajudicialmente su opinión sobre el procedimiento o haber hecho promesas que impliquen parcialidad a favor o en contra de alguna de las partes;

VIII. Cuando él, su cónyuge, concubina, concubinario, conviviente o cualquiera de sus parientes en los grados que expresa la fracción II de este artículo, hubiera recibido o reciba beneficios de alguna de las partes o si, después de iniciado el procedimiento, hubiera recibido presentes o dádivas independientemente de cuál haya sido su valor, o

IX. Para el caso de los jueces del Tribunal de enjuiciamiento, haber fungido como Juez de control en el mismo procedimiento.

Artículo 38. Excusa

Cuando un Juez o Magistrado advierta que se actualiza alguna de las causas de impedimento, se declarará separado del asunto sin audiencia de las partes y remitirá los registros al Órgano jurisdiccional competente, de conformidad con lo que establezca la Ley Orgánica, para que resuelva quién debe seguir conociendo del mismo.

Artículo 39. Recusación

Cuando el Juez o Magistrado no se excuse a pesar de tener algún impedimento, procederá la recusación.

Artículo 40. Tiempo y forma de recusar

La recusación debe interponerse ante el propio Juez o Magistrado recusado, por escrito y dentro de las cuarenta y ocho horas siguientes a que se tuvo conocimiento del impedimento. Se interpondrá oralmente si se conoce en el curso de una audiencia y en ella se indicará, bajo pena de inadmisibilidad, la causa en que se justifica y los medios de prueba pertinentes.

Toda recusación que sea notoriamente improcedente o sea promovida de forma extemporánea será desechada de plano.

Artículo 41. Trámite de recusación

Interpuesta la recusación, el recusado remitirá el registro de lo actuado y los medios de prueba ofrecidos al Órgano jurisdiccional competente, de conformidad con lo que establezca la Ley Orgánica para que la califique.

Recibido el escrito, se pedirá informe al juzgador recusado, quien lo rendirá dentro del plazo de veinticuatro horas, señalándosele fecha y hora para realizar la audiencia dentro de los tres días siguientes a que se recibió el informe, misma que se celebrará con las partes que comparezcan, las que podrán hacer uso de la palabra sin que se admitan réplicas.

Concluido el debate, el Órgano jurisdiccional competente resolverá de inmediato sobre la legalidad de la causa de recusación que se hubiere señalado y, contra la misma, no habrá recurso alguno.

Artículo 42. Efectos de la recusación y excusa

El Juez o Magistrado recusado se abstendrá de seguir conociendo de la audiencia correspondiente, ordenará la suspensión de la misma y sólo podrá realizar aquellos actos de mero trámite o urgentes que no admitan dilación.

La sustitución del Juez o Magistrado se determinará en los términos que señale la Ley Orgánica.

Artículo 43. Impedimentos del Ministerio Público y de peritos

El Ministerio Público y los peritos deberán excusarse o podrán ser recusados por las mismas causas previstas para los jueces o magistrados.

La excusa o la recusación será resuelta por la autoridad que resulte competente de acuerdo con las disposiciones aplicables, previa realización de la investigación que se estime conveniente.

TÍTULO IV
ACTOS PROCEDIMENTALES

CAPÍTULO I
FORMALIDADES

Artículo 44. Oralidad de las actuaciones procesales

Las audiencias se desarrollarán de forma oral, pudiendo auxiliarse las partes con documentos o con cualquier otro medio. En la práctica de las actuaciones procesales se utilizarán los medios técnicos disponibles que permitan darle mayor agilidad, exactitud y autenticidad a las mismas, sin perjuicio de conservar registro de lo acontecido.

El Órgano jurisdiccional propiciará que las partes se abstengan de leer documentos completos o apuntes de sus actuaciones que demuestren falta de argumentación y desconocimiento del asunto. Sólo se podrán leer registros de la investigación para apoyo de memoria, así como para demostrar o superar contradicciones; la parte interesada en dar lectura a algún documento o registro, solicitará al juzgador que presida la audiencia, autorización para proceder a ello indicando específicamente el motivo de su solicitud conforme lo establece este artículo, sin que ello sea motivo de que se reemplace la argumentación oral.

Artículo 45. Idioma

Los actos procesales deberán realizarse en idioma español.

Cuando las personas no hablen o no entiendan el idioma español, deberá proveerse traductor o intérprete, y se les permitirá hacer uso de su propia lengua o idioma, al igual que las personas que tengan algún impedimento para darse a entender. En el caso de que el imputado no hable o entienda el idioma español deberá ser asistido por traductor o intérprete para comunicarse con su Defensor en las entrevistas que con él mantenga. El imputado podrá nombrar traductor o intérprete de su confianza, por su cuenta.

Si se trata de una persona con algún tipo de discapacidad, tiene derecho a que se le facilite un intérprete o aquellos medios tecnológicos que le permitan obtener de forma comprensible la información solicitada o, a falta de éstos, a alguien que sepa comunicarse con ella. En los actos de comunicación, los Órganos jurisdiccionales deberán tener certeza de que la persona con discapacidad ha sido informada de las decisiones judiciales que deba conocer y de que comprende su alcance. Para ello deberá utilizarse el medio que, según el caso, garantice que tal comprensión exista.

Cuando a solicitud fundada de la persona con discapacidad, o a juicio de la autoridad competente, sea necesario adoptar otras medidas para salvaguardar su derecho a ser debidamente asistida, la persona con discapacidad podrá recibir asistencia en materia de estenografía proyectada, en los términos de la ley de la materia, por un intérprete de lengua de señas o a través de cualquier otro medio que permita un entendimiento cabal de todas y cada una de las actuaciones.

Los medios de prueba cuyo contenido se encuentra en un idioma distinto al español deberán ser traducidos y, a fin de dar certeza jurídica sobre las manifestaciones del declarante, se dejará registro de su declaración en el idioma de origen.

En el caso de los miembros de pueblos o comunidades indígenas, se les nombrará intérprete que tenga conocimiento de su lengua y cultura, aun cuando hablen el español, si así lo solicitan.

El Órgano jurisdiccional garantizará el acceso a traductores e intérpretes que coadyuvarán en el proceso según se requiera.

Artículo 46. Declaraciones e interrogatorios con intérpretes y traductores

Las personas serán interrogadas en idioma español, mediante la asistencia de un traductor o intérprete. En ningún caso las partes o los testigos podrán ser intérpretes.

Artículo 47. Lugar de audiencias

El Órgano jurisdiccional celebrará las audiencias en la sala que corresponda, excepto si ello puede provocar una grave alteración del orden público, no garantiza la defensa de alguno de los intereses comprometidos en el procedimiento u obstaculiza seriamente su realización, en cuyo caso se celebrarán en el lugar que para tal efecto designe el Órgano jurisdiccional y bajo las medidas de seguridad que éste determine, de conformidad con lo que establezca la legislación aplicable.

Artículo 48. Tiempo

Los actos procesales podrán ser realizados en cualquier día y a cualquier hora, sin necesidad de previa habilitación. Se registrará el lugar, la hora y la fecha en que se cumplan. La omisión de estos datos no hará nulo el acto, salvo que no pueda determinarse, de acuerdo con los datos del registro u otros conexos, la fecha en que se realizó.

Artículo 49. Protesta

Dentro de cualquier audiencia y antes de que toda persona mayor de dieciocho años de edad inicie su declaración, con excepción del imputado, se le informará de las sanciones penales que la ley establece a los que se conducen con falsedad, se nieguen a declarar o a otorgar la protesta de ley; acto seguido se le tomará protesta de decir verdad.

A quienes tengan entre doce años de edad y menos de dieciocho, se les informará que deben conducirse con verdad en sus manifestaciones ante el Órgano jurisdiccional, lo que se hará en presencia de la persona que ejerza la patria potestad o tutela y asistencia legal pública o privada, y se les explicará que, de conducirse con falsedad, incurrirán en una conducta tipificada como delito en la ley penal y se harán acreedores a una medida de conformidad con las disposiciones aplicables.

A las personas menores de doce años de edad y a los imputados que deseen declarar se les exhortará para que se conduzcan con verdad.

Artículo 50. Acceso a las carpetas digitales

Las partes siempre tendrán acceso al contenido de las carpetas digitales consistente en los registros de las audiencias y complementarios. Dichos registros también podrán ser consultados por terceros cuando dieren cuenta de actuaciones que fueren públicas, salvo que durante el proceso el Órgano jurisdiccional restrinja el acceso para evitar que se afecte su normal sustanciación, el principio de presunción de inocencia o los derechos a la privacidad o a la intimidad de las partes, o bien, se encuentre expresamente prohibido en la ley de la materia.

El Órgano jurisdiccional autorizará la expedición de copias de los contenidos de las carpetas digitales o de la parte de ellos que le fueren solicitados por las partes.

Artículo 51. Utilización de medios electrónicos

Durante todo el proceso penal, se podrán utilizar los medios electrónicos en todas las actuaciones para facilitar su operación, incluyendo el informe policial; así como también podrán instrumentar, para la presentación de denuncias o querellas en línea que permitan su seguimiento.

Párrafo adicionado DOF 17-06-2016

La videoconferencia en tiempo real u otras formas de comunicación que se produzcan con nuevas tecnologías podrán ser utilizadas para la recepción y transmisión de medios de prueba y la realización de actos procesales, siempre y cuando se garantice previamente la identidad de los sujetos que intervengan en dicho acto.

CAPÍTULO II
AUDIENCIAS

Artículo 52. Disposiciones comunes

Los actos procedimentales que deban ser resueltos por el Órgano jurisdiccional se llevarán a cabo mediante audiencias, salvo los casos de excepción que prevea este Código. Las cuestiones debatidas en una audiencia deberán ser resueltas en ella.

Artículo 53. Disciplina en las audiencias

El orden en las audiencias estará a cargo del Órgano jurisdiccional. Toda persona que altere el orden en éstas podrá ser acreedora a una medida de apremio sin perjuicio de que se pueda solicitar su retiro de la sala de audiencias y su puesta a disposición de la autoridad competente.

Antes y durante las audiencias, el imputado tendrá derecho a comunicarse con su Defensor, pero no con el público. Si infringe esa disposición, el Órgano jurisdiccional podrá imponerle una medida de apremio.

Si alguna persona del público se comunica o intenta comunicarse con alguna de las partes, el Órgano jurisdiccional podrá ordenar que sea retirada de la audiencia e imponerle una medida de apremio.

Artículo 54. Identificación de declarantes

Previo a cualquier audiencia, se llevará a cabo la identificación de toda persona que vaya a declarar, para lo cual deberá proporcionar su nombre, apellidos, edad y domicilio. Dicho registro lo llevará a cabo el personal auxiliar de la sala, dejando constancia de la manifestación expresa de la voluntad del declarante de hacer públicos, o no, sus datos personales.

Artículo 55. Restricciones de acceso a las audiencias

El Órgano jurisdiccional podrá, por razones de orden o seguridad en el desarrollo de la audiencia, prohibir el ingreso a:

I. Personas armadas, salvo que cumplan funciones de vigilancia o custodia;

II. Personas que porten distintivos gremiales o partidarios;

III. Personas que porten objetos peligrosos o prohibidos o que no observen las disposiciones que se establezcan, o

IV. Cualquier otra que el Órgano jurisdiccional considere como inapropiada para el orden o seguridad en el desarrollo de la audiencia.

El Órgano jurisdiccional podrá limitar el ingreso del público a una cantidad determinada de personas, según la capacidad de la sala de audiencia, así como de conformidad con las disposiciones aplicables.

Los periodistas, o los medios de comunicación acreditados, deberán informar de su presencia al Órgano jurisdiccional con el objeto de ubicarlos en un lugar adecuado para tal fin y deberán abstenerse de grabar y transmitir por cualquier medio la audiencia.

Artículo 56. Presencia del imputado en las audiencias

Las audiencias se realizarán con la presencia ininterrumpida de quien o quienes integren el Órgano jurisdiccional y de las partes que intervienen en el proceso, salvo disposición en contrario. El imputado no podrá retirarse de la audiencia sin autorización del Órgano jurisdiccional.

El imputado asistirá a la audiencia libre en su persona y ocupará un asiento a lado de su defensor. Sólo en casos excepcionales podrán disponerse medidas de seguridad que impliquen su confinamiento en un cubículo aislado en la sala de audiencia, cuando ello sea una medida indispensable para salvaguardar la integridad física de los intervinientes en la audiencia.

Si el imputado se rehúsa a permanecer en la audiencia, será custodiado en una sala próxima, desde la que pueda seguir la audiencia, y representado para todos los efectos por su Defensor. Cuando sea necesario para el desarrollo de la audiencia, se le hará comparecer para la realización de actos particulares en los cuales su presencia resulte imprescindible.

Artículo 57. Ausencia de las partes

En el caso de que estuvieren asignados varios Defensores o varios Ministerios Públicos, la presencia de cualquiera de ellos bastará para celebrar la audiencia respectiva.

El Defensor no podrá renunciar a su cargo conferido ni durante las audiencias ni una vez notificado de ellas.

Si el Defensor no comparece a la audiencia, o se ausenta de la misma sin causa justificada, se considerará abandonada la defensa y se procederá a su reemplazo con la mayor prontitud por el Defensor público que le sea designado, salvo que el imputado designe de inmediato otro Defensor.

Si el Ministerio Público no comparece a la audiencia o se ausenta de la misma, se procederá a su remplazo dentro de la misma audiencia. Para tal efecto se notificará por cualquier medio a su superior jerárquico para que lo designe de inmediato.

El Ministerio Público sustituto o el nuevo Defensor podrán solicitar al Órgano jurisdiccional que aplace el inicio de la audiencia o suspenda la misma por un plazo que no podrá exceder de diez días para la adecuada preparación de su intervención en el juicio. El Órgano jurisdiccional resolverá considerando la complejidad del caso, las circunstancias de la ausencia de la defensa o del Ministerio Público y las posibilidades de aplazamiento.

En el caso de que el Defensor, Asesor jurídico o el Ministerio Público se ausenten de la audiencia sin causa justificada, se les impondrá una multa de diez a cincuenta días de salario mínimo vigente, sin perjuicio de las sanciones administrativas o penales que correspondan.

Si la víctima u ofendido no concurren, o se retiran de la audiencia, la misma continuará sin su presencia, sin perjuicio de que pueda ser citado a comparecer en calidad de testigo.

En caso de que la víctima u ofendido constituido como coadyuvante se ausente, o se retire de la audiencia intermedia o de juicio, se le tendrá por desistido de sus pretensiones.

Si el Asesor jurídico de la víctima u ofendido abandona su asesoría, o ésta es deficiente, el Órgano jurisdiccional le informará a la víctima u ofendido su derecho a nombrar a otro Asesor jurídico. Si la víctima u ofendido no quiere o no puede nombrar un Asesor jurídico, el Órgano jurisdiccional lo informará a la instancia correspondiente para efecto de que se designe a otro, y en caso de ausencia, y de manera excepcional, lo representará el Ministerio Público.

El Órgano jurisdiccional deberá imponer las medidas de apremio necesarias para garantizar que las partes comparezcan en juicio.

Artículo 58. Deberes de los asistentes

Quienes asistan a la audiencia deberán permanecer en la misma respetuosamente, en silencio y no podrán introducir instrumentos que permitan grabar imágenes de video, sonidos o gráficas. Tampoco podrán portar armas ni adoptar un comportamiento intimidatorio, provocativo, contrario al decoro, ni alterar o afectar el desarrollo de la audiencia.

Artículo 59. De los medios de apremio

Para asegurar el orden en las audiencias o restablecerlo cuando hubiere sido alterado, así como para garantizar la observancia de sus decisiones en audiencia, el Órgano jurisdiccional podrá aplicar indistintamente cualquiera de los medios de apremio establecidos en este Código.

Artículo 60. Hechos delictivos surgidos en audiencia

Si durante la audiencia se advierte que existen elementos que hagan presumir la existencia de un hecho delictivo distinto del que constituye la materia del procedimiento, el Órgano jurisdiccional lo hará del conocimiento del Ministerio Público competente y le remitirá el registro correspondiente.

Artículo 61. Registro de las audiencias

Todas las audiencias previstas en este Código serán registradas por cualquier medio tecnológico que tenga a su disposición el Órgano jurisdiccional.

La grabación o reproducción de imágenes o sonidos se considerará como parte de las actuaciones y registros y se conservarán en resguardo del Poder Judicial para efectos del conocimiento de otros órganos distintos que conozcan del mismo procedimiento y de las partes, garantizando siempre su conservación.

Artículo 62. Asistencia del imputado a las audiencias

Si el imputado se encuentra privado de su libertad, el Órgano jurisdiccional determinará las medidas especiales de seguridad o los mecanismos necesarios para garantizar el adecuado desarrollo de la audiencia: impedir la fuga o la realización de actos de violencia de parte del imputado o en su contra.

Si la persona está en libertad, asistirá a la audiencia el día y hora en que se determine; en caso de no presentarse, el Órgano jurisdiccional podrá imponerle un medio de apremio y en su caso, previa solicitud del Ministerio Público, ordenar su comparecencia.

Cuando el imputado haya sido vinculado a proceso, se encuentre en libertad, deje de asistir a una audiencia, el Ministerio Público solicitará al Órgano jurisdiccional la imposición de una medida cautelar o la modificación de la ya impuesta.

Artículo 63. Notificación en audiencia

Las resoluciones del Órgano jurisdiccional serán dictadas en forma oral, con expresión de sus fundamentos y motivaciones, quedando los intervinientes en ellas y quienes estaban obligados a asistir formalmente notificados de su emisión, lo que constará en el registro correspondiente en los términos previstos en este Código.

Artículo 64. Excepciones al principio de publicidad

El debate será público, pero el Órgano jurisdiccional podrá resolver excepcionalmente, aun de oficio, que se desarrolle total o parcialmente a puerta cerrada, cuando:

I. Pueda afectar la integridad de alguna de las partes, o de alguna persona citada para participar en él;

II. La seguridad pública o la seguridad nacional puedan verse gravemente afectadas;

III. Peligre un secreto oficial, particular, comercial o industrial, cuya revelación indebida sea punible;

IV. El Órgano jurisdiccional estime conveniente;

V. Se afecte el Interés Superior del Niño y de la Niña en términos de lo establecido por los Tratados y las leyes en la materia, o

VI. Esté previsto en este Código o en otra ley.

La resolución que decrete alguna de estas excepciones será fundada y motivada constando en el registro de la audiencia.

Artículo 65. Continuación de audiencia pública

Una vez desaparecida la causa de excepción prevista en el artículo anterior, se permitirá ingresar nuevamente al público y, el juzgador que presida la audiencia de juicio, informará brevemente sobre el resultado esencial de los actos desarrollados a puerta cerrada.

Artículo 66. Intervención en la audiencia

En las audiencias, el imputado podrá defenderse por sí mismo y deberá estar asistido por un licenciado en derecho o abogado titulado que haya elegido o se le haya designado como Defensor.

El Ministerio Público, el imputado o su Defensor, así como la víctima u ofendido y su Asesor jurídico, podrán intervenir y replicar cuantas veces y en el orden que lo autorice el Órgano jurisdiccional.

El imputado o su Defensor podrán hacer uso de la palabra en último lugar, por lo que el Órgano jurisdiccional que preside la audiencia preguntará siempre al imputado o su Defensor, antes de cerrar el debate o la audiencia misma, si quieren hacer uso de la palabra, concediéndosela en caso afirmativo.

CAPÍTULO III
RESOLUCIONES JUDICIALES

Artículo 67. Resoluciones judiciales

La autoridad judicial pronunciará sus resoluciones en forma de sentencias y autos. Dictará sentencia para decidir en definitiva y poner término al procedimiento y autos en todos los demás casos. Las resoluciones judiciales deberán mencionar a la autoridad que resuelve, el lugar y la fecha en que se dictaron y demás requisitos que este Código prevea para cada caso.

Los autos y resoluciones del Órgano jurisdiccional serán emitidos oralmente y surtirán sus efectos a más tardar al día siguiente. Deberán constar por escrito, después de su emisión oral, los siguientes:

I. Las que resuelven sobre providencias precautorias;

II. Las órdenes de aprehensión y comparecencia;

III. La de control de la detención;

IV. La de vinculación a proceso;

V. La de medidas cautelares;

VI. La de apertura a juicio;

VII. Las que versen sobre sentencias definitivas de los procesos especiales y de juicio;

VIII. Las de sobreseimiento, y

IX. Las que autorizan técnicas de investigación con control judicial previo.

En ningún caso, la resolución escrita deberá exceder el alcance de la emitida oralmente, surtirá sus efectos inmediatamente y deberá dictarse de forma inmediata a su emisión en forma oral, sin exceder de veinticuatro horas, salvo disposición que establezca otro plazo.

Las resoluciones de los tribunales colegiados se tomarán por mayoría de votos. En el caso de que un Juez o Magistrado no esté de acuerdo con la decisión adoptada por la mayoría, deberá emitir su voto particular y podrá hacerlo en la propia audiencia, expresando sucintamente su opinión y deberá formular dentro de los tres días siguientes la versión escrita de su voto para ser integrado al fallo mayoritario.

Artículo 68. Congruencia y contenido de autos y sentencias

Los autos y las sentencias deberán ser congruentes con la petición o acusación formulada y contendrán de manera concisa los antecedentes, los puntos a resolver y que estén debidamente fundados y motivados; deberán ser claros, concisos y evitarán formulismos innecesarios, privilegiando el esclarecimiento de los hechos.

Artículo 69. Aclaración

En cualquier momento, el Órgano jurisdiccional, de oficio o a petición de parte, podrá aclarar los términos oscuros, ambiguos o contradictorios en que estén emitidas las resoluciones judiciales, siempre que tales aclaraciones no impliquen una modificación o alteración del sentido de la resolución.

En la misma audiencia, después de dictada la resolución y hasta dentro de los tres días posteriores a la notificación, las partes podrán solicitar su aclaración, la cual, si procede, deberá efectuarse dentro de las veinticuatro horas siguientes. La solicitud suspenderá el término para interponer los recursos que procedan.

Artículo 70. Firma

Las resoluciones escritas serán firmadas por los jueces o magistrados. No invalidará la resolución el hecho de que el juzgador no la haya firmado oportunamente, siempre que la falta sea suplida y no exista ninguna duda sobre su participación en el acto que debió suscribir, sin perjuicio de la responsabilidad disciplinaria a que haya lugar.

Artículo 71. Copia auténtica

Se considera copia auténtica al documento o registro del original de las sentencias, o de otros actos procesales, que haya sido certificado por la autoridad autorizada para tal efecto.

Cuando, por cualquier causa se destruya, se pierda o sea sustraído el original de las sentencias o de otros actos procesales, la copia auténtica tendrá el valor de aquéllos. Para tal fin, el Órgano jurisdiccional ordenará a quien tenga la copia entregarla, sin perjuicio del derecho de obtener otra en forma gratuita cuando así lo solicite. La reposición del original de la sentencia o de otros actos procesales también podrá efectuarse utilizando los archivos informáticos o electrónicos del juzgado.

Cuando la sentencia conste en medios informáticos, electrónicos, magnéticos o producidos por nuevas tecnologías, la autenticación de la autorización del fallo por el Órgano jurisdiccional, se hará constar a través del medio o forma más adecuada, de acuerdo con el propio sistema utilizado.

Artículo 72. Restitución y renovación

Si no existe copia de las sentencias o de otros actos procesales el Órgano jurisdiccional ordenará que se repongan, para lo cual recibirá de las partes los datos y medios de prueba que evidencien su preexistencia y su contenido. Cuando esto sea imposible, ordenará la renovación de los mismos, señalando el modo de realizarla.

CAPÍTULO IV
COMUNICACIÓN ENTRE AUTORIDADES

Artículo 73. Regla general de la comunicación entre autoridades

El Órgano jurisdiccional o el Ministerio Público, de manera fundada y motivada, podrán solicitar el auxilio a otra autoridad para la práctica de un acto procedimental. Dicha solicitud podrá realizarse por cualquier medio que garantice su autenticidad. La autoridad requerida colaborará y tramitará sin demora los requerimientos que reciba.

Artículo 74. Colaboración procesal

Los actos de colaboración entre el Ministerio Público o la Policía con autoridades federales o de alguna Entidad federativa, se sujetarán a lo previsto en la Constitución, en el presente Código, así como a las disposiciones contenidas en otras normas y convenios de colaboración que se hayan emitido o suscrito de conformidad con ésta.

Artículo 75. Exhortos y requisitorias

Cuando tengan que practicarse actos procesales fuera del ámbito territorial del Órgano jurisdiccional que conozca del asunto, éste solicitará su cumplimiento por medio de exhorto, si la autoridad requerida es de la misma jerarquía que la requirente, o por medio de requisitoria, si ésta es inferior. La comunicación que deba hacerse a autoridades no judiciales se hará por cualquier medio de comunicación expedito y seguro que garantice su autenticidad, siendo aplicable en lo conducente lo previsto en el artículo siguiente.

Artículo 76. Empleo de los medios de comunicación

Para el envío de oficios, exhortos o requisitorias, el Órgano jurisdiccional, el Ministerio Público, o la Policía, podrán emplear cualquier medio de comunicación idóneo y ágil que ofrezca las condiciones razonables de seguridad, de autenticidad y de confirmación posterior en caso de ser necesario, debiendo expresarse, con toda claridad, la actuación que ha de practicarse, el nombre del imputado si fuere posible, el delito de que se trate, el número único de causa, así como el fundamento de la providencia y, en caso necesario, el aviso de que se mandará la información: el oficio de colaboración y el exhorto o requisitoria que ratifique el mensaje. La autoridad requirente deberá cerciorarse de que el requerido recibió la comunicación que se le dirigió y el receptor resolverá lo conducente, acreditando el origen de la petición y la urgencia de su atención.

Artículo 77. Plazo para el cumplimiento de exhortos y requisitorias

Los exhortos o requisitorias se proveerán dentro de las veinticuatro horas siguientes a su recepción y se despacharán dentro de los tres días siguientes, a no ser que las actuaciones que se hayan de practicar exijan necesariamente mayor tiempo, en cuyo caso, el Juez de control fijará el que crea conveniente y lo notificará al requirente, indicando las razones existentes para la ampliación. Si el Juez de control requerido estima que no es procedente la práctica del acto solicitado, lo hará saber al requirente dentro de las veinticuatro horas siguientes a la recepción de la solicitud, con indicación expresa de las razones que tenga para abstenerse de darle cumplimiento.

Si el Juez de control exhortado o requerido estimare que no debe cumplimentarse el acto solicitado, porque el asunto no resulta ser de su competencia o si tuviere dudas sobre su procedencia, podrá comunicarse con el Órgano jurisdiccional exhortante o requirente, oirá al Ministerio Público y resolverá dentro de los tres días siguientes, promoviendo, en su caso, la competencia respectiva.

Cuando se cumpla una orden de aprehensión, el exhortado o requerido pondrá al detenido, sin dilación alguna, a disposición del Órgano jurisdiccional que libró aquella. Si no fuere posible poner al detenido inmediatamente a disposición del exhortante o requirente, el requerido dará vista al Ministerio Público para que formule la imputación; se decidirá sobre las medidas cautelares que se le soliciten y resolverá su vinculación a proceso, remitirá las actuaciones y, en su caso, al detenido, al Órgano jurisdiccional que haya librado el exhorto dentro de las veinticuatro horas siguientes a la determinación de fondo que adopte.

Cuando un Juez de control no pueda dar cumplimiento al exhorto o requisitoria, por hallarse en otra jurisdicción la persona o las cosas que sean objeto de la diligencia, lo remitirá al Juez de control del lugar en que aquélla o éstas se encuentren, y lo hará saber al exhortante o requirente dentro de las veinticuatro horas siguientes. Si el Juez de control que recibe el exhorto o requisitoria del juzgador originalmente exhortado, resuelve desahogarlo, una vez hecho lo devolverá directamente al exhortante.

Las autoridades exhortadas o requeridas remitirán las diligencias o actos procesales practicados o requeridos por cualquier medio que garantice su autenticidad.

Artículo 78. Exhortos de tribunales extranjeros

Las solicitudes que provengan de tribunales extranjeros, deberán ser tramitadas de conformidad con el Título XI del presente Código.

Párrafo reformado DOF 17-06-2016

Toda solicitud que se reciba del extranjero en idioma distinto del español deberá acompañarse de su traducción.

Artículo 79. Exhortos internacionales que requieran homologación

Los exhortos internacionales que se reciban sólo requerirán homologación cuando implique ejecución coactiva sobre personas, bienes o derechos. Los exhortos relativos a notificaciones, recepción de pruebas y a otros asuntos de mero trámite se diligenciarán sin formar incidente.

Artículo 80. Actos procesales en el extranjero

Los exhortos que se remitan al extranjero serán comunicaciones oficiales escritas que contendrán la petición de realización de las actuaciones necesarias en el procedimiento en que se expidan. Dichas comunicaciones contendrán los datos e información necesaria, las constancias y demás anexos procedentes según sea el caso.

Los exhortos serán transmitidos al Órgano jurisdiccional requerido a través de los funcionarios consulares o agentes diplomáticos, o por la autoridad competente del Estado requirente o requerido según sea el caso.

Podrá encomendarse la práctica de diligencias en países extranjeros a los funcionarios consulares de la República por medio de oficio.

Artículo 81. Demora o rechazo de requerimientos

Cuando la cumplimentación de un requerimiento de cualquier naturaleza fuere demorada o rechazada injustificadamente, la autoridad requirente podrá dirigirse al superior jerárquico de la autoridad que deba cumplimentar dicho requerimiento a fin de que, de considerarlo procedente, ordene o gestione su tramitación inmediata.

CAPÍTULO V
NOTIFICACIONES Y CITACIONES

Artículo 82. Formas de notificación

Las notificaciones se practicarán personalmente, por lista, estrado o boletín judicial según corresponda y por edictos:

I. Personalmente podrán ser:

a) En Audiencia;

b) Por alguno de los medios tecnológicos señalados por el interesado o su representante legal;

c) En las instalaciones del Órgano jurisdiccional, o

d) En el domicilio que éste establezca para tal efecto. Las realizadas en domicilio se harán de conformidad con las reglas siguientes:

1) El notificador deberá cerciorarse de que se trata del domicilio señalado. Acto seguido, se requerirá la presencia del interesado o su representante legal. Una vez que cualquiera de ellos se haya identificado, le entregará copia del auto o la resolución que deba notificarse y recabará su firma, asentando los datos del documento oficial con el que se identifique. Asimismo, se deberán asentar en el acta de notificación, los datos de identificación del servidor público que la practique;

2) De no encontrarse el interesado o su representante legal en la primera notificación, el notificador dejará citatorio con cualquier persona que se encuentre en el domicilio, para que el interesado espere a una hora fija del día hábil siguiente. Si la persona a quien haya de notificarse no atendiere el citatorio, la notificación se entenderá con cualquier persona que se encuentre en el domicilio en que se realice la diligencia y, de negarse ésta a recibirla o en caso de encontrarse cerrado el domicilio, se realizará por instructivo que se fijará en un lugar visible del domicilio, y

3) En todos los casos deberá levantarse acta circunstanciada de la diligencia que se practique;

II. Lista, Estrado o Boletín Judicial según corresponda, y

III. Por edictos, cuando se desconozca la identidad o domicilio del interesado, en cuyo caso se publicará por una sola ocasión en el medio de publicación oficial de la Federación o de las Entidades federativas y en un periódico de circulación nacional, los cuales deberán contener un resumen de la resolución que deba notificarse.

Las notificaciones previstas en la fracción I de este artículo surtirán efectos al día siguiente en que hubieren sido practicadas y las efectuadas en las fracciones II y III surtirán efectos el día siguiente de su publicación.

Artículo 83. Medios de notificación

Los actos que requieran una intervención de las partes se podrán notificar mediante fax y correo electrónico, debiendo imprimirse copia de envío y recibido, y agregarse al registro, o bien se guardará en el sistema electrónico existente para tal efecto; asimismo, podrá notificarse a las partes por teléfono o cualquier otro medio, de conformidad con las disposiciones previstas en las leyes orgánicas o, en su caso, los acuerdos emitidos por los órganos competentes, debiendo dejarse constancia de ello.

El uso de los medios a que hace referencia este artículo, deberá asegurar que las notificaciones se hagan en el tiempo establecido y se transmita con claridad, precisión y en forma completa el contenido de la resolución o de la diligencia ordenada.

En la notificación de las resoluciones judiciales se podrá aceptar el uso de la firma digital.

Artículo 84. Regla general sobre notificaciones

Las resoluciones deberán notificarse personalmente a quien corresponda, dentro de las veinticuatro horas siguientes a que se hayan dictado. Se tendrán por notificadas las personas que se presenten a la audiencia donde se dicte la resolución o se desahoguen las respectivas diligencias.

Cuando la notificación deba hacerse a una persona con discapacidad o cualquier otra circunstancia que le impida comprender el alcance de la notificación, deberá realizarse en los términos establecidos en el presente Código.

Artículo 85. Lugar para las notificaciones

Al comparecer en el procedimiento, las partes deberán señalar domicilio dentro del lugar en donde éste se sustancie y en su caso, manifestarse sobre la forma más conveniente para ser notificados conforme a los medios establecidos en este Código.

El Ministerio Público, Defensor y Asesor jurídico, cuando éstos últimos sean públicos, serán notificados en sus respectivas oficinas, siempre que éstas se encuentren dentro de la jurisdicción del Órgano jurisdiccional que ordene la notificación, salvo que hayan presentado solicitud de ser notificadas por fax, por correo electrónico, por teléfono o por cualquier otro medio. En caso de que las oficinas se encuentren fuera de la jurisdicción, deberán señalar domicilio dentro de dicha jurisdicción.

Si el imputado estuviere detenido, será notificado en el lugar de su detención.

Las partes que no señalaren domicilio o el medio para ser notificadas o no informen de su cambio, serán notificadas de conformidad con lo señalado en la fracción II del artículo 82 de este Código.

Artículo 86. Notificaciones a Defensores o Asesores jurídicos

Cuando se designe Defensor o Asesor jurídico y éstos sean particulares, las notificaciones deberán ser dirigidas a éstos, sin perjuicio de notificar al imputado y a la víctima u ofendido, según sea el caso, cuando la ley o la naturaleza del acto así lo exijan.

Cuando el imputado tenga varios Defensores, deberá notificarse al representante común, en caso de que lo hubiere, sin perjuicio de que otros acudan a la oficina del Ministerio Público o del Órgano jurisdiccional para ser notificados. La misma disposición se aplicará a los Asesores jurídicos.

Artículo 87. Forma especial de notificación

La notificación realizada por medios electrónicos surtirá efecto el mismo día a aquel en que por sistema se confirme que recibió el archivo electrónico correspondiente.

Asimismo, podrá notificarse mediante otros sistemas autorizados en la ley de la materia, siempre que no causen indefensión. También podrá notificarse por correo certificado y el plazo correrá a partir del día siguiente hábil en que fue recibida la notificación.

Artículo 88. Nulidad de la notificación

La notificación podrá ser nula cuando cause indefensión y no se cumplan las formalidades previstas en el presente Código.

Artículo 89. Validez de la notificación

Si a pesar de no haberse hecho la notificación en la forma prevista en este ordenamiento, la persona que deba ser notificada se muestra sabedora de la misma, ésta surtirá efectos legales.

Artículo 90. Citación

Toda persona está obligada a presentarse ante el Órgano jurisdiccional o ante el Ministerio Público, cuando sea citada. Quedan exceptuados de esa obligación el Presidente de la República y los servidores públicos a que se refieren los párrafos primero y quinto del artículo 111 de la Constitución, el Consejero Jurídico del Ejecutivo, los magistrados y jueces y las personas imposibilitadas físicamente ya sea por su edad, por enfermedad grave o alguna otra que dificulte su comparecencia.

Cuando haya que examinar a los servidores públicos o a las personas señaladas en el párrafo anterior, el Órgano jurisdiccional dispondrá que dicho testimonio sea desahogado en el juicio por sistemas de reproducción a distancia de imágenes y sonidos o cualquier otro medio que permita su trasmisión, en sesión privada.

La citación a quien desempeñe un empleo, cargo o comisión en el servicio público, distintos a los señalados en este artículo, se hará por conducto del superior jerárquico respectivo, a menos que para garantizar el éxito de la comparecencia se requiera que la citación se realice en forma distinta.

En el caso de cualquier persona que se haya desempeñado como servidor público y no sea posible su localización, el Órgano jurisdiccional solicitará a la institución donde haya prestado sus servicios la información del domicilio, número telefónico, y en su caso, los datos necesarios para su localización, a efecto de que comparezca a la audiencia respectiva.

Artículo 91. Forma de realizar las citaciones

Cuando sea necesaria la presencia de una persona para la realización de un acto procesal, la autoridad que conoce del asunto deberá ordenar su citación mediante oficio, correo certificado o telegrama con aviso de entrega en el domicilio proporcionado, cuando menos con cuarenta y ocho horas de anticipación a la celebración del acto.

También podrá citarse por teléfono al testigo o perito que haya manifestado expresamente su voluntad para que se le cite por este medio, siempre que haya proporcionado su número, sin perjuicio de que si no es posible realizar tal citación, se pueda realizar por alguno de los otros medios señalados en este Capítulo.

En caso de que las partes ofrezcan como prueba a un testigo o perito, deberán presentarlo el día y hora señalados, salvo que soliciten al Órgano jurisdiccional que por su conducto sea citado en virtud de que se encuentran imposibilitados para su comparecencia debido a la naturaleza de las circunstancias.

En caso de que las partes, estando obligadas a presentar a sus testigos o peritos, no cumplan con dicha comparecencia, se les tendrá por desistidos de la prueba, a menos que justifiquen la imposibilidad que se tuvo para presentarlos, dentro de las veinticuatro horas siguientes a la fecha fijada para la comparecencia de sus testigos o peritos.

La citación deberá contener:

I. La autoridad y el domicilio ante la que deberá presentarse;

II. El día y hora en que debe comparecer;

III. El objeto de la misma;

IV. El procedimiento del que se deriva;

V. La firma de la autoridad que la ordena, y

VI. El apercibimiento de la imposición de un medio de apremio en caso de incumplimiento.

Artículo 92. Citación al imputado

Siempre que sea requerida la presencia del imputado para realizar un acto procesal por el Órgano jurisdiccional, según corresponda, lo citará junto con su Defensor a comparecer.

La citación deberá contener, además de los requisitos señalados en el artículo anterior, el domicilio, el número telefónico y en su caso, los datos necesarios para comunicarse con la autoridad que ordene la citación.

Artículo 93. Comunicación de actuaciones del Ministerio Público

Cuando en el curso de una investigación el Ministerio Público deba comunicar alguna actuación a una persona, podrá hacerlo por cualquier medio que garantice la recepción del mensaje. Serán aplicables, en lo que corresponda, las disposiciones de este Código.

CAPÍTULO VI
PLAZOS

Artículo 94. Reglas generales

Los actos procedimentales serán cumplidos en los plazos establecidos, en los términos que este Código autorice.

Los plazos sujetos al arbitrio judicial serán determinados conforme a la naturaleza del procedimiento y a la importancia de la actividad que se deba de desarrollar, teniendo en cuenta los derechos de las partes.

No se computarán los días sábados, los domingos ni los días que sean determinados inhábiles por los ordenamientos legales aplicables, salvo que se trate de los actos relativos a providencias precautorias, puesta del imputado a disposición del Órgano jurisdiccional, resolver la legalidad de la detención, formulación de la imputación, resolver sobre la procedencia de las medidas cautelares en su caso y decidir sobre la procedencia de su vinculación a proceso, para tal efecto todos los días se computarán como hábiles.

Con la salvedad de la excepción prevista en el párrafo anterior, los demás plazos que venzan en día inhábil, se tendrán por prorrogados hasta el día hábil siguiente.

Los plazos establecidos en horas correrán de momento a momento y los establecidos en días a partir del día en que surte efectos la notificación.

Artículo 95. Renuncia o abreviación

Las partes en cuyo favor se haya establecido un plazo podrán renunciar a él o consentir su abreviación mediante manifestación expresa. En caso de que el plazo sea común para las partes, para proceder en los mismos términos, todos los interesados deberán expresar su voluntad en el mismo sentido.

Cuando sea el Ministerio Público el que renuncie a un plazo o consienta en su abreviación, deberá oírse a la víctima u ofendido para que manifieste lo que a su interés convenga.

Artículo 96. Reposición del plazo

La parte que no haya podido observar un plazo por causa no atribuible a él, podrá solicitar de manera fundada y motivada su reposición total o parcial, con el fin de realizar el acto omitido o ejercer la facultad concedida por la ley, dentro de las veinticuatro horas siguientes a aquel en que el perjudicado tenga conocimiento fehaciente del acto cuya reposición del plazo se pretenda. El Órgano jurisdiccional podrá ordenar la reposición una vez que haya escuchado a las partes.

CAPÍTULO VII
NULIDAD DE ACTOS PROCEDIMENTALES

Artículo 97. Principio general

Cualquier acto realizado con violación de derechos humanos será nulo y no podrá ser saneado, ni convalidado y su nulidad deberá ser declarada de oficio por el Órgano jurisdiccional al momento de advertirla o a petición de parte en cualquier momento.

Los actos ejecutados en contravención de las formalidades previstas en este Código podrán ser declarados nulos, salvo que el defecto haya sido saneado o convalidado, de acuerdo con lo señalado en el presente Capítulo.

Artículo 98. Solicitud de declaración de nulidad sobre actos ejecutados en contravención de las formalidades

La solicitud de declaración de nulidad deberá estar fundada y motivada y presentarse por escrito dentro de los dos días siguientes a aquel en que el perjudicado tenga conocimiento fehaciente del acto cuya invalidación se pretenda. Si el vicio se produjo en una actuación realizada en audiencia y el afectado estuvo presente, deberá presentarse verbalmente antes del término de la misma audiencia.

En caso de que el acto declarado nulo se encuentre en los supuestos establecidos en la parte final del artículo 101 de este Código, se ordenará su reposición.

Artículo 99. Saneamiento

Los actos ejecutados con inobservancia de las formalidades previstas en este Código podrán ser saneados, reponiendo el acto, rectificando el error o realizando el acto omitido a petición del interesado.

La autoridad judicial que constate un defecto formal saneable en cualquiera de sus actuaciones, lo comunicará al interesado y le otorgará un plazo para corregirlo, el cual no será mayor de tres días. Si el acto no quedare saneado en dicho plazo, el Órgano jurisdiccional resolverá lo conducente.

La autoridad judicial podrá corregir en cualquier momento de oficio, o a petición de parte, los errores puramente formales contenidos en sus actuaciones o resoluciones, respetando siempre los derechos y garantías de los intervinientes.

Se entenderá que el acto se ha saneado cuando, no obstante la irregularidad, ha conseguido su fin respecto de todos los interesados.

Artículo 100. Convalidación

Los actos ejecutados con inobservancia de las formalidades previstas en este Código que afectan al Ministerio Público, la víctima u ofendido o el imputado, quedarán convalidados cuando:

Párrafo reformado DOF 17-06-2016

I. Las partes hayan aceptado, expresa o tácitamente, los efectos del acto;

II. Ninguna de las partes hayan solicitado su saneamiento en los términos previstos en este Código, o

Fracción reformada DOF 17-06-2016

III. Dentro de las veinticuatro horas siguientes de haberse realizado el acto, la parte que no hubiere estado presente o participado en él no solicita su saneamiento. En caso de que por las especiales circunstancias del caso no hubiera sido posible advertir en forma oportuna el defecto en la realización del acto procesal, el interesado deberá solicitar en forma justificada el saneamiento del acto, dentro de las veinticuatro horas siguientes a que haya tenido conocimiento del mismo.

Lo anterior, siempre y cuando no se afecten derechos fundamentales del imputado o la víctima u ofendido.

Párrafo reformado DOF 17-06-2016

Artículo 101. Declaración de nulidad

Cuando haya sido imposible sanear o convalidar un acto, en cualquier momento el Órgano jurisdiccional, a petición de parte, en forma fundada y motivada, deberá declarar su nulidad, señalando en su resolución los efectos de la declaratoria de nulidad, debiendo especificar los actos a los que alcanza la nulidad por su relación con el acto anulado. El Tribunal de enjuiciamiento no podrá declarar la nulidad de actos realizados en las etapas previas al juicio, salvo las excepciones previstas en este Código.

Para decretar la nulidad de un acto y disponer su reposición, no basta la simple infracción de la norma, sino que se requiere, además, que:

I. Se haya ocasionado una afectación real a alguna de las partes, y

II. Que la reposición resulte esencial para garantizar el cumplimiento de los derechos o los intereses del sujeto afectado.

Artículo 102. Sujetos legitimados

Sólo podrá solicitar la declaración de nulidad el interviniente perjudicado por un vicio en el procedimiento, siempre que no hubiere contribuido a causarlo.

CAPÍTULO VIII
GASTOS DE PRODUCCIÓN DE PRUEBA

Artículo 103. Gastos de producción de prueba

Tratándose de la prueba pericial, el Órgano jurisdiccional ordenará, a petición de parte, la designación de peritos de instituciones públicas, las que estarán obligadas a practicar el peritaje correspondiente, siempre que no exista impedimento material para ello.

CAPÍTULO IX
MEDIOS DE APREMIO

Artículo 104. Imposición de medios de apremio

El Órgano jurisdiccional y el Ministerio Público podrán disponer de los siguientes medios de apremio para el cumplimiento de los actos que ordenen en el ejercicio de sus funciones:

I. El Ministerio Público contará con las siguientes medidas de apremio:

a) Amonestación;

b) Multa de veinte a mil días de salario mínimo vigente en el momento y lugar en que se cometa la falta que amerite una medida de apremio. Tratándose de jornaleros, obreros y trabajadores que perciban salario mínimo, la multa no deberá exceder de un día de salario y tratándose de trabajadores no asalariados, de un día de su ingreso;

c) Auxilio de la fuerza pública, o

d) Arresto hasta por treinta y seis horas;

II. El Órgano jurisdiccional contará con las siguientes medidas de apremio:

a) Amonestación;

b) Multa de veinte a cinco mil días de salario mínimo vigente en el momento y lugar en que se cometa la falta que amerite una medida de apremio. Tratándose de jornaleros, obreros y trabajadores que perciban salario mínimo, la multa no deberá exceder de un día de salario y tratándose de trabajadores no asalariados, de un día de su ingreso;

c) Auxilio de la fuerza pública, o

d) Arresto hasta por treinta y seis horas.

El Órgano jurisdiccional también podrá ordenar la expulsión de las personas de las instalaciones donde se lleve a cabo la diligencia.

La resolución que determine la imposición de medidas de apremio deberá estar fundada y motivada.

La imposición del arresto sólo será procedente cuando haya mediado apercibimiento del mismo y éste sea debidamente notificado a la parte afectada.

El Órgano jurisdiccional y el Ministerio Público podrán dar vista a las autoridades competentes para que se determinen las responsabilidades que en su caso procedan en los términos de la legislación aplicable.

TÍTULO V
SUJETOS DEL PROCEDIMIENTO Y SUS AUXILIARES

CAPÍTULO I
DISPOSICIONES COMUNES

Artículo 105. Sujetos de procedimiento penal

Son sujetos del procedimiento penal los siguientes:

I. La víctima u ofendido;

II. El Asesor jurídico;

III. El imputado;

IV. El Defensor;

V. El Ministerio Público;

VI. La Policía;

VII. El Órgano jurisdiccional, y

VIII. La autoridad de supervisión de medidas cautelares y de la suspensión condicional del proceso.

Los sujetos del procedimiento que tendrán la calidad de parte en los procedimientos previstos en este Código, son el imputado y su Defensor, el Ministerio Público, la víctima u ofendido y su Asesor jurídico.

Artículo 106. Reserva sobre la identidad

En ningún caso se podrá hacer referencia o comunicar a terceros no legitimados la información confidencial relativa a los datos personales de los sujetos del procedimiento penal o de cualquier persona relacionada o mencionada en éste.

Toda violación al deber de reserva por parte de los servidores públicos, será sancionada por la legislación aplicable.

En los casos de personas sustraídas de la acción de la justicia, se admitirá la publicación de los datos que permitan la identificación del imputado para ejecutar la orden judicial de aprehensión o de comparecencia.

Artículo 107. Probidad

Los sujetos del procedimiento que intervengan en calidad de parte, deberán conducirse con probidad, evitando los planteamientos dilatorios de carácter formal o cualquier abuso en el ejercicio de las facultades o derechos que este Código les concede.

El Órgano jurisdiccional procurará que en todo momento se respete la regularidad del procedimiento, el ejercicio de las facultades o derechos en términos de ley y la buena fé.

CAPÍTULO II
VÍCTIMA U OFENDIDO

Artículo 108. Víctima u ofendido

Para los efectos de este Código, se considera víctima del delito al sujeto pasivo que resiente directamente sobre su persona la afectación producida por la conducta delictiva. Asimismo, se considerará ofendido a la persona física o moral titular del bien jurídico lesionado o puesto en peligro por la acción u omisión prevista en la ley penal como delito.

En los delitos cuya consecuencia fuera la muerte de la víctima o en el caso en que ésta no pudiera ejercer personalmente los derechos que este Código le otorga, se considerarán como ofendidos, en el siguiente orden, el o la cónyuge, la concubina o concubinario, el conviviente, los parientes por consanguinidad en la línea recta ascendente o descendente sin limitación de grado, por afinidad y civil, o cualquier otra persona que tenga relación afectiva con la víctima.

La víctima u ofendido, en términos de la Constitución y demás ordenamientos aplicables, tendrá todos los derechos y prerrogativas que en éstas se le reconocen.

Artículo 109. Derechos de la víctima u ofendido

En los procedimientos previstos en este Código, la víctima u ofendido tendrán los siguientes derechos:

I. A ser informado de los derechos que en su favor le reconoce la Constitución;

II. A que el Ministerio Público y sus auxiliares así como el Órgano jurisdiccional les faciliten el acceso a la justicia y les presten los servicios que constitucionalmente tienen encomendados con legalidad, honradez, lealtad, imparcialidad, profesionalismo, eficiencia, perspectiva de género y eficacia y con la debida diligencia;

Fracción reformada DOF 25-04-2023

III. A contar con información sobre los derechos que en su beneficio existan, como ser atendidos por personal del mismo sexo, o del sexo que la víctima elija, cuando así lo requieran y recibir desde la comisión del delito atención médica y psicológica de urgencia, así como asistencia jurídica a través de un Asesor jurídico;

IV. A comunicarse, inmediatamente después de haberse cometido el delito con un familiar, e incluso con su Asesor jurídico;

V. A ser informado, cuando así lo solicite, del desarrollo del procedimiento penal por su Asesor jurídico, el Ministerio Público y/o, en su caso, por el Juez o Tribunal;

VI. A ser tratado con respeto y dignidad;

VII. A contar con un Asesor jurídico gratuito en cualquier etapa del procedimiento, en los términos de la legislación aplicable;

VIII. A recibir trato sin discriminación a fin de evitar que se atente contra la dignidad humana y se anulen o menoscaben sus derechos y libertades, por lo que la protección de sus derechos se hará sin distinción alguna;

IX. A acceder a la justicia de manera pronta, gratuita e imparcial respecto de sus denuncias o querellas;

X. A participar en los mecanismos alternativos de solución de controversias;

XI. A recibir gratuitamente la asistencia de un intérprete o traductor desde la denuncia hasta la conclusión del procedimiento penal, cuando la víctima u ofendido pertenezca a un grupo étnico o pueblo indígena o no conozca o no comprenda el idioma español;

XII. En caso de tener alguna discapacidad, a que se realicen los ajustes al procedimiento penal que sean necesarios para salvaguardar sus derechos.

De igual forma, se adaptarán las condiciones que sean necesarias para garantizar el acceso de las personas adultas mayores, cuando así lo requieran;

Fracción reformada DOF 03-01-2024

XIII. A que se le proporcione asistencia migratoria cuando tenga otra nacionalidad;

XIV. A que se le reciban todos los datos o elementos de prueba pertinentes con los que cuente, tanto en la investigación como en el proceso, a que se desahoguen las diligencias correspondientes, y a intervenir en el juicio e interponer los recursos en los términos que establece este Código;

XV. A intervenir en todo el procedimiento por sí o a través de su Asesor jurídico, conforme lo dispuesto en este Código;

XVI. A que se le provea protección cuando exista riesgo para su vida o integridad personal;

XVII. A solicitar la realización de actos de investigación que en su caso correspondan, salvo que el Ministerio Público considere que no es necesario, debiendo fundar y motivar su negativa;

XVIII. A recibir atención médica y psicológica o a ser canalizado a instituciones que le proporcionen estos servicios, así como a recibir protección especial de su integridad física y psíquica cuando así lo solicite, o cuando se trate de delitos que así lo requieran;

XIX. A solicitar medidas de protección, providencias precautorias y medidas cautelares;

XX. A solicitar el traslado de la autoridad al lugar en donde se encuentre, para ser interrogada o participar en el acto para el cual fue citada, cuando por su edad, enfermedad grave o por alguna otra imposibilidad física o psicológica se dificulte su comparecencia, a cuyo fin deberá requerir la dispensa, por sí o por un tercero, con anticipación;

XXI. A impugnar por sí o por medio de su representante, las omisiones o negligencia que cometa el Ministerio Público en el desempeño de sus funciones de investigación, en los términos previstos en este Código y en las demás disposiciones legales aplicables;

XXII. A tener acceso a los registros de la investigación durante el procedimiento, así como a obtener copia gratuita de éstos, salvo que la información esté sujeta a reserva así determinada por el Órgano jurisdiccional;

XXIII. A ser restituido en sus derechos, cuando éstos estén acreditados;

XXIV. A que se le garantice la reparación del daño durante el procedimiento en cualquiera de las formas previstas en este Código;

XXV. A que se le repare el daño causado por la comisión del delito, pudiendo solicitarlo directamente al Órgano jurisdiccional, sin perjuicio de que el Ministerio Público lo solicite;

XXVI. Al resguardo de su identidad y demás datos personales cuando sean menores de edad, se trate de delitos de violación contra la libertad y el normal desarrollo psicosexual, violencia familiar, secuestro, trata de personas o cuando a juicio del Órgano jurisdiccional sea necesario para su protección, salvaguardando en todo caso los derechos de la defensa;

XXVII. A ser notificado del desistimiento de la acción penal y de todas las resoluciones que finalicen el procedimiento, de conformidad con las reglas que establece este Código;

XXVIII. A solicitar la reapertura del proceso cuando se haya decretado su suspensión, y

XXIX. Los demás que establezcan este Código y otras leyes aplicables.

En el caso de que las víctimas sean personas menores de dieciocho años, el Órgano jurisdiccional o el Ministerio Público tendrán en cuenta los principios del interés superior de los niños o adolescentes, la prevalencia de sus derechos, su protección integral y los derechos consagrados en la Constitución, en los Tratados, así como los previstos en el presente Código.

Para los delitos que impliquen violencia contra las mujeres, se deberán observar todos los derechos que en su favor establece la Ley General de Acceso de las Mujeres a una Vida Libre de Violencia y demás disposiciones aplicables.

Artículo 110. Designación de Asesor jurídico

En cualquier etapa del procedimiento, las víctimas u ofendidos podrán designar a un Asesor jurídico, el cual deberá ser licenciado en derecho o abogado titulado, quien deberá acreditar su profesión desde el inicio de su intervención mediante cédula profesional. Si la víctima u ofendido no puede designar uno particular, tendrá derecho a uno de oficio.

Cuando la víctima u ofendido perteneciere a un pueblo o comunidad indígena, el Asesor jurídico deberá tener conocimiento de su lengua y cultura y, en caso de que no fuere posible, deberá actuar asistido de un intérprete que tenga dicho conocimiento.

La intervención del Asesor jurídico será para orientar, asesorar o intervenir legalmente en el procedimiento penal en representación de la víctima u ofendido.

En cualquier etapa del procedimiento, las víctimas podrán actuar por sí o a través de su Asesor jurídico, quien sólo promoverá lo que previamente informe a su representado. El Asesor jurídico intervendrá en representación de la víctima u ofendido en igualdad de condiciones que el Defensor.

Artículo 111. Restablecimiento de las cosas al estado previo

En cualquier estado del procedimiento, la víctima u ofendido podrá solicitar al Órgano jurisdiccional, ordene como medida provisional, cuando la naturaleza del hecho lo permita, la restitución de sus bienes, objetos, instrumentos o productos del delito, o la reposición o restablecimiento de las cosas al estado que tenían antes del hecho, siempre que haya suficientes elementos para decidirlo.

CAPÍTULO III
IMPUTADO

Artículo 112. Denominación

Se denominará genéricamente imputado a quien sea señalado por el Ministerio Público como posible autor o partícipe de un hecho que la ley señale como delito.

Además, se denominará acusado a la persona contra quien se ha formulado acusación y sentenciado a aquel sobre quien ha recaído una sentencia aunque no haya sido declarada firme.

Artículo 113. Derechos del Imputado

El imputado tendrá los siguientes derechos:

I. A ser considerado y tratado como inocente hasta que se demuestre su responsabilidad;

II. A comunicarse con un familiar y con su Defensor cuando sea detenido, debiendo brindarle el Ministerio Público todas las facilidades para lograrlo;

III. A declarar o a guardar silencio, en el entendido que su silencio no podrá ser utilizado en su perjuicio;

IV. A estar asistido de su Defensor al momento de rendir su declaración, así como en cualquier otra actuación y a entrevistarse en privado previamente con él;

V. A que se le informe, tanto en el momento de su detención como en su comparecencia ante el Ministerio Público o el Juez de control, los hechos que se le imputan y los derechos que le asisten, así como, en su caso, el motivo de la privación de su libertad y el servidor público que la ordenó, exhibiéndosele, según corresponda, la orden emitida en su contra;

VI. A no ser sometido en ningún momento del procedimiento a técnicas ni métodos que atenten contra su dignidad, induzcan o alteren su libre voluntad;

VII. A solicitar ante la autoridad judicial la modificación de la medida cautelar que se le haya impuesto, en los casos en que se encuentre en prisión preventiva, en los supuestos señalados por este Código;

VIII. A tener acceso él y su defensa, salvo las excepciones previstas en la ley, a los registros de la investigación, así como a obtener copia gratuita, registro fotográfico o electrónico de los mismos, en términos de los artículos 218 y 219 de este Código.

Fracción reformada DOF 17-06-2016

IX. A que se le reciban los medios pertinentes de prueba que ofrezca, concediéndosele el tiempo necesario para tal efecto y auxiliándosele para obtener la comparecencia de las personas cuyo testimonio solicite y que no pueda presentar directamente, en términos de lo establecido por este Código;

X. A ser juzgado en audiencia por un Tribunal de enjuiciamiento, antes de cuatro meses si se tratare de delitos cuya pena máxima no exceda de dos años de prisión, y antes de un año si la pena excediere de ese tiempo, salvo que solicite mayor plazo para su defensa;

XI. A tener una defensa adecuada por parte de un licenciado en derecho o abogado titulado, con cédula profesional, al cual elegirá libremente incluso desde el momento de su detención y, a falta de éste, por el Defensor público que le corresponda, así como a reunirse o entrevistarse con él en estricta confidencialidad;

XII. A ser asistido gratuitamente por un traductor o intérprete en el caso de que no comprenda o hable el idioma español; cuando el imputado perteneciere a un pueblo o comunidad indígena, el Defensor deberá tener conocimiento de su lengua y cultura y, en caso de que no fuere posible, deberá actuar asistido de un intérprete de la cultura y lengua de que se trate;

XIII. A ser presentado ante el Ministerio Público o ante el Juez de control, según el caso, inmediatamente después de ser detenido o aprehendido;

XIV. A no ser expuesto a los medios de comunicación;

XV. A no ser presentado ante la comunidad como culpable;

XVI. A solicitar desde el momento de su detención, asistencia social para los menores de edad o personas con discapacidad o personas adultas mayores cuyo cuidado personal tenga a su cargo;

Fracción reformada DOF 03-01-2024

XVII. A obtener su libertad en el caso de que haya sido detenido, cuando no se ordene la prisión preventiva, u otra medida cautelar restrictiva de su libertad;

XVIII. A que se informe a la embajada o consulado que corresponda cuando sea detenido, y se le proporcione asistencia migratoria cuando tenga nacionalidad extranjera, y

XIX. Los demás que establezca este Código y otras disposiciones aplicables.

Los plazos a que se refiere la fracción X de este artículo, se contarán a partir de la audiencia inicial hasta el momento en que sea dictada la sentencia emitida por el Órgano jurisdiccional competente.

Cuando el imputado tenga a su cuidado menores de edad, personas con discapacidad, o adultos mayores que dependan de él, y no haya otra persona que pueda ejercer ese cuidado, el Ministerio Público deberá canalizarlos a instituciones de asistencia social que correspondan, a efecto de recibir la protección.

Artículo 114. Declaración del imputado

El imputado tendrá derecho a declarar durante cualquier etapa del procedimiento. En este caso, podrá hacerlo ante el Ministerio Público o ante el Órgano jurisdiccional, con pleno respeto a los derechos que lo amparan y en presencia de su Defensor.

En caso que el imputado manifieste a la Policía su deseo de declarar sobre los hechos que se investigan, ésta deberá comunicar dicha situación al Ministerio Público para que se reciban sus manifestaciones con las formalidades previstas en este Código.

CAPÍTULO IV
DEFENSOR

Artículo 115. Designación de Defensor

El Defensor podrá ser designado por el imputado desde el momento de su detención, mismo que deberá ser licenciado en derecho o abogado titulado con cédula profesional. A falta de éste o ante la omisión de su designación, será nombrado el Defensor público que corresponda.

La intervención del Defensor no menoscabará el derecho del imputado de intervenir, formular peticiones y hacer las manifestaciones que estime pertinentes.

Artículo 116. Acreditación

Los Defensores designados deberán acreditar su profesión ante el Órgano jurisdiccional desde el inicio de su intervención en el procedimiento, mediante cédula profesional legalmente expedida por la autoridad competente.

Artículo 117. Obligaciones del Defensor

Son obligaciones del Defensor:

I. Entrevistar al imputado para conocer directamente su versión de los hechos que motivan la investigación, a fin de ofrecer los datos y medios de prueba pertinentes que sean necesarios para llevar a cabo una adecuada defensa;

II. Asesorar al imputado sobre la naturaleza y las consecuencias jurídicas de los hechos punibles que se le atribuyen;

III. Comparecer y asistir jurídicamente al imputado en el momento en que rinda su declaración, así como en cualquier diligencia o audiencia que establezca la ley;

IV. Analizar las constancias que obren en la carpeta de investigación, a fin de contar con mayores elementos para la defensa;

V. Comunicarse directa y personalmente con el imputado, cuando lo estime conveniente, siempre y cuando esto no altere el desarrollo normal de las audiencias;

VI. Recabar y ofrecer los medios de prueba necesarios para la defensa;

VII. Presentar los argumentos y datos de prueba que desvirtúen la existencia del hecho que la ley señala como delito, o aquellos que permitan hacer valer la procedencia de alguna causal de inimputabilidad, sobreseimiento o excluyente de responsabilidad a favor del imputado y la prescripción de la acción penal o cualquier otra causal legal que sea en beneficio del imputado;

VIII. Solicitar el no ejercicio de la acción penal;

IX. Ofrecer los datos o medios de prueba en la audiencia correspondientes y promover la exclusión de los ofrecidos por el Ministerio Público o la víctima u ofendido cuando no se ajusten a la ley;

X. Promover a favor del imputado la aplicación de mecanismos alternativos de solución de controversias o formas anticipadas de terminación del proceso penal, de conformidad con las disposiciones aplicables;

XI. Participar en la audiencia de juicio, en la que podrá exponer sus alegatos de apertura, desahogar las pruebas ofrecidas, controvertir las de los otros intervinientes, hacer las objeciones que procedan y formular sus alegatos finales;

XII. Mantener informado al imputado sobre el desarrollo y seguimiento del procedimiento o juicio;

XIII. En los casos en que proceda, formular solicitudes de procedimientos especiales;

XIV. Guardar el secreto profesional en el desempeño de sus funciones;

XV. Interponer los recursos e incidentes en términos de este Código y de la legislación aplicable y, en su caso, promover el juicio de Amparo;

XVI. Informar a los imputados y a sus familiares la situación jurídica en que se encuentre su defensa, y

XVII. Las demás que señalen las leyes.

Artículo 118. Nombramiento posterior

Durante el transcurso del procedimiento el imputado podrá designar a un nuevo Defensor, sin embargo, hasta en tanto el nuevo Defensor no comparezca a aceptar el cargo conferido, el Órgano jurisdiccional o el Ministerio Público le designarán al imputado un Defensor público, a fin de no dejarlo en estado de indefensión.

Artículo 119. Inadmisibilidad y apartamiento

En ningún caso podrá nombrarse como Defensor del imputado a cualquier persona que sea coimputada del acusado, haya sido sentenciada por el mismo hecho o imputada por ser autor o partícipe del encubrimiento o favorecimiento del mismo hecho.

Artículo 120. Renuncia y abandono

Cuando el Defensor renuncie o abandone la defensa, el Ministerio Público o el Órgano jurisdiccional le harán saber al imputado que tiene derecho a designar a otro Defensor; sin embargo, en tanto no lo designe o no quiera o no pueda nombrarlo, se le designará un Defensor público.

Artículo 121. Garantía de la Defensa técnica

Siempre que el Órgano jurisdiccional advierta que existe una manifiesta y sistemática incapacidad técnica del Defensor, prevendrá al imputado para que designe otro.

Si se trata de un Defensor privado, el imputado contará con tres días para designar un nuevo Defensor. Si prevenido el imputado, no se designa otro, un Defensor público será asignado para colaborar en su defensa.

Si se trata de un Defensor público, con independencia de la responsabilidad en que incurriere, se dará vista al superior jerárquico para los efectos de sustitución.

En ambos casos se otorgará un término que no excederá de diez días para que se desarrolle una defensa adecuada a partir del acto que suscitó el cambio.

Artículo 122. Nombramiento del Defensor público

Cuando el imputado no pueda o se niegue a designar un Defensor particular, el Ministerio Público solicitará a la autoridad competente se nombre un Defensor público; si es ante el Órgano jurisdiccional éste designará al defensor público, que lleve la representación de la defensa desde el primer acto en que intervenga. Será responsabilidad del defensor la oportuna comparecencia.

Artículo reformado DOF 17-06-2016

Artículo 123. Número de Defensores

El imputado podrá designar el número de Defensores que considere conveniente, los cuales, en las audiencias, tomarán la palabra en orden y deberán actuar en todo caso con respeto.

Artículo 124. Defensor común

La defensa de varios imputados en un mismo proceso por un Defensor común no será admisible, a menos que se acredite que no existe incompatibilidad ni conflicto de intereses de las defensas de los imputados. Si se autoriza el Defensor común y la incompatibilidad se advierte en el curso del proceso, será corregida de oficio y se proveerá lo necesario para reemplazar al Defensor.

Artículo 125. Entrevista con los detenidos

El imputado que se encuentre detenido por cualquier circunstancia, antes de rendir declaración tendrá derecho a entrevistarse oportunamente y en forma privada con su Defensor, cuando así lo solicite, en el lugar que para tal efecto se designe. La autoridad del conocimiento tiene la obligación de implementar todo lo necesario para el libre ejercicio de este derecho.

Artículo 126. Entrevista con otras personas

Si antes de una audiencia, con motivo de su preparación, el Defensor tuviera necesidad de entrevistar a una persona o interviniente del procedimiento que se niega a recibirlo, podrá solicitar el auxilio judicial, explicándole las razones por las que se hace necesaria la entrevista. El Órgano jurisdiccional, en caso de considerar fundada la solicitud, expedirá la orden para que dicha persona sea entrevistada por el Defensor en el lugar y tiempo que aquélla establezca o el propio Órgano jurisdiccional determine. Esta autorización no se concederá en aquellos casos en que, a solicitud del Ministerio Público, el Órgano jurisdiccional estime que la víctima o los testigos deben estar sujetos a protocolos especiales de protección.

CAPÍTULO V
MINISTERIO PÚBLICO

Artículo 127. Competencia del Ministerio Público

Compete al Ministerio Público conducir la investigación, coordinar a las Policías y a los servicios periciales durante la investigación, resolver sobre el ejercicio de la acción penal en la forma establecida por la ley y, en su caso, ordenar las diligencias pertinentes y útiles para demostrar, o no, la existencia del delito y la responsabilidad de quien lo cometió o participó en su comisión.

Artículo 128. Deber de lealtad

El Ministerio Público deberá actuar durante todas las etapas del procedimiento en las que intervenga con absoluto apego a lo previsto en la Constitución, en este Código y en la demás legislación aplicable.

El Ministerio Público deberá proporcionar información veraz sobre los hechos, sobre los hallazgos en la investigación y tendrá el deber de no ocultar a los intervinientes elemento alguno que pudiera resultar favorable para la posición que ellos asumen, sobre todo cuando resuelva no incorporar alguno de esos elementos al procedimiento, salvo la reserva que en determinados casos la ley autorice en las investigaciones.

Artículo 129. Deber de objetividad y debida diligencia

La investigación debe ser objetiva y referirse tanto a los elementos de cargo como de descargo y conducida con la debida diligencia, a efecto de garantizar el respeto de los derechos de las partes y el debido proceso.

Al concluir la investigación complementaria puede solicitar el sobreseimiento del proceso, o bien, en la audiencia de juicio podrá concluir solicitando la absolución o una condena más leve que aquella que sugiere la acusación, cuando en ésta surjan elementos que conduzcan a esa conclusión, de conformidad con lo previsto en este Código.

Durante la investigación, tanto el imputado como su Defensor, así como la víctima o el ofendido, podrán solicitar al Ministerio Público todos aquellos actos de investigación que consideraren pertinentes y útiles para el esclarecimiento de los hechos. El Ministerio Público dentro del plazo de tres días resolverá sobre dicha solicitud. Para tal efecto, podrá disponer que se lleven a cabo las diligencias que se estimen conducentes para efectos de la investigación.

El Ministerio Público podrá, con pleno respeto a los derechos que lo amparan y en presencia del Defensor, solicitar la comparecencia del imputado y/u ordenar su declaración, cuando considere que es relevante para esclarecer la existencia del hecho delictivo y la probable participación o intervención.

Artículo 130. Carga de la prueba

La carga de la prueba para demostrar la culpabilidad corresponde a la parte acusadora, conforme lo establezca el tipo penal.

Artículo 131. Obligaciones del Ministerio Público

Para los efectos del presente Código, el Ministerio Público tendrá las siguientes obligaciones:

I. Vigilar que en toda investigación de los delitos se cumpla estrictamente con los derechos humanos reconocidos en la Constitución y en los Tratados;

II. Recibir las denuncias o querellas que le presenten en forma oral, por escrito, o a través de medios digitales, incluso mediante denuncias anónimas en términos de las disposiciones legales aplicables, sobre hechos que puedan constituir algún delito;

III. Ejercer la conducción y el mando de la investigación de los delitos, para lo cual deberá coordinar a las Policías y a los peritos durante la misma;

IV. Ordenar o supervisar, según sea el caso, la aplicación y ejecución de las medidas necesarias para impedir que se pierdan, destruyan o alteren los indicios, una vez que tenga noticia del mismo, así como cerciorarse de que se han seguido las reglas y protocolos para su preservación y procesamiento;

V. Iniciar la investigación correspondiente cuando así proceda y, en su caso, ordenar la recolección de indicios y medios de prueba que deberán servir para sus respectivas resoluciones y las del Órgano jurisdiccional, así como recabar los elementos necesarios que determinen el daño causado por el delito y la cuantificación del mismo para los efectos de su reparación. Cuando se trate del delito de feminicidio se deberán aplicar los protocolos previstos para tales efectos;

Fracción reformada DOF 25-04-2023

VI. Ejercer funciones de investigación respecto de los delitos en materias concurrentes, cuando ejerza la facultad de atracción y en los demás casos que las leyes lo establezcan;

VII. Ordenar a la Policía y a sus auxiliares, en el ámbito de su competencia, la práctica de actos de investigación conducentes para el esclarecimiento del hecho delictivo, así como analizar las que dichas autoridades hubieren practicado;

VIII. Instruir a las Policías sobre la legalidad, pertinencia, suficiencia y contundencia de los indicios recolectados o por recolectar, así como las demás actividades y diligencias que deben ser llevadas a cabo dentro de la investigación;

IX. Requerir informes o documentación a otras autoridades y a particulares, así como solicitar la práctica de peritajes y diligencias para la obtención de otros medios de prueba;

X. Solicitar al Órgano jurisdiccional la autorización de actos de investigación y demás actuaciones que sean necesarias dentro de la misma;

XI. Ordenar la detención y la retención de los imputados cuando resulte procedente en los términos que establece este Código;

XII. Brindar las medidas de seguridad necesarias, a efecto de garantizar que las víctimas u ofendidos o testigos del delito puedan llevar a cabo la identificación del imputado sin riesgo para ellos;

XIII. Determinar el archivo temporal y el no ejercicio de la acción penal, así como ejercer la facultad de no investigar en los casos autorizados por este Código;

XIV. Decidir la aplicación de criterios de oportunidad en los casos previstos en este Código;

XV. Promover las acciones necesarias para que se provea la seguridad y proporcionar el auxilio a víctimas, ofendidos, testigos, jueces, magistrados, agentes del Ministerio Público, Policías, peritos y, en general, a todos los sujetos que con motivo de su intervención en el procedimiento, cuya vida o integridad corporal se encuentren en riesgo inminente;

XVI. Ejercer la acción penal cuando proceda;

XVII. Poner a disposición del Órgano jurisdiccional a las personas detenidas dentro de los plazos establecidos en el presente Código;

XVIII. Promover la aplicación de mecanismos alternativos de solución de controversias o formas anticipadas de terminación del proceso penal, de conformidad con las disposiciones aplicables;

XIX. Solicitar las medidas cautelares aplicables al imputado en el proceso, en atención a las disposiciones conducentes y promover su cumplimiento;

XX. Comunicar al Órgano jurisdiccional y al imputado los hechos, así como los datos de prueba que los sustentan y la fundamentación jurídica, atendiendo al objetivo o finalidad de cada etapa del procedimiento;

XXI. Solicitar a la autoridad judicial la imposición de las penas o medidas de seguridad que correspondan;

XXII. Solicitar el pago de la reparación del daño a favor de la víctima u ofendido del delito, sin perjuicio de que éstos lo pudieran solicitar directamente;

XXIII. Actuar en estricto apego a los principios de legalidad, objetividad, eficiencia, profesionalismo, honradez, perspectiva de género y respeto a los derechos humanos reconocidos en la Constitución;

Fracción reformada DOF 25-04-2023

XXIII Bis. Tratándose de delitos por razón de género, se deberá investigar con perspectiva de género, y

Fracción adicionada DOF 25-04-2023

XXIV. Las demás que señale este Código y otras disposiciones aplicables.

CAPÍTULO VI
POLICÍA

Artículo 132. Obligaciones de las y los Policías

El Policía actuará bajo la conducción y mando del Ministerio Público en la investigación de los delitos en estricto apego a los principios de legalidad, objetividad, eficiencia, profesionalismo, honradez, perspectiva de género y respeto a los derechos humanos reconocidos en la Constitución.

Epígrafe reformado DOF 16-12-2024

Para los efectos del presente Código, el Policía tendrá las siguientes obligaciones:

Párrafo reformado DOF 25-04-2023

I. Recibir las denuncias sobre hechos que puedan ser constitutivos de delito e informar al Ministerio Público por cualquier medio y de forma inmediata de las diligencias practicadas;

II. Recibir denuncias anónimas e inmediatamente hacerlo del conocimiento del Ministerio Público a efecto de que éste coordine la investigación;

III. Realizar detenciones en los casos que autoriza la Constitución, haciendo saber a la persona detenida los derechos que ésta le otorga;

IV. Impedir que se consumen los delitos o que los hechos produzcan consecuencias ulteriores. Especialmente estará obligada a realizar todos los actos necesarios para evitar una agresión real, actual o inminente y sin derecho en protección de bienes jurídicos de los gobernados a quienes tiene la obligación de proteger;

V. Actuar bajo el mando del Ministerio Público en el aseguramiento de bienes relacionados con la investigación de los delitos;

VI. Informar sin dilación por cualquier medio al Ministerio Público sobre la detención de cualquier persona, e inscribir inmediatamente las detenciones en el registro que al efecto establezcan las disposiciones aplicables;

VII. Practicar las inspecciones y otros actos de investigación, así como reportar sus resultados al Ministerio Público. En aquellos que se requiera autorización judicial, deberá solicitarla a través del Ministerio Público;

VIII. Preservar el lugar de los hechos o del hallazgo y en general, realizar todos los actos necesarios para garantizar la integridad de los indicios. En su caso deberá dar aviso a la Policía con capacidades para procesar la escena del hecho y al Ministerio Público conforme a las disposiciones previstas en este Código y en la legislación aplicable;

IX. Recolectar y resguardar objetos relacionados con la investigación de los delitos, en los términos de la fracción anterior;

X. Entrevistar a las personas que pudieran aportar algún dato o elemento para la investigación;

XI. Requerir a las autoridades competentes y solicitar a las personas físicas o morales, informes y documentos para fines de la investigación. En caso de negativa, informará al Ministerio Público para que determine lo conducente;

XII. Proporcionar atención a víctimas u ofendidos o testigos del delito. Para tal efecto, deberá:

a) Prestar protección y auxilio inmediato, de conformidad con las disposiciones aplicables;

b) Informar a la víctima u ofendido sobre los derechos que en su favor se establecen;

c) Procurar que reciban atención médica y psicológica cuando sea necesaria;

Inciso reformado DOF 25-04-2023

d) Adoptar las medidas que se consideren necesarias, en el ámbito de su competencia, tendientes a evitar que se ponga en peligro su integridad física y psicológica, y

Inciso reformado DOF 25-04-2023

e) Tratándose de delitos por razón de género, deberá actuar con perspectiva de género.

Inciso adicionado DOF 25-04-2023

XII Bis. Cuando se trate de delitos por motivo de género se deberán aplicar los protocolos previstos para tales efectos;

Fracción adicionada DOF 25-04-2023

XIII. Dar cumplimiento a los mandamientos ministeriales y jurisdiccionales que les sean instruidos, tratándose del cumplimiento de las medidas u órdenes de protección deberán estar a lo previsto en la Ley General de Acceso de las Mujeres a una Vida Libre de Violencia;

Fracción reformada DOF 16-12-2024

XIV. Emitir el informe policial y demás documentos, de conformidad con las disposiciones aplicables. Para tal efecto se podrá apoyar en los conocimientos que resulten necesarios, sin que ello tenga el carácter de informes periciales, y

XV. Las demás que le confieran este Código y otras disposiciones aplicables.

CAPÍTULO VII
JUECES Y MAGISTRADOS

Artículo 133. Competencia jurisdiccional

Para los efectos de este Código, la competencia jurisdiccional comprende a los siguientes órganos:

I. Juez de control, con competencia para ejercer las atribuciones que este Código le reconoce desde el inicio de la etapa de investigación hasta el dictado del auto de apertura a juicio;

II. Tribunal de enjuiciamiento, que preside la audiencia de juicio y dictará la sentencia, y

III. Tribunal de alzada, que conocerá de los medios de impugnación y demás asuntos que prevé este Código.

Artículo 134. Deberes comunes de los jueces

En el ámbito de sus respectivas competencias y atribuciones, son deberes comunes de los jueces y magistrados, los siguientes:

I. Resolver los asuntos sometidos a su consideración con la debida diligencia, dentro de los términos previstos en la ley y con sujeción a los principios que deben regir el ejercicio de la función jurisdiccional;

II. Respetar, garantizar y velar por la salvaguarda de los derechos de quienes intervienen en el procedimiento;

III. Guardar reserva sobre los asuntos relacionados con su función, aun después de haber cesado en el ejercicio del cargo;

IV. Atender oportuna y debidamente las peticiones dirigidas por los sujetos que intervienen dentro del procedimiento penal;

V. Abstenerse de presentar en público al imputado o acusado como culpable si no existiera condena;

VI. Mantener el orden en las salas de audiencias;

Fracción reformada DOF 25-04-2023

VI Bis. Tratándose de delitos por razón de género, se deberá juzgar con perspectiva de género;

Fracción adicionada DOF 25-04-2023

VI Ter. Cuando se trate de delitos por motivo de género se deberán aplicar los protocolos para juzgar con perspectiva de género, y

Fracción adicionada DOF 25-04-2023

VII. Los demás establecidos en la Ley Orgánica, en este Código y otras disposiciones aplicables.

Artículo 135. La queja y su procedencia

Procederá queja en contra del juzgador de primera instancia por no realizar un acto procesal dentro del plazo señalado por este Código. La queja podrá ser promovida por cualquier parte del procedimiento y se tramitará sin perjuicio de las otras consecuencias legales que tenga la omisión del juzgador.

La queja será interpuesta ante el Órgano jurisdiccional omiso; éste tiene un plazo de veinticuatro horas para subsanar dicha omisión, o bien, realizar un informe breve y conciso sobre las razones por las cuales no se ha verificado el acto procesal o la formalidad exigidos por la norma omitida y remitir el recurso y dicho informe al Órgano jurisdiccional competente.

Párrafo reformado DOF 17-06-2016

La autoridad jurisdiccional competente tramitará y resolverá en un plazo no mayor a tres días en los términos de las disposiciones aplicables.

Párrafo reformado DOF 17-06-2016

En ningún caso, el Órgano jurisdiccional competente para resolver la queja podrá ordenar al Órgano Jurisdiccional omiso los términos y las condiciones en que deberá subsanarse la omisión, debiéndose limitar su resolución a que se realice el acto omitido.

Párrafo reformado DOF 17-06-2016

CAPÍTULO VIII
AUXILIARES DE LAS PARTES

Artículo 136. Consultores técnicos

Si por las circunstancias del caso, las partes que intervienen en el procedimiento consideran necesaria la asistencia de un consultor en una ciencia, arte o técnica, así lo plantearán al Órgano jurisdiccional. El consultor técnico podrá acompañar en las audiencias a la parte con quien colabora, para apoyarla técnicamente.

TÍTULO VI
MEDIDAS DE PROTECCIÓN DURANTE LA INVESTIGACIÓN, FORMAS DE CONDUCCIÓN DEL IMPUTADO AL PROCESO Y MEDIDAS CAUTELARES

CAPÍTULO I
MEDIDAS DE PROTECCIÓN Y PROVIDENCIAS PRECAUTORIAS

Artículo 137. Medidas u Órdenes de protección

El Ministerio Público, bajo su más estricta responsabilidad, ordenará fundada y motivadamente la aplicación de las medidas de protección idóneas cuando estime que el imputado representa un riesgo inminente en contra de la seguridad de la víctima u ofendido. Son medidas de protección las siguientes:

I. Prohibición de acercarse o comunicarse con la víctima u ofendido;

II. Limitación para asistir o acercarse al domicilio de la víctima u ofendido o al lugar donde se encuentre;

III. Separación inmediata del domicilio;

IV. La entrega inmediata de objetos de uso personal y documentos de identidad de la víctima que tuviera en su posesión el probable responsable;

V. La prohibición de realizar conductas de intimidación o molestia a la víctima u ofendido o a personas relacionados con ellos;

VI. Vigilancia en el domicilio de la víctima u ofendido;

VII. Protección policial de la víctima u ofendido;

VIII. Auxilio inmediato por integrantes de instituciones policiales, al domicilio en donde se localice o se encuentre la víctima u ofendido en el momento de solicitarlo;

IX. Traslado de la víctima u ofendido a refugios o albergues temporales, así como de sus descendientes, y

X. El reingreso de la víctima u ofendido a su domicilio, una vez que se salvaguarde su seguridad.

Dentro de los cinco días siguientes a la imposición de las medidas de protección previstas en las fracciones I, II y III deberá celebrarse audiencia en la que el juez podrá cancelarlas, o bien, ratificarlas o modificarlas mediante la imposición de las medidas cautelares correspondientes.

En caso de incumplimiento de las medidas de protección, el Ministerio Público podrá imponer alguna de las medidas de apremio previstas en este Código.

Tratándose de delitos relacionados con las violencias de género contra las mujeres se aplicará de manera supletoria la Ley General de Acceso de las Mujeres a una Vida Libre de Violencia.

Párrafo reformado DOF 16-12-2024

Artículo 138. Providencias precautorias para la restitución de derechos de la víctima

Para garantizar la reparación del daño, la víctima, el ofendido o el Ministerio Público, podrán solicitar al juez las siguientes providencias precautorias:

I. El embargo de bienes, y

II. La inmovilización de cuentas y demás valores que se encuentren dentro del sistema financiero.

El juez decretará las providencias precautorias, siempre y cuando, de los datos de prueba expuestos por el Ministerio Público y la víctima u ofendido, se desprenda la posible reparación del daño y la probabilidad de que el imputado será responsable de repararlo.

Decretada la providencia precautoria, podrá revisarse, modificarse, sustituirse o cancelarse a petición del imputado o de terceros interesados, debiéndose escuchar a la víctima u ofendido y al Ministerio Público.

Las providencias precautorias serán canceladas si el imputado garantiza o paga la reparación del daño; si fueron decretadas antes de la audiencia inicial y el Ministerio Público no las promueve, o no solicita orden de aprehensión en el término que señala este Código; si se declara fundada la solicitud de cancelación de embargo planteada por la persona en contra de la cual se decretó o de un tercero, o si se dicta sentencia absolutoria, se decreta el sobreseimiento o se absuelve de la reparación del daño.

La providencia precautoria se hará efectiva a favor de la víctima u ofendido cuando la sentencia que condene a reparar el daño cause ejecutoria. El embargo se regirá en lo conducente por las reglas generales del embargo previstas en el Código Nacional de Procedimientos Civiles y Familiares.

Artículo 139. Duración de las medidas u órdenes de protección y providencias precautorias

Epígrafe reformado DOF 16-12-2024

La imposición de las medidas de protección y de las providencias precautorias tendrá una duración máxima de sesenta días naturales, prorrogables hasta por treinta días.

Cuando hubiere desaparecido la causa que dio origen a la medida decretada, el imputado, su Defensor o en su caso el Ministerio Público, podrán solicitar al Juez de control que la deje sin efectos.

Tratándose de delitos relacionados con las violencias de género contra las mujeres, adolescentes y niñas, se aplicará de manera supletoria la Ley General de Acceso de las Mujeres a una Vida Libre de Violencia.

Párrafo adicionado DOF 16-12-2024

CAPÍTULO II
LIBERTAD DURANTE LA INVESTIGACIÓN

Artículo 140. Libertad durante la investigación

En los casos de detención por flagrancia, cuando se trate de delitos que no merezcan prisión preventiva oficiosa y el Ministerio Público determine que no solicitará prisión preventiva como medida cautelar, podrá disponer la libertad del imputado o imponerle una medida de protección en los términos de lo dispuesto por este Código.

Cuando el Ministerio Público decrete la libertad del imputado, lo prevendrá a fin de que se abstenga de molestar o afectar a la víctima u ofendido y a los testigos del hecho, a no obstaculizar la investigación y comparecer cuantas veces sea citado para la práctica de diligencias de investigación, apercibiéndolo con imponerle medidas de apremio en caso de desobediencia injustificada.

CAPÍTULO III
FORMAS DE CONDUCCIÓN DEL IMPUTADO AL PROCESO

SECCIÓN I
CITATORIO, ÓRDENES DE COMPARECENCIA Y APREHENSIÓN

Artículo 141. Citatorio, orden de comparecencia y aprehensión

Cuando se haya presentado denuncia o querella de un hecho que la ley señale como delito, el Ministerio Público anuncie que obran en la carpeta de investigación datos que establezcan que se ha cometido ese hecho y exista la probabilidad de que el imputado lo haya cometido o participado en su comisión, el Juez de control, a solicitud del Ministerio Público, podrá ordenar:

I. Citatorio al imputado para la audiencia inicial;

II. Orden de comparecencia, a través de la fuerza pública, en contra del imputado que habiendo sido citado previamente a una audiencia no haya comparecido, sin justificación alguna, y

III. Orden de aprehensión en contra de una persona cuando el Ministerio Público advierta que existe la necesidad de cautela.

En la clasificación jurídica que realice el Ministerio Público se especificará el tipo penal que se atribuye, el grado de ejecución del hecho, la forma de intervención y la naturaleza dolosa o culposa de la conducta, sin perjuicio de que con posterioridad proceda la reclasificación correspondiente.

También podrá ordenarse la aprehensión de una persona cuando resista o evada la orden de comparecencia judicial y el delito que se le impute merezca pena privativa de la libertad.

La autoridad judicial declarará sustraído a la acción de la justicia al imputado que, sin causa justificada, no comparezca a una citación judicial, se fugue del establecimiento o lugar donde esté detenido o se ausente de su domicilio sin aviso, teniendo la obligación de darlo. En cualquier caso, la declaración dará lugar a la emisión de una orden de aprehensión en contra del imputado que se haya sustraído de la acción de la justicia.

El Juez podrá dictar orden de reaprehensión en caso de que el Ministerio Público lo solicite para detener a un imputado cuya extradición a otro país hubiera dado lugar a la suspensión de un procedimiento penal, cuando en el Estado requirente el procedimiento para el cual fue extraditado haya concluido.

El Ministerio Público podrá solicitar una orden de aprehensión en el caso de que se incumpla una medida cautelar, en los términos del artículo 174, y el Juez de control la podrá dictar en el caso de que lo estime estrictamente necesario.

Artículo 142. Solicitud de las órdenes de comparecencia o de aprehensión

En la solicitud de orden de comparecencia o de aprehensión se hará una relación de los hechos atribuidos al imputado, sustentada en forma precisa en los registros correspondientes y se expondrán las razones por las que considera que se actualizaron las exigencias señaladas en el artículo anterior.

Las solicitudes se formularán por cualquier medio que garantice su autenticidad, o en audiencia privada con el Juez de control.

Artículo 143. Resolución sobre solicitud de orden de aprehensión o comparecencia

El Juez de control resolverá la solicitud de orden de aprehensión o comparecencia en audiencia, o a través del sistema informático; en ambos casos con la debida secrecía, y se pronunciará sobre cada uno de los elementos planteados en la solicitud.

Párrafo reformado DOF 17-06-2016

En el primer supuesto, la solicitud deberá ser resuelta en la misma audiencia, que se fijará dentro de las veinticuatro horas a partir de la solicitud, exclusivamente con la presencia del Ministerio Público.

Párrafo adicionado DOF 17-06-2016

En el segundo supuesto, dentro de un plazo máximo de veinticuatro horas, siguientes al momento en que se haya recibido la solicitud.

Párrafo adicionado DOF 17-06-2016

En caso de que la solicitud de orden de aprehensión o comparecencia no reúna alguno de los requisitos exigibles, el Juez de control prevendrá en la misma audiencia o por el sistema informático al Ministerio Público para que haga las precisiones o aclaraciones correspondientes, ante lo cual el Juez de control podrá dar una clasificación jurídica distinta a los hechos que se planteen o a la participación que tuvo el imputado en los mismos. No se concederá la orden de aprehensión cuando el Juez de control considere que los hechos que señale el Ministerio Público en su solicitud resulten no constitutivos de delito.

Si la resolución se registra por medios diversos al escrito, los puntos resolutivos de la orden de aprehensión deberán transcribirse y entregarse al Ministerio Público.

Artículo 144. Desistimiento de la acción penal

El Ministerio Público podrá solicitar el desistimiento de la acción penal en cualquier etapa del procedimiento, hasta antes de dictada la resolución de segunda instancia.

La solicitud de desistimiento debe contar con la autorización del Titular de la Procuraduría o del funcionario que en él delegue esa facultad.

El Ministerio Público expondrá brevemente en audiencia ante el Juez de control, Tribunal de enjuiciamiento o Tribunal de alzada, los motivos del desistimiento de la acción penal. La autoridad judicial resolverá de manera inmediata y decretará el sobreseimiento.

En caso de desistimiento de la acción penal, la victima u ofendido podrán impugnar la resolución emitida por el Juez de control, Tribunal de enjuiciamiento o Tribunal de alzada.

Artículo 145. Ejecución y cancelación de la orden de comparecencia y aprehensión

La orden de aprehensión se entregará física o electrónicamente al Ministerio Público, quien la ejecutará por conducto de la Policía. Los agentes policiales que ejecuten una orden judicial de aprehensión pondrán al detenido inmediatamente a disposición del Juez de control que hubiere expedido la orden, en área distinta a la destinada para el cumplimiento de la prisión preventiva o de sanciones privativas de libertad, informando a éste acerca de la fecha, hora y lugar en que ésta se efectuó, debiendo a su vez, entregar al imputado una copia de la misma.

Los agentes policiales deberán informar de inmediato al Ministerio Público sobre la ejecución de la orden de aprehensión para efectos de que éste solicite la celebración de la audiencia inicial a partir de la formulación de imputación.

Los agentes policiales que ejecuten una orden judicial de comparecencia pondrán al imputado inmediatamente a disposición del Juez de control que hubiere expedido la orden, en la sala donde ha de formularse la imputación, en la fecha y hora señalada para tales efectos. La Policía deberá informar al Ministerio Público acerca de la fecha, hora y lugar en que se cumplió la orden, debiendo a su vez, entregar al imputado una copia de la misma.

Cuando por cualquier razón la Policía no pudiera ejecutar la orden de comparecencia, deberá informarlo al Juez de control y al Ministerio Público, en la fecha y hora señaladas para celebración de la audiencia inicial.

El Ministerio Público podrá solicitar la cancelación de una orden de aprehensión o la reclasificación de la conducta o hecho por los cuales hubiese ejercido la acción penal, cuando estime su improcedencia por la aparición de nuevos datos.

La solicitud de cancelación deberá contar con la autorización del titular de la Procuraduría o del funcionario que en él delegue esta facultad.

El Ministerio Público solicitará audiencia privada ante el Juez de control en la que formulará su petición exponiendo los nuevos datos; el Juez de control resolverá de manera inmediata.

La cancelación no impide que continúe la investigación y que posteriormente vuelva a solicitarse orden de aprehensión, salvo que por la naturaleza del hecho en que se funde la cancelación, deba sobreseerse el proceso.

La cancelación de la orden de aprehensión podrá ser apelada por la víctima o el ofendido.

SECCIÓN II
FLAGRANCIA Y CASO URGENTE

Artículo 146. Supuestos de flagrancia

Se podrá detener a una persona sin orden judicial en caso de flagrancia. Se entiende que hay flagrancia cuando:

I. La persona es detenida en el momento de estar cometiendo un delito, o

II. Inmediatamente después de cometerlo es detenida, en virtud de que:

a) Es sorprendida cometiendo el delito y es perseguida material e ininterrumpidamente, o

b) Cuando la persona sea señalada por la víctima u ofendido, algún testigo presencial de los hechos o quien hubiere intervenido con ella en la comisión del delito y cuando tenga en su poder instrumentos, objetos, productos del delito o se cuente con información o indicios que hagan presumir fundadamente que intervino en el mismo.

Para los efectos de la fracción II, inciso b), de este precepto, se considera que la persona ha sido detenida en flagrancia por señalamiento, siempre y cuando, inmediatamente después de cometer el delito no se haya interrumpido su búsqueda o localización.

Artículo 147. Detención en caso de flagrancia

Cualquier persona podrá detener a otra en la comisión de un delito flagrante, debiendo entregar inmediatamente al detenido a la autoridad más próxima y ésta con la misma prontitud al Ministerio Público.

Los cuerpos de seguridad pública estarán obligados a detener a quienes cometan un delito flagrante y realizarán el registro de la detención.

La inspección realizada por los cuerpos de seguridad al imputado deberá conducirse conforme a los lineamientos establecidos para tal efecto en el presente Código.

En este caso o cuando reciban de cualquier persona o autoridad a una persona detenida, deberán ponerla de inmediato ante el Ministerio Público, quien realizará el registro de la hora a la cual lo están poniendo a disposición.

Artículo 148. Detención en flagrancia por delitos que requieran querella

Cuando se detenga a una persona por un hecho que pudiera constituir un delito que requiera querella de la parte ofendida, será informado inmediatamente quien pueda presentarla. Se le concederá para tal efecto un plazo razonable, de acuerdo con las circunstancias del caso, que en ningún supuesto podrá ser mayor de doce horas, contadas a partir de que la víctima u ofendido fue notificado o de veinticuatro horas a partir de su detención en caso de que no fuera posible su localización. Si transcurridos estos plazos no se presenta la querella, el detenido será puesto en libertad de inmediato.

En caso de que la víctima u ofendido tenga imposibilidad física de presentar su querella, se agotará el plazo legal de detención del imputado. En este caso serán los parientes por consanguinidad hasta el tercer grado o por afinidad en primer grado, quienes podrán legitimar la querella, con independencia de que la víctima u ofendido la ratifique o no con posterioridad.

Artículo 149. Verificación de flagrancia del Ministerio Público

En los casos de flagrancia, el Ministerio Público deberá examinar las condiciones en las que se realizó la detención inmediatamente después de que la persona sea puesta a su disposición. Si la detención no fue realizada conforme a lo previsto en la Constitución y en este Código, dispondrá la libertad inmediata de la persona y, en su caso, velará por la aplicación de las sanciones disciplinarias o penales que correspondan.

Así también, durante el plazo de retención el Ministerio Público analizará la necesidad de dicha medida y realizará los actos de investigación que considere necesarios para, en su caso, ejercer la acción penal.

Artículo 150. Supuesto de caso urgente

Sólo en casos urgentes el Ministerio Público podrá, bajo su responsabilidad y fundando y expresando los datos de prueba que motiven su proceder, ordenar la detención de una persona, siempre y cuando concurran los siguientes supuestos:

I. Existan datos que establezcan la existencia de un hecho señalado como delito grave y que exista la probabilidad de que la persona lo cometió o participó en su comisión. Se califican como graves, para los efectos de la detención por caso urgente, los delitos señalados como de prisión preventiva oficiosa en este Código o en la legislación aplicable así como aquellos cuyo término medio aritmético sea mayor de cinco años de prisión;

II. Exista riesgo fundado de que el imputado pueda sustraerse de la acción de la justicia, y

III. Por razón de la hora, lugar o cualquier otra circunstancia, no pueda ocurrir ante la autoridad judicial, o que de hacerlo, el imputado pueda evadirse.

Los delitos previstos en la fracción I de este artículo, se considerarán graves, aún tratándose de tentativa punible.

Los oficiales de la Policía que ejecuten una orden de detención por caso urgente, deberán hacer el registro de la detención y presentar inmediatamente al imputado ante el Ministerio Público que haya emitido dicha orden, quien procurará que el imputado sea presentado sin demora ante el Juez de control.

El Juez de control determinará la legalidad del mandato del Ministerio Público y su cumplimiento al realizar el control de la detención. La violación de esta disposición será sancionada conforme a las disposiciones aplicables y la persona detenida será puesta en inmediata libertad.

Para los efectos de este artículo, el término medio aritmético es el cociente que se obtiene de sumar la pena de prisión mínima y la máxima del delito consumado que se trate y dividirlo entre dos.

Artículo 151. Asistencia consular

En el caso de que el detenido sea extranjero, el Ministerio Público le hará saber sin demora y le garantizará su derecho a recibir asistencia consular, por lo que se le permitirá comunicarse a las Embajadas o Consulados del país respecto de los que sea nacional; y deberá notificar a las propias Embajadas o Consulados la detención de dicha persona, registrando constancia de ello, salvo que el imputado acompañado de su Defensor expresamente solicite que no se realice esta notificación.

Párrafo reformado DOF 17-06-2016

El Ministerio Público y la Policía deberán informar a quien lo solicite, previa identificación, si un extranjero está detenido y, en su caso, la autoridad a cuya disposición se encuentre y el motivo.

Artículo 152. Derechos que asisten al detenido

Las autoridades que ejecuten una detención por flagrancia o caso urgente deberán asegurarse de que la persona tenga pleno y claro conocimiento del ejercicio de los derechos citados a continuación, en cualquier etapa del período de custodia:

I. El derecho a informar a alguien de su detención;

II. El derecho a consultar en privado con su Defensor;

III. El derecho a recibir una notificación escrita que establezca los derechos establecidos en las fracciones anteriores y las medidas que debe tomar para la obtención de asesoría legal;

IV. El derecho a ser colocado en una celda en condiciones dignas y con acceso a aseo personal;

V. El derecho a no estar detenido desnudo o en prendas íntimas;

VI. Cuando, para los fines de la investigación sea necesario que el detenido entregue su ropa, se le proveerán prendas de vestir, y

VII. El derecho a recibir atención clínica si padece una enfermedad física, se lesiona o parece estar sufriendo de un trastorno mental.

CAPÍTULO IV
MEDIDAS CAUTELARES

SECCIÓN I
DISPOSICIONES GENERALES

Artículo 153. Reglas generales de las medidas cautelares

Las medidas cautelares serán impuestas mediante resolución judicial, por el tiempo indispensable para asegurar la presencia del imputado en el procedimiento, garantizar la seguridad de la víctima u ofendido o del testigo, o evitar la obstaculización del procedimiento.

Corresponderá a las autoridades competentes de la Federación y de las entidades federativas, para medidas cautelares, vigilar que el mandato de la autoridad judicial sea debidamente cumplido.

Artículo 154. Procedencia de medidas cautelares

El Juez podrá imponer medidas cautelares a petición del Ministerio Público o de la víctima u ofendido, en los casos previstos por este Código, cuando ocurran las circunstancias siguientes:

I. Formulada la imputación, el propio imputado se acoja al término constitucional, ya sea éste de una duración de setenta y dos horas o de ciento cuarenta y cuatro, según sea el caso, o

II. Se haya vinculado a proceso al imputado.

En caso de que el Ministerio Público, la víctima, el asesor jurídico, u ofendido, solicite una medida cautelar durante el plazo constitucional, dicha cuestión deberá resolverse inmediatamente después de formulada la imputación. Para tal efecto, las partes podrán ofrecer aquellos medios de prueba pertinentes para analizar la procedencia de la medida solicitada, siempre y cuando la misma sea susceptible de ser desahogada en las siguientes veinticuatro horas.

Párrafo reformado DOF 17-06-2016

Artículo 155. Tipos de medidas cautelares

A solicitud del Ministerio Público o de la víctima u ofendido, el juez podrá imponer al imputado una o varias de las siguientes medidas cautelares:

I. La presentación periódica ante el juez o ante autoridad distinta que aquél designe;

II. La exhibición de una garantía económica;

III. El embargo de bienes;

IV. La inmovilización de cuentas y demás valores que se encuentren dentro del sistema financiero;

V. La prohibición de salir sin autorización del país, de la localidad en la cual reside o del ámbito territorial que fije el juez;

VI. El sometimiento al cuidado o vigilancia de una persona o institución determinada o internamiento a institución determinada;

VII. La prohibición de concurrir a determinadas reuniones o acercarse o ciertos lugares;

VIII. La prohibición de convivir, acercarse o comunicarse con determinadas personas, con las víctimas u ofendidos o testigos, siempre que no se afecte el derecho de defensa;

IX. La separación inmediata del domicilio;

X. La suspensión temporal en el ejercicio del cargo cuando se le atribuye un delito cometido por servidores públicos;

XI. La suspensión temporal en el ejercicio de una determinada actividad profesional o laboral;

XII. La colocación de localizadores electrónicos;

XIII. El resguardo en su propio domicilio con las modalidades que el juez disponga, o

XIV. La prisión preventiva.

Las medidas cautelares no podrán ser usadas como medio para obtener un reconocimiento de culpabilidad o como sanción penal anticipada.

Artículo 156. Proporcionalidad

El Juez de control, al imponer una o varias de las medidas cautelares previstas en este Código, deberá tomar en consideración los argumentos que las partes ofrezcan o la justificación que el Ministerio Público realice, aplicando el criterio de mínima intervención según las circunstancias particulares de cada persona, en términos de lo dispuesto en el artículo 19 de la Constitución.

Para determinar la idoneidad y proporcionalidad de la medida, se podrá tomar en consideración el análisis de evaluación de riesgo realizado por personal especializado en la materia, de manera objetiva, imparcial y neutral en términos de la legislación aplicable.

En la resolución respectiva, el Juez de control deberá justificar las razones por las que la medida cautelar impuesta es la que resulta menos lesiva para el imputado.

Artículo 157. Imposición de medidas cautelares

Las solicitudes de medidas cautelares serán resueltas por el Juez de control, en audiencia y con presencia de las partes.

El Juez de control podrá imponer una de las medidas cautelares previstas en este Código, o combinar varias de ellas según resulte adecuado al caso, o imponer una diversa a la solicitada siempre que no sea más grave. Sólo el Ministerio Público podrá solicitar la prisión preventiva, la cual no podrá combinarse con otras medidas cautelares previstas en este Código, salvo el embargo precautorio o la inmovilización de cuentas y demás valores que se encuentren en el sistema financiero.

En ningún caso el Juez de control está autorizado a aplicar medidas cautelares sin tomar en cuenta el objeto o la finalidad de las mismas ni a aplicar medidas más graves que las previstas en el presente Código.

Artículo 158. Debate de medidas cautelares

Formulada la imputación, en su caso, o dictado el auto de vinculación a proceso a solicitud del Ministerio Público, de la víctima o de la defensa, se discutirá lo relativo a la necesidad de imposición o modificación de medidas cautelares.

Artículo 159. Contenido de la resolución

La resolución que establezca una medida cautelar deberá contener al menos lo siguiente:

I. La imposición de la medida cautelar y la justificación que motivó el establecimiento de la misma;

II. Los lineamientos para la aplicación de la medida, y

III. La vigencia de la medida.

Artículo 160. Impugnación de las decisiones judiciales

Todas las decisiones judiciales relativas a las medidas cautelares reguladas por este Código son apelables.

Artículo 161. Revisión de la medida

Cuando hayan variado de manera objetiva las condiciones que justificaron la imposición de una medida cautelar, las partes podrán solicitar al Órgano jurisdiccional, la revocación, sustitución o modificación de la misma, para lo cual el Órgano jurisdiccional citará a todos los intervinientes a una audiencia con el fin de abrir debate sobre la subsistencia de las condiciones o circunstancias que se tomaron en cuenta para imponer la medida y la necesidad, en su caso, de mantenerla y resolver en consecuencia.

Artículo 162. Audiencia de revisión de las medidas cautelares

De no ser desechada de plano la solicitud de revisión, la audiencia se llevará a cabo dentro de las cuarenta y ocho horas siguientes contadas a partir de la presentación de la solicitud.

Artículo 163. Medios de prueba para la imposición y revisión de la medida

Las partes pueden invocar datos u ofrecer medios de prueba para que se imponga, confirme, modifique o revoque, según el caso, la medida cautelar.

Artículo 164. Evaluación y supervisión de medidas cautelares

La evaluación y supervisión de medidas cautelares distintas a la prisión preventiva corresponderá a la autoridad de supervisión de medidas cautelares y de la suspensión condicional del proceso que se regirá por los principios de neutralidad, objetividad, imparcialidad y confidencialidad.

La información que se recabe con motivo de la evaluación de riesgo no puede ser usada para la investigación del delito y no podrá ser proporcionada al Ministerio Público. Lo anterior, salvo que se trate de un delito que está en curso o sea inminente su comisión, y peligre la integridad personal o la vida de una persona, el entrevistador quedará relevado del deber de confidencialidad y podrá darlo a conocer a los agentes encargados de la persecución penal.

Para decidir sobre la necesidad de la imposición o revisión de las medidas cautelares, la autoridad de supervisión de medidas cautelares y de la suspensión condicional del proceso proporcionará a las partes la información necesaria para ello, de modo que puedan hacer la solicitud correspondiente al Órgano jurisdiccional.

Para tal efecto, la autoridad de supervisión de medidas cautelares y de la suspensión condicional del proceso, tendrá acceso a los sistemas y bases de datos del Sistema Nacional de Información y demás de carácter público, y contará con una base de datos para dar seguimiento al cumplimiento de las medidas cautelares distintas a la prisión preventiva.

Las partes podrán obtener la información disponible de la autoridad competente cuando así lo solicite, previo a la audiencia para debatir la solicitud de medida cautelar.

La supervisión de la prisión preventiva quedará a cargo de la autoridad penitenciaria en los términos de la ley de la materia.

Artículo 165. Aplicación de la prisión preventiva

Sólo por delito que merezca pena privativa de libertad habrá lugar a prisión preventiva. La prisión preventiva será ordenada conforme a los términos y las condiciones de este Código.

La prisión preventiva no podrá exceder del tiempo que como máximo de pena fije la ley al delito que motivare el proceso y en ningún caso será superior a dos años, salvo que su prolongación se deba al ejercicio del derecho de defensa del imputado. Si cumplido este término no se ha pronunciado sentencia, el imputado será puesto en libertad de inmediato mientras se sigue el proceso, sin que ello obste para imponer otras medidas cautelares.

Párrafo reformado DOF 17-06-2016

Artículo 166. Excepciones

En el caso de que el imputado sea una persona mayor de setenta años de edad o afectada por una enfermedad grave o terminal, el Órgano jurisdiccional podrá ordenar que la prisión preventiva se ejecute en el domicilio de la persona imputada o, de ser el caso, en un centro médico o geriátrico, bajo las medidas cautelares que procedan.

De igual forma, procederá lo previsto en el párrafo anterior, cuando se trate de mujeres embarazadas, o de madres durante la lactancia.

No gozarán de la prerrogativa prevista en los dos párrafos anteriores, quienes a criterio del Juez de control puedan sustraerse de la acción de la justicia o manifiesten una conducta que haga presumible su riesgo social.

Artículo 167. Causas de procedencia

El Ministerio Público sólo podrá solicitar al Juez de control la prisión preventiva o el resguardo domiciliario cuando otras medidas cautelares no sean suficientes para garantizar la comparecencia del imputado en el juicio, el desarrollo de la investigación, la protección de la víctima, de los testigos o de la comunidad así como cuando el imputado esté siendo procesado o haya sido sentenciado previamente por la comisión de un delito doloso, siempre y cuando la causa diversa no sea acumulable o conexa en los términos del presente Código.

En el supuesto de que el imputado esté siendo procesado por otro delito distinto de aquel en el que se solicite la prisión preventiva, deberá analizarse si ambos procesos son susceptibles de acumulación, en cuyo caso la existencia de proceso previo no dará lugar por si sola a la procedencia de la prisión preventiva.

La Persona Juzgadora de control en el ámbito de su competencia, ordenará la prisión preventiva oficiosamente en los casos de abuso o violencia sexual contra menores, delincuencia organizada, extorsión, delitos previstos en las leyes aplicables cometidos para la ilegal introducción y desvío, producción, preparación, enajenación, adquisición, importación, exportación, transportación, almacenamiento y distribución de precursores químicos y sustancias químicas esenciales, drogas sintéticas, fentanilo y derivados, homicidio doloso, feminicidio, violación, secuestro, trata de personas, robo de casa habitación, uso de programas sociales con fines electorales, corrupción tratándose de los delitos de enriquecimiento ilícito y ejercicio abusivo de funciones, robo al transporte de carga en cualquiera de sus modalidades, delitos en materia de hidrocarburos, petrolíferos o petroquímicos, delitos en materia de desaparición forzada de personas y desaparición cometida por particulares, delitos cometidos con medios violentos como armas y explosivos, delitos en materia de armas de fuego y explosivos de uso exclusivo del Ejército, la Armada y la Fuerza Aérea, así como los delitos graves que determine la ley en contra de la seguridad de la nación, el libre desarrollo de la personalidad y de la salud, así como contrabando y cualquier actividad relacionada con falsos comprobantes fiscales.

Párrafo reformado DOF 19-02-2021, 28-11-2025

Las leyes generales de salud, secuestro, trata de personas, extorsión, delitos electorales y desaparición forzada de personas y desaparición cometida por particulares, así como las leyes federales para prevenir y sancionar los delitos cometidos en materia de hidrocarburos, armas de fuego y explosivos, para el control de precursores químicos, productos químicos esenciales y máquinas para elaborar cápsulas, tabletas y/o comprimidos, y contra la delincuencia organizada; y el Código Fiscal de la Federación, establecerán los supuestos que ameriten prisión preventiva oficiosa de conformidad con lo dispuesto por el párrafo segundo del artículo 19 de la Constitución Política de los Estados Unidos Mexicanos.

Párrafo reformado DOF 19-02-2021, 28-11-2025

Se consideran delitos que ameritan prisión preventiva oficiosa, los previstos en el Código Penal Federal, de la manera siguiente:

Párrafo reformado DOF 08-11-2019

I. Homicidio doloso previsto en los artículos 302 en relación al 307, 313, 315, 315 Bis, 320 y 323;

II. Genocidio, previsto en el artículo 149 Bis;

III. Violación prevista en los artículos 265, 266 y 266 Bis;

IV. Traición a la patria, previsto en los artículos 123, 124, 125 y 126;

V. Espionaje, previsto en los artículos 127 y 128;

VI. Terrorismo, previsto en los artículos 139 al 139 Ter y terrorismo internacional previsto en los artículos 148 Bis al 148 Quáter;

VII. Sabotaje, previsto en el artículo 140, párrafo primero;

VIII. Los previstos en los artículos 142, párrafo segundo y 145;

IX. Corrupción de personas menores de dieciocho años de edad o de personas que no tienen capacidad para comprender el significado del hecho o de personas que no tienen capacidad para resistirlo, previsto en el artículo 201; Pornografía de personas menores de dieciocho años de edad o de personas que no tienen capacidad para comprender el significado del hecho o de personas que no tienen capacidad para resistirlo, previsto en el artículo 202; Turismo sexual en contra de personas menores de dieciocho años de edad o de personas que no tienen capacidad para comprender el significado del hecho o de personas que no tienen capacidad para resistirlo, previsto en los artículos 203 y 203 Bis; Lenocinio de personas menores de dieciocho años de edad o de personas que no tienen capacidad para comprender el significado del hecho o de personas que no tienen capacidad para resistirlo, previsto en el artículo 204 y Pederastia, previsto en el artículo 209 Bis;

X. Tráfico de menores, previsto en el artículo 366 Ter;

XI. Contra la salud, previsto en los artículos 194, 195, 196 Ter, 197, párrafo primero y 198, parte primera del párrafo tercero;

Fracción reformada DOF 19-02-2021

XII. Abuso o violencia sexual contra menores, previsto en los artículos 261 en relación con el 260;

Fracción adicionada DOF 19-02-2021

XIII. Feminicidio, previsto en el artículo 325;

Fracción adicionada DOF 19-02-2021

XIV. Robo a casa habitación, previsto en el artículo 381 Bis;

Fracción adicionada DOF 19-02-2021

XV. Ejercicio abusivo de funciones, previsto en las fracciones I y II del primer párrafo del artículo 220, en relación con su cuarto párrafo;

Fracción adicionada DOF 19-02-2021

XVI. Enriquecimiento ilícito previsto en el artículo 224, en relación con su séptimo párrafo, y

Fracción adicionada DOF 19-02-2021

XVII. Robo al transporte de carga, en cualquiera de sus modalidades, previsto en los artículos 376 Ter y 381, fracción XVII.

Fracción adicionada DOF 19-02-2021

[Se consideran delitos que ameritan prisión preventiva oficiosa, los previstos en el Código Fiscal de la Federación, de la siguiente manera:

I. Contrabando y su equiparable, de conformidad con lo dispuesto en los artículos 102 y 105, fracciones I y IV, cuando estén a las sanciones previstas en las fracciones II o III, párrafo segundo, del artículo 104, exclusivamente cuando sean calificados;

II. Defraudación fiscal y su equiparable, de conformidad con lo dispuesto en los artículos 108 y 109, cuando el monto de lo defraudado supere 3 veces lo dispuesto en la fracción III del artículo 108 del Código Fiscal de la Federación, exclusivamente cuando sean calificados, y

III. La expedición, venta, enajenación, compra o adquisición de comprobantes fiscales que amparen operaciones inexistentes, falsas o actos jurídicos simulados, de conformidad con lo dispuesto en el artículo 113 Bis del Código Fiscal de la Federación, exclusivamente cuando las cifras, cantidad o valor de los comprobantes fiscales, superen 3 veces lo establecido en la fracción III del artículo 108 del Código Fiscal de la Federación.]

Párrafo con fracciones adicionado DOF 08-11-2019

Párrafo con fracciones declarado inválido por sentencia de la SCJN a Acción de Inconstitucionalidad notificada para efectos legales 25-11-2022

El juez no impondrá la prisión preventiva oficiosa y la sustituirá por otra medida cautelar, únicamente cuando lo solicite el Ministerio Público por no resultar proporcional para garantizar la comparecencia del imputado en el proceso, el desarrollo de la investigación, la protección de la víctima y de los testigos o de la comunidad o bien, cuando exista voluntad de las partes para celebrar un acuerdo reparatorio de cumplimiento inmediato, siempre que se trate de alguno de los delitos en los que sea procedente dicha forma de solución alterna del procedimiento. La solicitud deberá contar con la autorización del titular de la Fiscalía o de la persona funcionaria en la cual delegue esa facultad.

Párrafo reformado DOF 19-02-2021

Si la prisión preventiva oficiosa ya hubiere sido impuesta, pero las partes manifiestan la voluntad de celebrar un acuerdo reparatorio de cumplimiento inmediato, el Ministerio Público solicitará al juez la sustitución de la medida cautelar para que las partes concreten el acuerdo con el apoyo del Órgano especializado en la materia.

Párrafo adicionado DOF 19-02-2021

En los casos en los que la víctima u ofendido y la persona imputada deseen participar en un Mecanismo Alternativo de Solución de Controversias, y no sea factible modificar la medida cautelar de prisión preventiva, por existir riesgo de que el imputado se sustraiga del procedimiento o lo obstaculice, el o la Juez de Control podrá derivar el asunto al Órgano especializado en la materia, para promover la reparación del daño y concretar el acuerdo correspondiente.

Párrafo adicionado DOF 19-02-2021

Reforma DOF 19-02-2021: Suprimió del artículo el entonces párrafo quinto

Artículo 168. Peligro de sustracción del imputado

Para decidir si está garantizada o no la comparecencia del imputado en el proceso, el Juez de control tomará en cuenta, especialmente, las siguientes circunstancias:

I. El arraigo que tenga en el lugar donde deba ser juzgado determinado por el domicilio, residencia habitual, asiento de la familia y las facilidades para abandonar el lugar o permanecer oculto. La falsedad sobre el domicilio del imputado constituye presunción de riesgo de fuga;

II. El máximo de la pena que en su caso pudiera llegar a imponerse de acuerdo al delito de que se trate y la actitud que voluntariamente adopta el imputado ante éste;

III. El comportamiento del imputado posterior al hecho cometido durante el procedimiento o en otro anterior, en la medida que indique su voluntad de someterse o no a la persecución penal;

IV. La inobservancia de medidas cautelares previamente impuestas, o

V. El desacato de citaciones para actos procesales y que, conforme a derecho, le hubieran realizado las autoridades investigadoras o jurisdiccionales.

Artículo 169. Peligro de obstaculización del desarrollo de la investigación

Para decidir acerca del peligro de obstaculización del desarrollo de la investigación, el Juez de control tomará en cuenta la circunstancia del hecho imputado y los elementos aportados por el Ministerio Público para estimar como probable que, de recuperar su libertad, el imputado:

I. Destruirá, modificará, ocultará o falsificará elementos de prueba;

II. Influirá para que coimputados, testigos o peritos informen falsamente o se comporten de manera reticente o inducirá a otros a realizar tales comportamientos, o

III. Intimidará, amenazará u obstaculizará la labor de los servidores públicos que participan en la investigación.

Artículo 170. Riesgo para la víctima u ofendido, testigos o para la comunidad

La protección que deba proporcionarse a la víctima u ofendido, a los testigos o a la comunidad, se establecerá a partir de la valoración que haga el Juez de control respecto de las circunstancias del hecho y de las condiciones particulares en que se encuentren dichos sujetos, de las que puedan derivarse la existencia de un riesgo fundado de que se cometa contra dichas personas un acto que afecte su integridad personal o ponga en riesgo su vida.

Artículo 171. Pruebas para la imposición, revisión, sustitución, modificación o cese de la prisión preventiva

Las partes podrán invocar datos u ofrecer medios de prueba con el fin de solicitar la imposición, revisión, sustitución, modificación o cese de la prisión preventiva.

En todos los casos se estará a lo dispuesto por este Código en lo relativo a la admisión y desahogo de medios de prueba.

Los medios de convicción allegados tendrán eficacia únicamente para la resolución de las cuestiones que se hubieren planteado.

Artículo 172. Presentación de la garantía

Al decidir sobre la medida cautelar consistente en garantía económica, el Juez de control previamente tomará en consideración la idoneidad de la medida solicitada por el Ministerio Público. Para resolver sobre dicho monto, el Juez de control deberá tomar en cuenta el peligro de sustracción del imputado a juicio, el peligro de obstaculización del desarrollo de la investigación y el riesgo para la víctima u ofendido, para los testigos o para la comunidad. Adicionalmente deberá considerar las características del imputado, su capacidad económica, la posibilidad de cumplimiento de las obligaciones procesales a su cargo.

El Juez de control hará la estimación de modo que constituya un motivo eficaz para que el imputado se abstenga de incumplir sus obligaciones y deberá fijar un plazo razonable para exhibir la garantía.

Artículo 173. Tipo de garantía

La garantía económica podrá constituirse de las siguientes maneras:

I. Depósito en efectivo;

II. Fianza de institución autorizada;

III. Hipoteca;

IV. Prenda;

V. Fideicomiso, o

VI. Cualquier otra que a criterio del Juez de control cumpla suficientemente con esta finalidad.

El Juez de control podrá autorizar la sustitución de la garantía impuesta al imputado por otra equivalente previa audiencia del Ministerio Público, la víctima u ofendido, si estuviese presente.

Las garantías económicas se regirán por las reglas generales previstas en el Código Civil Federal o de las Entidades federativas, según corresponda y demás legislaciones aplicables.

El depósito en efectivo será equivalente a la cantidad señalada como garantía económica y se hará en la institución de crédito autorizada para ello; sin embargo, cuando por razones de la hora o por tratarse de día inhábil no pueda constituirse el depósito, el Juez de control recibirá la cantidad en efectivo, asentará registro de ella y la ingresará el primer día hábil a la institución de crédito autorizada.

Artículo 174. Incumplimiento del imputado de las medidas cautelares

Cuando el supervisor de la medida cautelar detecte un incumplimiento de una medida cautelar distinta a la garantía económica o de prisión preventiva, deberá informar a las partes de forma inmediata a efecto de que en su caso puedan solicitar la revisión de la medida cautelar.

El Ministerio Público que reciba el reporte de la autoridad de supervisión de medidas cautelares y de la suspensión condicional del proceso, deberá solicitar audiencia para revisión de la medida cautelar impuesta en el plazo más breve posible y en su caso, solicite la comparecencia del imputado o una orden de aprehensión.

Párrafo reformado DOF 17-06-2016

En caso que el imputado notificado por cualquier medio no comparezca injustificadamente a la audiencia a la que fue citado, el Ministerio Público deberá solicitar la orden de aprehensión o comparecencia.

Párrafo adicionado DOF 17-06-2016

La justificación de la inasistencia por parte del imputado deberá presentarse a más tardar al momento de la audiencia.

Párrafo adicionado DOF 17-06-2016

En el caso de que al imputado se le haya impuesto como medida cautelar una garantía económica y, exhibida ésta sea citado para comparecer ante el juez e incumpla la cita, se requerirá al garante para que presente al imputado en un plazo no mayor a ocho días, advertidos, el garante y el imputado, de que si no lo hicieren o no justificaren la incomparecencia, se hará efectiva la garantía a favor del Fondo de Ayuda, Asistencia y Reparación Integral o sus equivalentes en las entidades federativas, previstos en la Ley General de Víctimas.

Párrafo reformado DOF 17-06-2016

Si el imputado es sorprendido infringiendo una medida cautelar de las establecidas en las fracciones V, VII, VIII, IX, XII y XIII del artículo 155 de este Código, el supervisor de la medida cautelar deberá dar aviso inmediatamente y por cualquier medio, al Juez de control quien con la misma inmediatez ordenará su arresto con fundamento en el inciso d), fracción II del artículo 104 de este Código, para que dentro de la duración de este sea llevado ante él en audiencia con las partes, con el fin de que se revise la medida cautelar; siempre y cuando se le haya apercibido que de incumplir con la medida cautelar se le impondría dicha medida de apremio.

Párrafo reformado DOF 17-06-2016

Artículo 175. Cancelación de la garantía

La garantía se cancelará y se devolverán los bienes afectados por ella, cuando:

I. Se revoque la decisión que la decreta;

II. Se dicte el sobreseimiento o la sentencia absolutoria, o

III. El imputado se someta a la ejecución de la pena o la garantía no deba ejecutarse.

CAPÍTULO V
DE LA SUPERVISIÓN DE LAS MEDIDAS CAUTELARES

SECCIÓN I
DE LA AUTORIDAD DE SUPERVISIÓN DE MEDIDAS CAUTELARES Y DE LA SUSPENSIÓN CONDICIONAL DEL PROCESO

Artículo 176. Naturaleza y objeto

La Autoridad de supervisión de medidas cautelares y de la suspensión condicional del proceso, tendrá por objeto realizar la evaluación de riesgo del imputado, así como llevar a cabo el seguimiento de las medidas cautelares y de la suspensión condicional del proceso, en caso de que no sea una institución de seguridad pública se podrá auxiliar de la instancia policial correspondiente para el desarrollo de sus funciones.

Esta autoridad deberá proporcionar a las partes información sobre la evaluación de riesgos que representa el imputado y el seguimiento de las medidas cautelares y de la suspensión condicional del proceso que le soliciten.

Artículo reformado DOF 17-06-2016

Artículo 177. Obligaciones de la autoridad de supervisión de medidas cautelares y de la suspensión condicional del proceso

La autoridad de supervisión de medidas cautelares y de la suspensión condicional del proceso tendrá las siguientes obligaciones:

I. Supervisar y dar seguimiento a las medidas cautelares impuestas, distintas a la prisión preventiva, y las condiciones a cargo del imputado en caso de suspensión condicional del proceso, así como hacer sugerencias sobre cualquier cambio que amerite alguna modificación de las medidas u obligaciones impuestas;

II. Entrevistar periódicamente a la víctima o testigo del delito, con el objeto de dar seguimiento al cumplimiento de la medida cautelar impuesta o las condiciones de la suspensión condicional del proceso y canalizarlos, en su caso, a la autoridad correspondiente;

III. Realizar entrevistas así como visitas no anunciadas en el domicilio o en el lugar en donde se encuentre el imputado;

IV. Verificar la localización del imputado en su domicilio o en el lugar en donde se encuentre, cuando la modalidad de la medida cautelar o de la suspensión condicional del proceso impuesta por la autoridad judicial así lo requiera;

V. Requerir que el imputado proporcione muestras, sin previo aviso, para detectar el posible uso de alcohol o drogas prohibidas, o el resultado del examen de las mismas en su caso, cuando la modalidad de la suspensión condicional del proceso impuesta por la autoridad judicial así lo requiera;

VI. Supervisar que las personas e instituciones públicas y privadas a las que la autoridad judicial encargue el cuidado del imputado, cumplan las obligaciones contraídas;

VII. Solicitar al imputado la información que sea necesaria para verificar el cumplimiento de las medidas y obligaciones impuestas;

VIII. Revisar y sugerir el cambio de las condiciones de las medidas impuestas al imputado, de oficio o a solicitud de parte, cuando cambien las circunstancias originales que sirvieron de base para imponer la medida;

IX. Informar a las partes aquellas violaciones a las medidas y obligaciones impuestas que estén debidamente verificadas, y puedan implicar la modificación o revocación de la medida o suspensión y sugerir las modificaciones que estime pertinentes;

X. Conservar actualizada una base de datos sobre las medidas cautelares y obligaciones impuestas, su seguimiento y conclusión;

XI. Solicitar y proporcionar información a las oficinas con funciones similares de la Federación o de Entidades federativas dentro de sus respectivos ámbitos de competencia;

XII. Ejecutar las solicitudes de apoyo para la obtención de información que le requieran las oficinas con funciones similares de la Federación o de las Entidades federativas en sus respectivos ámbitos de competencia;

XIII. Canalizar al imputado a servicios sociales de asistencia, públicos o privados, en materias de salud, empleo, educación, vivienda y apoyo jurídico, cuando la modalidad de la medida cautelar o de la suspensión condicional del proceso impuesta por la autoridad judicial así lo requiera, y

XIV. Las demás que establezca la legislación aplicable.

Artículo 178. Riesgo de incumplimiento de medida cautelar distinta a la prisión preventiva

En el supuesto de que la autoridad de supervisión de medidas cautelares y de la suspensión condicional del proceso, advierta que existe un riesgo objetivo en inminente de fuga o de afectación a la integridad personal de los intervinientes, deberá informar a las partes de forma inmediata a efecto de que en su caso puedan solicitar al Juez de control la revisión de la medida cautelar.

Artículo 179. Suspensión de la medida cautelar

Cuando se determine la suspensión condicional de proceso, la autoridad judicial deberá suspender las medidas cautelares impuestas, las que podrán continuar en los mismos términos o modificarse, si el proceso se reanuda, de acuerdo con las peticiones de las partes y la determinación judicial.

Artículo 180. Continuación de la medida cautelar en caso de sentencia condenatoria recurrida

Cuando el sentenciado recurra la sentencia condenatoria, continuará el seguimiento de las medidas cautelares impuestas hasta que cause estado la sentencia, sin perjuicio de que puedan ser sujetas de revisión de conformidad con las reglas de este Código.

Artículo 181. Seguimiento de medidas cautelares en caso de suspensión del proceso

Cuando el proceso sea suspendido en virtud de que la autoridad judicial haya determinado la sustracción de la acción de la justicia, las medidas cautelares continuarán vigentes, salvo las que resulten de imposible cumplimiento.

En caso de que el proceso se suspenda por la falta de un requisito de procedibilidad, las medidas cautelares continuarán vigentes por el plazo que determine la autoridad judicial que no podrá exceder de cuarenta y ocho horas.

Si el imputado es declarado inimputable, se citará a una audiencia de revisión de la medida cautelar proveyendo, en su caso, la aplicación de ajustes razonables solicitados por las partes.

Artículo 182. Registro de actividades de supervisión

Se llevará un registro, por cualquier medio fidedigno, de las actividades necesarias que permitan a la autoridad de supervisión de medidas cautelares y de la suspensión condicional del proceso tener certeza del cumplimiento o incumplimiento de las obligaciones impuestas.

LIBRO SEGUNDO
DEL PROCEDIMIENTO

TÍTULO I
SOLUCIONES ALTERNAS Y FORMAS DE TERMINACIÓN ANTICIPADA

CAPÍTULO I
DISPOSICIONES COMUNES

Artículo 183. Principio general

En los asuntos sujetos a procedimiento abreviado se aplicarán las disposiciones establecidas en este Título.

En todo lo no previsto en este Título, y siempre que no se opongan al mismo, se aplicarán las reglas del proceso ordinario.

Para las salidas alternas y formas de terminación anticipada, la autoridad competente contará con un registro para dar seguimiento al cumplimiento de los acuerdos reparatorios, los procesos de suspensión condicional del proceso, y el procedimiento abreviado, dicho registro deberá ser consultado por el Ministerio Público y la autoridad judicial antes de solicitar y conceder, respectivamente, alguna forma de solución alterna del procedimiento o de terminación anticipada del proceso.

Artículo reformado DOF 29-12-2014

Artículo 184. Soluciones alternas

Son formas de solución alterna del procedimiento:

I. El acuerdo reparatorio, y

II. La suspensión condicional del proceso.

Artículo 185. Formas de terminación anticipada del proceso

El procedimiento abreviado será considerado una forma de terminación anticipada del proceso.

CAPÍTULO II
ACUERDOS REPARATORIOS

Artículo 186. Definición

Los acuerdos reparatorios son aquéllos celebrados entre la víctima u ofendido y el imputado que, una vez aprobados por el Ministerio Público o el Juez de control y cumplidos en sus términos, tienen como efecto la extinción de la acción penal.

Artículo reformado DOF 29-12-2014

Artículo 187. Control sobre los acuerdos reparatorios

Procederán los acuerdos reparatorios únicamente en los casos siguientes:

I. Delitos que se persiguen por querella, por requisito equivalente de parte ofendida o que admiten el perdón de la víctima o el ofendido;

Fracción reformada DOF 29-12-2014

II. Delitos culposos, o

III. Delitos patrimoniales cometidos sin violencia sobre las personas.

No procederán los acuerdos reparatorios en los casos en que el imputado haya celebrado anteriormente otros acuerdos por hechos que correspondan a los mismos delitos dolosos, tampoco procederán cuando se trate de delitos de violencia familiar o sus equivalentes en las Entidades federativas. [Tampoco serán procedentes los acuerdos reparatorios para las hipótesis previstas en las fracciones I, II y III del párrafo séptimo del artículo 167 del presente Código.]

Párrafo reformado DOF 29-12-2014, 17-06-2016, 08-11-2019

Párrafo declarado inválido por sentencia de la SCJN a Acción de Inconstitucionalidad notificada para efectos legales 25-11-2022 (En la porción normativa "Tampoco serán procedentes los acuerdos reparatorios para las hipótesis previstas en las fracciones I, II y III del párrafo séptimo del artículo 167 del presente Código")

Tampoco serán procedentes en caso de que el imputado haya incumplido previamente un acuerdo reparatorio, salvo que haya sido absuelto.

Párrafo adicionado DOF 29-12-2014. Reformado DOF 17-06-2016

Artículo 188. Procedencia

Los acuerdos reparatorios procederán desde la presentación de la denuncia o querella hasta antes de decretarse el auto de apertura de juicio. En el caso de que se haya dictado el auto de vinculación a proceso y hasta antes de que se haya dictado el auto de apertura a juicio, el Juez de control, a petición de las partes, podrá suspender el proceso penal hasta por treinta días para que las partes puedan concretar el acuerdo con el apoyo de la autoridad competente especializada en la materia.

En caso de que la concertación se interrumpa, cualquiera de las partes podrá solicitar la continuación del proceso.

Artículo reformado DOF 29-12-2014

Artículo 189. Oportunidad

Desde su primera intervención, el Ministerio Público o en su caso, el Juez de control, podrán invitar a los interesados a que suscriban un acuerdo reparatorio en los casos en que proceda, de conformidad con lo dispuesto en el presente Código, debiendo explicarles a las partes los efectos del acuerdo.

Las partes podrán acordar acuerdos reparatorios de cumplimiento inmediato o diferido. En caso de señalar que el cumplimiento debe ser diferido y no señalar plazo específico, se entenderá que el plazo será por un año. El plazo para el cumplimiento de las obligaciones suspenderá el trámite del proceso y la prescripción de la acción penal.

Si el imputado incumple sin justa causa las obligaciones pactadas, la investigación o el proceso, según corresponda, continuará como si no se hubiera celebrado acuerdo alguno.

Párrafo reformado DOF 29-12-2014

La información que se genere como producto de los acuerdos reparatorios no podrá ser utilizada en perjuicio de las partes dentro del proceso penal.

El juez decretará la extinción de la acción una vez aprobado el cumplimiento pleno de las obligaciones pactadas en un acuerdo reparatorio, haciendo las veces de sentencia ejecutoriada.

Artículo 190. Trámite

Los acuerdos reparatorios deberán ser aprobados por el Juez de control a partir de la etapa de investigación complementaria y por el Ministerio Publico en la etapa de investigación inicial. En este último supuesto, las partes tendrán derecho a acudir ante el Juez de control, dentro de los cinco días siguientes a que se haya aprobado el acuerdo reparatorio, cuando estimen que el mecanismo alternativo de solución de controversias no se desarrolló conforme a las disposiciones previstas en la ley de la materia. Si el Juez de control determina como válidas las pretensiones de las partes, podrá declarar como no celebrado el acuerdo reparatorio y, en su caso, aprobar la modificación acordada entre las partes.

Párrafo reformado DOF 29-12-2014

Previo a la aprobación del acuerdo reparatorio, el Juez de control o el Ministerio Público verificarán que las obligaciones que se contraen no resulten notoriamente desproporcionadas y que los intervinientes estuvieron en condiciones de igualdad para negociar y que no hayan actuado bajo condiciones de intimidación, amenaza o coacción.

CAPÍTULO III
SUSPENSIÓN CONDICIONAL DEL PROCESO

Artículo 191. Definición

Por suspensión condicional del proceso deberá entenderse el planteamiento formulado por el Ministerio Público o por el imputado, el cual contendrá un plan detallado sobre el pago de la reparación del daño y el sometimiento del imputado a una o varias de las condiciones que refiere este Capítulo, que garanticen una efectiva tutela de los derechos de la víctima u ofendido y que en caso de cumplirse, pueda dar lugar a la extinción de la acción penal.

Artículo 192. Procedencia

La suspensión condicional del proceso, a solicitud del imputado o del Ministerio Público con acuerdo de aquél, procederá en los casos en que se cubran los requisitos siguientes:

I. Que el auto de vinculación a proceso del imputado se haya dictado por un delito cuya media aritmética de la pena de prisión no exceda de cinco años;

Fracción reformada DOF 17-06-2016

II. Que no exista oposición fundada de la víctima y ofendido, y

Fracción reformada DOF 17-06-2016

III. Que hayan transcurrido dos años desde el cumplimiento o cinco años desde el incumplimiento, de una suspensión condicional anterior, en su caso.

Fracción adicionada DOF 17-06-2016

Lo señalado en la fracción III del presente artículo, no procederá cuando el imputado haya sido absuelto en dicho procedimiento.

Párrafo reformado DOF 17-06-2016

[La suspensión condicional será improcedente para las hipótesis previstas en las fracciones I, II y III del párrafo séptimo del artículo 167 del presente Código.]

Párrafo adicionado DOF 08-11-2019

Párrafo declarado inválido por sentencia de la SCJN a Acción de Inconstitucionalidad notificada para efectos legales 25-11-2022

Artículo 193. Oportunidad

Una vez dictado el auto de vinculación a proceso, la suspensión condicional del proceso podrá solicitarse en cualquier momento hasta antes de acordarse la apertura de juicio, y no impedirá el ejercicio de la acción civil ante los tribunales respectivos.

Artículo 194. Plan de reparación

En la audiencia en donde se resuelva sobre la solicitud de suspensión condicional del proceso, el imputado deberá plantear, un plan de reparación del daño causado por el delito y plazos para cumplirlo.

Artículo 195. Condiciones por cumplir durante el periodo de suspensión condicional del proceso

El Juez de control fijará el plazo de suspensión condicional del proceso, que no podrá ser inferior a seis meses ni superior a tres años, y determinará imponer al imputado una o varias de las condiciones que deberá cumplir, las cuales en forma enunciativa más no limitativa se señalan:

I. Residir en un lugar determinado;

II. Frecuentar o dejar de frecuentar determinados lugares o personas;

III. Abstenerse de consumir drogas o estupefacientes o de abusar de las bebidas alcohólicas;

IV. Participar en programas especiales para la prevención y el tratamiento de adicciones;

V. Aprender una profesión u oficio o seguir cursos de capacitación en el lugar o la institución que determine el Juez de control;

VI. Prestar servicio social a favor del Estado o de instituciones de beneficencia pública;

VII. Someterse a tratamiento médico o psicológico, de preferencia en instituciones públicas;

VIII. Tener un trabajo o empleo, o adquirir, en el plazo que el Juez de control determine, un oficio, arte, industria o profesión, si no tiene medios propios de subsistencia;

IX. Someterse a la vigilancia que determine el Juez de control;

X. No poseer ni portar armas;

XI. No conducir vehículos;

XII. Abstenerse de viajar al extranjero;

XIII. Cumplir con los deberes de deudor alimentario, o

XIV. Cualquier otra condición que, a juicio del Juez de control, logre una efectiva tutela de los derechos de la víctima.

Para fijar las condiciones, el Juez de control podrá disponer que el imputado sea sometido a una evaluación previa. El Ministerio Público, la víctima u ofendido, podrán proponer al Juez de control condiciones a las que consideran debe someterse el imputado.

El Juez de control preguntará al imputado si se obliga a cumplir con las condiciones impuestas y, en su caso, lo prevendrá sobre las consecuencias de su inobservancia.

Artículo 196. Trámite

La víctima u ofendido serán citados a la audiencia en la fecha que señale el Juez de control. La incomparecencia de éstos no impedirá que el Juez resuelva sobre la procedencia y términos de la solicitud.

En su resolución, el Juez de control fijará las condiciones bajo las cuales se suspende el proceso o se rechaza la solicitud y aprobará el plan de reparación propuesto, mismo que podrá ser modificado por el Juez de control en la audiencia. La sola falta de recursos del imputado no podrá ser utilizada como razón suficiente para rechazar la suspensión condicional del proceso.

La información que se genere como producto de la suspensión condicional del proceso no podrá ser utilizada en caso de continuar el proceso penal.

Párrafo reformado DOF 17-06-2016

Artículo 197. Conservación de los registros de investigación y medios de prueba

En los procesos suspendidos de conformidad con las disposiciones establecidas en el presente Capítulo, el Ministerio Público tomará las medidas necesarias para evitar la pérdida, destrucción o ineficacia de los registros y medios de prueba conocidos y los que soliciten los sujetos que intervienen en el proceso.

Artículo 198. Revocación de la suspensión condicional del proceso

Si el imputado dejara de cumplir injustificadamente las condiciones impuestas, no cumpliera con el plan de reparación, o posteriormente fuera condenado por sentencia ejecutoriada por delito doloso o culposo, siempre que el proceso suspendido se refiera a delito de esta naturaleza, el Juez de control, previa petición del agente del Ministerio Público o de la víctima u ofendido, convocará a las partes a una audiencia en la que se debatirá sobre la procedencia de la revocación de la suspensión condicional del proceso, debiendo resolver de inmediato lo que proceda.

El Juez de control también podrá ampliar el plazo de la suspensión condicional del proceso hasta por dos años más. Esta extensión del término podrá imponerse por una sola vez.

Si la víctima u ofendido hubiese recibido pagos durante la suspensión condicional del proceso y ésta en forma posterior fuera revocada, el monto total a que ascendieran dichos pagos deberán ser destinados al pago de la indemnización por daños y perjuicios que en su caso corresponda a la víctima u ofendido.

La obligación de cumplir con las condiciones derivadas de la suspensión condicional del proceso, así como el plazo otorgado para tal efecto se interrumpirán mientras el imputado esté privado de su libertad por otro proceso. Una vez que el imputado obtenga su libertad, éstos se reanudarán.

Si el imputado estuviera sometido a otro proceso y goza de libertad, la obligación de cumplir con las condiciones establecidas para la suspensión condicional del proceso así como el plazo otorgado para tal efecto, continuarán vigentes; sin embargo, no podrá decretarse la extinción de la acción penal hasta en tanto quede firme la resolución que lo exime de responsabilidad dentro del otro proceso.

Artículo 199. Cesación provisional de los efectos de la suspensión condicional del proceso

La suspensión condicional del proceso interrumpirá los plazos para la prescripción de la acción penal del delito de que se trate.

Cuando las condiciones establecidas por el Juez de control para la suspensión condicional del proceso, así como el plan de reparación hayan sido cumplidas por el imputado dentro del plazo establecido para tal efecto sin que se hubiese revocado dicha suspensión condicional del proceso, se extinguirá la acción penal, para lo cual el Juez de control deberá decretar de oficio o a petición de parte el sobreseimiento.

Artículo 200. Verificación de la existencia de un acuerdo previo

Previo al comienzo de la audiencia de suspensión condicional del proceso, el Ministerio Público deberá consultar en los registros respectivos si el imputado en forma previa fue parte de algún mecanismo de solución alterna o suscribió acuerdos reparatorios, debiendo incorporar en los registros de investigación el resultado de la consulta e informar en la audiencia de los mismos.

CAPÍTULO IV
PROCEDIMIENTO ABREVIADO

Artículo 201. Requisitos de procedencia y verificación del Juez

Para autorizar el procedimiento abreviado, el Juez de control verificará en audiencia los siguientes requisitos:

I. Que el Ministerio Público solicite el procedimiento, para lo cual se deberá formular la acusación y exponer los datos de prueba que la sustentan. La acusación deberá contener la enunciación de los hechos que se atribuyen al acusado, su clasificación jurídica y grado de intervención, así como las penas y el monto de reparación del daño;

II. Que la víctima u ofendido no presente oposición. Sólo será vinculante para el juez la oposición que se encuentre fundada, y

III. Que el imputado:

a) Reconozca estar debidamente informado de su derecho a un juicio oral y de los alcances del procedimiento abreviado;

b) Expresamente renuncie al juicio oral;

c) Consienta la aplicación del procedimiento abreviado;

d) Admita su responsabilidad por el delito que se le imputa;

e) Acepte ser sentenciado con base en los medios de convicción que exponga el Ministerio Público al formular la acusación.

Artículo 202. Oportunidad

El Ministerio Público podrá solicitar la apertura del procedimiento abreviado después de que se dicte el auto de vinculación a proceso y hasta antes de la emisión del auto de apertura a juicio oral.

A la audiencia se deberá citar a todas las partes. La incomparecencia de la víctima u ofendido debidamente citados no impedirá que el Juez de control se pronuncie al respecto.

Cuando el acusado no haya sido condenado previamente por delito doloso y el delito por el cual se lleva a cabo el procedimiento abreviado es sancionado con pena de prisión cuya media aritmética no exceda de cinco años, incluidas sus calificativas atenuantes o agravantes, el Ministerio Público podrá solicitar la reducción de hasta una mitad de la pena mínima en los casos de delitos dolosos y hasta dos terceras partes de la pena mínima en el caso de delitos culposos, de la pena de prisión que le correspondiere al delito por el cual acusa.

En cualquier caso, el Ministerio Público podrá solicitar la reducción de hasta un tercio de la mínima en los casos de delitos dolosos y hasta en una mitad de la mínima en el caso de delitos culposos, de la pena de prisión. Si al momento de esta solicitud, ya existiere acusación formulada por escrito, el Ministerio Público podrá modificarla oralmente en la audiencia donde se resuelva sobre el procedimiento abreviado y en su caso solicitar la reducción de las penas, para el efecto de permitir la tramitación del caso conforme a las reglas previstas en el presente Capítulo.

El Ministerio Público al solicitar la pena en los términos previstos en el presente artículo, deberá observar el Acuerdo que al efecto emita el Procurador.

Artículo 203. Admisibilidad

En la misma audiencia, el Juez de control admitirá la solicitud del Ministerio Público cuando verifique que concurran los medios de convicción que corroboren la imputación, en términos de la fracción VII, del apartado A del artículo 20 de la Constitución. Serán medios de convicción los datos de prueba que se desprendan de los registros contenidos en la carpeta de investigación.

Si el procedimiento abreviado no fuere admitido por el Juez de control, se tendrá por no formulada la acusación oral que hubiere realizado el Ministerio Público, lo mismo que las modificaciones que, en su caso, hubiera realizado a su respectivo escrito y se continuará de acuerdo con las disposiciones previstas para el procedimiento ordinario. Asimismo, el Juez de control ordenará que todos los antecedentes relativos al planteamiento, discusión y resolución de la solicitud de procedimiento abreviado sean eliminados del registro.

Si no se admite la solicitud por inconsistencias o incongruencias en los planteamientos del Ministerio Público, éste podrá presentar nuevamente la solicitud una vez subsanados los defectos advertidos.

Artículo 204. Oposición de la víctima u ofendido

La oposición de la víctima u ofendido sólo será procedente cuando se acredite ante el Juez de control que no se encuentra debidamente garantizada la reparación del daño.

Artículo 205. Trámite del procedimiento

Una vez que el Ministerio Público ha realizado la solicitud del procedimiento abreviado y expuesto la acusación con los datos de prueba respectivos, el Juez de control resolverá la oposición que hubiere expresado la víctima u ofendido, observará el cumplimiento de los requisitos establecidos en el artículo 201, fracción III, correspondientes al imputado y verificará que los elementos de convicción que sustenten la acusación se encuentren debidamente integrados en la carpeta de investigación, previo a resolver sobre la autorización del procedimiento abreviado.

Una vez que el Juez de control haya autorizado dar trámite al procedimiento abreviado, escuchará al Ministerio Público, a la víctima u ofendido o a su Asesor jurídico, de estar presentes y después a la defensa; en todo caso, la exposición final corresponderá siempre al acusado.

Artículo 206. Sentencia

Concluido el debate, el Juez de control emitirá su fallo en la misma audiencia, para lo cual deberá dar lectura y explicación pública a la sentencia, dentro del plazo de cuarenta y ocho horas, explicando de forma concisa los fundamentos y motivos que tomó en consideración.

No podrá imponerse una pena distinta o de mayor alcance a la que fue solicitada por el Ministerio Público y aceptada por el acusado.

El juez deberá fijar el monto de la reparación del daño, para lo cual deberá expresar las razones para aceptar o rechazar las objeciones que en su caso haya formulado la víctima u ofendido.

Artículo 207. Reglas generales

La existencia de varios coimputados no impide la aplicación de estas reglas en forma individual.

CAPÍTULO V
DE LA SUPERVISIÓN DE LAS CONDICIONES IMPUESTAS EN LA SUSPENSIÓN CONDICIONAL DEL PROCESO

Artículo 208. Reglas para las obligaciones de la suspensión condicional del proceso

Para el seguimiento de las obligaciones previstas en el artículo 195, fracciones III, IV, V, VI, VIII y XIII las instituciones públicas y privadas designadas por la autoridad judicial, informarán a la autoridad de supervisión de medidas cautelares y de la suspensión condicional del proceso sobre su cumplimiento.

Artículo 209. Notificación de las obligaciones de la suspensión condicional del proceso

Concluida la audiencia y aprobada la suspensión condicional del proceso y las obligaciones que deberá cumplir el imputado, se notificará a la autoridad de supervisión de medidas cautelares y de la suspensión condicional del proceso, con el objeto de que ésta dé inicio al proceso de supervisión. Para tal efecto, se le deberá proporcionar la información de las condiciones impuestas.

Artículo 210. Notificación del incumplimiento

Cuando considere que se ha actualizado un incumplimiento injustificado, la autoridad de supervisión de medidas cautelares y de la suspensión condicional del proceso enviará el reporte de incumplimiento a las partes para que soliciten la audiencia de revocación de la suspensión ante el juez competente.

Si el juez determina la revocación de la suspensión condicional del proceso, concluirá la supervisión de la autoridad de supervisión de medidas cautelares y de la suspensión condicional del proceso.

El Ministerio Público que reciba el reporte de la autoridad de supervisión de medidas cautelares y de la suspensión condicional del proceso, deberá solicitar audiencia para pedir la revisión de las condiciones u obligaciones impuestas a la brevedad posible.

TÍTULO II
PROCEDIMIENTO ORDINARIO

CAPÍTULO ÚNICO
ETAPAS DEL PROCEDIMIENTO

Artículo 211. Etapas del procedimiento penal

El procedimiento penal comprende las siguientes etapas:

I. La de investigación, que comprende las siguientes fases:

a) Investigación inicial, que comienza con la presentación de la denuncia, querella u otro requisito equivalente y concluye cuando el imputado queda a disposición del Juez de control para que se le formule imputación, e

b) Investigación complementaria, que comprende desde la formulación de la imputación y se agota una vez que se haya cerrado la investigación;

II. La intermedia o de preparación del juicio, que comprende desde la formulación de la acusación hasta el auto de apertura del juicio, y

III. La de juicio, que comprende desde que se recibe el auto de apertura a juicio hasta la sentencia emitida por el Tribunal de enjuiciamiento.

La investigación no se interrumpe ni se suspende durante el tiempo en que se lleve a cabo la audiencia inicial hasta su conclusión o durante la víspera de la ejecución de una orden de aprehensión. El ejercicio de la acción inicia con la solicitud de citatorio a audiencia inicial, puesta a disposición del detenido ante la autoridad judicial o cuando se solicita la orden de aprehensión o comparecencia, con lo cual el Ministerio Público no perderá la dirección de la investigación.

El proceso dará inicio con la audiencia inicial, y terminará con la sentencia firme.

TÍTULO III
ETAPA DE INVESTIGACIÓN

CAPÍTULO I
DISPOSICIONES COMUNES A LA INVESTIGACIÓN

Artículo 212. Deber de investigación penal

Cuando el Ministerio Público tenga conocimiento de la existencia de un hecho que la ley señale como delito, dirigirá la investigación penal, sin que pueda suspender, interrumpir o hacer cesar su curso, salvo en los casos autorizados en la misma.

La investigación deberá realizarse de manera inmediata, eficiente, exhaustiva, profesional e imparcial, libre de estereotipos y discriminación, orientada a explorar todas las líneas de investigación posibles que permitan allegarse de datos para el esclarecimiento del hecho que la ley señala como delito, así como la identificación de quien lo cometió o participó en su comisión.

Artículo 213. Objeto de la investigación

La investigación tiene por objeto que el Ministerio Público reúna indicios para el esclarecimiento de los hechos y, en su caso, los datos de prueba para sustentar el ejercicio de la acción penal, la acusación contra el imputado y la reparación del daño.

Artículo 214. Principios que rigen a las autoridades de la investigación

Las autoridades encargadas de desarrollar la investigación de los delitos se regirán por los principios de legalidad, objetividad, eficiencia, profesionalismo, honradez, lealtad y respeto a los derechos humanos reconocidos en la Constitución y en los Tratados.

Artículo 215. Obligación de suministrar información

Toda persona o servidor público está obligado a proporcionar oportunamente la información que requieran el Ministerio Público y la Policía en el ejercicio de sus funciones de investigación de un hecho delictivo concreto. En caso de ser citados para ser entrevistados por el Ministerio Público o la Policía, tienen obligación de comparecer y sólo podrán excusarse en los casos expresamente previstos en la ley. En caso de incumplimiento, se incurrirá en responsabilidad y será sancionado de conformidad con las leyes aplicables.

Artículo 216. Proposición de actos de investigación

Durante la investigación, tanto el imputado cuando haya comparecido o haya sido entrevistado, como su Defensor, así como la víctima u ofendido, podrán solicitar al Ministerio Público todos aquellos actos de investigación que consideraren pertinentes y útiles para el esclarecimiento de los hechos. El Ministerio Público ordenará que se lleven a cabo aquellos que sean conducentes. La solicitud deberá resolverse en un plazo máximo de tres días siguientes a la fecha en que se haya formulado la petición al Ministerio Público.

Artículo 217. Registro de los actos de investigación

El Ministerio Público y la Policía deberán dejar registro de todas las actuaciones que se realicen durante la investigación de los delitos, utilizando al efecto cualquier medio que permita garantizar que la información recabada sea completa, íntegra y exacta, así como el acceso a la misma por parte de los sujetos que de acuerdo con la ley tuvieren derecho a exigirlo.

Cada acto de investigación se registrará por separado, y será firmado por quienes hayan intervenido. Si no quisieren o no pudieren firmar, se imprimirá su huella digital. En caso de que esto no sea posible o la persona se niegue a imprimir su huella, se hará constar el motivo.

El registro de cada actuación deberá contener por lo menos la indicación de la fecha, hora y lugar en que se haya efectuado, identificación de los servidores públicos y demás personas que hayan intervenido y una breve descripción de la actuación y, en su caso, de sus resultados.

Artículo 218. Reserva de los actos de investigación

Los registros de la investigación, así como todos los documentos, independientemente de su contenido o naturaleza, los objetos, los registros de voz e imágenes o cosas que le estén relacionados, son estrictamente reservados, por lo que únicamente las partes, podrán tener acceso a los mismos, con las limitaciones establecidas en este Código y demás disposiciones aplicables.

La víctima u ofendido y su Asesor Jurídico podrán tener acceso a los registros de la investigación en cualquier momento.

El imputado y su defensor podrán tener acceso a ellos cuando se encuentre detenido, sea citado para comparecer como imputado o sea sujeto de un acto de molestia y se pretenda recibir su entrevista, a partir de este momento ya no podrán mantenerse en reserva los registros para el imputado o su Defensor a fin de no afectar su derecho de defensa. Para los efectos de este párrafo, se entenderá como acto de molestia lo dispuesto en el artículo 266 de este Código.

En ningún caso la reserva de los registros podrá hacerse valer en perjuicio del imputado y su Defensor, una vez dictado el auto de vinculación a proceso, salvo lo previsto en este Código o en las leyes especiales.

Para efectos de acceso a la información pública gubernamental, el Ministerio Público únicamente deberá proporcionar una versión pública de las determinaciones de no ejercicio de la acción penal, archivo temporal o de aplicación de un criterio de oportunidad, siempre que haya transcurrido un plazo igual al de prescripción de los delitos de que se trate, de conformidad con lo dispuesto en el Código Penal Federal o estatal correspondiente, sin que pueda ser menor de tres años, ni mayor de doce años, contado a partir de que dicha determinación haya quedado firme.

Artículo reformado DOF 17-06-2016

Artículo 219. Acceso a los registros y la audiencia inicial

Una vez convocados a la audiencia inicial, el imputado y su Defensor tienen derecho a consultar los registros de la investigación y a obtener copia, con la oportunidad debida para preparar la defensa. En caso que el Ministerio Público se niegue a permitir el acceso a los registros o a la obtención de las copias, podrán acudir ante el Juez de control para que resuelva lo conducente.

Artículo 220. Excepciones para el acceso a la información

El Ministerio Público podrá solicitar excepcionalmente al Juez de control que determinada información se mantenga bajo reserva aún después de la vinculación a proceso, cuando sea necesario para evitar la destrucción, alteración u ocultamiento de pruebas, la intimidación, amenaza o influencia a los testigos del hecho, para asegurar el éxito de la investigación, o para garantizar la protección de personas o bienes jurídicos.

Si el Juez de control considera procedente la solicitud, así lo resolverá y determinará el plazo de la reserva, siempre que la información que se solicita sea reservada, sea oportunamente revelada para no afectar el derecho de defensa. La reserva podrá ser prorrogada cuando sea estrictamente necesario, pero no podrá prolongarse hasta después de la formulación de la acusación.

CAPÍTULO II
INICIO DE LA INVESTIGACIÓN

Artículo 221. Formas de inicio

La investigación de los hechos que revistan características de un delito podrá iniciarse por denuncia, por querella o por su equivalente cuando la ley lo exija. El Ministerio Público y la Policía están obligados a proceder sin mayores requisitos a la investigación de los hechos de los que tengan noticia.

Tratándose de delitos que deban perseguirse de oficio, bastará para el inicio de la investigación la comunicación que haga cualquier persona, en la que se haga del conocimiento de la autoridad investigadora los hechos que pudieran ser constitutivos de un delito.

Tratándose de informaciones anónimas, la Policía constatará la veracidad de los datos aportados mediante los actos de investigación que consideren conducentes para este efecto. De confirmarse la información, se iniciará la investigación correspondiente.

Cuando el Ministerio Público tenga conocimiento de la probable comisión de un hecho delictivo cuya persecución dependa de querella o de cualquier otro requisito equivalente que deba formular alguna autoridad, lo comunicará por escrito y de inmediato a ésta, a fin de que resuelva lo que a sus facultades o atribuciones corresponda. Las autoridades harán saber por escrito al Ministerio Público la determinación que adopten.

El Ministerio Público podrá aplicar el criterio de oportunidad en los casos previstos por las disposiciones legales aplicables o no iniciar investigación cuando resulte evidente que no hay delito que perseguir. Las decisiones del Ministerio Público serán impugnables en los términos que prevé este Código.

Artículo 222. Deber de denunciar

Toda persona a quien le conste que se ha cometido un hecho probablemente constitutivo de un delito está obligada a denunciarlo ante el Ministerio Público y en caso de urgencia ante cualquier agente de la Policía.

Quien en ejercicio de funciones públicas tenga conocimiento de la probable existencia de un hecho que la ley señale como delito, está obligado a denunciarlo inmediatamente al Ministerio Público, proporcionándole todos los datos que tuviere, poniendo a su disposición a los imputados, si hubieren sido detenidos en flagrancia. Quien tenga el deber jurídico de denunciar y no lo haga, será acreedor a las sanciones correspondientes.

Cuando el ejercicio de las funciones públicas a que se refiere el párrafo anterior, correspondan a la coadyuvancia con las autoridades responsables de la seguridad pública, además de cumplir con lo previsto en dicho párrafo, la intervención de los servidores públicos respectivos deberá limitarse a preservar el lugar de los hechos hasta el arribo de las autoridades competentes y, en su caso, adoptar las medidas a su alcance para que se brinde atención médica de urgencia a los heridos si los hubiere, así como poner a disposición de la autoridad a los detenidos por conducto o en coordinación con la policía.

Párrafo adicionado DOF 17-06-2016

No estarán obligados a denunciar quienes al momento de la comisión del delito detenten el carácter de tutor, curador, pupilo, cónyuge, concubina o concubinario, conviviente del imputado, los parientes por consanguinidad o por afinidad en la línea recta ascendente o descendente hasta el cuarto grado y en la colateral por consanguinidad o afinidad, hasta el segundo grado inclusive.

Artículo 223. Forma y contenido de la denuncia

La denuncia podrá formularse por cualquier medio y deberá contener, salvo los casos de denuncia anónima o reserva de identidad, la identificación del denunciante, su domicilio, la narración circunstanciada del hecho, la indicación de quién o quiénes lo habrían cometido y de las personas que lo hayan presenciado o que tengan noticia de él y todo cuanto le constare al denunciante.

En el caso de que la denuncia se haga en forma oral, se levantará un registro en presencia del denunciante, quien previa lectura que se haga de la misma, lo firmará junto con el servidor público que la reciba. La denuncia escrita será firmada por el denunciante.

En ambos casos, si el denunciante no pudiere firmar, estampará su huella digital, previa lectura que se le haga de la misma.

Artículo 224. Trámite de la denuncia

Cuando la denuncia sea presentada directamente ante el Ministerio Público, éste iniciará la investigación conforme a las reglas previstas en este Código.

Cuando la denuncia sea presentada ante la Policía, ésta informará de dicha circunstancia al Ministerio Público en forma inmediata y por cualquier medio, sin perjuicio de realizar las diligencias urgentes que se requieran dando cuenta de ello en forma posterior al Ministerio Público.

Artículo 225. Querella u otro requisito equivalente

La querella es la expresión de la voluntad de la víctima u ofendido o de quien legalmente se encuentre facultado para ello, mediante la cual manifiesta expresamente ante el Ministerio Público su pretensión de que se inicie la investigación de uno o varios hechos que la ley señale como delitos y que requieran de este requisito de procedibilidad para ser investigados y, en su caso, se ejerza la acción penal correspondiente.

La querella deberá contener, en lo conducente, los mismos requisitos que los previstos para la denuncia. El Ministerio Público deberá cerciorarse que éstos se encuentren debidamente satisfechos para, en su caso, proceder en los términos que prevé el presente Código. Tratándose de requisitos de procedibilidad equivalentes, el Ministerio Público deberá realizar la misma verificación.

Artículo 226. Querella de personas menores de edad o que no tienen capacidad para comprender el significado del hecho

Tratándose de personas menores de dieciocho años, o de personas que no tengan la capacidad de comprender el significado del hecho, la querella podrá ser presentada por quienes ejerzan la patria potestad o la tutela o sus representantes legales, sin perjuicio de que puedan hacerlo por sí mismos, por sus hermanos o un tercero, cuando se trate de delitos cometidos en su contra por quienes ejerzan la patria potestad, la tutela o sus propios representantes.

CAPÍTULO III
TÉCNICAS DE INVESTIGACIÓN

Artículo 227. Cadena de custodia

La cadena de custodia es el sistema de control y registro que se aplica al indicio, evidencia, objeto, instrumento o producto del hecho delictivo, desde su localización, descubrimiento o aportación, en el lugar de los hechos o del hallazgo, hasta que la autoridad competente ordene su conclusión.

Con el fin de corroborar los elementos materiales probatorios y la evidencia física, la cadena de custodia se aplicará teniendo en cuenta los siguientes factores: identidad, estado original, condiciones de recolección, preservación, empaque y traslado; lugares y fechas de permanencia y los cambios que en cada custodia se hayan realizado; igualmente se registrará el nombre y la identificación de todas las personas que hayan estado en contacto con esos elementos.

Artículo 228. Responsables de cadena de custodia

La aplicación de la cadena de custodia es responsabilidad de quienes en cumplimiento de las funciones propias de su encargo o actividad, en los términos de ley, tengan contacto con los indicios, vestigios, evidencias, objetos, instrumentos o productos del hecho delictivo.

Cuando durante el procedimiento de cadena de custodia los indicios, huellas o vestigios del hecho delictivo, así como los instrumentos, objetos o productos del delito se alteren, no perderán su valor probatorio, a menos que la autoridad competente verifique que han sido modificados de tal forma que hayan perdido su eficacia para acreditar el hecho o circunstancia de que se trate. Los indicios, huellas o vestigios del hecho delictivo, así como los instrumentos, objetos o productos del delito deberán concatenarse con otros medios probatorios para tal fin. Lo anterior, con independencia de la responsabilidad en que pudieran incurrir los servidores públicos por la inobservancia de este procedimiento.

Artículo 229. Aseguramiento de bienes, instrumentos, objetos o productos del delito

Los instrumentos, objetos o productos del delito, así como los bienes en que existan huellas o pudieran tener relación con éste, siempre que guarden relación directa con el lugar de los hechos o del hallazgo, serán asegurados durante el desarrollo de la investigación, a fin de que no se alteren, destruyan o desaparezcan. Para tales efectos se establecerán controles específicos para su resguardo, que atenderán como mínimo a la naturaleza del bien y a la peligrosidad de su conservación.

Artículo 230. Reglas sobre el aseguramiento de bienes

El aseguramiento de bienes se realizará conforme a lo siguiente:

I. El Ministerio Público, o la Policía en auxilio de éste, deberá elaborar un inventario de todos y cada uno de los bienes que se pretendan asegurar, firmado por el imputado o la persona con quien se atienda el acto de investigación. Ante su ausencia o negativa, la relación deberá ser firmada por dos testigos presenciales que preferentemente no sean miembros de la Policía y cuando ello suceda, que no hayan participado materialmente en la ejecución del acto;

II. La Policía deberá tomar las providencias necesarias para la debida preservación del lugar de los hechos o del hallazgo y de los indicios, huellas, o vestigios del hecho delictivo, así como de los instrumentos, objetos o productos del delito asegurados, y

III. Los bienes asegurados y el inventario correspondiente se pondrán a la brevedad a disposición de la autoridad competente, de conformidad con las disposiciones aplicables. Se deberá informar si los bienes asegurados son indicio, evidencia física, objeto, instrumento o producto del hecho delictivo.

Fracción reformada DOF 09-08-2019

Artículo 231. Notificación del aseguramiento y abandono

El Ministerio Público deberá notificar al interesado o a su representante legal el aseguramiento del objeto, instrumento o producto del delito, dentro de los sesenta días naturales siguientes a su ejecución, entregando o poniendo a su disposición, según sea el caso, una copia del registro de aseguramiento, para que manifieste lo que a su derecho convenga.

Cuando se desconozca la identidad o domicilio del interesado, la notificación se hará por dos edictos que se publicarán en el Diario Oficial de la Federación o su equivalente, en el medio de difusión oficial en la Entidad federativa que corresponda y en un periódico de circulación nacional o estatal, según corresponda, con un intervalo de diez días hábiles entre cada publicación. En la notificación se apercibirá al interesado o a su representante legal para que se abstenga de ejercer actos de dominio sobre los bienes asegurados y se le apercibirá que de no manifestar lo que a su derecho convenga, en un término de noventa días naturales siguientes al de la notificación, los bienes causarán abandono a favor del Gobierno Federal o de la Entidad federativa de que se trate, según corresponda.

Párrafo reformado DOF 09-08-2019

Transcurrido dicho plazo sin que ninguna persona se haya presentado a deducir derechos sobre los bienes asegurados, el Ministerio Público solicitará al Juez de control que declare el abandono de los bienes y éste citará al interesado, a la víctima u ofendido y al Ministerio Público a una audiencia dentro de los diez días siguientes a la solicitud a que se refiere el párrafo anterior.

La citación a la audiencia se realizará como sigue:

I. Al Ministerio Público, conforme a las reglas generales establecidas en este Código;

II. A la víctima u ofendido, de manera personal y cuando se desconozca su domicilio o identidad, por estrados y boletín judicial, y

III. Al interesado de manera personal y cuando se desconozca su domicilio o identidad, de conformidad con las reglas de la notificación previstas en el presente Código.

El Juez de control, al resolver sobre el abandono, verificará que la notificación realizada al interesado haya cumplido con las formalidades que prevé este Código; que haya transcurrido el plazo correspondiente y que no se haya presentado persona alguna ante el Ministerio Público a deducir derechos sobre los bienes asegurados o que éstos no hayan sido reconocidos o que no se hubieren cubierto los requerimientos legales.

La declaratoria de abandono será notificada, en su caso, a la autoridad competente que tenga los bienes bajo su administración para efecto de que sean destinados al Gobierno Federal o de la Entidad federativa que corresponda, en términos de las disposiciones aplicables.

Párrafo reformado DOF 09-08-2019

Artículo 232. Custodia y disposición de los bienes asegurados

Cuando los bienes que se aseguren hayan sido previamente embargados, intervenidos, secuestrados o asegurados, se notificará el nuevo aseguramiento a las autoridades que hayan ordenado dichos actos. Los bienes continuarán en custodia de quien se haya designado para ese fin, y a disposición de la autoridad judicial o del Ministerio Público para los efectos del procedimiento penal. De levantarse el embargo, intervención, secuestro o aseguramiento previos, quien los tenga bajo su custodia, los entregará a la autoridad competente para efectos de su administración.

Sobre los bienes asegurados no podrán ejercerse actos de dominio por sus propietarios, depositarios, interventores o administradores, durante el tiempo que dure el aseguramiento en el procedimiento penal, salvo los casos expresamente señalados por las disposiciones aplicables.

El aseguramiento no implica modificación alguna a los gravámenes o limitaciones de dominio existentes con anterioridad sobre los bienes.

Artículo 233. Registro de los bienes asegurados

Se hará constar en los registros públicos que correspondan, de conformidad con las disposiciones aplicables:

I. El aseguramiento de bienes inmuebles, derechos reales, aeronaves, embarcaciones, empresas, negociaciones, establecimientos, acciones, partes sociales, títulos bursátiles y cualquier otro bien o derecho susceptible de registro o constancia, y

II. El nombramiento del depositario, interventor o administrador, de los bienes a que se refiere la fracción anterior.

El registro o su cancelación se realizarán sin más requisito que el oficio que para tal efecto emita la autoridad judicial o el Ministerio Público.

Artículo 234. Frutos de los bienes asegurados

A los frutos o rendimientos de los bienes durante el tiempo del aseguramiento, se les dará el mismo tratamiento que a los bienes asegurados que los generen.

Ni el aseguramiento de bienes ni su conversión a numerario implican que éstos entren al erario público.

Artículo 235. Aseguramiento de narcóticos y productos relacionados con delitos de propiedad intelectual, derechos de autor e hidrocarburos.

Encabezado del artículo reformado DOF 12-01-2016

Cuando se aseguren narcóticos previstos en cualquier disposición, productos relacionados con delitos de propiedad intelectual y derechos de autor o bienes que impliquen un alto costo o peligrosidad por su conservación, si esta medida es procedente, el Ministerio Público ordenará su destrucción, previa autorización o intervención de las autoridades correspondientes, debiendo previamente fotografiarlos o videograbarlos, así como levantar un acta en la que se haga constar la naturaleza, peso, cantidad o volumen y demás características de éstos, debiéndose recabar muestras del mismo para que obren en los registros de la investigación que al efecto se inicie.

Cuando se aseguren hidrocarburos, petrolíferos o petroquímicos y demás activos, se pondrán a disposición del Ministerio Público de la Federación, quien sin dilación alguna procederá a su entrega a los asignatarios, contratistas o permisionarios, o a quien resulte procedente, quienes estarán obligados a recibirlos en los mismos términos, para su destino final, previa inspección en la que se determinará la naturaleza, volumen y demás características de éstos; conservando muestras representativas para la elaboración de los dictámenes periciales que hayan de producirse en la carpeta de investigación y en proceso, según sea el caso.

Párrafo adicionado DOF 12-01-2016

Artículo 236. Objetos de gran tamaño

Los objetos de gran tamaño, como naves, aeronaves, vehículos automotores, máquinas, grúas y otros similares, después de ser examinados por peritos para recoger indicios que se hallen en ellos, podrán ser videograbados o fotografiados en su totalidad y se registrarán del mismo modo los sitios en donde se hallaron huellas, rastros, narcóticos, armas, explosivos o similares que puedan ser objeto o producto de delito.

Artículo 237. Aseguramiento de objetos de gran tamaño

Los objetos mencionados en el artículo precedente, después de que sean examinados, fotografiados, o videograbados podrán ser devueltos, con o sin reservas, al propietario, poseedor o al tenedor legítimo según el caso, previa demostración de la calidad invocada, siempre y cuando no hayan sido medios eficaces para la comisión del delito.

Artículo 238. Aseguramiento de flora y fauna

Las especies de flora y fauna de reserva ecológica que se aseguren, serán provistas de los cuidados necesarios y depositados en zoológicos, viveros o en instituciones análogas, considerando la opinión de la dependencia competente o institución de educación superior o de investigación científica.

Artículo 239. Requisitos para el aseguramiento de vehículos

Tratándose de delitos culposos ocasionados con motivo del tránsito de vehículos, estos se entregarán en depósito a quien se legitime como su propietario o poseedor.

Previo a la entrega del vehículo, el Ministerio Público debe cerciorarse:

I. Que el vehículo no tenga reporte de robo;

II. Que el vehículo no se encuentre relacionado con otro hecho delictivo;

III. Que se haya dado oportunidad a la otra parte de solicitar y practicar los peritajes necesarios, y

IV. Que no exista oposición fundada para la devolución por parte de terceros, o de la aseguradora.

Artículo 240. Aseguramiento de vehículos

En caso de que se presente alguno de los supuestos anteriores, el Ministerio Público podrá ordenar el aseguramiento y resguardo del vehículo hasta en tanto se esclarecen los hechos, sujeto a la aprobación judicial en términos de lo previsto por este Código.

En la aprobación judicial se determinará si los bienes asegurados son indicio, evidencia física, objeto, instrumento o producto del hecho delictivo, determinando su conservación o su administración, en términos de las disposiciones aplicables.

Párrafo adicionado DOF 09-08-2019

Artículo 241. Aseguramiento de armas de fuego o explosivos

Cuando se aseguren armas de fuego o explosivos se hará del conocimiento de la Secretaría de la Defensa Nacional, así como de las demás autoridades que establezcan las disposiciones legales aplicables.

Artículo 242. Aseguramiento de bienes o derechos relacionados con operaciones financieras

[El Ministerio Público o a solicitud de la Policía podrá ordenar la suspensión, o el aseguramiento de cuentas, títulos de crédito y en general cualquier bien o derecho relativos a operaciones que las instituciones financieras establecidas en el país celebren con sus clientes y dará aviso inmediato a la autoridad encargada de la administración de los bienes asegurados y a las autoridades competentes, quienes tomarán las medidas necesarias para evitar que los titulares respectivos realicen cualquier acto contrario al aseguramiento.]

Artículo declarado inválido por sentencia de la SCJN a Acción de Inconstitucionalidad DOF 25-06-2018

Artículo 243. Efectos del aseguramiento en actividades lícitas

El aseguramiento no será causa para el cierre o suspensión de actividades de empresas, negociaciones o establecimientos con actividades lícitas.

Tratándose de los delitos que refiere la Ley Federal para Prevenir y Sancionar los Delitos Cometidos en Materia de Hidrocarburos, el Ministerio Público de la Federación, asegurará el establecimiento mercantil o empresa prestadora del servicio e inmediatamente notificará al Servicio de Administración y Enajenación de Bienes con la finalidad de que el establecimiento mercantil o empresa asegurada le sea transferida.

Párrafo adicionado DOF 12-01-2016

Previo a que la empresa sea transferida al Servicio de Administración y Enajenación de Bienes, se retirará el producto ilícito de los contenedores del establecimiento o empresa y se suministrarán los hidrocarburos lícitos con el objeto de continuar las actividades, siempre y cuando la empresa cuente con los recursos para la compra del producto; suministro que se llevará a cabo una vez que la empresa haya sido transferida al Servicio de Administración y Enajenación de Bienes para su administración.

Párrafo adicionado DOF 12-01-2016

En caso de que el establecimiento o empresa prestadora del servicio corresponda a un franquiciatario o permisionario, el aseguramiento constituirá causa justa para que el franquiciante pueda dar por terminados los contratos respectivos en términos de la Ley de la Propiedad Industrial, y tratándose del permisionario, el otorgante del permiso pueda revocarlo. Para lo anterior, previamente la autoridad ministerial o judicial deberá determinar su destino.

Párrafo adicionado DOF 12-01-2016

Artículo 244. Cosas no asegurables

No estarán sujetas al aseguramiento las comunicaciones y cualquier información que se genere o intercambie entre el imputado y las personas que no están obligadas a declarar como testigos por razón de parentesco, secreto profesional o cualquiera otra establecida en la ley. En todo caso, serán inadmisibles como fuente de información o medio de prueba.

No habrá lugar a estas excepciones cuando existan indicios de que las personas mencionadas en este artículo, distintas al imputado, estén involucradas como autoras o partícipes del hecho punible o existan indicios fundados de que están encubriéndolo ilegalmente.

Artículo 245. Causales de procedencia para la devolución de bienes asegurados

La devolución de bienes asegurados procede en los casos siguientes:

I. Cuando el Ministerio Público resuelva el no ejercicio de la acción penal, la aplicación de un criterio de oportunidad, la reserva o archivo temporal, se abstenga de acusar, o levante el aseguramiento de conformidad con las disposiciones aplicables, o

II. Cuando la autoridad judicial levante el aseguramiento o no decrete el decomiso, de conformidad con las disposiciones aplicables.

La devolución se realizará en el estado físico de conservación que conforme a su naturaleza adquiera el bien, o el valor del mismo.

Párrafo adicionado DOF 09-08-2019

Artículo 246. Entrega de bienes

Las autoridades deberán devolver a la persona que acredite o demuestre derechos sobre los bienes que no estén sometidos a decomiso, aseguramiento, restitución o embargo, inmediatamente después de realizar las diligencias conducentes. En todo caso, se dejará constancia mediante fotografías u otros medios que resulten idóneos de estos bienes.

Esta devolución podrá ordenarse en depósito provisional y al poseedor se le podrá imponer la obligación de exhibirlos cuando se le requiera.

Dentro de los treinta días siguientes a la notificación del acuerdo de devolución, la autoridad judicial o el Ministerio Público notificarán su resolución al interesado o al representante legal, para que dentro de los diez días siguientes a dicha notificación se presente a recogerlos, bajo el apercibimiento que de no hacerlo, los bienes causarán abandono a favor del Gobierno Federal o de la Entidad federativa de que se trate, según corresponda y se procederá en los términos previstos en este Código.

Párrafo reformado DOF 09-08-2019

Cuando se haya hecho constar el aseguramiento de los bienes en los registros públicos, la autoridad que haya ordenado su devolución ordenará su cancelación.

Artículo 247. Devolución de bienes asegurados

La devolución de los bienes asegurados incluirá la entrega de los frutos que, en su caso, hubieren generado.

Previo a la instrucción de devolución, el Ministerio Público deberá revisar que los bienes no hayan causado abandono en los términos establecidos por este Código.

Párrafo adicionado DOF 09-08-2019

La devolución de numerario comprenderá la entrega del principal y, en su caso, de sus rendimientos durante el tiempo en que haya sido administrado, a la tasa que cubra la Tesorería de la Federación o la instancia correspondiente en las Entidades federativas por los depósitos a la vista que reciba.

La autoridad que haya administrado empresas, negociaciones o establecimientos, al devolverlas rendirá cuentas de la administración que hubiere realizado a la persona que tenga derecho a ello, y le entregará los documentos, objetos, numerario y, en general, todo aquello que haya comprendido la administración.

Previo a la recepción de los bienes por parte del interesado, se dará oportunidad a éste para que revise e inspeccione las condiciones en que se encuentren los mismos, a efecto de que verifique el inventario correspondiente.

Artículo 248. Bienes que hubieren sido convertidos a numerario o sobre los que exista imposibilidad de devolver

Cuando se determine por la autoridad competente la devolución de los bienes que hubieren sido convertidos a numerario o haya imposibilidad para devolverlos, deberá cubrirse a la persona que tenga la titularidad del derecho de devolución el valor de los mismos, de conformidad con la legislación aplicable.

Artículo reformado DOF 09-08-2019

Artículo 249. Aseguramiento por valor equivalente

En caso de que el producto, los instrumentos u objetos del hecho delictivo hayan desaparecido o no se localicen por causa atribuible al imputado, el Ministerio Público [decretará o] solicitará al Órgano jurisdiccional correspondiente el embargo precautorio, el aseguramiento y, en su caso, el decomiso de bienes propiedad del o de los imputados, así como de aquellos respecto de los cuales se conduzcan como dueños, cuyo valor equivalga a dicho producto, sin menoscabo de las disposiciones aplicables en materia de extinción de dominio.

Artículo declarado inválido por sentencia de la SCJN a Acción de Inconstitucionalidad DOF 25-06-2018 (En la porción normativa que indica "decretará o")

Artículo 250. Decomiso

La autoridad judicial mediante sentencia en el proceso penal correspondiente, podrá decretar el decomiso de bienes, con excepción de los que hayan causado abandono en los términos de este Código o respecto de aquellos sobre los cuales haya resuelto la declaratoria de extinción de dominio.

Cuando se haya hecho constar el aseguramiento de los bienes en los registros públicos, la autoridad que haya ordenado su decomiso solicitará la inscripción de la sentencia.

Párrafo adicionado DOF 09-08-2019

El numerario decomisado y los recursos que se obtengan por la enajenación de los bienes decomisados, una vez satisfecha la reparación a la víctima, y descontado el porcentaje por concepto de gastos indirectos de operación a que refiere la Ley de Ingresos de la Federación, del ejercicio fiscal que corresponda, a favor del Instituto de Administración de Bienes y Activos, serán entregados en partes iguales al Poder Judicial de la Federación, a la Fiscalía General de la República, al fondo previsto en la Ley General de Víctimas y al financiamiento de programas sociales conforme a los objetivos establecidos en el Plan Nacional de Desarrollo, u otras políticas públicas prioritarias, conforme lo determine el Gabinete Social de la Presidencia de la República a que se refiere la Ley Orgánica de la Administración Pública Federal a través de la instancia designada para tal efecto. Para el caso del reparto del producto de la extinción de dominio en el fuero común, serán entregados en las mismas proporciones a las instancias equivalentes existentes en cada Entidad federativa.

Párrafo reformado DOF 09-08-2019

Artículo 251. Actuaciones en la investigación que no requieren autorización previa del Juez de control

No requieren autorización del Juez de control los siguientes actos de investigación:

I. La inspección del lugar del hecho o del hallazgo;
II. La inspección de lugar distinto al de los hechos o del hallazgo;
III. La inspección de personas;
IV. La revisión corporal;
V. La inspección de vehículos;
VI. El levantamiento e identificación de cadáver;
VII. La aportación de comunicaciones entre particulares;
VIII. El reconocimiento de personas;
IX. La entrega vigilada y las operaciones encubiertas, en el marco de una investigación y en los términos que establezcan los protocolos emitidos para tal efecto por el Procurador;
X. La entrevista de testigos;

Fracción reformada DOF 17-06-2016

XI. Recompensas, en términos de los acuerdos que para tal efecto emite el Procurador, y

Fracción adicionada DOF 17-06-2016

XII. Las demás en las que expresamente no se prevea control judicial.

Fracción recorrida DOF 17-06-2016

En los casos de la fracción IX, dichas actuaciones deberán ser autorizadas por el Procurador o por el servidor público en quien éste delegue dicha facultad.

Para los efectos de la fracción X de este artículo, cuando un testigo se niegue a ser entrevistado, será citado por el Ministerio Público o en su caso por el Juez de control en los términos que prevé el presente Código.

Artículo 252. Actos de investigación que requieren autorización previa del Juez de control

Con excepción de los actos de investigación previstos en el artículo anterior, requieren de autorización previa del Juez de control todos los actos de investigación que impliquen afectación a derechos establecidos en la Constitución, así como los siguientes:
I. La exhumación de cadáveres;
II. Las órdenes de cateo;
III. La intervención de comunicaciones privadas y correspondencia;

IV. La toma de muestras de fluido corporal, vello o cabello, extracciones de sangre u otros análogos, cuando la persona requerida, excepto la víctima u ofendido, se niegue a proporcionar la misma;

V. El reconocimiento o examen físico de una persona cuando aquélla se niegue a ser examinada, y

VI. Las demás que señalen las leyes aplicables.

CAPÍTULO IV
FORMAS DE TERMINACIÓN DE LA INVESTIGACIÓN

Artículo 253. Facultad de abstenerse de investigar

El Ministerio Público podrá abstenerse de investigar, cuando los hechos relatados en la denuncia, querella o acto equivalente, no fueren constitutivos de delito o cuando los antecedentes y datos suministrados permitan establecer que se encuentra extinguida la acción penal o la responsabilidad penal del imputado. Esta decisión será siempre fundada y motivada.

Artículo 254. Archivo temporal

El Ministerio Público podrá archivar temporalmente aquellas investigaciones en fase inicial en las que no se encuentren antecedentes, datos suficientes o elementos de los que se puedan establecer líneas de investigación que permitan realizar diligencias tendentes a esclarecer los hechos que dieron origen a la investigación. El archivo subsistirá en tanto se obtengan datos que permitan continuarla a fin de ejercitar la acción penal.

Artículo 255. No ejercicio de la acción

Antes de la audiencia inicial, el Ministerio Público previa autorización del Procurador o del servidor público en quien se delegue la facultad, podrá decretar el no ejercicio de la acción penal cuando de los antecedentes del caso le permitan concluir que en el caso concreto se actualiza alguna de las causales de sobreseimiento previstas en este Código.

La determinación de no ejercicio de la acción penal, para los casos del artículo 327 del presente Código, inhibe una nueva persecución penal por los mismos hechos respecto del indiciado, salvo que sea por diversos hechos o en contra de diferente persona.

Artículo reformado DOF 17-06-2016

Artículo 256. Casos en que operan los criterios de oportunidad

Iniciada la investigación y previo análisis objetivo de los datos que consten en la misma, conforme a las disposiciones normativas de cada Procuraduría, el Ministerio Público, podrá abstenerse de ejercer la acción penal con base en la aplicación de criterios de oportunidad, siempre que, en su caso, se hayan reparado o garantizado los daños causados a la víctima u ofendido.

Párrafo reformado DOF 17-06-2016

La aplicación de los criterios de oportunidad será procedente en cualquiera de los siguientes supuestos:

I. Se trate de un delito que no tenga pena privativa de libertad, tenga pena alternativa o tenga pena privativa de libertad cuya punibilidad máxima sea de cinco años de prisión, siempre que el delito no se haya cometido con violencia;

II. Se trate de delitos de contenido patrimonial cometidos sin violencia sobre las personas o de delitos culposos, siempre que el imputado no hubiere actuado en estado de ebriedad, bajo el influjo de narcóticos o de cualquier otra sustancia que produzca efectos similares;

III. Cuando el imputado haya sufrido como consecuencia directa del hecho delictivo un daño físico o psicoemocional grave, o cuando el imputado haya contraído una enfermedad terminal que torne notoriamente innecesaria o desproporcional la aplicación de una pena;

IV. La pena o medida de seguridad que pudiera imponerse por el hecho delictivo que carezca de importancia en consideración a la pena o medida de seguridad ya impuesta o a la que podría imponerse por otro delito por el que esté siendo procesado con independencia del fuero;

Fracción reformada DOF 17-06-2016

V. Cuando el imputado aporte información esencial y eficaz para la persecución de un delito más grave del que se le imputa, y se comprometa a comparecer en juicio;

Fracción reformada DOF 17-06-2016

VI. Cuando, a razón de las causas o circunstancias que rodean la comisión de la conducta punible, resulte desproporcionada o irrazonable la persecución penal.

Fracción reformada DOF 17-06-2016

VII. Se deroga.

Fracción derogada DOF 17-06-2016

No podrá aplicarse el criterio de oportunidad en los casos de delitos contra el libre desarrollo de la personalidad, de violencia familiar ni en los casos de delitos fiscales o aquellos que afecten gravemente el interés público. Para el caso de delitos fiscales y financieros, previa autorización de la Secretaría de Hacienda y Crédito Público, a través de la Procuraduría Fiscal de la Federación, únicamente podrá ser aplicado el supuesto de la fracción V, en el caso de que el imputado aporte información fidedigna que coadyuve para la investigación y persecución del beneficiario final del mismo delito, tomando en consideración que será este último quien estará obligado a reparar el daño.

Párrafo reformado DOF 08-11-2019

El Ministerio Público aplicará los criterios de oportunidad sobre la base de razones objetivas y sin discriminación, valorando las circunstancias especiales en cada caso, de conformidad con lo dispuesto en el presente Código así como en los criterios generales que al efecto emita el Procurador o equivalente.

La aplicación de los criterios de oportunidad podrán ordenarse en cualquier momento y hasta antes de que se dicte el auto de apertura a juicio.

La aplicación de los criterios de oportunidad deberá ser autorizada por el Procurador o por el servidor público en quien se delegue esta facultad, en términos de la normatividad aplicable.

Artículo 257. Efectos del criterio de oportunidad

La aplicación de los criterios de oportunidad extinguirá la acción penal con respecto al autor o partícipe en cuyo beneficio se dispuso la aplicación de dicho criterio. Si la decisión del Ministerio Público se sustentara en alguno de los supuestos de procedibilidad establecidos en las fracciones I y II del artículo anterior, sus efectos se extenderán a todos los imputados que reúnan las mismas condiciones.

En el caso de la fracción V del artículo anterior, se suspenderá el ejercicio de la acción penal, así como el plazo de la prescripción de la acción penal, hasta en tanto el imputado comparezca a rendir su testimonio en el procedimiento respecto del que aportó información, momento a partir del cual, el agente del Ministerio Público contará con quince días para resolver definitivamente sobre la procedencia de la extinción de la acción penal.

Párrafo reformado DOF 17-06-2016

En el supuesto a que se refiere la fracción V del artículo anterior, se suspenderá el plazo de la prescripción de la acción penal.

Párrafo reformado DOF 17-06-2016

Artículo 258. Notificaciones y control judicial

Las determinaciones del Ministerio Público sobre la abstención de investigar, el archivo temporal, la aplicación de un criterio de oportunidad y el no ejercicio de la acción penal deberán ser notificadas a la víctima u ofendido quienes las podrán impugnar ante el Juez de control dentro de los diez días posteriores a que sean notificadas de dicha resolución. En estos casos, el Juez de control convocará a una audiencia para decidir en definitiva, citando al efecto a la víctima u ofendido, al Ministerio Público y, en su caso, al imputado y a su Defensor. En caso de que la víctima, el ofendido o sus representantes legales no comparezcan a la audiencia a pesar de haber sido debidamente citados, el Juez de control declarará sin materia la impugnación.

La resolución que el Juez de control dicte en estos casos no admitirá recurso alguno, con excepción de aquella en que el órgano jurisdiccional se pronuncie sobre el no ejercicio de la acción penal, en cuyo caso, se suspenderán los efectos de la determinación ministerial hasta en tanto cause ejecutoria la decisión definitiva emitida.

Párrafo reformado DOF 26-01-2024

TÍTULO IV
DE LOS DATOS DE PRUEBA, MEDIOS DE PRUEBA Y PRUEBAS

CAPÍTULO ÚNICO
DISPOSICIONES COMUNES

Artículo 259. Generalidades

Cualquier hecho puede ser probado por cualquier medio, siempre y cuando sea lícito.

Las pruebas serán valoradas por el Órgano jurisdiccional de manera libre y lógica.

Los antecedentes de la investigación recabados con anterioridad al juicio carecen de valor probatorio para fundar la sentencia definitiva, salvo las excepciones expresas previstas por este Código y en la legislación aplicable.

Para efectos del dictado de la sentencia definitiva, sólo serán valoradas aquellas pruebas que hayan sido desahogadas en la audiencia de juicio, salvo las excepciones previstas en este Código.

Artículo 260. Antecedente de investigación

El antecedente de investigación es todo registro incorporado en la carpeta de investigación que sirve de sustento para aportar datos de prueba.

Artículo 261. Datos de prueba, medios de prueba y pruebas

El dato de prueba es la referencia al contenido de un determinado medio de convicción aún no desahogado ante el Órgano jurisdiccional, que se advierta idóneo y pertinente para establecer razonablemente la existencia de un hecho delictivo y la probable participación del imputado.

Los medios o elementos de prueba son toda fuente de información que permite reconstruir los hechos, respetando las formalidades procedimentales previstas para cada uno de ellos.

Se denomina prueba a todo conocimiento cierto o probable sobre un hecho, que ingresando al proceso como medio de prueba en una audiencia y desahogada bajo los principios de inmediación y contradicción, sirve al Tribunal de enjuiciamiento como elemento de juicio para llegar a una conclusión cierta sobre los hechos materia de la acusación.

Artículo 262. Derecho a ofrecer medios de prueba

Las partes tendrán el derecho de ofrecer medios de prueba para sostener sus planteamientos en los términos previstos en este Código.

Artículo 263. Licitud probatoria

Los datos y las pruebas deberán ser obtenidos, producidos y reproducidos lícitamente y deberán ser admitidos y desahogados en el proceso en los términos que establece este Código.

Artículo 264. Nulidad de la prueba

Se considera prueba ilícita cualquier dato o prueba obtenidos con violación de los derechos fundamentales, lo que será motivo de exclusión o nulidad.

Las partes harán valer la nulidad del medio de prueba en cualquier etapa del proceso y el juez o Tribunal deberá pronunciarse al respecto.

Artículo 265. Valoración de los datos y prueba

El Órgano jurisdiccional asignará libremente el valor correspondiente a cada uno de los datos y pruebas, de manera libre y lógica, debiendo justificar adecuadamente el valor otorgado a las pruebas y explicará y justificará su valoración con base en la apreciación conjunta, integral y armónica de todos los elementos probatorios.

TÍTULO V
ACTOS DE INVESTIGACIÓN

CAPÍTULO I
DISPOSICIONES GENERALES SOBRE ACTOS DE MOLESTIA

Artículo 266. Actos de molestia

Todo acto de molestia deberá llevarse a cabo con respeto a la dignidad de la persona en cuestión. Antes de que el procedimiento se lleve a cabo, la autoridad deberá informarle sobre los derechos que le asisten y solicitar su cooperación. Se realizará un registro forzoso sólo si la persona no está dispuesta a cooperar o se resiste. Si la persona sujeta al procedimiento no habla español, la autoridad deberá tomar medidas razonables para brindar a la persona información sobre sus derechos y para solicitar su cooperación.

CAPÍTULO II
ACTOS DE INVESTIGACIÓN

Artículo 267. Inspección

La inspección es un acto de investigación sobre el estado que guardan lugares, objetos, instrumentos o productos del delito.

Será materia de la inspección todo aquello que pueda ser directamente apreciado por los sentidos. Si se considera necesario, la Policía se hará asistir de peritos.

Al practicarse una inspección podrá entrevistarse a las personas que se encuentren presentes en el lugar de la inspección que puedan proporcionar algún dato útil para el esclarecimiento de los hechos. Toda inspección deberá constar en un registro.

Artículo 268. Inspección de personas

En la investigación de los delitos, la Policía podrá realizar la inspección sobre una persona y sus posesiones en caso de flagrancia, o cuando existan indicios de que oculta entre sus ropas o que lleva adheridos a su cuerpo instrumentos, objetos o productos relacionados con el hecho considerado como delito que se investiga. La revisión consistirá en una exploración externa de la persona y sus posesiones. Cualquier inspección que implique una exposición de partes íntimas del cuerpo requerirá autorización judicial. Antes de cualquier inspección, la Policía deberá informar a la persona del motivo de dicha revisión, respetando en todo momento su dignidad.

Artículo 269. Revisión corporal

Durante la investigación, la Policía o, en su caso el Ministerio Público, podrá solicitar a cualquier persona la aportación voluntaria de muestras de fluido corporal, vello o cabello, exámenes corporales de carácter biológico, extracciones de sangre u otros análogos, así como que se le permita obtener imágenes internas o externas de alguna parte del cuerpo, siempre que no implique riesgos para la salud y la dignidad de la persona.

Se deberá informar previamente a la persona el motivo de la aportación y del derecho que tiene a negarse a proporcionar dichas muestras. En los casos de delitos que impliquen violencia contra las mujeres, en los términos de la Ley General de Acceso de las Mujeres a una Vida Libre de Violencia, la inspección corporal deberá ser llevada a cabo en pleno cumplimiento del consentimiento informado de la víctima y con respeto de sus derechos.

Las muestras o imágenes deberán ser obtenidas por personal especializado, mismo que en todo caso deberá de ser del mismo sexo, o del sexo que la persona elija, con estricto apego al respeto a la dignidad y a los derechos humanos y de conformidad con los protocolos que al efecto expida la Procuraduría. Las muestras o imágenes obtenidas serán analizadas y dictaminadas por los peritos en la materia.

Artículo 270. Toma de muestras cuando la persona requerida se niegue a proporcionarlas

Si la persona a la que se le hubiere solicitado la aportación voluntaria de las muestras referidas en el artículo anterior se negara a hacerlo, el Ministerio Público por sí o a solicitud de la Policía podrá solicitar al Órgano jurisdiccional, por cualquier medio, la inmediata autorización de la práctica de dicho acto de investigación, justificando la necesidad de la medida y expresando la persona o personas en quienes haya de practicarse, el tipo y extensión de muestra o imagen a obtener. De concederse la autorización requerida, el Órgano jurisdiccional deberá facultar al Ministerio Público para que, en el caso de que la persona a inspeccionar ya no se encuentre ante él, ordene su localización y comparecencia a efecto de que tenga verificativo el acto correspondiente.

El Órgano jurisdiccional al resolver respecto de la solicitud del Ministerio Público, deberá tomar en consideración el principio de proporcionalidad y motivar la necesidad de la aplicación de dicha medida, en el sentido de que no existe otra menos gravosa para la persona que habrá de ser examinada o para el imputado, que resulte igualmente eficaz e idónea para el fin que se persigue, justificando la misma en atención a la gravedad del hecho que se investiga.

En la toma de muestras podrá estar presente una persona de confianza del examinado o el abogado Defensor en caso de que se trate del imputado, quien será advertido previamente de tal derecho. Tratándose de menores de edad estará presente quien ejerza la patria potestad, la tutela o curatela del sujeto. A falta de alguno de éstos deberá estar presente el Ministerio Público en su calidad de representante social.

En caso de personas inimputables que tengan alguna discapacidad se proveerá de los apoyos necesarios para que puedan tomar la decisión correspondiente.

Cuando exista peligro de desvanecimiento del medio de la prueba, la solicitud se hará por cualquier medio expedito y el Órgano jurisdiccional deberá autorizar inmediatamente la práctica del acto de investigación, siempre que se cumpla con las condiciones señaladas en este artículo.

Artículo 271. Levantamiento e identificación de cadáveres

En los casos en que se presuma muerte por causas no naturales, además de otras diligencias que sean procedentes, se practicará:

I. La inspección del cadáver, la ubicación del mismo y el lugar de los hechos;

II. El levantamiento del cadáver;

III. El traslado del cadáver;

IV. La descripción y peritajes correspondientes, o

V. La exhumación en los términos previstos en este Código y demás disposiciones aplicables.

Cuando de la investigación no resulten datos relacionados con la existencia de algún delito, el Ministerio Público podrá autorizar la dispensa de la necropsia.

Si el cadáver hubiere sido inhumado, se procederá a exhumarlo en los términos previstos en este Código y demás disposiciones aplicables. En todo caso, practicada la inspección o la necropsia correspondiente, se procederá a la sepultura inmediata, pero no podrá incinerarse el cadáver.

Cuando se desconozca la identidad del cadáver, se efectuarán los peritajes idóneos para proceder a su identificación. Una vez identificado, se entregará a los parientes o a quienes invoquen título o motivo suficiente, previa autorización del Ministerio Público, tan pronto la necropsia se hubiere practicado o, en su caso, dispensado.

Artículo 272. Peritajes

Durante la investigación, el Ministerio Público o la Policía con conocimiento de éste, podrá disponer la práctica de los peritajes que sean necesarios para la investigación del hecho. El dictamen escrito no exime al perito del deber de concurrir a declarar en la audiencia de juicio.

Artículo 273. Acceso a los indicios

Los peritos que elaboren los dictámenes tendrán en todo momento acceso a los indicios sobre los que versarán los mismos, o a los que se hará referencia en el interrogatorio.

Artículo 274. Peritaje irreproducible

Cuando se realice un peritaje sobre objetos que se consuman al ser analizados, no se permitirá que se verifique el primer análisis sino sobre la cantidad estrictamente necesaria para ello, a no ser que su existencia sea escasa y los peritos no puedan emitir su opinión sin consumirla por completo. Éste último supuesto o cualquier otro semejante que impida que con posterioridad se practique un peritaje independiente, deberá ser notificado por el Ministerio Público al Defensor del imputado, si éste ya se hubiere designado o al Defensor público, para que si lo estima necesario, los peritos de ambas partes, y de manera conjunta practiquen el examen, o bien, para que el perito de la defensa acuda a presenciar la realización de peritaje.

La pericial deberá ser admitida como medio de prueba, no obstante que el perito designado por el Defensor del imputado no compareciere a la realización del peritaje, o éste omita designar uno para tal efecto.

Artículo 275. Peritajes especiales

Cuando deban realizarse diferentes peritajes a personas agredidas sexualmente o cuando la naturaleza del hecho delictivo lo amerite, deberá integrarse un equipo interdisciplinario con profesionales capacitados en atención a víctimas, con el fin de concentrar en una misma sesión las entrevistas que ésta requiera, para la elaboración del dictamen respectivo.

Artículo 276. Aportación de comunicaciones entre particulares

Las comunicaciones entre particulares podrán ser aportadas voluntariamente a la investigación o al proceso penal, cuando hayan sido obtenidas directamente por alguno de los participantes en la misma.

Las comunicaciones aportadas por los particulares deberán estar estrechamente vinculadas con el delito que se investiga, por lo que en ningún caso el juez admitirá comunicaciones que violen el deber de confidencialidad respecto de los sujetos a que se refiere este Código, ni la autoridad prestará el apoyo a que se refiere el párrafo anterior cuando se viole dicho deber.

No se viola el deber de confidencialidad cuando se cuente con el consentimiento expreso de la persona con quien se guarda dicho deber.

Artículo 277. Procedimiento para reconocer personas

El reconocimiento de personas deberá practicarse con la mayor reserva posible.

El reconocimiento procederá aún sin consentimiento del imputado, pero siempre en presencia de su Defensor. Quien sea citado para efectuar un reconocimiento deberá ser ubicado en un lugar desde el cual no sea visto por las personas susceptibles de ser reconocidas. Se adoptarán las previsiones necesarias para que el imputado no altere u oculte su apariencia.

El reconocimiento deberá presentar al imputado en conjunto con otras personas con características físicas similares salvo que las condiciones de la investigación no lo permitan, lo que deberá quedar asentado en el registro correspondiente de la diligencia. En todos los procedimientos de reconocimiento, el acto deberá realizarse por una autoridad ministerial distinta a la que dirige la investigación. La práctica de filas de identificación se deberá realizar de manera secuencial.

Tratándose de personas menores de edad o tratándose de víctimas o personas ofendidas por los delitos de extorsión, secuestro, trata de personas o violación que deban participar en el reconocimiento de personas, el Ministerio Público dispondrá medidas especiales para su participación, con el propósito de salvaguardar su identidad e integridad emocional. En la práctica de tales actos, el Ministerio Público deberá contar, en su caso, con el auxilio de personas peritas y con la asistencia del representante del menor de edad.

Párrafo reformado DOF 28-11-2025

Todos los procedimientos de identificación deberán registrarse y en dicho registro deberá constar el nombre de la autoridad que estuvo a cargo, del testigo ocular, de las personas que participaron en la fila de identificación y, en su caso, del Defensor.

Artículo 278. Pluralidad de reconocimientos

Cuando varias personas deban reconocer a una sola, cada reconocimiento se practicará por separado sin que se comuniquen entre ellas. Si una persona debe reconocer a varias, el reconocimiento de todas podrá efectuarse en un solo acto, siempre que no perjudique la investigación o la defensa.

Artículo 279. Identificación por fotografía

Cuando sea necesario reconocer a una persona que no esté presente, podrá exhibirse su fotografía legalmente obtenida a quien deba efectuar el reconocimiento junto con la de otras personas con características semejantes, observando en lo conducente las reglas de reconocimiento de personas, con excepción de la presencia del Defensor. Se deberá guardar registro de las fotografías exhibidas.

En ningún caso se deberán mostrar al testigo fotografías, retratos computarizados o hechos a mano, o imágenes de identificación facial electrónica si la identidad del imputado es conocida por la Policía y está disponible para participar en una identificación en video, fila de identificación o identificación fotográfica.

Artículo 280. Reconocimiento de objeto

Antes del reconocimiento de un objeto, quien realice la diligencia deberá proceder a su descripción. Acto seguido se presentará el objeto o el registro del mismo para llevar a cabo el reconocimiento.

Artículo 281. Otros reconocimientos

Cuando se deban reconocer voces, sonidos y cuanto pueda ser objeto de percepción sensorial, se observarán, en lo aplicable, las disposiciones previstas para el reconocimiento de personas.

Artículo 282. Solicitud de orden de cateo

Cuando en la investigación el Ministerio Público estime necesaria la práctica de un cateo, en razón de que el lugar a inspeccionar es un domicilio o una propiedad privada, solicitará por cualquier medio la autorización judicial para practicar el acto de investigación correspondiente. En la solicitud, que contará con un registro, se expresará el lugar que ha de inspeccionarse, la persona o personas que han de aprehenderse y los objetos que se buscan, señalando los motivos e indicios que sustentan la necesidad de la orden, así como los servidores públicos que podrán practicar o intervenir en dicho acto de investigación.

Si el lugar a inspeccionar es de acceso público y forma parte del domicilio particular, este último no será sujeto de cateo, a menos que así se haya ordenado.

Artículo 283. Resolución que ordena el cateo

La resolución judicial que ordena el cateo deberá contener cuando menos:

I. El nombre y cargo del Juez de control que lo autoriza y la identificación del proceso en el cual se ordena;

II. La determinación concreta del lugar o los lugares que habrán de ser cateados y lo que se espera encontrar en éstos;

III. El motivo del cateo, debiéndose indicar o expresar los indicios de los que se desprenda la posibilidad de encontrar en el lugar la persona o personas que hayan de aprehenderse o los objetos que se buscan;

IV. El día y la hora en que deba practicarse el cateo o la determinación que de no ejecutarse dentro de los tres días siguientes a su autorización, quedará sin efecto cuando no se precise fecha exacta de realización, y

V. Los servidores públicos autorizados para practicar e intervenir en el cateo.

La petición de orden de cateo deberá ser resuelta por la autoridad judicial de manera inmediata por cualquier medio que garantice su autenticidad, o en audiencia privada con la sola comparecencia del Ministerio Público, en un plazo que no exceda de las seis horas siguientes a que se haya recibido.

Si la resolución se emite o registra por medios diversos al escrito, los puntos resolutivos de la orden de cateo deberán transcribirse y entregarse al Ministerio Público.

Artículo 284. Negativa del cateo

En caso de que el Juez de control niegue la orden, el Ministerio Público podrá subsanar las deficiencias y solicitar nuevamente la orden o podrá apelar la decisión. En este caso la apelación debe ser resuelta en un plazo no mayor de doce horas a partir de que se interponga.

Artículo 285. Medidas de vigilancia

Aún antes de que el Juez de control competente dicte la orden de cateo, el Ministerio Público podrá disponer las medidas de vigilancia o cualquiera otra que no requiera control judicial, que estime conveniente para evitar la fuga del imputado o la sustracción, alteración, ocultamiento o destrucción de documentos o cosas que constituyen el objeto del cateo.

Artículo 286. Cateo en residencia u oficinas públicas

Para la práctica de un cateo en la residencia u oficina de cualquiera de los Poderes Ejecutivo, Legislativo o Judicial de los tres órdenes de gobierno o en su caso organismos constitucionales autónomos, la Policía o el Ministerio Público recabarán la autorización correspondiente en los términos previstos en este Código.

Artículo 287. Cateo en buques, embarcaciones, aeronaves o cualquier medio de transporte extranjero en territorio mexicano

Cuando tenga que practicarse un cateo en buques, embarcaciones, aeronaves o cualquier medio de transporte extranjero en territorio mexicano se observarán además las disposiciones previstas en los Tratados, las leyes y reglamentos aplicables.

Artículo 288. Formalidades del cateo

Será entregada una copia de los puntos resolutivos de la orden de cateo a quien habite o esté en posesión del lugar donde se efectúe, o cuando esté ausente, a su encargado y, a falta de éste, a cualquier persona mayor de edad que se halle en el lugar.

Cuando no se encuentre persona alguna, se fijará la copia de los puntos resolutivos que autorizan el cateo a la entrada del inmueble, debiendo hacerse constar en el acta y se hará uso de la fuerza pública para ingresar.

Al concluir el cateo se levantará acta circunstanciada en presencia de dos testigos propuestos por el ocupante del lugar cateado, o en su ausencia o negativa, por la autoridad que practique el cateo, pero la designación no podrá recaer sobre los elementos que pertenezcan a la autoridad que lo practicó, salvo que no hayan participado en el mismo. Cuando no se cumplan estos requisitos, los elementos encontrados en el cateo carecerán de todo valor probatorio, sin que sirva de excusa el consentimiento de los ocupantes del lugar.

Al terminar el cateo se cuidará que los lugares queden cerrados, y de no ser posible inmediatamente, se asegurará que otras personas no ingresen en el lugar hasta lograr el cierre.

Si para la práctica del cateo es necesaria la presencia de alguna persona diferente a los servidores públicos propuestos para ello, el Ministerio Público, deberá incluir los datos de aquellos así como la motivación correspondiente en la solicitud del acto de investigación.

En caso de autorizarse la presencia de particulares en el cateo, éstos deberán omitir cualquier intervención material en la misma y sólo podrán tener comunicación con el servidor público que dirija la práctica del cateo.

Artículo 289. Descubrimiento de un delito diverso

Si al practicarse un cateo resultare el descubrimiento de un delito distinto del que lo haya motivado, se formará un inventario de aquello que se recoja relacionado con el nuevo delito, observándose en este caso lo relativo a la cadena de custodia y se hará constar esta circunstancia en el registro para dar inicio a una nueva investigación.

Artículo 290. Ingreso de una autoridad a lugar sin autorización judicial

Estará justificado el ingreso a un lugar cerrado sin orden judicial cuando:

I. Sea necesario para repeler una agresión real, actual o inminente y sin derecho que ponga en riesgo la vida, la integridad o la libertad personal de una o más personas, o

II. Se realiza con consentimiento de quien se encuentre facultado para otorgarlo.

En los casos de la fracción II, la autoridad que practique el ingreso deberá informarlo dentro de los cinco días siguientes, ante el Órgano jurisdiccional. A dicha audiencia deberá asistir la persona que otorgó su consentimiento a efectos de ratificarla.

Los motivos que determinaron la inspección sin orden judicial constarán detalladamente en el acta que al efecto se levante.

Artículo 291. Intervención de las comunicaciones privadas

Cuando en la investigación el Ministerio Público considere necesaria la intervención de comunicaciones privadas, el Titular de la Procuraduría General de la República, o en quienes éste delegue esta facultad, así como los Procuradores de las entidades federativas, podrán solicitar al Juez federal de control competente, por cualquier medio, la autorización para practicar la intervención, expresando el objeto y necesidad de la misma.

Párrafo reformado DOF 17-06-2016

La intervención de comunicaciones privadas, abarca todo sistema de comunicación, o programas que sean resultado de la evolución tecnológica, que permitan el intercambio de datos, informaciones, audio, video, mensajes, así como archivos electrónicos que graben, conserven el contenido de las conversaciones o registren datos que identifiquen la comunicación, los cuales se pueden presentar en tiempo real.

Párrafo reformado DOF 17-06-2016

La solicitud deberá ser resuelta por la autoridad judicial de manera inmediata, por cualquier medio que garantice su autenticidad, o en audiencia privada con la sola comparecencia del Ministerio Público, en un plazo que no exceda de las seis horas siguientes a que la haya recibido.

También se requerirá autorización judicial en los casos de extracción de información, la cual consiste en la obtención de comunicaciones privadas, datos de identificación de las comunicaciones; así como la información, documentos, archivos de texto, audio, imagen o video contenidos en cualquier dispositivo, accesorio, aparato electrónico, equipo informático, aparato de almacenamiento y todo aquello que pueda contener información, incluyendo la almacenada en las plataformas o centros de datos remotos vinculados con éstos.

Párrafo adicionado DOF 17-06-2016

Si la resolución se registra por medios diversos al escrito, los puntos resolutivos de la autorización deberán transcribirse y entregarse al Ministerio Público.

Los servidores públicos autorizados para la ejecución de la medida serán responsables de que se realice en los términos de la resolución judicial.

Artículo 292. Requisitos de la solicitud

La solicitud de intervención deberá estar fundada y motivada, precisar la persona o personas que serán sujetas a la medida; la identificación del lugar o lugares donde se realizará, si fuere posible; el tipo de comunicación a ser intervenida; su duración; el proceso que se llevará a cabo y las líneas, números o aparatos que serán intervenidos, y en su caso, la denominación de la empresa concesionada del servicio de telecomunicaciones a través del cual se realiza la comunicación objeto de la intervención.

El plazo de la intervención, incluyendo sus prórrogas, no podrá exceder de seis meses. Después de dicho plazo, sólo podrán autorizarse nuevas intervenciones cuando el Ministerio Público acredite nuevos elementos que así lo justifiquen.

Artículo 293. Contenido de la resolución judicial que autoriza la intervención de las comunicaciones privadas

En la autorización, el Juez de control determinará las características de la intervención, sus modalidades, límites y en su caso, ordenará a instituciones públicas o privadas modos específicos de colaboración.

Artículo 294. Objeto de la intervención

Podrán ser objeto de intervención las comunicaciones privadas que se realicen de forma oral, escrita, por signos, señales o mediante el empleo de aparatos eléctricos, electrónicos, mecánicos, alámbricos o inalámbricos, sistemas o equipos informáticos, así como por cualquier otro medio o forma que permita la comunicación entre uno o varios emisores y uno o varios receptores.

En ningún caso se podrán autorizar intervenciones cuando se trate de materias de carácter electoral, fiscal, mercantil, civil, laboral o administrativo, ni en el caso de las comunicaciones del detenido con su Defensor.

El Juez podrá en cualquier momento verificar que las intervenciones sean realizadas en los términos autorizados y, en caso de incumplimiento, decretar su revocación parcial o total.

Artículo 295. Conocimiento de delito diverso

Si en la práctica de una intervención de comunicaciones privadas se tuviera conocimiento de la comisión de un delito diverso de aquellos que motivan la medida, se hará constar esta circunstancia en el registro para dar inicio a una nueva investigación.

Artículo 296. Ampliación de la intervención a otros sujetos

Cuando de la intervención de comunicaciones privadas se advierta la necesidad de ampliar a otros sujetos o lugares la intervención, el Ministerio Público competente presentará al propio Juez de control la solicitud respectiva.

Artículo 297. Registro de las intervenciones

Las intervenciones de comunicación deberán ser registradas por cualquier medio que no altere la fidelidad, autenticidad y contenido de las mismas, por la Policía o por el perito que intervenga, a efecto de que aquélla pueda ser ofrecida como medio de prueba en los términos que señala este Código.

Artículo 298. Registro

El registro a que se refiere el artículo anterior contendrá las fechas de inicio y término de la intervención, un inventario pormenorizado de los documentos, objetos y los medios para la reproducción de sonidos o imágenes captadas durante la misma, cuando no se ponga en riesgo a la investigación o a la persona, la identificación de quienes hayan participado en los actos de investigación, así como los demás datos que se consideren relevantes para la investigación. El registro original y el duplicado, así como los documentos que los integran, se numerarán progresivamente y contendrán los datos necesarios para su identificación.

Artículo 299. Conclusión de la intervención

Al concluir la intervención, la Policía o el perito, de manera inmediata, informará al Ministerio Público sobre su desarrollo, así como de sus resultados y levantará el acta respectiva. A su vez, con la misma prontitud el Ministerio Público que haya solicitado la intervención o su prórroga lo informará al Juez de control.

Las intervenciones realizadas sin las autorizaciones antes citadas o fuera de los términos en ellas ordenados, carecerán de valor probatorio, sin perjuicio de la responsabilidad administrativa o penal a que haya lugar.

Artículo 300. Destrucción de los registros

El Órgano jurisdiccional ordenará la destrucción de aquellos registros de intervención de comunicaciones privadas que no se relacionen con los delitos investigados o con otros delitos que hayan ameritado la apertura de una investigación diversa, salvo que la defensa solicite que sean preservados por considerarlos útiles para su labor.

Asimismo, ordenará la destrucción de los registros de intervenciones no autorizadas o cuando éstos rebasen los términos de la autorización judicial respectiva.

Los registros serán destruidos cuando se decrete el archivo definitivo, el sobreseimiento o la absolución del imputado. Cuando el Ministerio Público decida archivar temporalmente la investigación, los registros podrán ser conservados hasta que el delito prescriba.

Artículo 301. Colaboración con la autoridad

Los concesionarios, permisionarios y demás titulares de los medios o sistemas susceptibles de intervención, deberán colaborar eficientemente con la autoridad competente para el desahogo de dichos actos de investigación, de conformidad con las disposiciones aplicables. Asimismo, deberán contar con la capacidad técnica indispensable que atienda las exigencias requeridas por la autoridad judicial para operar una orden de intervención de comunicaciones privadas.

El incumplimiento a este mandato será sancionado conforme a las disposiciones penales aplicables.

Artículo 302. Deber de secrecía

Quienes participen en alguna intervención de comunicaciones privadas deberán observar el deber de secrecía sobre el contenido de las mismas.

Artículo 303. Localización geográfica en tiempo real y solicitud de entrega de datos conservados

Cuando el Ministerio Público considere necesaria la localización geográfica en tiempo real o entrega de datos conservados por los concesionarios de telecomunicaciones, los autorizados o proveedores de servicios de aplicaciones y contenidos de los equipos de comunicación móvil asociados a una línea que se encuentra relacionada con los hechos que se investigan, el Procurador, o el servidor público en quien se delegue la facultad, podrá solicitar al Juez de control del fuero correspondiente en su caso, por cualquier medio, requiera a los concesionarios de telecomunicaciones, los autorizados o proveedores de servicios de aplicaciones y contenidos, para que proporcionen con la oportunidad y suficiencia necesaria a la autoridad investigadora, la información solicitada para el inmediato desahogo de dichos actos de investigación. Los datos conservados a que refiere este párrafo se destruirán en caso de que no constituyan medio de prueba idóneo o pertinente.

En la solicitud se expresarán los equipos de comunicación móvil relacionados con los hechos que se investigan, señalando los motivos e indicios que sustentan la necesidad de la localización geográfica en tiempo real o la entrega de los datos conservados, su duración y, en su caso, la denominación de la empresa autorizada o proveedora del servicio de telecomunicaciones a través del cual se operan las líneas, números o aparatos que serán objeto de la medida.

La petición deberá ser resuelta por la autoridad judicial de manera inmediata por cualquier medio que garantice su autenticidad, o en audiencia privada con la sola comparecencia del Ministerio Público.

Si la resolución se emite o registra por medios diversos al escrito, los puntos resolutivos de la orden deberán transcribirse y entregarse al Ministerio Público.

En caso de que el Juez de control niegue la orden de localización geográfica en tiempo real o la entrega de los datos conservados, el Ministerio Público podrá subsanar las deficiencias y solicitar nuevamente la orden o podrá apelar la decisión. En este caso la apelación debe ser resuelta en un plazo no mayor de doce horas a partir de que se interponga.

Excepcionalmente, cuando esté en peligro la integridad física o la vida de una persona o se encuentre en riesgo el objeto del delito, así como en hechos relacionados con la privación ilegal de la libertad, secuestro, extorsión o delincuencia organizada, el Procurador, o el servidor público en quien se delegue la facultad, bajo su más estricta responsabilidad, ordenará directamente la localización geográfica en tiempo real o la entrega de los datos conservados a los concesionarios de telecomunicaciones, los autorizados o proveedores de servicios de aplicaciones y contenidos, quienes deberán atenderla de inmediato y con la suficiencia necesaria. A partir de que se haya cumplimentado el requerimiento, el Ministerio Público deberá informar al Juez de control competente por cualquier medio que garantice su autenticidad, dentro del plazo de cuarenta y ocho horas, a efecto de que ratifique parcial o totalmente de manera inmediata la subsistencia de la medida, sin perjuicio de que el Ministerio Público continúe con su actuación.

Cuando el Juez de control no ratifique la medida a que hace referencia el párrafo anterior, la información obtenida no podrá ser incorporada al procedimiento penal.

Asimismo el Procurador, o el servidor público en quien se delegue la facultad podrá requerir a los sujetos obligados que establece la Ley Federal de Telecomunicaciones y Radiodifusión, la conservación inmediata de datos contenidos en redes, sistemas o equipos de informática, hasta por un tiempo máximo de noventa días, lo cual deberá realizarse de forma inmediata. La solicitud y entrega de los datos contenidos en redes, sistemas o equipos de informática se llevará a cabo de conformidad por lo previsto por este artículo. Lo anterior sin menoscabo de las obligaciones previstas en materia de conservación de información para las concesionarias y autorizados de telecomunicaciones en términos del artículo 190, fracción II de la Ley Federal de Telecomunicaciones y Radiodifusión.

Artículo reformado DOF 17-06-2016

CAPÍTULO III
PRUEBA ANTICIPADA

Artículo 304. Prueba anticipada

Hasta antes de la celebración de la audiencia de juicio se podrá desahogar anticipadamente cualquier medio de prueba pertinente, siempre que se satisfagan los siguientes requisitos:

I. Que sea practicada ante el Juez de control;

II. Que sea solicitada por alguna de las partes, quienes deberán expresar las razones por las cuales el acto se debe realizar con anticipación a la audiencia de juicio a la que se pretende desahogar y se torna indispensable en virtud de que se estime probable que algún testigo no podrá concurrir a la audiencia de juicio, por vivir en el extranjero, por existir motivo que hiciere temer su muerte, o por su estado de salud o incapacidad física o mental que le impidiese declarar;

III. Que sea por motivos fundados y de extrema necesidad y para evitar la pérdida o alteración del medio probatorio, y

IV. Que se practique en audiencia y en cumplimiento de las reglas previstas para la práctica de pruebas en el juicio.

Artículo 305. Procedimiento para prueba anticipada

La solicitud de desahogo de prueba anticipada podrá plantearse desde que se presenta la denuncia, querella o equivalente y hasta antes de que dé inicio la audiencia de juicio oral.

Cuando se solicite el desahogo de una prueba en forma anticipada, el Órgano jurisdiccional citará a audiencia a todos aquellos que tuvieren derecho a asistir a la audiencia de juicio oral y luego de escucharlos valorará la posibilidad de que la prueba por anticipar no pueda ser desahogada en la audiencia de juicio oral, sin grave riesgo de pérdida por la demora y, en su caso, admitirá y desahogará la prueba en el mismo acto otorgando a las partes todas las facultades previstas para su participación en la audiencia de juicio oral.

El imputado que estuviere detenido será trasladado a la sala de audiencias para que se imponga en forma personal, por teleconferencia o cualquier otro medio de comunicación, de la práctica de la diligencia.

En caso de que todavía no exista imputado identificado se designará un Defensor público para que intervenga en la audiencia.

Artículo 306. Registro y conservación de la prueba anticipada

La audiencia en la que se desahogue la prueba anticipada deberá registrarse en su totalidad. Concluido el desahogo de la prueba anticipada, se entregará el registro correspondiente a las partes.

Si el obstáculo que dio lugar a la práctica del anticipo de prueba no existiera para la fecha de la audiencia de juicio, se desahogará de nueva cuenta el medio de prueba correspondiente en la misma.

Toda prueba anticipada deberá conservarse de acuerdo con las medidas dispuestas por el Juez de control.

TÍTULO VI
AUDIENCIA INICIAL

Artículo 307. Audiencia inicial

En la audiencia inicial se informarán al imputado sus derechos constitucionales y legales, si no se le hubiese informado de los mismos con anterioridad, se realizará el control de legalidad de la detención si correspondiere, se formulará la imputación, se dará la oportunidad de declarar al imputado, se resolverá sobre las solicitudes de vinculación a proceso y medidas cautelares y se definirá el plazo para el cierre de la investigación.

En caso de que el Ministerio Público o la víctima u ofendido solicite la procedencia de una medida cautelar, dicha cuestión deberá ser resuelta antes de que se dicte la suspensión de la audiencia inicial.

Párrafo reformado DOF 17-06-2016

A esta audiencia deberá concurrir el Ministerio Público, el imputado y su Defensor. La víctima u ofendido o su Asesor jurídico, podrán asistir si así lo desean, pero su presencia no será requisito de validez de la audiencia.

Artículo 308. Control de legalidad de la detención

Inmediatamente después de que el imputado detenido en flagrancia o caso urgente sea puesto a disposición del Juez de control, se citará a la audiencia inicial en la que se realizará el control de la detención antes de que se proceda a la formulación de la imputación. El Juez le preguntará al detenido si cuenta con Defensor y en caso negativo, ordenará que se le nombre un Defensor público y le hará saber que tiene derecho a ofrecer datos de prueba, así como acceso a los registros.

El Ministerio Público deberá justificar las razones de la detención y el Juez de control procederá a calificarla, examinará el cumplimiento del plazo constitucional de retención y los requisitos de procedibilidad, ratificándola en caso de encontrarse ajustada a derecho o decretando la libertad en los términos previstos en este Código.

Ratificada la detención en flagrancia, caso urgente, y cuando se hubiere ejecutado una orden de aprehensión, el imputado permanecerá detenido durante el desarrollo de la audiencia inicial, hasta en tanto no se resuelva si será o no sometido a una medida cautelar.

Párrafo reformado DOF 17-06-2016

En caso de que al inicio de la audiencia el agente del Ministerio Público no esté presente, el Juez de control declarará en receso la audiencia hasta por una hora y ordenará a la administración del Poder Judicial para que se comunique con el superior jerárquico de aquél, con el propósito de que lo haga comparecer o lo sustituya. Concluido el receso sin obtener respuesta, se procederá a la inmediata liberación del detenido.

La omisión del Ministerio Público o de su superior jerárquico, al párrafo precedente los hará incurrir en las responsabilidades de conformidad con las disposiciones aplicables.

Párrafo adicionado DOF 17-06-2016

Artículo 309. Oportunidad para formular la imputación a personas detenidas

La formulación de la imputación es la comunicación que el Ministerio Público efectúa al imputado, en presencia del Juez de control, de que desarrolla una investigación en su contra respecto de uno o más hechos que la ley señala como delito.

En el caso de detenidos en flagrancia o caso urgente, después que el Juez de control califique de legal la detención, el Ministerio Público deberá formular la imputación, acto seguido solicitará la vinculación del imputado a proceso sin perjuicio del plazo constitucional que pueda invocar el imputado o su Defensor.

En el caso de que el Ministerio Público o la víctima u ofendido o el Asesor jurídico solicite una medida cautelar y el imputado se haya acogido al plazo constitucional, el debate sobre medidas cautelares sucederá previo a la suspensión de la audiencia.

Párrafo reformado DOF 17-06-2016

El imputado no podrá negarse a proporcionar su completa identidad, debiendo responder las preguntas que se le dirijan con respecto a ésta y se le exhortará para que se conduzca con verdad.

Se le preguntará al imputado si es su deseo proporcionar sus datos en voz alta o si prefiere que éstos sean anotados por separado y preservados en reserva.

Si el imputado decidiera declarar en relación a los hechos que se le imputan, se le informarán sus derechos procesales relacionados con este acto y que lo que declare puede ser utilizado en su contra, se le cuestionará si ha sido asesorado por su Defensor y si su decisión es libre.

Si el imputado decide libremente declarar, el Ministerio Público, el Asesor jurídico de la víctima u ofendido, el acusador privado en su caso y la defensa podrán dirigirle preguntas sobre lo que declaró, pero no estará obligado a responder las que puedan ser en su contra.

En lo conducente se observarán las reglas previstas en este Código para el desahogo de los medios de prueba.

Artículo 310. Oportunidad para formular la imputación a personas en libertad

El agente del Ministerio Público podrá formular la imputación cuando considere oportuna la intervención judicial con el propósito de resolver la situación jurídica del imputado.

Si el Ministerio Público manifestare interés en formular imputación a una persona que no se encontrare detenida, solicitará al Juez de control que lo cite en libertad y señale fecha y hora para que tenga verificativo la audiencia inicial, la que se llevará a cabo dentro de los quince días siguientes a la presentación de la solicitud.

Cuando lo considere necesario, para lograr la presencia del imputado en la audiencia inicial, el agente del Ministerio Público podrá solicitar orden de aprehensión o de comparecencia, según sea el caso y el Juez de control resolverá lo que corresponda. Las solicitudes y resoluciones deberán realizarse en los términos del presente Código.

Artículo 311. Procedimiento para formular la imputación

Una vez que el imputado esté presente en la audiencia inicial, por haberse ordenado su comparecencia, por haberse ejecutado en su contra una orden de aprehensión o ratificado de legal la detención y después de haber verificado el Juez de control que el imputado conoce sus derechos fundamentales dentro del procedimiento penal o, en su caso, después de habérselos dado a conocer, se ofrecerá la palabra al agente del Ministerio Público para que éste exponga al imputado el hecho que se le atribuye, la calificación jurídica preliminar, la fecha, lugar y modo de su comisión, la forma de intervención que haya tenido en el mismo, así como el nombre de su acusador, salvo que, a consideración del Juez de control sea necesario reservar su identidad en los supuestos autorizados por la Constitución y por la ley.

El Juez de control a petición del imputado o de su Defensor, podrá solicitar las aclaraciones o precisiones que considere necesarias respecto a la imputación formulada por el Ministerio Público.

Artículo 312. Oportunidad para declarar

Formulada la imputación, el Juez de control le preguntará al imputado si la entiende y si es su deseo contestar al cargo. En caso de que decida guardar silencio, éste no podrá ser utilizado en su contra. Si el imputado manifiesta su deseo de declarar, su declaración se rendirá conforme a lo dispuesto en este Código. Cuando se trate de varios imputados, sus declaraciones serán recibidas sucesivamente, evitando que se comuniquen entre sí antes de la recepción de todas ellas.

Artículo 313. Oportunidad para resolver la solicitud de vinculación a proceso

Después de que el imputado haya emitido su declaración, o manifestado su deseo de no hacerlo, el agente del Ministerio Público solicitará al Juez de control la oportunidad para discutir medidas cautelares, en su caso, y posteriormente solicitar la vinculación a proceso. Antes de escuchar al agente del Ministerio Público, el Juez de control se dirigirá al imputado y le explicará los momentos en los cuales puede resolverse la solicitud que desea plantear el Ministerio Público.

El Juez de control cuestionará al imputado si desea que se resuelva sobre su vinculación a proceso en esa audiencia dentro del plazo de setenta y dos horas o si solicita la ampliación de dicho plazo. En caso de que el imputado no se acoja al plazo constitucional ni solicite la duplicidad del mismo, el Ministerio Público deberá solicitar y motivar la vinculación del imputado a proceso, exponiendo en la misma audiencia los datos de prueba con los que considera que se establece un hecho que la ley señale como delito y la probabilidad de que el imputado lo cometió o participó en su comisión. El Juez de control otorgará la oportunidad a la defensa para que conteste la solicitud y si considera necesario permitirá la réplica y contrarréplica. Hecho lo anterior, resolverá la situación jurídica del imputado.

Si el imputado manifestó su deseo de que se resuelva sobre su vinculación a proceso dentro del plazo de setenta y dos horas o solicita la ampliación de dicho plazo, el Juez deberá señalar fecha para la celebración de la audiencia de vinculación a proceso dentro de dicho plazo o su prórroga.

La audiencia de vinculación a proceso deberá celebrarse, según sea el caso, dentro de las setenta y dos o ciento cuarenta y cuatro horas siguientes a que el imputado detenido fue puesto a su disposición o que el imputado compareció a la audiencia de formulación de la imputación.

Párrafo reformado DOF 17-06-2016

El Juez de control deberá informar a la autoridad responsable del establecimiento en el que se encuentre internado el imputado si al resolverse su situación jurídica además se le impuso como medida cautelar la prisión preventiva o si se solicita la duplicidad del plazo constitucional. Si transcurrido el plazo constitucional el Juez de control no informa a la autoridad responsable, ésta deberá llamar su atención sobre dicho particular en el acto mismo de concluir el plazo y, si no recibe la constancia mencionada dentro de las tres horas siguientes, deberá poner al imputado en libertad.

Artículo 314. Incorporación de datos y medios de prueba en el plazo constitucional o su ampliación

El imputado o su Defensor podrán, durante el plazo constitucional o su ampliación, presentar los datos de prueba que consideren necesarios ante el Juez de control.

Exclusivamente en el caso de delitos que ameriten la imposición de la medida cautelar de prisión preventiva oficiosa u otra personal, de conformidad con lo previsto en este Código, el Juez de control podrá admitir el desahogo de medios de prueba ofrecidos por el imputado o su Defensor, cuando, al inicio de la audiencia o su continuación, justifiquen que ello resulta pertinente.

Artículo reformado DOF 17-06-2016

Artículo 315. Continuación de la audiencia inicial

La continuación de la audiencia inicial comenzará con la presentación de los datos de prueba aportados por las partes o, en su caso, con el desahogo de los medios de prueba que hubiese ofrecido y justificado el imputado o su defensor en términos del artículo 314 de este Código. Para tal efecto, se seguirán en lo conducente las reglas previstas para el desahogo de pruebas en la audiencia de debate de juicio oral. Desahogada la prueba, si la hubo, se le concederá la palabra en primer término al Ministerio Público, al asesor jurídico de la víctima y luego al imputado. Agotado el debate, el Juez resolverá sobre la vinculación o no del imputado a proceso.

Párrafo reformado DOF 17-06-2016

En casos de extrema complejidad, el Juez de control podrá decretar un receso que no podrá exceder de dos horas, antes de resolver sobre la situación jurídica del imputado.

Artículo 316. Requisitos para dictar el auto de vinculación a proceso

El Juez de control, a petición del agente del Ministerio Público, dictará el auto de vinculación del imputado a proceso, siempre que:

I. Se haya formulado la imputación;

II. Se haya otorgado al imputado la oportunidad para declarar;

III. De los antecedentes de la investigación expuestos por el Ministerio Público, se desprendan datos de prueba que establezcan que se ha cometido un hecho que la ley señala como delito y que exista la probabilidad de que el imputado lo cometió o participó en su comisión. Se entenderá que obran datos que establecen que se ha cometido un hecho que la ley señale como delito cuando existan indicios razonables que así permitan suponerlo, y

IV. Que no se actualice una causa de extinción de la acción penal o excluyente del delito.

El auto de vinculación a proceso deberá dictarse por el hecho o hechos que fueron motivo de la imputación, el Juez de control podrá otorgarles una clasificación jurídica distinta a la asignada por el Ministerio Público misma que deberá hacerse saber al imputado para los efectos de su defensa.

El proceso se seguirá forzosamente por el hecho o hechos delictivos señalados en el auto de vinculación a proceso. Si en la secuela de un proceso apareciere que se ha cometido un hecho delictivo distinto del que se persigue, deberá ser objeto de investigación separada, sin perjuicio de que después pueda decretarse la acumulación si fuere conducente.

Artículo 317. Contenido del auto de vinculación a proceso

El auto de vinculación a proceso deberá contener:

I. Los datos personales del imputado;

II. Los fundamentos y motivos por los cuales se estiman satisfechos los requisitos mencionados en el artículo anterior, y

III. El lugar, tiempo y circunstancias de ejecución del hecho que se imputa.

Artículo 318. Efectos del auto de vinculación a proceso

El auto de vinculación a proceso establecerá el hecho o los hechos delictivos sobre los que se continuará el proceso o se determinarán las formas anticipadas de terminación del proceso, la apertura a juicio o el sobreseimiento.

Artículo 319. Auto de no vinculación a proceso

En caso de que no se reúna alguno de los requisitos previstos en este Código, el Juez de control dictará un auto de no vinculación del imputado a proceso y, en su caso, ordenará la libertad inmediata del imputado, para lo cual revocará las providencias precautorias y las medidas cautelares anticipadas que se hubiesen decretado.

El auto de no vinculación a proceso no impide que el Ministerio Público continúe con la investigación y posteriormente formule nueva imputación, salvo que en el mismo se decrete el sobreseimiento.

Artículo 320. Valor de las actuaciones

Los antecedentes de la investigación y elementos de convicción aportados y desahogados, en su caso, en la audiencia de vinculación a proceso, que sirvan como base para el dictado del auto de vinculación a proceso y de las medidas cautelares, carecen de valor probatorio para fundar la sentencia, salvo las excepciones expresas previstas por este Código.

Artículo reformado DOF 17-06-2016

Artículo 321. Plazo para la investigación complementaria

El Juez de control, antes de finalizar la audiencia inicial determinará previa propuesta de las partes el plazo para el cierre de la investigación complementaria.

El Ministerio Público deberá concluir la investigación complementaria dentro del plazo señalado por el Juez de control, mismo que no podrá ser mayor a dos meses si se tratare de delitos cuya pena máxima no exceda los dos años de prisión, ni de seis meses si la pena máxima excediera ese tiempo o podrá agotar dicha investigación antes de su vencimiento. Transcurrido el plazo para el cierre de la investigación, ésta se dará por cerrada, salvo que el Ministerio Público, la víctima u ofendido o el imputado hayan solicitado justificadamente prórroga del mismo antes de finalizar el plazo, observándose los límites máximos que establece el presente artículo.

En caso de que el Ministerio Público considere cerrar anticipadamente la investigación, informará a la víctima u ofendido o al imputado para que, en su caso, manifiesten lo conducente.

Artículo 322. Prórroga del plazo de la investigación complementaria

De manera excepcional, el Ministerio Público podrá solicitar una prórroga del plazo de investigación complementaria para formular acusación, con la finalidad de lograr una mejor preparación del caso, fundando y motivando su petición. El Juez podrá otorgar la prórroga siempre y cuando el plazo solicitado, sumado al otorgado originalmente, no exceda los plazos señalados en el artículo anterior.

Artículo 323. Plazo para declarar el cierre de la investigación

Transcurrido el plazo para el cierre de la investigación, el Ministerio Público deberá cerrarla o solicitar justificadamente su prórroga al Juez de control, observándose los límites máximos previstos en el artículo 321.

Si el Ministerio Público no declarara cerrada la investigación en el plazo fijado, o no solicita su prórroga, el imputado o la víctima u ofendido podrán solicitar al Juez de control que lo aperciba para que proceda a tal cierre.

Transcurrido el plazo para el cierre de la investigación, ésta se tendrá por cerrada salvo que el Ministerio Público o el imputado hayan solicitado justificadamente prórroga del mismo al Juez.

Artículo 324. Consecuencias de la conclusión del plazo de la investigación complementaria

Una vez cerrada la investigación complementaria, el Ministerio Público dentro de los quince días siguientes deberá:

I. Solicitar el sobreseimiento parcial o total;

II. Solicitar la suspensión del proceso, o

III. Formular acusación.

Artículo 325. Extinción de la acción penal por incumplimiento del plazo

Cuando el Ministerio Público no cumpla con la obligación establecida en el artículo anterior, el Juez de control pondrá el hecho en conocimiento del Procurador o del servidor público en quien haya delegado esta facultad, para que se pronuncie en el plazo de quince días.

Transcurrido este plazo sin que se haya pronunciado, el Juez de control ordenará el sobreseimiento.

Artículo 326. Peticiones diversas a la acusación

Cuando únicamente se formulen peticiones diversas a la acusación del Ministerio Público, el Juez de control resolverá sin sustanciación lo que corresponda, salvo disposición en contrario o que estime indispensable realizar audiencia, en cuyo caso convocará a las partes.

Artículo 327. Sobreseimiento

El Ministerio Público, el imputado o su Defensor podrán solicitar al Órgano jurisdiccional el sobreseimiento de una causa; recibida la solicitud, el Órgano jurisdiccional la notificará a las partes y citará, dentro de las veinticuatro horas siguientes, a una audiencia donde se resolverá lo conducente. La incomparecencia de la víctima u ofendido debidamente citados no impedirá que el Órgano jurisdiccional se pronuncie al respecto.

El sobreseimiento procederá cuando:

I. El hecho no se cometió;

II. El hecho cometido no constituye delito;

III. Apareciere claramente establecida la inocencia del imputado;

IV. El imputado esté exento de responsabilidad penal;

V. Agotada la investigación, el Ministerio Público estime que no cuenta con los elementos suficientes para fundar una acusación;

VI. Se hubiere extinguido la acción penal por alguno de los motivos establecidos en la ley;

VII. Una ley o reforma posterior derogue el delito por el que se sigue el proceso;

VIII. El hecho de que se trata haya sido materia de un proceso penal en el que se hubiera dictado sentencia firme respecto del imputado;

IX. Muerte del imputado, o

X. En los demás casos en que lo disponga la ley.

Artículo 328. Efectos del sobreseimiento

El sobreseimiento firme tiene efectos de sentencia absolutoria, pone fin al procedimiento en relación con el imputado en cuyo favor se dicta, inhibe una nueva persecución penal por el mismo hecho y hace cesar todas las medidas cautelares que se hubieran dictado.

Artículo 329. Sobreseimiento total o parcial

El sobreseimiento será total cuando se refiera a todos los delitos y a todos los imputados, y parcial cuando se refiera a algún delito o a algún imputado, de los varios a que se hubiere extendido la investigación y que hubieren sido objeto de vinculación a proceso.

Si el sobreseimiento fuere parcial, se continuará el proceso respecto de aquellos delitos o de aquellos imputados a los que no se extendiere aquél.

Artículo 330. Facultades del Juez respecto del sobreseimiento

El Juez de control, al pronunciarse sobre la solicitud de sobreseimiento planteada por cualquiera de las partes, podrá rechazarlo o bien decretar el sobreseimiento incluso por motivo distinto del planteado conforme a lo previsto en este Código.

Si la víctima u ofendido se opone a la solicitud de sobreseimiento formulada por el Ministerio Público, el imputado o su Defensor, el Juez de control se pronunciará con base en los argumentos expuestos por las partes y el mérito de la causa.

Si el Juez de control admite las objeciones de la víctima u ofendido, denegará la solicitud de sobreseimiento.

De no mediar oposición, la solicitud de sobreseimiento se declarará procedente sin perjuicio del derecho de las partes a recurrir.

Artículo 331. Suspensión del proceso

El Juez de control competente decretará la suspensión del proceso cuando:

I. Se decrete la sustracción del imputado a la acción de la justicia;

II. Se descubra que el delito es de aquellos respecto de los cuales no se puede proceder sin que sean satisfechos determinados requisitos y éstos no se hubieren cumplido;

III. El imputado adquiera algún trastorno mental temporal durante el proceso, o

IV. En los demás casos que la ley señale.

Artículo 332. Reapertura del proceso al cesar la causal de suspensión

A solicitud del Ministerio Público o de cualquiera de los que intervienen en el proceso, el Juez de control podrá decretar la reapertura del mismo cuando cese la causa que haya motivado la suspensión.

Artículo 333. Reapertura de la investigación

Hasta antes de presentada la acusación, las partes podrán reiterar la solicitud de diligencias de investigación específicas que hubieren formulado al Ministerio Público después de dictado el auto de vinculación a proceso y que éste hubiere rechazado.

Si el Juez de control aceptara la solicitud de las partes, ordenará al Ministerio Público reabrir la investigación y proceder al cumplimiento de las actuaciones en el plazo que le fijará. En dicha audiencia, el Ministerio Público podrá solicitar la ampliación del plazo por una sola vez.

No procederá la solicitud de llevar a cabo actos de investigación que en su oportunidad se hubieren ordenado a petición de las partes y no se hubieren cumplido por negligencia o hecho imputable a ellas, ni tampoco las que fueren impertinentes, las que tuvieren por objeto acreditar hechos públicos y notorios, ni todas aquellas que hubieren sido solicitadas con fines puramente dilatorios.

Vencido el plazo o su ampliación, la investigación sujeta a reapertura se considerará cerrada, o aún antes de ello si se hubieren cumplido las actuaciones que la motivaron, y se procederá de conformidad con lo dispuesto en este Código.

TÍTULO VII
ETAPA INTERMEDIA

CAPÍTULO I
OBJETO

Artículo 334. Objeto de la etapa intermedia

La etapa intermedia tiene por objeto el ofrecimiento y admisión de los medios de prueba, así como la depuración de los hechos controvertidos que serán materia del juicio.

Esta etapa se compondrá de dos fases, una escrita y otra oral. La fase escrita iniciará con el escrito de acusación que formule el Ministerio Público y comprenderá todos los actos previos a la celebración de la audiencia intermedia. La segunda fase dará inicio con la celebración de la audiencia intermedia y culminará con el dictado del auto de apertura a juicio.

Artículo 335. Contenido de la acusación

Una vez concluida la fase de investigación complementaria, si el Ministerio Público estima que la investigación aporta elementos para ejercer la acción penal contra el imputado, presentará la acusación.

La acusación del Ministerio Público, deberá contener en forma clara y precisa:

I. La individualización del o los acusados y de su Defensor;

II. La identificación de la víctima u ofendido y su Asesor jurídico;

III. La relación clara, precisa, circunstanciada y específica de los hechos atribuidos en modo, tiempo y lugar, así como su clasificación jurídica;

IV. La relación de las modalidades del delito que concurrieren;

V. La autoría o participación concreta que se atribuye al acusado;

VI. La expresión de los preceptos legales aplicables;

VII. El señalamiento de los medios de prueba que pretenda ofrecer, así como la prueba anticipada que se hubiere desahogado en la etapa de investigación;

VIII. El monto de la reparación del daño y los medios de prueba que ofrece para probarlo;

IX. La pena o medida de seguridad cuya aplicación se solicita incluyendo en su caso la correspondiente al concurso de delitos;

X. Los medios de prueba que el Ministerio Público pretenda presentar para la individualización de la pena y en su caso, para la procedencia de sustitutivos de la pena de prisión o suspensión de la misma;

XI. La solicitud de decomiso de los bienes asegurados;

XII. La propuesta de acuerdos probatorios, en su caso, y

XIII. La solicitud de que se aplique alguna forma de terminación anticipada del proceso cuando ésta proceda.

La acusación sólo podrá formularse por los hechos y personas señaladas en el auto de vinculación a proceso, aunque se efectúe una distinta clasificación, la cual deberá hacer del conocimiento de las partes.

Si el Ministerio Público o, en su caso, la víctima u ofendido ofrecieran como medios de prueba la declaración de testigos o peritos, deberán presentar una lista identificándolos con nombre, apellidos, domicilio y modo de localizarlos, señalando además los puntos sobre los que versarán los interrogatorios.

Artículo 336. Notificación de la Acusación

Una vez presentada la acusación, el Juez de control ordenará su notificación a las partes al día siguiente. Con dicha notificación se les entregará copia de la acusación.

Artículo reformado DOF 17-06-2016

Artículo 337. Descubrimiento probatorio

El descubrimiento probatorio consiste en la obligación de las partes de darse a conocer entre ellas en el proceso, los medios de prueba que pretendan ofrecer en la audiencia de juicio. En el caso del Ministerio Público, el descubrimiento comprende el acceso y copia a todos los registros de la investigación, así como a los lugares y objetos relacionados con ella, incluso de aquellos elementos que no pretenda ofrecer como medio de prueba en el juicio. En el caso del imputado o su defensor, consiste en entregar materialmente copia de los registros al Ministerio Público a su costa, y acceso a las evidencias materiales que ofrecerá en la audiencia intermedia, lo cual deberá realizarse en los términos de este Código.

El Ministerio Público deberá cumplir con esta obligación de manera continua a partir de los momentos establecidos en el párrafo tercero del artículo 218 de este Código, así como permitir el acceso del imputado o su Defensor a los nuevos elementos que surjan en el curso de la investigación, salvo las excepciones previstas en este Código.

La víctima u ofendido, el asesor jurídico y el acusado o su Defensor, deberán descubrir los medios de prueba que pretendan ofrecer en la audiencia del juicio, en los plazos establecidos en los artículos 338 y 340, respectivamente, para lo cual, deberán entregar materialmente copia de los registros y acceso a los medios de prueba, con costo a cargo del Ministerio Público. Tratándose de la prueba pericial, se deberá entregar el informe respectivo al momento de descubrir los medios de prueba a cargo de cada una de las partes, salvo que se justifique que aún no cuenta con ellos, caso en el cual, deberá descubrirlos a más tardar tres días antes del inicio de la audiencia intermedia.

En caso que el acusado o su defensor, requiera más tiempo para preparar el descubrimiento o su caso, podrá solicitar al Juez de control, antes de celebrarse la audiencia intermedia o en la misma audiencia, le conceda un plazo razonable y justificado para tales efectos.

Artículo reformado DOF 17-06-2016

Artículo 338. Coadyuvancia en la acusación

Dentro de los tres días siguientes de la notificación de la acusación formulada por el Ministerio Público, la víctima u ofendido podrán mediante escrito:

I. Constituirse como coadyuvantes en el proceso;

II. Señalar los vicios formales de la acusación y requerir su corrección;

III. Ofrecer los medios de prueba que estime necesarios para complementar la acusación del Ministerio Público, de lo cual se deberá notificar al acusado;

Fracción reformada DOF 17-06-2016

IV. Solicitar el pago de la reparación del daño y cuantificar su monto.

Artículo 339. Reglas generales de la coadyuvancia

Si la víctima u ofendido se constituyera en coadyuvante del Ministerio Público, le serán aplicables en lo conducente las formalidades previstas para la acusación de aquél. El Juez de control deberá correr traslado de dicha solicitud a las partes.

La coadyuvancia en la acusación por parte de la víctima u ofendido no alterará las facultades concedidas por este Código y demás legislación aplicable al Ministerio Público, ni lo eximirá de sus responsabilidades.

Si se trata de varias víctimas u ofendidos podrán nombrar un representante común, siempre que no exista conflicto de intereses.

Artículo 340. Actuación del imputado en la fase escrita de la etapa intermedia

Dentro de los diez días siguientes a que fenezca el plazo para la solicitud de coadyuvancia de la víctima u ofendido, el acusado o su Defensor, mediante escrito dirigido al Juez de control, podrán:

Párrafo reformado DOF 17-06-2016

I. Señalar vicios formales del escrito de acusación y pronunciarse sobre las observaciones del coadyuvante y si lo consideran pertinente, requerir su corrección. No obstante, el acusado o su Defensor podrán señalarlo en la audiencia intermedia;

Fracción reformada DOF 17-06-2016

II. Ofrecer los medios de prueba que pretenda se desahoguen en el juicio;

Fracción adicionada DOF 17-06-2016

III. Solicitar la acumulación o separación de acusaciones, y

Fracción reformada y recorrida DOF 17-06-2016

IV. Manifestarse sobre los acuerdos probatorios.

Fracción reformada y recorrida DOF 17-06-2016

El escrito del acusado o su Defensor se notificará al Ministerio Público y al coadyuvante dentro de las veinticuatro horas siguientes a su presentación.

Párrafo reformado DOF 17-06-2016

Reforma DOF 17-06-2016: Derogó del artículo el entonces párrafo segundo

Artículo 341. Citación a la audiencia

El Juez de control, en el mismo auto en que tenga por presentada la acusación del Ministerio Público, señalará fecha para que se lleve a cabo la audiencia intermedia, la cual deberá tener lugar en un plazo que no podrá ser menor a treinta ni exceder de cuarenta días naturales a partir de presentada la acusación.

Párrafo reformado DOF 17-06-2016

Previa celebración de la audiencia intermedia, el Juez de control podrá, por una sola ocasión y a solicitud de la defensa, diferir, hasta por diez días, la celebración de la audiencia intermedia. Para tal efecto, la defensa deberá exponer las razones por las cuales ha requerido dicho diferimiento.

Artículo 342. Inmediación en la audiencia intermedia

La audiencia intermedia será conducida por el Juez de control, quien la presidirá en su integridad y se desarrollará oralmente. Es indispensable la presencia permanente del Juez de control, el Ministerio Público, y el Defensor durante la audiencia.

La víctima u ofendido o su Asesor jurídico deberán concurrir, pero su inasistencia no suspende el acto, aunque si ésta fue injustificada, se tendrá por desistida su pretensión en el caso de que se hubiera constituido como coadyuvante del Ministerio Público.

Artículo 343. Unión y separación de acusación

Cuando el Ministerio Público formule diversas acusaciones que el Juez de control considere conveniente someter a una misma audiencia del debate, y siempre que ello no perjudique el derecho de defensa, podrá unirlas y decretar la apertura de un solo juicio, si ellas están vinculadas por referirse a un mismo hecho, a un mismo acusado o porque deben ser examinadas los mismos medios de prueba.

El Juez de control podrá dictar autos de apertura del juicio separados, para distintos hechos o diferentes acusados que estén comprendidos en una misma acusación, cuando, de ser conocida en una sola audiencia del debate, pudiera provocar graves dificultades en la organización o el desarrollo de la audiencia del debate o afectación del derecho de defensa, y siempre que ello no implique el riesgo de provocar decisiones contradictorias.

Artículo 344. Desarrollo de la audiencia

Al inicio de la audiencia el Ministerio Público realizará una exposición resumida de su acusación, seguida de las exposiciones de la víctima u ofendido y el acusado por sí o por conducto de su Defensor; acto seguido las partes podrán deducir cualquier incidencia que consideren relevante presentar. Asimismo, la Defensa promoverá las excepciones que procedan conforme a lo que se establece en este Código.

Desahogados los puntos anteriores y posterior al establecimiento en su caso de acuerdos probatorios, el Juez se cerciorará de que se ha cumplido con el descubrimiento probatorio a cargo de las partes y, en caso de controversia abrirá debate entre las mismas y resolverá lo procedente.

Si es el caso que el Ministerio Público o la víctima u ofendido ocultaron una prueba favorable a la defensa, el Juez en el caso del Ministerio Público procederá a dar vista a su superior para los efectos conducentes. De igual forma impondrá una corrección disciplinaria a la víctima u ofendido.

Artículo 345. Acuerdos probatorios

Los acuerdos probatorios son aquellos celebrados entre el Ministerio Público y el acusado, sin oposición fundada de la víctima u ofendido, para aceptar como probados alguno o algunos de los hechos o sus circunstancias.

Si la víctima u ofendido se opusieren, el Juez de control determinará si es fundada y motivada la oposición, de lo contrario el Ministerio Público podrá realizar el acuerdo probatorio.

El Juez de control autorizará el acuerdo probatorio, siempre que lo considere justificado por existir antecedentes de la investigación con los que se acredite el hecho.

En estos casos, el Juez de control indicará en el auto de apertura del juicio los hechos que tendrán por acreditados, a los cuales deberá estarse durante la audiencia del juicio oral.

Artículo 346. Exclusión de medios de prueba para la audiencia del debate

Una vez examinados los medios de prueba ofrecidos y de haber escuchado a las partes, el Juez de control ordenará fundadamente que se excluyan de ser rendidos en la audiencia de juicio, aquellos medios de prueba que no se refieran directa o indirectamente al objeto de la investigación y sean útiles para el esclarecimiento de los hechos, así como aquellos en los que se actualice alguno de los siguientes supuestos:

I. Cuando el medio de prueba se ofrezca para generar efectos dilatorios, en virtud de ser:

a) Sobreabundante: por referirse a diversos medios de prueba del mismo tipo, testimonial o documental, que acrediten lo mismo, ya superado, en reiteradas ocasiones;

b) Impertinentes: por no referirse a los hechos controvertidos, o

c) Innecesarias: por referirse a hechos públicos, notorios o incontrovertidos;

II. Por haberse obtenido con violación a derechos fundamentales;

III. Por haber sido declaradas nulas, o

IV. Por ser aquellas que contravengan las disposiciones señaladas en este Código para su desahogo.

En el caso de que el Juez estime que el medio de prueba sea sobreabundante, dispondrá que la parte que la ofrezca reduzca el número de testigos o de documentos, cuando mediante ellos desee acreditar los mismos hechos o circunstancias con la materia que se someterá a juicio.

Asimismo, en los casos de delitos contra la libertad y seguridad sexuales y el normal desarrollo psicosexual, el Juez excluirá la prueba que pretenda rendirse sobre la conducta sexual anterior o posterior de la víctima.

La decisión del Juez de control de exclusión de medios de prueba es apelable.

Artículo 347. Auto de apertura a juicio

Antes de finalizar la audiencia, el Juez de control dictará el auto de apertura de juicio que deberá indicar:

I. El Tribunal de enjuiciamiento competente para celebrar la audiencia de juicio;

Fracción reformada DOF 17-06-2016

II. La individualización de los acusados;

III. Las acusaciones que deberán ser objeto del juicio y las correcciones formales que se hubieren realizado en ellas, así como los hechos materia de la acusación;

IV. Los acuerdos probatorios a los que hubieren llegado las partes;

V. Los medios de prueba admitidos que deberán ser desahogados en la audiencia de juicio, así como la prueba anticipada;

VI. Los medios de pruebas que, en su caso, deban de desahogarse en la audiencia de individualización de las sanciones y de reparación del daño;

VII. Las medidas de resguardo de identidad y datos personales que procedan en términos de este Código;

VIII. Las personas que deban ser citadas a la audiencia de debate, y

IX. Las medidas cautelares que hayan sido impuestas al acusado.

El Juez de control hará llegar el mismo al Tribunal de enjuiciamiento competente dentro de los cinco días siguientes de haberse dictado y pondrá a su disposición los registros, así como al acusado.

TÍTULO VIII
ETAPA DE JUICIO

CAPÍTULO I
DISPOSICIONES PREVIAS

Artículo 348. Juicio

El juicio es la etapa de decisión de las cuestiones esenciales del proceso. Se realizará sobre la base de la acusación en el que se deberá asegurar la efectiva vigencia de los principios de inmediación, publicidad, concentración, igualdad, contradicción y continuidad.

Artículo 349. Fecha, lugar, integración y citaciones

El Tribunal de enjuiciamiento una vez que reciba el auto de apertura a juicio oral deberá establecer la fecha para la celebración de la audiencia de debate, la que deberá tener lugar no antes de veinte ni después de sesenta días naturales contados a partir de la emisión del auto de apertura a juicio. Se citará oportunamente a todas las partes para asistir al debate. El acusado deberá ser citado, por lo menos con siete días de anticipación al comienzo de la audiencia.

Artículo reformado DOF 17-06-2016

Artículo 350. Prohibición de intervención

Los jueces que hayan intervenido en alguna etapa del procedimiento anterior a la audiencia de juicio no podrán fungir como Tribunal de enjuiciamiento.

CAPÍTULO II
PRINCIPIOS

Artículo 351. Suspensión

La audiencia de juicio podrá suspenderse en forma excepcional por un plazo máximo de diez días naturales cuando:

I. Se deba resolver una cuestión incidental que no pueda, por su naturaleza, resolverse en forma inmediata;

II. Tenga que practicarse algún acto fuera de la sala de audiencias, incluso porque se tenga la noticia de un hecho inesperado que torne indispensable una investigación complementaria y no sea posible cumplir los actos en el intervalo de dos sesiones;

III. No comparezcan testigos, peritos o intérpretes, deba practicarse una nueva citación y sea imposible o inconveniente continuar el debate hasta que ellos comparezcan, incluso coactivamente por medio de la fuerza pública;

IV. El o los integrantes del Tribunal de enjuiciamiento, el acusado o cualquiera de las partes se enfermen a tal extremo que no puedan continuar interviniendo en el debate;

V. El Defensor, el Ministerio Público o el acusador particular no pueda ser reemplazado inmediatamente en el supuesto de la fracción anterior, o en caso de muerte o incapacidad permanente, o

VI. Alguna catástrofe o algún hecho extraordinario torne imposible su continuación.

El Tribunal de enjuiciamiento verificará la autenticidad de la causal de suspensión invocada, pudiendo para el efecto allegarse de los medios de prueba correspondientes para decidir sobre la suspensión, para lo cual deberá anunciar el día y la hora en que continuará la audiencia, lo que tendrá el efecto de citación para audiencia para todas las partes. Previo a reanudar la audiencia, quien la presida resumirá brevemente los actos cumplidos con anterioridad.

El Tribunal de enjuiciamiento ordenará los aplazamientos que se requieran, indicando la hora en que continuará el debate. No será considerado aplazamiento ni suspensión el descanso de fin de semana y los días inhábiles de acuerdo con la legislación aplicable.

Artículo 352. Interrupción

Si la audiencia de debate de juicio no se reanuda a más tardar al undécimo día después de ordenada la suspensión, se considerará interrumpido y deberá ser reiniciado ante un Tribunal de enjuiciamiento distinto y lo actuado será nulo.

Artículo 353. Motivación

Las decisiones del Tribunal de enjuiciamiento, así como las de su Presidente serán verbales, con expresión de sus fundamentos y motivos cuando el caso lo requiera o las partes así lo soliciten, quedando todos notificados por su emisión.

CAPÍTULO III
DIRECCIÓN Y DISCIPLINA

Artículo 354. Dirección del debate de juicio

El juzgador que preside la audiencia de juicio ordenará y autorizará las lecturas pertinentes, hará las advertencias que correspondan, tomará las protestas legales y moderará la discusión; impedirá intervenciones impertinentes o que no resulten admisibles, sin coartar por ello el ejercicio de la persecución penal o la libertad de defensa. Asimismo, resolverá las objeciones que se formulen durante el desahogo de la prueba.

Si alguna de las partes en el debate se inconformara por la vía de revocación de una decisión del Presidente, lo resolverá el Tribunal.

Artículo 355. Disciplina en la audiencia

El juzgador que preside la audiencia de juicio velará por que se respete la disciplina en la audiencia cuidando que se mantenga el orden, para lo cual solicitará al Tribunal de enjuiciamiento o a los asistentes, el respeto y las consideraciones debidas, corrigiendo en el acto las faltas que se cometan, para lo cual podrá aplicar cualquiera de las siguientes medidas:

I. Apercibimiento;

II. Multa de veinte a cinco mil salarios mínimos;

III. Expulsión de la sala de audiencia;

IV. Arresto hasta por treinta y seis horas, o

V. Desalojo público de la sala de audiencia.

Si el infractor fuere el Ministerio Público, el acusado, su Defensor, la víctima u ofendido, y fuere necesario expulsarlos de la sala de audiencia, se aplicarán las reglas conducentes para el caso de su ausencia.

En caso de que a pesar de las medidas adoptadas no se pudiera reestablecer el orden, quien preside la audiencia la suspenderá hasta en tanto se encuentren reunidas las condiciones que permitan continuar con su curso normal.

El Tribunal de enjuiciamiento podrá ordenar el arresto hasta por treinta y seis horas ante la contumacia de las obligaciones procesales de las personas que intervienen en un proceso penal que atenten contra el principio de continuidad, derivado de sus incomparecencias injustificadas a audiencia o aquellos actos que impidan que las pruebas puedan desahogarse en tiempo y forma.

Párrafo reformado DOF 17-06-2016

CAPÍTULO IV
DISPOSICIONES GENERALES SOBRE LA PRUEBA

Artículo 356. Libertad probatoria

Todos los hechos y circunstancias aportados para la adecuada solución del caso sometido a juicio, podrán ser probados por cualquier medio pertinente producido e incorporado de conformidad con este Código.

Artículo 357. Legalidad de la prueba

La prueba no tendrá valor si ha sido obtenida por medio de actos violatorios de derechos fundamentales, o si no fue incorporada al proceso conforme a las disposiciones de este Código.

Artículo 358. Oportunidad para la recepción de la prueba

La prueba que hubiere de servir de base a la sentencia deberá desahogarse durante la audiencia de debate de juicio, salvo las excepciones expresamente previstas en este Código.

Artículo 359. Valoración de la prueba

El Tribunal de enjuiciamiento valorará la prueba de manera libre y lógica, deberá hacer referencia en la motivación que realice, de todas las pruebas desahogadas, incluso de aquellas que se hayan desestimado, indicando las razones que se tuvieron para hacerlo. La motivación permitirá la expresión del razonamiento utilizado para alcanzar las conclusiones contenidas en la resolución jurisdiccional. Sólo se podrá condenar al acusado si se llega a la convicción de su culpabilidad más allá de toda duda razonable. En caso de duda razonable, el Tribunal de enjuiciamiento absolverá al imputado.

Artículo reformado DOF 17-06-2016

SECCIÓN I
PRUEBA TESTIMONIAL

Artículo 360. Deber de testificar

Toda persona tendrá la obligación de concurrir al proceso cuando sea citado y de declarar la verdad de cuanto conozca y le sea preguntado; asimismo, no deberá ocultar hechos, circunstancias o cualquier otra información que sea relevante para la solución de la controversia, salvo disposición en contrario.

El testigo no estará en la obligación de declarar sobre hechos por los que se le pueda fincar responsabilidad penal.

Artículo 361. Facultad de abstención

Podrán abstenerse de declarar el tutor, curador, pupilo, cónyuge, concubina o concubinario, conviviente del imputado, la persona que hubiere vivido de forma permanente con el imputado durante por lo menos dos años anteriores al hecho, sus parientes por consanguinidad en la línea recta ascendente o descendente hasta el cuarto grado y en la colateral por consanguinidad hasta el segundo grado inclusive, salvo que fueran denunciantes.

Deberá informarse a las personas mencionadas de la facultad de abstención antes de declarar, pero si aceptan rendir testimonio no podrán negarse a contestar las preguntas formuladas.

Artículo 362. Deber de guardar secreto

Es inadmisible el testimonio de personas que respecto del objeto de su declaración, tengan el deber de guardar secreto con motivo del conocimiento que tengan de los hechos en razón del oficio o profesión, tales como ministros religiosos, abogados, visitadores de derechos humanos, médicos, psicólogos, farmacéuticos y enfermeros, así como los funcionarios públicos sobre información que no es susceptible de divulgación según las leyes de la materia. No obstante, estas personas no podrán negar su testimonio cuando sean liberadas por el interesado del deber de guardar secreto.

En caso de ser citadas, deberán comparecer y explicar el motivo del cual surge la obligación de guardar secreto y de abstenerse de declarar.

Artículo 363. Citación de testigos

Los testigos serán citados para su examinación. En los casos de urgencia, podrán ser citados por cualquier medio que garantice la recepción de la citación, de lo cual se deberá dejar constancia. El testigo podrá presentarse a declarar sin previa cita.

Si el testigo reside en un lugar lejano al asiento del órgano judicial y carece de medios económicos para trasladarse, se dispondrá lo necesario para asegurar su comparecencia.

Tratándose de testigos que sean servidores públicos, la dependencia en la que se desempeñen adoptará las medidas correspondientes para garantizar su comparecencia, en cuyo caso absorberá además los gastos que se generen.

Artículo 364. Comparecencia obligatoria de testigos

Si el testigo debidamente citado no se presentara a la citación o haya temor fundado de que se ausente o se oculte, se le hará comparecer en ese acto por medio de la fuerza pública sin necesidad de agotar ningún otro medio de apremio.

Las autoridades están obligadas a auxiliar oportuna y diligentemente al Tribunal para garantizar la comparecencia obligatoria de los testigos. El Órgano jurisdiccional podrá emplear contra las autoridades los medios de apremio que establece este Código en caso de incumplimiento o retardo a sus determinaciones.

Artículo 365. Excepciones a la obligación de comparecencia

No estarán obligados a comparecer en los términos previstos en los artículos anteriores y podrán declarar en la forma señalada para los testimonios especiales los siguientes:

I. Respecto de los servidores públicos federales, el Presidente de la República; los Secretarios de Estado de la Federación; el Procurador General de la República; los Ministros de la Suprema Corte de Justicia de la Nación, y los Diputados y Senadores del Congreso de la Unión; los Magistrados del Tribunal

Electoral del Poder Judicial de la Federación y los Consejeros del Instituto Federal Electoral;

II. Respecto de los servidores públicos estatales, el Gobernador; los Secretarios de Estado; el Procurador General de Justicia o su equivalente; los Diputados de los Congresos locales e integrantes de la Asamblea Legislativa del Distrito Federal; los Magistrados del Tribunal Superior de Justicia y del Tribunal Estatal Electoral y los Consejeros del Instituto Electoral estatal;

III. Los extranjeros que gozaren en el país de inmunidad diplomática, de conformidad con los Tratados sobre la materia, y

IV. Los que, por enfermedad grave u otro impedimento calificado por el Órgano jurisdiccional estén imposibilitados de hacerlo.

Si las personas enumeradas en las fracciones anteriores renunciaren a su derecho a no comparecer, deberán prestar declaración conforme a las reglas generales previstas en este Código.

Artículo 366. Testimonios especiales

Cuando deba recibirse testimonio de menores de edad víctimas del delito y se tema por su afectación psicológica o emocional, así como en caso de víctimas de los delitos de violación o secuestro, el Órgano jurisdiccional a petición de las partes, podrá ordenar su recepción con el auxilio de familiares o peritos especializados. Para ello deberán utilizarse las técnicas audiovisuales adecuadas que favorezcan evitar la confrontación con el imputado.

Las personas que no puedan concurrir a la sede judicial, por estar físicamente impedidas, serán examinadas en el lugar donde se encuentren y su testimonio será transmitido por sistemas de reproducción a distancia.

Estos procedimientos especiales deberán llevarse a cabo sin afectar el derecho a la confrontación y a la defensa.

Artículo 367. Protección a los testigos

El Órgano jurisdiccional, por un tiempo razonable, podrá ordenar medidas especiales destinadas a proteger la integridad física y psicológica del testigo y sus familiares, mismas que podrán ser renovadas cuantas veces fuere necesario, sin menoscabo de lo dispuesto en la legislación aplicable.

De igual forma, el Ministerio Público o la autoridad que corresponda adoptarán las medidas que fueren procedentes para conferir la debida protección a víctimas, ofendidos, testigos, antes o después de prestadas sus declaraciones, y a sus familiares y en general a todos los sujetos que intervengan en el procedimiento, sin menoscabo de lo dispuesto en la legislación aplicable.

SECCIÓN II
PRUEBA PERICIAL

Artículo 368. Prueba pericial

Podrá ofrecerse la prueba pericial cuando, para el examen de personas, hechos, objetos o circunstancias relevantes para el proceso, fuere necesario o conveniente poseer conocimientos especiales en alguna ciencia, arte, técnica u oficio.

Artículo 369. Título oficial

Los peritos deberán poseer título oficial en la materia relativa al punto sobre el cual dictaminarán y no tener impedimentos para el ejercicio profesional, siempre que la ciencia, el arte, la técnica o el oficio sobre la que verse la pericia en cuestión esté reglamentada; en caso contrario, deberá designarse a una persona de idoneidad manifiesta y que preferentemente pertenezca a un gremio o agrupación relativa a la actividad sobre la que verse la pericia.

No se exigirán estos requisitos para quien declare como testigo sobre hechos o circunstancias que conoció espontáneamente, aunque para informar sobre ellos utilice las aptitudes especiales que posee en una ciencia, arte, técnica u oficio.

Artículo 370. Medidas de protección

En caso necesario, los peritos y otros terceros que deban intervenir en el procedimiento para efectos probatorios, podrán pedir a la autoridad correspondiente que adopte medidas tendentes a que se les brinde la protección prevista para los testigos, en los términos de la legislación aplicable.

SECCIÓN III
DISPOSICIONES GENERALES DEL INTERROGATORIO Y CONTRAINTERROGATORIO

Artículo 371. Declarantes en la audiencia de juicio

Antes de declarar, los testigos no podrán comunicarse entre sí, ni ver, oír o ser informados de lo que ocurra en la audiencia, por lo que permanecerán en una sala distinta a aquella en donde se desarrolle, advertidos de lo anterior por el juzgador que preside la audiencia. Serán llamados en el orden establecido. Esta disposición no aplica al acusado ni a la víctima, salvo cuando ésta deba declarar en juicio como testigo.

El juzgador que presida la audiencia de juicio identificará al perito o testigo, le tomará protesta de conducirse con verdad y le advertirá de las penas que se imponen si se incurre en falsedad de declaraciones.

Durante la audiencia, los peritos y testigos deberán ser interrogados personalmente. Su declaración personal no podrá ser sustituida por la lectura de los registros en que consten anteriores declaraciones, o de otros documentos que las contengan, y sólo deberá referirse a ésta y a las preguntas realizadas por las partes.

Artículo 372. Desarrollo de interrogatorio

Otorgada la protesta y realizada su identificación, el juzgador que presida la audiencia de juicio concederá la palabra a la parte que propuso el testigo, perito o al acusado para que lo interrogue, y con posterioridad a los demás sujetos que intervienen en el proceso, respetándose siempre el orden asignado. La parte contraria podrá inmediatamente después contrainterrogar al testigo, perito o al acusado.

Los testigos, peritos o el acusado responderán directamente a las preguntas que les formulen el Ministerio Público, el Defensor o el Asesor jurídico de la víctima, en su caso. El Órgano jurisdiccional deberá abstenerse de interrumpir dicho interrogatorio salvo que medie objeción fundada de parte, o bien, resulte necesario para mantener el orden y decoro necesarios para la debida diligenciación de la audiencia. Sin perjuicio de lo anterior, el Órgano Jurisdiccional podrá formular preguntas para aclarar lo manifestado por quien deponga, en los términos previstos en este Código.

A solicitud de algunas de las partes, el Tribunal podrá autorizar un nuevo interrogatorio a los testigos que ya hayan declarado en la audiencia, siempre y cuando no hayan sido liberados; al perito se le podrán formular preguntas con el fin de proponerle hipótesis sobre la materia del dictamen pericial, a las que el perito deberá responder atendiéndose a la ciencia, la profesión y los hechos hipotéticos propuestos.

Después del contrainterrogatorio el oferente podrá repreguntar al testigo en relación a lo manifestado. En la materia del contrainterrogatorio la parte contraria podrá recontrainterrogar al testigo respecto de la materia de las preguntas.

Artículo 373. Reglas para formular preguntas en juicio

Toda pregunta deberá formularse de manera oral y versará sobre un hecho específico. En ningún caso se permitirán preguntas ambiguas o poco claras, conclusivas, impertinentes o irrelevantes o argumentativas, que tiendan a ofender al testigo o peritos o que pretendan coaccionarlos.

Las preguntas sugestivas sólo se permitirán a la contraparte de quien ofreció al testigo, en contrainterrogatorio.

Reforma DOF 17-06-2016: Derogó del artículo el entonces párrafo tercero

Artículo 374. Objeciones

La objeción de preguntas deberá realizarse antes de que el testigo emita respuesta. El Juez analizará la pregunta y su objeción y en caso de considerar obvia la procedencia de la pregunta resolverá de plano. Contra esta determinación no se admite recurso alguno.

Artículo 375. Testigo hostil

El Tribunal de enjuiciamiento permitirá al oferente de la prueba realizar preguntas sugestivas cuando advierta que el testigo se está conduciendo de manera hostil.

Artículo 376. Lectura para apoyo de memoria o para demostrar o superar contradicciones en audiencia

Durante el interrogatorio y contrainterrogatorio del acusado, del testigo o del perito, podrán leer parte de sus entrevistas, manifestaciones anteriores, documentos por ellos elaborados o cualquier otro registro de actos en los que hubiera participado, realizando cualquier tipo de manifestación, cuando fuera necesario para apoyar la memoria del respectivo declarante, superar o evidenciar contradicciones, o solicitar las aclaraciones pertinentes.

Con el mismo propósito se podrá leer durante la declaración de un perito parte del informe que él hubiere elaborado.

SECCIÓN IV
DECLARACIÓN DEL ACUSADO

Artículo 377. Declaración del acusado en juicio

El acusado podrá rendir su declaración en cualquier momento durante la audiencia. En tal caso, el juzgador que preside la audiencia le permitirá que lo haga libremente o conteste las preguntas de las partes. En este caso se podrán utilizar las declaraciones previas rendidas por el acusado, para apoyo de memoria, evidenciar o superar contradicciones. El Órgano jurisdiccional podrá formularle preguntas destinadas a aclarar su dicho.

El acusado podrá solicitar ser oído, con el fin de aclarar o complementar sus manifestaciones, siempre que preserve la disciplina en la audiencia.

En la declaración del acusado se seguirán, en lo conducente, las mismas reglas para el desarrollo del interrogatorio. El imputado deberá declarar con libertad de movimiento, sin el uso de instrumentos de seguridad, salvo cuando sea absolutamente indispensable para evitar su fuga o daños a otras personas.

Artículo 378. Ausencia del acusado en juicio

Si el acusado decide no declarar en el juicio, ninguna declaración previa que haya rendido puede ser incorporada a éste como prueba, ni se podrán utilizar en el juicio bajo ningún concepto.

Artículo 379. Derechos del acusado en juicio

En el curso del debate, el acusado tendrá derecho a solicitar la palabra para efectuar todas las declaraciones que considere pertinentes, incluso si antes se hubiere abstenido de declarar, siempre que se refieran al objeto del debate.

El juzgador que presida la audiencia de juicio impedirá cualquier divagación y si el acusado persistiera en ese comportamiento, podrá ordenar que sea alejado de la audiencia. El acusado podrá, durante el transcurso del debate, hablar libremente con su Defensor, sin que por ello la audiencia se suspenda; sin embargo, no lo podrá hacer durante su declaración o antes de responder a preguntas que le sean formuladas y tampoco podrá admitir sugerencia alguna.

SECCIÓN V
PRUEBA DOCUMENTAL Y MATERIAL

Artículo 380. Concepto de documento

Se considerará documento a todo soporte material que contenga información sobre algún hecho. Quien cuestione la autenticidad del documento tendrá la carga de demostrar sus afirmaciones. El Órgano jurisdiccional, a solicitud de los interesados, podrá prescindir de la lectura íntegra de documentos o informes escritos, o de la reproducción total de una videograbación o grabación, para leer o reproducir parcialmente el documento o la grabación en la parte conducente.

Artículo 381. Reproducción en medios tecnológicos

En caso de que los datos de prueba o la prueba se encuentren contenidos en medios digitales, electrónicos, ópticos o de cualquier otra tecnología y el Órgano jurisdiccional no cuente con los medios necesarios para su reproducción, la parte que los ofrezca los deberá proporcionar o facilitar. Cuando la parte oferente, previo apercibimiento no provea del medio idóneo para su reproducción, no se podrá llevar a cabo el desahogo de la misma.

Artículo 382. Prevalencia de mejor documento

Cualquier documento que garantice mejorar la fidelidad en la reproducción de los contenidos de las pruebas deberá prevalecer sobre cualquiera otro.

Artículo 383. Incorporación de prueba

Los documentos, objetos y otros elementos de convicción, previa su incorporación a juicio, deberán ser exhibidos al imputado, a los testigos o intérpretes y a los peritos, para que los reconozcan o informen sobre ellos.

Sólo se podrá incorporar a juicio como prueba material o documental aquella que haya sido previamente acreditada.

Artículo 384. Prohibición de incorporación de antecedentes procesales

No se podrá invocar, dar lectura ni admitir o desahogar como medio de prueba al debate ningún antecedente que tenga relación con la proposición, discusión, aceptación, procedencia, rechazo o revocación de una suspensión condicional del proceso, de un acuerdo reparatorio o la tramitación de un procedimiento abreviado.

Artículo 385. Prohibición de lectura e incorporación al juicio de registros de la investigación y documentos

No se podrán incorporar o invocar como medios de prueba ni dar lectura durante el debate, a los registros y demás documentos que den cuenta de actuaciones realizadas por la Policía o el Ministerio Público en la investigación, con excepción de los supuestos expresamente previstos en este Código.

No se podrán incorporar como medio de prueba o dar lectura a actas o documentos que den cuenta de actuaciones declaradas nulas o en cuya obtención se hayan vulnerado derechos fundamentales.

Artículo 386. Excepción para la incorporación por lectura de declaraciones anteriores

Podrán incorporarse al juicio, previa lectura o reproducción, los registros en que consten anteriores declaraciones o informes de testigos, peritos o acusados, únicamente en los siguientes casos:

I. El testigo o coimputado haya fallecido, presente un trastorno mental transitorio o permanente o haya perdido la capacidad para declarar en juicio y, por esa razón, no hubiese sido posible solicitar su desahogo anticipado, o

II. Cuando la incomparecencia de los testigos, peritos o coimputados, fuere atribuible al acusado.

Cualquiera de estas circunstancias deberá ser debidamente acreditada.

Artículo 387. Incorporación de prueba material o documental previamente admitida

De conformidad con el artículo anterior, sólo se podrán incorporar la prueba material y la documental previamente admitidas, salvo las excepciones previstas en este Código.

SECCIÓN VI
OTRAS PRUEBAS

Artículo 388. Otras pruebas

Además de las previstas en este Código, podrán utilizarse otras pruebas cuando no se afecten los derechos fundamentales.

Artículo 389. Constitución del Tribunal en lugar distinto

Cuando así se hubiere solicitado por las partes para la adecuada apreciación de determinadas circunstancias relevantes del caso, el Tribunal de enjuiciamiento podrá constituirse en un lugar distinto a la sala de audiencias.

Artículo 390. Medios de prueba nueva y de refutación

El Tribunal de enjuiciamiento podrá ordenar la recepción de medios de prueba nueva, ya sea sobre hechos supervenientes o de los que no fueron ofrecidos oportunamente por alguna de las partes, siempre que se justifique no haber conocido previamente de su existencia.

Si con ocasión de la rendición de un medio de prueba surgiere una controversia relacionada exclusivamente con su veracidad, autenticidad o integridad, el Tribunal de enjuiciamiento podrá admitir y desahogar nuevos medios de prueba, aunque ellos no hubieren sido ofrecidos oportunamente, siempre que no hubiere sido posible prever su necesidad.

El medio de prueba debe ser ofrecido antes de que se cierre el debate, para lo que el Tribunal de enjuiciamiento deberá salvaguardar la oportunidad de la contraparte del oferente de los medios de prueba supervenientes o de refutación, para preparar los contrainterrogatorios de testigos o peritos, según sea el caso, y para ofrecer la práctica de diversos medios de prueba, encaminados a controvertirlos.

CAPÍTULO V
DESARROLLO DE LA AUDIENCIA DE JUICIO

Artículo 391. Apertura de la audiencia de juicio

En el día y la hora fijados, el Tribunal de enjuiciamiento se constituirá en el lugar señalado para la audiencia. Quien la presida, verificará la presencia de los demás jueces, de las partes, de los testigos, peritos o intérpretes que deban participar en el debate y de la existencia de las cosas que deban exhibirse en él, y la declarará abierta. Advertirá al acusado y al público sobre la importancia y el significado de lo que acontecerá en la audiencia e indicará al acusado que esté atento a ella.

Cuando un testigo o perito no se encuentre presente al iniciar la audiencia, pero haya sido debidamente notificado para asistir en una hora posterior y se tenga la certeza de que comparecerá, el debate podrá iniciarse.

El juzgador que presida la audiencia de juicio señalará las acusaciones que deberán ser objeto del juicio contenidas en el auto de su apertura y los acuerdos probatorios a que hubiesen llegado las partes.

Artículo 392. Incidentes en la audiencia de juicio

Los incidentes promovidos en el transcurso de la audiencia de debate de juicio se resolverán inmediatamente por el Tribunal de enjuiciamiento, salvo que por su naturaleza sea necesario suspender la audiencia.

Las decisiones que recayeren sobre estos incidentes no serán susceptibles de recurso alguno.

Artículo 393. División del debate único

Si la acusación tuviere por objeto varios hechos punibles atribuidos a uno o más imputados, el Tribunal de enjuiciamiento podrá disponer, incluso a solicitud de parte, que los debates se lleven a cabo separadamente, pero en forma continua.

El Tribunal de enjuiciamiento podrá disponer la división de un debate en ese momento y de la misma manera, cuando resulte conveniente para resolver adecuadamente sobre la pena y para una mejor defensa de los acusados.

Artículo 394. Alegatos de apertura

Una vez abierto el debate, el juzgador que presida la audiencia de juicio concederá la palabra al Ministerio Público para que exponga de manera concreta y oral la acusación y una descripción sumaria de las pruebas que utilizará para demostrarla. Acto seguido se concederá la palabra al Asesor jurídico de la víctima u ofendido, si lo hubiere, para los mismos efectos. Posteriormente se ofrecerá la palabra al Defensor, quien podrá expresar lo que al interés del imputado convenga en forma concreta y oral.

Artículo 395. Orden de recepción de las pruebas en la audiencia de juicio

Cada parte determinará el orden en que desahogará sus medios de prueba. Corresponde recibir primero los medios de prueba admitidos al Ministerio Público, posteriormente los de la víctima u ofendido del delito y finalmente los de la defensa.

Artículo 396. Oralidad en la audiencia de juicio

La audiencia de juicio será oral en todo momento.

Artículo 397. Decisiones en la audiencia

Las determinaciones del Tribunal de enjuiciamiento serán emitidas oralmente. En las audiencias se presume la actuación legal de las partes y del Órgano jurisdiccional, por lo que no es necesario invocar los preceptos legales en que se fundamenten, salvo los casos en que durante las audiencias alguna de las partes solicite la fundamentación expresa de la parte contraria o de la autoridad judicial porque exista duda sobre ello. En las resoluciones escritas se deberán invocar los preceptos en que se fundamentan.

Artículo 398. Reclasificación jurídica

Tanto en el alegato de apertura como en el de clausura, el Ministerio Público podrá plantear una reclasificación respecto del delito invocado en su escrito de acusación. En este supuesto, el juzgador que preside la audiencia dará al imputado y a su Defensor la oportunidad de expresarse al respecto, y les informará sobre su derecho a pedir la suspensión del debate para ofrecer nuevas pruebas o preparar su intervención. Cuando este derecho sea ejercido, el Tribunal de enjuiciamiento suspenderá el debate por un plazo que, en ningún caso, podrá exceder del establecido para la suspensión del debate previsto por este Código.

Artículo 399. Alegatos de clausura y cierre del debate

Concluido el desahogo de las pruebas, el juzgador que preside la audiencia de juicio otorgará sucesivamente la palabra al Ministerio Público, al Asesor jurídico de la víctima u ofendido del delito y al Defensor, para que expongan sus alegatos de clausura. Acto seguido, se otorgará al Ministerio Público y al Defensor la posibilidad de replicar y duplicar. La réplica sólo podrá referirse a lo expresado por el Defensor en su alegato de clausura y la dúplica a lo expresado por el Ministerio Público o a la víctima u ofendido del delito en la réplica. Se otorgará la palabra por último al acusado y al final se declarará cerrado el debate.

CAPÍTULO VI
DELIBERACIÓN, FALLO Y SENTENCIA

Artículo 400. Deliberación

Inmediatamente después de concluido el debate, el Tribunal de enjuiciamiento ordenará un receso para deliberar en forma privada, continua y aislada, hasta emitir el fallo correspondiente. La deliberación no podrá exceder de veinticuatro horas ni suspenderse, salvo en caso de enfermedad grave del Juez o miembro del Tribunal. En este caso, la suspensión de la deliberación no podrá ampliarse por más de diez días hábiles, luego de los cuales se deberá reemplazar al Juez o integrantes del Tribunal y realizar el juicio nuevamente.

Artículo 401. Emisión de fallo

Una vez concluida la deliberación, el Tribunal de enjuiciamiento se constituirá nuevamente en la sala de audiencias, después de ser convocadas oralmente o por cualquier medio todas las partes, con el propósito de que el Juez relator comunique el fallo respectivo.

El fallo deberá señalar:

I. La decisión de absolución o de condena;

II. Si la decisión se tomó por unanimidad o por mayoría de miembros del Tribunal, y

III. La relación sucinta de los fundamentos y motivos que lo sustentan.

En caso de condena, en la misma audiencia de comunicación del fallo se señalará la fecha en que se celebrará la audiencia de individualización de las sanciones y reparación del daño, dentro de un plazo que no podrá exceder de cinco días.

En caso de absolución, el Tribunal de enjuiciamiento podrá aplazar la redacción de la sentencia hasta por un plazo de cinco días, la que será comunicada a las partes.

Comunicada a las partes la decisión absolutoria, el Tribunal de enjuiciamiento dispondrá en forma inmediata el levantamiento de las medidas cautelares que se hubieren decretado en contra del imputado y ordenará se tome nota de ese levantamiento en todo índice o registro público y policial en el que figuren, así como su inmediata libertad sin que puedan mantenerse dichas medidas para la realización de trámites administrativos. También se ordenará la cancelación de las garantías de comparecencia y reparación del daño que se hayan otorgado.

El Tribunal de enjuiciamiento dará lectura y explicará la sentencia en audiencia pública. En caso de que en la fecha y hora fijadas para la celebración de dicha audiencia no asistiere persona alguna, se dispensará de la lectura y la explicación y se tendrá por notificadas a todas las partes.

Artículo 402. Convicción del Tribunal de enjuiciamiento

El Tribunal de enjuiciamiento apreciará la prueba según su libre convicción extraída de la totalidad del debate, de manera libre y lógica; sólo serán valorables y sometidos a la crítica racional, los medios de prueba obtenidos lícitamente e incorporados al debate conforme a las disposiciones de este Código.

En la sentencia, el Tribunal de enjuiciamiento deberá hacerse cargo en su motivación de toda la prueba producida, incluso de aquella que hubiere desestimado, indicando en tal caso las razones que hubiere tenido en cuenta para hacerlo. Esta motivación deberá permitir la reproducción del razonamiento utilizado para alcanzar las conclusiones a que llegare la sentencia.

Nadie podrá ser condenado, sino cuando el Tribunal que lo juzgue adquiera la convicción más allá de toda duda razonable, de que el acusado es responsable de la comisión del hecho por el que siguió el juicio. La duda siempre favorece al acusado.

No se podrá condenar a una persona con el sólo mérito de su propia declaración.

Artículo 403. Requisitos de la sentencia

La sentencia contendrá:

I. La mención del Tribunal de enjuiciamiento y el nombre del Juez o los Jueces que lo integran;

II. La fecha en que se dicta;

III. Identificación del acusado y la víctima u ofendido;

IV. La enunciación de los hechos y de las circunstancias o elementos que hayan sido objeto de la acusación y, en su caso, los daños y perjuicios reclamados, la pretensión reparatoria y las defensas del imputado;

V. Una breve y sucinta descripción del contenido de la prueba;

VI. La valoración de los medios de prueba que fundamenten las conclusiones alcanzadas por el Tribunal de enjuiciamiento;

VII. Las razones que sirvieren para fundar la resolución;

VIII. La determinación y exposición clara, lógica y completa de cada uno de los hechos y circunstancias que se consideren probados y de la valoración de las pruebas que fundamenten dichas conclusiones;

IX. Los resolutivos de absolución o condena en los que, en su caso, el Tribunal de enjuiciamiento se pronuncie sobre la reparación del daño y fije el monto de las indemnizaciones correspondientes, y

X. La firma del Juez o de los integrantes del Tribunal de enjuiciamiento.

Artículo 404. Redacción de la sentencia

Si el Órgano jurisdiccional es colegiado, una vez emitida y expuesta, la sentencia será redactada por uno de sus integrantes. Los jueces resolverán por unanimidad o por mayoría de votos, pudiendo fundar separadamente sus conclusiones o en forma conjunta si estuvieren de acuerdo. El voto disidente será redactado por su autor. La sentencia señalará el nombre de su redactor.

La sentencia producirá sus efectos desde el momento de su explicación y no desde su formulación escrita.

Artículo 405. Sentencia absolutoria

En la sentencia absolutoria, el Tribunal de enjuiciamiento ordenará que se tome nota del levantamiento de las medidas cautelares, en todo índice o registro público y policial en el que figuren, y será ejecutable inmediatamente.

En su sentencia absolutoria el Tribunal de enjuiciamiento determinará la causa de exclusión del delito, para lo cual podrá tomar como referencia, en su caso, las causas de atipicidad, de justificación o inculpabilidad, bajo los rubros siguientes:

I. Son causas de atipicidad: la ausencia de voluntad o de conducta, la falta de alguno de los elementos del tipo penal, el consentimiento de la víctima que recaiga sobre algún bien jurídico disponible, el error de tipo vencible que recaiga sobre algún elemento del tipo penal que no admita, de acuerdo con el catálogo de delitos susceptibles de configurarse de forma culposa previsto en la legislación penal aplicable, así como el error de tipo invencible;

II. Son causas de justificación: el consentimiento presunto, la legítima defensa, el estado de necesidad justificante, el ejercicio de un derecho y el cumplimiento de un deber, o

III. Son causas de inculpabilidad: el error de prohibición invencible, el estado de necesidad disculpante, la inimputabilidad, y la inexigibilidad de otra conducta.

De ser el caso, el Tribunal de enjuiciamiento también podrá tomar como referencia que el error de prohibición vencible solamente atenúa la culpabilidad y con ello atenúa también la pena, dejando subsistente la presencia del dolo, igual como ocurre en los casos de exceso de legítima defensa e imputabilidad disminuida.

Artículo 406. Sentencia condenatoria

La sentencia condenatoria fijará las penas, o en su caso la medida de seguridad, y se pronunciará sobre la suspensión de las mismas y la eventual aplicación de alguna de las medidas alternativas a la privación o restricción de libertad previstas en la ley.

La sentencia que condenare a una pena privativa de la libertad, deberá expresar con toda precisión el día desde el cual empezará a contarse y fijará el tiempo de detención o prisión preventiva que deberá servir de base para su cumplimiento.

La sentencia condenatoria dispondrá también el decomiso de los instrumentos o efectos del delito o su restitución, cuando fuere procedente.

El Tribunal de enjuiciamiento condenará a la reparación del daño.

Cuando la prueba producida no permita establecer con certeza el monto de los daños y perjuicios, o de las indemnizaciones correspondientes, el Tribunal de enjuiciamiento podrá condenar genéricamente a reparar los daños y los perjuicios y ordenar que se liquiden en ejecución de sentencia por vía incidental, siempre que éstos se hayan demostrado, así como su deber de repararlos.

El Tribunal de enjuiciamiento solamente dictará sentencia condenatoria cuando exista convicción de la culpabilidad del sentenciado, bajo el principio general de que la carga de la prueba para demostrar la culpabilidad corresponde a la parte acusadora, conforme lo establezca el tipo penal de que se trate.

Al dictar sentencia condenatoria se indicarán los márgenes de la punibilidad del delito y quedarán plenamente acreditados los elementos de la clasificación jurídica; es decir, el tipo penal que se atribuye, el grado de la ejecución del hecho, la forma de intervención y la naturaleza dolosa o culposa de la conducta, así como el grado de lesión o puesta en riesgo del bien jurídico.

La sentencia condenatoria hará referencia a los elementos objetivos, subjetivos y normativos del tipo penal correspondiente, precisando si el tipo penal se consumó o se realizó en grado de tentativa, así como la forma en que el sujeto activo haya intervenido para la realización del tipo, según se trate de alguna forma de autoría o de participación, y la naturaleza dolosa o culposa de la conducta típica.

En toda sentencia condenatoria se argumentará por qué el sentenciado no está favorecido por ninguna de las causas de la atipicidad, justificación o inculpabilidad; igualmente, se hará referencia a las agravantes o atenuantes que hayan concurrido y a la clase de concurso de delitos si fuera el caso.

Artículo 407. Congruencia de la sentencia

La sentencia de condena no podrá sobrepasar los hechos probados en juicio.

Artículo 408. Medios de prueba en la individualización de sanciones y reparación del daño

El desahogo de los medios de prueba para la individualización de sanciones y reparación del daño procederá después de haber resuelto sobre la responsabilidad del sentenciado.

El debate comenzará con el desahogo de los medios de prueba que se hubieren admitido en la etapa intermedia. En el desahogo de los medios de prueba serán aplicables las normas relativas al juicio oral.

Artículo 409. Audiencia de individualización de sanciones y reparación del daño

Después de la apertura de la audiencia de individualización de los intervinientes, el Tribunal de enjuiciamiento señalará la materia de la audiencia, y dará la palabra a las partes para que expongan, en su caso, sus alegatos de apertura. Acto seguido, les solicitará a las partes que determinen el orden en que desean el desahogo de los medios de prueba y declarará abierto el debate. Éste iniciará con el desahogo de los medios de prueba y continuará con los alegatos de clausura de las partes.

Cerrado el debate, el Tribunal de enjuiciamiento deliberará brevemente y procederá a manifestarse con respecto a la sanción a imponer al sentenciado y sobre la reparación del daño causado a la víctima u ofendido. Asimismo, fijará las penas y se pronunciará sobre la eventual aplicación de alguna de las medidas alternativas a la pena de prisión o sobre su suspensión, e indicará en qué forma deberá, en su caso, repararse el daño. Dentro de los cinco días siguientes a esta audiencia, el Tribunal redactará la sentencia.

La ausencia de la víctima que haya sido debidamente notificada no será impedimento para la celebración de la audiencia.

Artículo 410. Criterios para la individualización de la sanción penal o medida de seguridad

El Tribunal de enjuiciamiento al individualizar las penas o medidas de seguridad aplicables deberá tomar en consideración lo siguiente:

Dentro de los márgenes de punibilidad establecidos en las leyes penales, el Tribunal de enjuiciamiento individualizará la sanción tomando como referencia la gravedad de la conducta típica y antijurídica, así como el grado de culpabilidad del sentenciado. Las medidas de seguridad no accesorias a la pena y las consecuencias jurídicas aplicables a las personas morales, serán individualizadas tomando solamente en consideración la gravedad de la conducta típica y antijurídica.

La gravedad de la conducta típica y antijurídica estará determinada por el valor del bien jurídico, su grado de afectación, la naturaleza dolosa o culposa de la conducta, los medios empleados, las circunstancias de tiempo, modo, lugar u ocasión del hecho, así como por la forma de intervención del sentenciado.

El grado de culpabilidad estará determinado por el juicio de reproche, según el sentenciado haya tenido, bajo las circunstancias y características del hecho, la posibilidad concreta de comportarse de distinta manera y de respetar la norma jurídica quebrantada. Si en un mismo hecho intervinieron varias personas, cada una de ellas será sancionada de acuerdo con el grado de su propia culpabilidad.

Para determinar el grado de culpabilidad también se tomarán en cuenta los motivos que impulsaron la conducta del sentenciado, las condiciones fisiológicas y psicológicas específicas en que se encontraba en el momento de la comisión del hecho, la edad, el nivel educativo, las costumbres, las condiciones sociales y culturales, así como los vínculos de parentesco, amistad o relación que guarde con la víctima u ofendido. Igualmente se tomarán en cuenta las demás circunstancias especiales del sentenciado, víctima u ofendido, siempre que resulten relevantes para la individualización de la sanción.

Se podrán tomar en consideración los dictámenes periciales y otros medios de prueba para los fines señalados en el presente artículo.

Cuando el sentenciado pertenezca a un grupo étnico o pueblo indígena se tomarán en cuenta, además de los aspectos anteriores, sus usos y costumbres.

En caso de concurso real se impondrá la sanción del delito más grave, la cual podrá aumentarse con las penas que la ley contempla para cada uno de los delitos restantes, sin que exceda de los máximos señalados en la ley penal aplicable. En caso de concurso ideal, se impondrán las sanciones correspondientes al delito que merezca la mayor penalidad, las cuales podrán aumentarse sin rebasar la mitad del máximo de la duración de las penas correspondientes de los delitos restantes, siempre que las sanciones aplicables sean de la misma naturaleza; cuando sean de diversa naturaleza, podrán imponerse las consecuencias jurídicas señaladas para los restantes delitos. No habrá concurso cuando las conductas constituyan un delito continuado; sin embargo, en estos casos se aumentará la sanción penal hasta en una mitad de la correspondiente al máximo del delito cometido.

El aumento o la disminución de la pena, fundados en las relaciones personales o en las circunstancias subjetivas del autor de un delito, no serán aplicables a los demás sujetos que intervinieron en aquél. Sí serán aplicables las que se fundamenten en circunstancias objetivas, siempre que los demás sujetos tengan conocimiento de ellas.

Artículo 411. Emisión y exposición de las sentencias

El Tribunal de enjuiciamiento deberá explicar toda sentencia de absolución o condena.

Artículo 412. Sentencia firme

En cuanto no sean oportunamente recurridas, las resoluciones judiciales quedarán firmes y serán ejecutables sin necesidad de declaración alguna.

Artículo 413. Remisión de la sentencia

El Tribunal de enjuiciamiento dentro de los tres días siguientes a aquél en que la sentencia condenatoria quede firme, deberá remitir copia autorizada de la misma al Juez que le corresponda la ejecución correspondiente y a las autoridades penitenciarias que intervienen en el procedimiento de ejecución para su debido cumplimiento.

Dicha disposición también será aplicable en los casos de las sentencias condenatorias dictadas en el procedimiento abreviado.

TÍTULO IX
PERSONAS INIMPUTABLES

CAPÍTULO ÚNICO
PROCEDIMIENTO PARA PERSONAS INIMPUTABLES

Artículo 414. Procedimiento para la aplicación de ajustes razonables en la audiencia inicial

Si en el curso de la audiencia inicial, aparecen indicios de que el imputado está en alguno de los supuestos de inimputabilidad previstos en la Parte General del Código Penal aplicable, cualquiera de las partes podrá solicitar al Juez de control que ordene la práctica de peritajes que determinen si efectivamente es inimputable y en caso de serlo, si la inimputabilidad es permanente o transitoria y, en su caso, si ésta fue provocada por el imputado. La audiencia continuará con las mismas reglas generales pero se proveerán los ajustes razonables que determine el Juez de control para garantizar el acceso a la justicia de la persona.

En los casos en que la persona se encuentre retenida, el Ministerio Público deberá aplicar ajustes razonables para evitar un mayor grado de vulnerabilidad y el respeto a su integridad personal. Para tales efectos, estará en posibilidad de solicitar la práctica de aquellos peritajes que permitan determinar el tipo de inimputabilidad que tuviere, así como si ésta es permanente o transitoria y, si es posible definir si fue provocada por el propio retenido.

Artículo 415. Identificación de los supuestos de inimputabilidad

Si el imputado ha sido vinculado a proceso y se estima que está en una situación de inimputabilidad, las partes podrán solicitar al Juez de control que se lleven a cabo los peritajes necesarios para determinar si se acredita tal extremo, así como si la inimputabilidad que presente pudo ser propiciada o no por la persona.

Artículo 416. Ajustes al procedimiento

Si se determina el estado de inimputabilidad del sujeto, el procedimiento ordinario se aplicará observando las reglas generales del debido proceso con los ajustes del procedimiento que en el caso concreto acuerde el Juez de control, escuchando al Ministerio Público y al Defensor, con el objeto de acreditar la participación de la persona inimputable en el hecho atribuido y, en su caso, determinar la aplicación de las medidas de seguridad que se estimen pertinentes.

En caso de que el estado de inimputabilidad cese, se continuará con el procedimiento ordinario sin los ajustes respectivos.

Artículo 417. Medidas cautelares aplicables a inimputables

Se podrán imponer medidas cautelares a personas inimputables, de conformidad con las reglas del proceso ordinario, con los ajustes del procedimiento que disponga el Juez de control para el caso en que resulte procedente.

El solo hecho de ser imputable no será razón suficiente para imponer medidas cautelares.

Artículo 418. Prohibición de procedimiento abreviado

El procedimiento abreviado no será aplicable a personas inimputables.

Artículo 419. Resolución del caso

Comprobada la existencia del hecho que la ley señala como delito y que el inimputable intervino en su comisión, ya sea como autor o como partícipe, sin que a su favor opere alguna causa de justificación prevista en los códigos sustantivos, el Tribunal de enjuiciamiento resolverá el caso indicando que hay base suficiente para la imposición de la medida de seguridad que resulte aplicable; asimismo, le corresponderá al Órgano jurisdiccional determinar la individualización de la medida, en atención a las necesidades de prevención especial positiva, respetando los criterios de proporcionalidad y de mínima intervención. Si no se acreditan estos requisitos, el Tribunal de enjuiciamiento absolverá al inimputable.

La medida de seguridad en ningún caso podrá tener mayor duración a la pena que le pudiera corresponder en caso de que sea imputable.

TÍTULO X
PROCEDIMIENTOS ESPECIALES

CAPÍTULO I
PUEBLOS Y COMUNIDADES INDÍGENAS

Artículo 420. Pueblos y comunidades indígenas

Cuando se trate de delitos que afecten bienes jurídicos propios de un pueblo o comunidad indígena o bienes personales de alguno de sus miembros, y tanto el imputado como la víctima, o en su caso sus familiares, acepten el modo en el que la comunidad, conforme a sus propios sistemas normativos en la regulación y solución de sus conflictos internos proponga resolver el conflicto, se declarará la extinción de la acción penal, salvo en los casos en que la solución no considere la perspectiva de género, afecte la dignidad de las personas, el interés superior de los niños y las niñas o del derecho a una vida libre de violencia hacia la mujer.

En estos casos, cualquier miembro de la comunidad indígena podrá solicitar que así se declare ante el Juez competente.

Se excluyen de lo anterior, los delitos previstos para prisión preventiva oficiosa en este Código y en la legislación aplicable.

CAPÍTULO II
PROCEDIMIENTO PARA PERSONAS JURÍDICAS

Artículo 421. Ejercicio de la acción penal y responsabilidad penal autónoma

Las personas jurídicas serán penalmente responsables, de los delitos cometidos a su nombre, por su cuenta, en su beneficio o a través de los medios que ellas proporcionen, cuando se haya determinado que además existió inobservancia del debido control en su organización. Lo anterior con independencia de la responsabilidad penal en que puedan incurrir sus representantes o administradores de hecho o de derecho.

El Ministerio Público podrá ejercer la acción penal en contra de las personas jurídicas con excepción de las instituciones estatales, independientemente de la acción penal que pudiera ejercer contra las personas físicas involucradas en el delito cometido.

No se extinguirá la responsabilidad penal de las personas jurídicas cuando se transformen, fusionen, absorban o escindan. En estos casos, el traslado de la pena podrá graduarse atendiendo a la relación que se guarde con la persona jurídica originariamente responsable del delito.

La responsabilidad penal de la persona jurídica tampoco se extinguirá mediante su disolución aparente, cuando continúe su actividad económica y se mantenga la identidad sustancial de sus clientes, proveedores, empleados, o de la parte más relevante de todos ellos.

Las causas de exclusión del delito o de extinción de la acción penal, que pudieran concurrir en alguna de las personas físicas involucradas, no afectará el procedimiento contra las personas jurídicas, salvo en los casos en que la persona física y la persona jurídica hayan cometido o participado en los mismos hechos y estos no hayan sido considerados como aquellos que la ley señala como delito, por una resolución judicial previa. Tampoco podrá afectar el procedimiento el hecho de que alguna persona física involucrada se sustraiga de la acción de la justicia.

Las personas jurídicas serán penalmente responsables únicamente por la comisión de los delitos previstos en el catálogo dispuesto en la legislación penal de la federación y de las entidades federativas.

Artículo reformado DOF 17-06-2016

Artículo 422. Consecuencias jurídicas

A las personas jurídicas, con personalidad jurídica propia, se les podrá aplicar una o varias de las siguientes sanciones:

I. Sanción pecuniaria o multa;

II. Decomiso de instrumentos, objetos o productos del delito;

III. Publicación de la sentencia;

IV. Disolución, o

V. Las demás que expresamente determinen las leyes penales conforme a los principios establecidos en el presente artículo.

Para los efectos de la individualización de las sanciones anteriores, el Órgano jurisdiccional deberá tomar en consideración lo establecido en el artículo 410 de este ordenamiento y el grado de culpabilidad correspondiente de conformidad con los aspectos siguientes:

a) La magnitud de la inobservancia del debido control en su organización y la exigibilidad de conducirse conforme a la norma;

b) El monto de dinero involucrado en la comisión del hecho delictivo, en su caso;

c) La naturaleza jurídica y el volumen de negocios anual de la persona moral;

d) El puesto que ocupaban, en la estructura de la persona jurídica, la persona o las personas físicas involucradas en la comisión del delito;

e) El grado de sujeción y cumplimiento de las disposiciones legales y reglamentarias, y

f) El interés público de las consecuencias sociales y económicas o, en su caso, los daños que pudiera causar a la sociedad, la imposición de la pena.

Para la imposición de la sanción relativa a la disolución, el órgano jurisdiccional deberá ponderar además de lo previsto en este artículo, que la imposición de dicha sanción sea necesaria para garantizar la seguridad pública o nacional, evitar que se ponga en riesgo la economía nacional o la salud pública o que con ella se haga cesar la comisión de delitos.

Las personas jurídicas, con o sin personalidad jurídica propia, que hayan cometido o participado en la comisión de un hecho típico y antijurídico, podrá imponérseles una o varias de las siguientes consecuencias jurídicas:

I. Suspensión de sus actividades;

II. Clausura de sus locales o establecimientos;

III. Prohibición de realizar en el futuro las actividades en cuyo ejercicio se haya cometido o participado en su comisión;

IV. Inhabilitación temporal consistente en la suspensión de derechos para participar de manera directa o por interpósita persona en procedimientos de contratación del sector público;

V. Intervención judicial para salvaguardar los derechos de los trabajadores o de los acreedores, o

VI. Amonestación pública.

En este caso el Órgano jurisdiccional deberá individualizar las consecuencias jurídicas establecidas en este apartado, conforme a lo dispuesto en el presente artículo y a lo previsto en el artículo 410 de este Código.

Artículo reformado DOF 17-06-2016

Artículo 423. Formulación de la imputación y vinculación a proceso

Cuando el Ministerio Público tenga conocimiento de la posible comisión de un delito en los que se encuentre involucrada alguna persona jurídica, en los términos previstos en este Código, iniciará la investigación correspondiente.

En caso de que durante la investigación se ejecute el aseguramiento de bienes el Ministerio Público, dará vista al representante de la persona jurídica a efecto de hacerle saber sus derechos y manifieste lo que a su derecho convenga.

Para los efectos de este Capítulo, el Órgano jurisdiccional podrá dictar como medidas cautelares la suspensión de las actividades, la clausura temporal de los locales o establecimientos, así como la intervención judicial.

En la audiencia inicial llevada a cabo para formular imputación a la persona física, se darán a conocer, en su caso, al representante de la persona jurídica, asistido por el Defensor, los cargos que se formulen en contra de su representado, para que dicho representante o su Defensor manifiesten lo que a su derecho convenga.

El representante de la persona jurídica, asistido por el Defensor designado, podrá participar en todos los actos del procedimiento. En tal virtud se les notificarán todos los actos que tengan derecho a conocer, se les citarán a las audiencias, podrán ofrecer medios de prueba, desahogar pruebas, promover incidentes, formular alegatos e interponer los recursos procedentes en contra de las resoluciones que a la persona jurídica perjudiquen.

En ningún caso el representante de la persona jurídica que tenga el carácter de imputado podrá representarla.

En su caso el Órgano jurisdiccional podrá vincular a proceso a la persona jurídica.

Artículo reformado DOF 17-06-2016

Artículo 424. Formas de terminación anticipada

Durante el proceso, para determinar la responsabilidad penal de las personas jurídicas a que se refiere este Capítulo, se podrán aplicar las soluciones alternas y las formas anticipadas de terminación del proceso y, en lo conducente los procedimientos especiales previstos en este Código.

Artículo reformado DOF 17-06-2016

Artículo 425. Sentencias

En la sentencia que se dicte el Órgano jurisdiccional resolverá lo pertinente a la persona física imputada, con independencia a la responsabilidad penal de la persona jurídica, imponiendo la sanción procedente.

Párrafo reformado DOF 17-06-2016

En lo no previsto por este Capítulo, se aplicarán en lo que sea compatible, las reglas del procedimiento ordinario previstas en este Código.

CAPÍTULO III
ACCIÓN PENAL POR PARTICULAR

Artículo 426. Acción penal por particulares

El ejercicio de la acción penal corresponde al Ministerio Público, pero podrá ser ejercida por los particulares que tengan la calidad de víctima u ofendido en los casos y conforme a lo dispuesto en este Código.

Artículo 427. Acumulación de causas

Sólo procederá la acumulación de procedimientos de acción penal por particulares con procedimientos de acción penal pública cuando se trate de los mismos hechos y exista identidad de partes.

Artículo 428. Supuestos y condiciones en los que procede la acción penal por particulares

La víctima u ofendido podrá ejercer la acción penal únicamente en los delitos perseguibles por querella, cuya penalidad sea alternativa, distinta a la privativa de la libertad o cuya punibilidad máxima no exceda de tres años de prisión.

La víctima u ofendido podrá acudir directamente ante el Juez de control, ejerciendo acción penal por particulares en caso que cuente con datos que permitan establecer que se ha cometido un hecho que la ley señala como delito y exista probabilidad de que el imputado lo cometió o participó en su comisión. En tal caso deberá aportar para ello los datos de prueba que sustenten su acción, sin necesidad de acudir al Ministerio Público.

Cuando en razón de la investigación del delito sea necesaria la realización de actos de molestia que requieran control judicial, la víctima u ofendido deberá acudir ante el Juez de control. Cuando el acto de molestia no requiera control judicial, la víctima u ofendido deberá acudir ante el Ministerio Público para que éste los realice. En ambos supuestos, el Ministerio Público continuará con la investigación y, en su caso, decidirá sobre el ejercicio de la acción penal.

Artículo 429. Requisitos formales y materiales

El ejercicio de la acción penal por particular hará las veces de presentación de la querella y deberá sustentarse en audiencia ante el Juez de control con los requisitos siguientes:

I. El nombre y el domicilio de la víctima u ofendido;

II. Si la víctima o el ofendido son una persona jurídica, se indicará su razón social y su domicilio, así como el de su representante legal;

III. El nombre del imputado y, en su caso, cualquier dato que permita su localización;

IV. El señalamiento de los hechos que se consideran delictivos, los datos de prueba que los establezcan y determinen la probabilidad de que el imputado los cometió o participó en su comisión, los que acrediten los daños causados y su monto aproximado, así como aquellos que establezcan la calidad de víctima u ofendido;

V. Los fundamentos de derecho en que se sustenta la acción, y

VI. La petición que se formula, expresada con claridad y precisión.

Artículo 430. Contenido de la petición

El particular al ejercer la acción penal ante el Juez de control podrá solicitar lo siguiente:

I. La orden de comparecencia en contra del imputado o su citación a la audiencia inicial, y

II. El reclamo de la reparación del daño.

Artículo 431. Admisión

En la audiencia, el Juez de control constatará que se cumplen los requisitos formales y materiales para el ejercicio de la acción penal particular.

De no cumplirse con alguno de los requisitos formales exigidos, el Juez de control prevendrá al particular para su cumplimiento dentro de la misma audiencia y de no ser posible, dentro de los tres días siguientes. De no subsanarse o de ser improcedente su pretensión, se tendrá por no interpuesta la acción penal y no podrá volver a ejercerse por parte del particular por esos mismos hechos.

Admitida la acción penal promovida por el particular, el Juez de control ordenará la citación del imputado a la audiencia inicial, apercibido que en caso de no asistir se ordenará su comparecencia o aprehensión, según proceda.

El imputado deberá ser citado a la audiencia inicial a más tardar dentro de las cuarenta y ocho horas siguientes a aquella en la que se fije la fecha de celebración de la misma.

La audiencia inicial deberá celebrarse dentro de los cinco a diez días siguientes a aquel en que se tenga admitida la acción penal, informándole al imputado en el momento de la citación el derecho que tiene de designar y asistir acompañado de un Defensor de su elección y que de no hacerlo se le nombrará un Defensor público.

Artículo 432. Reglas generales

Si la víctima u ofendido decide ejercer la acción penal, por ninguna causa podrá acudir al Ministerio Público a solicitar su intervención para que investigue los mismos hechos.

La carga de la prueba para acreditar la existencia del delito y la responsabilidad del imputado corresponde al particular que ejerza la acción penal. Las partes, en igualdad procesal, podrán aportar todo elemento de prueba con que cuenten e interponer los medios de impugnación que legalmente procedan.

A la acusación de la víctima u ofendido, le serán aplicables las reglas previstas para la acusación presentada por el Ministerio Público.

De igual forma, salvo disposición legal en contrario, en la substanciación de la acción penal promovida por particulares, se observarán en todo lo que resulte aplicable las disposiciones relativas al procedimiento, previstas en este Código y los mecanismos alternativos de solución de controversias.

TÍTULO XI
ASISTENCIA JURÍDICA INTERNACIONAL EN MATERIA PENAL

CAPÍTULO I
DISPOSICIONES GENERALES

Artículo 433. Disposiciones generales

Los Estados Unidos Mexicanos prestarán a cualquier Estado extranjero que lo requiera o autoridad ministerial o judicial, tanto en el ámbito federal como del fuero común, la más amplia ayuda relacionada con la investigación, el procesamiento y la sanción de delitos que correspondan a la jurisdicción de éste.

La ejecución de las solicitudes se realizará según la legislación de los Estados Unidos Mexicanos, y la misma será desahogada a la mayor brevedad posible. Las autoridades que intervengan actuarán con la mayor diligencia con la finalidad de cumplir con lo solicitado en la asistencia jurídica.

Artículo 434. Ámbito de aplicación

La asistencia jurídica internacional tiene como finalidad brindar apoyo entre las autoridades competentes en relación con asuntos de naturaleza penal.

De conformidad con los compromisos internacionales suscritos por el Estado mexicano en materia de asistencia jurídica, así como de los respectivos ordenamientos internos, se deberá prestar la mayor colaboración para la investigación y persecución de los delitos, y en cualquiera de las actuaciones comprendidas en el marco de procedimientos del orden penal que sean competencia de las autoridades de la parte requirente en el momento en que la asistencia sea solicitada.

La asistencia jurídica sólo podrá ser invocada para la obtención de medios de prueba ordenados por la autoridad investigadora, o bien la judicial para mejor proveer, pero jamás para las ofrecidas por los imputados o sus defensas, aún cuando sean aceptadas o acordadas favorablemente por las autoridades judiciales.

Artículo 435. Trámite y resolución

Los procedimientos establecidos en este Capítulo se deberán aplicar para el trámite y resolución de cualquier solicitud de asistencia jurídica que se reciba del extranjero, cuando no exista Tratado internacional. Si existiera Tratado entre el Estado requirente y los Estados Unidos Mexicanos, las disposiciones de éste, regirán el trámite y desahogo de la solicitud de asistencia jurídica.

Todo aquello que no esté contemplado de manera específica en un Tratado de asistencia jurídica, se aplicará lo dispuesto en este Código.

Artículo 436. Principios

La asistencia jurídica internacional deberá regirse por los siguientes principios:

I. Conexidad. Toda petición de asistencia para ser procedente necesariamente debe estar vinculada a una investigación o proceso en curso;

II. Especificidad. Las solicitudes de asistencia jurídica internacional deben contener hechos concretos y requerimientos precisos;

III. Identidad de Normas. Se prestará la asistencia con independencia de que el hecho que motiva la solicitud constituya o no delito según las leyes del Estado requerido. Se exceptúa de lo anterior el supuesto de que la asistencia se solicite para la ejecución de las medidas de aseguramiento o embargo, cateo o registro domiciliario o decomiso o incautación, en cuyo caso será necesario que el hecho que da lugar al procedimiento sea también considerado como delito por la legislación del Estado requerido, y

IV. Reciprocidad. Consiste en la colaboración internacional entre Estados soberanos en los que priva la igualdad.

Artículo 437. Autoridad Central

La Autoridad Central en materia de asistencia jurídica internacional será la Procuraduría General de la República quien ejercerá las atribuciones establecidas en este Código.

Cualquier solicitud de asistencia jurídica formulada con base en los instrumentos internacionales vigentes, de conformidad con el principio de reciprocidad internacional, podrá presentarse para su trámite y atención ante la Autoridad Central, o a través de la vía diplomática.

Artículo 438. Reciprocidad

En ausencia de convenio o Tratado internacional, los Estados Unidos Mexicanos prestarán ayuda bajo el principio de reciprocidad internacional, la cual estará subordinada a la existencia u ofrecimiento por parte del Estado o autoridad requirente a cooperar en casos similares. Dicho compromiso deberá asentarse por escrito en los términos que para tales efectos establezca la Autoridad Central.

Artículo 439. Alcances

La asistencia jurídica comprenderá:

I. Notificación de documentos procesales;

II. Obtención de pruebas;

III. Intercambio de información e iniciación de procedimientos penales en la parte requerida;

IV. Localización e identificación de personas y objetos;

V. Recepción de declaraciones y testimonios, así como práctica de dictámenes periciales;

VI. Ejecución de órdenes de cateo o registro domiciliario y demás medidas cautelares; aseguramiento de objetos, productos o instrumentos del delito;

VII. Citación de imputados, testigos, víctimas y peritos para comparecer voluntariamente ante autoridad competente en la parte requirente;

VIII. Citación y traslado temporal de personas privadas de libertad en la parte requerida, a fin de comparecer como testigos o víctimas ante la parte requirente, o para otras actuaciones procesales indicadas en la solicitud de asistencia;

IX. Entrega de documentos, objetos y otros medios de prueba;

X. Autorización de la presencia o participación, durante la ejecución de una solicitud de asistencia jurídica de representantes de las autoridades competentes del Estado o autoridad requirente, y

XI. Cualquier otra forma de asistencia, siempre y cuando no esté prohibida por la legislación mexicana.

Artículo 440. Denegación o aplazamiento

La asistencia jurídica solicitada podrá ser denegada cuando:

I. El cumplimiento de la solicitud pueda contravenir la seguridad y el orden público;

II. El cumplimiento de la solicitud sea contrario a la legislación nacional;

III. La ejecución de la solicitud sea contraria a las obligaciones internacionales adquiridas por los Estados Unidos Mexicanos;

IV. La solicitud se refiera a delitos del fuero militar;

V. La solicitud se refiera a un delito que sea considerado de carácter político por el Gobierno mexicano;

VI. La solicitud de asistencia jurídica se refiera a un delito sancionado con pena de muerte, a menos que la parte requirente otorgue garantías suficientes de que no se impondrá la pena de muerte o de que, si se impone, no será ejecutada;

VII. La solicitud de asistencia jurídica se refiera a hechos con base en los cuales la persona sujeta a investigación o a proceso haya sido definitivamente absuelta o condenada por la parte requerida.

Se podrá diferir el cumplimiento de la solicitud de asistencia jurídica cuando la Autoridad Central considere que su ejecución puede perjudicar u obstaculizar una investigación o procedimiento judicial en curso.

En caso de denegar o diferir la asistencia jurídica, la Autoridad Central lo informará a la parte requirente, expresando los motivos de tal decisión.

Artículo 441. Solicitudes

Toda solicitud de asistencia deberá formularse por escrito y en tratándose de casos urgentes la misma podrá ser enviada a la Autoridad Central por fax, correo electrónico o mediante cualquier otro medio de comunicación permitido, bajo el compromiso de remitir el documento original a la brevedad posible. Tratándose de solicitudes provenientes de autoridades extranjeras, la misma deberá estar acompañada de su respectiva traducción al idioma español.

Artículo 442. Requisitos esenciales

Se tienen como requisitos mínimos que toda petición de asistencia jurídica debe contener, los siguientes:

I. La identidad de la autoridad que hace la solicitud;

II. El asunto y la naturaleza de la investigación, el procedimiento o diligencia;

III. Una breve relatoría de los hechos;

IV. El propósito para el que se requieren las pruebas; la información o la actuación;

V. Los métodos de ejecución a seguirse;

VI. De ser posible, la identidad, ubicación y nacionalidad de toda persona interesada, y

VII. La transcripción de las disposiciones legales aplicables.

Artículo 443. Ejecución de las solicitudes de asistencia jurídica de autoridad extranjera

La Autoridad Central analizará si la solicitud de asistencia jurídica cumple con los requisitos esenciales y si se encuentra apegada a los términos del convenio o Tratado internacional, si lo hubiere en su caso procederá al desahogo de la misma de acuerdo con las formas y procedimientos especiales indicados en la solicitud por la parte requirente, salvo cuando éstos sean incompatibles con la legislación interna.

La Autoridad Central remitirá oportunamente la información o la actuación y, en su caso, las pruebas obtenidas como resultado de la ejecución de la solicitud a la parte requirente.

Cuando no sea posible cumplir con la solicitud, en todo o en parte, la Autoridad Central lo hará saber inmediatamente a la parte requirente e informará de las razones que impidan su ejecución.

Artículo 444. Confidencialidad y limitaciones en el uso de la información

La Autoridad Central, así como aquellas autoridades que tengan conocimiento o participen en la ejecución y desahogo de alguna solicitud de asistencia, están obligadas a mantener confidencialidad sobre el contenido de la misma y de los documentos que la sustenten.

La obtención de información y pruebas suministradas en atención a una solicitud de asistencia jurídica internacional, sólo podrán ser utilizadas para el objetivo por el que fue solicitada y para la investigación o proceso judicial que se trate, salvo que se obtenga el consentimiento expreso y por escrito del Estado o la autoridad requirente para su uso con fines diversos.

CAPÍTULO II
FORMAS ESPECÍFICAS DE ASISTENCIA

Artículo 445. Notificación de documentos procesales

En aquellas asistencias que tengan como finalidad la notificación de documentos, se deberá especificar el nombre y domicilio de la persona o personas a quienes se deba notificar.

Cuando la notificación tenga por objeto hacer del conocimiento alguna diligencia o actuación con una fecha determinada, la misma deberá enviarse con una anticipación razonable respecto de la fecha de la diligencia.

En todos los casos, la Autoridad Central, sin demora, procederá a realizar o tramitar la notificación de documentos procesales aportados por el Estado o la autoridad requirente, en la forma y términos solicitados.

La autoridad que realice la notificación levantará un acta circunstanciada o bien una declaración fechada y firmada por el destinatario, en la que conste el hecho, la fecha y la forma de notificación.

Artículo 446. Recepción de testimonios o declaraciones de personas

La autoridad requirente deberá proporcionar el nombre completo de la persona a quien deberá recabarse su declaración o testimonio, el domicilio en donde se le puede ubicar, su fecha de nacimiento y un pliego de preguntas a contestar.

Artículo 447. Suministro de documentos, registros o pruebas

En la solicitud de asistencia, el Estado o la autoridad requirente deberá indicar la ubicación de los registros o documentos requeridos, y tratándose de instituciones financieras, el nombre y en la medida de lo posible el número de cuenta respectivo, este último requisito podrá variar de conformidad con el convenio o Tratado que aplique en su caso.

Artículo 448. Localización e identificación de personas u objetos

A petición de la parte requirente, la parte requerida adoptará todas las medidas contempladas en su legislación para la localización e identificación de personas y objetos indicados en la solicitud, y mantendrá informada a la requirente del avance y los resultados de sus investigaciones.

Artículo 449. Cateo, inmovilización y aseguramiento de bienes

En el caso de diligencias ordenadas por autoridades judiciales que tengan como finalidad la realización de un cateo o medidas tendentes a la inmovilización y aseguramiento de bienes, el Estado o autoridad requirente deberá proporcionar:

I. La ubicación exacta de los bienes;

II. Tratándose de instituciones financieras, el nombre y la dirección de la institución y el número de cuenta respectiva;

III. La documentación en donde se acredite la relación entre las medidas solicitadas y los elementos de prueba con los que se cuente, y

IV. Las razones y argumentos que se tienen para creer que los objetos, productos o instrumentos de un delito se encuentran en el territorio de la parte requerida.

Artículo 450. Videoconferencia

Se podrá solicitar la declaración de personas a través del sistema de videoconferencias. Para tal efecto, el procedimiento se efectuará de acuerdo con la legislación vigente, dichas declaraciones se recibirán en audiencia por el Órgano jurisdiccional y con las formalidades del desahogo de prueba.

Artículo 451. Traslado de personas detenidas

Cuando sea necesaria la presencia de una persona que está detenida en el territorio de la parte requerida, el Estado o la autoridad requirente deberá manifestar las causas suficientes que acrediten la necesidad del traslado a efecto de hacer del conocimiento, y en caso de que resulte procedente, obtener la autorización por parte de la autoridad ante la cual la persona detenida se encuentra a disposición.

Igualmente, para los efectos de traslado es requisito indispensable contar con el consentimiento expreso de la persona detenida; en este caso, el Estado o la autoridad requirente se deberá comprometer a tener bajo su custodia a la persona y tramitar su retorno en cuanto la solicitud de asistencia haya culminado, por lo que deberá establecerse entre la autoridad requerida y la autoridad requirente un acuerdo en el que se fije una fecha para su regreso, la cual podrá ser prorrogable sólo en caso de no existir impedimento legal alguno.

Artículo 452. Decomiso de bienes

En caso de que la asistencia se refiera al decomiso de bienes relacionados con la comisión de un delito o cualquiera otra figura con los mismos efectos, el Estado o la autoridad requirente deberá presentar conjuntamente con la solicitud una copia de la orden de decomiso debidamente certificada por el funcionario que la expidió, así como información sobre las pruebas que sustenten la base sobre la cual se dictó la orden de decomiso e indicación de que la sentencia es firme.

En el caso de solicitudes de asistencia jurídica provenientes del extranjero, además de los requisitos antes señalados y los estipulados en el convenio o Tratado del que se trate, dicho procedimiento será desahogado en los términos establecidos por este Código para regular la figura de decomiso.

Artículo 453. Presencia y participación de representantes de la parte requirente en la ejecución

Cuando el Estado o la autoridad requirente solicite autorización para la presencia y participación de sus representantes en calidad de observadores, será facultad discrecional de la Autoridad Central requerida el otorgamiento de dicha autorización.

En caso de emitir la aprobación respectiva, la Autoridad Central informará con antelación al Estado o a la autoridad requirente sobre la fecha y el lugar de la ejecución de la solicitud.

El Estado o la autoridad requirente remitirá la relación de los nombres, cargos y motivo de la presencia de sus representantes, con un plazo razonable de anticipación a la fecha de la ejecución de la solicitud.

La diligencia a desahogar será conducida en todo momento por el agente del Ministerio Público designado para tal efecto, quien de considerarlo procedente podrá permitir que los representantes del Estado o la autoridad requirente formulen preguntas u observaciones por su conducto.

Artículo 454. Gastos de cumplimentación

El Estado mexicano sufragará todos los gastos relacionados con el cumplimiento de una solicitud de asistencia jurídica internacional, salvo los honorarios legales de peritos y los relacionados con el traslado de testigos.

La Autoridad Central tiene la facultad de determinar, de acuerdo con la naturaleza de la solicitud, aquellos casos en los que no sea posible cubrir el costo de su desahogo, lo que comunicará de inmediato al Estado o a la autoridad requirente para que sufrague los mismos, o en su defecto decida o no continuar cumplimentando la petición.

CAPÍTULO III
DE LA ASISTENCIA INFORMAL

Artículo 455. Asistencia informal

Toda aquella información o documentación que puede ser obtenida de manera informal por la Autoridad Central, sin que medie una solicitud oficial basada en un convenio o Tratado internacional ni formalidad alguna, es una asistencia informal.

Este tipo de información o documentación sólo servirá como indicio a la autoridad investigadora y en ningún caso podrá formalizarse, a menos que sea requerida mediante la figura de asistencia jurídica internacional, cubriendo todos los requisitos señalados en los convenios y Tratados de conformidad con los preceptos establecidos en el presente Código.

TÍTULO XII
RECURSOS

CAPÍTULO I
DISPOSICIONES COMUNES

Artículo 456. Reglas generales

Las resoluciones judiciales podrán ser recurridas sólo por los medios y en los casos expresamente establecidos en este Código.

Para efectos de su impugnación, se entenderán como resoluciones judiciales, las emitidas oralmente o por escrito.

Párrafo adicionado DOF 17-06-2016

El derecho de recurrir corresponderá tan sólo a quien le sea expresamente otorgado y pueda resultar afectado por la resolución.

En el procedimiento penal sólo se admitirán los recursos de revocación y apelación, según corresponda.

Artículo 457. Condiciones de interposición

Los recursos se interpondrán en las condiciones de tiempo y forma que se determinan en este Código, con indicación específica de la parte impugnada de la resolución recurrida.

Artículo 458. Agravio

Las partes sólo podrán impugnar las decisiones judiciales que pudieran causarles agravio, siempre que no hayan contribuido a provocarlo.

El recurso deberá sustentarse en la afectación que causa el acto impugnado, así como en los motivos que originaron ese agravio.

Artículo 459. Recurso de la víctima u ofendido

La víctima u ofendido, aunque no se haya constituido como coadyuvante, podrá impugnar por sí o a través del Ministerio Público, las siguientes resoluciones:

I. Las que versen sobre la reparación del daño causado por el delito, cuando estime que hubiere resultado perjudicado por la misma;

II. Las que pongan fin al proceso, y

III. Las que se produzcan en la audiencia de juicio, sólo si en este último caso hubiere participado en ella.

Cuando la víctima u ofendido solicite al Ministerio Público que interponga los recursos que sean pertinentes y éste no presente la impugnación, explicará por escrito al solicitante la razón de su proceder a la mayor brevedad.

Artículo 460. Pérdida y preclusión del derecho a recurrir y desistimiento

Se tendrá por perdido el derecho a recurrir una resolución judicial cuando se ha consentido expresamente la resolución contra la cual procediere.

Precluye el derecho a recurrir una resolución judicial cuando, una vez concluido el plazo que la ley señala para interponer algún recurso, éste no se haya interpuesto.

Quienes hubieren interpuesto un recurso podrán desistir de él antes de su resolución. En todo caso, los efectos del desistimiento no se extenderán a los demás recurrentes o a los adherentes del recurso.

El Ministerio Público podrá desistirse del recurso interpuesto mediante determinación motivada y fundada en términos de las disposiciones aplicables. Para que el desistimiento del Defensor sea válido se requerirá la autorización expresa del imputado.

Artículo 461. Alcance del recurso

El Órgano jurisdiccional ante el cual se haga valer el recurso, dará trámite al mismo y corresponderá al Tribunal de alzada competente que deba resolverlo, su admisión o desechamiento, y sólo podrá pronunciarse sobre los agravios expresados por los recurrentes, quedando prohibido extender el examen de la decisión recurrida a cuestiones no planteadas en ellos o más allá de los límites del recurso, a menos que se trate de un acto violatorio de derechos fundamentales del imputado. En caso de que el Órgano jurisdiccional no encuentre violaciones a derechos fundamentales que, en tales términos, deba reparar de oficio, no estará obligado a dejar constancia de ello en la resolución.

Si sólo uno de varios imputados por el mismo delito interpusiera algún recurso contra una resolución, la decisión favorable que se dictare aprovechará a los demás, a menos que los fundamentos fueren exclusivamente personales del recurrente.

Artículo 462. Prohibición de modificación en perjuicio

Cuando el recurso ha sido interpuesto sólo por el imputado o su Defensor, no podrá modificarse la resolución recurrida en perjuicio del imputado.

Artículo 463. Efectos de la interposición de los recursos

La interposición de un recurso no suspenderá la ejecución de la decisión, salvo las excepciones previstas en este Código.

Artículo 464. Rectificación

Los errores de derecho en la fundamentación de la sentencia o resolución impugnadas que no hayan influido en la parte resolutiva, así como los errores de forma en la transcripción, en la designación o el cómputo de las penas no anularán la resolución, pero serán corregidos en cuanto sean advertidos o señalados por alguna de las partes, o aún de oficio.

CAPÍTULO II
RECURSOS EN PARTICULAR

SECCIÓN I
REVOCACIÓN

Artículo 465. Procedencia del recurso de revocación

El recurso de revocación procederá en cualquiera de las etapas del procedimiento penal en las que interviene la autoridad judicial en contra de las resoluciones de mero trámite que se resuelvan sin sustanciación.

El objeto de este recurso será que el mismo Órgano jurisdiccional que dictó la resolución impugnada, la examine de nueva cuenta y dicte la resolución que corresponda.

Artículo 466. Trámite

El recurso de revocación se interpondrá oralmente, en audiencia o por escrito, conforme a las siguientes reglas:

I. Si el recurso se hace valer contra las resoluciones pronunciadas durante audiencia, deberá promoverse antes de que termine la misma. La tramitación se efectuará verbalmente, de inmediato y de la misma manera se pronunciará el fallo, o

II. Si el recurso se hace valer contra resoluciones dictadas fuera de audiencia, deberá interponerse por escrito en un plazo de dos días siguientes a la notificación de la resolución impugnada, expresando los motivos por los cuales se solicita. El Órgano jurisdiccional se pronunciará de plano, pero podrá oír previamente a las demás partes dentro del plazo de dos días de interpuesto el recurso, si se tratara de un asunto cuya complejidad así lo amerite.

La resolución que decida la revocación interpuesta oralmente en audiencia, deberá emitirse de inmediato; la resolución que decida la revocación interpuesta por escrito deberá emitirse dentro de los tres días siguientes a su interposición; en caso de que el Órgano jurisdiccional cite a audiencia por la complejidad del caso, resolverá en ésta.

SECCIÓN II
APELACIÓN

APARTADO I
REGLAS GENERALES DE LA APELACIÓN

Artículo 467. Resoluciones del Juez de control apelables

Serán apelables las siguientes resoluciones emitidas por el Juez de control:

I. Las que nieguen el anticipo de prueba;

II. Las que nieguen la posibilidad de celebrar acuerdos reparatorios o no los ratifiquen;

III. La negativa o cancelación de orden de aprehensión;

IV. La negativa a autorizar actos y técnicas de investigación que requieran control judicial previo;

Fracción reformada DOF 26-01-2024

V. Las que se pronuncien sobre las providencias precautorias o medidas cautelares;

VI. Las que pongan término al procedimiento o lo suspendan;

VII. El auto que resuelve la vinculación y la no vinculación del imputado a proceso;

Fracción reformada DOF 26-01-2024

VIII. Las que concedan, nieguen o revoquen la suspensión condicional del proceso;

IX. La negativa de abrir el procedimiento abreviado;

X. La sentencia definitiva dictada en el procedimiento abreviado;

Fracción reformada DOF 26-01-2024

XI. Las que excluyan algún medio de prueba o lo admitan cuando no cumpla con los requisitos legales, o sean ofrecidas fuera del término procesal correspondiente y no tengan el carácter de supervenientes y estén debidamente justificadas;

Fracción reformada DOF 26-01-2024

XII. Las que determinen la ilicitud o ilegalidad de algún dato o medio de prueba, o la prueba, cuando ésta sea anticipada;

Fracción adicionada DOF 26-01-2024

XIII. La que determine la legalidad o ilegalidad de la detención;

Fracción adicionada DOF 26-01-2024

XIV. Las que determinen la incompetencia del órgano jurisdiccional;

Fracción adicionada DOF 26-01-2024

XV. La negativa a autorizar la prórroga del plazo en la investigación complementaria;

Fracción adicionada DOF 26-01-2024

XVI. La que resuelva la solicitud de la orden de comparecencia;

Fracción adicionada DOF 26-01-2024

XVII. Las que se pronuncien sobre la restitución de bienes, objetos, instrumentos o productos del delito, o

Fracción adicionada DOF 26-01-2024

XVIII. La que se pronuncie sobre el no ejercicio de la acción penal.

Fracción adicionada DOF 26-01-2024

Artículo 468. Resoluciones del Tribunal de enjuiciamiento apelables

Serán apelables las siguientes resoluciones emitidas por el Tribunal de enjuiciamiento:

I. Las que versen sobre el desistimiento de la acción penal por el Ministerio Público;

II. La sentencia definitiva en relación a aquellas consideraciones contenidas en la misma, distintas a la valoración de la prueba siempre y cuando no comprometan el principio de inmediación, o bien aquellos actos que impliquen una violación grave del debido proceso.

Artículo 469. Solicitud de registro para apelación

Inmediatamente después de pronunciada la resolución judicial que se pretenda apelar, las partes podrán solicitar copia del registro de audio y video de la audiencia en la que fue emitida sin perjuicio de obtener copia de la versión escrita que se emita en los términos establecidos en el presente Código.

Artículo 470. Inadmisibilidad del recurso

El Tribunal de alzada declarará inadmisible el recurso cuando:

I. Haya sido interpuesto fuera del plazo;

II. Se deduzca en contra de resolución que no sea impugnable por medio de apelación;

III. Lo interponga persona no legitimada para ello, o

IV. El escrito de interposición carezca de fundamentos de agravio o de peticiones concretas.

APARTADO II
TRÁMITE DE APELACIÓN

Artículo 471. Trámite de la apelación

El recurso de apelación contra las resoluciones del Juez de control se interpondrá por escrito ante el mismo Juez que dictó la resolución, dentro de los tres días contados a partir de aquel en el que surta efectos la notificación si se tratare de auto o cualquier otra providencia y de cinco días si se tratare de sentencia definitiva.

En los casos de apelación sobre el desistimiento de la acción penal por el Ministerio Público se interpondrá ante el Tribunal de enjuiciamiento que dictó la resolución dentro de los tres días contados a partir de que surte efectos la notificación. El recurso de apelación en contra de las sentencias definitivas dictadas por el Tribunal de enjuiciamiento se interpondrá ante el Tribunal que conoció del juicio, dentro de los diez días siguientes a la notificación de la resolución impugnada, mediante escrito en el que se precisarán las disposiciones violadas y los motivos de agravio correspondientes.

En el escrito de interposición de recurso deberá señalarse el domicilio o autorizar el medio para ser notificado; en caso de que el Tribunal de alzada competente para conocer de la apelación tenga su sede en un lugar distinto al del proceso, las partes deberán fijar un nuevo domicilio en la jurisdicción de aquél para recibir notificaciones o el medio para recibirlas.

Los agravios deberán expresarse en el mismo escrito de interposición del recurso; el recurrente deberá exhibir una copia para el registro y una para cada una de las otras partes. Si faltan total o parcialmente las copias, se le requerirá para que presente las omitidas dentro del término de veinticuatro horas. En caso de que no las exhiba, el Órgano jurisdiccional las tramitará e impondrá al promovente multa de diez a ciento cincuenta días de salario, excepto cuando éste sea el imputado o la víctima u ofendido.

Interpuesto el recurso, el Órgano jurisdiccional deberá correr traslado del mismo a las partes para que se pronuncien en un plazo de tres días respecto de los agravios expuestos y señalen domicilio o medios en los términos del segundo párrafo del presente artículo.

Al interponer el recurso, al contestarlo o al adherirse a él, los interesados podrán manifestar en su escrito su deseo de exponer oralmente alegatos aclaratorios sobre los agravios ante el Tribunal de alzada.

Artículo 472. Efecto del recurso

Por regla general la interposición del recurso no suspende la ejecución de la resolución judicial impugnada.

En el caso de la apelación contra la exclusión de pruebas, la interposición del recurso tendrá como efecto inmediato suspender el plazo de remisión del auto de apertura de juicio al Tribunal de enjuiciamiento, en atención a lo que resuelva el Tribunal de alzada competente.

Artículo 473. Derecho a la adhesión

Quien tenga derecho a recurrir podrá adherirse, dentro del término de tres días contados a partir de recibido el traslado, al recurso interpuesto por cualquiera de las otras partes, siempre que cumpla con los demás requisitos formales de interposición. Quien se adhiera podrá formular agravios. Sobre la adhesión se correrá traslado a las demás partes en un término de tres días.

Artículo 474. Envío a Tribunal de alzada competente

Concluidos los plazos otorgados a las partes para la sustanciación del recurso de apelación, el Órgano jurisdiccional enviará los registros correspondientes al Tribunal de alzada que deba conocer del mismo.

Artículo 475. Trámite del Tribunal de alzada

Recibidos los registros correspondientes del recurso de apelación, el Tribunal de alzada se pronunciará de plano sobre la admisión del recurso.

Artículo 476. Emplazamiento a las otras partes

Si al interponer el recurso, al contestarlo o al adherirse a él, alguno de los interesados manifiesta en su escrito su deseo de exponer oralmente alegatos aclaratorios sobre los agravios, o bien cuando el Tribunal de alzada lo estime pertinente, decretará lugar y fecha para la celebración de la audiencia, la que deberá tener lugar dentro de los cinco y quince días después de que fenezca el término para la adhesión.

El Tribunal de alzada, en caso de que las partes soliciten exponer oralmente alegatos aclaratorios o en caso de considerarlo pertinente, citará a audiencia de alegatos para la celebración de la audiencia para que las partes expongan oralmente sus alegatos aclaratorios sobre agravios, la que deberá tener lugar dentro de los cinco días después de admitido el recurso.

Artículo 477. Audiencia

Una vez abierta la audiencia, se concederá la palabra a la parte recurrente para que exponga sus alegatos aclaratorios sobre los agravios manifestados por escrito, sin que pueda plantear nuevos conceptos de agravio.

En la audiencia, el Tribunal de alzada podrá solicitar aclaraciones a las partes sobre las cuestiones planteadas en sus escritos.

Artículo 478. Conclusión de la audiencia

La sentencia que resuelva el recurso al que se refiere esta sección, podrá ser dictada de plano, en audiencia o por escrito dentro de los tres días siguientes a la celebración de la misma.

Artículo 479. Sentencia

La sentencia confirmará, modificará o revocará la resolución impugnada, o bien ordenará la reposición del acto que dio lugar a la misma.

En caso de que la apelación verse sobre exclusiones probatorias, el Tribunal de alzada requerirá el auto de apertura al Juez de control, para que en su caso se incluya el medio o medios de prueba indebidamente excluidos, y hecho lo anterior lo remita al Tribunal de enjuiciamiento competente.

Artículo 480. Efectos de la apelación por violaciones graves al debido proceso

Cuando el recurso de apelación se interponga por violaciones graves al debido proceso, su finalidad será examinar que la sentencia se haya emitido sobre la base de un proceso sin violaciones a derechos de las partes y determinar, si corresponde, cuando resulte estrictamente necesario, ordenar la reposición de actos procesales en los que se hayan violado derechos fundamentales.

Artículo 481. Materia del recurso

Interpuesto el recurso de apelación por violaciones graves al debido proceso, no podrán invocarse nuevas causales de reposición del procedimiento; sin embargo, el Tribunal de alzada podrá hacer valer y reparar de oficio, a favor del sentenciado, las violaciones a sus derechos fundamentales.

Artículo 482. Causas de reposición

Habrá lugar a la reposición del procedimiento por alguna de las causas siguientes:

I. Cuando en la tramitación de la audiencia de juicio oral o en el dictado de la sentencia se hubieren infringido derechos fundamentales asegurados por la Constitución, las leyes que de ella emanen y los Tratados;

II. Cuando no se desahoguen las pruebas que fueron admitidas legalmente, o no se desahoguen conforme a las disposiciones previstas en este Código;

III. Cuando si se hubiere violado el derecho de defensa adecuada o de contradicción siempre y cuando trascienda en la valoración del Tribunal de enjuiciamiento y que cause perjuicio;

IV. Cuando la audiencia del juicio hubiere tenido lugar en ausencia de alguna de las personas cuya presencia continuada se exija bajo sanción de nulidad;

V. Cuando en el juicio oral hubieren sido violadas las disposiciones establecidas por este Código sobre publicidad, oralidad y concentración del juicio, siempre que se vulneren derechos de las partes, o

VI. Cuando la sentencia hubiere sido pronunciada por un Tribunal de enjuiciamiento incompetente o que, en los términos de este Código, no garantice su imparcialidad.

En estos supuestos, el Tribunal de alzada determinará, de acuerdo con las circunstancias particulares del caso, si ordena la reposición parcial o total del juicio.

La reposición total de la audiencia de juicio deberá realizarse íntegramente ante un Tribunal de enjuiciamiento distinto. Tratándose de la reposición parcial, el Tribunal de alzada determinará si es posible su realización ante el mismo Órgano jurisdiccional u otro distinto, tomando en cuenta la garantía de la inmediación y el principio de objetividad del Órgano jurisdiccional, establecidos en las fracciones II y IV del Apartado A del artículo 20 de la Constitución y el artículo 9o. de este Código.

Para la declaratoria de nulidad y la reposición será aplicable también lo dispuesto en los artículos 97 a 102 de este Código.

En ningún caso habrá reposición del procedimiento cuando el agravio se fundamente en la inobservancia de derechos procesales que no vulneren derechos fundamentales o que no trasciendan a la sentencia.

Artículo 483. Causas para modificar o revocar la sentencia

Será causa de nulidad de la sentencia la transgresión a una norma de fondo que implique una violación a un derecho fundamental.

En estos casos, el Tribunal de alzada modificará o revocará la sentencia. Sin embargo, si ello compromete el principio de inmediación, ordenará la reposición del juicio, en los términos del artículo anterior.

Artículo 484. Prueba

Podrán ofrecerse medios de prueba cuando el recurso se fundamente en un defecto del proceso y se discuta la forma en que fue llevado a cabo un acto, en contraposición a lo señalado en las actuaciones, en el acta o registros del debate, o en la sentencia.

También es admisible la prueba propuesta por el imputado o en su favor, incluso relacionada con la determinación de los hechos que se discuten, cuando sea indispensable para sustentar el agravio que se formula.

Las partes podrán ofrecer medio de prueba esencial para resolver el fondo del reclamo, sólo cuando tengan el carácter de superveniente.

TÍTULO XIII
RECONOCIMIENTO DE INOCENCIA DEL SENTENCIADO Y ANULACIÓN DE SENTENCIA

CAPÍTULO ÚNICO
PROCEDENCIA

Artículo 485. Causas de extinción de la acción penal

La pretensión punitiva y la potestad para ejecutar las penas y medidas de seguridad se extinguirán por las siguientes causas:

I. Cumplimiento de la pena o medida de seguridad;

II. Muerte del acusado o sentenciado;

III. Reconocimiento de inocencia del sentenciado o anulación de la sentencia;

IV. Perdón de la persona ofendida en los delitos de querella o por cualquier otro acto equivalente;

V. Indulto;

VI. Amnistía;

VII. Prescripción;

VIII. Supresión del tipo penal;

IX. Existencia de una sentencia anterior dictada en proceso instaurado por los mismos hechos, o

X. El cumplimiento del criterio de oportunidad o la solución alterna correspondiente.

Artículo 486. Reconocimiento de inocencia

Procederá cuando después de dictada la sentencia aparezcan pruebas de las que se desprenda, en forma plena, que no existió el delito por el que se dictó la condena o que, existiendo éste, el sentenciado no participó en su comisión, o bien cuando se desacrediten formalmente, en sentencia irrevocable, las pruebas en las que se fundó la condena.

Artículo 487. Anulación de la sentencia

La anulación de la sentencia ejecutoria procederá en los casos siguientes:

I. Cuando el sentenciado hubiere sido condenado por los mismos hechos en juicios diversos, en cuyo caso se anulará la segunda sentencia, y

II. Cuando una ley se derogue, o se modifique el tipo penal o en su caso, la pena por la que se dictó sentencia o la sanción impuesta, procediendo a aplicar la más favorable al sentenciado.

La sola causación del resultado no podrá fundamentar, por sí sola, la responsabilidad penal. Por su parte los tipos penales estarán limitados a la exclusiva protección de los bienes jurídicos necesarios para la adecuada convivencia social.

Artículo 488. Solicitud de declaración de inocencia o anulación de la sentencia

El sentenciado que se crea con derecho a obtener el reconocimiento de su inocencia o la anulación de la sentencia por concurrir alguna de las causas señaladas en los artículos anteriores, acudirá al Tribunal de alzada que fuere competente para conocer del recurso de apelación; le expondrá detalladamente por escrito la causa en que funda su petición y acompañarán a su solicitud las pruebas que correspondan u ofrecerá exhibirlas en la audiencia respectiva.

En relación con las pruebas, si el recurrente no tuviere en su poder los documentos que pretenda presentar, deberá indicar el lugar donde se encuentren y solicitar al Tribunal de alzada que se recaben.

Al presentar su solicitud, el sentenciado designará a un licenciado en Derecho o abogado con cédula profesional como Defensor en este procedimiento, conforme a las disposiciones conducentes de este Código; si no lo hace, el Tribunal de alzada le nombrará un Defensor público.

Artículo 489. Trámite

Recibida la solicitud, el Tribunal de alzada que corresponda pedirá inmediatamente los registros del proceso al juzgado de origen o a la oficina en que se encuentren y, en caso de que el promovente haya protestado exhibir las pruebas, se le otorgará un plazo no mayor de diez días para su recepción.

Recibidos los registros y, en su caso las pruebas del promovente, el Tribunal de alzada citará al Ministerio Público, al solicitante y a su Defensor, así como a la víctima u ofendido y a su Asesor jurídico, a una audiencia que se celebrará dentro de los cinco días siguientes al recibo de los registros y de las pruebas. En dicha audiencia se desahogarán las pruebas ofrecidas por el promovente y se escuchará a éste y al Ministerio Público, para que cada uno formule sus alegatos.

Dentro de los cinco días siguientes a la formulación de los alegatos y a la conclusión de la audiencia, el Tribunal de alzada dictará sentencia. Si se declara fundada la solicitud de reconocimiento de inocencia o modificación de sentencia, el Tribunal de alzada resolverá anular la sentencia impugnada y dará aviso al Tribunal de enjuiciamiento que condenó, para que haga la anotación correspondiente en la sentencia y publicará una síntesis del fallo en los estrados del Tribunal; asimismo, informará de esta resolución a la autoridad competente encargada de la ejecución penal, para que en su caso sin más trámite ponga en libertad absoluta al sentenciado y haga cesar todos los efectos de la sentencia anulada, o bien registre la modificación de la pena comprendida en la nueva sentencia.

Artículo 490. Indemnización

En caso de que se dicte reconocimiento de inocencia, en ella misma se resolverá de oficio sobre la indemnización que proceda en términos de las disposiciones aplicables. La indemnización sólo podrá acordarse a favor del beneficiario o de sus herederos, según el caso.

TRANSITORIOS

Artículo Primero. Declaratoria

Para los efectos señalados en el párrafo tercero del artículo segundo transitorio del Decreto por el que se reforman y adicionan diversas disposiciones de la Constitución Política de los Estados Unidos Mexicanos, publicado en el Diario Oficial de la Federación el 18 de junio de 2008, se declara que la presente legislación recoge el sistema procesal penal acusatorio y entrará en vigor de acuerdo con los artículos siguientes.

Artículo Segundo. Vigencia

Este Código entrará en vigor a nivel federal gradualmente en los términos previstos en la Declaratoria que al efecto emita el Congreso de la Unión previa solicitud conjunta del Poder Judicial de la Federación, la Secretaría de Gobernación y de la Procuraduría General de la República, sin que pueda exceder del 18 de junio de 2016.

En el caso de las Entidades federativas y del Distrito Federal, el presente Código entrará en vigor en cada una de ellas en los términos que establezca la Declaratoria que al efecto emita el órgano legislativo correspondiente, previa solicitud de la autoridad encargada de la implementación del Sistema de Justicia Penal Acusatorio en cada una de ellas.

En todos los casos, entre la Declaratoria a que se hace referencia en los párrafos anteriores y la entrada en vigor del presente Código deberán mediar sesenta días naturales.

Artículo Tercero. Abrogación

El Código Federal de Procedimientos Penales publicado en el Diario Oficial de la Federación el 30 de agosto de 1934, y los de las respectivas entidades federativas vigentes a la entrada en vigor del presente Decreto, quedarán abrogados para efectos de su aplicación en los procedimientos penales que se inicien a partir de la entrada en vigor del presente Código, sin embargo respecto a los procedimientos penales que a la entrada en vigor del presente ordenamiento se encuentren en trámite, continuarán su sustanciación de conformidad con la legislación aplicable en el momento del inicio de los mismos.

En consecuencia el presente Código será aplicable para los procedimientos penales que se inicien a partir de su entrada en vigor, con independencia de que los hechos hayan sucedido con anterioridad a la entrada en vigor del mismo.

Artículo reformado DOF 17-06-2016

Artículo Cuarto. Derogación tácita de preceptos incompatibles

Quedan derogadas todas las normas que se opongan al presente Decreto, con excepción de las leyes relativas a la jurisdicción militar así como de la Ley Federal contra la Delincuencia Organizada.

Artículo Quinto. Convalidación o regularización de actuaciones

Cuando por razón de competencia por fuero o territorio, se realicen actuaciones conforme a un fuero o sistema procesal distinto al que se remiten, podrá el Órgano jurisdiccional receptor convalidarlas, siempre que de manera, fundada y motivada, se concluya que se respetaron las garantías esenciales del debido proceso en el procedimiento de origen.

Asimismo, podrán regularizarse aquellas actuaciones que también de manera fundada y motivada el Órgano jurisdiccional que las recibe, determine que las mismas deban ajustarse a las formalidades del sistema procesal al cual se incorporarán.

Artículo Sexto. Prohibición de acumulación de procesos

No procederá la acumulación de procesos penales, cuando alguno de ellos se esté tramitando conforme al presente Código y el otro proceso conforme al código abrogado.

Artículo Séptimo. De los planes de implementación y del presupuesto

El Consejo de la Judicatura Federal, el Instituto de la Defensoría Pública Federal, la Procuraduría General de la República, la Secretaría de Gobernación, la Secretaría de Hacienda y Crédito Público y toda dependencia de las Entidades federativas a la que se confieran responsabilidades directas o indirectas por la entrada en vigor de este Código, deberán elaborar los planes y programas necesarios para una adecuada y correcta implementación del mismo y deberán establecer dentro de los proyectos de presupuesto respectivos, a partir del año que se proyecte, las partidas necesarias para atender la ejecución de esos programas, las obras de infraestructura, la contratación de personal, la capacitación y todos los demás requerimientos que sean necesarios para cumplir los objetivos para la implementación del sistema penal acusatorio.

Artículo Octavo. Legislación complementaria

En un plazo que no exceda de doscientos setenta días naturales después de publicado el presente Decreto, la Federación y las entidades federativas deberán publicar las reformas a sus leyes y demás normatividad complementaria que resulten necesarias para la implementación de este ordenamiento.

Artículo Noveno. Auxilio procesal

Cuando una autoridad penal reciba por exhorto, mandamiento o comisión, una solicitud para la realización de un acto procesal, deberá seguir los procedimientos legales vigentes para la autoridad que remite la solicitud, salvo excepción justificada.

Artículo Décimo. Cuerpos especializados de Policía

La Federación y las entidades federativas a la entrada en vigor del presente ordenamiento, deberán contar con cuerpos especializados de Policía con capacidades para procesar la escena del hecho probablemente delictivo, hasta en tanto se capacite a todos los cuerpos de Policía para realizar tales funciones.

Artículo Décimo Primero. Adecuación normativa y operativa

A la entrada en vigor del presente Código, en aquellos lugares donde se inicie la operación del proceso penal acusatorio, tanto en el ámbito federal como en el estatal, se deberá contar con el equipamiento necesario y con protocolos de investigación y de actuación del personal sustantivo y los manuales de procedimientos para el personal administrativo, pudiendo preverse la homologación de criterios metodológicos, técnicos y procedimentales, para lo cual podrán coordinarse los órganos y demás autoridades involucradas.

Artículo Décimo Segundo. Comité para la Evaluación y Seguimiento de la Implementación del Nuevo Sistema

El Consejo de Coordinación para la Implementación del Sistema de Justicia Penal, instancia de coordinación nacional creada por mandato del artículo noveno transitorio del Decreto de reformas y adiciones a la Constitución Política de los Estados Unidos Mexicanos publicado el 18 de junio de 2008, constituirá un Comité para la Evaluación y Seguimiento de la Implementación del Nuevo Sistema, el cual remitirá un informe semestral al señalado Consejo.

Artículo Décimo Tercero. Revisión legislativa

A partir de la entrada en vigor del Código Nacional de Procedimientos Penales, el Poder Judicial de la Federación, la Procuraduría General de la República, la Comisión Nacional de Seguridad, la Comisión Nacional de Tribunales Superiores de Justicia de los Estados Unidos Mexicanos y la Conferencia Nacional de Procuradores remitirán, de manera semestral, la información indispensable a efecto de que las Comisiones de Justicia de ambas Cámaras del Congreso de la Unión evalúen el funcionamiento y operatividad de las disposiciones contenidas en el presente Código.

México, D.F., a 5 de febrero de 2014.- Sen. **Raúl Cervantes Andrade**, Presidente.- Dip. **Ricardo Anaya Cortés**, Presidente.- Sen. **Lilia Guadalupe Merodio Reza**, Secretaria.- Dip. **Javier Orozco Gómez**, Secretario.- Rúbricas."

En cumplimiento de lo dispuesto por la fracción I del Artículo 89 de la Constitución Política de los Estados Unidos Mexicanos, y para su debida publicación y observancia, expido el presente Decreto en la Residencia del Poder Ejecutivo Federal, en la Ciudad de México, Distrito Federal, a cuatro de marzo de dos mil catorce.- **Enrique Peña Nieto**.- Rúbrica.- El Secretario de Gobernación, **Miguel Ángel Osorio Chong**.- Rúbrica.

Ley Nacional de Ejecución Penal

Nueva Ley publicada en el Diario Oficial de la Federación el 16 de junio de 2016

TEXTO VIGENTE

Última reforma publicada DOF 01-04-2024

Al margen un sello con el Escudo Nacional, que dice: Estados Unidos Mexicanos.- Presidencia de la República.

ENRIQUE PEÑA NIETO, Presidente de los Estados Unidos Mexicanos, a sus habitantes sabed:

Que el Honorable Congreso de la Unión, se ha servido dirigirme el siguiente

DECRETO

EL CONGRESO GENERAL DE LOS ESTADOS UNIDOS MEXICANOS, DECRETA:

SE EXPIDE LA LEY NACIONAL DE EJECUCIÓN PENAL; SE ADICIONAN LAS FRACCIONES XXXV, XXXVI Y XXXVII Y UN QUINTO PÁRRAFO, Y SE REFORMA EL TERCER PÁRRAFO DEL ARTÍCULO 225 DEL CÓDIGO PENAL FEDERAL

Artículo Primero. Se expide la Ley Nacional de Ejecución Penal.

LEY NACIONAL DE EJECUCIÓN PENAL

TÍTULO PRIMERO
DISPOSICIONES GENERALES

CAPÍTULO I
OBJETO, ÁMBITO DE APLICACIÓN Y SUPLETORIEDAD DE LA LEY

Artículo 1. Objeto de la Ley

La presente Ley tiene por objeto:

I. Establecer las normas que deben de observarse durante el internamiento por prisión preventiva, en la ejecución de penas y en las medidas de seguridad impuestas como consecuencia de una resolución judicial;

II. Establecer los procedimientos para resolver las controversias que surjan con motivo de la ejecución penal, y

III. Regular los medios para lograr la reinserción social.

Lo anterior, sobre la base de los principios, garantías y derechos consagrados en la Constitución, Tratados Internacionales de los que el Estado mexicano sea parte y en esta Ley.

Artículo 2. Ámbito de aplicación

Las disposiciones de esta Ley son de orden público y de observancia general en la Federación y las entidades federativas, respecto del internamiento por prisión preventiva, así como en la ejecución de penas y medidas de seguridad por delitos que sean competencia de los tribunales de fuero federal y local, según corresponda, sobre la base de los principios, garantías y derechos consagrados en la Constitución, en los Tratados Internacionales de los que el Estado mexicano sea parte, y en esta Ley.

Tratándose de personas sujetas a prisión preventiva o sentenciadas por delincuencia organizada, debe estarse además a las excepciones previstas en la Constitución y en la ley de la materia.

En lo conducente y para la aplicación de esta Ley deben atenderse también los estándares internacionales.

Artículo 3. Glosario

Para los efectos de esta Ley, según corresponda, debe entenderse por:

I. Autoridad Penitenciaria: A la autoridad administrativa que depende del Poder Ejecutivo Federal o de los poderes ejecutivos de las entidades federativas encargada de operar el Sistema Penitenciario;

II. Autoridades Corresponsables: A las Secretarías de Gobernación, de Desarrollo Social, de Economía, de Educación Pública, de Salud, del Trabajo y Previsión Social, de Cultura, la Comisión Nacional de Cultura Física y Deporte, el Sistema Nacional para el Desarrollo Integral de la Familia y la Secretaría Ejecutiva del Sistema Nacional de Protección Integral de Niñas, Niños y Adolescentes y sus equivalentes en las entidades federativas, así como aquellas que por su naturaleza deben intervenir en el cumplimiento de la Ley, en el ámbito de sus atribuciones;

III. Centro o Centro Penitenciario: Al espacio físico destinado para el cumplimiento de la prisión preventiva, así como para la ejecución de penas;

IV. Código: Al Código Nacional de Procedimientos Penales;

V. Comité Técnico: Al Órgano Colegiado Consultivo y de autoridad en aquellos asuntos que le corresponda resolver del Centro Penitenciario, de conformidad con las disposiciones aplicables;

VI. Conferencia: A la Conferencia Nacional del Sistema Penitenciario;

VII. Constitución: A la Constitución Política de los Estados Unidos Mexicanos;

VIII. Defensor: Al defensor público federal, defensor público o de oficio de las entidades federativas, o defensor particular que intervienen en los procesos penales o de ejecución;

IX. Espacio: A las áreas ubicadas al interior de los Centros Penitenciarios, destinadas para los fines establecidos en esta Ley;

X. Juez de Control: Al Órgano Jurisdiccional del fuero federal o del fuero común que interviene desde el principio del procedimiento y hasta el dictado del auto de apertura a juicio, ya sea federal o local;

XI. Juez de Ejecución: A la autoridad judicial especializada del fuero federal o local, competente para resolver las controversias en materia de ejecución penal, así como aquellas atribuciones que prevé la presente Ley;

XII. Ley: A la Ley Nacional de Ejecución Penal;

XIII. Ley Orgánica: A la Ley Orgánica del Poder Judicial de la Federación o la ley orgánica del poder judicial de cada entidad federativa;

XIV. Leyes Penales: Al Código Penal Federal, los códigos penales o leyes que prevén tipos penales y sanciones, de la Federación o de las entidades federativas;

XV. Observador: A la persona que ingresa al Centro Penitenciario con los fines de coadyuvar en el respeto de los derechos humanos de las personas privadas de la libertad en los términos establecidos en esta Ley;

XVI. Órgano Jurisdiccional: Al Juez de Control, el Tribunal de enjuiciamiento o el Tribunal de alzada ya sea del fuero federal o local;

XVII. Persona privada de su libertad: A la persona procesada o sentenciada que se encuentre en un Centro Penitenciario;

XVIII. Persona procesada: A la persona sujeta a proceso penal sometida a prisión preventiva;

XIX. Persona sentenciada: A la persona que se encuentra cumpliendo una sanción penal en virtud de una sentencia condenatoria;

XX. Plan de actividades: A la organización de los tiempos y espacios en que cada persona privada de la libertad realizará sus actividades laborales, educativas, culturales, de protección a la salud, deportivas, personales y de justicia restaurativa, de conformidad con el régimen y organización de cada Centro;

XXI. Procuraduría: A la Procuraduría General de la República, o Procuradurías Generales de Justicia o Fiscalías Generales en las entidades federativas, según corresponda;

XXII. Servicios: A las actividades educativas, culturales, recreativas, de trabajo, de capacitación para el trabajo, de protección para la salud, deportivas y otras similares que deben tener disponibles los Centros de manera accesible, aceptable, progresiva y adaptable a las necesidades de las personas privadas de la libertad, en términos del artículo 32 de esta Ley. Entre los servicios se comprende el abasto de productos que, sin formar parte de los suministros gratuitos, deben ser accesibles y asequibles para las personas internas;

XXIII. Sistema Nacional de Información Estadística Penitenciaria: Al compendio de Registros Administrativos, Censos y Encuestas relativos al sistema penitenciario, en los ámbitos federal y local, de conformidad con el artículo 29 de esta Ley;

XXIV. Sistema Penitenciario: Al conjunto de normas jurídicas y de instituciones del Estado que tiene por objeto la supervisión de la prisión preventiva y la ejecución de sanciones penales, así como de las medidas de seguridad derivadas de una sentencia, el cual está organizado sobre la base del respeto de los derechos humanos, del trabajo, la capacitación para el mismo, la educación, la salud y el deporte como medios para lograr la reinserción de la persona sentenciada a la sociedad y procurar que no vuelva a delinquir;

XXV. Suministros: A todos aquellos bienes que deben ofrecer los Centros Penitenciarios, gratuitamente, entre ellos, el agua corriente y potable, alimentos, medicinas, anticonceptivos ordinarios y de emergencia; ropa, colchones y ropa de cama, artículos de aseo personal y de limpieza, libros y útiles escolares, así como los instrumentos de trabajo y artículos para el deporte y la recreación;

XXVI. Supervisor de libertad condicionada: A la autoridad administrativa que depende del Poder Ejecutivo Federal o de los poderes ejecutivos de las entidades federativas, que da seguimiento a las personas sentenciadas que gozan de libertad condicionada, y

XXVII. Visitantes: A las personas que ingresan a los Centros Penitenciarios, o que solicitan su ingreso, para realizar una visita personal, familiar, íntima, cultural, deportiva, recreativa, religiosa, humanitaria u otras similares.

Artículo 4. Principios rectores del Sistema Penitenciario

El desarrollo de los procedimientos dentro del Sistema Penitenciario debe regirse por los siguientes principios:

Dignidad. Toda persona es titular y sujeta de derechos y, por lo tanto, no debe ser objeto de violencia o arbitrariedades por parte del Estado o los particulares.

Igualdad. Las personas sujetas a esta Ley deben recibir el mismo trato y oportunidades para acceder a los derechos reconocidos por la Constitución, Tratados Internacionales y la legislación aplicable, en los términos y bajo las condiciones que éstas señalan. No debe admitirse discriminación motivada por origen étnico o nacional, el color de piel, la cultura, el sexo, el género, la edad, las discapacidades, la condición social, económica, de salud o jurídica, la religión, la apariencia física, las características genéticas, la situación migratoria, el embarazo, la lengua, las opiniones, las preferencias sexuales, la identidad o filiación política, el estado civil, la situación familiar, las responsabilidades familiares, el idioma, los antecedentes penales o cualquier otra que atente contra la dignidad humana y con el objeto de anular o menoscabar los derechos y las libertades de las personas.

Las autoridades deben velar porque las personas sujetas a esta Ley, sean atendidas a fin de garantizar la igualdad sobre la base de la equidad en el ejercicio de sus derechos. En el caso de las personas con discapacidad o inimputabilidad deben preverse ajustes razonables al procedimiento cuando son requeridos, así como el diseño universal de las instalaciones para la adecuada accesibilidad.

Legalidad. El Órgano Jurisdiccional, el Juez de Ejecución y la Autoridad Penitenciaria, en el ámbito de sus atribuciones, deben fundar y motivar sus resoluciones y determinaciones en la Constitución, en los Tratados, en el Código y en esta Ley.

Debido Proceso. La ejecución de medidas penales y disciplinarias debe realizarse en virtud de resolución dictada por un Órgano Jurisdiccional, el Juez de Ejecución o la autoridad administrativa de conformidad con la legislación aplicable, mediante procedimientos que permitan a las personas sujetas a una medida penal ejercer debidamente sus derechos ante la instancia que corresponda, de conformidad con los principios internacionales en materia de derechos humanos.

Transparencia. En la ejecución de las sanciones penales, exceptuando el expediente personal de la persona sentenciada, debe garantizarse el acceso a la información, así como a las instalaciones penitenciarias, en los términos que al efecto establezcan las leyes aplicables.

Confidencialidad. El expediente personal de la persona privada de su libertad tendrá trato confidencial, de conformidad con la ley en la materia, y sólo podrán imponerse de su contenido las autoridades competentes, la persona privada de la libertad y su defensor o las personas directamente interesadas en la tramitación del caso salvo las excepciones establecidas en la Constitución y las leyes aplicables.

Publicidad. Todas las cuestiones que impliquen una sustitución, modificación o extinción de las penas y que por su naturaleza e importancia requieran celebración de debate o producción de prueba, se ventilarán en audiencia pública ante el Juez de Ejecución. La publicidad sólo podrá restringirse en los casos de excepción que determinen las leyes aplicables.

Proporcionalidad. Toda intervención que tenga como consecuencia una afectación o limitación de los derechos de las personas privadas de la libertad por parte de las autoridades competentes debe ser adecuada, estrictamente necesaria y proporcional al objeto que persigue la restricción.

Reinserción social. Restitución del pleno ejercicio de las libertades tras el cumplimiento de una sanción o medida ejecutada con respeto a los derechos humanos.

Artículo 5. Ubicación de las personas privadas de la libertad en un Centro Penitenciario

Los Centros Penitenciarios garantizarán la separación de las personas privadas de la libertad, de conformidad con lo siguiente:

I. Las mujeres compurgarán sus penas en lugares separados de los destinados a los hombres;

II. Las personas procesadas y sentenciadas ocuparán instalaciones distintas;

III. Las instalaciones destinadas a los inimputables se ajustarán a lo dispuesto por el Capítulo IX, Título Quinto, de la presente Ley;

IV. Las personas en prisión preventiva y en ejecución de sentencias por delincuencia organizada o sujetas a medidas especiales de seguridad se destinarán a espacios especiales.

Adicionalmente la Autoridad Administrativa podrá establecer sistemas de clasificación de acuerdo en los criterios de igualdad, integridad y seguridad.

Artículo 6. Organización del Centro Penitenciario

El régimen de planeación, organización y funcionamiento de la Autoridad Penitenciaria y de los Centros Penitenciarios estará sujeto a su normatividad reglamentaria respectiva, siempre de conformidad con la presente Ley.

La Autoridad Penitenciaria promoverá que los Centros Penitenciarios sean sustentables.

Artículo 7. Coordinación interinstitucional

Los poderes judicial y ejecutivo competentes, se organizarán, en el ámbito de sus respectivas competencias, para el cumplimiento y aplicación de esta Ley y demás normatividad aplicable, así como para la cooperación con las autoridades penitenciarias e instituciones que intervienen en la ejecución de la prisión preventiva, de las sanciones penales y de las medidas de seguridad impuestas.

Son autoridades corresponsables para el cumplimiento de esta Ley, las Secretarías de Gobernación, de Desarrollo Social, de Economía, de Educación Pública, de Cultura, de Salud, del Trabajo y Previsión Social y la Comisión Nacional de Cultura Física y Deporte, el Sistema Nacional para el Desarrollo Integral de la Familia y la Secretaría Ejecutiva del Sistema Nacional de Protección Integral de Niñas, Niños y Adolescentes o sus equivalentes en las entidades federativas y la Ciudad de México, así como las demás que por la naturaleza de sus atribuciones deban intervenir en el cumplimiento de la presente Ley.

Encabezada por la Secretaría de Gobernación o su equivalente en las entidades federativas, se establecerán comisiones intersecretariales que incluirán a todas las autoridades corresponsables establecidas en esta Ley a nivel federal y en cada entidad federativa.

Adicionalmente serán las encargadas de diseñar e implementar los distintos programas de servicios para la reinserción al interior de los Centros Penitenciarios y de servicios post-penales a nivel federal y estatal. Las autoridades corresponsables en las entidades federativas establecerán su propia comisión a fin de cumplir con los mismos fines a nivel local.

La Autoridad Penitenciaria y las autoridades corresponsables podrán implementar mecanismos de participación y firmar convenios de colaboración con organizaciones de la sociedad civil a fin de diseñar, implementar o brindar servicios en internamiento o de naturaleza post-penal.

Artículo 8. Supletoriedad

En todo lo no previsto por la presente Ley se atenderá en lo conducente a lo dispuesto por el Código Nacional de Procedimientos Penales, a la Ley Nacional de Mecanismos Alternativos de Solución de Controversias en Materia Penal y a las leyes penales aplicables.

CAPÍTULO II
DERECHOS Y OBLIGACIONES DE LAS PERSONAS

Artículo 9. Derechos de las personas privadas de su libertad en un Centro Penitenciario

Las personas privadas de su libertad en un Centro Penitenciario, durante la ejecución de la prisión preventiva o las sanciones penales impuestas, gozarán de todos los derechos previstos por la Constitución y los Tratados Internacionales de los que el Estado mexicano sea parte, siempre y cuando estos no hubieren sido restringidos por la resolución o la sentencia, o su ejercicio fuese incompatible con el objeto de éstas.

Para los efectos del párrafo anterior, se garantizarán, de manera enunciativa y no limitativa, los siguientes derechos:

I. Recibir un trato digno del personal penitenciario sin diferencias fundadas en prejuicios por razón de género, origen étnico o nacional, sexo, edad, discapacidades, condición social, posición económica, condiciones de salud, religión, opiniones, preferencias sexuales o identidad de género, estado civil o cualquier otra que atente contra la dignidad humana;

II. Recibir asistencia médica preventiva y de tratamiento para el cuidado de la salud, atendiendo a las necesidades propias de su edad y sexo en por lo menos unidades médicas que brinden asistencia médica de primer nivel, en términos de la Ley General de Salud, en el Centro Penitenciario, y en caso de que sea insuficiente la atención brindada dentro de reclusión, o se necesite asistencia médica avanzada, se podrá solicitar el ingreso de atención especializada al Centro Penitenciario o que la persona sea remitida a un Centro de Salud Público en los términos que establezca la ley;

III. Recibir alimentación nutritiva, suficiente y de calidad, adecuada para la protección de su salud;

IV. Permanecer en estancias designadas conforme a la ubicación establecida en el artículo 5 de esta Ley;

V. Ser informada de sus derechos y deberes, desde el momento en que sea internada en el Centro, de manera que se garantice el entendimiento acerca de su situación. La información deberá ser proporcionada conforme al artículo 38 de esta Ley y a las demás disposiciones aplicables;

VI. Recibir un suministro suficiente, salubre, aceptable y permanente de agua para su consumo y cuidado personal;

VII. Recibir un suministro de artículos de aseo diario necesarios;

VIII. Acceder al régimen de visitas en términos del artículo 59 de esta Ley;

IX. Efectuar peticiones o quejas por escrito, y en casos urgentes, por cualquier medio a las instancias correspondientes;

X. Toda persona privada de la libertad tiene derecho a que se garantice su integridad moral, física, sexual y psicológica;

XI. A participar en la integración de su plan de actividades, el cual deberá atender a las características particulares de la persona privada de la libertad, en el marco de las condiciones de operación del Centro Penitenciario;

XII. Los demás previstos en la Constitución, Tratados y las demás disposiciones legales aplicables.

Toda limitación de derechos sólo podrá imponerse cuando tenga como objetivo garantizar condiciones de internamiento dignas y seguras, en su caso, la limitación se regirá por los principios de necesidad, proporcionalidad e idoneidad.

Artículo 10. Derechos de las mujeres privadas de su libertad en un Centro Penitenciario

Además de los derechos establecidos en el artículo anterior, las mujeres privadas de la libertad tendrán derecho a:

I. La maternidad y la lactancia;

II. Recibir trato directo de personal penitenciario de sexo femenino, específicamente en las áreas de custodia y registro. Tratándose de la atención médica podrá solicitar que la examine personal médico de sexo femenino, se accederá a esa petición en la medida de lo posible, excepto en las situaciones que requieran intervención médica urgente. Si pese a lo solicitado, la atención médica es realizada por personal médico de sexo masculino, deberá estar presente un miembro del personal del Centro Penitenciario de sexo femenino;

III. Contar con las instalaciones adecuadas y los artículos necesarios para una estancia digna y segura, siendo prioritarios los artículos para satisfacer las necesidades de higiene propias de su género;

IV. Recibir a su ingreso al Centro Penitenciario, la valoración médica que deberá comprender un examen exhaustivo a fin de determinar sus necesidades básicas y específicas de atención de salud;

V. Recibir la atención médica, la cual deberá brindarse en hospitales o lugares específicos establecidos en el Centro Penitenciario para tal efecto, en los términos establecidos en la presente Ley;

VI. Conservar la guardia y custodia de su hija o hijo menor de tres años a fin de que pueda permanecer con la madre en el Centro Penitenciario, de conformidad a las disposiciones aplicables;

VII. Recibir la alimentación adecuada y saludable para sus hijas e hijos, acorde con su edad y sus necesidades de salud con la finalidad de contribuir a su desarrollo físico y mental, en caso de que permanezcan con sus madres en el Centro Penitenciario;

VIII. Recibir educación inicial para sus hijas e hijos, vestimenta acorde a su edad y etapa de desarrollo, y atención pediátrica cuando sea necesario en caso de que permanezcan con sus madres en el Centro Penitenciario, en términos de la legislación aplicable;

IX. Acceder, a los medios necesarios que les permitan a las mujeres con hijas e hijos a su cargo adoptar disposiciones respecto a su cuidado.

Para el caso de las mujeres que deseen conservar la custodia de la hija o el hijo menor de tres años, durante su estancia en el Centro Penitenciario y no hubiera familiar que pudiera hacerse responsable en la familia de origen, la Autoridad Penitenciaria establecerá los criterios para garantizar el ingreso de la niña o el niño.

Se notificará a la Procuraduría Federal de Protección de Niñas, Niños y Adolescentes o a sus equivalentes en las entidades federativas;

X. Contar con las instalaciones adecuadas para que sus hijas e hijos reciban la atención médica, de conformidad con el interés superior de la niñez, atendiendo a su edad, condiciones y a sus necesidades de salud específicas, y

XI. Los demás previstos en las disposiciones legales aplicables.

La Autoridad Penitenciaria coadyuvará con las autoridades corresponsables, en el ámbito de su competencia, para proporcionar las condiciones de vida que garanticen el sano desarrollo de niñas y niños.

Para los efectos de las fracciones I y IV de este artículo, las mujeres en reclusión podrán conservar la custodia de sus hijas e hijos en el interior de los Centros Penitenciarios. La Autoridad Penitenciaria, atendiendo el interés superior de la niñez, deberá emitir el dictamen correspondiente.

Si la hija o el hijo tuviera una discapacidad, se podrá solicitar a la Autoridad Penitenciaria la ampliación del plazo de estancia al cuidado de la madre. En todo caso, se resolverá ponderando el interés superior de la niñez.

En el supuesto de que la madre no deseara conservar la custodia de sus hijas e hijos, estos serán entregados a la institución de asistencia social competente, en un término no mayor a veinticuatro horas, en donde se harán los trámites correspondientes, de acuerdo con la legislación aplicable.

La Autoridad Penitenciaria deberá garantizar que en los Centros Penitenciarios para mujeres haya espacios adecuados para el desarrollo integral de los hijas o hijos de las mujeres privadas de su libertad, o en su defecto, para el esparcimiento del niño o niña en las visitas a su madre.

En el supuesto en el que las Autoridades determinen el traslado de una mujer embarazada o cuyos hijas o hijos vivan en el Centro Penitenciario con ella, se garantizará en todo momento el interés superior de la niñez.

Las disposiciones aplicables preverán un régimen específico de visitas para las personas menores de edad que no superen los diez años y no convivan con la madre en el Centro Penitenciario. Estas visitas se realizarán sin restricciones de ningún tipo en cuanto a frecuencia e intimidad, y su duración y horario se ajustarán a la organización interna de los Centros.

Artículo 11. Obligaciones de las personas privadas de su libertad en un Centro Penitenciario

Las personas privadas de su libertad tendrán las siguientes obligaciones:

I. Conocer y acatar la normatividad vigente al interior de los Centros Penitenciarios;

II. Acatar de manera inmediata el régimen de disciplina, así como las medidas de seguridad que, en su caso, imponga la Autoridad Penitenciaria, en los términos de esta Ley;

III. Respetar los derechos de sus compañeros de internamiento, así como de las personas que laboren o asistan al Centro Penitenciario;

IV. Conservar el orden y aseo de su estancia, de las áreas donde desarrollan sus actividades, así como de las instalaciones de los Centros Penitenciarios;

V. Dar buen uso y cuidado adecuado al vestuario, equipo, mobiliario y demás objetos asignados;

VI. Conservar en buen estado las Instalaciones de los Centros Penitenciarios;

VII. Cumplir con los rubros que integren su Plan de Actividades;

VIII. Cumplir con los programas de salud y acudir a las revisiones médicas y de salud mental periódicas correspondientes, y

IX. Las demás previstas en las disposiciones legales aplicables.

Artículo 12. Derechos de las personas sentenciadas que gocen de libertad condicionada

Las personas sentenciadas que gozan de libertad condicionada, tendrán los siguientes derechos:

I. Ser informadas de su situación jurídica cuando lo soliciten o cuando ésta se modifique;

II. Solicitar modificaciones a sus obligaciones, conforme a situaciones supervinientes debidamente justificadas;

III. Solicitar la intervención del Juez de Ejecución cuando exista una irregularidad por parte del supervisor de libertad en el desarrollo o cumplimiento a las obligaciones derivadas de la medida otorgada, y

IV. Los demás que esta Ley u otros ordenamientos establezcan.

Artículo 13. Obligaciones de las personas sentenciadas que gocen de libertad condicionada

Las personas sentenciadas que hayan obtenido alguna medida de libertad condicionada, tendrán las siguientes obligaciones:

I. En caso de necesitar cambio de residencia, solicitar autorización judicial;

II. Cumplir con las resoluciones y medidas de seguimiento impuestas por el Juez de Ejecución para su liberación;

III. Usar, conservar y mantener en óptimas condiciones todas las herramientas tecnológicas y recursos materiales que les proporcionen para el control y seguimiento de su liberación;

IV. Colaborar con los supervisores de libertad a fin de darle cumplimiento a los objetivos del proceso de reinserción social;

V. Presentar los documentos que le sean requeridos por el Juez de Ejecución;

VI. Las demás que establezcan esta Ley, u otras disposiciones aplicables.

CAPÍTULO III
AUTORIDADES EN LA EJECUCIÓN PENAL

Artículo 14. De la Autoridad Penitenciaria

La Autoridad Penitenciaria organizará la administración y operación del Sistema Penitenciario sobre la base del respeto a los derechos humanos, el trabajo, la capacitación para el mismo, la educación, la salud y el deporte, como medios para procurar la reinserción de la persona sentenciada a la sociedad y procurar que no vuelva a delinquir, y supervisará las instalaciones de los Centros Penitenciarios para mantener la seguridad, tranquilidad e integridad, de las personas privadas de la libertad, del personal y de los visitantes, ejerciendo las medidas y acciones pertinentes para el buen funcionamiento de éstas.

Corresponde al Poder Ejecutivo Federal o Local, según su competencia, a través de las Autoridades Penitenciarias señaladas en las disposiciones legales, la ejecución material de la prisión preventiva, así como de las sanciones y medidas de seguridad previstas en las leyes penales, así como la administración y operación del Sistema Penitenciario.

Artículo 15. Funciones de la Autoridad Penitenciaria

La Autoridad Penitenciaria deberá llevar a cabo las siguientes funciones básicas:

I. Garantizar el respeto a los derechos humanos de todas las personas que se encuentren sujetas al régimen de custodia y vigilancia en un Centro Penitenciario;

II. Procurar la reinserción social efectiva mediante los distintos programas institucionales;

III. Gestionar la Custodia Penitenciaria;

IV. Entregar al Juez de Ejecución, a solicitud fundada de parte, la información para la realización del cómputo de las penas y abono del tiempo de la prisión preventiva o resguardo en el propio domicilio cumplidos por la persona sentenciada;

V. Dar aviso al Juez de Ejecución, cuando menos cinco días hábiles previos al cumplimiento de la pena, acerca de la extinción de la pena o medida de seguridad, una vez transcurrido el plazo fijado en la sentencia ejecutoriada;

VI. Autorizar el acceso a particulares y autoridades a los Centros Penitenciarios, quienes deberán acatar en todo momento las disposiciones aplicables y de seguridad aplicables, en los términos, condiciones y plazos que establece esta Ley;

VII. Imponer y ejecutar las medidas disciplinarias a las personas privadas de la libertad por violación al régimen de disciplina, sin que con ellas se menoscabe su dignidad ni se vulneren sus derechos humanos;

VIII. Ejecutar el traslado de las personas privadas de la libertad y notificar al órgano jurisdiccional correspondiente de tal circunstancia inmediatamente y por escrito, anexando copia certificada de la autorización del traslado;

IX. Realizar propuestas o hacer llegar solicitudes de otorgamiento de beneficios que supongan una modificación a las condiciones de cumplimiento de la pena o una reducción de la misma a favor de las personas sentenciadas;

X. Presentar al Juez de Ejecución el diagnóstico médico especializado en el que se determine el padecimiento físico o mental, crónico, continuo, irreversible y con tratamiento asilar que presente la persona privada de la libertad, con el propósito de abrir la vía incidental tendiente a la modificación de la ejecución de la pena por la causal que corresponda y en los términos previstos por la legislación aplicable;

XI. Ejecutar, controlar, vigilar y dar seguimiento a las penas y medidas de seguridad que imponga o modifiquen tanto el órgano jurisdiccional como el Juez de Ejecución;

XII. Aplicar las sanciones penales impuestas por los órganos jurisdiccionales y que se cumplan en los Centros;

XIII. Aplicar las medidas de seguridad o vigilancia a las personas privadas de la libertad que lo requieran;

XIV. Promover ante las autoridades judiciales las acciones dentro del ámbito de su competencia y cumplir los mandatos de las autoridades judiciales;

XV. Brindar servicios de mediación para la solución de conflictos interpersonales derivados de las condiciones de convivencia interna del Centro, y de justicia restaurativa en términos de esta Ley, y

XVI. Las demás que le confieran las leyes, reglamentos y decretos.

Artículo 16. Funciones del Titular de los Centros Penitenciarios

Los titulares de los Centros Penitenciarios, tendrán las siguientes obligaciones:

I. Administrar, organizar y operar los Centros conforme a lo que disponga esta Ley y demás disposiciones aplicables;

II. Representar al Centro ante las diferentes autoridades y particulares;

III. Garantizar el cumplimiento de las leyes, reglamentos, manuales, instructivos, criterios, lineamientos o disposiciones aplicables;

IV. Implementar las medidas necesarias de seguridad en el Centro;

V. Declarar al Centro en estado de alerta o de alerta máxima, e informar inmediatamente a su superior jerárquico, en términos de las normas aplicables;

VI. Solicitar el apoyo de las fuerzas de seguridad pública local y federal en casos de emergencia;

VII. Asegurar el cumplimiento de las sanciones disciplinarias aplicables a las personas privadas de la libertad que incurran en infracciones, con respeto a sus derechos humanos;

VIII. Expedir y vigilar que se emitan los documentos que le sean requeridos de conformidad con las disposiciones jurídicas aplicables; así como, expedir certificaciones que le requieran las autoridades o instituciones públicas, el Ministerio Público, la víctima u ofendido y el asesor jurídico, la persona sentenciada y su defensor de los documentos que obren en los archivos del Centro Penitenciario;

IX. Dar cumplimiento en el ámbito de sus atribuciones a las determinaciones del Juez de Ejecución u órgano jurisdiccional correspondiente;

X. Realizar las demás funciones que señalen los ordenamientos jurídicos aplicables, en el ámbito de su competencia, y

XI. Además de las señaladas en esta Ley, las que prevea la normatividad de la administración penitenciaria.

Artículo 17. Comité Técnico

El Comité Técnico, presidido por el Titular del Centro, o por el funcionario que le sustituya en sus ausencias, se integrará con los miembros de superior jerarquía del personal administrativo, técnico, jurídico y de custodia penitenciaria.

Artículo 18. Funciones del Comité

El Comité tendrá las funciones siguientes:

I. Determinar la ubicación que le corresponde a cada persona privada de la libertad al ingresar al Centro, para los efectos del artículo 5 de la presente Ley;

II. Determinar y aplicar las sanciones disciplinarias, en estricto apego al principio de legalidad a favor de la persona interna;

III. Diseñar con participación de la persona interna, autorizar y evaluar los planes de actividades;

IV. Vigilar el cumplimiento de lo ordenado por el Juez, en lo relativo a la ejecución de la medida cautelar de prisión preventiva;

V. Vigilar el cumplimiento de lo ordenado por el Juez de Ejecución en lo relativo a la ejecución de la sentencia, y

VI. Informar a la persona sentenciada de la posibilidad de acceder a las medidas de libertad condicional y de libertad anticipada en cuanto dicha circunstancia se verifique.

Las formalidades para la celebración de sesiones del Comité Técnico se regirán por las disposiciones aplicables de los Centros Penitenciarios.

Artículo 19. Custodia Penitenciaria

La Custodia Penitenciaria será una atribución de la Autoridad Penitenciaria consistente en:

I. Mantener la vigilancia, orden y tranquilidad de los Centros Penitenciarios y las demás instalaciones que determinen las disposiciones aplicables;

II. Salvaguardar la vida, la integridad, la seguridad y los derechos de las personas privadas de la libertad, visitantes y personal adscrito a los Centros Penitenciarios y las demás instalaciones que determinen las disposiciones aplicables; así como hacer cumplir su normatividad;

III. Dar cumplimiento a lo dispuesto en las resoluciones judiciales respecto a la pena privativa de libertad en los rubros de seguridad y custodia, ya sea en los Centros Penitenciarios, fuera de estos y de los recintos judiciales, en coordinación con las demás autoridades competentes, y

IV. Las demás que esta Ley u otros ordenamientos le confieran.

Artículo 20. Funciones de la Custodia Penitenciaria

La Custodia Penitenciaria tendrá las funciones siguientes:

I. Mantener recluidos y en custodia a las personas privadas de la libertad por disposición de la autoridad competente;

II. Implementar las políticas, los programas y las estrategias establecidas en materia de seguridad y custodia penitenciaria, que para tal efecto diseñe la Autoridad Penitenciaria;

III. Vigilar el estricto cumplimiento de las leyes, reglamentos y demás disposiciones aplicables;

IV. Mantener el orden y disciplina de las personas privadas de la libertad;

V. Preservar el orden y tranquilidad en el interior de los Centros, evitando cualquier incidente o contingencia que ponga en riesgo la integridad física de las personas privadas de la libertad, visitas y personal de los mismos;

VI. Revisar a las personas, objetos o vehículos que pretendan ingresar o salir de los Centros, bajo los protocolos de actuación respectivos;

VII. Salvaguardar la integridad de las personas y bienes en los Centros, así como garantizar, mantener y restablecer el orden y la paz en los mismos, utilizando para ello los protocolos aplicables, con apoyo en las herramientas, mecanismos y equipo necesarios disponibles para el cumplimiento de sus atribuciones;

VIII. Efectuar revisiones periódicas en los Centros, con el objeto de prevenir la comisión de delitos con acatamiento de los protocolos y normatividad correspondientes, y

IX. Las demás que le confieran ésta y otras disposiciones.

En la ejecución de las anteriores atribuciones, la Custodia Penitenciaria observará de manera irrestricta los derechos humanos de las personas privadas de la libertad, visitas y personal del Centro.

Artículo 21. Intervención para el restablecimiento del orden

A solicitud de la autoridad competente, las instituciones encargadas de la seguridad pública podrán intervenir en el restablecimiento del orden al interior de los Centros en caso de emergencia y/o contingencia de conformidad con lo que se encuentre establecido en los Protocolos de intervención en casos de restablecimiento del orden, con el uso proporcional de la fuerza y con los protocolos de uso de las armas letales y no letales respectivamente.

Artículo 22. Policía Procesal

La Policía Procesal es la unidad dependiente de la Policía Federal o de las instituciones de seguridad pública de las entidades federativas, que tendrá las funciones siguientes:

I. Realizar los traslados de personas procesadas y sentenciadas a los recintos judiciales en donde se celebrarán sus audiencias;

II. Prestar la seguridad y custodia de la persona privada de su libertad en los recintos judiciales, en coordinación con las demás autoridades de seguridad competentes;

III. Cumplir los mandamientos judiciales relacionados con las personas sentenciadas y aquellas que hayan obtenido la libertad condicional, y

IV. Las demás que le confieran ésta y otras disposiciones aplicables.

Artículo 23. Ministerio Público

La intervención del Ministerio Público en el procedimiento de ejecución penal, versará primordialmente en el resguardo del respeto de los derechos humanos de las personas que tengan interés en la ejecución de las sentencias y de las disposiciones legales relativas al debido cumplimiento de la sentencia.

El Ministerio Público procurará en el ámbito de su competencia el cumplimiento de las cuestiones de orden público e interés social en los procedimientos de Ejecución Penal, y tendrá las siguientes obligaciones y atribuciones:

I. Pronunciarse, ante la autoridad judicial respecto de la concesión, modificación o revocación de la libertad condicional y el cumplimiento de las penas o medidas de seguridad, de conformidad en lo establecido en la presente Ley;

II. Promover ante la autoridad judicial, en coadyuvancia de la Autoridad Penitenciaria o de la autoridad corresponsable competente, la imposición de las medidas necesarias para garantizar el cumplimiento de las penas y medidas de seguridad o de tratamiento, que no impliquen prisión o internamiento;

III. Verificar la acreditación de los requisitos legales que se exijan en el otorgamiento de cualquier sustitutivo, beneficio o prerrogativa y, en su caso, apelar su admisión;

IV. Inconformarse de manera fundada y motivada por el cómputo de penas establecido por la autoridad judicial, cuando considere que se realizó incorrectamente;

V. Solicitar u oponerse a la compurgación simultánea de penas, en los casos que marque la ley;

VI. Conocer de los hechos delictuosos cometidos por la persona sentenciada durante el periodo de ejecución de la pena, así como del incumplimiento de las condiciones o medidas de seguridad que se le hayan impuesto;

VII. Participar en los procedimientos de ejecución de multas, reparación del daño, decomisos y abandono de bienes, en los términos que dispongan las leyes;

VIII. Las demás que prevean las leyes y disposiciones aplicables.

Artículo 24. Jueces de Ejecución

El Poder Judicial de la Federación y Órganos Jurisdiccionales de las entidades federativas establecerán jueces que tendrán las competencias para resolver las controversias con motivo de la aplicación de esta Ley establecidas en el Capítulo II del Título Cuarto de esta Ley.

Son competentes para conocer del procedimiento de ejecución penal los jueces cuya circunscripción territorial se encuentre la persona privada de la libertad, independientemente de la circunscripción territorial en la que se hubiese impuesto la sanción en ejecución.

Los Jueces de Ejecución tendrán la competencia y adscripción que se determine en su respectiva ley orgánica y demás disposiciones legales.

La jurisdicción territorial de los Jueces de Ejecución se podrá establecer o modificar mediante acuerdos generales.

Artículo 25. Competencias del Juez de Ejecución

En las competencias a que se refiere el artículo anterior, el Juez de Ejecución deberá observar lo siguiente:

I. Garantizar a las personas privadas de la libertad, en el ejercicio de sus atribuciones, el goce de los derechos y garantías fundamentales que le reconoce la Constitución, los Tratados Internacionales, demás disposiciones legales y esta Ley;

II. Garantizar que la sentencia condenatoria se ejecute en sus términos, salvaguardando la invariabilidad de la cosa juzgada con los ajustes que la presente legislación permita;

III. Decretar como medidas de seguridad, la custodia de la persona privada de la libertad que llegue a padecer enfermedad mental de tipo crónico, continuo e irreversible a cargo de una institución del sector salud, representante legal o tutor, para que se le brinde atención, trato y tratamiento de tipo asilar;

IV. Sustanciar y resolver los incidentes que se promuevan para lograr el cumplimiento del pago de la reparación del daño, así como los demás que se promuevan con motivo de la ejecución de sanciones penales;

V. Garantizar a las personas privadas de la libertad su defensa en el procedimiento de ejecución;

VI. Aplicar la ley más favorable a las personas privadas de la libertad;

VII. Establecer las modalidades sobre las condiciones de supervisión establecidas para los supuestos de libertad condicionada, sustitución de penas y permisos especiales;

VIII. Rehabilitar los derechos de la persona sentenciada una vez que se cumpla con el término de suspensión señalado en la sentencia, así como en los casos de indulto o en los casos de reconocimiento de inocencia;

IX. Imponer los medios de apremio que procedan para hacer cumplir sus resoluciones;

X. Las demás que esta Ley y otros ordenamientos le confieran.

Artículo 26. Autoridades para la supervisión de libertad

La autoridad para la supervisión de libertad condicionada, deberá ser distinta a la Autoridad Penitenciaria o instituciones policiales, dependerá orgánicamente del Poder Ejecutivo Federal y de las entidades federativas, y tendrá las siguientes atribuciones:

I. Dar seguimiento a la ejecución de las sanciones penales, medidas de seguridad y restrictivas impuestas por el Juez de Ejecución fuera de los Centros con motivo de la obtención de libertad condicionada;

II. Realizar los informes relativos al cumplimiento de las condiciones impuestas por el Juez de Ejecución en los términos del artículo 129 de la presente Ley;

III. Coordinar y ejecutar la aplicación del seguimiento de los programas para las personas que gozan de la medida de libertad condicionada en términos de lo que disponga la sentencia;

IV. Las demás que determine el Juez de Ejecución.

La autoridad para la supervisión de libertad podrá celebrar convenios de colaboración con organizaciones de la sociedad civil sin fines de lucro y certificadas. Para tal efecto, el Poder Ejecutivo Federal y de las entidades federativas, en el ámbito de sus respectivas competencias establecerán el proceso de certificación para que una organización de la sociedad civil pueda coadyuvar en la supervisión de la libertad.

TÍTULO SEGUNDO

CAPÍTULO I
DE LA INFORMACIÓN EN EL SISTEMA PENITENCIARIO

Artículo 27. Bases de datos de personas privadas de la libertad

La Autoridad Penitenciaria estará obligada a mantener una base de datos de personas privadas de la libertad con la información de cada persona que ingrese al sistema penitenciario, de conformidad con lo establecido en el Sistema

Único de Información Criminal, definido en la Ley General del Sistema Nacional de Seguridad Pública. La Autoridad Penitenciaria deberá mantener también un expediente médico y un expediente único de ejecución penal para cada persona que ingrese al sistema penitenciario, de acuerdo con lo siguiente:

I. La base de datos con registros de personas privadas de la libertad contendrá, al menos, la siguiente información y se repetirá para cada ingreso a un Centro Penitenciario:

A. Clave de identificación biométrica;

B. Tres identificadores biométricos;

C. Nombre (s);

D. Fotografía;

E. Estado y municipio donde se encuentra el Centro Penitenciario;

F. Características sociodemográficas tales como: sexo, fecha de nacimiento, estatura, peso, nacionalidad, estado de origen, municipio de origen, estado de residencia habitual, municipio de residencia habitual, condición de identificación indígena, condición de habla indígena, estado civil, escolaridad, condición de alfabetización, y ocupación;

G. Los datos de niñas y niños que vivan con su madre en el Centro Penitenciario;

H. Las variables del expediente de ejecución que se definen en la fracción III.

Esta base de datos deberá servir a la Autoridad Penitenciaria para garantizar que la duración y condiciones de la privación de la libertad sean conforme a la ley. Existirá una versión pública de la base de datos para atender el Sistema de Información Estadística Penitenciaria;

II. El expediente médico contará con el historial clínico de cada persona privada de la libertad, mismo que se integrará por lo menos con:

A. Ficha de identificación;

B. Historia clínica completa;

C. Notas médicas subsecuentes;

D. Estudios de laboratorio, gabinete y complementarios, y

E. Documentos de consentimiento informado;

III. El expediente de ejecución contendrá, al menos:

A. Nombre;

B. Tres identificadores biométricos;

C. Fotografía;

D. Fecha de inicio del proceso penal;

E. Delito;

F. Fuero del delito;

G. Resolución privativa de la libertad y resoluciones administrativas y judiciales que afecten la situación jurídica de la persona privada de la libertad;

H. Fecha de ingreso a Centro Penitenciario;

I. Estado y municipio donde se encuentra el Centro Penitenciario;

J. Nombre del Centro Penitenciario;

K. Estado y municipio donde se lleva a cabo el proceso;

L. Fecha de la sentencia;

M. Pena impuesta, cuando sea el caso;

N. Traslados especificando fecha, así como lugar de origen y destino;

O. Inventario de los objetos personales depositados en la Autoridad Penitenciaria;

P. Ubicación al interior del Centro Penitenciario;

Q. Lista de las personas autorizadas para visitar a la persona privada de la libertad;

R. Sanciones y beneficios obtenidos;

S. Información sobre cónyuge, o pareja, familiares directos, así como dependientes económicos, incluyendo su lugar de residencia, origen y/o arraigo, y

T. Plan de actividades;

IV. La constancia relativa a los antecedentes penales sólo se podrá extender en los siguientes supuestos:

A. Cuando la soliciten las autoridades administrativas y judiciales competentes, para fines de investigación criminal, procesales o por requerimiento de autoridad judicial;

B. Cuando sea solicitada por ser necesaria para ejercitar un derecho o cumplir un deber legalmente previstos;

C. En los casos específicos en los que la normatividad lo establezca como requisito para desempeñar un empleo, cargo o comisión en el servicio público, o bien para el ingreso a instituciones de seguridad pública o privada, así como cuando por la naturaleza del empleo o por razones de interés público se considere exigible;

D. Cuando sea solicitada por una embajada o consulado extranjero en México, o bien, a través de una embajada o consulado de México en el extranjero;

V. Para efectos de la emisión de la constancia de antecedentes penales, la información contenida en la fracción I del presente artículo, así como la registrada en el Sistema Nacional de Información Penitenciaria del Sistema Único de Información Criminal a que se refiere la Ley General del Sistema Nacional de Seguridad Pública, se cancelará cuando:

A. Se resuelva la libertad del detenido;

B. En la investigación no se hayan reunido los elementos necesarios para ejercer la acción penal;

C. Se haya determinado la inocencia de la persona imputada;

D. El proceso penal haya concluido con una sentencia absolutoria que cause estado;

E. En el caso de que el sobreseimiento recayera sobre la totalidad de los delitos a que se refiere la causa que se le sigue a la persona imputada;

F. La persona sentenciada sea declarada inocente por resolución dictada en recurso de revisión correspondiente;

G. La persona sentenciada cumpla con la pena que le fue impuesta en sentencia ejecutoriada, salvo en los casos de delitos graves previstos en la ley;

H. Cuando la pena se haya declarado extinguida;

I. La persona sentenciada lo haya sido bajo vigilancia de una ley derogada o por otra que suprima al hecho el carácter de delito;

J. A la persona sentenciada se conceda la amnistía, el indulto o la conmutación, o

K. Se emita cualquier otra resolución que implique la ausencia de responsabilidad penal.

Artículo 28. Bases de datos generales

La Autoridad Penitenciaria estará obligada a establecer los registros fidedignos necesarios con información precisa respecto al Centro Penitenciario que contenga:

I. La plantilla de su personal y sus funciones;

II. El registro de las visitas de inspección por parte de personal del Centro Penitenciario, de las comisiones públicas de protección de derechos humanos, dependencias o entidades facultadas a realizar visitas de inspección y de las personas observadoras penitenciarias;

III. Recomendaciones y evaluaciones de los organismos públicos de protección a los derechos humanos, así como del Mecanismo Nacional para la Prevención de la Tortura;

IV. El presupuesto del Centro Penitenciario y el ejercicio del mismo en los términos de la ley aplicable;

V. Las observaciones derivadas de las auditorías que se hubiesen practicado al Centro Penitenciario según la ley aplicable, su grado de cumplimiento y las responsabilidades administrativas por ellas generadas;

VI. Las resoluciones dictadas por las y los Jueces y Tribunales de ejecución que tengan efectos generales o que constituyan un precedente para la resolución de casos posteriores;

VII. Los informes que mensualmente deberá rendir la Autoridad Penitenciaria;

VIII. El registro de las personas visitantes autorizadas y de visitas efectuadas;

IX. Los ingresos y egresos de personas privadas de la libertad;

X. Los ingresos y egresos de personal penitenciario;

XI. El ingreso y egreso de las personas prestadoras de servicios;

XII. Las declaratorias de emergencia, fugas, incidencias, lesiones y muertes en custodia;

XIII. La demás información que sea necesaria para garantizar que las condiciones de internamiento sean dignas y seguras para las personas privadas de la libertad y condiciones adecuadas de trabajo para el personal penitenciario.

Artículo 29. Sistema Nacional de Información Estadística Penitenciaria

El Sistema Nacional de Información Estadística Penitenciaria compartirá los registros administrativos, derivados de la Ley General del Sistema Nacional de Seguridad Pública, que por su naturaleza estadística sean requeridos por el Instituto Nacional de Estadística y Geografía para el adecuado desarrollo de los Censos Nacionales de Gobierno, Seguridad Pública y Sistema Penitenciario, así como de la Encuesta Nacional de Población Privada de la Libertad.

Para el caso de los Censos Nacionales de Gobierno, Seguridad Pública y Sistema Penitenciario, el Instituto recolectará y publicará los datos estadísticos sobre infraestructura y recursos con los que cuentan los sistemas penitenciarios en el ámbito federal y local para ejercer sus funciones, en el marco del Subsistema Nacional de Información de Gobierno, Seguridad Pública e Impartición de Justicia. El Instituto recabará también información estadística sobre características demográficas, socioeconómicas y familiares de la población penitenciaria, así como de su situación jurídica. De igual forma, el Instituto recabará la información sobre los delitos y penalidad por los cuales son ingresadas las personas y recolectará información sobre las víctimas de los delitos por los cuales fueron sujetos a proceso, entre otras cosas.

Por su parte, la Encuesta Nacional de Población Privada de la Libertad tendrá como finalidad generar información estadística que permita conocer las condiciones de procesamiento e internamiento de las Personas privadas de su libertad, su perfil demográfico y socioeconómico, los delitos por los que fueron procesados o sentenciados, entre otras características. Dicha encuesta se levantará de manera periódica y conforme a criterios estadísticos y técnicos, será de tipo probabilística, incluirá a población privada de la libertad tanto del fuero común como federal y será representativa a nivel nacional y estatal. El Instituto Nacional de Estadística y Geografía realizará dicha Encuesta conforme a su presupuesto. Asimismo, los Centros Penitenciarios seleccionados en la muestra determinada para la Encuesta deberán brindar todas las facilidades al Instituto para realizar entrevistas directas a la población privada de la libertad.

CAPÍTULO II
RÉGIMEN DE INTERNAMIENTO

Artículo 30. Condiciones de internamiento

Las condiciones de internamiento deberán garantizar una vida digna y segura para todas las personas privadas de la libertad.

Las personas privadas de la libertad podrán ejercer los derechos y hacer valer los procedimientos administrativos y jurisdiccionales que estuvieren pendientes al momento de su ingreso o aquellos que se generen con posterioridad, salvo aquellos que sean incompatibles con la aplicación de las sanciones y medidas penales impuestas.

Artículo 31. Clasificación de áreas

La Autoridad Penitenciaria estará obligada a instrumentar una clasificación de las distintas áreas y espacios en el Centro Penitenciario, en particular, de los dormitorios, obedeciendo a criterios basados en la edad, el estado de salud, duración de la sentencia, situación jurídica y otros datos objetivos sobre las personas privadas de la libertad, tendientes a armonizar la gobernabilidad del mismo y la convivencia entre las personas privadas de la libertad.

Las personas sentenciadas por los delitos de secuestro, previstos en la Ley General para Prevenir y Sancionar los Delitos en Materia de Secuestro, así como por las conductas de privación ilegal de la libertad con el propósito de obtener un rescate, lucro o beneficio, independientemente de su denominación, tipificadas en las legislaciones penales, deberán compurgar su pena privativa de la libertad en espacios especiales ubicados dentro de los Centros Penitenciarios, en términos de lo que dispongan las normas administrativas aplicables.

Lo anterior será aplicable a las personas sentenciadas por delitos en materia de delincuencia organizada, conforme a la ley en la materia, así como para las personas privadas de la libertad que requieran medidas especiales de seguridad.

Las personas internas en espacios especiales, no podrán ser afectadas en sus condiciones de internamiento, de manera que estas resulten equivalentes o más aflictivas que las establecidas para las sanciones disciplinarias.

Artículo 32. Servicios

La Autoridad Penitenciaria estará obligada a prestar sus servicios a todas las personas privadas de la libertad que los requieran, ser de buena calidad y adecuarse a sus necesidades, bajo criterios de razonabilidad y no discriminación. Las personas sujetas a prisión preventiva y las personas aseguradas con fines de extradición gozarán de estos derechos desde su ingreso. Las personas privadas de la libertad podrán hacer uso voluntariamente de los servicios que ofrezca el Centro Penitenciario, con excepción de las medidas preventivas de enfermedades, de higiene y de salubridad general.

La Autoridad Penitenciaria está obligada a brindar gratuitamente todos los suministros a la población penitenciaria.

Artículo 33. Protocolos

La Conferencia dictará los protocolos que serán observados en los Centros Penitenciarios. La Autoridad Penitenciaria estará obligada a cumplir con los protocolos para garantizar las condiciones de internamiento dignas y seguras para la población privada de la libertad y la seguridad y bienestar del personal y otras personas que ingresan a los Centros. La Conferencia dictará protocolos, al menos, en las siguientes materias:

I. De protección civil;

II. De ingreso, egreso y de las medidas necesarias para poner a la persona en libertad inmediata cuando la autoridad judicial así lo disponga y no exista otra causa para mantener a la persona privada de la libertad;

III. De capacitación en materia de derechos humanos para el personal del Centro;

IV. De uso de la fuerza;

V. De manejo de motines, evasiones, incidencias, lesiones, muertes en custodia o de cualquier otra alteración del orden interno;

VI. De revisiones a visitantes y otras personas que ingresen a los Centros asegurando el respeto a la dignidad humana y la incorporación transversal de la perspectiva de género;

VII. De revisión de la población del Centro;

VIII. De revisión del personal;

IX. De resguardo de personas privadas de la libertad en situación de especial vulnerabilidad;

X. De la ejecución de la sanción de aislamiento temporal;

XI. De cadena de custodia de objetos relacionados con una probable causa penal o procedimiento de responsabilidad administrativa;

XII. De trato respecto del procedimiento para su ingreso, permanencia o egreso temporal o definitivo el centro correspondiente de las hijas e hijos que vivan en los Centros con sus madres privadas de la libertad;

XIII. De clasificación de áreas;

XIV. De visitas y entrevistas con las personas defensoras;

XV. De actuación en casos que involucren personas pertenecientes a pueblos o comunidades indígenas o afromexicanas privadas de la libertad;

Fracción reformada DOF 01-04-2024

XVI. Del tratamiento de adicciones;

XVII. De comunicación con los servicios consulares en el caso de personas privadas de la libertad extranjeras;

XVIII. De trabajo social;

XIX. De prevención de agresiones sexuales y de suicidios;

XX. De traslados;

XXI. De solicitud de audiencias, presentación de quejas y formulación de demandas;

XXII. De notificaciones, citatorios y práctica de diligencias judiciales, y

XXIII. De urgencias médicas y traslado a hospitales.

Artículo 34. Atención médica

La Autoridad Penitenciaria en coordinación con la Secretaría de Salud Federal o sus homólogas en las entidades federativas y de acuerdo con el régimen interior y las condiciones de seguridad del Centro deberán brindar la atención médica en los términos de la Ley General de Salud.

La Autoridad Penitenciaria deberá tomar las medidas necesarias para garantizar la atención médica de urgencia en los casos en que las personas privadas de la libertad o las hijas e hijos que se encuentren bajo la custodia de las madres en reclusión la requieran.

Sólo en casos extraordinarios en que por su gravedad así lo requieran, podrán ser trasladados a instituciones públicas del sector salud para su atención médica, observándose las medidas de seguridad que se requieran.

La Autoridad Penitenciaria, en coordinación con las instituciones públicas del Sistema Nacional de Salud competentes, garantizarán la permanente disponibilidad de medicamentos que correspondan al cuadro básico de insumos para el primer nivel de atención médica, y establecerán los procedimientos necesarios para proporcionar oportunamente los servicios e insumos requeridos para otros niveles de atención.

Es obligación del personal que preste servicios médicos en los Centros Penitenciarios guardar la confidencialidad de la información a la que tengan acceso con motivo de los mismos. La Autoridad Penitenciaria sólo podrá conocer dicha información por razones de salud pública. La información clínica no formará parte del expediente de ejecución.

Los exámenes para detectar si las personas privadas de la libertad cuentan con el síndrome de inmunodeficiencia adquirida o son portadores del virus de inmunodeficiencia humana sólo podrán aplicarse con su consentimiento.

Las intervenciones psicológicas, psiquiátricas o médicas contarán con el consentimiento informado de la persona privada de la libertad, con excepción de los casos en los que, por requerimiento de autoridad judicial, se examine la calidad de inimputable o de incapaz de una persona privada de la libertad.

Los servicios de atención psicológica o psiquiátrica se prestarán por personal certificado del Centro, o en su defecto, personal externo a los Centros Penitenciarios que dependa del Sistema Nacional de Salud.

Artículo 35. Personas pertenecientes a pueblos o comunidades indígenas o afromexicanas privadas de la libertad

Para determinar el Centro Penitenciario en el que tendrá lugar la privación de la libertad de las personas pertenecientes a pueblos o comunidades indígenas o afromexicanas se ponderará la importancia que para la persona tenga la pertenencia a su comunidad.

Párrafo y epígrafe del artículo reformados DOF 01-04-2024

La Autoridad Penitenciaria debe adoptar los medios necesarios para que las personas pertenecientes a pueblos o comunidades indígenas o afromexicanas privadas de la libertad puedan conservar sus usos y costumbres, dentro de las limitaciones naturales que impone el régimen de disciplina del Centro y que no padezcan formas de asimilación forzada, se menoscabe su cultura, o se les segregue. La educación básica que reciban será bilingüe.

Párrafo reformado DOF 01-04-2024

Se deberá contar con un intérprete certificado por el Instituto Nacional de Lenguas Indígenas que hable y entienda la lengua madre de la persona privada de su libertad para asegurar que entienda todo el proceso que se sigue en su contra, así como sus obligaciones y derechos.

Artículo 36. Mujeres privadas de la libertad con hijas o hijos

Las mujeres privadas de la libertad embarazadas deberán contar con atención médica obstétrico-ginecológica y pediátrica, durante el embarazo, el parto y el puerperio, el cual deberá realizarse en hospitales o lugares específicos establecidos en el Centro Penitenciario cuando cuenten con las instalaciones y el personal de salud especializado. En caso de no contar con las instalaciones o con personal médico y que la condición de salud de la mujer o del producto de la concepción requieran de atención, ésta se garantizará en instituciones públicas del Sector Salud.

En los casos de nacimiento de hijas e hijos de mujeres privadas de la libertad dentro de los Centros Penitenciarios, queda prohibida toda alusión a esa circunstancia en el acta del registro civil correspondiente.

Las hijas e hijos de las mujeres privadas de la libertad, que nacieron durante el internamiento de estas, podrán permanecer con su madre dentro del Centro Penitenciario durante las etapas postnatal y de lactancia, o hasta que la niña o el niño hayan cumplido tres años de edad, garantizando en cada caso el interés superior de la niñez.

Las mujeres privadas de la libertad con hijas o hijos, además de los derechos humanos reconocidos tendrán derecho a lo siguiente:

I. Convivir con su hija o hijo en el Centro Penitenciario hasta que cumpla los tres años de edad.

Para otorgar la autorización para que la niña o el niño permanezca con su madre, la Autoridad Penitenciaria velará en todo momento por el cumplimiento del interés superior de la niñez.

Se notificará a la Procuraduría Federal de Protección de Niñas, Niños y Adolescentes o a sus equivalentes en las entidades federativas.

Si la hija o el hijo tuviera una discapacidad que requiriera los cuidados de la madre privada de la libertad, si esta sigue siendo la única persona que pueda hacerse cargo, se podrá solicitar la ampliación del plazo de estancia al Juez de Ejecución, quien resolverá ponderando el interés superior de la niñez.

II. A que su hija o hijo disfrute del más alto nivel posible de salud, así como a recibir la prestación de servicios de atención médica gratuita y de calidad de conformidad con la legislación aplicable, con el fin de prevenir, proteger y restaurar su salud.

En caso de no contar con las instalaciones o con personal médico y que la condición de salud de la mujer o del producto requieran de atención, ésta se garantizará en instituciones públicas del Sector Salud.

III. A que su hija o hijo reciba educación inicial y tenga acceso a participar en actividades recreativas y lúdicas hasta los tres años de edad.

IV. A que su hija o hijo la acompañe en el Centro Penitenciario, al momento de su ingreso sea examinado, preferentemente por un pediatra, a fin de determinar sus necesidades médicas y, en su caso, el tratamiento que proceda.

Todas las decisiones y actuaciones, así como disposiciones jurídicas adoptadas por las autoridades del Centro Penitenciario, respecto al cuidado y atención de las madres privadas de su libertad y de su hija o hijo con quien convive, deberán velar el cumplimiento de los principios pro persona y el interés superior de la niñez, así como el reconocimiento de niñas y niños como titulares de derechos.

Los Centros habilitarán servicios o se adoptarán disposiciones para el cuidado de las niñas y niños, a fin de que las mujeres privadas de la libertad puedan participar en actividades de reinserción social apropiadas para las embarazadas, las madres lactantes y las que tienen hijas o hijos.

En el supuesto de que la madre no deseara conservar la custodia de su hija e hijo y a petición de ella se facilitará la comunicación con el exterior para que se ponga en contacto con la familia de origen y se hará del conocimiento de la Procuraduría Federal de Protección de Niñas, Niños y Adolescentes o a sus equivalentes en las entidades federativas en un término no mayor a veinticuatro horas contado a partir del nacimiento, a efecto de que adopte las medidas especiales, previstas en las disposiciones aplicables.

Las sanciones disciplinarias que se adopten a mujeres embarazadas y de quienes hayan obtenido la autorización de permanencia de su hija o hijo, deberán tener en cuenta en todo momento su condición, así como sus obligaciones como madre. No podrá figurar la prohibición del contacto con sus familiares especialmente con sus hijas o hijos. Sólo se podrán restringir los medios de contacto familiar por un período limitado y en la estricta medida en que lo exija el mantenimiento de la seguridad y el orden.

No podrán aplicarse sanciones de aislamiento a las mujeres embarazadas, a las mujeres en período de lactancia o las que convivan con hijas o hijos.

No se utilizarán medios de coerción en el caso de las mujeres que estén en término o durante el parto ni en el período inmediatamente posterior.

El personal penitenciario deberá proceder de manera competente, profesional y respetuosa al realizar actos de revisión donde se encuentren niñas y niños.

Las visitas en que participen niñas, niños y adolescentes, se realizarán en un entorno propicio, incluso por lo que atañe al comportamiento del personal, y en ellas se deberá permitir el libre contacto entre la madre y su hijo o sus hijos.

El Centro Penitenciario, en el protocolo correspondiente, establecerá las disposiciones necesarias para garantizar los términos y condiciones bajo las cuales las hijas e hijos que viven con sus madres en el Centro pueden salir del mismo para realizar visitas a otros familiares, actividades de esparcimiento u otra actividad que deba realizarse fuera del mismo.

Lo anterior, no implica la pérdida de la guardia y custodia de la madre privada de la libertad, ni el egreso definitivo del Centro.

Artículo 37. Medidas de vigilancia especial

Las personas privadas de la libertad por delincuencia organizada y aquellos que requieran medidas especiales de seguridad compurgarán sus penas en espacios especiales, de conformidad con el artículo 18 Constitucional.

Las medidas de vigilancia especial consistirán en:

I. Cambio de dormitorio, módulo, nivel, sección, estancia y cama;

II. Vigilancia permanente de todas las instalaciones del Centro Penitenciario, incluyendo módulos y locutorios;

III. El traslado a otro Centro Penitenciario o a módulos especiales para su observación;

IV. Restricción del tránsito en el interior del Centro Penitenciario;

V. Visitas médicas periódicas;

VI. Las visitas familiares e íntimas, así como las comunicaciones con el exterior podrán restringirse, con excepción de las comunicaciones con su defensor, y

VII. Las demás que establezcan las disposiciones legales aplicables.

El plan de actividades se deberá ajustar a las medidas de vigilancia y estará orientado a lograr la reinserción de las personas privadas de la libertad, con estricto apego a las disposiciones legales aplicables.

Sin menoscabo de lo anterior, la Autoridad Penitenciaria podrá decretar en cualquier momento estado de alerta o, en su caso, alerta máxima cuando exista riesgo o amenaza inminente que ponga en peligro la seguridad del Centro Penitenciario, de la población penitenciaria, de su personal o de las visitas.

En caso de declaratoria de alerta, el Director del Centro Penitenciario deberá solicitar el apoyo a las fuerzas de seguridad pública, así como dar vista al Ministerio Público y al organismo público de protección de derechos humanos competentes.

CAPÍTULO III
RÉGIMEN DISCIPLINARIO

Artículo 38. Normas Disciplinarias

El Poder Ejecutivo Federal y de las entidades federativas establecerán en el ámbito de su respectiva competencia, las normas disciplinarias que rijan en el Centro Penitenciario, de conformidad con el artículo 18 y el párrafo tercero del artículo 21 de la Constitución, mismas que se aplicarán de acuerdo con los procedimientos establecidos en esta Ley.

La Autoridad Penitenciaria estará obligada a hacer saber a las personas privadas de la libertad, al momento de su ingreso y por escrito, las normas disciplinarias, asegurándose en todo momento que éstas se encuentren disponibles para su consulta. En el caso de personas con alguna discapacidad, la Autoridad Penitenciaria deberá proveer los medios necesarios para su comprensión. De necesitar un traductor o intérprete, la Autoridad Penitenciaria deberá proporcionarlo.

Desde el momento de su ingreso, la persona privada de su libertad, estará obligada a cumplir con las normas de conducta que rijan en el Centro, así como las disposiciones que regulen la convivencia interior.

Artículo 39. Determinación de Faltas Disciplinarias

La determinación de las faltas disciplinarias estará a cargo del Comité Técnico. Para la determinación de las faltas, las normas disciplinarias deberán apegarse estrictamente a los principios de necesidad, proporcionalidad y razonabilidad, así como a la culpabilidad y respeto a los derechos humanos, por lo que sólo podrán establecerse sanciones para las conductas que afecten bienes jurídicamente tutelados o que no impliquen el ejercicio de un derecho, y cuya autoría sea plenamente identificada, evitando así la imposición de medidas disciplinarias de carácter general.

Artículo 40. Faltas disciplinarias graves

Las sanciones que establezcan las normas disciplinarias serán proporcionales al daño que ocasione la infracción. Sólo se podrán considerar como faltas disciplinarias graves:

I. La participación activa en disturbios;

II. Evadirse, intentar evadirse y/o favorecer la evasión de personas privadas de la libertad; sin perjuicio de la responsabilidad penal;

III. Los actos que impliquen la comisión de un delito en agravio del personal del Centro Penitenciario o de las personas privadas de la libertad;

IV. La posesión de instrumentos punzo cortantes, armas o cualquier otro objeto que ponga en riesgo la seguridad del Centro Penitenciario y/o la vida de otra persona;

V. La posesión o el consumo de sustancias psicotrópicas, estupefacientes o bebidas alcohólicas;

VI. Los actos dolosos que causen daño o destrucción de las instalaciones del Centro Penitenciario;

VII. Las conductas que afecten a la integridad física y moral de las visitas de las personas privadas de la libertad;

VIII. Comercialización y tráfico de objetos prohibidos al interior del penal;

IX. Uso de aparatos de telecomunicación prohibidos;

X. Las conductas dolosas que afecten el funcionamiento de los servicios o la provisión de suministros en el Centro Penitenciario;

XI. Las acciones que tengan por objeto controlar algún espacio o servicio dentro del Centro Penitenciario, ejercer alguna función exclusiva de la autoridad o propiciar la subordinación entre personas privadas de la libertad, y

XII. Evadirse o incumplir con las medidas de vigilancia, supervisión o monitoreo establecidas durante el goce de un permiso extraordinario por razones humanitarias.

Si alguna de las conductas previstas en el presente artículo llegase a constituir delito, tales hechos se harán del conocimiento del Ministerio Público para los efectos legales conducentes.

Artículo 41. Sanciones Disciplinarias

La persona privada de la libertad no podrá ser sancionada dos veces por los mismos hechos. Sólo podrán ser aplicadas las sanciones disciplinarias siguientes:

I. Amonestación en privado o en público;

II. Reubicación temporal a otro dormitorio o dentro de espacios en el mismo Centro;

III. Aislamiento temporal. Esta sanción sólo se permitirá como una medida estrictamente limitada en el tiempo y como último recurso, cuando se demuestre que sea necesaria para proteger derechos fundamentales, como la vida e integridad de las personas privadas de libertad, salvaguardar intereses legítimos relativos a la seguridad interna del Centro Penitenciario o del personal de dichas instituciones;

IV. Restricción temporal del tránsito en el interior del Centro Penitenciario;

V. Prohibición temporal del uso de aparatos electrónicos públicos;

VI. Restricción temporal de las horas de visita semanales.

No se permitirá que las personas privadas de libertad tengan bajo su responsabilidad la ejecución de medidas disciplinarias, o la realización de actividades de custodia y vigilancia.

Las restricciones temporales a las que hace referencia este párrafo, deberán atender a criterios de proporcionalidad, racionalidad y necesidad.

La imposición de medidas disciplinarias deberá ser comunicada al organismo público de protección de los derechos humanos competente.

Artículo 42. Restricciones a las medidas disciplinarias

Queda prohibido imponer medidas disciplinarias que impliquen tortura y tratos o penas crueles, inhumanos o degradantes, el encierro en celda oscura o sin ventilación y el aislamiento indefinido o por más de quince días continuos.

Durante el aislamiento, la Autoridad Penitenciaria estará obligada a garantizar un mínimo de contacto humano apreciable por lo menos cada veintidós horas durante el tiempo que dure la medida.

Artículo 43. Restricciones al Aislamiento

El aislamiento temporal no será motivo de restricción o impedimento para la comunicación con el defensor en los términos de esta Ley.

En el caso de mujeres embarazadas y de las madres que conviven con sus hijas e hijos al interior del Centro Penitenciario no procederá el aislamiento.

Artículo 44. Atención Médica durante Aislamiento

La persona sometida a una medida de aislamiento tendrá derecho a atención médica durante el mismo y no podrá limitarse el acceso de su defensor, los organismos de protección de los derechos humanos, del Ministerio Público y de personal médico que deseen visitarlo.

Artículo 45. Examen Médico

El Centro Penitenciario deberá realizar a las personas privadas de la libertad un examen médico antes, durante y después del cumplimiento de una medida disciplinaria de aislamiento.

CAPÍTULO IV
DE LA IMPOSICIÓN DE SANCIONES DISCIPLINARIAS

Artículo 46. Debido proceso

Los procedimientos disciplinarios garantizarán el derecho a la defensa, de audiencia y la oportunidad de allegarse de medios de prueba en favor de la persona privada de la libertad.

Artículo 47. Notificación de sanción

El Comité Técnico deberá notificar por escrito a la persona privada de la libertad sobre la sanción impuesta, el tiempo de duración, las condiciones de ésta, así como su derecho a impugnarla.

Artículo 48. Impugnación de resoluciones

Las resoluciones del Comité Técnico se impugnarán dentro de los tres días siguientes a su notificación y procederá su revisión ante el Juez de Ejecución. Cuando se impugne resoluciones administrativas por faltas disciplinarias, se dejará en suspenso la aplicación de las sanciones impuestas, hasta que el Juez de Ejecución resuelva en definitiva, sin perjuicio de que se adopten las medidas administrativas necesarias que salvaguarden la seguridad y orden en el Centro Penitenciario.

CAPÍTULO V
TRASLADOS

Artículo 49. Previsión general

Las personas sujetas a prisión preventiva deberán cumplir con la resolución judicial privativa de la libertad en los Centros Penitenciarios más cercanos al lugar donde se está llevando a cabo su proceso. Las personas sentenciadas podrán cumplir con la resolución judicial privativa de la libertad en los Centros Penitenciarios más cercanos a su domicilio. Esta disposición no aplica en el caso de delincuencia organizada y respecto de otras personas privadas de la libertad que requieran medidas especiales de seguridad en los términos del penúltimo párrafo del artículo 18 Constitucional.

Artículo 50. Traslados voluntarios

Los traslados voluntarios de las personas privadas de la libertad dentro del territorio nacional operarán cuando exista un acuerdo entre la entidad de origen y la entidad de destino o, en su caso, entre la entidad correspondiente y la Federación, de acuerdo con el párrafo tercero del artículo 18 de la Constitución. En estos casos no podrá negarse el traslado cuando se acrediten los supuestos establecidos en el párrafo octavo del artículo 18 de la Constitución.

Cuando exista el interés de una persona sentenciada para ser trasladada a otro Centro Penitenciario, el Juez de Ejecución requerirá su consentimiento expreso en presencia de la persona que sea su defensora. No procederá el traslado a petición de parte tratándose de personas sentenciadas por delitos de delincuencia organizada.

Los traslados voluntarios de las personas privadas de la libertad a otro país operarán cuando exista un tratado internacional en términos de lo dispuesto en el párrafo séptimo del artículo 18 de la Constitución.

Artículo 51. Traslados involuntarios

El traslado involuntario de las personas privadas de la libertad procesadas o sentenciadas deberá ser autorizado previamente en audiencia pública por el Juez de Control o de Ejecución, en su caso. Dicha resolución podrá ser impugnada a través del recurso de apelación.

En audiencia ante el Juez de Ejecución se podrá solicitar el traslado. La Autoridad Penitenciaria podrá solicitar el traslado involuntario en casos de emergencia por cualquier medio.

En el caso de las personas sujetas a prisión preventiva, el traslado podrá realizarse a petición del Ministerio Público ante el Juez de Control, en términos de lo establecido en el Código.

Artículo 52. Excepción al Traslado voluntario

La Autoridad Penitenciaria, como caso de excepción a lo dispuesto en el artículo 50, podrá ordenar y ejecutar el traslado de personas privadas de la libertad, mediante resolución administrativa con el único requisito de notificar al juez competente dentro de las veinticuatro horas siguientes de realizado el traslado, en los siguientes supuestos:

I. En casos de delincuencia organizada y medidas especiales de seguridad;

II. En casos de riesgo objetivo para la integridad y la salud de la persona privada de su libertad, y

III. En caso de que se ponga en riesgo la seguridad o gobernabilidad del Centro Penitenciario.

En todos los supuestos de excepción a los traslados sin autorización previa, el juez tendrá un plazo de cuarenta y ocho horas posteriores a la notificación para calificar la legalidad de la determinación administrativa de traslado. En contra de la resolución judicial se podrá interponer el recurso de apelación en los términos previstos en esta Ley.

En caso que dentro del plazo establecido, la autoridad jurisdiccional no se pronuncie respecto de la legalidad del acto, la persona privada de la libertad podrá interponer una controversia judicial contra la determinación administrativa.

Artículo 53. Limitaciones al traslado de mujeres privadas de la libertad

Queda prohibido el traslado involuntario de mujeres embarazadas o de las mujeres privadas de la libertad cuyas hijas o hijos vivan con ellas en el Centro Penitenciario. Si la mujer privada de la libertad solicitase el traslado, se atenderá al interés superior de la niñez.

Artículo 54. Traslado Internacional de personas sentenciadas

Las personas sentenciadas de nacionalidad mexicana que se encuentren compurgando penas en países extranjeros, así como las de nacionalidad extranjera que hayan sido sentenciadas por autoridades judiciales mexicanas del fuero federal o local, podrán ser trasladadas a sus países de origen o residencia, en términos de los tratados o convenciones internacionales que se hayan celebrado para ese efecto. La falta de tratado, no impedirá dar curso a una solicitud de traslado internacional de personas sentenciadas. En estos casos, el trámite correspondiente se efectuará bajo el principio internacional de reciprocidad, bajo las siguientes bases:

I. Que la persona sentenciada otorgue y exprese libremente su deseo y consentimiento a ser trasladado a su país de origen.

II. Que sean nacionales del país al cual desean ser trasladados.

III. Que la sentencia se encuentre firme, es decir que ningún procedimiento de apelación, recurso o juicio en contra de la misma esté pendiente de resolución.

IV. En caso de haber sido sentenciados a pena pecuniaria, esta haya sido liquidada, o exista acuerdo de prescripción de la misma. Asimismo, de haber sido condenadas a reparación de daño, este debe estar finiquitado o prescrito.

V. Que la pena que falte por cumplir a las personas sentenciadas al momento de su petición de traslado sea de por lo menos 6 meses.

VI. Que el delito por el cual fueron sancionados en México también se encuentre contemplado y sancionado en su país. Lo cual no significa que sea contemplado en los mismos términos o condiciones, sino que genéricamente se encuentre tipificado y sancionado por una ley del país de traslado.

VII. Que el traslado contribuya a la reinserción o reintegración de las personas sentenciadas en la vida social.

VIII. Que no exista procedimiento penal o de extradición pendiente en contra la persona sentenciada.

Para este procedimiento se entenderá como Estado Trasladante, aquel Estado en el que la persona fue sentenciada y Estado Receptor, aquél al cual desea ser trasladado.

El Ejecutivo Federal determinará la autoridad Coordinadora entre el Estado Trasladante y el Estado Receptor para la tramitación del procedimiento de traslado, salvo que el Tratado o Convención aplicable establezca disposición en contrario.

Artículo 55. Competencia para la resolución de un Traslado Internacional de Personas sentenciadas

Cuando la solicitud de traslado sea presentada por un extranjero que fue sentenciado por una autoridad judicial mexicana, corresponderá conocer y resolver de la petición de traslado al Juez de Ejecución del centro de reclusión donde se encuentre físicamente la persona sentenciada o, en su caso, el de la jurisdicción de emisión de sentencia.

Tratándose de solicitudes de traslado de ciudadanos mexicanos en el extranjero, será competente para conocer y resolver de la petición que se trate la Autoridad Penitenciaria competente, quien de resolver procedente el traslado también señalará el lugar de reclusión al cual deberá ingresar la persona trasladada y una vez ingresado al Centro Penitenciario lo hará del conocimiento inmediatamente del Juez de Ejecución competente para iniciar el procedimiento de ejecución de acuerdo con esta Ley.

En todo trámite de traslado internacional de sentenciados, la autoridad correspondiente que conozca del caso, únicamente verificará que se sigan las formalidades y requisitos que establece el tratado o convención aplicable y de no existir éste, los requisitos del artículo anterior.

Una vez resuelta la procedencia de traslado, el Ejecutivo Federal, llevará a cabo las gestiones y logística necesarias para materializar y ejecutar el traslado correspondiente.

Artículo 56. Prioridades en caso de Traslados Internacionales

Cuando exista anuencia para trasladar a diversas personas a la vez y no sea posible realizar de manera material o inmediata todos los traslados en un mismo acto, se dará prioridad a aquellos casos en los que se compruebe que el traslado impera inmediatez por una cuestión humanitaria tratándose de enfermedad grave o terminal de la persona sentenciada o de alguno de sus familiares consanguíneos en línea directa de primer y segundo grado ascendiente y descendiente.

Artículo 57. Competencia de controversias con motivo de traslados nacionales

Las controversias con motivo de los traslados nacionales podrán ser conocidas por el Juez de Ejecución del Centro Penitenciario de origen o por el Juez de Ejecución del Centro Penitenciario receptor competente, a prevención de quien conozca primero del asunto.

En el caso de traslados internacionales, será competente el Juez de Ejecución con jurisdicción en los Centros Penitenciarios donde se encuentre la persona privada de la libertad o, en su caso, el de la jurisdicción donde se hubiere dictado la sentencia correspondiente, a elección de la persona privada de la libertad, siguiendo el procedimiento que para tal efecto se establezca en el tratado aplicable.

Las mismas reglas de competencia se observarán en relación con las personas inimputables sujetas a medidas de seguridad en los establecimientos previstos en la ley.

CAPÍTULO VI
INGRESOS, VISITAS, REVISIONES PERSONALES Y ENTREVISTAS EN LOS CENTROS PENITENCIARIOS

Artículo 58. Entrevistas y visitas de organismos públicos de protección de los derechos humanos

Las normas reglamentarias establecerán las provisiones para facilitar a los organismos públicos de protección a los derechos humanos, así como al Mecanismo Nacional para la Prevención de la Tortura, el acceso irrestricto al Centro Penitenciario, archivos, y registros penitenciarios, sin necesidad de aviso previo así como asegurar que se facilite el ingreso a los servidores públicos de éstos y que puedan portar el equipo necesario para el desempeño de sus atribuciones y entrevistarse en privado con las personas privadas de la libertad.

Los defensores, en todo momento, podrán entrevistar a las personas privadas de la libertad en privado. No podrá limitárseles el ingreso de los objetos necesarios para el desempeño de su tarea, ni podrá revisarse el contenido de los documentos que introdujesen o retirasen de los Centros Penitenciarios.

Los Centros deberán contar con un área adecuada para que la persona privada de la libertad pueda entrevistarse en forma libre y privada con su defensor y a disponer del tiempo y medios razonables para su defensa.

Se deberá establecer las normas necesarias para facilitar el ingreso de las instituciones públicas que tengan como mandato vigilar, promover o garantizar los derechos de los grupos vulnerables o personas que por sus condiciones o características requieran cuidados especiales o estén en riesgo de sufrir algún tipo de discriminación, así como las condiciones en las que los representantes de organismos privados y civiles de protección y defensa de los derechos humanos podrán acceder a entrevistar o documentar lo que consideren necesario, pudiendo mediar para ello una petición expresa de la persona privada de su libertad.

Queda prohibida toda reprimenda, acción de castigo o sanción que busque inhibir o limitar el derecho de la persona privada de su libertad para acudir ante las instituciones públicas y privadas de protección de los derechos humanos.

La obstrucción de la labor del personal judicial, de las personas visitadoras de los organismos públicos de protección de los derechos humanos, de las defensoras, del Ministerio Público y de las observadoras será sancionada administrativa y penalmente, en términos de la legislación aplicable.

Artículo 59. Régimen de visitas

El Protocolo respectivo, establecerá el régimen de visitas personales, familiares, íntimas, religiosas, humanitarias y asistenciales, sin que en caso alguno pueda impedirse el contacto corporal de la persona visitante con la persona visitada, salvo que alguna de las dos solicite tal restricción. Asimismo, se establecerán mecanismos para informar clara y puntualmente sobre el tipo de objetos cuyo ingreso está permitido o prohibido durante las visitas, garantizando que tales disposiciones puedan ser conocidas por las personas que realizan las visitas.

Las visitas se limitarán en la medida necesaria para favorecer la gobernabilidad y el buen funcionamiento del Centro Penitenciario, debiendo permitirse por lo menos un tiempo mínimo de visita de cinco horas semanales y máximo de quince horas semanales. Las horas de visita semanal se considerarán sumando el tiempo efectivo de todos los tipos de visita, excepto aquellas destinadas a la visita íntima.

En casos de restricción de visitas por sanción disciplinaria grave, estas podrán limitarse hasta una hora de visita semanal, de conformidad a lo establecido en la presente Ley.

Para obtener la autorización de visita íntima, la persona privada de la libertad deberá presentar solicitud a la Autoridad Penitenciaria, quien resolverá de acuerdo a las disposiciones aplicables al régimen de visitas.

Las disposiciones aplicables del Centro Penitenciario establecerán los alimentos que excepcionalmente puedan ser suministrados a las personas privadas de la libertad por las personas visitantes, así como los objetos que puedan ser introducidos por éstas.

En el caso de las mujeres privadas de su libertad, la Autoridad Penitenciaria deberá generar disposiciones aplicables flexibles que alienten y faciliten las visitas familiares, especialmente de sus hijas e hijos de conformidad con los principios establecidos en esta Ley.

Las personas privadas de la libertad deberán ser consultadas sobre a qué personas adultas autorizan para la visita familiar o personal, así como para el acompañamiento de la visita de sus hijas e hijos.

Las personas privadas de la libertad tendrán derecho a la visita íntima por un plazo de dos horas mínimo y cinco máximo, y con una periodicidad de al menos una vez cada dos semanas. En ningún caso estará permitido el acompañamiento de niñas, niños o adolescente en las visitas íntimas.

No podrá condicionarse la visita íntima de las mujeres privadas de su libertad al uso obligatorio de métodos anticonceptivos.

La Autoridad Penitenciaria debe asegurar la existencia de espacios apropiados para la realización de la visita íntima, la cual será privada, consentida, ininterrumpida e informada, además deberá reunir las condiciones de aseo e higiene necesarias.

Existirá un registro de personas autorizadas a realizar visitas íntimas, en el que se especificará la persona autorizada para realizarla.

Los Centros Penitenciarios deberán garantizar el ejercicio del derecho a la visita íntima bajo los principios de igualdad y no discriminación.

Los protocolos y disposiciones aplicables del Centro Penitenciario deberán establecer las disposiciones que permitan la visita íntima ínter e intracarcelaria cuando la pareja de la persona privada de la libertad también se encuentre privada de su libertad.

Artículo 60. Comunicaciones al exterior

Las personas privadas de la libertad podrán comunicarse de forma escrita o telefónica con personas que se encuentren fuera del Centro Penitenciario. Estas comunicaciones serán confidenciales y sólo podrán ser intervenidas o restringidas en los casos previstos por la normatividad de la materia. Igualmente podrán restringirse como consecuencia de la imposición de una medida disciplinaria.

La normatividad reglamentaria establecerá disposiciones preferenciales para el uso de los servicios telefónicos y los casos en que este será gratuito para las personas privadas de la libertad que no se encuentren en el Centro

Penitenciario más próximo a su domicilio, la comunicación con su defensor o para aquellas que no reciban visita familiar con frecuencia.

La disponibilidad de las comunicaciones no se verá afectada por la situación jurídica o la ubicación de la persona privada de la libertad.

Artículo 61. Actos de revisión

Todos los actos de revisión deben obedecer a principios de necesidad, razonabilidad y proporcionalidad, y realizarse bajo criterios no discriminatorios y en condiciones dignas. Los actos de revisión se llevarán a cabo de la manera menos intrusiva posible y que causen las menores molestias a las personas en su intimidad, integridad, libertad, posesiones y derechos.

Se considerarán actos de revisión personal los que se lleven a cabo en la aduana de los Centros Penitenciarios o en su interior, en las personas o en sus pertenencias. Dicha revisión se realizará mediante la exploración visual, el empleo de sensores o detectores no intrusivos, la exploración manual exterior y la revisión corporal.

La revisión corporal sólo tendrá lugar de manera excepcional, cuando a partir de otro método de revisión se detecten posibles objetos o sustancias prohibidas debajo de alguna prenda de vestir y la persona revisada se niegue a mostrarla. La revisión interior sólo se realizará sobre prendas y partes corporales específicas y no comprenderá el desnudo integral ni la revisión de las cavidades vaginal y/o rectal.

La exploración manual exterior y la revisión corporal deberán realizarse con las condiciones sanitarias adecuadas y por personal calificado del mismo sexo de la persona a quien se revise. El personal que revisa actuará con conocimiento y respeto a la dignidad y derechos humanos de la persona revisada.

La persona sobre quien se practique este tipo de revisión podrá solicitar la presencia de una persona de confianza o de su defensora.

El personal del Centro estará sujeto al mismo régimen de revisión establecido en este artículo.

Artículo 62. Revisión corporal a personas menores de edad

De practicarse revisiones corporales a personas menores de 18 años de edad, deberán realizarse en presencia de la persona adulta bajo cuya responsabilidad se encuentre o, en su defecto, de personal de los sistemas nacional, estatal o de la Ciudad de México para el Desarrollo Integral de la Familia.

Artículo 63. Flagrancia en la posesión de sustancias u objetos prohibidos

De encontrarse sustancias u objetos prohibidos detectados en una revisión, se levantará el acta correspondiente y se procederá de la manera siguiente:

I. Tratándose de personas privadas de la libertad, se sustanciará el procedimiento disciplinario por el Comité Técnico. Si el hecho fuese constitutivo de flagrante delito, se denunciarán los hechos de forma inmediata al Ministerio Público, para que inicie la investigación correspondiente, de conformidad con el Código;

II. Si se trata de una persona no privada de la libertad se pondrá a disposición del Ministerio Público de forma inmediata, a fin de que inicie la investigación correspondiente, de conformidad con el Código;

III. Cuando la comisión de un hecho delictivo realizado o evidenciado en una revisión ameritare la práctica de exploraciones de las cavidades vaginal o anal, esta sólo podrá ser realizada por las autoridades que establezca el Código, por lo que el personal del Centro Penitenciario no podrá practicar estas exploraciones bajo ningún supuesto, quedando obligado a detener a la persona si se trata de un individuo no privado de la libertad, o a resguardarlo tratándose de una persona privada de la libertad, mientras se presentan el Ministerio Público y sus auxiliares, que de conformidad con el Código puedan realizar dichas diligencias. En todo caso, el personal del Centro Penitenciario deberá preservar la cadena de custodia de la evidencia del hecho;

IV. La persona detenida o resguardada de conformidad con este artículo deberá ser custodiada por el personal del Centro Penitenciario y tendrá derecho a ser acompañada por la persona que realiza su defensa.

CAPÍTULO VII
REVISIONES A LOS CENTROS PENITENCIARIOS

Artículo 64. Revisión a Centros

Son actos de revisión a lugares en los Centros Penitenciarios los que se realicen en su interior para verificar la existencia de objetos o sustancias cuya posesión esté prohibida; constatar la integridad de las instalaciones, con la finalidad de evitar que se ponga en riesgo a la población y personal del Centro Penitenciario, a sus pertenencias, a la seguridad y a la gobernabilidad de los Centros.

Artículo 65. Actos de revisión

Se deberán realizar revisiones a los sitios donde las personas privadas de la libertad viven, trabajan y se reúnen, de manera regular y con especial atención a las áreas dedicadas a dormitorio. Todos los actos de revisión e inspección de lugares deben obedecer a los principios de necesidad, razonabilidad y proporcionalidad, y realizarse bajo criterios no discriminatorios y en condiciones dignas. Los actos de revisión se llevarán a cabo de la manera menos intrusiva y molesta a las personas privadas de la libertad en su intimidad y posesiones, sin dañar los objetos inspeccionados.

Cuando en el curso de una revisión a lugares fuese necesaria una revisión o inspección corporal, se procederá de conformidad con el Capítulo respectivo de esta Ley.

Artículo 66. Revisión a celdas

Las revisiones a las celdas se realizarán en presencia de sus ocupantes, examinando con detalle las pertenencias de las personas privadas de la libertad y los objetos del lugar, para lo cual se deberán utilizar los sensores y la tecnología adecuada.

De toda revisión en la que se hallen sustancias u objetos prohibidos se levantará un acta circunstanciada en presencia de dos testigos propuestos por la persona ocupante del lugar revisado o, en su ausencia o negativa, por quien practique la diligencia.

Las revisiones a las celdas se practicarán exclusivamente por personal de custodia penitenciaria del mismo sexo de la persona privada de la libertad.

Artículo 67. Registro de la revisión

La Autoridad Penitenciaria guardará los datos que permitan identificar fehacientemente al personal de custodia penitenciaria que realice una revisión, bien sea que pertenezca al Centro o no, a efecto de fincar la responsabilidad en que puedan incurrir.

Artículo 68. Sustancias u objetos prohibidos

Si al momento de la revisión les son encontrados a las personas privadas de la libertad objetos o sustancias prohibidos por el régimen disciplinario del Centro Penitenciario, pero cuya posesión no constituya delito, les serán recogidos, debiendo levantarse el acta correspondiente, y se sustanciará el procedimiento disciplinario.

Tales objetos o sustancias serán resguardados y entregados a quien su legítimo poseedor indique para que sean retirados del Centro Penitenciario.

Si al momento de la revisión les son encontrados a las personas privadas de la libertad objetos o sustancias cuya posesión constituya delito, se dará vista inmediata al Ministerio Público, a efecto de que realice la investigación correspondiente.

Artículo 69. Autoridades responsables en la revisión

La Autoridad Penitenciaria y el titular del Centro, o quien en su ausencia le sustituya legalmente, serán responsables de las revisiones que se lleven a cabo en su interior. Igualmente, responderá por todo abuso que se lleve a cabo sobre las personas privadas de la libertad con motivo de la revisión. No podrán evadir su responsabilidad como superior jerárquico alegando que el personal que lleve a cabo las revisiones no estaba bajo su mando.

Artículo 70. Uso de la fuerza

El uso de la fuerza y el empleo de medios coercitivos durante las revisiones quedarán sujetos a las normas y protocolos aplicables, mismos que atenderán los estándares y las normas internacionales en materia de derechos humanos.

Artículo 71. Supervisión independiente

Las revisiones a los Centros Penitenciarios podrán llevarse a cabo con la supervisión independiente de organismos públicos de protección a los derechos humanos.

Los organismos públicos de protección de los derechos humanos deberán hacer del conocimiento de la Autoridad Penitenciaria y del Juez de Ejecución toda situación de privilegio en la imposición de la pena o de la prisión preventiva que observen en el ejercicio de sus funciones para que éste ordene su cese inmediato y exija garantías de no repetición. Con independencia de lo anterior, lo hará del conocimiento del Ministerio Público cuando dichas conductas constituyan un hecho que la ley señale como delito.

TÍTULO TERCERO

CAPÍTULO I
BASES DE ORGANIZACIÓN DEL SISTEMA PENITENCIARIO

Artículo 72. Bases de organización

Son bases de la organización del sistema penitenciario para lograr la reinserción social: el respeto a los derechos humanos, el trabajo, la capacitación para el mismo, la educación, la salud y el deporte. Estas bases serán elementos esenciales del Plan de Actividades diseñado para las personas privadas de su libertad en los Centros Penitenciarios.

Artículo 73. Observancia de los derechos humanos

Durante los procedimientos de ejecución penal, todas las autoridades, en el ámbito de sus competencias, tienen la obligación de promover, respetar, proteger y garantizar los derechos humanos consagrados en la Constitución y los Tratados Internacionales de los que el Estado mexicano sea parte, de conformidad con los principios de universalidad, interdependencia, indivisibilidad y progresividad.

De igual forma, se deberán de establecer programas específicos de derechos humanos tendientes a sensibilizar y concientizar a las personas privadas de la libertad de su importancia en la sociedad.

CAPÍTULO II
SALUD

Artículo 74. Derecho a la salud

La salud es un derecho humano reconocido por la Constitución Política de los Estados Unidos Mexicanos y será uno de los servicios fundamentales en el sistema penitenciario y tiene el propósito de garantizar la integridad física y psicológica de las personas privadas de su libertad, como medio para proteger, promover y restaurar su salud.

Artículo 75. Examen Médico de Ingreso

A toda persona privada de su libertad recluida en un Centro se le practicará un examen psicofísico a su ingreso, para determinar el tratamiento de primer nivel que requiera.

En caso de advertirse lesiones o señales de tortura, tratos crueles, inhumanos o degradantes, dicha situación deberá certificarse a través del Protocolo de Estambul y se hará del conocimiento de la Autoridad Penitenciaria, la cual dará vista al Ministerio Público para que inicie la investigación correspondiente.

En caso de que el servidor público encargado de revisar a la persona sujeta al examen psicofísico, se percatara de la existencia de señales de malos tratos o tortura y no lo hiciera del conocimiento al Ministerio Público, incurrirá en responsabilidad penal por omisión.

Artículo 76. Servicios Médicos

Los servicios médicos tendrán por objeto la atención médica de las personas privadas de su libertad, desde su ingreso y durante su permanencia, de acuerdo a los términos establecidos en las siguientes fracciones:

I. Realizar campañas permanentes de prevención de enfermedades;

II. Otorgar el tratamiento adecuado mediante el diagnóstico oportuno de enfermedades agudas, crónicas y crónico-degenerativas, incluyendo las enfermedades mentales;

III. Prescribir las dietas nutricionales en los casos que sea necesario, a fin de que la alimentación sea variada y equilibrada;

IV. Suministrar los medicamentos y terapias básicas necesarias para la atención médica de las personas privadas de la libertad, y

V. Contener en primera instancia y poner en aviso a las autoridades competentes en materia de salud en caso de brote de enfermedad transmisible que pueda ser fuente de epidemia.

Artículo 77. Características de los Servicios de Atención Médica

Los servicios de atención médica serán gratuitos y obligatorios para las personas privadas de su libertad. Éstos contemplarán actividades de prevención, curación y rehabilitación, en estricto apego a las disposiciones legales aplicables en materia de servicios de salud.

Las instalaciones serán higiénicas y contarán con los espacios adecuados para garantizar el derecho a la salud de las personas privadas de su libertad en un Centro Penitenciario.

Artículo 78. Responsable Médico

En cada uno de los Centros Penitenciarios existirá como mínimo atención de primer nivel en todo momento, procurada cuando menos por un médico responsable de cuidar la salud física y mental de las personas internas y vigilar las condiciones de higiene y salubridad. Asimismo, habrá por lo menos un auxiliar técnico-sanitario y un odontólogo.

Artículo 79. Medidas Terapéuticas

Cuando del diagnóstico del área de servicios médicos se desprenda la necesidad de aplicar medidas terapéuticas que impliquen riesgo para la vida o la integridad física de la persona privada de su libertad, se requerirá del consentimiento por escrito del mismo, salvo en los casos de emergencia y en los que atente contra su integridad, podrá determinarlo la Autoridad Penitenciaria competente.

Si la persona privada de su libertad no se encuentra en condiciones de otorgar su consentimiento, éste podrá requerirse a su cónyuge, familiar ascendiente o descendiente, o a la persona previamente designada por él. En caso de no contar con ningún consentimiento, será responsabilidad de la Autoridad Penitenciaria competente determinar lo conducente.

Artículo 80. Convenios con instituciones del sector salud

Se deberán celebrar convenios con instituciones públicas y privadas del sector salud en los ámbitos federal y local, a efecto de atender las urgencias médico-quirúrgicas cuya intervención no se pueda llevar a cabo en los Centros Penitenciarios, así como para la designación del personal médico que proporcione servicios de salud de manera continua y permanentemente en el Sistema Penitenciario Nacional.

CAPÍTULO III
ACTIVIDADES FÍSICAS Y DEPORTIVAS

Artículo 81. Participación en actividades físicas y deportivas

La persona privada de su libertad podrá participar en actividades físicas y deportivas, atendiendo a su estado físico, con el propósito de mantener esquemas de esparcimiento y ocupacionales.

Artículo 82. Planificación para la práctica de actividades físicas y deportivas

Para la instrumentación de las actividades físicas y deportivas se planificará, organizará y establecerán métodos, horarios y medidas necesarias para la práctica de esas actividades, las cuales estarán reguladas por la Autoridad Penitenciaria en los términos que establece esta Ley.

Se celebrarán los convenios con instituciones y organizaciones que apoyen y amplíen las actividades deportivas de las personas privadas de su libertad.

CAPÍTULO IV
EDUCACIÓN

Artículo 83. El derecho a la educación

La educación es el conjunto de actividades de orientación, enseñanza y aprendizaje, contenidas en planes y programas educativos, otorgadas por instituciones públicas o privadas que permitan a las personas privadas de su libertad alcanzar mejores niveles de conocimiento para su desarrollo personal, de conformidad con lo establecido en el artículo 3o. Constitucional.

La educación que se imparta en los Centros Penitenciarios será laica, gratuita y tendrá contenidos de carácter académico, cívico, social, higiénico, artístico, físico y ético, orientados en el respeto a la ley, las instituciones y los derechos humanos. Será, en todo caso, orientada por las técnicas de la pedagogía y quedará a cargo de profesores o maestros especializados. Así mismo las personas privadas de su libertad que obtengan una certificación por la autoridad educativa correspondiente podrán realizar las labores de docencia a las que hace referencia el presente artículo.

Tratándose de personas pertenecientes a pueblos o comunidades indígenas o afromexicanas, la educación que se les imparta será bilingüe y acorde a su cultura, para conservar y enriquecer sus lenguas, y la instrucción deberá ser proporcionada por maestros o profesores que comprendan su lengua.

Párrafo reformado DOF 01-04-2024

Artículo 84. Posibilidad de obtención de grados académicos

Las personas privadas de su libertad podrán acceder al sistema educativo con la finalidad de obtener grados académicos o técnicos.

Artículo 85. Enseñanza básica, de media superior y superior

Las personas privadas de la libertad tendrán derecho a realizar estudios de enseñanza básica y media superior en forma gratuita. Asimismo, la Autoridad Penitenciaria incentivará la enseñanza media superior y superior, mediante convenios con instituciones educativas del sector público, que les otorgarán la validez oficial correspondiente de los estudios culminados.

Artículo 86. Programas educativos

Los programas educativos serán conforme a los planes y programas oficiales que autorice la Secretaría de Educación Pública, o en su caso sus similares en las entidades federativas.

La Autoridad Penitenciaria deberá celebrar convenios de colaboración con Instituciones públicas y privadas de carácter nacional e internacional en materia educativa para ampliar la oferta educativa y su calidad.

CAPÍTULO V
CAPACITACIÓN PARA EL TRABAJO

Artículo 87. De la capacitación para el trabajo

La capacitación para el trabajo se define como un proceso formativo que utiliza un procedimiento planeado, sistemático y organizado, mediante el cual las personas privadas de la libertad adquieren los conocimientos, aptitudes, habilidades técnicas y competencias laborales necesarias para realizar actividades productivas durante su reclusión y la posibilidad de seguir desarrollándolas en libertad.

La capacitación para el trabajo tendrá una secuencia ordenada para el desarrollo de las aptitudes y habilidades propias, la metodología estará basada en la participación, repetición, pertinencia, transferencia y retroalimentación.

Artículo 88. Bases de la capacitación

Las bases de la capacitación son:

I. El adiestramiento y los conocimientos del propio oficio o actividad;

II. La vocación, y

III. El desarrollo de aptitudes, habilidades y competencias laborales.

Artículo 89. Tipos de capacitación

Los tipos de capacitación para el trabajo se regularán de acuerdo a las competencias de la federación y de las entidades federativas y serán acordes a los fines de la reinserción social y al Plan de Actividades de la persona privada de la libertad.

Artículo 90. Planificación para la capacitación del trabajo

Para realizar una adecuada capacitación para el trabajo, se planificarán, regularán, organizarán y establecerán métodos, horarios y medidas preventivas de ingreso y seguridad.

CAPÍTULO VI
TRABAJO

Artículo 91. Naturaleza y Finalidad del Trabajo

El trabajo constituye uno de los ejes de la reinserción social de las personas privadas de la libertad y tiene como propósito prepararlas para su integración o reintegración al mercado laboral una vez obtenida su libertad.

El trabajo se entenderá como una actividad productiva lícita que llevan a cabo las personas privadas de la libertad en el Centro Penitenciario, bajo las siguientes modalidades:

I. El autoempleo;

II. Las actividades productivas no remuneradas para fines del sistema de reinserción, y

III. Las actividades productivas realizadas a cuenta de terceros.

Para la participación de las personas privadas de la libertad en cualquiera de las modalidades del trabajo, la Autoridad Penitenciaria determinará lo conducente con base en la normatividad vigente y el régimen disciplinario del Centro Penitenciario.

Conforme a las modalidades a que se refiere esta Ley, las personas privadas de la libertad tendrán acceso a seguros, prestaciones y servicios de seguridad social, con base en la legislación en la materia, cuyo ejercicio sea compatible con su situación jurídica.

En ningún caso la Autoridad Penitenciaria podrá ser considerada como patrón, ni tampoco como patrón solidario, subsidiario o sustituto.

Artículo 92. Bases del trabajo

El trabajo se sujetará a las siguientes bases mínimas:

I. No tendrá carácter aflictivo, ni será aplicado como medida correctiva;

II. No atentará contra la dignidad de la persona;

III. Tendrá carácter formativo, creador o conservador de hábitos laborales, productivos, con el fin de preparar a las personas privadas de la libertad para las condiciones normales del trabajo en libertad;

IV. Se realizará sin discriminación alguna y bajo condiciones de seguridad y salud;

V. Preverá el acceso a la seguridad social por parte de las personas privadas de la libertad conforme a la modalidad en la que participen, con apego a las disposiciones legales aplicables en la materia;

VI. Se crearán mecanismos de participación del sector privado para la generación de trabajo que permita lograr los fines de la reinserción social y otorgar oportunidades de empleo a las personas privadas de la libertad, y

VII. Será una fuente de ingresos para quienes lo desempeñen.

La administración de las ganancias o salarios que obtengan las personas privadas de la libertad con motivo de las modalidades de trabajo que realicen, se llevará a cabo a través de una cuenta que se regirá bajo las condiciones que se establezcan en esta Ley y en las disposiciones aplicables correspondientes.

El ejercicio de los derechos que emanen con motivo del desarrollo del trabajo o, en su caso, de las relaciones laborales, en ningún supuesto pondrán en riesgo las condiciones de operación o de seguridad de los Centros Penitenciarios. Invariablemente, el ejercicio de los derechos laborales o contractuales deberán ser compatibles con la situación jurídica de las personas privadas de la libertad.

Artículo 93. Cuenta para la administración de las ganancias o salarios con motivo del trabajo

La cuenta para la administración de las ganancias o salarios que obtengan las personas privadas de la libertad con motivo del trabajo, será administrada por la Autoridad Penitenciaria correspondiente y deberá observar las condiciones mínimas siguientes:

I. Se integrará de forma individualizada en atención a cada persona privada de la libertad que realice alguna de las modalidades del trabajo;

II. Será administrada bajo los principios de transparencia, por lo que se deberá notificar de manera periódica a cada persona privada de la libertad que participe, el estado que guarda la misma;

III. A solicitud de la persona privada de la libertad, las ganancias o salarios que se acumulen a su favor en la cuenta, podrán destinarse para efectos de reparación del daño y de seguridad social;

IV. A solicitud de la persona privada de la libertad, un porcentaje de las ganancias o salarios que acumule en la cuenta podrá ser entregado a sus familiares, y

V. Las ganancias o salarios acumulados en la cuenta, serán restituidos a la persona una vez que obtenga su libertad.

Artículo 94. Complementariedad del trabajo

La participación de las personas privadas de la libertad en los programas de trabajo será independiente de las actividades educativas, artísticas, culturales, deportivas, cívicas, sociales y de recreación que se establezcan a su favor en el Centro Penitenciario.

Artículo 95. Programa de Trabajo

El Plan de Actividades y las normas para establecer el trabajo serán previstos por la Autoridad Penitenciaria y tendrán como propósito planificar, regular, organizar y establecer métodos, condiciones generales de trabajo, condiciones de seguridad y salud, así como medidas preventivas para su desarrollo.

El trabajo se desarrollará en las distintas áreas de los sectores productivos, mismo que se aplicará tomando como límites la seguridad y custodia a que estén sujetas las personas privadas de la libertad.

Artículo 96. Coordinación interinstitucional

Las autoridades penitenciarias conjuntamente con las autoridades corresponsables impulsarán espacios de coordinación interinstitucional en las entidades federativas y en el orden federal con la participación de los sectores privado y social, con el propósito de favorecer la inclusión laboral de las personas privadas de la libertad próximas a ser liberadas.

Artículo 97. Autoempleo

El autoempleo es la modalidad a través de la cual las personas privadas de la libertad realizan una actividad productiva lícita desarrollada por ellas mismas.

Para el desarrollo de esta modalidad, la Autoridad Penitenciaria podrá autorizar la proveeduría de los insumos necesarios desde el exterior, siempre que no se contravenga ninguna disposición ni se ponga en riesgo la seguridad de las personas o del Centro Penitenciario.

Artículo 98. Actividades productivas no remuneradas para fines del sistema de reinserción

Las actividades productivas no remuneradas para fines del sistema de reinserción es la modalidad a través de la cual las personas privadas de la libertad realizan actividades de servicios generales para la higiene, operación, mantenimiento y conservación del Centro Penitenciario.

De manera igualitaria, equitativa y sin discriminación alguna, toda persona privada de la libertad deberá participar de las labores de orden, mantenimiento, limpieza, higiene y demás funciones no remuneradas que compongan los servicios generales del Centro.

En la normatividad respectiva se establecerá el sistema de rotaciones semanales de acuerdo a la población y necesidades del Centro.

Artículo 99. Actividades productivas realizadas a cuenta de terceros

Las actividades productivas realizadas a cuenta de terceros son la modalidad a través de la cual las personas privadas de la libertad realizan actividades productivas lícitas, en el marco de los convenios que para tal efecto suscriba la Autoridad Penitenciaria con las instituciones del Estado y las personas físicas o jurídicas correspondientes.

TÍTULO CUARTO
DEL PROCEDIMIENTO DE EJECUCIÓN

CAPÍTULO I
DISPOSICIONES GENERALES

Artículo 100. Ejecución de la sentencia

El Juez de Ejecución dará trámite a los procedimientos que correspondan a la Ejecución de Sentencia, para dar cumplimiento al fallo emitido por el Juez de Control o Tribunal de Enjuiciamiento en los términos establecidos por esta Ley, por el Código y demás leyes penales aplicables.

Artículo 101. Tipos de resoluciones que ejecutará el Juez de Ejecución

El Juez de Ejecución deberá cumplimentar las sentencias condenatorias y firmes.

Artículo 102. Puesta a Disposición

El Juez o Tribunal de enjuiciamiento, dentro de los tres días siguientes a que haya causado ejecutoria la sentencia, la remitirá al Juez de Ejecución y a la Autoridad Penitenciaria.

Cuando el sentenciado se encuentre privado de la libertad, el Juez o Tribunal de enjuiciamiento dentro de los tres días siguientes a que haya causado ejecutoria la sentencia, lo pondrá a disposición del Juez de Ejecución.

Si el sentenciado se encuentra en libertad y se dicta una sentencia condenatoria sin otorgamiento de algún sustitutivo penal, el Juez de Ejecución lo requerirá para que en el plazo de cinco días se interne voluntariamente, y en caso de no hacerlo, ordenará su reaprehensión inmediata.

En caso de que el sentenciado se encuentre en libertad y se dicte una sentencia condenatoria con otorgamiento de sustitutivo penal, el Juez de Ejecución lo prevendrá para que en un plazo de tres días manifieste si se acoge a dicho beneficio, bajo el apercibimiento que de no pronunciarse se ordenará su reaprehensión.

CAPÍTULO II
TRÁMITE DE EJECUCIÓN

Artículo 103. Inicio de la Ejecución

La administración del Juzgado de Ejecución al recibir la sentencia o el auto por el que se impone la prisión preventiva, generará un número de registro y procederá a turnarlo al Juez de Ejecución competente, para que proceda a dar cumplimiento a tales resoluciones judiciales.

Una vez recibidos por el Juez de Ejecución, la sentencia y el auto que la declare ejecutoriada, dentro de los tres días siguientes dictará el auto de inicio al procedimiento ordinario de ejecución, y en su caso prevendrá para que se subsanen errores u omisiones en la documentación correspondiente en el plazo de tres días.

Se ordenará asimismo la notificación al Ministerio Público, a la persona sentenciada y a su defensor.

El Juez de Ejecución prevendrá al sentenciado para que, dentro del término de tres días, designe un Defensor Particular y, sino lo hiciera, se le designará un Defensor Público, para que lo asista durante el procedimiento de ejecución en los términos de esta Ley, de la Ley Orgánica respectiva y del Código.

El Juez de Ejecución solicitará a la Autoridad Penitenciaria que en el término de tres días remita la información correspondiente, para la realización del cómputo de las penas y abonará el tiempo de la prisión preventiva o arresto domiciliario cumplidos por el sentenciado.

Artículo 104. Elaboración del Plan de Actividades

Para la elaboración del Plan de Actividades, al ingreso al Centro, la Autoridad Penitenciaria informará a la persona privada de la libertad las actividades disponibles en dicho Centro y de manera participativa se diseñará un Plan de Actividades acorde a las necesidades, preferencias y capacidades de la persona privada de la libertad. Las normas reglamentarias determinarán el número de actividades y de horas que constituirán un Plan de Actividades satisfactorio. Dicho plan será remitido al Juez de Ejecución dentro de los quince días hábiles siguientes a la puesta a disposición del sentenciado, para su conocimiento.

La determinación del Plan de Actividades por parte de la Autoridad Penitenciaria podrá ser recurrida ante el Juez de Ejecución.

Artículo 105. Contenido de la carpeta de ejecución

La carpeta de ejecución deberá contener cuando menos los siguientes documentos:

I. Sentencia definitiva de primera instancia y auto que la declare ejecutoriada;

II. Sentencia definitiva de segunda instancia si fuera el caso;

III. Sentencia de amparo vinculada a dichas resoluciones, en su caso;

IV. Auto de ejecución de la sentencia en el cual se determinen el cómputo de la pena, considerando el tiempo de prisión preventiva o arresto domiciliario cumplidos por el sentenciado, las condiciones de cumplimiento del pago de multa, la reparación del daño, así como el pronunciamiento respecto del otorgamiento o negativa del sustitutivo penal;

V. Plan de Actividades;

VI. Actas y acuerdos de cualquier procedimiento de justicia alternativa o restaurativa en su caso;

VII. Informe del Centro Penitenciario respecto a procedimientos disciplinarios desde su ingreso hasta la sentencia;

VIII. Copia de la ficha signalética y la identificación administrativa;

IX. Actas del Comité Técnico de los órganos colegiados, en las que se funden las actuaciones realizadas por cada una de las áreas;

X. Documentos que acrediten el pago de la reparación del daño, en su caso;

XI. Documentos que demuestren que se han ejecutado otras sanciones penales, y

XII. Los demás registros de actividad procesal.

Artículo 106. Cómputo de la pena

El Juez de Ejecución deberá hacer el cómputo de la pena y abonará el tiempo de la prisión preventiva o arresto domiciliario cumplidos por el sentenciado, con base en la información remitida por la Autoridad Penitenciaria, y de las constancias que el Juez o Tribunal de enjuiciamiento le notificó en su momento, a fin de determinar con precisión la fecha en la que se dará por compurgada.

El cómputo podrá ser modificado por el Juez de Ejecución durante el procedimiento de ejecución, de conformidad con lo dispuesto en la legislación aplicable.

Cuando para el cómputo se establezca el orden de compurgación de las penas impuestas en diversos procesos, se dará aviso al resto de los jueces.

El Ministerio Público, la víctima o el ofendido podrán oponerse al cómputo de la pena, en caso de que consideren, éste se realizó de manera incorrecta; en tal supuesto, deberán aportar los elementos necesarios para realizar la verificación correspondiente.

Una vez cumplida la sentencia, el Juez de Ejecución a través del auto respectivo, determinará tal circunstancia.

CAPÍTULO III
PROCEDIMIENTO ADMINISTRATIVO

Artículo 107. Peticiones administrativas

Las personas privadas de la libertad y aquellas legitimadas en esta Ley podrán formular peticiones administrativas ante la Autoridad Penitenciaria en contra de los hechos, actos u omisiones respecto de las condiciones de internamiento.

Artículo 108. Legitimación

Se reconoce legitimidad para formular las peticiones ante las direcciones de los Centros a:

I. La persona privada de la libertad, a nombre propio o de manera colectiva;

II. Los familiares hasta el cuarto grado de parentesco por consanguinidad de la persona privada de la libertad, su cónyuge, concubinario o pareja de hecho;

III. Los visitantes;

IV. Los defensores públicos o privados;

V. El Ministerio Público;

VI. Cualquier autoridad, entidad, órgano u organismo de protección de los derechos humanos en el orden federal o de las entidades federativas, que tengan dentro de su mandato la protección de las personas privadas de la libertad o de grupos o individuos que se encuentren privados de la misma, y

VII. Las organizaciones de la sociedad civil que tengan dentro de su objeto la protección de los derechos de las personas privadas de la libertad y que se encuentren debidamente acreditadas.

Artículo 109. Sustanciación de las peticiones

Las peticiones se sustanciarán conforme a las reglas establecidas en esta Ley, a fin de que la Autoridad Penitenciaria se pronuncie sobre si ha existido o no una afectación en las condiciones de vida digna y segura en reclusión para las personas privadas de la libertad o afectación a los derechos de terceras personas y, en su caso, la subsanación de dicha afectación.

Los solicitantes podrán desistir de su petición en cualquier momento, salvo que el tema planteado se refiera al interés general del Centro o de un sector de su población. El desistimiento no implica la pérdida del derecho a formular una petición sobre la misma materia con posterioridad.

Artículo 110. Formulación de la petición

Las peticiones administrativas se formularán por escrito sin formalidad alguna ante el director del Centro, para lo cual se podrá aportar la información que se considere pertinente, con el objeto de atender las condiciones de vida digna y segura en reclusión.

La autoridad administrativa del Centro auxiliará a las personas privadas de la libertad cuando lo soliciten para formular el escrito.

En caso de que la petición sea formulada por persona distinta a la privada de la libertad, ésta deberá señalar nombre, domicilio, teléfono y, en su caso, correo electrónico, para que le sean practicadas las determinaciones respectivas.

Artículo 111. Acuerdo de inicio

Una vez recibida la petición, la Autoridad Penitenciaria, por escrito y dentro de las veinticuatro horas siguientes, admitirá la petición e iniciará el trámite del procedimiento, o bien, prevendrá en caso de ser confusa. Esta determinación deberá notificarse personalmente al promovente.

En caso de prevención, el peticionario tendrá un plazo de setenta y dos horas a partir de su notificación para subsanarla. En caso de no hacerlo, la Autoridad Penitenciaria citará al promovente para que de manera personal y oral aclare su petición. Hecho lo anterior, se emitirá la resolución sobre el fondo de la cuestión planteada. En caso de no acudir a la citación, se tendrá por desechada la petición formulada.

Artículo 112. Trámite del procedimiento

Una vez admitida la petición, el director del Centro tendrá la obligación de allegarse por cualquier medio de la información necesaria, dentro del plazo señalado para resolver, considerando siempre la que, en su caso, hubiese aportado el peticionario, y con la finalidad de emitir una resolución que atienda de manera óptima la petición, en caso de que así procediera.

La obligación de allegarse de información deberá estar acompañada de acciones diligentes a fin de no retrasar la resolución de la petición.

Artículo 113. Acumulación de peticiones

Las peticiones administrativas que tengan un mismo objeto, total o parcialmente, serán acumulables, cuando así proceda, para ser resueltas en un solo acto conjuntamente, continuándose la substanciación por separado de la parte que no se hubiese acumulado.

Artículo 114. Resolución de peticiones administrativas

El director del Centro estará obligado a resolver dentro de un término de cinco días contados a partir de la admisión de la petición y notificar al peticionario en un plazo no mayor a veinticuatro horas posteriores al dictado de la resolución.

Si la petición fue resuelta en sentido contrario a los intereses del peticionario, éste podrá formular controversia ante el Juez de Ejecución dentro de los diez días siguientes a la fecha de notificación de la referida resolución. Si los efectos del acto son continuos o permanentes, la controversia ante el Juez de Ejecución podrá plantearse en cualquier momento.

Si la petición no fuere resuelta dentro del término legal, el promovente podrá acudir ante el Juez de Ejecución competente y demandar esta omisión. Hecho lo anterior, el juez resolverá en un plazo no mayor a setenta y dos horas. En caso de ser procedente la acción, el juez requerirá a la Autoridad Penitenciaria que responda la petición formulada de fondo y en el plazo previsto en esta Ley y dará cuenta al inmediato superior jerárquico de la Autoridad Penitenciaria.

La Autoridad Penitenciaria le hará saber a la persona privada de la libertad el derecho que tiene a la interposición del presente recurso, dejando constancia por escrito.

Artículo 115. Casos urgentes

Cuando las peticiones recaigan sobre hechos, actos u omisiones respecto de las condiciones de internamiento que, de no atenderse de inmediato, quedaría sin materia la petición, constituyendo un caso urgente, la persona legitimada podrá acudir directamente ante el Juez de Ejecución para plantear su petición.

En este caso, el Juez de Ejecución, de oficio, suspenderá de inmediato el hecho o acto que motivó la petición, así como los efectos que tuviere, hasta en tanto se resuelva en definitiva. Tratándose de omisiones, el Juez de Ejecución determinará las acciones a realizar por la Autoridad Penitenciaria.

Cuando los jueces de ejecución reciban promociones que por su naturaleza no sean casos urgentes, las turnarán al centro para su tramitación, recabando registro de su entrega.

CAPÍTULO IV
CONTROVERSIAS ANTE EL JUEZ DE EJECUCIÓN

Artículo 116. Controversias

Los jueces de ejecución conocerán controversias relacionadas con:

I. Las condiciones de internamiento y cuestiones relacionadas con las mismas;

II. El plan de actividades de la persona privada de la libertad y cuestiones relacionadas con el mismo, que impliquen violación de derechos fundamentales;

III. Los derechos propios de quienes soliciten ingresar o hayan ingresado al Centro como visitantes, defensores públicos y privados, defensores en los tribunales de amparo, y observadores por parte de organizaciones de la sociedad civil;

IV. La duración, modificación y extinción de la pena y de sus efectos, y

V. La duración, modificación y extinción de las medidas de seguridad.

Artículo 117. Controversias sobre condiciones de internamiento, el plan de actividades y cuestiones relacionadas con ambas

Los sujetos legitimados por esta Ley para interponer peticiones administrativas también tendrán acción judicial ante el Juez de Control o de Ejecución según corresponda, con el objeto de resolver las controversias sobre los siguientes aspectos:

I. Las condiciones de internamiento, el plan de actividades y cuestiones relacionadas con ambas, en cuyo caso será requisito indispensable haber agotado la petición administrativa;

II. La impugnación de sanciones administrativas impuestas a las personas privadas de la libertad, que podrá hacerse valer en el acto de notificación o dentro de los diez días siguientes;

III. Los derechos de las personas privadas de la libertad en materia de traslados. Esta acción podrá ejercitarse en el momento de la notificación de traslado, dentro de los diez días siguientes a la misma, o dentro de los diez días siguientes a su ejecución, cuando la persona privada de la libertad no hubiese sido notificada previamente, y

IV. Los derechos de las personas que soliciten ingresar o hayan ingresado al Centro como visitantes, defensores públicos o privados, los defensores en los tribunales de amparo, y observadores por parte de organizaciones de la sociedad civil.

En relación a la facción II, en tanto no quede firme la sanción administrativa no podrá ejecutarse.

Por cuanto hace a la fracción III, los traslados por razones urgentes, relacionados con la integridad física o la salud de la persona privada de la libertad o bien, por cuestiones de seguridad del Centro, no requerirán autorización previa del Juez de Ejecución, sin perjuicio de que dicha determinación pueda ser recurrida y en su caso, confirmada o revocada.

Artículo 118. Controversia sobre la duración, modificación y extinción de la pena

La Autoridad Penitenciaria es la competente para determinar el día a partir del cual deberá empezar a computarse la pena privativa de la libertad, que incluirá el tiempo en detención, la prisión preventiva y el arresto domiciliario.

La persona sentenciada, su defensor o el Ministerio Público, podrán acudir ante el Juez de Ejecución para obtener una resolución judicial cuando surja alguna controversia respecto de alguna de las siguientes cuestiones:

I. El informe anual sobre el tiempo transcurrido en el Centro o el reporte anual sobre el buen comportamiento presentados por la Autoridad Penitenciaria;

II. La determinación sobre la reducción acumulada de la pena;

III. La sustitución de la pena por los motivos previstos en esta Ley; cuando no se hubiere resuelto respecto del sustitutivo penal; la suspensión condicional de la ejecución de la pena en la sentencia, o porque devenga una causa superveniente;

IV. El incumplimiento de las condiciones impuestas para la sustitución de la pena;

V. La adecuación de la pena por su aplicación retroactiva en beneficio de la persona sentenciada;

VI. La prelación, acumulación y cumplimiento simultáneo de penas;

VII. El cómputo del tiempo de prisión preventiva para efecto del cumplimiento de la pena, y

VIII. Las autorizaciones de los traslados internacionales de conformidad con el párrafo séptimo del artículo 18 de la Constitución.

Cualquiera que sea el promovente, se emplazará a las demás partes procesales y el Ministerio Público no podrá fungir como representante de la Autoridad Penitenciaria.

La víctima o su asesor jurídico, sólo podrán participar en los procedimientos ante el Juez de Ejecución, cuando el debate esté relacionado con la reparación del daño y cuando se afecte de manera directa o indirecta su derecho al esclarecimiento de los hechos y a la justicia.

Artículo 119. Controversias sobre medidas de seguridad

Las controversias sobre la modificación, extinción o cesación de las medidas de seguridad, se resolverán de acuerdo con las normas previstas en el Código para personas imputables con los ajustes razonables que en el caso concreto acuerde el Juez de Ejecución, para garantizar su derecho a la defensa.

CAPÍTULO V
PROCEDIMIENTO JURISDICCIONAL

Artículo 120. Principios del procedimiento

Las acciones y recursos judiciales se sustanciarán conforme a un sistema adversarial y oral y se regirán por los principios de contradicción, concentración, continuidad, inmediación y publicidad.

La persona privada de la libertad deberá contar con un defensor en las acciones y recursos judiciales; mientras que la Autoridad Penitenciaria podrá intervenir por conducto de la persona titular de la dirección del Centro o de la persona que ésta designe.

El promovente podrá desistirse de la acción y del recurso judicial en cualquier etapa del procedimiento, siempre que esto no implique la renuncia a un derecho fundamental.

Artículo 121. Partes procesales

En los procedimientos ante el Juez de Ejecución podrán intervenir como partes procesales, de acuerdo a la naturaleza de la controversia:

I. La persona privada de la libertad;

II. El defensor público o privado;

III. El Ministerio Público;

IV. La Autoridad Penitenciaria, el Director del Centro o quién los represente;

V. El promovente de la acción o recurso, y

VI. La víctima y su asesor jurídico, cuando el debate esté relacionado con la reparación del daño y cuando se afecte de manera directa o indirecta su derecho al esclarecimiento de los hechos y a la justicia.

Cuando se trate de controversias sobre duración, modificación o extinción de la pena o medidas de seguridad, sólo podrán intervenir las personas señaladas en las fracciones I, II, III, IV y VI, del presente artículo y en este último caso respecto de la reparación del daño.

Cuando el promovente no sea la persona privada de la libertad, el Juez de Ejecución podrá hacerlo comparecer a la audiencia si lo estima necesario.

Artículo 122. Formulación de la controversia

La controversia judicial deberá presentarse por escrito ante la administración del juzgado de ejecución, precisando el nombre del promovente, datos de localización, el relato de su inconformidad, los medios de prueba en caso de contar con ellos, la solicitud de suspensión del acto cuando considere que se trata de caso urgente y la firma o huella digital.

El Juez de Ejecución, de acuerdo con la naturaleza de la pretensión, de oficio o a petición de parte, ordenará la suspensión del acto si lo considera pertinente, así como el desahogo de las pruebas que estime conducentes para resolver el conflicto.

Artículo 123. Auto de inicio

Una vez recibida la solicitud, la administración del juzgado de ejecución registrará la causa y la turnará al juez competente. Recibida la causa, el Juez de Ejecución contará con un plazo de setenta y dos horas para emitir un auto en cualquiera de los siguientes sentidos:

I. Admitir la solicitud e iniciar el trámite del procedimiento;

II. Prevenir para que aclare o corrija la solicitud, si fuere necesario, o

III. Desechar por ser notoriamente improcedente.

Cuando se realice una prevención, el solicitante tendrá un plazo de setenta y dos horas para que aclare o corrija la solicitud, en caso de no hacerlo, se desechará de plano.

El auto que admita la solicitud deberá realizarse por escrito y notificarse al promovente de manera inmediata sin que pueda exceder del término de veinticuatro horas. En caso de que no se notifique, se entenderá que fue admitida la solicitud.

Las solicitudes que tengan un mismo objeto, total o parcialmente, serán acumuladas en el auto admisorio para ser resueltas en un solo acto conjuntamente, continuándose la substanciación por separado de la parte que no se hubiese acumulado. El auto que admite o niega la acumulación podrá ser reclamado mediante revocación.

Artículo 124. Sustanciación

En caso de ser admitida la solicitud o subsanada la prevención, la administración del juzgado de ejecución notificará y entregará a las partes copia de la solicitud y sus anexos, para que dentro del plazo de cinco días contesten la acción y ofrezcan los medios de prueba que estimen pertinentes; además se requerirá a la Autoridad Penitenciaria para que dentro del mismo término rinda el informe que corresponda.

En caso de tratarse de medidas disciplinarias y de violación a derechos que constituyan un caso urgente que, de no atenderse de inmediato, quedará sin materia la acción o el recurso jurisdiccional, el Juez de Ejecución de oficio o a solicitud de parte decretará de inmediato la suspensión del acto, hasta en tanto se resuelve en definitiva.

Rendido el informe y contestada la acción, se entregará copia de las mismas a las partes que correspondan y se señalará hora y fecha para la celebración de la audiencia, la cual deberá realizarse al menos tres días después de la notificación sin exceder de diez días.

En caso de que las partes ofrezcan testigos, deberán indicar el nombre, domicilio y lugar donde podrán ser citados, así como el objeto sobre el cual versará su testimonio.

En la fecha fijada se celebrará la audiencia, a la cual deberán acudir todos los interesados. La ausencia del director del Centro o quien lo represente y de la víctima o su asesor jurídico no suspenderá la audiencia.

Artículo 125. Reglas de la audiencia

Previo a cualquier audiencia, el personal de la administración del juzgado de ejecución llevará a cabo la identificación de toda persona que vaya a participar, para lo cual deberá proporcionar su nombre, apellidos, edad y domicilio.

Las audiencias serán presididas por el Juez de Ejecución, y se realizarán en los términos previstos en esta Ley y el Código.

Artículo 126. Desarrollo de la audiencia

La audiencia se desarrollará sujetándose a las reglas siguientes:

I. El Juez de Ejecución se constituirá en la sala de audiencias el día y hora fijados y verificará la asistencia de los intervinientes, declarará abierta la audiencia y dará una breve explicación de los motivos de la misma;

II. El Juez de Ejecución verificará que las partes conocen de sus derechos constitucionales y legales que les corresponden en la audiencia y en caso contrario, se los hará saber;

III. El Juez de Ejecución concederá el uso de la palabra al promovente y con posterioridad a las demás partes;

IV. Las partes discutirán sobre la admisión de los medios de prueba y podrán apelar el desechamiento;

V. El Juez de Ejecución admitirá los medios de prueba y se procederá a su desahogo conforme a las reglas del Código;

VI. Las partes formularán los alegatos finales y de ser procedente, el Juez de Ejecución observará el derecho de réplica y dúplica cuando el debate así lo requiera;

VII. El Juez de Ejecución declarará cerrado el debate, y

VIII. Emitirá su resolución y la explicará a las partes en la misma audiencia.

Artículo 127. Resolución

El Juez de Ejecución tendrá un término de cinco días para redactar, notificar y entregar copia a las partes de la resolución final.

En la resolución el juez deberá pronunciarse, incluso de oficio, sobre cualquier violación a los derechos fundamentales de los sentenciados.

Artículo 128. Efectos generales

Los jueces de ejecución podrán dar efectos generales a las resoluciones relativas a las condiciones de internamiento, extendiendo sus efectos a todas las personas privadas de la libertad que se encuentren en las mismas condiciones que motivaron la resolución. El juez establecerá un calendario para la instrumentación progresiva de la resolución, previa audiencia a las partes.

Artículo 129. Ejecución de la resolución

La resolución definitiva se ejecutará una vez que quede firme.

Transcurrido el término para el cumplimiento de la resolución por parte de la Autoridad Penitenciaria, el Juez de Ejecución, de oficio o a petición de parte, requerirá a la autoridad el cumplimiento de la misma.

Cuando la Autoridad Penitenciaria manifieste haber cumplido con la resolución respectiva, el Juez de Ejecución notificará tal circunstancia al promovente, para que dentro del término de tres días manifieste lo que a su interés convenga; transcurrido dicho término sin que hubiese objeción, el Juez de Ejecución dará por cumplida la resolución y ordenará el archivo del asunto.

Cuando el interesado manifieste su inconformidad en el cumplimiento de la resolución, el Juez de Ejecución notificará a la Autoridad Penitenciaria tal inconformidad por el término de tres días para que manifieste lo que conforme a derecho corresponda y transcurrido el mismo, se resolverá sobre el cumplimiento o no de la resolución.

Cuando la autoridad informe que la resolución sólo fue cumplida parcialmente o que es de imposible cumplimiento, el juez, si considera que las razones no son fundadas ni motivadas, dará a la Autoridad Penitenciaria un término que no podrá exceder de tres días para que dé cumplimiento a la resolución, de no hacerlo se aplicarán las medidas de apremio que correspondan.

Cuando la Autoridad Penitenciaria alegue imposibilidad material o económica para el cumplimiento total o parcial de la resolución, el Juez de Ejecución, escuchando a las partes, fijará un plazo razonable para el cumplimiento.

Cuando la Autoridad Penitenciaria responsable del Centro no cumpliere dentro del plazo establecido, el juez requerirá a sus superiores jerárquicos por su cumplimiento aplicando, en su caso, las medidas de apremio conducentes.

CAPÍTULO VI
RECURSOS

Artículo 130. Revocación

El recurso de revocación se interpondrá ante el Juez de Ejecución en contra de las determinaciones de mero trámite y en los casos previstos en esta Ley.

El objeto de este recurso será que el mismo Juez de Ejecución que dictó la resolución impugnada, la examine de nueva cuenta y dicte la resolución que corresponda.

Si el recurso se hace valer contra las resoluciones pronunciadas durante la audiencia, se dará el uso de la palabra a las demás partes, para que manifiesten lo que a su derecho corresponda y en la misma audiencia se dictará la resolución respectiva.

Si el recurso se hace valer contra resoluciones pronunciadas fuera de audiencia, se interpondrá al día siguiente de notificada la determinación, se dará traslado a las demás partes por el término de dos días para que manifiesten lo que a su derecho corresponda, y se resolverá al día siguiente, bien de desahogada la audiencia conforme al Código, o de haber transcurrido el término concedido.

Artículo 131. Apelación

El recurso de apelación se interpondrá dentro de los tres días siguientes a la notificación del auto o resolución que se impugna y tiene por objeto que el tribunal de alzada revise la legalidad de la resolución impugnada, a fin de confirmarla, modificarla o revocarla.

Artículo 132. Procedencia del recurso de apelación

El recurso de apelación procederá en contra de las resoluciones que se pronuncien sobre:

I. Desechamiento de la solicitud;

II. Modificación o extinción de penas;

III. Sustitución de la pena;

IV. Medidas de seguridad;

V. Reparación del daño;

VI. Ejecución de las sanciones disciplinarias;

VII. Traslados;

VIII. Afectación a los derechos de personas privadas de la libertad, visitantes, defensores y organizaciones observadoras, y

IX. Las demás previstas en esta Ley.

Artículo 133. Efectos de la apelación

La interposición del recurso de apelación durante la tramitación del asunto no suspende éste.

Artículo 134. Emplazamiento y remisión

Interpuesto el recurso, el Juez de Ejecución correrá traslado a las partes para que en el plazo de tres días manifiesten lo que a su derecho convenga, y en su caso, ejerciten su derecho de adhesión.

Una vez realizado el traslado, la unidad de gestión remitirá dentro de las veinticuatro horas siguientes las actuaciones al tribunal de alzada que corresponda.

Artículo 135. Tramitación y resolución de la apelación

En el auto que se tengan por recibidas las actuaciones enviadas por el Juez de Ejecución, se determinará si el recurso fue interpuesto en tiempo, si la persona tiene derecho de recurrir y si el auto impugnado es apelable.

Si fuese necesario el desahogo de una audiencia, el tribunal de alzada en el auto que tuvo por recibidas las actuaciones, señalará día y hora para la celebración de la misma dentro de los cinco días siguientes. En este caso, el tribunal de alzada resolverá el recurso de apelación dentro de los tres días siguientes a la celebración de la audiencia.

En caso de no darse el supuesto a que se refiere el párrafo anterior el tribunal de alzada resolverá el recurso de apelación dentro de los tres días siguientes a la notificación del auto que tuvo por recibidas las actuaciones.

TÍTULO QUINTO
BENEFICIOS PRELIBERACIONALES Y SANCIONES NO PRIVATIVAS DE LA LIBERTAD

CAPÍTULO I
LIBERTAD CONDICIONADA

Artículo 136. Libertad condicionada

El Juez de Ejecución podrá conceder a la persona sentenciada el beneficio de libertad condicionada bajo la modalidad de supervisión con o sin monitoreo electrónico.

Artículo 137. Requisitos para la obtención de la libertad condicionada

Para la obtención de alguna de las medidas de libertad condicionada, el Juez deberá observar que la persona sentenciada cumpla los siguientes requisitos:

I. Que no se le haya dictado diversa sentencia condenatoria firme;

II. Que no exista un riesgo objetivo y razonable en su externamiento para la víctima u ofendido, los testigos que depusieron en su contra y para la sociedad;

III. Haber tenido buena conducta durante su internamiento;

IV. Haber cumplido satisfactoriamente con el Plan de Actividades al día de la solicitud;

V. Haber cubierto la reparación del daño y la multa, en las modalidades y con las excepciones establecidas en esta Ley;

VI. No estar sujeto a otro proceso penal del fuero común o federal por delito que amerite prisión preventiva, y

VII. Que se haya cumplido con la mitad de la pena tratándose de delitos dolosos.

La Autoridad Penitenciaria tendrá bajo su responsabilidad la adquisición, mantenimiento y seguimiento de los sistemas de monitoreo electrónico. Excepcionalmente, cuando las condiciones económicas y familiares del beneficiario lo permitan, éste cubrirá a la Autoridad Penitenciaria el costo del dispositivo.

La asignación de la medida de libertad bajo supervisión con monitoreo electrónico, así como la asignación de dispositivos, deberá responder a principios de necesidad, proporcionalidad, igualdad, legalidad y no discriminación.

No gozarán de la libertad condicionada los sentenciados por delitos en materia de delincuencia organizada, secuestro y trata de personas.

La persona que obtenga la libertad condicionada, deberá comprometerse a no molestar a la víctima u ofendido y a los testigos que depusieron en su contra.

Artículo 138. Suspensión de obligaciones

Una vez otorgada la medida de libertad condicionada, la autoridad de supervisión dará seguimiento a las obligaciones y condiciones establecidas en la resolución e informará al Juez de Ejecución de conformidad con lo establecido en el Código Nacional de Procedimientos Penales para la autoridad de supervisión de medidas cautelares y en las disposiciones aplicables correspondientes.

Esta obligación quedará a cargo de las autoridades encargadas de llevar a cabo las funciones de supervisión de las personas beneficiadas con alguna de las medidas de libertad condicionada establecidas en esta Ley.

Artículo 139. Reducción de obligaciones en el régimen de supervisión

Las personas sentenciadas que se encuentren en los supuestos de libertad condicional podrán solicitar la reducción de obligaciones en el régimen de supervisión, siempre y cuando se hubieren dedicado [de forma exclusiva] a actividades productivas, educativas, culturales o deportivas no remuneradas. En el caso de las actividades culturales y deportivas, el sentenciado deberá acreditar participar en la difusión, promoción, representación, y en su caso, competencias en dichas actividades. En el caso de actividades educativas, se deberá acreditar la obtención de grados académicos.

Artículo declarado inválido por sentencia de la SCJN a Acción de Inconstitucionalidad DOF 09-05-2018 (En la porción normativa que indica "de forma exclusiva")

Artículo 140. Cancelación de la libertad condicionada

La medida de libertad condicionada terminará por revocación en los casos de violación reiterada a los términos establecidos por el Juez de Ejecución, por sustitución, por la extinción de la pena en su totalidad o por el otorgamiento de la libertad anticipada, o cometa un nuevo delito en el plazo que resta para el cumplimiento de la pena originalmente impuesta.

CAPÍTULO II
LIBERTAD ANTICIPADA

Artículo 141. Solicitud de la libertad anticipada

El otorgamiento de la libertad anticipada extingue la pena de prisión y otorga libertad al sentenciado. Solamente persistirán, en su caso, las medidas de seguridad o sanciones no privativas de la libertad que se hayan determinado en la sentencia correspondiente.

El beneficio de libertad anticipada se tramitará ante el Juez de Ejecución, a petición del sentenciado, su defensor, el Ministerio Público o a propuesta de la Autoridad Penitenciaria, notificando a la víctima u ofendido.

Para conceder la medida de libertad anticipada la persona sentenciada deberá además contar con los siguientes requisitos:

I. Que no se le haya dictado diversa sentencia condenatoria firme;

II. Que no exista un riesgo objetivo y razonable en su externamiento para la víctima u ofendido, los testigos que depusieron en su contra y para la sociedad;

III. Haber tenido buena conducta durante su internamiento;

IV. Haber cumplido con el Plan de Actividades al día de la solicitud;

V. Haber cubierto la reparación del daño y la multa, en su caso;

VI. No estar sujeto a otro proceso penal del fuero común o federal por delito que amerite prisión preventiva oficiosa, y

VII. Que hayan cumplido el setenta por ciento de la pena impuesta en los delitos dolosos o la mitad de la pena tratándose de delitos culposos.

No gozarán de la libertad anticipada los sentenciados por delitos en materia de delincuencia organizada, secuestro y trata de personas.

CAPÍTULO III
SUSTITUCIÓN Y SUSPENSIÓN TEMPORAL DE LAS PENAS

Artículo 142. Modificación de las penas

Las penas privativas de la libertad impuestas por las o los jueces y tribunales penales deberán ser cumplidas hasta el término de su duración, salvo su modificación judicial por traslación de tipo, adecuación o sustitución en los casos establecidos en esta Ley.

Artículo 143. Sustanciación

La adecuación y modificación de la pena se sustanciará oficiosamente por el Juez de Ejecución o a petición de cualquier persona legitimada.

Artículo 144. Sustitución de la pena

El Juez de Ejecución podrá sustituir la pena privativa de la libertad por alguna pena o medida de seguridad no privativa de la libertad, previstas en esta Ley cuando durante el periodo de ejecución se actualicen los siguientes supuestos:

I. Cuando se busque la protección de las hijas e hijos de personas privadas de la libertad, siempre que éstos sean menores de 12 años de edad o tengan una condición de discapacidad que no les permita valerse por sí mismos. Esto cuando la persona privada de la libertad sea su cuidadora principal o única cuidadora, de acuerdo con lo dispuesto en esta Ley.

II. Cuando la permanencia de la persona sentenciada con la hija, hijo o persona con discapacidad, no representa un riesgo objetivo para aquellos.

III. Cuando esta fuere innecesaria o incompatible con las condiciones de la persona privada de la libertad por senilidad, edad avanzada, o su grave estado de salud, en los casos regulados en la legislación penal sustantiva, de acuerdo con las reglas de competencia establecidas en esta Ley.

IV. Cuando, en términos de la implementación de programas de tratamiento de adicciones, reinserción en libertad, justicia colaborativa o restitutiva, política criminal o trabajo comunitario, el Juez de Ejecución reciba de la Autoridad Penitenciaria o de la autoridad de supervisión un informe sobre la conveniencia para aplicar la medida y si el sentenciado no representa un riesgo objetivo y razonable para la víctima u ofendido, los testigos que depusieron en su contra y para la sociedad. Dicha autoridad deberá fungir como aval para la sustitución.

En todos los casos a que se refiere este artículo se considerará el interés superior de la niñez y en su caso se tomará en cuenta la opinión de las personas menores de 12 años o con discapacidad afectadas, atendiendo su grado de desarrollo evolutivo o cognitivo, o en su caso, el grado de discapacidad.

Sólo podrán aplicarse los sustitutivos descritos en las fracciones anteriores cuando se actualicen los supuestos durante la ejecución de la pena, así como a las personas que al momento de ser sentenciadas se ubiquen en las hipótesis previstas en este artículo, siempre que subsistan las causas durante la ejecución.

No procederá la sustitución de pena por delitos en materia de delincuencia organizada, secuestro y trata de personas.

CAPÍTULO IV
PERMISOS HUMANITARIOS

Artículo 145. Permisos extraordinarios de salida por razones humanitarias

La persona privada de su libertad, podrá solicitar al Juez de Ejecución un permiso extraordinario de salida cuando se justifique por enfermedad terminal, fallecimiento de un pariente consanguíneo en línea ascendiente o descendiente de primer grado, cónyuge, concubina o concubinario, o socioconviviente.

Esta medida no aplicará para las personas privadas de su libertad por delincuencia organizada o aquellas sujetas a medidas especiales de seguridad.

El permiso será otorgado siempre y cuando implique un traslado en la misma localidad, o dentro de un radio razonable, condicionado a que este sea viable y materialmente posible. En caso de que sea materialmente imposible, la Autoridad Penitenciaria podrá sustituirlo por otra medida.

La Autoridad Penitenciaria deberá emitir opinión sobre la idoneidad del permiso, y sobre la duración y medidas de supervisión o monitoreo durante su vigencia.

La temporalidad debe ser determinada por el Juez de Ejecución, quién deberá atender a los méritos y racionalidad de la propia solicitud, y en ningún caso podrá exceder de veinticuatro horas contadas a partir del arribo al lugar para el cual fue concedido el permiso.

El Juez de Ejecución establecerá las condiciones, obligaciones de la persona privada de su libertad, temporalidad y medidas de seguimiento, vigilancia o monitoreo, para lo cual podrá solicitar el auxilio de las instancias de seguridad pública.

La violación a las condiciones u obligaciones por parte de la persona privada de su libertad tendrá como consecuencia su revocación y reaprehensión inmediata, sin menoscabo de las sanciones a las que se haga acreedor en términos de las disposiciones disciplinarias aplicables.

CAPÍTULO V
PRELIBERACIÓN POR CRITERIOS DE POLÍTICA PENITENCIARIA

Artículo 146. Solicitud de preliberación

La Autoridad Penitenciaria, con opinión de la Procuraduría, podrá solicitar al Poder Judicial de la Federación o ante el Tribunal Superior de Justicia que corresponda, la conmutación de pena, liberación condicionada o liberación anticipada de un grupo determinado de personas sentenciadas de acuerdo a alguno de los siguientes criterios:

I. Se trate de un delito cuya pena máxima sea de cinco años de prisión, siempre que el delito no se haya cometido con violencia;

II. Se trate de delitos de contenido patrimonial cometidos sin violencia sobre las personas o de delitos culposos;

III. Por motivos humanitarios cuando se trate de personas sentenciadas adultas mayores, portadoras de una enfermedad crónico-degenerativa o terminal, independientemente del tiempo que lleven compurgando o les falte por compurgar de la sentencia;

IV. Cuando se trate de personas sentenciadas que hayan colaborado con la procuración de justicia o la Autoridad Penitenciaria, y no hayan sido acreedoras a otra medida de liberación;

V. Cuando se trate de delitos de cuyo bien jurídico sea titular la federación o la entidad federativa, o aquellos en que corresponda extender el perdón a estos;

VI. Cuando la continuidad de la aplicación de la pena sea irrelevante para los fines de la reinserción del sentenciado a la sociedad o prevenir la reincidencia.

No podrá aplicarse la medida por criterios de política penitenciaria en los casos de delitos contra el libre desarrollo de la personalidad, trata de personas, delincuencia organizada, secuestro, ni otros delitos que conforme a la ley aplicable merezcan prisión preventiva oficiosa, de conformidad con el artículo 19 de la Constitución Política de los Estados Unidos Mexicanos.

En cualquier caso, la Autoridad Penitenciaria deberá aplicar los principios de objetividad y no discriminación en el proceso y ejecución de la medida.

Artículo 147. Opinión técnica de la representación social

Tomando en cuenta alguna de las causales descritas en el artículo anterior, así como los cruces de información estadística, de carpetas de ejecución y demás información disponible, la Autoridad Penitenciaria dará vista a la Procuraduría correspondiente, a fin de recibir la opinión técnica de la representación social en términos de la política criminal vigente. Dicha opinión no será vinculante, pero la Autoridad Penitenciaria deberá fundar y motivar en sus méritos, las razones por las que no tome en consideración la opinión vertida por la representación social.

La solicitud, junto con la opinión técnica emitida por la Procuraduría, será entregada por escrito ante el Juez de Ejecución, instancia que tendrá treinta días naturales para analizar los escritos, emplazar y solicitar los informes necesarios a servidores públicos o expertos que considere pertinentes, y finalmente otorgar, denegar o modificar la medida solicitada.

En casos de imprecisión, vaguedad o cualquier otro motivo que el Juez de Ejecución considere pertinente, se emplazará a la Autoridad Penitenciaria para que en un término de cinco días rectifique su escrito. En todos los casos, la autoridad judicial deberá emitir un acuerdo sobre la admisibilidad y procedencia de la solicitud en términos de la Constitución Política de los Estados Unidos Mexicanos y las demás disposiciones aplicables.

El principio constitucional de la inalterabilidad y modificación exclusivamente jurisdiccional de una sentencia firme deberán permear en todo el procedimiento, así como en su ejecución.

Artículo 148. Solicitud al Poder Judicial

La Autoridad Penitenciaria para plantear la solicitud al Poder Judicial, deberá aplicar criterios objetivos de política criminal, política penitenciaria, criterios humanitarios, el impacto objetivo en el abatimiento de la sobrepoblación de los Centros Penitenciarios, así como el número total documentado de casos que dicha medida beneficiaría.

La aplicación de la medida podrá beneficiar a cualquier persona sentenciada al momento de la determinación, así como a cualquier otra persona sentenciada bajo el mismo supuesto beneficiado hasta un año después de su ratificación.

Artículo 149. Notificación a la Autoridad Penitenciaria

La determinación a través de la cual se ratifique, modifique o deniegue la medida por criterios de política penitenciaria, deberá ser notificada a la Autoridad Penitenciaria para su ejecución inmediata.

Artículo 150. Homologación de supuestos

Una vez notificada la determinación, cualquier persona sentenciada, que no hubiere sido contemplada, y que considere encontrarse en el supuesto de la misma, podrá solicitar ante el Juez competente la consideración correspondiente.

Artículo 151. Previsiones para la reparación del daño

Toda persona sentenciada, candidata a disfrutar de la medida contemplada en este Capítulo deberá concluir con la reparación del daño antes de que la misma pueda hacerse efectiva. En los casos en que la persona sentenciada no cuente con los medios inmediatos para finiquitar la indemnización como parte de la reparación del daño, ésta deberá presentar una caución suficiente para cumplir con la obligación. En ningún caso, una persona sentenciada potencialmente beneficiaria de la determinación de preliberación podrá permanecer en prisión por escasez de recursos económicos, para lo cual podrán aplicarse los Mecanismos Alternativos o procedimientos de justicia restaurativa que correspondan. Los defensores deberán velar en todo momento para hacer efectivo este derecho.

CAPÍTULO VI
SANCIONES Y MEDIDAS PENALES NO PRIVATIVAS DE LA LIBERTAD

Artículo 152. Disposición general

En lo no dispuesto por la legislación penal sustantiva respecto de las sanciones y medidas penales no privativas de la libertad se estará a lo dispuesto por esta Ley.

Artículo 153. Órganos

Los gobiernos Federal y de las entidades federativas, a través de sus autoridades competentes, darán el pleno cumplimiento de las sanciones y medidas penales no privativas de la libertad.

Artículo 154. Expediente de ejecución

Los órganos de la administración pública responsables del cumplimiento de las sanciones y medidas penales no privativas de la libertad estarán obligados a abrir un expediente de ejecución, así como establecer los registros fidedignos necesarios con información precisa, actualizada e informatizada respecto del cumplimiento de cada sanción o medida penal no privativa de la libertad.

El expediente de ejecución contendrá la resolución no privativa de la libertad, las resoluciones que recaigan en las peticiones, los procedimientos judiciales y los documentos que afecten la situación jurídica de la persona.

Artículo 155. Procedencia

Su ejecución se sujetará a la regulación de esta Ley, de las Leyes Orgánicas de los Poderes Judiciales, del Código Nacional de Procedimientos Penales, respecto al régimen de audiencias y actos procesales, aplicando supletoriamente las demás disposiciones en materia de ejecución de medidas cautelares, en lo conducente a las condiciones diversas a la prisión preventiva.

Artículo 156. Liquidación de la reparación del daño

Una vez que el Juez o Tribunal de enjuiciamiento se haya pronunciado acerca de la reparación del daño, pero no de su monto, el Juez de Ejecución determinará el monto a cubrir e iniciará el procedimiento de liquidación conforme a lo dispuesto por esta Ley y el Código.

Una vez determinado el monto, el Juez de Ejecución ordenará al sentenciado que realice el pago correspondiente dentro de los cinco días siguientes a la determinación.

Cuando la reparación del daño consista en hacer una actividad, el Juez de Ejecución ordenará que se ejecuten los actos de cumplimiento dentro de los cinco días siguientes a la determinación.

En caso de incumplimiento, se observarán las siguientes disposiciones:

I. En caso de existir una garantía, se ejecutará la misma;

II. Se observarán las disposiciones relacionadas con el procedimiento de ejecución de multa, en el ámbito de la ejecución, previstos por esta Ley;

III. Se negará todo beneficio a que tenga derecho el sentenciado, hasta que se cubra el monto de la reparación, y

IV. Tratándose del delito de despojo, cuando la autoridad judicial haya ordenado la restitución del bien inmueble a la víctima u ofendido el Juez de Ejecución, una vez que reciba la sentencia ejecutoriada, ordenará la comparecencia del sentenciado y lo apercibirá para que en un plazo de tres días haga voluntariamente entrega física y material del inmueble.

En caso de negativa de devolverlo, el Juez de Ejecución ordenará se ponga en posesión material a la víctima u ofendido o su representante, utilizando la fuerza pública para el cumplimiento de la sentencia.

Cuando la persona privada de su libertad no contase con recursos propios y/o suficientes para liquidar el pago de la reparación del daño y solicite algún beneficio, el Juez en la celebración de la audiencia verificará que efectivamente no se cuenta con la solvencia económica suficiente y podrá dictar un acuerdo para que dicho pago sea garantizado o bien solventado en un plazo razonable, quedando este compromiso establecido como una obligación procesal; en caso de incumplimiento la persona perderá cualquier beneficio que se haya acordado en su favor.

Artículo 157. Sanción pecuniaria

La sanción pecuniaria comprende la multa.

Artículo 158. Imposición de la multa

Al imponerse multa al sentenciado, el Juez de Ejecución procederá de acuerdo con las siguientes reglas:

I. Notificará al sentenciado el plazo para cubrirla, para ese efecto se considerará su capacidad económica, si el órgano judicial que dictó la sentencia no lo fijó para el otorgamiento del plazo se considerará lo manifestado por las partes intervinientes y resolverá;

II. Si dentro del plazo concedido, el sentenciado demuestra que carece de recursos para cubrirla el Juez de Ejecución podrá sustituirla total o parcialmente, por trabajo en favor de la comunidad;

III. Si dentro del plazo concedido el sentenciado demuestra que puede cubrir solamente una parte de la multa, el Juez de Ejecución también podrá establecer un plazo que no excederá del total de la pena de prisión impuesta, para cubrir la cantidad restante; para tal efecto el sentenciado hará los depósitos en la institución pública o institución financiera que corresponda conforme la normatividad aplicable, y

IV. Cada jornada de trabajo diario en favor de la comunidad saldará un día multa. En cualquier tiempo podrá cubrirse el importe de la multa, descontándose de ésta la parte proporcional a las jornadas de trabajo prestado en favor de la comunidad.

Tratándose de la multa sustitutiva de la sanción privativa de libertad, la equivalencia será a razón de un día multa por un día de prisión, salvo disposición diversa en esta Ley.

Artículo 159. Plazos

El Juez de Ejecución podrá conceder plazos para el pago de las multas en los casos siguientes:

I. Si no excediere de cincuenta días multa, se podrá conceder un plazo de hasta tres meses para pagarla, siempre que el deudor compruebe estar imposibilitado para hacerlo en menor tiempo, y

II. Si excediere de cincuenta días multa, se podrá conceder un plazo de hasta un año para pagarla.

Artículo 160. Cobro de la multa no pagada

Todas las multas impuestas por la autoridad judicial en sentencia definitiva ejecutoriada que no sean pagadas en los plazos fijados, adquirirán él carácter de crédito fiscal líquido y exigible para su cobro, haciéndose efectivas a través del procedimiento administrativo de ejecución.

Artículo 161. Ejecución de la multa

La Autoridad Fiscal que inicie y sustancie el procedimiento administrativo para la ejecución de las multas informará al Juez de Ejecución lo conducente.

En caso de incumplimiento de la ejecución de las multas por la Autoridad Fiscal, el Juez de Ejecución impondrá las vías de apremio correspondientes.

El recurso obtenido del crédito fiscal cobrado, será destinado en partes iguales al fondo previsto en la Ley General de Víctimas, al Poder Judicial, a la Procuraduría, y a la Secretaría de Salud.

Artículo 162. De la pérdida, suspensión o restricción de derechos de familia

Cuando se trate de pérdida, suspensión o restricción de derechos de familia, el Juez de Ejecución notificará al Ministerio Público para que promueva el procedimiento respectivo ante el Juez de lo Familiar competente.

Se remitirán junto con la notificación de la sentencia los datos necesarios para la efectiva ejecución de la sanción y se podrán recabar del sentenciado o de las autoridades correspondientes, los informes que se estimen necesarios para verificar el cumplimiento de la privación.

Artículo 163. Suspensión, destitución o inhabilitación de derechos

Si se trata de suspensión, destitución o inhabilitación de funciones de un servidor público, el Juez de Ejecución notificará la resolución al titular de la dependencia o entidad del orden de gobierno correspondiente, a efecto de que materialmente ejecute la medida

Si se trata de suspensión, destitución o inhabilitación para el ejercicio de una profesión, se notificará a la dependencia encargada del registro de profesiones, para los efectos conducentes.

Si se trata de suspensión o rehabilitación de derechos políticos, el Juez de Ejecución notificará la resolución al Registro Federal de Electores en términos de la Ley General de Instituciones y Procedimientos Electorales.

En este caso se remitirán junto con la notificación de la resolución los datos necesarios para la efectiva ejecución de la sanción y se podrán recabar del sentenciado o de las autoridades correspondientes, los informes que se estimen necesarios para verificar el cumplimiento de la sanción.

Artículo 164. Suspensión o disolución de personas morales

Decretada la suspensión o la disolución, el Juez de Ejecución notificará a los representantes de la persona moral afectada, para que, en el término de treinta días, cumplan la sanción. De igual modo, la suspensión o la disolución será comunicada por el Juez de Ejecución al Titular del Registro Público de la Propiedad y del Comercio o análogos en las entidades federativas para la anotación que corresponda y publicada en el Diario Oficial de la Federación o en el correspondiente instrumento de publicación oficial de las entidades federativas, así como en el del domicilio de la sociedad de que se trate.

Durante la suspensión, la persona moral afectada no podrá, válidamente, realizar nuevos trabajos, gestiones o empresas, ni contraer nuevos compromisos, ni adquirir nuevos derechos, conforme a los fines para los que fue constituida. Sin embargo, mientras dure la suspensión deberá cumplir todos los compromisos y obligaciones correspondientes y se podrán hacer efectivos los derechos adquiridos anteriormente.

En el caso de la disolución, el Juez de Ejecución designará en el mismo acto al liquidador que procederá a cumplir todas las obligaciones contraídas hasta entonces por la persona moral, inclusive las responsabilidades derivadas del delito cometido, observando las disposiciones legales sobre prelación de créditos, conforme a la naturaleza de éstos y de la entidad objeto de la liquidación.

La conclusión de toda actividad social se hará sin perjuicio de la realización de los actos necesarios para la disolución y liquidación total.

En caso de prohibición de realizar determinados negocios, operaciones o actividades, el Juez de Ejecución se limitará a supervisar y revisar aquellas determinadas en la sentencia condenatoria, mismas que deberán tener relación directa con el delito cometido. Los administradores y el comisario de la sociedad serán responsables ante el Juez de Ejecución del cumplimiento de esta prohibición e incurrirán en las penas que establecen las leyes por desobediencia a un mandato de autoridad.

En caso de intervención, el Juez de Ejecución llevará a cabo la vigilancia de las funciones que realizan los órganos de representación de la persona moral o jurídica y se ejercerá con las atribuciones que la ley confiere al interventor.

En caso de remoción o sustitución de los administradores por uno designado por el Juez o Tribunal de enjuiciamiento, durante el periodo estipulado en la sentencia, el Juez de Ejecución podrá atender las solicitudes que formulen los socios o asociados que no hubiesen tenido participación en el delito. El Juez de Ejecución deberá velar por la buena administración de la sociedad, pudiendo sustituir o remover administradores si se presentan pruebas de su mala gestión.

El Juez de Ejecución podrá escuchar en todo momento las solicitudes que hagan los socios, asociados, administradores, trabajadores, interventores o acreedores de la persona jurídica, con el fin de salvaguardar sus derechos e intereses. El Juez de Ejecución, deberá velar por la reparación del daño de la víctima, los derechos de los trabajadores y de terceros.

Al imponer la suspensión, intervención, remoción o disolución a las personas morales, la autoridad judicial tomará las medidas pertinentes para dejar a salvo los derechos de los trabajadores y terceros frente a la persona jurídica colectiva, así como aquellos otros derechos que sean exigibles frente a otras personas, derivados de actos celebrados con la persona moral sancionada. Estos derechos quedarán a salvo, aun cuando la autoridad judicial no tome las medidas a que se refiere el párrafo anterior.

Artículo 165. Trabajo en favor de la comunidad

El trabajo a favor de la comunidad consiste en la prestación de servicios personales no remunerados, en instituciones públicas en general, así como de carácter educativo o de asistencia social públicas o privadas.

La intervención de las instituciones privadas se hará sobre la base de los convenios que celebre la Autoridad Penitenciaria con aquellas.

Por ningún concepto se desarrollará este trabajo en forma que resulte degradante o humillante para el beneficiado.

Artículo 166. Convenios de colaboración

El Consejo de la Judicatura Federal y los respectivos órganos de los poderes judiciales en las entidades federativas, podrán celebrar convenios con la Federación, las entidades federativas, Municipios, organismos públicos descentralizados, municipales o estatales, instituciones de asistencia privada, organizaciones de la sociedad civil, clubes u otros organismos de servicio social y con las Autoridades Auxiliares, para que el sentenciado cumpla en ellos, total o parcialmente el trabajo en favor de la comunidad.

Artículo 167. Incumplimiento del trabajo en favor de la comunidad

Si los trabajos a favor de la comunidad se le hubieren impuesto al sentenciado como sustitutivo de la pena de prisión y no cumpla, en audiencia se ordenará su reaprehensión en los términos de esta Ley. Asimismo, será recluido en el Centro Penitenciario durante un tiempo igual al de la pena de prisión que haya sido sustituida y que haya quedado pendiente de compurgarse, descontándose únicamente las jornadas que haya efectivamente laborado, correspondiendo un día de reclusión por cada jornada laborada.

CAPÍTULO VII
MEDIDAS DE SEGURIDAD

Artículo 168. Vigilancia de la autoridad

La vigilancia de la autoridad consiste en la supervisión y orientación de la conducta del sentenciado, ejercidas por las Autoridades Auxiliares, con la finalidad exclusiva de coadyuvar a la reinserción social del sentenciado y a la protección de la comunidad o las víctimas del delito.

La ejecución de la vigilancia de la autoridad no deberá exceder de la correspondiente a la pena o medida de seguridad impuesta.

Cuando el Juez de Ejecución conforme a lo previsto por la Ley Penal aplicable, imponga una medida de seguridad consistente en la vigilancia personal o monitoreo del sentenciado corresponderá aplicarla a la autoridad de seguridad pública competente.

CAPÍTULO VIII
JUSTICIA TERAPÉUTICA

SECCIÓN PRIMERA
GENERALIDADES

Artículo 169. Objeto

El objeto de este Capítulo es establecer las bases para regular en coordinación con las Instituciones operadoras, la atención integral sobre la dependencia a sustancias de las personas sentenciadas y su relación con la comisión de delitos, a través de programas de justicia terapéutica, que se desarrollarán conforme a los términos previstos en esta Ley y la normatividad correspondiente.

El programa de justicia terapéutica es un beneficio de la sustitución de la ejecución de la pena que determina el Juez de Ejecución, por delitos patrimoniales sin violencia, cuya finalidad es propiciar la rehabilitación e integración de las personas sentenciadas relacionadas con el consumo de sustancias, bajo la supervisión del Juez de Ejecución, para lograr la reducción de los índices delictivos.

Artículo 170. Bases del programa

El programa debe contemplar los siguientes aspectos fundamentales:

I. Los trastornos por la dependencia de sustancias son considerados una enfermedad biopsicosocial crónica, progresiva y recurrente que puede afectar el juicio, el comportamiento y el desenvolvimiento social de las personas;

II. Debe impulsar acciones para reducir situaciones de riesgo de la persona sentenciada frente a la justicia sobre la dependencia en el consumo de sustancias;

III. Debe garantizar la protección de los derechos de la persona sentenciada;

IV. Debe fomentar programas que promuevan estrategias de integración social mediante la participación del sector público y sociedad civil;

V. Debe mantener una interacción constante entre la persona sentenciada, el Centro de Tratamiento, el Juez de Ejecución y los demás operadores;

VI. Debe medir el logro de metas y su impacto, mediante evaluaciones constantes y realimentar el procedimiento, a efecto de lograr una mejora continua, y

VII. Debe promover la capacitación interdisciplinaria y actualización constante del personal de las instituciones operadoras del sistema.

Artículo 171. Principios del Procedimiento

Las estrategias del programa de las personas sentenciadas deben estar fundamentadas en una política de salud pública, reconociendo que los trastornos por la dependencia de sustancias representan una enfermedad biopsicosocial crónica, progresiva y recurrente que requiere de un tratamiento integral. Por tal motivo, el procedimiento se regirá bajo los siguientes principios:

I. Voluntariedad. La persona sentenciada debe aceptar someterse al programa de manera libre e informada respecto de los beneficios, condiciones y medidas disciplinarias que exige el procedimiento;

II. Flexibilidad. Para la aplicación de incentivos y medidas disciplinarias, se considerará la evolución intermitente del trastorno por dependencia de sustancias durante el tratamiento como parte del proceso de rehabilitación;

III. Confidencialidad. La información personal de las personas sentenciadas en tratamiento estará debidamente resguardada y únicamente tendrán acceso a ella los operadores como un principio ético aplicable tanto a la información de carácter médica como la derivada del proceso judicial;

IV. Oportunidad. Debe fomentar la armonía social mediante acciones basadas en el compromiso de las personas sentenciadas y la satisfacción de la víctima u ofendido en cuanto a la reparación del daño;

V. Transversalidad. Es la articulación, complementación y homologación de las acciones e instrumentos aplicables en materia de los trastornos por dependencia de sustancias, por las instituciones del sector público y social en torno a la realización armónica y funcional de las actividades previstas en el marco de esta Ley, tomando en cuenta las características de la población a atender y sus factores específicos de riesgo;

VI. Jurisdiccionalidad. La supervisión judicial debe ser amplia y coordinada para garantizar el cumplimiento de la persona sentenciada;

VII. Complementariedad. Convivencia de programas dirigidos a la abstinencia y a la reducción de riesgos y daños, garantizando la optimización de los recursos existentes, analizando los planes y estrategias para el desarrollo eficaz del procedimiento;

VIII. Igualdad Sustantiva. Los beneficios del procedimiento deben garantizarse por igual a las personas sentenciadas;

IX. Integralidad. Considerar a cada persona de forma integral y abordar la problemática considerándola un fenómeno multifactorial, y

X. Diversificación. Utilizar diferentes estrategias y métodos, abriendo nuevos campos de investigación y evaluación en las diferentes etapas del procedimiento.

SECCIÓN SEGUNDA
TRATAMIENTO

Artículo 172. Elaboración del programa

El programa iniciará una vez que la persona sentenciada haya sido admitida para atender el trastorno por la dependencia en el consumo de sustancias que padece, así como otras enfermedades relacionadas al mismo.

El Centro de Tratamiento debe elaborar el programa a partir del diagnóstico confirmatorio, de acuerdo con las necesidades y características de la persona sentenciada, así como la severidad del trastorno por su dependencia en el consumo de sustancias. El programa podrá ser bajo la modalidad residencial o ambulatoria.

Artículo 173. Ámbitos de intervención

El programa debe ser integral y debe considerar los siguientes ámbitos de intervención:

I. Judicial: La participación del Juez de Ejecución durante el desarrollo del procedimiento;

II. Clínico: Desarrollo del programa de tratamiento;

III. Institucional: Los Consejos Estatales.

La intervención se establecerá con base a la Ley General de Salud, la ley de salud local y demás instrumentos jurídicos aplicables.

Artículo 174. Modalidades de intervención

El programa puede llevarse mediante las siguientes modalidades de intervención:

I. Tratamiento psico-farmacológico, en caso de ser necesario de acuerdo al criterio del médico para el manejo de la intoxicación, de la abstinencia o de los trastornos psiquiátricos concomitantes;

II. Psicoterapia individual;

III. Psicoterapia de grupo;

IV. Psicoterapia familiar;

V. Sesión de grupo de familias;

VI. Sesiones de grupos de ayuda mutua;

VII. Actividades psicoeducativas, culturales y deportivas, y

VIII. Terapia ocupacional y capacitación para el trabajo.

Artículo 175. Etapas del tratamiento

El programa contemplará:

I. La evaluación diagnóstica inicial;

II. El diseño del programa de tratamiento;

III. El desarrollo del tratamiento clínico;

IV. La rehabilitación e integración comunitaria, y

V. La evaluación y seguimiento.

SECCIÓN TERCERA
CENTROS DE TRATAMIENTO

Artículo 176. Naturaleza de los Centros de Tratamiento

La Federación y las entidades federativas deben contar con Centros de Tratamiento. El programa debe ser proporcionado por los Centros de Tratamiento sin costo, se aplicará con respeto de los derechos humanos y con perspectiva de género siguiendo los estándares de profesionalismo y de ética médica en la prestación de servicios de salud y cuidando la integridad física y mental de las personas sentenciadas.

Artículo 177. Obligaciones del Centro de Tratamiento

El Centro de Tratamiento debe:

I. Realizar la evaluación diagnóstica inicial, que incluya los trastornos por dependencia en el consumo de sustancias para determinar la admisión de la persona sentenciada al programa;

II. Esta evaluación incluye las pruebas de laboratorio y gabinete pertinentes para la detección oportuna de los diferentes padecimientos;

III. Efectuar las pruebas de toxicología respectivas;

IV. Elaborar el programa de tratamiento y remitirlo al Juez de Ejecución;

V. Otorgar el tratamiento o, en su caso, coordinar otros servicios proveedores de tratamiento para atender los diferentes padecimientos encontrados en la evaluación diagnóstica;

VI. Registrar y actualizar el expediente de cada persona sentenciada sujeta al programa de tratamiento con todas las intervenciones efectuadas;

VII. Realizar visitas de investigación o seguimiento durante la ejecución del programa;

VIII. Presentar ante el Juez de Ejecución los informes de evaluación de cada persona sentenciada de manera periódica durante el desarrollo del programa para su análisis con los operadores involucrados o cuando así lo requiera;

IX. Hacer del conocimiento del Juez de Ejecución cuando, de acuerdo con criterios clínicos, no sea posible ofrecer el tratamiento apropiado, informándole los motivos y haciendo las recomendaciones pertinentes del caso;

X. Asistir a reuniones de trabajo con los distintos operadores del procedimiento, y

XI. Integrar recursos familiares que sirvan de apoyo al mismo.

SECCIÓN CUARTA
DEL PROCEDIMIENTO

Artículo 178. Admisión

Para ser admitida al programa la persona sentenciada debe:

I. Garantizar la reparación del daño, y

II. Expresar su consentimiento previo, libre e informado de acceder al programa.

Una vez que cumpla con los requisitos de elegibilidad, se considerará sujeta al programa.

Artículo 179. Solicitud

La persona sentenciada por delitos patrimoniales sin violencia, por sí misma o a través de su defensor, podrá solicitar por escrito al Juez de Ejecución someterse al programa.

El Juez de Ejecución debe verificar que la persona sentenciada cumpla con los requisitos de elegibilidad previstos en esta Ley.

En caso de cumplir con los requisitos, el Juez de Ejecución debe requerir al Centro de Tratamiento la Evaluación Diagnóstica Inicial a efecto de que sea remitida en un término de tres días hábiles contados a partir de su recepción.

En caso de no cumplir con los requisitos, el Juez de Ejecución debe desechar de plano la solicitud, contra dicha resolución procede el recurso de apelación.

El trámite de este procedimiento no suspenderá la ejecución de la pena.

Artículo 180. Programa

El Juez de Ejecución, una vez que cuente con la Evaluación Diagnóstica Inicial en sentido positivo, debe solicitar al Centro de Tratamiento la elaboración del diagnóstico confirmatorio, así como del Programa en un plazo no mayor a cinco días hábiles.

Artículo 181. Admisión al Programa

El Juez de Ejecución admitirá el ingreso al programa de la persona sentenciada, una vez que reciba el diagnóstico confirmatorio, señalando fecha y hora para la celebración de la audiencia, la cual debe llevarse a cabo dentro de los diez días posteriores.

En caso de que se trate de diagnóstico no confirmatorio, el Juez de Ejecución debe dictar la no admisión al programa.

Artículo 182. Audiencia Inicial

En la audiencia inicial el Juez de Ejecución debe:

I. Precisar los antecedentes del caso, así como el cumplimiento de los requisitos de elegibilidad y de admisión;

II. Escuchar a la persona sentenciada sobre la voluntad libre e informada de someterse a las condiciones del programa;

III. Hacer del conocimiento de la persona sentenciada los derechos, obligaciones, incentivos y medidas disciplinarias del programa;

IV. Solicitar al representante del Centro de Tratamiento explique el programa de tratamiento al caso concreto;

V. Citar a quienes realizaron el diagnóstico confirmatorio si lo considera necesario;

VI. Escuchar al Ministerio Público, al sentenciado y a su defensor, a fin de que manifiesten lo que a su derecho corresponda;

VII. Señalar el programa de tratamiento a seguir y el Centro que corresponda, y

VIII. Fijar la periodicidad de las audiencias de seguimiento.

Artículo 183. Audiencias de seguimiento

Las audiencias de seguimiento, tienen por objeto que el Juez de Ejecución constate el cumplimiento del programa y escuche a la persona sentenciada sobre su avance y progreso. Cuando menos se celebrarán dos audiencias por programa.

A estas audiencias asistirán el Ministerio Público, el Centro de Tratamiento, la persona sentenciada y su defensor.

Artículo 184. Audiencias especiales

El Juez de Ejecución puede llevar a cabo audiencias especiales, fuera de las audiencias de seguimiento, a estas audiencias asistirán el Ministerio Público, el Centro de Tratamiento, la persona sentenciada y su defensor.

Se consideran audiencias especiales las siguientes:

I. Cuando exista la necesidad de cambio de nivel de cuidado clínico;

II. Cuando el Juez de Ejecución ordene evaluaciones médicas complementarias;

III. Cuando la persona sentenciada solicite una autorización para salir de la jurisdicción, o

IV. Cualquier otra que pudiera beneficiar a la persona sentenciada en su proceso de rehabilitación.

Artículo 185. Conclusión del Programa

Concluido el programa, el Centro de Tratamiento solicitará al Juez de Ejecución la audiencia de egreso. A esta audiencia asistirá el Ministerio Público, el Centro de Tratamiento, la persona sentenciada y su defensor.

Artículo 186. Audiencia de egreso

En la audiencia de egreso, el Juez de Ejecución, evaluará los informes del Centro de Tratamiento y se pronunciará respecto a la conclusión del programa, así como el pago que la persona sentenciada haya realizado para reparar el daño a la víctima u ofendido, concluido el programa y pagada la reparación del daño, el Juez de Ejecución dará por cumplida la sentencia.

SECCIÓN QUINTA
INCENTIVOS Y MEDIDAS DISCIPLINARIAS

Artículo 187. Incentivos

Durante el programa, la persona sentenciada o su defensor podrán solicitar incentivos. El Juez de Ejecución basándose en los informes de evaluación del Centro de Tratamiento y tomando en cuenta la manifestación de la persona sentenciada, podrá otorgar en su caso uno de los siguientes incentivos en audiencia:

I. Reducir la frecuencia de la supervisión judicial, y

II. Autorizar la participación libre en actividades de la comunidad.

Artículo 188. Medidas Disciplinarias

El Juez de Ejecución, a petición del Ministerio Público o del Centro de Tratamiento, impondrá durante el desarrollo del programa las medidas disciplinarias en aquellos casos en que la persona sentenciada incumpla con el programa, en alguna de las etapas siguientes:

I. El desarrollo del tratamiento clínico;

II. La rehabilitación e integración comunitaria.

Las medidas disciplinarias podrán ser:

I. Aumentar la frecuencia de la supervisión judicial;

II. Aumentar la frecuencia de pruebas toxicológicas, y

III. Ordenar su arresto hasta por treinta y seis horas.

Artículo 189. Causas de revocación

Serán causa de revocación del programa, las siguientes:

I. Falsear información sobre el cumplimiento del tratamiento;

II. Abandonar el programa de tratamiento;

III. Poseer armas;

IV. Haber cometido algún delito durante el programa;

V. Ser arrestado administrativamente por motivo de consumo de sustancias;

VI. No comunicar cambios de domicilio, y

VII. Falsear pruebas en el antidopaje.

También serán causas de revocación la reiteración de las siguientes conductas:

I. Antidopaje positivo o con aparición de consumo de otras sustancias;

II. No acudir a las sesiones del Centro de Tratamiento sin justificación, y

III. No acudir a las audiencias judiciales, sin justificación.

Para efecto de lo anterior, la reiteración debe entenderse como aquella conducta que haya sido sancionada con una medida disciplinaria con anterioridad por el Juez de Ejecución.

CAPÍTULO IX
DE LAS MEDIDAS DE SEGURIDAD PARA PERSONAS INIMPUTABLES

Artículo 190. Disposición general

Las disposiciones de la presente Ley serán aplicables, en lo conducente, a las personas inimputables privadas de la libertad con motivo de la ejecución de una medida de seguridad, impuesta de acuerdo a la legislación penal y procesal penal vigente.

Artículo 191. Tratamiento de inimputables

Cuando el estado de inimputabilidad sobrevenga en la ejecución de la pena, el Juez de Ejecución dispondrá de la medida de tratamiento aplicable, ya sea en internamiento o en libertad.

Artículo 192. Establecimientos

Las personas sujetas a una medida de seguridad privativa de la libertad deberán cumplirla únicamente en los establecimientos destinados para ese propósito, distintos de los centros de extinción de penas y de prisión preventiva. Los establecimientos dependerán de las autoridades administrativas en materia de salud.

Artículo 193. Organización en establecimientos

Los establecimientos para personas inimputables deberán estar separados para mujeres y hombres y deberán contar con el personal especializado masculino y femenino para la atención de las personas privadas de la libertad. Estos establecimientos deberán ofrecer los programas pertinentes que apoyen a las y los pacientes privados de la libertad para su atención médica integral.

Artículo 194. Atención externa

Las instituciones que proporcionen atención externa a las personas sujetas a medidas de seguridad distintas a la privación de la libertad, deberán contar con las instalaciones y mobiliario, servicios y suministros adecuados para las necesidades de las personas usuarias.

Artículo 195. Normas reglamentarias y protocolos

Las normas y protocolos correspondientes atenderán a lo dispuesto en instrumentos internacionales para la protección de las personas discapacitadas. Los protocolos previstos en esta Ley no podrán aplicarse a los establecimientos sin su previa adecuación y complementación para las circunstancias particulares de las personas con algún tipo de discapacidad.

Artículo 196. Controversias

Las controversias que se presenten con motivo del trato y el tratamiento en la ejecución de las medidas de seguridad, que no sean de la competencia de las y los jueces del proceso, serán resueltas por los jueces de ejecución con apego a esta Ley, con la realización de los ajustes razonables al procedimiento.

Artículo 197. Determinación de lugar de internamiento

Cuando una misma persona esté sujeta a medidas de seguridad y la pena de prisión o prisión preventiva en razón de procesos distintos, se atenderá a lo dispuesto en este Capítulo respecto al lugar y condiciones de internamiento.

CAPÍTULO X
REGLAS COMUNES

Artículo 198. Reparación del daño

Toda persona sentenciada, candidata a disfrutar de alguna medida de libertad condicionada o libertad anticipada; sustitución o suspensión temporal de la pena, contempladas en este Título, deberá asegurar el cumplimiento de la reparación del daño antes de que la misma pueda hacerse efectiva. En los casos en que la persona sentenciada no cuente con los medios inmediatos para finiquitar la indemnización como parte de la reparación del daño, ésta deberá presentar una caución suficiente para cumplir con la obligación o la condonación de pago debe haber sido otorgada por la víctima. En ningún caso, una persona sentenciada potencialmente beneficiaria de la determinación sobre alguna medida de libertad condicionada o libertad anticipada, podrá permanecer en prisión por escasez de recursos económicos, para lo cual podrán aplicarse los Mecanismos Alternativos o procedimientos de justicia restaurativa que correspondan. Los defensores deberán velar en todo momento para hacer efectivo este derecho.

Artículo 199. Inconstitucionalidad de la norma penal

En los casos en que la Suprema Corte de Justicia de la Nación determine que un tipo penal, una porción normativa de éste, o bien una pena, sean inconstitucionales, con motivo de la emisión de una declaratoria general de inconstitucionalidad, en términos de las disposiciones aplicables, la autoridad jurisdiccional competente, de oficio o a solicitud de la institución de defensoría pública federal o de las entidades federativas, deberá emitir una resolución declarando la extinción de la pena y concediendo la libertad de las personas sentenciadas en los supuestos descritos.

Para decretar la extinción de la pena y conceder la libertad, la autoridad jurisdiccional deberá cerciorarse que las personas privadas de la libertad hubiesen sido sentenciadas con base en los supuestos o en las hipótesis normativas tildadas de inconstitucionalidad.

En el auto que declare extinta la pena y ordene la libertad del sentenciado, se deberá asentar el estudio técnico jurídico de la correspondencia entre la norma declarada inconstitucional y el delito por el que fue sentenciado la persona privada de la libertad, en los términos del párrafo anterior.

La inobservancia del requisito anterior será causa de responsabilidad administrativa, en términos de la legislación aplicable.

TÍTULO SEXTO

CAPÍTULO I
JUSTICIA RESTAURATIVA

Artículo 200. Objeto de la justicia restaurativa en la ejecución de sanciones

En la ejecución de sanciones penales podrán llevarse procesos de justicia restaurativa, en los que la víctima u ofendido, el sentenciado y en su caso, la comunidad afectada, en libre ejercicio de su autonomía, participan de forma individual o conjuntamente de forma activa en la resolución de cuestiones derivadas del delito, con el objeto de identificar las necesidades y responsabilidades individuales y colectivas, así como a coadyuvar en la reintegración de la víctima u ofendido y del sentenciado a la comunidad y la recomposición del tejido social.

Artículo 201. Principios

La justicia restaurativa se regirá por los principios de voluntariedad de las partes, flexibilidad, responsabilidad, confidencialidad, neutralidad, honestidad y reintegración.

Artículo 202. Procedencia

Los procesos de justicia restaurativa serán procedentes para todos los delitos y podrán ser aplicados a partir de la emisión de sentencia condenatoria. En la audiencia de individualización de sanciones en el caso de que se dicte sentencia condenatoria, el Tribunal de Enjuiciamiento informará al sentenciado y a la víctima u ofendido, de los beneficios y la posibilidad de llevar a cabo un proceso de justicia restaurativa; en caso de que por acuerdo de las partes se opte por el mismo, el órgano jurisdiccional canalizará la solicitud al área correspondiente.

Artículo 203. Alcances de la justicia restaurativa

Si el sentenciado se somete al proceso de justicia restaurativa, el Juez de Ejecución lo considerará como parte complementaria del plan de actividades.

Artículo 204. Procesos restaurativos

Los procesos restaurativos se llevarán a cabo con la participación del sentenciado en programas individuales o sesiones conjuntas con la víctima u ofendido, en las cuales podrán participar miembros de la comunidad y autoridades, atendiendo al caso concreto y con el objetivo de analizar con las consecuencias derivadas de delito. Los procesos de justicia restaurativa en los que participe la víctima u ofendido y el sentenciado constarán de dos etapas: preparación, y encuentro, en las cuales se contará con la asistencia de un facilitador.

Serán requisitos para su realización los siguientes:

a) Que el sentenciado acepte su responsabilidad por el delito y participe de manera voluntaria;

b) Que la víctima dé su consentimiento pleno e informado de participar en el proceso y que sea mayor de edad;

c) Verificar que la participación de la víctima y del sentenciado se desarrolle en condiciones seguras.

La etapa de preparación consiste en reuniones previas del facilitador con el sentenciado y en su caso sus acompañantes; para asegurarse que están preparados para participar en un proceso de justicia restaurativo y aceptan su responsabilidad por el delito; reuniones previas del facilitador con la víctima u ofendido y en su caso sus acompañantes; para asegurarse que están preparados para participar en un proceso de justicia restaurativo y no existe riesgo de revictimización y en caso de que participen autoridades o miembros de la comunidad, reuniones previas del facilitador con los mismos, para asegurar su correcta participación en el proceso.

La etapa de encuentro consiste en sesiones conjuntas en las que el facilitador hará una presentación general y explicará brevemente el propósito de la sesión. Acto seguido, formulará las preguntas previamente establecidas. Las preguntas se dirigirán en primer término al sentenciado, posteriormente a la víctima u ofendido, en su caso a otros Intervinientes afectados por parte de la víctima u ofendido y de la persona imputada respectivamente y, por último, a los miembros de la comunidad que hubieren concurrido a la sesión. Una vez que los Intervinientes hubieren contestado las preguntas del facilitador, éste procederá a coadyuvar para encontrar formas específicas en que los participantes consideren se logra la satisfacción de las necesidades y la reintegración de las partes en la sociedad.

Enseguida, el facilitador concederá la palabra al sentenciado para que manifieste las acciones que estaría dispuesto a realizar para dicho fin, así como los compromisos que adoptará con los participantes. El facilitador, sobre la base de las propuestas planteadas por los Intervinientes, podrá concretar un Acuerdo que todos estén dispuestos a aceptar como resultado de la sesión y en la cual se establecerán las conclusiones y acuerdos de la misma.

Artículo 205. Facilitadores y colaboración con fiscalías y tribunales

Los programas de justicia restaurativa se realizarán por facilitadores certificados de conformidad con la Ley Nacional de Mecanismos Alternativos de Solución de Controversias en Materia Penal para lo cual, podrá solicitarse el auxilio de los facilitadores adscritos a los órganos especializados de mecanismos alternativos de solución de controversias en materia penal.

Artículo 206. Mediación penitenciaria

En todos los conflictos inter-personales entre personas privadas de la libertad o entre ellas y el personal penitenciario derivado del régimen de convivencia, procederá la Mediación Penitenciaria entendida como el proceso de diálogo, autoresponsabilización, reconciliación y acuerdo que promueve el entendimiento y encuentro entre las personas involucradas en un conflicto generando la pacificación de las relaciones y la reducción de la tensión derivada de los conflictos cotidianos que la convivencia en prisión genera. Para su aplicación, se seguirán las disposiciones contenidas en esta Ley, el Protocolo correspondiente y en la Ley Nacional de Mecanismos Alternativos de Solución de Controversias en Materia Penal.

CAPÍTULO II
SERVICIOS POSTPENALES

Artículo 207. Servicios postpenales

Las Autoridades Corresponsables, en coordinación con la Unidad encargada de los servicios postpenales dentro de la Autoridad Penitenciaria, establecerán centros de atención y formará Redes de Apoyo Postpenal a fin de prestar a los liberados, externados y a sus familiares, el apoyo necesario para facilitar la reinserción social, procurar su vida digna y prevenir la reincidencia.

A través de los servicios postpenales, se buscará fomentar, la creación y promoción de espacios de orientación, apoyo y desarrollo personal, laboral, cultural, educativo, social y de capacitación, en general, de todas las áreas relacionadas con los ejes establecidos por el artículo 18 Constitucional a fin de facilitar la reinserción social además de promover en la sociedad la cultura de aceptación del liberado o externado.

Los servicios postpenales se brindarán de forma individualizada conforme a las circunstancias de cada caso y a las posibilidades del sentenciado, externado y su familia.

Para el cumplimiento de su objetivo, a nivel local y federal, la Autoridad Penitenciaria y demás autoridades corresponsables firmarán Convenios de colaboración con instituciones del sector público y privado que prestan funciones relacionadas con los servicios postpenales, con el objeto de canalizar a los liberados, externados y a su familia. De igual forma, existirá coordinación entre la Federación y los Estados o entre los Estados para el mejor cumplimiento de estos objetivos.

TRANSITORIOS

Primero. La presente Ley entrará en vigor al día siguiente de su publicación en el Diario Oficial de la Federación.

Para los efectos señalados en el párrafo tercero del artículo segundo transitorio del Decreto por el que se reforman y adicionan diversas disposiciones de la Constitución Política de los Estados Unidos Mexicanos, publicado en el Diario Oficial de la Federación el 18 de junio de 2008, se declara que la presente legislación recoge el sistema procesal penal acusatorio y entrará en vigor de acuerdo a los artículos transitorios siguientes.

Segundo. Las fracciones III y X y el párrafo séptimo del artículo 10; los artículos 26 y 27, fracción II del artículo 28; fracción VII del artículo 108; los artículos 146, 147, 148, 149, 150 y 151 entrarán en vigor a partir de un año de la publicación de la presente Ley o al día siguiente de la publicación de la Declaratoria que al efecto emitan el Congreso de la Unión o las legislaturas de las entidades federativas en el ámbito de sus competencias, sin que pueda exceder del 30 de noviembre de 2017.

Los artículos 31, 32, 33, 34, 35, 36, 59, 60, 61, 75, 77, 78, 80, 82, 83, 86, 91, 92, 93, 94, 95, 96, 97, 98, 99, 128, 136, 145, 153, 165, 166, 169, 170, 171, 172, 173, 174, 175, 176, 177, 178, 179, 180, 181, 182, 183, 184, 185, 186, 187, 188, 189, 192, 193, 194, 195, 200, 201, 202, 203, 204, 205, 206 y 207 entrarán en vigor a más tardar dos años después de la publicación de la presente Ley o al día siguiente de la publicación de la Declaratoria que al efecto emitan el Congreso de la Unión o las legislaturas de las entidades federativas en el ámbito de sus competencias, sin que pueda exceder del 30 de noviembre de 2018.

En el orden Federal, el Congreso de la Unión emitirá la Declaratoria, previa solicitud conjunta del Consejo de Coordinación para la Implementación del Sistema de Justicia Penal o la instancia que, en su caso, quede encargada de coordinar la consolidación del Sistema de Justicia Penal, y la Conferencia Nacional del Sistema Penitenciario.

En el caso de las entidades federativas, el órgano legislativo correspondiente, emitirá la Declaratoria previa solicitud de la autoridad encargada de la implementación del Sistema de Justicia Penal en cada una de ellas.

En las entidades federativas donde esté vigente el nuevo Sistema de Justicia Penal, el órgano legislativo correspondiente deberá emitir dentro de los siguientes diez días el anexo a la Declaratoria para el inicio de vigencia de la presente Ley.

Tercero. A partir de la entrada en vigor de la presente Ley, quedarán abrogadas la Ley que Establece las Normas Mínimas Sobre Readaptación Social de Sentenciados y las que regulan la ejecución de sanciones penales en las entidades federativas.

Los procedimientos que se encuentren en trámite a la entrada en vigor del presente ordenamiento, continuarán con su sustanciación de conformidad con la legislación aplicable al inicio de los mismos, debiendo aplicar los mecanismos de control jurisdiccional previstos en la presente Ley, de acuerdo con el principio pro persona establecido en el artículo 1o. Constitucional.

A partir de la entrada en vigor de la presente Ley, se derogan todas las disposiciones normativas que contravengan la misma.

Cuarto. A partir de la entrada en vigor de la presente Ley, se derogan las normas contenidas en el Código Penal Federal y leyes especiales de la federación relativas a la remisión parcial de la pena, libertad preparatoria y sustitución de la pena durante la ejecución.

Las entidades federativas deberán adecuar su legislación a efecto de derogar las normas relativas a la remisión parcial de la pena, libertad preparatoria y sustitución de la pena durante la ejecución, en el ámbito de sus respectivas competencias.

Las entidades federativas deberán legislar en sus códigos penales sobre las responsabilidades de los supervisores de libertad.

Quinto. En un plazo que no exceda de ciento ochenta días naturales después de publicado el presente Decreto, la Federación y las entidades federativas deberán publicar las reformas a sus leyes que resulten necesarias para la implementación de esta Ley, así como lo dispuesto en el artículo 92, fracción V en materia de seguridad social.

A la entrada en vigor de la presente Ley, en aquellos lugares donde se determine su inicio, tanto en el ámbito federal como local, se deberá contar con las disposiciones administrativas de carácter general correspondientes, pudiendo preverse la homologación de criterios metodológicos, técnicos y procedimentales, para lo cual podrán coordinarse las autoridades involucradas.

Sexto. Las erogaciones que se generen con motivo de la entrada en vigor del presente Decreto para el Poder Judicial de la Federación, las dependencias y entidades de la Administración Pública Federal, se cubrirán con cargo a sus presupuestos para el presente ejercicio fiscal y los subsecuentes.

Asimismo, las entidades federativas deberán realizar las previsiones y adecuaciones presupuestales necesarias para dar cumplimiento a las obligaciones establecidas en este Decreto.

Séptimo. El Consejo de la Judicatura Federal, el Instituto Federal de la Defensoría Pública, la Procuraduría General de la República, la Secretaría de Gobernación, la Secretaría del Trabajo y Previsión Social, la Secretaría de Economía, la Secretaría de Educación Pública, la Secretaría de Cultura, la Secretaría de Desarrollo Social, la Secretaría de Salud, la Comisión Nacional de Cultura Física y Deporte, la Comisión Ejecutiva de Atención a Víctimas y toda dependencia o entidad de la Administración Pública Federal y sus equivalentes en las entidades federativas a las que se confieran responsabilidades directas o indirectas en esta Ley, deberán prever en sus programas la adecuada y correcta implementación, y deberán establecer dentro de los proyectos de presupuesto respectivos, las partidas necesarias para atender la ejecución de esos programas, las obras de infraestructura, la contratación de personal, la capacitación y todos los demás requerimientos necesarios para cumplir los objetivos de la presente Ley.

Octavo. El Consejo de Coordinación para la Implementación del Sistema de Justicia Penal constituirá un Comité para la Implementación, Evaluación y Seguimiento del Sistema de Ejecución Penal que estará presidido por la Conferencia Nacional del Sistema Penitenciario, el cual rendirá un informe semestral al Consejo de Coordinación. Lo anterior con la finalidad de coordinar, coadyuvar y apoyar a las autoridades federales y a las entidades federativas cuando así lo soliciten.

La Autoridad Penitenciaria contará con un plazo de cuatro años, a partir de la publicación de este Decreto, para capacitar, adecuar los establecimientos penitenciarios y su capacidad instalada, equipar, desarrollar tecnologías de la información y comunicaciones, así como adecuar su estructura organizacional. Todo ello de conformidad con los planes de actividades registrados ante el Comité al que se refiere el párrafo anterior.

El Consejo de Coordinación presentará anualmente ante las Cámaras del Congreso de la Unión, un informe anual del seguimiento a la implementación del Sistema de Ejecución Penal.

Noveno. Dentro de los ciento ochenta días naturales siguientes a la entrada en vigor del presente Decreto, la Conferencia Nacional del Sistema Penitenciario deberá emitir un Acuerdo General en el que se establezca un régimen gradual por virtud del cual las Autoridades Penitenciarias, en el ámbito de su competencias, destinarán espacios especiales de reclusión, dentro de los establecimientos penitenciarios, para los sentenciados por los delitos de delincuencia organizada y secuestro, previstos en la Ley General para Prevenir y Sancionar los Delitos en Materia de Secuestro, así como aquellas personas privadas de la libertad que requieran medidas especiales de seguridad.

Décimo. A partir de la entrada en vigor del presente Decreto, podrán acceder, de manera inmediata y sin tener que satisfacer los requisitos establecidos en las fracciones IV y VII del artículo 141 de la presente Ley, al beneficio de libertad anticipada todas las personas que hayan sido sentenciadas con penas privativas de la libertad por la comisión de los siguientes delitos:

I. La comisión del delito de robo cuyo valor de lo robado no exceda de 80 veces la Unidad de Medida y Actualización, y cuando en la comisión del delito no haya mediado ningún tipo de violencia, o

II. La comisión del delito de posesión sin fines de comercio o suministro, de Cannabis Sativa, Indica o Marihuana, contemplado en el artículo 477 de la Ley General de Salud, en cualquiera de sus formas, derivados o preparaciones, y cuando en la comisión del delito no haya mediado ningún tipo de violencia, ni la concurrencia de más delitos.

Para tal efecto, la autoridad jurisdiccional requerirá a la Autoridad Penitenciaria el informe sobre el cumplimiento de los requisitos a que alude el párrafo anterior.

Décimo Primero. Los procuradores o fiscales generales de la Federación y de las entidades federativas, en su ámbito de competencia respectivo, podrán solicitar ante la autoridad jurisdiccional competente, la aplicación de los beneficios de libertad anticipada referidos en el artículo transitorio décimo. Asimismo, las autoridades judiciales competentes sustanciarán el procedimiento respectivo de manera oficiosa o a solicitud de la persona a quien aplique dicho beneficio.

Décimo Segundo. El Poder Judicial de la Federación y los poderes judiciales de las entidades federativas emitirán acuerdos generales, para determinar la competencia territorial de excepción de los juzgados de ejecución con la finalidad de conocer de los diversos asuntos en razón de seguridad y medidas especiales, en tanto entra en vigor la Ley; para lo cual podrá suscribir los convenios correspondientes con las instancias operadoras del Sistema de Justicia Penal.

Artículo Segundo.- ....

TRANSITORIO

Único.- El presente Decreto entrará en vigor al día siguiente de su publicación en el Diario Oficial de la Federación.

Ciudad de México, a 14 de junio de 2016.- Sen. **Roberto Gil Zuarth**, Presidente.- Dip. **José de Jesús Zambrano Grijalva**, Presidente.- Sen. **Hilda Esthela Flores Escalera**, Secretaria.- Dip. **Juan Manuel Celis Aguirre**, Secretario.- Rúbricas."

En cumplimiento de lo dispuesto por la fracción I del Artículo 89 de la Constitución Política de los Estados Unidos Mexicanos, y para su debida publicación y observancia, expido el presente Decreto en la Residencia del Poder Ejecutivo Federal, en la Ciudad de México, a dieciséis de junio de dos mil dieciséis.- **Enrique Peña Nieto**.- Rúbrica.- El Secretario de Gobernación, **Miguel Ángel Osorio Chong**.- Rúbrica.

Ley Nacional del Sistema Integral de Justicia Penal para Adolescentes

ÚLTIMA REFORMA PUBLICADA EN EL DIARIO OFICIAL DE LA FEDERACIÓN: 20 DE DICIEMBRE DE 2022.

Ley publicada en la Edición Vespertina del Diario Oficial de la Federación, el jueves 16 de junio de 2016.

Al margen un sello con el Escudo Nacional, que dice: Estados Unidos Mexicanos.- Presidencia de la República.

ENRIQUE PEÑA NIETO, Presidente de los Estados Unidos Mexicanos, a sus habitantes sabed:

Que el Honorable Congreso de la Unión, se ha servido dirigirme el siguiente

DECRETO

"EL CONGRESO GENERAL DE LOS ESTADOS UNIDOS MEXICANOS, D E C R E T A:

SE EXPIDE LA LEY NACIONAL DEL SISTEMA INTEGRAL DE JUSTICIA PENAL PARA ADOLESCENTES

Artículo Único. Se expide la Ley Nacional del Sistema Integral de Justicia Penal para Adolescentes.

LEY NACIONAL DEL SISTEMA INTEGRAL DE JUSTICIA PENAL PARA ADOLESCENTES

LIBRO PRIMERO DISPOSICIONES GENERALES

TÍTULO I DISPOSICIONES PRELIMINARES

CAPÍTULO ÚNICO ÁMBITO DE APLICACIÓN Y OBJETO

Artículo 1. Ámbito de aplicación

Esta Ley es de orden público y de observancia general en toda la República Mexicana. Se aplicará a quienes se atribuya la realización de una conducta tipificada como delito por las leyes penales y tengan entre doce años cumplidos y menos de dieciocho años de edad, y que sean competencia de la Federación o de las entidades federativas, en el marco de los principios y derechos consagrados en la Constitución Política de los Estados Unidos Mexicanos y en los Tratados Internacionales de los que el Estado mexicano sea parte.

En ningún caso, una persona mayor de edad podrá ser juzgada en el sistema de justicia para adultos, por la atribución de un hecho que la ley señale como delito por las leyes penales, probablemente cometido cuando era adolescente.

Artículo 2. Objeto de la Ley

Esta Ley tiene como objeto:

I. Establecer el Sistema Integral de Justicia Penal para Adolescentes en la República Mexicana;

II. Garantizar los derechos humanos de las personas adolescentes a quienes se les impute o resulten responsables de la comisión de hechos tipificados como delitos;

III. Establecer los principios rectores del Sistema Integral de Justicia Penal para Adolescentes en la República Mexicana;

IV. Establecer las bases, requisitos y condiciones de los mecanismos alternativos de solución de controversias del Sistema Integral de Justicia Penal para Adolescentes;

V. Determinar las medidas de sanción correspondientes a quienes se les compruebe la comisión de un hecho señalado como delito por las leyes penales durante su adolescencia según su grupo etario;

VI. Definir las instituciones, órganos y autoridades especializados, así como delimitar y distribuir sus atribuciones y funciones para la aplicación de las normas del Sistema;

VII. Establecer los procedimientos de ejecución de medidas de sanción y los relativos para resolver las controversias que surjan con motivo de la ejecución de las medidas;

VIII. Determinar los mecanismos de cumplimiento, sustitución y terminación de las medidas de sanción.

Artículo 3. Glosario

Para los efectos de esta Ley, se entiende por:

I. Adolescente: Persona cuya edad está entre los doce años cumplidos y menos de dieciocho;

II. Ajustes razonables: Las modificaciones y adaptaciones necesarias y adecuadas en la infraestructura y los servicios, que al realizarlas no impongan una carga desproporcionada o afecten derechos de terceros, que se aplican cuando se requieran en un caso particular, para garantizar que las personas gocen o ejerzan sus derechos en igualdad de condiciones con las demás;

III. Autoridad Administrativa: Órgano Especializado en la Ejecución de Medidas para adolescentes;

IV. Código Nacional: Código Nacional de Procedimientos Penales;

V. Constitución: Constitución Política de los Estados Unidos Mexicanos;

VI. Convención: Convención sobre los Derechos del Niño;

VII. Defensa: La o el defensor público o la o el defensor particular especializado en el Sistema Integral de Justicia Penal para Adolescentes en los términos de esta Ley;

VIII. Facilitador: Profesional certificado y especializado en adolescentes, cuya función es facilitar la participación de los intervinientes en los mecanismos alternativos y justicia restaurativa;

IX. Grupo etario I: Grupo de personas adolescentes que por su edad se encuentren comprendidas en el rango de edad de doce años cumplidos a menos de catorce años;

X. Grupo etario II: Grupo de personas adolescentes que por su edad se encuentren comprendidas en el rango de edad de catorce años cumplidos a menos de dieciséis años;

XI. Grupo etario III: Grupo de personas adolescentes que por su edad se encuentren comprendidas en el rango de edad de dieciséis años cumplidos a menos de dieciocho años;

XII. Guía Técnico: Es el responsable de velar por la integridad física de la persona adolescente. Es el garante del orden, respeto y la disciplina al interior del centro especializado e integrante de las instituciones policiales. Tendrá además la función de acompañar a la persona adolescente en el desarrollo y cumplimiento de su programa individualizado de actividades;

XIII. Ley: Ley Nacional del Sistema Integral de Justicia Penal para Adolescentes;

XIV. Ley General: Ley General de los Derechos de Niñas, Niños y Adolescentes;

XV. Ley de Mecanismos Alternativos: Ley Nacional de Mecanismos Alternativos de Solución de Controversias en Materia Penal;

XVI. Leyes Penales: El Código Penal Federal, los Códigos penales o leyes que en su caso, resulten aplicables al Sistema Integral de Justicia Penal para Adolescentes;

XVII. Órgano Jurisdiccional: El Juez de Control, el Tribunal de Enjuiciamiento, el Juez de Ejecución y el Magistrado, especializados en el Sistema Integral de Justicia Penal para Adolescentes;

XVIII. Persona adulta joven: Grupo de personas mayores de dieciocho años sujetos al Sistema;

XIX. Persona responsable de la/el adolescente: Quien o quienes ejercen la patria potestad, custodia o tutela de la persona adolescente;

XX. Plan Individualizado de Actividades: Organización de los tiempos y espacios en que cada adolescente podrá realizar las actividades educativas, deportivas, culturales, de protección al ambiente, a la salud física y mental, personales y para la adquisición de habilidades y destrezas para el desempeño de un oficio, arte, industria o profesión, de acuerdo con su grupo etario, en los términos de la medida cautelar de internamiento preventivo impuesta por el Órgano Jurisdiccional;

XXI. Plan Individualizado de Ejecución: El plan que diseña la Autoridad Administrativa en la Ejecución de Medidas por el que se individualiza la ejecución de las medidas de sanción, aprobado por el Juez de Ejecución;

XXII. Procuradurías de Protección: La Procuraduría Federal de Protección de Niñas, Niños y Adolescentes y las procuradurías de protección de niñas, niños y adolescentes de cada entidad federativa establecidas por la Ley General;

XXIII. Sistema: Sistema Integral de Justicia Penal para Adolescentes, y

XXIV. Víctima u Ofendido: Los señalados en el artículo 108 del Código Nacional de Procedimientos Penales.

Artículo 4. Niñas y Niños

Las niñas y niños, en términos de la Ley General, a quienes se les atribuya la comisión de un hecho que la ley señale como delito estarán exentos de responsabilidad penal, sin perjuicio de las responsabilidades civiles a las que haya lugar.

En caso de que la autoridad advierta que los derechos de estas niñas y niños están siendo amenazados o violados, deberá dar aviso a la Procuraduría de Protección competente.

Artículo 5. Grupos de edad

Para la aplicación de esta Ley, se distinguirán los grupos etarios I, II y III:

I. De doce a menos de catorce años;

II. De catorce a menos de dieciséis años, y

III. De dieciséis a menos de dieciocho años.

Artículo 6. Aplicación de esta Ley a la persona mayor de edad

A las personas mayores de dieciocho años de edad a quienes se les atribuya la comisión o participación en un hecho señalado como delito en las leyes penales mientras eran adolescentes, se les aplicará esta Ley.

Asimismo, se aplicará en lo conducente a las personas que se encuentren en proceso o cumpliendo una medida de sanción y cumplan dieciocho años de edad. Por ningún motivo, las personas mayores de edad cumplirán medidas privativas de la libertad en los mismos espacios que las personas adolescentes.

Artículo 7. Comprobación de la edad

Para todos los efectos de esta Ley, la edad a considerar será la que tenía la persona al momento de realizar el hecho que la ley señale como delito, el cual se acreditará mediante acta de nacimiento expedida por el Registro Civil, o bien, tratándose de extranjeros, mediante documento oficial. Cuando esto no sea posible, la comprobación de la edad se hará mediante dictamen médico rendido por el o los peritos que para tal efecto designe la autoridad correspondiente.

Artículo 8. Presunciones de edad

Si existen dudas de que una persona es adolescente se le presumirá como tal y quedará sometida a esta Ley, hasta en tanto se pruebe lo contrario. Cuando exista la duda de que se trata de una persona mayor o menor de doce años, se presumirá niña o niño.

Si la duda se refiere al grupo etario al que pertenece la persona adolescente se presumirá que forma parte del que le sea más favorable.

En ningún caso se podrán decretar medidas de privación de la libertad para efectos de comprobación de la edad.

Artículo 9. Interpretación

La interpretación de las disposiciones contenidas en esta Ley deberá hacerse de conformidad con la Constitución, los principios rectores del Sistema, la Ley General y los Tratados Internacionales, favoreciendo en todo tiempo a las personas adolescentes la protección más amplia.

Artículo 10. Supletoriedad

Sólo en lo no previsto por esta Ley deberán aplicarse supletoriamente las leyes penales, el Código Nacional, la Ley de Mecanismos Alternativos, la Ley Nacional de Ejecución Penal y la Ley General de Víctimas, siempre que sus normas no se opongan a los principios rectores del sistema y sean en beneficio de la persona sujeta a la presente Ley.

Solo serán aplicables las normas procesales en materia de delincuencia organizada y de protección a personas que intervienen en el procedimiento penal, que impliquen un beneficio para la persona adolescente.

Artículo 11. Salvaguarda de Derechos de las personas sujetas a esta Ley

En el caso de las personas adolescentes a las que se les atribuya la comisión de un hecho que la ley señale como delito y que carezcan de madre, padre o tutor, o bien, estos no sean localizables, el Ministerio Público deberá dar aviso a la Procuraduría de Protección competente para que, en términos de las atribuciones establecidas por las leyes aplicables, ejerza en su caso la representación en suplencia para la salvaguarda de sus derechos.

Asimismo, con independencia de que cuente con madre, padre o tutor, cuando se advierta que los derechos de la persona adolescente acusada de la comisión de un hecho que la ley señale como delito se encuentran amenazados o vulnerados, el Ministerio Público deberá dar aviso a la Procuraduría de Protección competente para que proceda en términos de lo previsto en la legislación aplicable y, en su caso, ésta ejerza la representación en coadyuvancia para garantizar en lo que respecta a la protección y restitución de derechos.

TÍTULO II
PRINCIPIOS Y DERECHOS EN EL PROCEDIMIENTO

CAPÍTULO I
PRINCIPIOS GENERALES DEL SISTEMA

Artículo 12. Interés superior de la niñez

Para efectos de esta Ley el interés superior de la niñez debe entenderse como derecho, principio y norma de procedimiento dirigido a asegurar el disfrute pleno y efectivo de todos sus derechos, en concordancia con la Ley General de los Derechos de Niñas, Niños y Adolescentes.

La determinación del interés superior debe apreciar integralmente:

I. El reconocimiento de éstos como titulares de derechos;

II. La opinión de la persona adolescente;

III. Las condiciones sociales, familiares e individuales de la persona adolescente;

IV. Los derechos y garantías de la persona adolescente y su responsabilidad;

V. El interés público, los derechos de las personas y de la persona adolescente;

VI. Los efectos o consecuencias que la decisión que se adopte pueda tener en el futuro de la persona adolescente, y

VII. La colaboración de las partes intervinientes para garantizar su desarrollo integral e integridad personal.

En todas las resoluciones se deberá dejar patente que el interés superior ha sido una consideración primordial, señalando la forma en la que se ha examinado y evaluado el interés superior y la importancia que se le ha atribuido en la decisión administrativa o judicial.

Artículo 13. Protección integral de los derechos de la persona adolescente

Las personas adolescentes gozan de todos los derechos humanos inherentes a las personas. Les serán garantizadas las oportunidades y facilidades, a fin de asegurarles las mejores condiciones para su desarrollo físico, psicológico y social, en condiciones de dignidad.

Todas las autoridades del Sistema deberán respetar, proteger y garantizar los derechos de las personas adolescentes mientras se encuentren sujetas al mismo.

Artículo 14. Integralidad, indivisibilidad e interdependencia de los derechos de las personas adolescentes

Los derechos de las personas adolescentes son indivisibles y guardan interdependencia unos con otros y sólo podrán considerarse garantizados en razón de su integralidad.

Artículo 15. Prohibición de tortura y otros tratos o penas crueles, inhumanos o degradantes

Estarán prohibidos todos los actos que constituyan tortura y otros tratos o penas crueles, inhumanos o degradantes.

Las autoridades, dentro de sus respectivos ámbitos de competencia, deberán garantizar la seguridad física, mental y emocional de las personas adolescentes.

Quedan prohibidos los castigos corporales, la reclusión en celda oscura y las penas de aislamiento o de celda solitaria, así como cualquier otra sanción o medida disciplinaria contraria a los derechos humanos de la persona adolescente.

No podrá ser sancionada ninguna persona adolescente más de una vez por el mismo hecho. Quedan prohibidas las sanciones colectivas.

Artículo 16. No Discriminación e igualdad sustantiva

Los derechos y garantías reconocidos en esta Ley se aplicarán a quienes se les atribuya o compruebe la realización de uno o varios hechos señalados como delitos por las leyes penales federales y locales mientras eran adolescentes, sin que se admita discriminación motivada por origen étnico o nacional, género, edad, discapacidad, condición social, condición de salud, religión, opinión, preferencia sexual, identidad de género, estado civil o cualquier otra, ya sea de la persona adolescente o de quienes ejercen sobre ellas la patria potestad o tutela, que atenten contra su dignidad humana.

Se entiende por igualdad sustantiva el acceso al mismo trato y oportunidades para el reconocimiento, goce o ejercicio de los derechos humanos y las libertades fundamentales.

Las autoridades del sistema velarán por que todas las personas adolescentes sean atendidas teniendo en cuenta sus características, condiciones específicas y necesidades especiales a fin de garantizar el ejercicio de sus derechos sobre la base de la igualdad sustantiva.

Durante el procedimiento, determinación de la medida o sanción y ejecución de la que corresponda, se respetará a la persona adolescente en sus creencias, su religión y sus pautas culturales y éticas.

Artículo 17. Aplicación favorable

En ningún caso se podrán imponer a las personas adolescentes medidas más graves ni de mayor duración a las que corresponderían por los mismos hechos a un adulto, ni gozar de menos derechos, prerrogativas o beneficios que se le concedan a estos. De igual forma, bajo ninguna circunstancia se establecerán restricciones en los procesos de solución de conflictos que perjudiquen en mayor medida a la persona adolescente que al adulto.

Artículo 18. Mínima intervención y subsidiariedad

La solución de controversias en los que esté involucrada alguna persona adolescente se hará prioritariamente sin recurrir a procedimientos judiciales, con pleno respeto a sus derechos humanos. Se privilegiará el uso de soluciones alternas en términos de esta Ley, el Código Nacional y la Ley de Mecanismos Alternativos.

Artículo 19. Autonomía progresiva

Todas las autoridades del sistema deben hacer el reconocimiento pleno de la titularidad de derechos de las personas adolescentes y de su capacidad progresiva para ejercerlos, de acuerdo a la evolución de sus facultades, lo cual significa que a medida que aumenta la edad también se incrementa el nivel de autonomía.

Artículo 20. Responsabilidad

La responsabilidad de la persona adolescente se fincará sobre la base del principio de culpabilidad por el acto. No admitirá, en su perjuicio y bajo ninguna circunstancia, consideraciones acerca de la personalidad, vulnerabilidad biológica, temibilidad, peligrosidad, ni de cualquier otra que se funde en circunstancias personales de la persona adolescente imputada.

Artículo 21. Justicia Restaurativa

El principio de justicia restaurativa es una respuesta a la conducta que la ley señala como delito, que respeta la dignidad de cada persona, que construye comprensión y promueve armonía social a través de la restauración de la víctima u ofendido, la persona adolescente y la comunidad. Este principio puede desarrollarse de manera individual para las personas mencionadas y sus respectivos entornos y, en la medida de lo posible, entre ellos mismos, a fin de reparar el daño, comprender el origen del conflicto, sus causas y consecuencias.

Artículo 22. Principios generales del procedimiento

El Sistema estará basado en un proceso acusatorio y oral en el que se observarán los principios de publicidad, contradicción, concentración, continuidad e inmediación con las adecuaciones y excepciones propias del sistema especializado.

Artículo 23. Especialización

Todas las autoridades del Sistema deberán estar formadas, capacitadas y especializadas en materia de justicia para adolescentes en el ámbito de sus atribuciones.

Las instituciones u órganos que intervengan en la operación del Sistema, deberán proveer la formación, capacitación y actualización específica a sus servidores públicos, de acuerdo a su grado de intervención en las diferentes fases o etapas de dicho Sistema, por lo que incluirán lo anterior en sus programas de capacitación, actualización y/o de formación correspondientes.

Asimismo, deberán conocer los fines del Sistema Integral de Justicia Penal para Adolescentes, la importancia de sus fases, particularmente de las condiciones que motivan que las personas sujetas a esta Ley cometan o participen en hechos señalados como delitos por las leyes penales y las circunstancias de la etapa correspondiente a la adolescencia.

Desde el inicio del procedimiento, todas las actuaciones y diligencias estarán a cargo de órganos especializados en el Sistema, en los términos de esta Ley.

Artículo 24. Legalidad

Ninguna persona adolescente puede ser procesada ni sometida a medida alguna por actos u omisiones que, al tiempo de su ocurrencia, no estén previamente definidos de manera expresa como delitos en las leyes penales aplicables.

La responsabilidad penal de una persona adolescente solamente podrá determinarse seguido el procedimiento establecido en la presente Ley. En caso de comprobarse la responsabilidad de la persona adolescente, el Órgano Jurisdiccional únicamente podrá sancionarla a cumplir las medidas de sanción señaladas en la presente Ley, conforme a las reglas y criterios establecidos para su determinación.

Artículo 25. Ley más favorable

Cuando una misma situación relacionada con personas adolescentes, se encuentre regulada por leyes o normas diversas, siempre se optará por la que resulte más favorable a sus derechos, o a la interpretación más garantista que se haga de las mismas.

Artículo 26. Presunción de inocencia

Toda persona adolescente debe ser considerada y tratada como inocente en todas las etapas del procedimiento mientras no se declare su responsabilidad mediante sentencia firme emitida por Órgano Jurisdiccional, en los términos señalados en esta Ley.

Artículo 27. Racionalidad y proporcionalidad de las medidas cautelares y de sanción

Las medidas cautelares y de sanción que se impongan a las personas adolescentes deben corresponder a la afectación causada por la conducta, tomando en cuenta las circunstancias personales de la persona adolescente, siempre en su beneficio.

Artículo 28. Reintegración social y familiar de la persona adolescente

La reintegración social y familiar es un proceso integral que se debe desarrollar durante la ejecución de la medida de sanción, cuyo objeto es garantizar el ejercicio de los derechos de la persona adolescente encontrada responsable de la comisión de un delito.

La reintegración se llevará a través de diversos programas socioeducativos de intervención destinados a incidir en los factores internos y externos, en los ámbitos familiar, escolar, laboral y comunitario de la persona adolescente para que genere capacidades y competencias que le permitan reducir la posibilidad de reincidencia y adquirir una función constructiva en la sociedad.

Artículo 29. Reinserción social

Restitución del pleno ejercicio de los derechos y libertades tras el cumplimiento de las medidas ejecutadas con respeto a los derechos humanos de la persona adolescente.

Artículo 30. Carácter socioeducativo de las medidas de sanción

Las medidas de sanción tendrán un carácter socioeducativo, promoverán la formación de la persona adolescente, el respeto por los derechos humanos y las libertades fundamentales, el fomento de vínculos socialmente positivos y el pleno desarrollo de su personalidad y de sus capacidades.

En la ejecución de las medidas de sanción se deberá procurar que la persona adolescente se inserte en su familia y en la sociedad, mediante el pleno desarrollo de sus capacidades y su sentido de la responsabilidad.

Artículo 31. Medidas de privación de la libertad como medida extrema y por el menor tiempo posible

Las medidas de privación de la libertad se utilizarán como medida extrema y excepcional, sólo se podrán imponer a personas adolescentes mayores de catorce años, por los hechos constitutivos de delito que esta Ley señala, por un tiempo determinado y la duración más breve que proceda.

Artículo 32. Publicidad

Todas las audiencias que se celebren durante el procedimiento y la ejecución de medidas se realizarán a puerta cerrada, salvo que la persona adolescente solicite al Órgano Jurisdiccional que sean públicas, previa consulta con su defensor. El Órgano Jurisdiccional debe asegurarse que el consentimiento otorgado por la persona adolescente, respecto a la publicidad de las audiencias, sea informado.

No vulnera el principio de publicidad de las personas adolescentes, la expedición de audio y video de las audiencias a favor de las partes en el procedimiento, teniendo la prohibición de divulgar su contenido al público.

Artículo 33. Celeridad procesal

Los procesos en los que están involucradas personas adolescentes se realizarán sin demora y con la mínima duración posible, por lo que las autoridades y órganos operadores del Sistema, deberán ejercer sus funciones y atender las solicitudes de los interesados con prontitud y eficacia, sin causar dilaciones injustificadas, siempre que no afecte el derecho de defensa.

CAPÍTULO II
DERECHOS Y DEBERES DE LAS PERSONAS ADOLESCENTES

Artículo 34. Enunciación no limitativa

Los derechos de las personas adolescentes previstos en la presente Ley son de carácter enunciativo y deberán ser interpretados de conformidad con lo dispuesto en la Constitución, en los Tratados Internacionales de los que el Estado mexicano sea parte y las leyes aplicables en la materia, favoreciendo en todo tiempo la protección más amplia de sus derechos.

SECCIÓN PRIMERA
DERECHOS DE LAS PERSONAS ADOLESCENTES SUJETAS AL SISTEMA

Artículo 35. Protección a la intimidad

La persona adolescente tendrá derecho a que durante todo el procedimiento y la ejecución de las medidas se respete su derecho a la intimidad personal y familiar, evitando cualquier intromisión indebida a su vida privada o a la de su familia. Las autoridades protegerán la información que se refiera a su vida privada, la de su familia y sus datos personales.

Artículo 36. Confidencialidad y Privacidad

En todas las etapas del proceso y durante la ejecución de las medidas de sanción las autoridades del Sistema garantizarán la protección del derecho de las personas adolescentes a la confidencialidad y privacidad a sus datos personales y familiares.

Desde el inicio de la investigación o el proceso las policías, el Ministerio Público o el Órgano Jurisdiccional, informarán de esta prohibición a quienes intervengan o asistan al proceso y, en su caso, a los medios de comunicación.

Si la información que permite la identificación de la persona adolescente investigado, procesado o sancionado, fuera divulgada por funcionarios públicos, se aplicarán las penas señaladas para el tipo penal básico del delito contra la administración de justicia, cometidos por servidores públicos.

En caso de los medios de comunicación, se aplicarán las sanciones previstas en el artículo 149 de la Ley General y se exigirá la retractación de la misma forma en que se hubiere dado publicidad de la información sobre la persona adolescente investigado, procesado o sancionado.

Artículo 37. Registro de procesos

Los antecedentes y registros relacionados con personas adolescentes sometidas a proceso o sancionadas conforme a esta Ley en ningún caso podrán ser utilizados en contra de la misma persona, en otro juicio derivado de hechos diferentes.

Si la persona adolescente fuere absuelta mediante sentencia firme, el registro y los antecedentes se destruirán transcurridos tres meses contados desde que la sentencia quede firme. Antes del vencimiento de este plazo, la persona adolescente o su defensor podrán solicitar que estos registros se conserven íntegramente, cuando consideren que su conservación sea en su beneficio. Si el caso se resuelve mediante una salida alterna, los registros relacionados se destruirán dos años después de haberse cumplido con el acuerdo reparatorio o el plan de reparación de la suspensión condicional del procedimiento.

Pasados tres años del cumplimiento de la medida de sanción impuesta o extinguida la acción penal por las causales previstas en esta Ley, se destruirán todos los registros vinculados con el proceso legal.

No obstante lo dispuesto en esta norma, los registros que contengan la sentencia se preservarán, salvaguardando, en todo caso, la información sobre los datos personales de las partes, peritos y testigos en el proceso.

Artículo 38. Garantías de la detención

Toda persona adolescente deberá ser presentada inmediatamente ante el Ministerio Público o el Juez de Control especializados dentro de los plazos que establece esta Ley, garantizando sus derechos y seguridad.

Desde el momento de su detención se asegurará que las personas adolescentes permanezcan en lugares distintos a los adultos.

En todos los casos habrá un registro inmediato de la detención.

Artículo 39. Prohibición de incomunicación

Toda persona adolescente tiene derecho a establecer una comunicación efectiva, por vía telefónica o por cualquier otro medio disponible, inmediatamente luego de ser detenida, con sus familiares, su defensor o con la persona o agrupación a quien desee informar sobre su detención o privación de libertad.

Durante la ejecución de las medidas queda prohibido imponer como medida disciplinaria la incomunicación a cualquier persona adolescente.

Artículo 40. Información a las personas adolescentes

Toda persona adolescente tiene derecho a ser informada sobre las razones por las que se le detiene, acusa, juzga o impone una medida; el nombre de la persona que le atribuye la realización del hecho señalado como delito; las consecuencias de la atribución del hecho; los derechos y garantías que le asisten y el derecho a disponer de una defensa jurídica gratuita.

La información deberá ser proporcionada en un lenguaje claro, sencillo, comprensible y sin demora, de manera personal y en presencia de la o las personas responsables de la persona adolescente, de su representante legal o de la persona que el adolescente haya designado como de su confianza.

Artículo 41. Defensa técnica especializada

Todo adolescente tiene derecho a ser asistido por un licenciado en derecho, con cédula profesional y especializado en el Sistema, en todas las etapas del procedimiento, desde su detención hasta el fin de la ejecución de la medida impuesta.

En caso de que no elija a su propio defensor, el Ministerio Público o el Órgano Jurisdiccional le designará defensor público desde el primer acto del procedimiento. El Órgano Jurisdiccional debe velar por que la persona adolescente goce de defensa técnica y adecuada.

En caso de ser indígenas, extranjeros, tengan alguna discapacidad o no sepan leer ni escribir, la persona adolescente será asistido de oficio y en todos los actos procesales por un defensor que comprenda plenamente su idioma, lengua, dialecto y cultura; o bien, de ser necesario, su defensor será auxiliado por un traductor o intérprete asignado por la autoridad correspondiente o designado por la propia persona adolescente. Cuando este último alegue ser indígena, se tendrá como cierta su sola manifestación.

Artículo 42. Presencia y acompañamiento de la persona responsable o por persona en quien confíe

La persona responsable de la o el adolescente, o la persona de su confianza podrán estar presentes durante el procedimiento y durante las audiencias de ejecución. Éstos tendrán derecho a estar presentes en las actuaciones y quienes imparten justicia podrán requerir su presencia en defensa de las personas adolescentes. Este acompañamiento será considerado como una asistencia general a la persona adolescente, de naturaleza psicológica y emotiva, que debe extenderse a lo largo de todo el procedimiento.

Dicho acompañamiento podrá ser denegado por la autoridad jurisdiccional competente cuando existan motivos fundados para presumir que la exclusión es necesaria en defensa de la persona adolescente.

Artículo 43. Derecho a ser escuchado

Toda persona adolescente tiene derecho a ser escuchada y tomada en cuenta directamente en cualquier etapa del procedimiento, tomando en consideración su edad, estado de desarrollo evolutivo, cognoscitivo y madurez.

La persona adolescente que no comprenda, ni pueda darse a entender en español, deberá ser provista de un traductor o intérprete a fin de que pueda expresarse en su propia lengua.

Si se trata de una persona adolescente con discapacidad se le nombrará intérprete idóneo que garantice la comunicación efectiva.

Artículo 44. Ajustes razonables al procedimiento

En caso de que la persona adolescente tenga alguna discapacidad podrá solicitar por sí o por medio de su defensor, un ajuste razonable al procedimiento para asegurar su efectiva y plena participación.

Artículo 45. Abstención de declarar

Toda persona adolescente tiene derecho a abstenerse de declarar y a no incriminarse a sí misma. Su silencio no puede ser valorado en su contra.

Si una persona adolescente, después de haberlo consultado con su defensa, quisiera hacer uso de su derecho a declarar, únicamente podrá hacerlo en presencia del Órgano Jurisdiccional competente y con la presencia de su defensa. En ningún caso se le exigirá protesta de decir verdad.

SECCIÓN SEGUNDA
DERECHOS DE LAS PERSONAS ADOLESCENTES EN PRISIÓN PREVENTIVA O INTERNAMIENTO

Artículo 46. Derechos de las personas sujetas a medidas cautelares o de sanción privativa de libertad

Las personas adolescentes durante la ejecución de la medida privativa de la libertad o las sanciones penales impuestas, gozarán de todos los derechos previstos por la Constitución y los Tratados Internacionales de los que el Estado mexicano sea parte, siempre y cuando estos no hubieren sido restringidos por la resolución o la sentencia, o su ejercicio fuese incompatible con el objeto de éstas.

Para los efectos del párrafo anterior, las autoridades competentes, garantizarán, de manera enunciativa y no limitativa, los siguientes derechos:

I. No ser privados o limitados en el ejercicio de sus derechos y garantías, sino en los términos previstos en la medida impuesta o en este ordenamiento;

II. A que se garantice su integridad moral, física, sexual y psicológica;

III. Ser informado sobre la finalidad de la medida cautelar y de sanción impuesta, del contenido del Plan Individualizado de Actividades o Plan Individualizado de Ejecución y lo que se requiere de él para cumplir con el mismo. Lo anterior se hará del conocimiento de sus personas responsables, de sus representantes legales y, en su caso, de la persona en quien confíe;

IV. Recibir información sobre las leyes, reglamentos u otras disposiciones que regulen sus derechos, obligaciones y beneficios del régimen en el que se encuentren; las medidas disciplinarias que pueden imponérseles, el procedimiento para su aplicación y los medios de impugnación procedentes;

V. No recibir castigos corporales ni cualquier tipo de medida que vulnere sus derechos o ponga en peligro su salud física o mental;

(REFORMADA, D.O.F. 20 DE DICIEMBRE DE 2022)

VI. Recibir asistencia médica preventiva y de tratamiento para el cuidado de la salud, así como atención y tratamiento psicológico atendiendo a las necesidades propias de su edad y sexo en, por lo menos, centros de salud que brinden asistencia médica y psicológica de primer nivel en términos de la Ley General de Salud; en el Centro Especializado y, en caso de que sea insuficiente la atención brindada dentro de reclusión o se necesite asistencia médica avanzada, se podrá solicitar el ingreso de atención especializada a dicho Centro o bien, que la persona sea remitida a un Centro de salud público en los términos que establezca la ley;

VII. Recibir en todo momento una alimentación nutritiva, adecuada y suficiente para su desarrollo, así como vestimenta suficiente y digna que garantice su salud y formación integral;

VIII. Recibir un suministro suficiente, salubre, aceptable y permanente de agua para su consumo y cuidado personal;

IX. Recibir un suministro de artículos de aseo diario necesarios;

X. Recibir visitas frecuentes, de conformidad con el Reglamento aplicable;

XI. Salir del Centro Especializado, bajo las medidas de seguridad pertinentes para evitar su sustracción o daños a su integridad física, en los siguientes supuestos:

a) Recibir atención médica especializada, cuando ésta no pueda ser proporcionada en el mismo.

(REFORMADO, D.O.F. 20 DE DICIEMBRE DE 2022)

b) Acudir al sepelio de sus ascendientes o descendientes en primer grado, su cónyuge, concubina o concubinario o de quien ejerciera la patria potestad, tutela o cuidado, así como para visitarlos en su lecho de muerte, siempre y cuando las condiciones de seguridad lo permitan, de conformidad con el Reglamento aplicable.

En ambos casos, las salidas serán bajo la vigilancia que determinen las autoridades del Centro Especializado;

XII. Tener contacto con el exterior a través de los programas y actividades desarrollados por Centro Especializado;

XIII. Realizar actividades educativas, recreativas, artísticas, culturales, deportivas y de esparcimiento, bajo supervisión especializada;

XIV. Tener una convivencia armónica, segura y ordenada en el Centro Especializado en la que permanezca;

XV. No ser controlados con fuerza o con instrumentos de coerción, salvo las excepciones que determine esta Ley y de acuerdo a las disposiciones establecidas respecto al uso legítimo de la fuerza;

XVI. Efectuar peticiones o quejas por escrito, y en casos urgentes, por cualquier medio a las instancias correspondientes;

XVII. Ser recibidos en audiencia por los servidores públicos del Centro Especializado, así como formular, entregar o exponer personalmente, en forma pacífica y respetuosa, peticiones y quejas, las cuales se responderán en un plazo máximo de cinco días hábiles;

XVIII. A que toda limitación de sus derechos sólo pueda imponerse cuando tenga como objetivo garantizar condiciones de internamiento dignas y seguras. En este caso, la limitación se regirá por los principios de necesidad, proporcionalidad e idoneidad.

Los demás previstos en la Constitución, en los Tratados Internacionales de los que el Estado mexicano sea parte y las leyes aplicables en la materia.

Artículo 47. Alojamiento adecuado

Las personas adolescentes tienen derecho a ser alojados en Unidades de Internamiento separados de los adultos, de acuerdo con su edad, género, salud física y situación jurídica.

Asimismo, al momento de cumplir los dieciocho años en cualquier etapa del procedimiento no podrán ser trasladados a un Centro de Internamiento para adultos, por lo que deberán ser ubicados en áreas distintas, completamente separadas del resto de la población menor de dieciocho años de edad.

Artículo 48. Incidir en el Plan Individualizado

La persona adolescente deberá ser escuchada y tomada en cuenta para la elaboración y revisión del Plan Individualizado que deba cumplir. El Plan Individualizado podrá ser revisado y modificado a petición de la persona adolescente, sin necesidad de audiencia ante el Juez de Ejecución, siempre que la modificación no sea trascendental.

La persona adolescente, representantes legales y familiares, deberán conocer la finalidad de la medida de sanción impuesta, el contenido del Plan de Actividades y lo que se requiere de la persona adolescente para cumplir con el mismo.

Artículo 49. Cercanía con sus familiares

La persona adolescente privada de la libertad tiene derecho a cumplir su medida en el Centro de Internamiento más cercano del lugar de residencia habitual de sus familiares, por lo que no podrá ser trasladada a otros Centros de Internamiento de manera arbitraria.

Únicamente, en casos de extrema urgencia de peligro para la vida de la persona adolescente o la seguridad del Centro de Internamiento podrá proceder el traslado involuntario, sometiéndolo a revisión del Juez de Ejecución dentro de las veinticuatro horas siguientes. En estos casos, el traslado se hará al Centro de Internamiento más cercano posible al lugar de residencia habitual de sus familiares.

Artículo 50. Acceso a medios de información

La persona adolescente privada de su libertad tiene derecho a tener acceso a medios de información tales como prensa escrita, radio y televisión que no perjudiquen su adecuado desarrollo.

Artículo 51. Educación

Las personas adolescentes tienen derecho a cursar el nivel educativo que le corresponda y a recibir instrucción técnica o formación práctica sobre un oficio, arte o profesión y enseñanza e instrucción en diversas áreas del conocimiento.

Artículo 52. Equivalencia para el acceso al derecho a la salud

Para el ejercicio de su derecho a la salud, a las personas adolescentes privadas de la libertad se les deberá aplicar el principio de equivalencia. El principio de equivalencia consiste en proveer servicios de salud de calidad a las personas adolescentes privadas de libertad, equivalentes a los servicios públicos a que tendría derecho en externamiento.

En el caso de las madres adolescentes que convivan con su hija o hijo dentro de un Centro de Internamiento, este principio se hará extensivo a los mismos.

Artículo 53. Conservar la custodia

Las madres adolescentes tendrán derecho a permanecer con sus hijas e hijos menores de tres años mientras dure la medida de internamiento, en lugares adecuados para ella y sus descendientes dentro del Centro de Internamiento correspondiente. Asimismo, tendrán derecho a recibir, de las autoridades competentes, los insumos y servicios necesarios para su desarrollo.

Una vez que la hija o el hijo han cumplido los tres años, el Órgano Jurisdiccional determinará su situación jurídica, siempre tomando en cuenta la opinión de la Procuraduría de Protección competente para garantizar su interés superior.

Artículo 54. Prohibición de aislamiento

Queda prohibido aplicar como medida disciplinaria a las personas adolescentes privadas de la libertad la medida de aislamiento. Únicamente en aquellos casos en que sea estrictamente necesario para evitar o resolver actos de violencia generalizada o amotinamiento en los que esté directamente involucrada, la persona adolescente podrá ser aislada por el menor tiempo posible y esta medida nunca deberá exceder de veinticuatro horas. En estos casos es responsabilidad de la Dirección del Centro de Internamiento dar aviso inmediato a su Defensa. En ningún caso el aislamiento implicará la incomunicación.

Artículo 55. Recibir visita íntima

La persona adolescente emancipada privada de la libertad tendrá derecho a visita íntima sin que la autoridad del Centro de Internamiento pueda calificar la idoneidad de la pareja. El mismo derecho aplica para las personas adolescentes que acrediten concubinato, así como las personas mayores de dieciocho años de edad que se encuentren cumpliendo una medida de sanción en un Centro de Internamiento.

No podrá negarse la visita íntima de personas que tenga un efecto discriminatorio en términos del artículo 1o. de la Constitución. No podrá considerarse la suspensión de la visita íntima como una sanción disciplinaria.

Artículo 56. Trabajo

Durante la ejecución de las medidas se dará prioridad a las actividades de capacitación para el trabajo, a fin de garantizar la inserción laboral y productiva de la persona adolescente en edad permitida, evitando que implique la realización de acciones que puedan ser clasificadas como trabajo peligroso o explotación laboral infantil.

Artículo 57. Derechos de las adolescentes en un Centro Especializado

Además de los derechos establecidos en el artículo anterior, las adolescentes con medida de internamiento tendrán derecho a:

I. Recibir trato directo del personal operativo, tratándose de su salud podrá solicitar que la examine personal médico de sexo femenino. Se accederá a esta petición en la medida de lo posible, excepto en las situaciones que requieran intervención médica urgente. Si pese a lo solicitado, la atención médica es realizada por personal médico de sexo masculino, deberá estar presente personal de sexo femenino del Centro Especializado;

II. Contar con las instalaciones dignas y seguras y con los artículos necesarios para satisfacer las necesidades propias de su sexo;

III. Recibir a su ingreso al Centro Especializado, la valoración médica que deberá comprender un examen exhaustivo a fin de determinar sus necesidades básicas y específicas de atención de salud, y

IV. Recibir la atención médica especializada, la cual deberá brindarse en hospitales o lugares específicos establecidos en el Centro Especializado, en los términos establecidos en la presente Ley.

Además de éstos, las madres adolescentes con medida de internamiento tendrán los siguientes derechos:

I. A la maternidad, parto, puerperio y lactancia;

II. A permanecer con sus hijas o hijos menores de tres años mientras dure la medida de privación de la libertad, en lugares adecuados para ella y sus descendientes y a recibir de las autoridades competentes, los insumos y servicios necesarios para su desarrollo;

III. Acceder, a los medios necesarios que les permitan a las mujeres con hijas e hijos a su cargo adoptar disposiciones respecto a su cuidado, y

IV. Para el caso de las mujeres que deseen conservar la custodia de la hija o el hijo menor de tres años, durante su estancia en el Centro Especializado y no hubiera familiar que pudiera hacerse responsable en la familia de origen, la Autoridad Administrativa establecerá los criterios para garantizar el ingreso de la niña o el niño, ante lo cual se notificará a la Procuraduría de Protección competente.

Por su parte, las hijas e hijos que acompañan a sus madres en un Centro Especializado tendrán los siguientes derechos:

I. En el caso de que las hijas e hijos permanezcan con sus madres en el Centro Especializado, deberán recibir alimentación adecuada y saludable acorde con su edad y sus necesidades de salud con la finalidad de contribuir a su desarrollo físico y mental;

II. Recibir educación inicial para sus hijas e hijos, vestimenta acorde a su edad y etapa de desarrollo, y atención pediátrica cuando sea necesario en caso de que permanezcan con sus madres en el Centro Especializado, en términos de la legislación aplicable, y

III. Los demás previstos en las disposiciones legales aplicables.

La Autoridad Administrativa coadyuvará con las autoridades corresponsables, en el ámbito de su competencia, para proporcionar las condiciones de vida que garanticen el sano desarrollo de niñas y niños.

Las niñas y niños nacidos dentro del Centro Especializado tienen derecho a la identidad. Queda prohibida toda alusión a este lugar de nacimiento en el acta del registro civil correspondiente y en las certificaciones que se expidan. Será responsabilidad del Centro Especializado tramitar el acta de nacimiento.

En el supuesto de que la madre no deseara conservar la custodia de sus hijas e hijos, éstos serán entregados en un plazo no mayor a veinticuatro horas por parte de las autoridades del Centro Especializado a la Procuraduría de Protección competente, la que realizará los trámites correspondientes de acuerdo con la Ley General y demás legislación aplicable.

La institucionalización procederá como último recurso y por el menor tiempo posible, priorizando las opciones de cuidado en un entorno familiar.

La Autoridad Administrativa, deberá garantizar que en los Centros Especializados para mujeres haya espacios adecuados para el desarrollo integral de los hijos o hijas de las adolescentes o, en su defecto, para el esparcimiento del niño o niña en las visitas a su madre.

En el supuesto en el que las Autoridades determinen el traslado de una mujer adolescente embarazada o bien, cuando sus hijas o hijos vivan en el Centro Especializado con ella, se garantizará las condiciones idóneas de acuerdo al interés superior de la niñez.

Las disposiciones reglamentarias preverán un régimen específico de visitas para hijas e hijos que no convivan con la madre en el Centro Especializado. Estas visitas se realizarán sin restricciones de ningún tipo en cuanto a frecuencia e intimidad, y su duración y horario se ajustarán a la organización interna de los Centros.

Artículo 58. Obligaciones de las personas adolescentes sujetas a medidas cautelares o de sanción

Las personas adolescentes sujetas a una medida cautelar o de sanción, deberán observar las disposiciones administrativas disciplinarias que correspondan.

CAPÍTULO III
DERECHOS DE LAS VÍCTIMAS

Artículo 59. Derechos de las víctimas

Las víctimas u ofendidos por la realización de hechos señalados como delitos por las leyes penales federales y de las entidades federativas, tendrán todos los derechos reconocidos en la Constitución, el Código Nacional y demás legislación aplicable.

La Comisión Ejecutiva de Atención a Víctimas y las comisiones ejecutivas de las entidades federativas, dentro de sus respectivos ámbitos de competencia, proporcionarán la asistencia, ayuda, atención y reparación integral a las víctimas en términos de la Ley General de Víctimas y demás legislación aplicable.

Artículo 60. Reparación del daño a la víctima u ofendido

La persona adolescente tendrá la obligación de resarcir el daño causado a la víctima u ofendido, así como de restituir la cosa dañada por su conducta o entregar un valor sustituto. En todo caso, se procurará que el resarcimiento guarde relación directa con el hecho realizado, el bien jurídico lesionado y provenga del esfuerzo propio de la persona adolescente, sin que provoque un traslado de responsabilidad hacia su padre, madre, representante legal o a algún tercero.

La restitución se podrá obtener de la siguiente forma:

I. Trabajo material encaminado en favor de la reparación directa del bien dañado;

II. Pago en dinero o en especie mediante los bienes, dinero o patrimonio del adolescente, y

III. Pago en dinero con cargo a los ingresos laborales o de trabajo del adolescente.

Las medidas a que se refieren las fracciones anteriores se realizarán por el acuerdo de voluntades de las partes; el Ministerio Público Especializado en

Adolescentes competente sancionará, en todos los casos, los mecanismos por el que se pretenda realizar la reparación del daño.

El pago a la víctima u ofendido, podrá aplicarse con cargo al Fondo de Ayuda, Asistencia y Reparación Integral de la Comisión Ejecutiva de Atención a Víctimas o su similar en las entidades federativas, conforme a lo establecido por la Ley General de Víctimas y leyes correspondientes en las entidades federativas, respecto a la compensación subsidiaria.

TÍTULO III
COMPETENCIA

CAPÍTULO ÚNICO
REGLAS GENERALES

Artículo 61. Reglas Generales

Será competente para conocer de un asunto el Órgano Jurisdiccional del lugar en el que ocurrió el hecho que la ley señale como delito.

Para determinar la competencia de los órganos federales o locales, según corresponda, se observarán las siguientes reglas:

I. Los órganos del fuero común tendrán competencia sobre los hechos cometidos dentro de la circunscripción en la que ejerzan sus funciones;

II. Cuando el hecho este catalogado como delito del orden federal, será competencia de los órganos jurisdiccionales federales;

III. Cuando el hecho sea del orden federal pero exista competencia concurrente, deberán conocer los órganos del fuero común, en los términos que dispongan las leyes;

IV. En caso de concurso de delitos, el Ministerio Público de la Federación podrá conocer de los delitos del fuero común que tengan conexidad con delitos federales cuando lo considere conveniente; asimismo los órganos jurisdiccionales federales, en su caso, tendrán competencia para juzgarlos. Para la aplicación de sanciones y medidas de seguridad en delitos del fuero común, se atenderá a la legislación de su fuero de origen. En tanto la Federación no ejerza dicha facultad, las autoridades estatales estarán obligadas a asumir su competencia en términos de la fracción I de este artículo;

V. Cuando el lugar de comisión del hecho sea desconocido, será competente el Órgano Jurisdiccional de la circunscripción judicial dentro de cuyo territorio haya sido detenida la persona adolescente, a menos que haya prevenido el Órgano Jurisdiccional de la circunscripción judicial donde resida. Si, posteriormente, se descubre el lugar de comisión del hecho, continuará la causa el Órgano Jurisdiccional de este último lugar, y

VI. Cuando el hecho haya iniciado su ejecución en un lugar y haya surtido sus efectos en dos o más lugares distintos, el conocimiento corresponderá, a prevención, al Órgano Jurisdiccional de cualquiera de los lugares.

Artículo 62. Competencia Auxiliar

El Poder Judicial de la Federación establecerá el mecanismo más propicio para determinar el lugar de sus órganos jurisdiccionales, mediante el uso eficiente de los recursos.

Cuando en el lugar de los hechos no se cuente con un Órgano Jurisdiccional federal, por vía de auxilio la competencia para conocer del asunto recaerá en los órganos jurisdiccionales locales.

TÍTULO IV
AUTORIDADES, INSTITUCIONES Y ÓRGANOS

CAPÍTULO I
DISPOSICIONES GENERALES

Artículo 63. Especialización de los órganos del Sistema Integral de Justicia Penal para Adolescentes

El Sistema Integral de Justicia Penal para Adolescentes deberá contar con los siguientes órganos especializados:

I. Ministerio Público;

II. Órganos Jurisdiccionales;

III. Defensa Pública;

IV. Facilitador de Mecanismos Alternativos;

V. Autoridad Administrativa, y

VI. Policías de Investigación.

Dichos órganos deberán contar con el nivel de especialización que permita atender los casos en materia de justicia para adolescentes, conforme a lo previsto en la presente Ley y las demás disposiciones normativas aplicables.

Artículo 64. Especialización de los operadores del Sistema Integral

Los operadores del Sistema son todas aquellas personas que forman parte de los órganos antes mencionados y deberán contar con un perfil especializado e idóneo que acredite los siguientes conocimientos y habilidades:

I. Conocimientos interdisciplinarios en materia de derechos de niñas, niños y adolescentes;

II. Conocimientos específicos sobre el Sistema Integral de Justicia Penal para Adolescentes;

III. Conocimientos del sistema penal acusatorio, las medidas de sanción especiales y la prevención del delito para adolescentes;

IV. El desarrollo de habilidades para el trabajo con adolescentes en el ámbito de sus respectivas competencias.

La especialización de los funcionarios del Sistema podrá llevarse a cabo mediante convenios de colaboración con instituciones académicas públicas.

Artículo 65. Servicio Profesional de Carrera

Se deberán determinar los criterios para el ingreso, promoción y permanencia de sus funcionarios y operadores del Sistema Integral de Justicia Penal para Adolescentes conforme a las disposiciones aplicables al servicio profesional de carrera que, en su caso, corresponda.

CAPÍTULO II
DEL MINISTERIO PÚBLICO ESPECIALIZADO

Artículo 66. El Ministerio Público Especializado en Justicia para Adolescentes

Las Procuradurías Generales de Justicia o Fiscalías de las entidades federativas contarán con agentes del Ministerio Público o Fiscales Especializados en Justicia para Adolescentes que, además de las obligaciones y atribuciones previstas por la Constitución, los Tratados Internacionales de los que el Estado mexicano sea parte, el Código Nacional y leyes aplicables, tendrán las siguientes:

I. Garantizar el respeto y cumplimiento de los derechos y garantías de las personas adolescentes;

II. Garantizar que desde el momento en que sea puesto a su disposición, la persona adolescente se encuentre en un lugar adecuado a su condición de persona en desarrollo y diferente al destinado a los adultos;

III. Prevenir a la persona adolescente, desde el momento en el que sea puesto a su disposición, sobre su derecho a nombrar un defensor y, en caso de no contar con uno, informar de inmediato a la Defensoría Pública para que le sea designado un defensor;

IV. Informar de inmediato a la persona adolescente, a sus familiares, al defensor y, en su caso, a la persona que designe como persona en quien confíe, sobre su situación jurídica y los derechos que le asisten;

V. Llevar a cabo las diligencias correspondientes para comprobar la edad de la persona detenida;

VI. Otorgar a la persona adolescente, defensor y, en su caso, a su familia, la información sobre la investigación, salvo los casos excepcionales previstos en el Código Nacional;

VII. Garantizar, siempre que resulte procedente, la aplicación de criterios de oportunidad, en los términos de esta Ley, el Código Nacional y demás disposiciones aplicables;

VIII. Garantizar, siempre que resulte procedente, la utilización de mecanismos alternativos, a fin de cumplir con los principios de mínima intervención y subsidiariedad;

IX. Garantizar que no se divulgue la identidad de la persona adolescente y de la víctima u ofendido, y

X. Las demás que establece esta Ley.

CAPÍTULO III
DE LA DEFENSA

Artículo 67. Obligaciones de los defensores en justicia para adolescentes

La defensa, además de las obligaciones y atribuciones previstas por la Constitución, los Tratados Internacionales de los que el Estado mexicano sea parte, el Código Nacional y las leyes aplicables, tendrán las siguientes:

I. Realizar entrevistas para mantener comunicación constante con la persona adolescente y con sus responsables para informarles del estado del procedimiento;

II. Informar de inmediato a las autoridades correspondientes cuando no se respeten los derechos de la persona adolescente o sea inminente su violación;

III. Informar de inmediato a la persona adolescente su situación jurídica, así como los derechos y garantías que le otorgan las disposiciones legales aplicables, y

IV. Realizar todos los trámites o gestiones necesarios que garanticen a la persona adolescente una defensa técnica y adecuada.

CAPÍTULO IV
DE LAS AUTORIDADES DE MECANISMOS ALTERNATIVOS

Artículo 68. Obligaciones de los Órganos de Mecanismos Alternativos

Para la adecuada aplicación de esta Ley, se establece como obligaciones de los Órganos de Mecanismos Alternativos de las entidades federativas, las siguientes:

I. Si el Órgano de Mecanismos Alternativos se encuentra en sede ministerial, contar con el número necesario, de acuerdo a la incidencia de casos, de facilitadores que además de estar certificados conforme a la Ley de Mecanismos Alternativos, estén especializados en justicia para adolescentes conforme a esta Ley;

II. Si el Órgano de Mecanismos Alternativos se encuentra en sede judicial, deberá canalizar los casos del Sistema de Justicia para Adolescentes al Órgano de Mecanismos Alternativos en sede ministerial, a menos que cuente con facilitadores especializados conforme a esta Ley. La distribución de casos se hará conforme a la Ley de Mecanismos Alternativos y el Código Nacional;

III. Celebrar convenios de colaboración para el establecimiento de redes de apoyo y coordinación con instituciones públicas o privadas en materia de justicia para adolescentes, que le permitan atender de manera más integral estos casos;

IV. Difundir los servicios que otorga en materia de justicia para adolescentes y, en general, los mecanismos alternativos de solución de controversias y la justicia restaurativa;

V. Llevar el registro y estadística de casos, desagregados para la materia de justicia para adolescentes, en los términos de esta Ley, el Código Nacional, la Ley de Mecanismos Alternativos y demás disposiciones aplicables;

VI. Las demás que establezca esta Ley o la normativa aplicable.

Artículo 69. Funciones de los Facilitadores

Son obligaciones de los facilitadores:

I. Cumplir con la especialización en los términos de esta Ley y de las disposiciones aplicables en materia de justicia para adolescentes;

II. Vigilar que en los mecanismos alternativos no se afecten derechos de terceros, disposiciones de orden público o interés social;

III. Cumplir con los principios de los mecanismos alternativos establecidos en esta Ley y asegurarse, en la medida de sus posibilidades, de que los auxiliares, apoyo administrativo o demás personas que intervengan en los mecanismos alternativos a su cargo los cumplan también;

IV. Proponer al Órgano de Mecanismos Alternativos al que pertenezca, en los términos de la ley respectiva, la celebración de convenios de colaboración para formar redes de apoyo en materia de justicia para adolescentes;

V. En los términos del principio de honestidad contemplado en esta Ley, excusarse de intervenir en los asuntos en los que no se considere técnicamente capaz, por las circunstancias del caso, de llevar a cabo la facilitación con la pericia suficiente, pudiendo solicitar al Órgano de Mecanismos Alternativos que le permita facilitar con otro especialista;

VI. Dar por concluido el proceso de mediación cuando no logre un equilibrio de poder, en los términos del principio de equidad contemplado en esta Ley;

VII. Evitar sesiones conjuntas entre víctimas u ofendidos y personas adolescentes en los procesos restaurativos, cuando considere que podría ser riesgoso para alguna de las partes o contrario a los objetivos de la justicia restaurativa, y

VIII. Las demás establecidas en esta Ley, en la Ley de Mecanismos Alternativos u otros ordenamientos aplicables.

CAPÍTULO V
DE LOS JUECES Y MAGISTRADOS ESPECIALIZADOS

Artículo 70. De los Órganos Jurisdiccionales Especializados en adolescentes

Además de las facultades y atribuciones previstas en el Código de Procedimientos, la Ley de Ejecución y otras disposiciones aplicables, los Jueces de Control, los Tribunales de Juicio Oral, los Jueces de Ejecución y los Magistrados Especializados en Justicia para Adolescentes de la Federación, y de las entidades federativas tendrán las facultades que les confiere esta Ley.

CAPÍTULO VI
DE LAS AUTORIDADES DE EJECUCIÓN DE MEDIDAS

Artículo 71. Autoridad Administrativa

En la Federación y en las entidades federativas, en el ámbito de sus respectivas competencias, habrá una Autoridad Administrativa especializada dependiente de la Administración Pública Federal o estatal con autonomía técnica, operativa y de gestión que independientemente de su organización administrativa, contará con las siguientes áreas:

A. Área de evaluación de riesgos;

B. El Área de seguimiento y supervisión de medidas cautelares distintas a la prisión preventiva y de suspensión condicional del proceso;

C. Área de seguimiento y supervisión de medidas de sanción no privativas de la libertad;

D. Área de seguimiento y supervisión de medidas de sanción privativas de la libertad.

Que para su ejercicio tendrá las siguientes atribuciones:

I. Celebrar convenios con instituciones públicas y privadas para el cumplimiento de lo dispuesto en el presente artículo;

II. Coordinar acciones con las demás autoridades del Sistema Integral de Justicia Penal para Adolescentes;

III. Diseñar y ejecutar el Plan Individualizado de Actividades, así como el Plan Individualizado de Ejecución;

IV. Realizar entrevistas, así como visitas no anunciadas en el domicilio o en el lugar en donde se encuentre la persona adolescente;

V. Verificar la localización de la persona adolescente en su domicilio o en el lugar en donde se encuentre, cuando la modalidad de la medida cautelar, suspensión condicional del proceso o medida de sanción impuesta por la autoridad judicial, así lo requiera;

VI. Requerir a la persona adolescente proporcione muestras, sin previo aviso, para detectar el posible uso de alcohol o drogas prohibidas, o el resultado del examen de las mismas, cuando así se requiera por la autoridad administrativa o judicial;

VII. Proporcionar todos los servicios disponibles para la plena reinserción y reintegración familiar y social de las personas adolescentes, en coordinación con las autoridades corresponsables y coadyuvantes que se considere conveniente;

VIII. Conservar actualizada una base de datos sobre las medidas y condiciones impuestas, su seguimiento y conclusión;

IX. Solicitar a la persona adolescente la información que sea necesaria para verificar el cumplimiento de las medidas y condiciones impuestas;

X. Canalizar a la persona adolescente a servicios sociales de asistencia, públicos o privados, en materia de salud, educación, vivienda, apoyo jurídico y de adquisición de habilidades y destrezas para el desempeño de un oficio, arte, industria o profesión, cuando la modalidad de la medida cautelar, de la suspensión condicional del proceso, o la medida de sanción impuesta así lo requiera;

XI. Adoptar las acciones necesarias para proteger la integridad física y psicológica de las personas adolescentes que estén bajo su responsabilidad en la medida de sanción de internamiento; solicitar y proporcionar información a las instituciones públicas, así como atender las solicitudes de apoyo que se le realicen;

XII. Llevar un registro actualizado de las instituciones públicas y privadas que participen en la ejecución de las medidas cautelares o de sanción, y los planes para su cumplimiento, así como de las condiciones impuestas en la suspensión condicional del proceso, y disponer lo conducente para que esté a disposición del Órgano Jurisdiccional, en caso de que se solicite;

XIII. Supervisar a las áreas que la componen;

XIV. Asegurar que todo el personal que tiene trato con las personas adolescentes, incluyendo el de seguridad, sea especializado;

XV. Implementar los criterios relativos a los procedimientos de ingreso, permanencia, evaluación, estímulos, promoción y remoción del personal especializado, de acuerdo a lo establecido en esta Ley;

XVI. Participar en el diseño e implementar la política pública correspondiente al Sistema;

XVII. Llevar un registro de las fechas de cumplimiento de las medidas impuestas a las personas sujetas a esta Ley;

XVIII. Informar a las autoridades correspondientes y a las partes de cualquier violación a los derechos de las personas adolescentes, así como las circunstancias que podrían afectar el ejercicio de los mismos;

XIX. Informar a la defensa de la fecha de cumplimiento de la mitad de la duración de las medidas privativas de libertad;

XX. Las demás atribuciones que esta Ley le asigne y las que se establezcan en otras leyes siempre que no se opongan a lo dispuesto en esta, y

XXI. Los planes y programas diseñados por la Autoridad Administrativa y las áreas de evaluación y ejecución de las medidas, que lo componen deberán considerar la política general en materia de protección de adolescentes a nivel nacional, así como en materia de ejecución de las medidas y de reinserción social para las personas sujetas a esta Ley.

Artículo 72. Áreas especializadas de la Autoridad Administrativa

I. El Área de Evaluación de Riesgos contará con las siguientes atribuciones:

a) Entrevistar a las personas adolescentes detenidas o citadas a la audiencia inicial para obtener sus datos socio-ambientales sobre riesgos procesales;

b) Evaluar los riesgos procesales para la determinación de las medidas cautelares;

c) Proporcionar a las partes el resultado de la evaluación de riesgos procesales;

d) Realizar solicitudes de apoyo para la obtención de información a las áreas con funciones similares de la Federación o de las entidades federativas y, en su caso, atender las que les sean requeridas, y

e) Las demás que establezca la legislación aplicable.

II. El Área de Seguimiento y supervisión de medidas cautelares distintas a la prisión preventiva y de suspensión condicional del proceso, contará con las siguientes atribuciones:

a) Supervisar y dar seguimiento a las medidas cautelares impuestas, distintas a la prisión preventiva, y a la suspensión condicional del proceso;

b) Entrevistar periódicamente a la víctima o testigo del delito, con el objeto de dar seguimiento al cumplimiento de la medida cautelar impuesta o las condiciones de la suspensión condicional del proceso, cuando la modalidad de la decisión judicial así lo requiera, y canalizarlos, en su caso, a la autoridad correspondiente;

c) Informar al Órgano Jurisdiccional, el cambio de las circunstancias que sirvieron de base para imponer la medida, sugiriendo, en su caso, la modificación o cambio de la misma. La autoridad jurisdiccional notificará tal circunstancia a las partes, y

d) Las demás que establezca la legislación aplicable.

III. El Área de Seguimiento y supervisión de medidas de sanción no privativas de la libertad contará con las siguientes atribuciones:

a) Cumplir con las resoluciones y requerimientos del Juez de Ejecución;

b) Supervisar el cumplimiento de las medidas de sanción impuestas e informar al Órgano Jurisdiccional, en caso de que se dé un incumplimiento a las mismas;

c) Supervisar que las personas e instituciones públicas y privadas a las que la autoridad administrativa encargue el cuidado de la persona adolescente, cumplan las obligaciones contraídas, y

d) Las demás que establezca la legislación aplicable.

IV. Los Centros de Internamiento contarán con las siguientes atribuciones:

a) Ejecutar las medidas de internamiento preventivo y de internamiento, en los términos señalados por el Órgano Jurisdiccional;

b) Procurar la plena reintegración y reinserción social y familiar de las personas sujetas a esta Ley;

c) Cumplir con las resoluciones y requerimientos del Órgano Jurisdiccional;

d) Hacer uso legítimo de la fuerza para garantizar la seguridad e integridad de las personas sujetas a esta Ley, la disciplina en la Unidad de Internamiento y evitar daños materiales. En todos los casos deberá informar inmediatamente al titular de la Autoridad Administrativa sobre la aplicación de las medidas adoptadas. Al hacer uso legítimo de la fuerza, las autoridades deberán tomar en cuenta el interés superior de la niñez y utilizarán el medio idóneo, proporcional y menos lesivo para éste y sólo por el tiempo estrictamente necesario para mantener o restablecer el orden o la seguridad, y

e) Las demás que establezcan otras disposiciones.

Sin prejuicio de las facultades que se señalan para cada área especializada, estas contarán con las siguientes atribuciones:

a) Verificar los datos proporcionados por las personas adolescentes;

b) Informar por escrito al titular de la Autoridad Administrativa, cada tres meses, salvo el caso del Área de Evaluación de Riesgo, sobre la forma en que está siendo ejecutada la medida, cualquier obstáculo que se presente para el cumplimiento de la misma, así como el comportamiento y estado general de las personas adolescentes, y

c) Proponer a la Autoridad Administrativa la suscripción de convenios que sean necesarios para la realización de sus atribuciones.

CAPÍTULO VII
DE LAS AUTORIDADES AUXILIARES EN EL SISTEMA INTEGRAL

Artículo 73. Autoridades Auxiliares

Los órganos del Sistema podrán auxiliarse de la Comisión Nacional de los Derechos Humanos y de los organismos de protección de los derechos humanos de las entidades federativas.

Las policías y servicios periciales que actúen como auxiliares del Ministerio Público, también deberán acreditar que su personal cuenta con capacitación en materia de derechos de niñas, niños y adolescentes.

Artículo 74. Obligaciones generales para las instituciones de Seguridad Pública

El Sistema Nacional de Seguridad Pública dará seguimiento para que todos los elementos de las instituciones de seguridad pública reciban capacitación conforme a protocolos, que deberá diseñar y aprobar, en materia de detención y medidas especiales para la protección de los derechos de las personas adolescentes.

Los elementos de las instituciones de seguridad pública que intervengan en la detención de alguna persona adolescente, además de las obligaciones que establezcan otros ordenamientos legales aplicables, deberán:

I. Utilizar un lenguaje sencillo y comprensible cuando se dirija a ésta;

II. Abstenerse de esposar a las personas adolescentes detenidas, a menos que exista un riesgo real inminente y fundado de que la persona pueda causar un daño para sí o para otros;

III. Hacer uso razonable de la fuerza únicamente en caso de extrema necesidad y hacerlo de manera legítima, proporcional, gradual y oportuna;

IV. Permitir que la persona adolescente detenida sea acompañada por quienes ejercen la patria potestad, tutela o por persona de su confianza;

V. Realizar inmediatamente el Registro de la detención;

VI. Informar al adolescente la causa de su detención y los derechos que le reconocen los ordenamientos aplicables, y

VII. Poner a la persona adolescente inmediatamente y sin demora, a la disposición del Agente del Ministerio Público Especializado.

Los guías técnicos de los Centros de Internamiento estarán formados y certificados en materia de los derechos humanos de niñas, niños y adolescentes, así como de los derechos del Sistema.

Las instituciones policiales deberán contar con programas de formación básica y actualización permanente, respecto al trato con las personas sujetas a esta Ley, salvaguardando en todo momento los principios del interés superior de la niñez.

En la investigación de los hechos señalados como delitos atribuidos a las personas sujetas a esta Ley, las policías deberán contar con capacitación especializada en materia del Sistema Integral de Justicia Penal para Adolescentes, y actuarán bajo estricto apego a los principios de legalidad, objetividad, eficiencia, profesionalismo, honradez y respeto a los derechos humanos, así como a las obligaciones establecidas en esta Ley, y las demás disposiciones aplicables.

En los casos de detención en flagrancia, serán válidas las actuaciones de la policía, siempre que no contravengan los principios previstos en esta Ley, los derechos de las personas adolescentes establecidas en la misma y las demás disposiciones legales aplicables.

La policía por ningún motivo podrá exhibir o exponer públicamente a las niñas, niños y adolescentes; ni publicar o divulgar grabación, filmación, imagen o cualquier otra información relacionada con los mismos.

Artículo 75. Consultores técnicos y peritos

Los consultores técnicos o peritos que intervengan en el procedimiento en las materias relativas a medicina, psicología, criminología, sociología, pedagogía, antropología, trabajo social y materias afines, deberán contar con una certificación expedida por una institución educativa de reconocimiento oficial, o bien, por una práctica profesional en la materia, por una (sic) plazo razonablemente prolongado y un prestigio o reconocimiento adquirido en ella, que respalde su conocimiento amplio y actualizado en materia de niñas, niños y adolescentes.

Artículo 76. Organizaciones Coadyuvantes

Los órganos especializados podrán celebrar convenios con instituciones privadas, organizaciones no gubernamentales y de la sociedad civil sin fines de lucro, para coadyuvar en materia de capacitación para el trabajo, educativa, laboral, de salud, cultural y deporte.

Los operadores y demás autoridades del Sistema, en el ámbito de sus respectivas competencias, deberán asegurarse que las instituciones privadas y organizaciones de la sociedad civil, inscritas conforme a la ley aplicable, cuentan con los requerimientos y condiciones necesarios para brindar el servicio en el que auxilian, con base en el convenio antes señalado. Para ello, la autoridad responsable deberá realizar consultas con la Secretaría Ejecutiva del Sistema Nacional de Protección sobre las condiciones, requisitos y seguimiento que deban de exigir a las instituciones privadas y organizaciones de la sociedad civil que coadyuven con la ejecución de medidas impuestas a las personas adolescentes.

Artículo 77. Coordinación y Colaboración de otras autoridades

Los poderes judicial y ejecutivo competentes, se organizarán, en el ámbito de sus respectivas competencias, para el cumplimiento y aplicación de esta Ley y demás normatividad aplicable, así como para la cooperación con las autoridades administrativas e instituciones que intervienen en la ejecución de las medidas cautelares y de sanción.

Son autoridades corresponsables para el cumplimiento de esta Ley, la Secretaría de Desarrollo Social, la Secretaría de Economía, la Secretaría de Educación Pública, la Secretaría de Salud, la Secretaría del Trabajo y Previsión Social y la Comisión Nacional del Deporte, o sus equivalentes en las entidades federativas, así como las demás que por la naturaleza de sus atribuciones deban intervenir en el cumplimiento de la presente Ley.

Encabezada por la Secretaría de Gobernación o su equivalente en las entidades federativas, se establecerán comisiones intersecretariales que incluirán a todas las autoridades corresponsables establecidas en esta Ley a nivel federal y en cada entidad federativa.

Adicionalmente proporcionarán los programas de servicios para la reinserción al interior de los Centros de Internamiento y para la ejecución de las medidas a nivel federal y estatal, así como para favorecer la inclusión educativa, social y laboral de las personas adolescentes privadas de la libertad próximas a ser externadas. Las autoridades corresponsables en las entidades federativas establecerán su propia comisión a fin de cumplir con los mismos fines a nivel local.

La Autoridad Administrativa y las autoridades corresponsables podrán implementar mecanismos de participación y firmar convenios de colaboración con organizaciones de la sociedad civil a fin de diseñar, implementar o brindar servicios en el cumplimiento de las medidas.

La Autoridad Administrativa y las autoridades corresponsables, conforme a sus presupuestos, establecerán centros de atención para el cumplimiento de medidas no privativas de la libertad y formarán redes de colaboración en beneficio de las personas adolescentes y a sus familiares a fin de prestar el apoyo necesario para facilitar la reinserción social, procurar su vida digna y prevenir la reincidencia.

CAPÍTULO VIII
SISTEMA NACIONAL DE INFORMACIÓN ESTADÍSTICA DEL SISTEMA INTEGRAL DE JUSTICIA PENAL PARA ADOLESCENTES

Artículo 78. Sistematización de la información

Las Procuradurías, Fiscalías y los Tribunales Superiores de Justicia, las instituciones de Seguridad Pública, las Unidades de Medidas Cautelares, los Órganos de Mecanismos Alternativos y las Autoridades Administrativas de las entidades, deberán recopilar y sistematizar la información estadística del Sistema.

La información sistematizada deberá cumplir las disposiciones de la presente Ley relativas a la protección de la identidad de la persona adolescente y las partes involucradas en el proceso.

La información estadística deberá ser pública, siempre y cuando no obstaculice la investigación, los mecanismos alternativos, el procesamiento judicial y la ejecución penal de los casos.

Las autoridades obligadas por este artículo deberán colaborar con el Sistema Nacional de Protección Integral de Niñas, Niños y Adolescentes y con el Instituto Nacional de Estadística y Geografía para obtener la información con fines estadísticos que estos últimos requieran.

Artículo 79. Obligaciones del Instituto Nacional de Estadística y Geografía

El Instituto recabará información estadística sobre características demográficas de las personas adolescentes que son parte del Sistema y su situación jurídica. De igual forma, el Instituto recabará la información sobre los delitos, procesos; medidas cautelares; mecanismos y salidas alternativas; y ejecución de medidas de sanción no privativas y privativas de libertad. De la misma forma, recolectará información sobre las víctimas de los delitos por los cuales fueron sujetos a proceso, entre otras cosas.

El Instituto deberá llevar a cabo la recopilación y procesamiento de la información con el apoyo de expertos especialistas en materia de justicia para adolescentes, así como capacitar al personal que encuestará a las personas adolescentes, en su caso, conforme a los principios generales del Sistema.

Artículo 80. Registros en materia de Seguridad

El Sistema Nacional de Información Estadística del Sistema Integral de Justicia Penal para Adolescentes compartirá los registros administrativos, que por su naturaleza estadística sean requeridos por el Instituto para el adecuado desarrollo de los Censos Nacionales de Gobierno, Seguridad Pública y Sistema Penitenciario, así como de la Encuesta Nacional de Población Privada de la Libertad.

Para el caso de los Censos Nacionales de Gobierno, Seguridad Pública y Sistema Penitenciario, el Instituto recolectará y publicará los datos estadísticos sobre infraestructura y recursos humanos y materiales con los que cuentan las Unidades de Internamiento, en el marco del Subsistema Nacional de Información de Gobierno, Seguridad Pública e Impartición de Justicia.

Artículo 81. Información sobre las personas adolescentes privadas de libertad

La Encuesta Nacional de Adolescentes en el Sistema de Justicia Penal tendrá como finalidad generar información estadística que permita conocer las condiciones de procesamiento e internamiento de las personas adolescentes privadas de la libertad, su perfil demográfico y socioeconómico, los delitos por los que fueron procesados o sentenciados, entre otras características.

Dicha encuesta se levantará de manera periódica y conforme a criterios estadísticos y técnicos, será de tipo probabilística, incluirá a las personas adolescentes que cumplen una medida de sanción no privativa de libertad y a la población privada de la libertad tanto del fuero común, como federal y será representativa a nivel nacional y estatal.

El Instituto Nacional de Estadística y Geografía realizará dicha Encuesta conforme a su presupuesto. Asimismo, las Unidades de Internamiento seleccionadas en la muestra determinada para la Encuesta deberán brindar todas las facilidades al Instituto para realizar entrevistas directas a la población privada de la libertad.

El levantamiento de la Encuesta, así como la información proporcionada en ella, no podrá tener efectos negativos ni otorgar beneficios en el proceso penal ni en el cumplimiento de la medida de la persona adolescente. La Encuesta sólo podrá realizarse previo consentimiento informado de la persona adolescente, quien podrá consultar a su defensor o persona responsable.

LIBRO SEGUNDO
MECANISMOS ALTERNATIVOS DE SOLUCIÓN DE CONTROVERSIAS Y FORMAS DE TERMINACIÓN ANTICIPADA

TÍTULO I
MECANISMOS ALTERNATIVOS DE SOLUCIÓN DE CONTROVERSIAS

CAPÍTULO I
DISPOSICIONES GENERALES

Artículo 82. Objeto

Las disposiciones de este Título tienen por objeto regular los mecanismos alternativos de solución de controversias en materia de justicia penal para adolescentes, que puedan derivar en un acuerdo reparatorio o en un plan de reparación y propuesta de condiciones por cumplir para una suspensión condicional del proceso, siempre que sea procedente.

Artículo 83. Principios de los mecanismos alternativos de solución de controversias

Son principios de los mecanismos alternativos de solución de controversias para adolescentes, además de los previstos en la Ley de Mecanismos Alternativos, los siguientes:

I. Equidad en los procesos restaurativos: En el caso de los procesos restaurativos, el trato será diferenciado entre la persona adolescente y la víctima u ofendido, partiendo de la base de que, una persona que causó daños, debe resarcir a otra; sin embargo, el facilitador se asegurará de que el acuerdo alcanzado es comprendido y percibido como justo por todas las partes;

II. Honestidad del personal especializado en su aplicación: El facilitador valorará sus propias capacidades y limitaciones para conducir los mecanismos alternativos, y

III. Enfoque diferencial y especializado: Los facilitadores llevarán a cabo los ajustes pertinentes en consideración del mayor riesgo de exclusión de las personas intervinientes en los procedimientos previstos en esta Ley en razón de su edad, género, etnia y condición de discapacidad.

Artículo 84. Mecanismos alternativos

Los mecanismos aplicables en materia de justicia para adolescentes son la mediación y los procesos restaurativos.

CAPÍTULO II
LA MEDIACIÓN

Artículo 85. Concepto

La mediación es el mecanismo voluntario mediante el cual la persona adolescente, su representante y la víctima u ofendido, buscan, construyen y proponen opciones de solución a la controversia.

El facilitador durante la mediación propicia la comunicación y el entendimiento mutuo entre los intervinientes para que logren alcanzar una solución a su conflicto por sí mismos.

Artículo 86. Desarrollo de la sesión

El desarrollo de las sesiones se llevará a cabo de acuerdo a lo establecido en la Ley de Mecanismos Alternativos, en un lenguaje claro, sencillo y comprensible para la persona adolescente.

En el caso de que los intervinientes logren alcanzar un acuerdo o plan de reparación y propuestas de condiciones por cumplir que consideren idóneos para resolver la controversia, el facilitador lo registrará y lo preparará para la firma de los intervinientes de conformidad con las disposiciones aplicables previstas en esta Ley.

Artículo 87. Oralidad de las sesiones y encuentro entre las partes

Todas las sesiones de mediación serán orales. Sólo se registrará el acuerdo alcanzado o plan de reparación alcanzado y propuestas de condiciones por cumplir, en su caso.

Cuando por alguna circunstancia no pueda tenerse un encuentro entre las partes o no se considere conveniente por parte del facilitador, podrá realizarse la mediación a través de éste, con encuentros separados. Esto será excepcional, debiendo intentarse como regla general que se encuentren las partes presentes.

CAPÍTULO III
LOS PROCESOS RESTAURATIVOS

Artículo 88. Modelos aplicables

Para alcanzar un resultado restaurativo, se pueden utilizar los siguientes modelos de reunión: víctima con la persona adolescente, junta restaurativa y círculos.

El resultado restaurativo tiene como presupuesto un acuerdo encaminado a atender las necesidades y responsabilidades individuales y colectivas de las partes. Así como lograr la integración de la víctima u ofendido y de la persona adolescente en la comunidad en busca de la reparación de los daños causados y el servicio a la comunidad.

Artículo 89. Reuniones previas

El uso de cualquiera de los modelos contemplados en este Título, requiere reuniones previas de preparación con todas las personas que vayan a participar en la reunión conjunta.

El facilitador deberá identificar la naturaleza y circunstancias de la controversia, las necesidades de los intervinientes y sus perspectivas individuales, evaluar su disposición para participar en el mecanismo, la posibilidad de realizar la reunión conjunta y las condiciones para llevarla a cabo.

Adicionalmente, el facilitador deberá explicar el resultado restaurativo que se busca, el proceso restaurativo que se vaya a emplear, la recolección de información necesaria para determinar los daños ocasionados y la aceptación de responsabilidad por parte de la persona adolescente.

La aceptación de responsabilidad en términos de este Capítulo es un requisito para la realización de la reunión conjunta que implica un encuentro entre las partes involucradas y, de ninguna manera, puede repercutir en el proceso que se siga en caso de no llegarse a un acuerdo o, de alcanzarse éste, no se cumpliere. Esta aceptación de responsabilidad no se asentará en el acuerdo que en su caso llegare a realizarse.

Artículo 90. Reunión de la víctima con la persona adolescente

Es el procedimiento mediante el cual la víctima u ofendido, la persona adolescente y su representante, buscan, construyen y proponen opciones de solución a la controversia, sin la participación de la comunidad afectada.

En la sesión conjunta de la reunión víctima con persona adolescente, el facilitador hará una presentación general y explicará brevemente el propósito de la sesión. Acto seguido, dará la palabra a la víctima u ofendido para que explique su perspectiva del hecho y los daños ocasionados. Posteriormente, dará la palabra a la persona adolescente y, finalmente, a su representante, para hablar sobre el hecho y sus repercusiones. Finalmente, el facilitador dirigirá el tema hacia la reparación del daño y, conforme a las propuestas de los intervinientes, facilitará la comunicación para que puedan alcanzar un resultado restaurativo.

En caso de que los intervinientes logren alcanzar una solución que consideren idónea para resolver la controversia, el facilitador lo registrará y lo preparará para la firma de éstos, de conformidad con lo previsto por la Ley de Mecanismos Alternativos.

Artículo 91. Junta restaurativa

La junta restaurativa es el mecanismo mediante el cual la víctima u ofendido, la persona adolescente y, en su caso, la comunidad afectada, en el libre ejercicio de su autonomía, buscan, construyen y proponen opciones de solución a la controversia, que se desarrollará conforme a lo establecido en la Ley de Mecanismos Alternativos y esta Ley.

Artículo 92. Círculos

Es el modelo mediante el cual la víctima u ofendido, la persona adolescente, la comunidad afectada y los operadores del Sistema de Justicia para Adolescentes, buscan, construyen y proponen opciones de solución a la controversia. Podrá utilizarse este modelo cuando se requiera la intervención de operadores para alcanzar un resultado restaurativo, cuando el número de participantes sea muy extenso o cuando la persona que facilita lo considere el modelo idóneo, en virtud de la controversia planteada.

En la sesión conjunta del círculo, el facilitador hará una presentación general y explicará brevemente el propósito de la sesión. Acto seguido, formulará las preguntas que previamente haya elaborado en virtud de la controversia, para dar participación a todas las personas presentes, con el fin de que se conozcan las distintas perspectivas y las repercusiones del hecho. Posteriormente, las preguntas del facilitador se dirigirán a las posibilidades de reparación del daño y de alcanzar un resultado restaurativo.

El facilitador, sobre la base de las propuestas planteadas por los Intervinientes, facilitará la comunicación para ayudarles a concretar el acuerdo que todos estén dispuestos a aceptar como resultado de la sesión del círculo. Finalmente, el facilitador realizará el cierre de la sesión.

En el caso de que los intervinientes logren alcanzar una solución que consideren idónea para resolver la controversia, el facilitador lo registrará y lo preparará para la firma de éstos, de conformidad con lo previsto por la Ley de Mecanismos Alternativos.

Artículo 93. Del acuerdo

Los acuerdos alcanzados a través de los mecanismos establecidos en este Título, se tramitarán conforme a lo establecido en el Título siguiente, ya sea como acuerdos reparatorios o como propuesta del plan de reparación y sugerencias de condiciones por cumplir para la suspensión condicional del proceso.

TÍTULO II
SOLUCIONES ALTERNAS

CAPÍTULO I
DISPOSICIONES GENERALES

Artículo 94. Uso prioritario

Las autoridades aplicarán prioritariamente las soluciones alternas previstas en esta Ley.

Desde su primera intervención, el Ministerio Público, el asesor jurídico o el defensor explicarán a las víctimas y a las personas adolescentes, según corresponda, los mecanismos alternativos disponibles y sus efectos, exhortándoles a utilizarlos para alcanzar alguna solución alterna en los casos en que proceda.

El Juez verificará el cumplimiento de la obligación anterior y, en caso de que el adolescente o la víctima manifiesten su desconocimiento, éste explicará y exhortará a la utilización de algún mecanismo alternativo.

CAPÍTULO II
ACUERDOS REPARATORIOS

Artículo 95. Procedencia

Los acuerdos reparatorios procederán en los casos en que se atribuyan hechos previstos como delitos, en los que no procede la medida de sanción de internamiento de conformidad con esta Ley.

La procedencia del acuerdo reparatorio no implica ni requiere el reconocimiento en el proceso por parte de la persona adolescente de haber realizado el hecho que se le atribuye.

Artículo 96. Violencia familiar

Los acuerdos reparatorios no procederán en el delito de violencia familiar o su equivalente en las entidades federativas.

Artículo 97. Trámite

Una vez que el Ministerio Público o, en su caso, el Juez, hayan invitado a los interesados a participar en un mecanismo alternativo de solución de controversias, y éstos hayan aceptado, elegirán el Órgano de Mecanismos Alternativos de Solución de Controversias al que se turnará el caso.

Los acuerdos reparatorios una vez validados por el licenciado en derecho en los términos de la Ley de Mecanismos Alternativos, deberán ser aprobados por el Ministerio Público en la etapa de investigación inicial y por el Juez de Control cuando ya se haya formulado la imputación. La parte inconforme con la determinación del Ministerio Público podrá solicitar control judicial dentro del plazo de diez días contados a partir de dicha determinación.

Previo a la aprobación del acuerdo reparatorio, el Juez de Control o el Ministerio Público verificarán que las obligaciones que se contraen no resulten notoriamente desproporcionadas y que los intervinientes estuvieron en condiciones de igualdad para negociar, que no actuaron bajo condiciones de intimidación, amenaza o coacción, y que se observaron los principios del Sistema y la persona adolescente comprende el contenido y efectos del acuerdo.

Artículo 98. Contenido de los acuerdos reparatorios

En caso de que el acuerdo contenga obligaciones económicas por parte de la persona adolescente, siempre que sea proporcional, el Juez o el Ministerio Público deberán verificar, además, que en la medida de lo posible los recursos provengan del trabajo y esfuerzo de la persona adolescente.

Artículo 99. Efectos del cumplimiento e incumplimiento del acuerdo

Si la persona adolescente cumpliera con todas las obligaciones pactadas en el acuerdo, la autoridad competente resolverá la terminación del procedimiento y ordenará el no ejercicio de la acción penal o el sobreseimiento por extinción de la acción penal, según corresponda.

Si la persona adolescente incumple sin justa causa las obligaciones pactadas dentro del plazo fijado o dentro de seis meses contados a partir del día siguiente de la ratificación del acuerdo de no haberse determinado temporalidad, el procedimiento continuará como si no se hubiera realizado el acuerdo a partir de la última actuación que conste en el registro.

CAPÍTULO III
SUSPENSIÓN CONDICIONAL DEL PROCESO

Artículo 100. Procedencia

La suspensión condicional del proceso procederá a solicitud de la persona adolescente o del Ministerio Público con acuerdo de aquél, en los casos en que se cubran los requisitos siguientes:

I. Que se haya dictado auto de vinculación a proceso por hechos previstos como delito en los que no procede la medida de sanción de internamiento establecida en esta Ley, y

II. Que no exista oposición fundada de la víctima u ofendido.

Artículo 101. Condiciones y Plan de Reparación

En la audiencia en donde se resuelva sobre la solicitud de suspensión condicional del proceso, la persona adolescente deberá presentar un plan de reparación y las condiciones que estaría dispuesta a cumplir durante el plazo en que se suspenda el proceso, en su caso.

Se privilegiará que la víctima participe en la elaboración del plan de reparación y en sugerir las condiciones por cumplir, a través de un mecanismo alternativo de solución de controversias, conforme a esta Ley, siempre y cuando no se trate de un delito por el que no procediera un acuerdo reparatorio.

El plazo para el cumplimiento del plan de reparación no podrá exceder de tres años.

Artículo 102. Condiciones

El Juez fijará el plazo de suspensión condicional del proceso, que no podrá ser inferior a tres meses ni superior a un año, y determinará una o varias de las condiciones que deberá cumplir la persona adolescente. Además de las condiciones que establece el Código Nacional se podrán imponer las siguientes:

I. Comenzar o continuar la escolaridad que le corresponda;

II. Prestar servicio social a favor de la comunidad, las víctimas, del Estado o de instituciones de beneficencia pública o privada, en caso de que la persona adolescente sea mayor de quince años;

III. Tener un trabajo o empleo, o adquirir, en el plazo que el Juez determine, un oficio, arte, industria o profesión si no tiene medios propios de subsistencia, siempre y cuando su edad lo permita;

IV. En caso de hechos tipificados como delitos sexuales, la obligación de integrarse a programas de educación sexual que incorporen la perspectiva de género,

(REFORMADA, D.O.F. 1 DE DICIEMBRE DE 2020)

V. Abstenerse de consumir drogas, estupefacientes y bebidas alcohólicas;

VI. Participar en programas especiales para la prevención y el tratamiento de adicciones, y

VII. Cualquier otra condición que, a juicio del Juez, logre una efectiva tutela de los derechos de la víctima y contribuyan a cumplir con los fines socioeducativos de la persona adolescente.

Las condiciones deberán mantener relación con el delito que se le atribuya a la persona adolescente, serán las menos y de cumplimiento posible, y de mínima intervención.

Cuando se acredite plenamente que la persona adolescente no puede cumplir con alguna de las obligaciones anteriores por ser contrarias a su salud, o alguna otra causa de especial relevancia, el Juez podrá sustituirlas, fundada y motivadamente, por otra u otras análogas que resulten razonables.

Para fijar las condiciones, el Juez puede disponer que la persona adolescente sea sometida a una evaluación previa por parte de la Autoridad de Supervisión de Medidas Cautelares y de Suspensión Condicional del Proceso. El Ministerio Público, la víctima u ofendido, podrán proponer al Juez las condiciones a las que consideren debe someterse la persona adolescente. Las condiciones deberán regirse bajo los principios de carácter socioeducativo, proporcionalidad, mínima intervención, autonomía progresiva, justicia restaurativa y demás principios del Sistema.

El Juez explicará a la persona adolescente las obligaciones contenidas en las condiciones impuestas y la prevendrá sobre las consecuencias de su inobservancia.

Artículo 103. Audiencia

Las audiencias se llevarán a cabo conforme lo establece el Código Nacional. Durante el debate las partes podrán expresar observaciones a las condiciones propuestas, las que serán resueltas de inmediato.

Artículo 104. Revocación de la suspensión

Si la persona adolescente dejara de cumplir injustificadamente las condiciones impuestas o no cumpliera con el plan de reparación o las condiciones, el Juez, previa petición del agente del Ministerio Público o de la víctima u ofendido, convocará a las partes a una audiencia en la que se debatirá sobre la procedencia de la revocación de la suspensión condicional del proceso, debiendo resolver de inmediato lo que proceda.

En lugar de la revocación, el Juez podrá ampliar el plazo de la suspensión condicional hasta por seis meses. Esta extensión del término solo podrá imponerse una vez.

La revocación de la suspensión condicional del proceso no impedirá el pronunciamiento de una sentencia absolutoria ni la imposición de una medida no privativa de libertad.

Artículo 105. Cesación provisional de los efectos de la suspensión condicional del proceso

La obligación de cumplir con las condiciones impuestas por la suspensión del proceso y el plazo otorgado para su cumplimiento se suspenderán mientras la persona adolescente esté privada de su libertad por otro proceso. Una vez que la persona adolescente obtenga su libertad se reanudarán.

Si la persona adolescente está sometida a otro proceso y goza de libertad, la obligación de cumplir con las condiciones y el plazo otorgado para tal efecto continuarán vigentes.

LIBRO TERCERO
PROCEDIMIENTO PARA ADOLESCENTES

TÍTULO I
DISPOSICIONES GENERALES

CAPÍTULO I
DISPOSICIONES GENERALES

Artículo 106. Objeto

El procedimiento para adolescentes tiene como objetivo establecer la existencia jurídica de un hecho señalado como delito, determinar si la persona adolescente es su autor o partícipe, el grado de responsabilidad y, en su caso, la aplicación de las medidas que correspondan conforme a esta Ley. El proceso deberá observar en todo momento el fin socioeducativo del Sistema.

Artículo 107. Las medidas privativas de libertad

Las medidas privativas de la libertad deberán evitarse y limitarse en los términos establecidos en esta Ley, debiéndose aplicar medidas cautelares y de sanción menos gravosas siempre que sea posible. Las medidas privativas de la libertad serán aplicadas por los periodos más breves posibles.

Artículo 108. Plazos

En el proceso especial para adolescentes los plazos son perentorios y se pueden habilitar días y horas no laborables para conocer de la causa.

CAPÍTULO II
DE LA PRESCRIPCIÓN

Artículo 109. Plazos especiales de prescripción

Atendiendo a las reglas de prescripción establecidas en las legislaciones penales aplicables y teniendo en cuenta la edad de la persona adolescente al momento de la comisión de la conducta, la prescripción de la acción penal se ajustará a lo siguiente:

I. Para las personas adolescentes del Grupo etario I, la prescripción de la acción penal, en ningún caso, podrá exceder de un año;

II. Para las personas adolescentes del Grupo etario II, la prescripción de la acción penal, en ningún caso, podrá exceder de tres años;

III. Para adolescentes del Grupo etario III, la prescripción de la acción penal, en ningún caso, podrá exceder de cinco años.

Lo previsto en las fracciones anteriores aplicará para las conductas cometidas por las personas adolescentes de conformidad con la presente Ley. En los demás casos, la prescripción será de un año.

Tratándose de delitos sexuales o de trata de personas cometidos por adolescentes en contra de niñas, niños y adolescentes, el plazo de prescripción empezará a correr cuando la víctima cumpla dieciocho años.

Artículo 110. De la posible acumulación y separación de procesos

La acumulación o separación de procesos procederá y se resolverá de conformidad con el Código Nacional.

En los casos de acumulación de procesos seguidos a una misma persona adolescente, el Órgano Jurisdiccional competente decretará, en su caso, las medidas que correspondan.

En caso de que se decretara la separación de procesos que se estuvieren siguiendo a una misma persona adolescente, y se resolvieren dictando medidas en más de uno de ellos, en el caso de su ejecución se atenderá a lo establecido en el Libro Cuarto de esta Ley.

Artículo 111. Suspensión e interrupción

La prescripción correrá, se suspenderá o se interrumpirá, en forma individual, para cada una de las personas adolescentes que intervinieron en la comisión del hecho. En el caso de acumulación de procesos, las acciones respectivas que de ellos resulten prescribirán separadamente en el término señalado a cada uno.

Artículo 112. Prescripción de la medida de sanción por sustracción

Cuando la persona adolescente sujeto a una medida de sanción privativa de libertad se sustraiga de ella, se necesitará para la prescripción el mismo tiempo que faltaba para cumplirla, más una cuarta parte de la medida impuesta. En este caso, el plazo para la prescripción no podrá ser menor de un año.

Artículo 113. Incompetencia

Cuando en el transcurso del procedimiento se compruebe que la persona a quien se imputa la realización del hecho señalado como delito era mayor de dieciocho años de edad al momento de su realización, el Ministerio Público especializado, se declarará incompetente y remitirá de inmediato las actuaciones al Ministerio Público competente.

En caso de que el Órgano Jurisdiccional especializado estuviere conociendo del asunto, a solicitud de parte, previa audiencia, se declarará incompetente para seguir conociendo del asunto y remitirá los registros al Juez competente. La persona mayor de dieciocho años de edad quedará a disposición de la autoridad administrativa o jurisdiccional competente.

Si en el transcurso del procedimiento se comprueba que la persona a quien se le imputa la realización del hecho era menor de doce años de edad al momento de realizarlo, quedará al cuidado de quien legalmente le corresponda, debiendo notificarse a la Procuraduría de Protección competente, para que actúe en términos de lo previsto por la Ley General.

Artículo 114. Validez de actuaciones

Las actuaciones que se remitan por causa de incompetencia serán válidas tanto para la jurisdicción especial de adolescentes como para la ordinaria, siempre que no contravengan los fines de esta Ley ni los derechos humanos de la persona adolescente.

Artículo 115. Utilización de medios electrónicos

Se podrán utilizar para la realización de todos los actos procesales los medios electrónicos y tecnológicos previstos en el Código Nacional.

Artículo 116. Separación de procedimientos

Cuando en la comisión de un delito participen tanto adolescentes como mayores de dieciocho años, los procedimientos se llevarán por separado, cada uno ante la autoridad competente.

Artículo 117. Duración del proceso para adolescentes

Desde la vinculación a proceso hasta el dictado de la sentencia no podrá transcurrir un plazo mayor a seis meses, salvo que la extensión de dicho plazo sea solicitada por la persona adolescente por serle benéfica.

Artículo 118. Del procedimiento

Las etapas del procedimiento penal para adolescentes serán las que prevé el Código Nacional, el cual se regirá por las normas contenidas en esta Ley y supletoriamente por las del Código Nacional.

TÍTULO II
MEDIDAS CAUTELARES

CAPÍTULO ÚNICO
MEDIDAS CAUTELARES

Artículo 119. Medidas cautelares personales

Sólo a solicitud del Ministerio Público, la víctima u ofendido, y bajo las condiciones y por el tiempo que se fija en esta Ley, el Órgano Jurisdiccional podrá imponer a la persona adolescente, después de escuchar sus razones, las siguientes medidas cautelares:

I. Presentación periódica ante autoridad que el Juez designe;

II. La prohibición de salir del país, de la localidad en la cual reside o del ámbito territorial que fije el Órgano Jurisdiccional, sin autorización del Juez;

III. La obligación de someterse al cuidado o vigilancia de una persona o institución determinada, que informe regularmente al Órgano Jurisdiccional;

IV. La prohibición de asistir a determinadas reuniones o de visitar o acercarse a ciertos lugares;

V. La prohibición de convivir, acercarse o comunicarse con determinadas personas, con las víctimas, ofendidos o testigos, siempre que no se afecte el derecho de defensa;

VI. La separación inmediata del domicilio;

VII. La colocación de localizadores electrónicos;

VIII. Garantía económica para asegurar la comparecencia;

IX. Embargo de bienes;

X. Inmovilización de cuentas;

XI. El resguardo en su domicilio con las modalidades que el Órgano Jurisdiccional disponga, y

XII. Internamiento preventivo.

En cualquier caso, el Juez de Control para Adolescentes, previo debate, puede prescindir de toda medida cautelar, cuando la promesa del adolescente de someterse al proceso sea suficiente para descartar los motivos que autorizarían el dictado de la medida conforme al artículo siguiente.

El Juez deberá explicar, claramente, cada una de las medidas cautelares impuestas a la persona adolescente, su forma de cumplimiento y las consecuencias de incumplimiento.

Las medidas cautelares se podrán modificar, sustituir o revocar en cualquier momento hasta antes de dictarse sentencia firme.

Si el fallo resulta absolutorio, el Órgano Jurisdiccional deberá levantar de oficio todas las medidas cautelares impuestas a la persona adolescente.

Artículo 120. Reglas para la imposición de medidas cautelares

Las medidas cautelares serán impuestas mediante resolución judicial, por el tiempo indispensable y sólo se dictarán para asegurar la presencia de la persona adolescente en el procedimiento, garantizar la seguridad de la víctima u ofendido o del testigo, o para evitar la obstaculización del procedimiento.

Al imponer las medidas cautelares el Órgano Jurisdiccional deberá considerar el criterio de mínima intervención, idoneidad y proporcionalidad según las circunstancias particulares de cada adolescente.

Las medidas de garantía económica, embargo de bienes e inmovilización de cuentas sólo procederán cuando la persona adolescente haya cumplido la mayoría de edad y cuente con bienes o cuentas bancarias propias.

Al decidir sobre la medida cautelar consistente en garantía, el Juez fijará el monto, la modalidad de la prestación y apreciará su idoneidad. Para resolver sobre dicho monto, el Juez deberá tomar en cuenta las características del adolescente y la posibilidad de cumplimiento de las obligaciones procesales a su cargo. La autoridad judicial hará la estimación del monto de manera que constituya un motivo eficaz para que el adolescente se abstenga de incumplir sus obligaciones y deberá fijar un plazo razonable para exhibir la garantía.

La garantía será presentada por el adolescente, por su persona responsable, u otra persona en los términos y condiciones que para la exhibición de fianzas estén establecidos en la legislación penal vigente de la entidad.

Se hará saber al fiador, en la audiencia en la que se decida la medida, las consecuencias del incumplimiento por parte del adolescente.

Artículo 121. Revisión de la medida cautelar de internamiento preventivo

La medida cautelar de prisión preventiva deberá ser revisada mensualmente, en audiencia, por el Juez de Control. En la audiencia se revisarán si las condiciones que dieron lugar a la prisión preventiva persisten o, en su caso, si se puede imponer una medida cautelar menos lesiva.

Artículo 122. Reglas para la imposición del internamiento preventivo

A ninguna persona adolescente menor de catorce años le podrá ser impuesta la medida cautelar de prisión preventiva.

A las personas adolescentes mayores de catorce años, les será impuesta la medida cautelar de internamiento preventivo, de manera excepcional y sólo por los delitos que ameriten medida de sanción de internamiento de conformidad con lo dispuesto en esta Ley y únicamente cuando otras medidas cautelares no sean suficientes para garantizar la comparecencia de la persona adolescente en el juicio o en el desarrollo de la investigación, la protección de la víctima, o de los testigos o de la comunidad. En los casos que proceda la medida de sanción de internamiento, podrá ser aplicada la prisión preventiva, siempre y cuando exista necesidad de cautela.

El Ministerio Público deberá favorecer en su propuesta una medida cautelar diferente a la prisión preventiva, o en su caso, justificar la improcedencia de estas para poder iniciar el debate de la imposición de la prisión preventiva.

La prisión preventiva se aplicará hasta por un plazo máximo de cinco meses. Si cumplido este término no se ha dictado sentencia, la persona adolescente será puesta en libertad de inmediato mientras se sigue el proceso, pudiéndosele imponer otras medidas cautelares.

No se aplicarán a las personas adolescentes los supuestos de prisión preventiva oficiosa establecidos en el artículo 19 de la Constitución.

Las medidas de prisión preventiva no podrán combinarse con otras medidas cautelares y deberá ser cumplida en espacios diferentes a las destinadas al cumplimiento de las medidas de sanción de internamiento.

Artículo 123. Máxima prioridad en la tramitación efectiva del procedimiento en que el adolescente se encuentre en internamiento preventivo

A fin de que el internamiento preventivo sea lo más breve posible, el Ministerio Público y los Órganos Jurisdiccionales deberán considerar de máxima prioridad la tramitación efectiva de los casos en que una persona adolescente se encuentre sujeta a esta medida cautelar.

Artículo 124. Supervisión de la medida cautelar

La Autoridad de supervisión de medidas cautelares y de la suspensión condicional del proceso será la encargada de realizar la supervisión de medidas cautelares distintas a la prisión preventiva, obligaciones procesales impuestas por la suspensión condicional del proceso y los acuerdos preparatorios de cumplimiento diferido. Para el cumplimiento de sus funciones y conforme a su presupuesto contará con las áreas especializadas necesarias.

Los lineamientos y el procedimiento para la supervisión de las condiciones de la suspensión condicional serán los ordenados en el Código Nacional.

TÍTULO III
DE LA INVESTIGACIÓN

CAPÍTULO ÚNICO
DISPOSICIONES GENERALES

Artículo 125. Prohibición del arraigo

Por ningún motivo las disposiciones relativas al arraigo serán aplicables en el caso de las personas adolescentes.

Artículo 126. Protección especial para persona detenida menor de doce años de edad

Si la persona es menor a doce años de edad el Ministerio Público deberá inmediatamente dar aviso a quienes ejerzan sobre ella la patria potestad o tutela, así como a la Procuraduría de Protección competente para que ésta aplique, en caso de resultar procedente, el procedimiento de protección y restitución de derechos establecidos en el artículo 123 de la Ley General o en la legislación estatal en materia de derechos de niñas, niños y adolescentes aplicable.

Artículo 127. Formas de terminación de la investigación

El Ministerio Público podrá determinar abstenerse de investigar, el no ejercicio de la acción penal, decidir el archivo temporal o aplicar los criterios de oportunidad, en los términos previstos en esta Ley y en el Código Nacional.

Artículo 128. Criterios de Oportunidad

Además de los casos en los que proceda la aplicación de los criterios de oportunidad, de acuerdo con el Código Nacional, el Ministerio Público podrá también prescindir de la acción penal cuando se trate de conductas atribuidas a adolescentes que no lesionen o pongan gravemente en riesgo el bien jurídico tutelado y que puedan ser consideradas como parte del proceso de desarrollo y formación.

TÍTULO IV
AUDIENCIA INICIAL

CAPÍTULO ÚNICO
AUDIENCIA INICIAL

Artículo 129. Detención en flagrancia

Cuando una persona adolescente sea sorprendida en la comisión de una conducta que las leyes señalen como delito, podrá ser detenida sin orden judicial y deberá ser puesta a disposición inmediata de la autoridad más cercana y ésta con la misma prontitud lo pondrá a disposición del Ministerio Público competente. El primer respondiente deberá hacer el registro inmediato de la detención.

Al tener a su disposición a la persona adolescente, el Ministerio Público evaluará si procede decretar la libertad, dictar un criterio de oportunidad o remitir al adolescente a un programa educativo. Si ello no fuera posible, deberá determinar si, a su juicio, existe la necesidad de la imposición de una medida cautelar y su tipo, lo que deberá informar a la brevedad a la defensa de la persona adolescente. Asimismo, deberá considerar ponerlo a disposición del Juez de Control sin agotar el plazo de treinta y seis horas al que se refiere el artículo siguiente.

Artículo 130. Audiencia inicial

En los casos de personas adolescentes detenidos en flagrancia, en términos de la Constitución y el Código Nacional, el Ministerio Público deberá ponerlos a disposición del Juez en un plazo que no podrá exceder de treinta y seis horas, salvo que el Ministerio Público requiera agotar el plazo constitucional por las características propias de la investigación que así lo justifique. En casos de cumplimiento de orden de aprehensión o comparecencia serán puestos de inmediato a disposición del Juez de Control.

Artículo 131. Plazo para la investigación complementaria

Antes de concluir la audiencia inicial, el Ministerio Público deberá solicitar el plazo para el cierre de la investigación complementaria y deberá justificar su solicitud. El Juez fijará un plazo para que el Ministerio Público cierre dicha investigación que no podrá ser mayor a tres meses, contados en días naturales, a partir del auto de vinculación a proceso, tomando en consideración la complejidad de los hechos atribuidos a la persona adolescente y la complejidad de los mismos.

El Juez en audiencia fijará la fecha del cierre del plazo, o en su caso, de la prórroga del mismo.

Artículo 132. Cierre del plazo de la investigación complementaria

Transcurrido el plazo fijado para el cierre de la investigación, esta se dará por cerrada, salvo que las partes soliciten la prórroga al Juez, antes de cumplirse el plazo fijado y de forma justificada, el cual no podrá ser mayor a un mes.

Artículo 133. Consecuencias de la conclusión del plazo del cierre de la investigación complementaria

Cerrada la investigación complementaria, si el Ministerio Público, dentro de los cinco días naturales siguientes, no solicita el sobreseimiento, la suspensión del proceso, o formula acusación, el Juez de Control pondrá el hecho en conocimiento del Titular del Ministerio Público respectivo para que se pronuncie en el plazo de tres días naturales. Transcurrido este plazo, sin que dicho titular se haya pronunciado, el Juez dictará el sobreseimiento.

TÍTULO V
ETAPA INTERMEDIA

CAPÍTULO ÚNICO
DE LA ETAPA INTERMEDIA

Artículo 134. Disposiciones supletorias

La fase escrita de la etapa intermedia del procedimiento especial para personas adolescentes se regirá por las disposiciones establecidas en este Capítulo, y la fase oral por lo dispuesto en este Capítulo y supletoriamente lo dispuesto en el Código Nacional.

Artículo 135. Objeto de la etapa intermedia

La etapa intermedia tiene por objeto el ofrecimiento y admisión de los medios de prueba, así como la depuración de los hechos controvertidos que serán materia del juicio.

Esta etapa se compondrá de dos fases, una escrita y otra oral. La fase escrita iniciará con el escrito de acusación que formule el Ministerio Público y comprenderá todos los actos previos a la celebración de la audiencia intermedia.

La segunda fase dará inicio con la celebración de la audiencia intermedia y culminará con el dictado del auto de apertura a juicio.

Artículo 136. Contenido de la acusación

Una vez concluida la fase de investigación complementaria, si el Ministerio Público estima que la investigación aporta elementos para ejercer la acción penal contra la persona adolescente, presentará la acusación.

La acusación del Ministerio Público deberá contener en forma clara y precisa:

I. La individualización de las personas adolescentes acusadas y de su Defensor;

II. La identificación de la víctima u ofendido y su Asesor jurídico;

III. La relación clara, precisa, circunstanciada y específica de los hechos atribuidos en modo, tiempo y lugar, así como su clasificación jurídica;

IV. La relación de las modalidades de los hechos señalados como delito que concurrieren;

V. La autoría o participación concreta que se atribuye a la persona adolescente;

VI. La expresión de los preceptos legales aplicables;

VII. El señalamiento de los medios de prueba que pretenda ofrecer, así como la prueba anticipada que se hubiere desahogado en la etapa de investigación;

VIII. El monto de la reparación del daño y los medios de prueba que ofrece para probarlo;

IX. Las medidas de sanción cuya aplicación se solicita incluyendo en su caso las correspondientes al concurso de hechos señalados como delitos;

X. Los medios de prueba que el Ministerio Público pretenda presentar para la individualización de las medidas de sanción;

XI. La solicitud de decomiso de los bienes asegurados;

XII. La propuesta de acuerdos probatorios, en su caso, y

XIII. La solicitud de que se aplique alguna forma de terminación anticipada del proceso cuando ésta proceda.

La acusación sólo podrá formularse por los hechos y personas señaladas en el auto de vinculación a proceso, aunque se efectúe una distinta clasificación, la cual deberá hacerse del conocimiento de las partes.

Si el Ministerio Público o, en su caso, la víctima u ofendido ofrecieran como medios de prueba la declaración de testigos o peritos, deberán presentar una lista identificándolos con nombre, apellidos, domicilio y modo de localizarlos, señalando además los puntos sobre los que versarán los interrogatorios.

Artículo 137. Actuación de la víctima u ofendido

Dentro de los cinco días siguientes al de la notificación de la acusación, la víctima u ofendido o su asesor jurídico, por escrito, podrán señalar los vicios materiales y formales del escrito de acusación y proponer su corrección. Asimismo, en caso de estimarlo pertinente, podrá ofrecer los medios de prueba que estime necesarios para complementar la acusación del Ministerio Público, así como la que considere pertinente para acreditar la existencia y el monto de los daños y perjuicios.

Las actuaciones de la víctima u ofendido o de su asesor deberán ser notificadas por conducto del Juez de Control, tanto al Ministerio Público, como a la persona adolescente o su defensor al día siguiente de haber sido presentadas. El Ministerio Público contará con tres días para emitir un pronunciamiento sobre dichas actuaciones, el cual deberá serle notificado en los mismos términos tanto a la víctima u ofendido o su asesor, así como a la persona adolescente o su defensor.

Artículo 138. Contestación a la acusación

Concluidos los plazos a los que se refiere el artículo anterior, la persona adolescente y su defensor dispondrán de un plazo de cinco días hábiles para contestar la acusación por escrito, la cual deberá ser presentada por conducto del Juez de Control y por la cual se podrá:

I. Señalar vicios formales a los escritos de acusación y complementarios del asesor jurídico de la víctima y, si lo considera pertinente, requerir su corrección;

II. Solicitar la acumulación o separación de acusaciones;

III. Hacer valer las excepciones de previo y especial pronunciamiento, y

IV. Exponer los argumentos de defensa que considere necesarios y señalar los medios de prueba que pretende se produzcan en la audiencia de juicio.

El Juez de Control, dispondrá de un plazo de cuarenta y ocho horas para notificarlo a las partes.

Artículo 139. Descubrimiento probatorio

A partir del momento en que la persona adolescente se encuentre detenida, cuando pretenda recibírsele declaración o entrevistarla, o antes de su primera comparecencia ante el Juez, la persona adolescente y su defensa tendrán derecho a conocer y a obtener copia gratuita de todos los registros y a tener acceso a lugares y objetos relacionados con la investigación, con la oportunidad debida para preparar la defensa.

El descubrimiento probatorio a cargo de la defensa consiste en la entrega material a las demás partes de copia de los registros con los que cuente y que pretenda ofrecerlos como medios de prueba para ser desahogados en juicio. Tratándose de la prueba pericial, el Defensor deberá anunciar su ofrecimiento al momento de descubrir los medios de prueba a su cargo, y el informe respectivo deberá ser entregado a las demás partes, a más tardar, en la audiencia intermedia.

Artículo 140. Citación a la audiencia

Transcurrido el plazo previsto para que la defensa conteste la acusación, el Juez de Control señalará fecha para que se lleve a cabo la audiencia intermedia, la cual deberá tener lugar en un plazo que no podrá ser menor a tres ni exceder de cinco días.

Artículo 141. Unión y separación de acusación

Cuando el Ministerio Público formule diversas acusaciones que el Juez de Control considere conveniente someter a una misma audiencia de Juicio, y siempre que ello no perjudique el derecho de defensa, podrá unirlas y decretar la apertura de un solo juicio si ellas están vinculadas por referirse a un mismo hecho, a una misma persona adolescente o porque deben ser examinadas con los mismos medios de prueba.

El Juez de Control podrá dictar autos de apertura del juicio separados, para distintos hechos o diferentes personas adolescentes que estén comprendidos en una misma acusación, cuando, de ser conocida en una sola audiencia del debate, pudiera provocar graves dificultades en la organización o el desarrollo de la audiencia del debate o afectación del derecho de defensa, y siempre que ello no implique el riesgo de provocar decisiones contradictorias.

TÍTULO VI
DEL JUICIO

CAPÍTULO I
DISPOSICIONES GENERALES

Artículo 142. Oralidad y publicidad

El juicio se desahogará de manera oral. Se llevará a puerta cerrada. Sólo podrán estar presentes quienes en ella intervengan, salvo que la persona adolescente solicite que sea público, con las restricciones que el Tribunal de Juicio Oral ordene. Se observará lo dispuesto en el Código Nacional para el desarrollo de la etapa de enjuiciamiento.

CAPÍTULO II
DELIBERACIÓN, FALLO Y SENTENCIA

Artículo 143. Sentencia

Concluido el juicio, el Tribunal de Juicio Oral resolverá sobre la responsabilidad de la persona adolescente, atendiendo a lo establecido en esta Ley.

El Tribunal de Juicio Oral apreciará la prueba según su libre convicción extraída de la totalidad del debate, de manera libre y lógica; sólo serán valorables y sometidos a la crítica racional, los medios de prueba obtenidos lícitamente e incorporados al debate conforme a las disposiciones del Código Nacional.

Sólo podrá emitirse sentencia condenatoria cuando el Tribunal de Juicio Oral adquiera la convicción de que la persona adolescente es responsable de la comisión del hecho por el que siguió el juicio. En caso de duda respecto de la responsabilidad, el Tribunal de Juicio Oral deberá absolver a la persona adolescente.

No se podrá condenar a un adolescente con el sólo mérito de su propia declaración.

Artículo 144. Comunicación del fallo

Una vez cerrado el debate, el Juez ordenará un receso a fin de estar en condiciones de emitir el sentido del fallo.

Sólo si se trata de un caso cuyas circunstancias o complejidad lo ameriten, el Juez declarará el aplazamiento hasta por veinticuatro horas.

Artículo 145. Reglas para la determinación de Medidas de Sanción

En ningún caso podrán imponerse medidas de sanción privativa de libertad a la persona que al momento de la comisión de la conducta tuviere entre doce años cumplidos y menos de catorce años. La duración máxima de las medidas de sanción no privativas de libertad que se podrá imponer en estos casos es de un año y solo podrá imponer una medida de sanción.

Para las personas que al momento de la comisión de la conducta tuvieren entre catorce años y menos de dieciocho años, el Juez podrá imponer el cumplimiento de hasta dos medidas de sanción. Podrá determinar el cumplimiento de medidas de sanción no privativas de la libertad y privativas de libertad de forma simultánea, alterna o sucesiva, siempre que sean compatibles y la duración conjunta de las mismas se ajuste a lo dispuesto en el presente artículo.

Las medidas privativas de libertad se utilizarán como medida extrema y por el tiempo más breve que proceda.

La duración máxima de las medidas de sanción que se podrá imponer a la persona que al momento de la comisión de la conducta tuviere entre catorce años cumplidos y menos de dieciséis años, será de tres años.

La duración máxima de las medidas de sanción que se podrá imponer a las personas adolescentes que al momento de la comisión de la conducta tuvieren entre dieciséis años y menos de dieciocho años será de cinco años.

Las medidas de sanción privativas de libertad solo podrán imponerse por las conductas establecidas en el artículo 164 de esta Ley.

Para la tentativa punible no procederá la imposición de las medidas de sanción privativas de libertad.

La duración máxima del internamiento podrá ser de hasta cinco años en los casos de homicidio calificado, violación tumultuaria, en los casos de secuestro; hechos señalados como delitos en materia de trata de personas y delincuencia organizada.

Artículo 146. De la aplicación de la medida de sanción privativa de la libertad en casos de intervención a título de participación

En caso de que la persona adolescente haya intervenido en la comisión de un hecho que la ley señale como delito a título de participe, solo se podrá imponer hasta tres cuartas partes del límite máximo de la medida de sanción privativa de la libertad que esta Ley establece, de acuerdo con el grupo etario al que pertenece.

Son formas de participación las siguientes:

I. Los que dolosamente presten ayuda;

II. Los que con posterioridad a su ejecución auxilien al delincuente, en cumplimiento de una promesa anterior al delito, y

III. Los que sin acuerdo previo, intervengan con otros en su comisión, cuando no se pueda precisar el resultado que cada quien produjo.

Artículo 147. De la aplicación de la medida de sanción privativa de la libertad en casos de concurso de delito

En los casos de concurso ideal o real de delitos se impondrá a la persona adolescente la medida de sanción privativa de la libertad correspondiente por el delito que prevea la punibilidad más alta, excluyéndose las medidas privativas de libertad por los delitos restantes.

Sin perjuicio de lo anterior, la autoridad jurisdiccional podrá imponer a la persona adolescente las medidas de sanción no privativas de libertad por los delitos restantes, respecto de los cuales no se impuso una medida privativa de la libertad.

La medida de sanción privativa de libertad impuesta a la persona adolescente no podrá exceder del límite máximo que esta Ley establece, de acuerdo con el grupo etario al que pertenece al momento de la comisión del hecho que la ley señale como delito.

Son formas de participación las siguientes:

I. Los que dolosamente presten ayuda;

II. Los que con posterioridad a su ejecución auxilien al delincuente, en cumplimiento de una promesa anterior al delito, y

III. Los que sin acuerdo previo, intervengan con otros en su comisión, cuando no se pueda precisar el resultado que cada quien produjo.

Artículo 148. Criterios para la imposición e individualización de la medida de sanción

Para la individualización de la medida de sanción el Órgano Jurisdiccional debe considerar:

I. Los fines establecidos en esta Ley;

II. La edad de la persona adolescente y sus circunstancias personales, familiares, económicas y sociales así como su vulnerabilidad, siempre a su favor;

III. La comprobación de la conducta y el grado de la participación de la persona adolescente;

IV. Las características del caso concreto, las circunstancias y la gravedad del hecho;

V. Las circunstancias en que el hecho se hubiese cometido, tomando especialmente en cuenta aquellas que atenúen o agraven la responsabilidad;

VI. La posibilidad de que la medida de sanción impuesta sea posible de ser cumplida por la persona adolescente;

VII. El daño causado por la persona adolescente y sus esfuerzos por repararlo, y

VIII. Cualquier otro supuesto que establezca la legislación penal, siempre que no sea contrario a los principios y fines de esta Ley.

Especialmente, se deberá considerar sustituir la medida de sanción de internamiento, de conformidad con los artículos 208 y 209 de esta Ley, en los siguientes casos:

a) Cuando se trate de una adolescente gestante;

b) Cuando se trate de una adolescente madre, única cuidadora o cuidadora principal de su hija o hijo, o

c) Cuando se trate de una adolescente madre de una niña o niño con discapacidad.

Artículo 149. Obediencia debida

Se excluye la responsabilidad de la persona adolescente que al momento de la comisión de la conducta tuviere entre doce años y menos de catorce, cuando el delito se realice por orden de una persona que ejerza dirección, influencia o autoridad sobre el adolescente y éste no tuviera conocimiento pleno de la ilicitud de los hechos.

En los casos en los que la persona adolescente a que se refiere este artículo tuviera conocimiento de la ilicitud de los hechos, se le impondrá la medida de sanción de apercibimiento de la aplicación de medidas de protección.

En ambos casos, se les impondrán sesiones de asesoramiento colectivo y actividades análogas tendientes a la identificación de conductas antisociales y la inculcación de principios que fortalezcan sus valores humanos.

Artículo 150. Audiencia de individualización

Decidida la responsabilidad de la persona adolescente en el hecho imputado, se celebrará una audiencia de individualización de la medida de sanción en la que se podrán desahogar pruebas. Esta audiencia se llevará a cabo dentro de los tres días siguientes a la comunicación del fallo, prorrogables hasta por otros tres, a solicitud de la persona adolescente y su defensor.

Cerrado el debate, el Juez procederá a manifestarse con respecto a las medidas a imponer a la persona adolescente y sobre la forma de reparación del daño causado a la víctima u ofendido, en su caso.

El Juez explicará a la persona adolescente, de forma clara y sencilla, la medida de sanción que ha decidido imponerle, las razones por las que ha decidido hacerlo, las características generales de la ejecución de la medida, las consecuencias de su incumplimiento y los beneficios que conlleva su cumplimiento. Estas advertencias formarán parte integral de la sentencia.

El Juez podrá imponer a la persona adolescente un máximo de dos medidas, además de la reparación del daño y la amonestación, en su caso, siempre que estas no sean incompatibles, garantizando la proporcionalidad y compatibilidad entre ellas, de modo que su ejecución pueda ser simultánea y en ningún caso sucesiva.

Artículo 151. Contenido de la Sentencia

Además de los requisitos establecidos en el Código Nacional, la sentencia debe estar redactada en un lenguaje accesible para la persona adolescente y contener la medida de mayor gravedad que se impondría a este en caso de incumplimiento y las de menor gravedad por las que puede sustituirse la medida impuesta.

Artículo 152. Audiencia de notificación de la sentencia

Para la notificación de la sentencia se celebrará una audiencia en un plazo no mayor a tres días, contado a partir del pronunciamiento del fallo absolutorio o la conclusión de la audiencia de individualización de la medida, en su caso. La copia de la sentencia será entregada a las partes y a la víctima u ofendido, en su caso, al final de esta audiencia.

En esta audiencia podrán estar presentes la persona adolescente, su defensor, las personas responsables del o la adolescente o representante legal y el Ministerio Público. En caso de que ninguna de las partes acuda, se dispensará la lectura y la sentencia se tendrá por notificada a todas las partes.

Una vez firme la sentencia condenatoria, el Tribunal de Juicio Oral deberá poner a disposición del Juez de Ejecución a la persona adolescente sin mayor dilación.

TÍTULO VII
MEDIDAS DE SANCIÓN

CAPÍTULO I
DISPOSICIONES GENERALES

Artículo 153. Finalidades de las medidas de sanción

El fin de las medidas de sanción es la reinserción social y reintegración de la persona adolescente encontrada responsable de la comisión de un hecho señalado como delito, para lograr el ejercicio de sus derechos, así como la reparación del daño a la víctima u ofendido, en los términos descritos por esta Ley. Para llevar a cabo esto, se deberán considerar los ámbitos individual, familiar, escolar, laboral y comunitario, en los que se desarrolle la persona adolescente.

El Juez de Ejecución y la Autoridad Administrativa deberán garantizar que el cumplimiento de la medida de sanción satisfaga dichas finalidades.

Todas las medidas de sanción están limitadas en su duración y finalidad a lo dispuesto en la sentencia, y no podrán, bajo ninguna circunstancia, superar el máximo previsto para cada una de ellas. Esto no excluye la posibilidad de terminar el cumplimiento de la medida antes de tiempo, modificarla o sustituirla en beneficio de la persona adolescente, en los términos previstos por esta Ley.

Todas las medidas previstas en esta Ley deben instrumentarse, en lo posible, con la participación de las personas responsables del o la adolescente, la comunidad y con el apoyo de especialistas.

Artículo 154. Medios para lograr la reintegración y reinserción

Para lograr la reintegración y reinserción de la persona adolescente se deberá:

I. Garantizar el cumplimiento de sus derechos;

II. Posibilitar su desarrollo personal;

III. Escuchar, tomar en cuenta su opinión e involucrarla activamente en la elaboración y ejecución de su Plan Individualizado de Actividades o Plan Individualizado de Ejecución;

IV. Minimizar los efectos negativos que la medida de sanción pudiera tener en su vida futura, y

V. Fomentar los vínculos familiares y sociales que contribuyan a su desarrollo personal, a menos que esto sea contrario a sus derechos.

Artículo 155. Tipos de medidas de sanción

Las medidas de sanción que se pueden imponer a las personas adolescentes son las siguientes:

I. Medidas no privativas de la libertad:

a) Amonestación;

b) Apercibimiento;

c) Prestación de servicios a favor de la comunidad;

d) Sesiones de asesoramiento colectivo y actividades análogas;

e) Supervisión familiar;

f) Prohibición de asistir a determinados lugares, conducir vehículos y de utilizar instrumentos, objetos o productos que se hayan utilizado en el hecho delictivo;

g) No poseer armas;

h) Abstenerse a viajar al extranjero;

i) Integrarse a programas especializados en teoría de género, en casos de hechos tipificados como delitos sexuales;

j) Libertad Asistida.

II. Medidas privativas o restrictivas de la libertad:

a) Estancia domiciliaria;

b) Internamiento, y

c) Semi-internamiento o internamiento en tiempo libre.

El Juez podrá imponer el cumplimiento de las medidas de forma simultánea o alterna, siempre que sean compatibles.

En todos los casos que se apliquen medidas de sanción, se impondrá además la medida de reparación del daño a la víctima u ofendido.

Artículo 156. Reincidencia

Para la determinación de las medidas de sanción a las personas adolescentes, no se aplicarán las disposiciones relativas a la reincidencia, ni podrán ser en ningún caso considerados delincuentes habituales.

CAPÍTULO II
MEDIDAS DE SANCIÓN NO PRIVATIVAS DE LA LIBERTAD

Artículo 157. Amonestación

Es la llamada de atención que el Juez hace a la persona adolescente, exhortándolo para que en lo sucesivo se acoja a las normas sociales, de trato familiar y convivencia comunitaria.

El Juez deberá advertir a la persona responsable del o la adolescente sobre el hecho que se le atribuye a la persona adolescente y les solicitará intervenir para que el amonestado respete las normas anteriormente establecidas.

La amonestación deberá ser clara y directa, de manera que la persona adolescente comprenda la ilicitud de los hechos cometidos y los daños causados con su conducta a la víctima u ofendido y a la sociedad.

Artículo 158. Apercibimiento

Consiste en la conminación que hace el Juez a la persona adolescente para que evite la futura realización de conductas tipificadas como delito, así como la advertencia que, en el caso de reincidir en su conducta, se le aplicará una medida más severa.

Artículo 159. Prestación de servicios a favor de la comunidad

Consiste en que la persona adolescente realice tareas de interés general de modo gratuito, en su comunidad o en entidades de asistencia pública o privada sin fines de lucro, orientadas a la asistencia social, tales como hospitales, escuelas, parques, bomberos, protección civil, cruz roja y otros establecimientos similares, siempre que éstas medidas no atenten contra su salud o integridad física o psicológica. En la determinación del lugar en el que se prestará el servicio deberá tomarse en cuenta el bien jurídico afectado por el hecho realizado. Se preferirán las entidades del lugar de origen de la persona adolescente o donde resida habitualmente.

Las actividades asignadas deberán considerar las aptitudes de la persona adolescente, su edad y nivel de desarrollo.

La duración de esta medida no podrá ser inferior a tres meses ni superior a un año y las jornadas de servicios a la comunidad no podrán exceder de ocho horas semanales, que pueden ser cumplidas en fines de semana, días feriados o días festivos y sin que en ningún caso exceda la jornada laboral diaria.

En ningún caso el cumplimiento de esta medida perjudicará la asistencia a la escuela, la jornada normal de trabajo u otros deberes a cargo de la persona adolescente.

Esta medida sólo podrá imponerse a las personas adolescentes mayores de quince años.

La imposición de esta medida no implicará la actualización de una relación laboral entre la persona adolescente sancionada, el Estado o la institución donde se preste el servicio.

Artículo 160. Sesiones de asesoramiento colectivo y actividades análogas

Esta medida tiene por objeto que la persona adolescente asista y cumpla con programas de asesoramiento colectivo u otras actividades análogas a cargo de personas e instancias especializadas, a fin de procurar que el adolescente se desarrolle integralmente y adquiera una actitud positiva hacia su entorno.

Este tipo de medidas tendrán una duración máxima de dos años y su cumplimiento deberá iniciarse a más tardar un mes después de ordenadas.

Artículo 161. Restauración del daño

El Órgano Jurisdiccional podrá considerar como reparado el daño, de conformidad con lo establecido en la sentencia y a satisfacción de la víctima u ofendido, en su caso.

La reparación del daño aceptada por la víctima u ofendido excluye la indemnización civil por responsabilidad extra-contractual.

Artículo 162. Libertad Asistida

Consiste en integrar a la persona adolescente a programas de formación integral bajo la vigilancia y seguimiento de un supervisor y con el apoyo de especialistas. Los programas a los que se sujetará a la persona adolescente estarán contenidos en el Plan correspondiente.

El fin de estas medidas consiste en motivar a la persona adolescente para iniciar, continuar o terminar sus estudios en el nivel educativo correspondiente, recibir educación técnica, cultural, recreativa y deporte, entre otras.

El Juez señalará en la resolución definitiva, el tiempo durante el cual el adolescente deberá ingresar y acudir a la institución.

Se dará preferencia a las instituciones que se encuentren más cercanos (sic) al domicilio familiar y social de la persona adolescente.

La duración de esta medida no podrá ser superior a dos años.

CAPÍTULO III
MEDIDAS DE SANCIÓN PRIVATIVAS DE LA LIBERTAD

Artículo 163. Estancia domiciliaria

Consiste en la permanencia de la persona adolescente en su domicilio, con su familia.

De no poder cumplirse en su domicilio, por razones de inconveniencia o imposibilidad, se practicará en la casa de cualquier familiar. Cuando no se cuente con ningún familiar, podrá ordenarse la estancia domiciliaria en una vivienda o institución pública o privada, de comprobada idoneidad, que se ocupe de cuidarlo.

La estancia domiciliaria no deberá afectar su asistencia al trabajo o al centro educativo al que concurra la persona adolescente.

La Autoridad Administrativa hará los estudios pertinentes para informar al Juez si la familia de la persona adolescente está en posibilidad de hacerse cargo de la aplicación de esta medida o si ello resulta conveniente. La duración de esta medida no puede ser superior a un año.

Artículo 164. Internamiento

El internamiento se utilizará como medida extrema y por el tiempo más breve que proceda a las personas adolescentes que al momento de habérseles comprobado la comisión de hechos señalados como delitos, se encuentren en el grupo etario II y III. El Órgano Jurisdiccional deberá contemplar cuidadosamente las causas y efectos para la imposición de esta medida, procurando imponerla como última opción. Se ejecutará en Unidades exclusivamente destinadas para adolescentes y se procurará incluir la realización de actividades colectivas entre las personas adolescentes internas, a fin de fomentar una convivencia similar a la practicada en libertad.

Para los efectos de esta Ley, podrá ser aplicado el internamiento en los siguientes supuestos, previstos en la legislación federal o sus equivalentes en las entidades federativas:

a) De los delitos previstos en la Ley General para Prevenir y Sancionar los Delitos en Materia de Secuestro, Reglamentaria de la fracción XXI del artículo 73 de la Constitución Política de los Estados Unidos Mexicanos;

b) De los delitos previstos en la Ley General para Prevenir, Sancionar y Erradicar los Delitos en Materia de Trata de Personas y para la Protección y Asistencia a las Víctimas de estos Delitos;

c) Terrorismo, en términos del Código Penal Federal;

d) Extorsión agravada, cuando se comete por asociación delictuosa;

e) Contra la salud, previsto en los artículos 194, fracciones I y II, 195, 196 Ter, 197, primer párrafo del Código Penal Federal y los previstos en las fracciones I, II y III del artículo 464 Ter y en los artículos 475 y 476 de la Ley General de Salud;

f) Posesión, portación, fabricación, importación y acopio de armas de fuego prohibidas y/o de uso exclusivo del Ejército, Armada o Fuerza Aérea;

g) Homicidio doloso, en todas sus modalidades, incluyendo el feminicidio;

h) Violación sexual;

i) Lesiones dolosas que pongan en peligro la vida o dejen incapacidad permanente, y

j) Robo cometido con violencia física.

Artículo 165. Cómputo de la duración del internamiento

Al ejecutar una medida de sanción de internamiento se deberá computar el período de internamiento preventivo al que hubiere sido sometido la persona adolescente.

Artículo 166. Excepción al cumplimiento de la medida de sanción

No podrá atribuirse a la persona adolescente el incumplimiento de las medidas de sanción que se le hayan impuesto cuando sea el Estado quien haya incumplido en la creación y organización de los programas para el seguimiento, supervisión y atención integral de las personas adolescentes condenados.

El incumplimiento de las medidas de sanción no se podrá considerar como delito.

Artículo 167. Semi-internamiento

Consiste en la obligación de la persona adolescente de residir en el Centro de Internamiento durante los fines de semana o días festivos, según lo determine el Órgano Jurisdiccional, pudiendo realizar actividades formativas, educativas, sociolaborales, recreativas, entre otras, que serán parte de su Plan de Actividades. En caso de presentarse un incumplimiento de éste, se deberá informar inmediatamente a las personas responsables del o la adolescente. Deberá cuidarse que el Plan de Actividades no afecte las actividades cotidianas educativas y/o laborales de la persona adolescente.

La duración de esta medida no podrá exceder de un año.

Los espacios destinados al internamiento en tiempo libre deben estar totalmente separados de aquellos destinados al cumplimiento de la medida de internamiento definitivo.

TÍTULO VIII
RECURSOS

CAPÍTULO I
DISPOSICIONES GENERALES

Artículo 168. Reglas generales

Las resoluciones judiciales podrán ser recurridas sólo por los medios y en los casos expresamente establecidos en el Código Nacional y en esta Ley.

El derecho de recurrir corresponderá tan sólo a quien le sea expresamente otorgado y pueda resultar afectado por la resolución.

En el procedimiento penal sólo se admitirán los recursos de revocación y apelación, según corresponda.

CAPÍTULO II
RECURSOS EN PARTICULAR

Artículo 169. Queja y su procedencia

Procederá queja en contra del juzgador de primera instancia por no realizar un acto procesal dentro del plazo señalado por esta Ley. La queja podrá ser promovida por cualquier parte del procedimiento y se tramitará sin perjuicio de las otras consecuencias legales que tenga la omisión del juzgador.

A partir de que se advierta la omisión del acto procesal, la queja podrá interponerse ante el Consejo.

Éste deberá tramitarla y resolverla en un plazo no mayor a tres días.

A partir de que se recibió la queja por el Órgano Jurisdiccional, éste tiene un plazo de veinticuatro horas para subsanar dicha omisión, o bien, realizar un informe breve y conciso sobre las razones por las cuales no se ha verificado el acto procesal o la formalidad exigidos por la norma omitida y remitir el recurso y dicho informe al Consejo.

El Consejo tendrá cuarenta y ocho horas para resolver si dicha omisión se ha verificado. En ese caso, el Consejo ordenará la realización del acto omitido y apercibirá al Órgano Jurisdiccional de las imposiciones de las sanciones previstas por la Ley Orgánica respectiva en caso de incumplimiento. En ningún caso, el Consejo podrá ordenar al Órgano Jurisdiccional los términos y las condiciones en que deberá subsanarse la omisión, debiéndose limitar su resolución a que se realice el acto omitido.

SECCIÓN I
REVOCACIÓN

Artículo 170. Procedencia del recurso de revocación

El recurso de revocación procederá en cualquiera de las etapas del procedimiento penal, en las que interviene la autoridad judicial, en contra de las resoluciones de mero trámite que se resuelvan sin sustanciación.

El objeto de este recurso será que el mismo Juez que dictó la resolución impugnada, la examine de nueva cuenta y dicte la resolución que corresponda.

Artículo 171. Trámite

El recurso de revocación se interpondrá oralmente en audiencia o por escrito, conforme a las siguientes reglas:

I. Si el recurso se hace valer contra las resoluciones pronunciadas durante audiencia, deberá promoverse antes de que termine la misma. La tramitación se efectuará verbalmente, de inmediato y de la misma manera se pronunciará el fallo, o

II. Si el recurso se hace valer contra resoluciones dictadas fuera de audiencia, deberá interponerse por escrito en un plazo de dos días siguientes a la notificación de la resolución impugnada, expresando los motivos por los cuales se solicita. El Juez se pronunciará de plano, pero podrá oír previamente a las demás partes dentro del plazo de dos días de interpuesto el recurso, si se tratara de un asunto cuya complejidad así lo amerite.

La resolución que decida la revocación interpuesta oralmente en audiencia, deberá emitirse de inmediato; la resolución que decida la revocación interpuesta por escrito deberá emitirse dentro de los tres días siguientes a su interposición. En caso de que el Juez cite a audiencia por la complejidad del caso, resolverá en ésta.

SECCIÓN II
APELACIÓN

Artículo 172. Trámite de la apelación

El recurso de apelación contra las resoluciones del Juez de Control se interpondrá por escrito ante el mismo Juez que dictó la resolución, dentro de los cinco días contados a partir de aquel en el que surta efectos la notificación si se tratare de auto o cualquier otra providencia, y de siete días si se tratare de sentencia definitiva.

La apelación contra el sobreseimiento dictado por el Tribunal de Juicio Oral se interpondrá ante el mismo tribunal dentro de los cinco días siguientes a su notificación. El recurso de apelación en contra de las sentencias definitivas dictadas por el Tribunal de enjuiciamiento se interpondrá ante el Tribunal que conoció del juicio, dentro de los quince días siguientes a la notificación de la resolución impugnada, mediante escrito en el que se precisarán las disposiciones violadas y los motivos de agravio correspondientes.

Interpuesto el recurso, el Juez deberá correr traslado del mismo a las partes para que se pronuncien en un plazo de cinco días respecto de los agravios expuestos y señalen domicilio o medios en los términos del segundo párrafo del presente artículo.

Al interponer el recurso, al contestarlo o al adherirse a él, los interesados podrán manifestar en su escrito su deseo de exponer oralmente alegatos aclaratorios sobre los agravios ante el Magistrado Especializado.

Artículo 173. Derecho a la adhesión

Quien tenga derecho a recurrir podrá adherirse, dentro del término de tres días contados a partir de recibido el traslado, al recurso interpuesto por cualquiera de las otras partes, siempre que cumpla con los demás requisitos formales de interposición.

Quien se adhiera deberá formular agravios. Sobre la adhesión se correrá traslado a las demás partes en un término de tres días.

Artículo 174. Emplazamiento a las otras partes

Si al interponer el recurso, al contestarlo o al adherirse a él, alguno de los interesados manifiesta en su escrito su deseo de exponer oralmente alegatos aclaratorios sobre los agravios, o bien cuando el Magistrado Especializado lo estime pertinente, decretará lugar y fecha para la celebración de la audiencia, la que deberá tener lugar dentro de los cinco y quince días después de que fenezca el término para la adhesión.

El Magistrado Especializado, en caso de que las partes soliciten exponer oralmente alegatos aclaratorios o en caso de considerarlo pertinente, citará a audiencia de alegatos para la celebración de la audiencia, a fin de que las partes expongan oralmente sus alegatos aclaratorios sobre agravios, la que deberá tener lugar dentro de los cinco días después de admitido el recurso.

Artículo 175. Resolución

La resolución que resuelva el recurso al que se refiere esta sección, podrá ser dictada de plano, en audiencia o por escrito dentro de los tres días siguientes a la celebración de la misma.

La resolución confirmará, modificará o revocará la resolución impugnada, o bien ordenará la reposición del acto que dio lugar a la misma.

En caso de que la apelación verse sobre exclusiones probatorias, el Tribunal de Alzada se pronunciará indicando si la prueba es o no admisible, y así lo comunicará al Juez de Control para lo que corresponda.

LIBRO CUARTO
EJECUCIÓN DE LAS MEDIDAS

TÍTULO I
DISPOSICIONES GENERALES

CAPÍTULO I
DISPOSICIONES PRELIMINARES

Artículo 176. Definición.

La etapa de ejecución de las medidas de sanción y de internamiento preventivo comprende todas las acciones destinadas a asegurar su cumplimiento y lograr el fin que con su aplicación se persigue, así como todo lo relativo al trámite y resolución de los incidentes que se presenten.

Artículo 177. Competencia del Órgano Jurisdiccional.

El Juez de Ejecución es la autoridad judicial responsable del control y supervisión de la legalidad de la aplicación y ejecución de las medidas de sanción y de internamiento preventivo; debe resolver los incidentes que se presenten durante la ejecución de las medidas de sanción y de internamiento preventivo y garantizar el cumplimiento de los objetivos fijados por esta Ley.

En ningún caso, autoridades administrativas o diferentes al Órgano Jurisdiccional podrán decretar la modificación, sustitución o el cumplimiento anticipado de la medida impuesta.

Artículo 178. Competencia

El Poder Judicial de la Federación y de las entidades federativas establecerán jueces que tendrán competencia en materia de ejecución de las medidas de sanción y de internamiento preventivo, de conformidad con los siguientes principios:

I. Son competentes para conocer de los procedimientos de ejecución de las medidas de sanción y de internamiento preventivo los jueces con jurisdicción en el lugar en que se encuentre la persona adolescente cumpliendo su medida, independientemente del fuero y del lugar en el que se hubiese dictado la medida de sanción o de internamiento preventivo.

II. En las controversias sobre traslados de un Centro de Internamiento a otro, serán competentes tanto los jueces con jurisdicción en el Centro de Internamiento de origen como en el de destino, correspondiendo conocer a aquél donde se presente la controversia.

III. Los conflictos competenciales en materia de ejecución de medidas de sanción se resolverán con apego a lo dispuesto en el Código Nacional.

Los Jueces de Ejecución tendrán la competencia y adscripción que se determine en su respectiva ley orgánica y demás disposiciones legales.

La jurisdicción territorial de los Jueces de Ejecución se podrá establecer o modificar mediante acuerdos generales.

Artículo 179. Facultades del Juez de Ejecución

El Juez de Ejecución tendrá las siguientes facultades:

I. Garantizar a las personas adolescentes a quienes se les haya dictado una medida de sanción o de internamiento preventivo, en el ejercicio de sus atribuciones, el goce de los derechos y garantías fundamentales que le reconoce la Constitución, los Tratados Internacionales, demás disposiciones legales y esta Ley;

II. Garantizar que la medida cautelar de internamiento preventivo o la de sanción se ejecute en sus términos, salvaguardando la invariabilidad de la cosa juzgada con los ajustes que la presente legislación permita;

III. Decretar las medidas de seguridad que procedan en sustitución de la medida de sanción de internamiento, en los casos en que la persona adolescente privada de la libertad llegue a padecer enfermedad mental de tipo crónico, continuo e irreversible y determinar la custodia de la misma a cargo de una institución del sector salud, representante legal o tutor, para que se le brinde atención, trato y tratamiento de tipo asilar;

IV. Sustanciar y resolver los incidentes que se promuevan para lograr el cumplimiento del pago de la reparación del daño, así como los demás que se promuevan con motivo de la ejecución de las medidas de sanción;

V. Garantizar a las personas adolescentes su defensa en el procedimiento de ejecución;

VI. Aplicar la ley más favorable a las personas adolescentes a quienes se les haya dictado una medida;

VII. Autorizar y revisar las condiciones de supervisión de las medidas de sanción de conformidad con la sentencia impuesta a la persona adolescente;

VIII. Imponer los medios de apremio que procedan para hacer cumplir sus resoluciones;

IX. Resolver sobre las controversias que se presenten sobre las condiciones de internamiento y cuestiones relacionadas con las mismas;

X. Resolver sobre la duración, modificación y extinción de la medida de sanción, y

XI. Las demás que esta Ley y otros ordenamientos le confieran.

Artículo 180. Cumplimiento de las medidas

La Autoridad Administrativa y los titulares de los Centros de Internamiento y de las Unidades de Seguimiento tomarán las decisiones administrativas necesarias para garantizar el cumplimiento de las medidas.

Cuando la autoridad administrativa determine modificaciones en las condiciones de cumplimiento de la medida que comprometan los derechos de las personas adolescentes a quienes se les haya dictado una medida, es necesario que dicha determinación sea revisada por el Juez de Ejecución previamente, salvo los casos de urgencia en que se ponga en riesgo la integridad de quienes se encuentran en el Centro de Internamiento y la seguridad de los mismos. En estos casos el Juez de Ejecución revisará la determinación de la autoridad administrativa en un plazo que no exceda las veinticuatro horas.

Todas las decisiones que tomen las autoridades administrativas deberán estar debidamente fundadas y motivadas; serán notificadas inmediatamente a la persona adolescente sujeta a medida, a su Defensa, a la persona responsable de la persona adolescente y al Ministerio Público.

Artículo 181. Convenios

Las Autoridades Administrativas de los órdenes local y federal podrán celebrar convenios con instancias privadas u organismos públicos especializados con la finalidad de garantizar que el adolescente cumpla la medida impuesta por el Órgano Jurisdiccional en pleno respeto de sus derechos humanos.

Artículo 182. Expediente de Ejecución

Las Unidades de Internamiento y las Unidades de Seguimiento deberán integrar un expediente electrónico de ejecución de las medidas de internamiento preventivo y de las medidas de sanción, el expediente contendrá la siguiente información:

a) Los datos de identidad de la persona adolescente;

b) Las copias certificadas de la resolución que imponga la medida y, en su caso, del auto que declare que ésta ha causado estado;

c) Día y hora de inicio y finalización de la medida;

d) Datos acerca de la salud física y mental de la persona adolescente;

e) En caso de sentencia, el Plan Individualizado de Ejecución, así como sus modificaciones, reportes e incidencias;

f) Registro del comportamiento de la persona adolescente durante el cumplimiento de la medida, y

g) Cualquier otro dato, circunstancia o característica particular de la persona adolescente que se considere importante.

Artículo 183. Concurrencia de diversas medidas de sanción

Cuando concurra el cumplimiento de diversas medidas de sanción contra una misma persona, en caso de ser compatibles, se cumplirán de manera simultánea. En caso de que sean incompatibles, se declararán extintas las medidas menos relevantes.

Artículo 184. Concurrencia en la aplicación de sanciones y penas

Cuando concurra el cumplimiento de medidas de sanción impuestas por jueces especializados de adolescentes y jueces penales, contra una misma persona, se declarará extinta la medida de sanción, para dar cumplimiento a la pena.

Artículo 185. Participación de las personas responsables de las personas adolescentes durante el cumplimiento de las medidas

La Autoridad Administrativa podrá conminar a las personas responsables de las personas adolescentes, para que brinden apoyo y asistencia a la persona adolescente durante el cumplimiento de las medidas. Para estos efectos procurará lo necesario para que se cuente con:

I. Programas de capacitación a las personas responsables de las personas adolescentes;

II. Programas de escuelas para personas responsables de las personas adolescentes;

III. Programas de orientación y tratamiento en caso de alcoholismo o drogadicción;

IV. Programas de atención médica;

V. Cursos y programas de orientación, y

VI. Cualquier otro programa o acción que permita a las personas responsables de las personas adolescentes, contribuir a asegurar el desarrollo integral de las personas adolescentes.

Artículo 186. Informes a las personas responsables de las personas adolescentes

Con excepción de los casos en que se considere perjudicial para la persona adolescente, los encargados de la ejecución de la medida de sanción, deberán procurar el mayor contacto con las personas responsables de las personas adolescentes, e informarles, por lo menos una vez al mes, sobre el desarrollo, modificación, obstáculos, ventajas o desventajas del Plan Individualizado de Ejecución.

Artículo 187. Del Plan Individualizado de Ejecución

Para la ejecución de las medidas de sanción que ameriten seguimiento deberá realizarse un Plan Individualizado de Ejecución que deberá:

I. Sujetarse a los fines de la o las medidas impuestas por el Juez;

II. Tener en cuenta las características particulares de la persona adolescente y sus posibilidades para cumplir con el Plan;

III. Dar continuidad a los estudios de la persona adolescente en el nivel de escolaridad que le corresponda;

IV. Escuchar y tomar en cuenta la opinión de la persona adolescente y, en su caso, de las personas responsables de las personas adolescentes, y

V. Orientarse en los parámetros de la educación para la paz, la solución pacífica de conflictos y el aprendizaje de los derechos humanos.

Artículo 188. Contenido del Plan Individualizado de Ejecución

El Plan Individualizado de Ejecución deberá especificar:

I. Los datos de identificación de la persona adolescente;

II. Las medidas impuestas en la sentencia;

III. Los objetivos particulares que se pretenden cumplir durante el proceso de reinserción y reintegración de la persona adolescente;

IV. La determinación de las actividades educativas, deportivas, culturales, laborales o formativas en las que participará;

V. Las condiciones de cumplimiento de cada uno de las actividades incluidas en él;

VI. El Centro de Internamiento o Instituciones que coadyuvarán con la Autoridad Administrativa para el cumplimiento de la medida;

VII. La asistencia especial que se brindará a la persona adolescente;

VIII. Las posibilidades de atenuación de los efectos de la medida;

IX. Las condiciones de preparación necesarias para la terminación de la medida, y

X. Cualquier otra condición que se considere relevante para lograr el cumplimiento de los objetivos del Plan Individualizado de Ejecución.

Artículo 189. Personal especializado para la elaboración y revisión del Plan Individualizado de Ejecución

El personal encargado de la elaboración y revisión periódica de los Planes Individualizados así como de la ejecución de las medidas previstas en esta Ley, deberá ser interdisciplinario, suficiente, en los términos de esta Ley, para cumplir con las tareas asignadas a la Autoridad Administrativa.

La Autoridad Administrativa hará del conocimiento del Juez de Ejecución el Plan Individualizado de Ejecución en un plazo que no excederá a diez días naturales contados a partir del momento en que quede firme la resolución que ordena la medida.

El personal encargado de la revisión periódica podrá proponer modificaciones al Plan Individualizado de Ejecución, siempre que los cambios no rebasen los límites de la sentencia, ni modifiquen la medida.

Artículo 190. Supervisión Extraordinaria a los Centros de Internamiento

La Comisión Nacional de los Derechos Humanos, así como los organismos de protección de los derechos humanos de las entidades federativas, podrán ingresar, en cualquier momento y cuando lo consideren pertinente, a los Centros de Internamiento para adolescentes con el objeto de inspeccionar las condiciones en las que se encuentran las personas adolescentes y verificar cualquier hecho relacionado con posibles violaciones a los derechos humanos. Para tal efecto, los organismos de protección de derechos humanos designarán funcionarios que deberán acudir periódicamente a los Centros de Internamiento sin previo aviso y requerir de ellas toda la documentación y la información necesarias para el cumplimiento de sus funciones; las cuales les serán suministradas sin costo alguno.

Las instituciones privadas, organizaciones no gubernamentales y de la sociedad civil sin fines de lucro, debidamente acreditadas, que tengan como misión legítima en la defensa de los derechos de las personas adolescentes, podrán acudir a los Centros de Internamiento para inspeccionar las condiciones en que se encuentran las personas adolescentes y verificar el respeto a sus derechos fundamentales.

Las instituciones privadas, organizaciones no gubernamentales y de la sociedad civil deberán dar aviso de estas violaciones a los organismos de protección de los derechos humanos competentes.

En caso de encontrarse eventuales violaciones a los derechos humanos de las personas adolescentes en internamiento, tanto los organismos de protección de los derechos humanos, como las instituciones a las que se refieren los párrafos anteriores, deberán documentar el hecho y comunicarlo a la defensa y al Ministerio Público. En este caso, la defensa y el Ministerio Público ejercerán las acciones administrativas y jurisdiccionales que correspondan.

Artículo 191. De la implementación de los programas

La Autoridad Administrativa deberá diseñar e implementar programas orientados a la protección de los derechos e intereses de las personas adolescentes a quienes se les haya dictado una medida.

Asimismo, podrá solicitar la intervención de instituciones públicas o la colaboración de las privadas, para que coadyuven en el cumplimiento de dichos programas, mediante los convenios correspondientes de conformidad con la legislación aplicable.

Las instituciones públicas o privadas coadyuvantes en el cumplimiento de los planes individualizados, deberán reportar a la Autoridad Administrativa los avances en el cumplimiento de los mismos.

CAPÍTULO II
DE LA JUSTICIA RESTAURATIVA EN EJECUCIÓN DE LAS MEDIDAS DE SANCIÓN

Artículo 192. Objeto de la justicia restaurativa en la ejecución de medidas de sanción

En la ejecución de las medidas de sanción podrán realizarse procesos restaurativos, en los que la víctima u ofendido, la persona adolescente y en su caso, la comunidad afectada, en libre ejercicio de su autonomía, participen de forma individual o conjuntamente de forma activa en la resolución de cuestiones derivadas de los hechos que la ley señala como delitos, con el objeto de identificar las necesidades y responsabilidades individuales y colectivas, así como a coadyuvar en la reintegración de la víctima u ofendido y de la persona adolescente a quien se le haya dictado una medida de sanción, a la comunidad y la recomposición del tejido social.

Artículo 193. Procedencia

Los procesos restaurativos serán procedentes para todos los hechos señalados como delitos y podrán ser aplicados a partir de que quede firme la sentencia que imponga una medida de sanción a una persona adolescente.

El Órgano Especializado en Mecanismos Alternativos se asegurará de que los casos sean revisados y, en su caso, atendidos por facilitadores especializados en los términos de esta Ley, quienes revisarán los casos y determinarán la viabilidad del proceso restaurativo, en conjunto con el Juez de Ejecución.

Los facilitadores especializados requerirán capacitación en justicia restaurativa en ejecución de medidas de sanción, los que estarán adscritos a la Autoridad Administrativa.

Artículo 194. Efectos del cumplimiento de acuerdos derivados de procesos restaurativos

Cuando la víctima u ofendido, la persona adolescente y otros intervinientes alcancen un acuerdo en un proceso restaurativo y éste se cumpla, el efecto será que se tendrá por reparado el daño causado.

Fuera de lo establecido en el párrafo anterior, no habrá perjuicio ni beneficio alguno en el proceso de ejecución para la persona adolescente que participe en procedimientos de esta naturaleza.

Artículo 195. Procesos restaurativos

Pueden aplicarse los procesos restaurativos a que se refiere esta Ley, o bien, que la persona adolescente, la víctima u ofendido y la comunidad afectada participen en programas individuales, bajo el principio de justicia restaurativa, establecido en este ordenamiento.

Artículo 196. Hechos señalados como delitos que ameriten la medida de sanción de internamiento

Para la aplicación de procesos restaurativos que impliquen un encuentro de la persona adolescente con la víctima u ofendido en caso de hechos señalados como delitos que ameriten la medida de sanción de internamiento, las reuniones previas de preparación a que se refiere esta Ley, no podrán durar menos de seis meses.

Los procesos restaurativos que impliquen un encuentro entre las partes, solo podrán llevarse por petición de la víctima u ofendido, a partir de que la medida de sanción quede firme y hasta antes de su cumplimiento.

Artículo 197. Mediación en internamiento

En todos los conflictos ínter-personales entre personas adolescentes sujetas a medidas de sanción de internamiento, procederá la mediación entendida como el proceso de diálogo, auto-responsabilización, reconciliación y acuerdo que promueve el entendimiento y encuentro entre las personas involucradas en un conflicto generando la pacificación de las relaciones y la reducción de la tensión derivada de los conflictos cotidianos que la convivencia en internamiento genera.

TÍTULO II
PROCEDIMIENTOS ADMINISTRATIVOS Y JURISDICCIONALES

CAPÍTULO I
DISPOSICIONES GENERALES

Artículo 198. Audiencia de Inicio de Ejecución

Una vez que la sentencia en la que se dicte una medida de sanción a una persona adolescente quede firme, el órgano que dicte dicha resolución la notificará al Juez de Ejecución competente en un plazo que no exceda a tres días hábiles.

El Juez de Ejecución remitirá copia certificada a la autoridad responsable de supervisar o ejecutar las medidas dictadas en un plazo que no exceda a tres días hábiles. La autoridad administrativa diseñará el Plan Individualizado de Ejecución conforme a lo que establece la presente Ley y lo comunicará al Juez de Ejecución.

El Juez de Ejecución citará a las partes a la audiencia inicial de ejecución a fin de resolver sobre la legalidad de lo establecido en el Plan Individualizado de Ejecución; asimismo, le expondrá de manera clara a la persona adolescente la forma en que habrá de ejecutarse dicho plan, quien es la autoridad encargada de la supervisión o ejecución de la medida, cuales son los derechos que le asisten durante la ejecución, las obligaciones que deberá cumplir y los recursos que, en caso de controversia, puede interponer.

Artículo 199. Inicio de cumplimiento de la medida

La Autoridad Administrativa hará constar la fecha, hora y lugar en que se inicie el cumplimiento de la medida. En ese momento le informará personalmente a la persona adolescente los derechos y garantías que le asisten durante dicho cumplimiento, así como sus deberes y obligaciones.

Artículo 200. Revisión periódica del Plan Individualizado de Ejecución

El Plan Individualizado de Ejecución debe ser revisado de oficio cada tres meses por la Autoridad Administrativa quien informará al Juez de Ejecución sobre la forma y las condiciones en que la persona adolescente ha cumplido total o parcialmente con aquel y, en su caso, las razones de su incumplimiento.

La Autoridad Administrativa deberá informar a la persona adolescente, a la defensa, al Ministerio Público y en su caso, a la persona responsable de la persona adolescente, sobre los avances u obstáculos que haya enfrentado la persona adolescente para el cumplimiento del Plan Individualizado de Ejecución; y, en su caso, los cambios efectuados al mismo.

La inobservancia de estas obligaciones por parte de los servidores públicos responsables será sancionada administrativa y penalmente.

CAPÍTULO II
PROCEDIMIENTO ADMINISTRATIVO

Artículo 201. Peticiones administrativas

Las personas adolescentes a quienes se les haya dictado la medida de internamiento preventivo o internamiento y las personas legitimadas por esta Ley podrán formular peticiones administrativas ante el Centro de Internamiento en contra de los hechos, actos u omisiones respecto de las condiciones de internamiento.

Artículo 202. Legitimación

Se reconoce legitimidad para formular las peticiones ante las direcciones de los Centros de Internamiento a:

I. La persona adolescente en internamiento;

II. Los familiares hasta el cuarto grado de parentesco por consanguinidad de la persona adolescente en internamiento, su cónyuge o concubinario;

III. Los visitantes;

IV. Los defensores públicos o privados;

V. El Ministerio Público;

VI. Cualquier autoridad, entidad, órgano u organismo de protección a los derechos humanos en el orden federal o de las entidades federativas que tengan dentro de su mandato la protección de las personas adolescentes en internamiento o de grupos o individuos que se encuentren privados de la libertad, y

VII. Las organizaciones de la sociedad civil que tengan dentro de su objeto la protección de los derechos de las personas adolescentes en internamiento o privadas de la libertad y que se encuentren debidamente acreditadas.

Artículo 203. Debido proceso

Las peticiones se sustanciarán conforme a las reglas establecidas en esta Ley, a fin de que el Centro de Internamiento para Adolescentes se pronuncie respecto de si ha existido o no una afectación en las condiciones de vida digna y segura en internamiento para las personas adolescentes o terceras personas afectadas y, en su caso, la subsanación de dicha afectación.

No procederá el desistimiento de las peticiones, por lo que las autoridades administrativas continuarán con su tramitación hasta su conclusión.

Artículo 204. Formulación de la petición

Las peticiones administrativas se formularán por escrito sin formalidad alguna ante el titular del Centro de Internamiento, para lo cual se podrá aportar la información que considere pertinente, con el objeto de atender las condiciones de vida digna y segura en internamiento. La autoridad administrativa del Centro de Internamiento auxiliará a las personas adolescentes privadas de la libertad cuando lo soliciten para formular el escrito o, en su caso, notificarán a su Defensa para que le asista en la formulación de su petición.

En caso de que la petición sea formulada por persona distinta al adolescente en internamiento, esta deberá señalar nombre, domicilio, teléfono y, en su caso, correo electrónico, para que le sean notificadas las determinaciones respectivas.

Artículo 205. Acuerdo de inicio

Una vez recibida la petición, el Centro de Internamiento para Adolescentes determinará un acuerdo en alguno de los siguientes sentidos:

I. Admitir la petición e iniciar el trámite del procedimiento;

II. Prevenir en caso de ser confusa, o

III. Desechar por ser notoriamente improcedente.

El acuerdo de la autoridad deberá realizarse por escrito dentro de las veinticuatro horas siguientes y notificarse a la persona promovente de manera inmediata.

En caso de haberse realizado una prevención, el peticionario tendrá un plazo de setenta y dos horas para subsanarla, en caso de no hacerlo, se tendrá por desechada.

En caso de desechamiento, el peticionario podrá inconformarse ante el Juez de Ejecución en los términos de esta Ley.

En caso de que no se emita el acuerdo o emitido el mismo no se notifique, dentro de las veinticuatro horas siguientes se entenderá que fue admitida la petición.

Artículo 206. Trámite del procedimiento

Una vez admitida la petición, el titular del Centro de Internamiento tendrá la obligación de allegarse, por cualquier medio, de la información necesaria, dentro del plazo señalado para resolver, considerando siempre la que en su caso hubiese aportado el peticionario, y con la finalidad de emitir una resolución que atienda de manera óptima la petición, en caso de que así procediera.

La obligación de allegarse de información deberá estar acompañada de acciones diligentes a fin de no retrasar la resolución de la petición.

Artículo 207. Acumulación de peticiones

Las peticiones administrativas que tengan un mismo objeto, total o parcialmente, serán acumuladas, cuando así proceda, para ser resueltas en un solo acto conjuntamente, continuándose la substanciación por separado de la parte que no se hubiese acumulado.

Artículo 208. Resolución de peticiones administrativas

El titular del Centro de Internamiento estará obligado a resolver dentro de un término de cinco días contado a partir de la admisión de la petición y notificar en forma inmediata a la persona peticionaria.

Si la petición fue resuelta en sentido contrario a los intereses del peticionario o la resolución dada por la autoridad administrativa no satisface la petición, éste podrá formular controversia ante el Juez de Ejecución dentro de los diez días siguientes a la fecha de notificación de la referida resolución. Si los efectos del acto son continuos o permanentes podrá plantearse en cualquier momento la controversia ante el ante el (sic) Juez de Ejecución.

Si la petición no fuere resuelta dentro del término señalado en el primer párrafo, se entenderá que la determinación fue en sentido negativo. La negativa podrá ser motivo de controversia ante el Juez de Ejecución dentro de los diez días siguientes a la fecha en que feneció el plazo para el dictado de la resolución.

Artículo 209. Actos de imposible reparación

Cuando los hechos, actos u omisiones respecto de las condiciones de internamiento afecten derechos de imposible reparación, la persona legitimada podrá promover directamente ante el Juez de Ejecución para plantear su petición.

En este caso el Juez de Ejecución de oficio, suspenderá de inmediato los efectos del hecho o acto que motivó la promoción, hasta en tanto se resuelva en definitiva. Tratándose de omisiones, el Juez de Ejecución determinará las acciones a realizar por el Centro de Internamiento.

Cuando los Jueces de Ejecución reciban promociones que por su naturaleza no sean de imposible reparación, y no se hubiere agotado la petición administrativa, las turnarán al Centro para su tramitación, recabando registro de su entrega.

CAPÍTULO III
CONTROVERSIAS ANTE JUEZ DE EJECUCIÓN

Artículo 210. Controversias

Los Jueces de Ejecución conocerán, además de lo establecido en esta Ley, de las controversias relacionadas con:

I. Las condiciones de internamiento y cuestiones relacionadas con las mismas;

II. Las condiciones y cuestiones relacionadas con la ejecución de medidas no privativas de libertad que afecten derechos fundamentales, y

III. La duración, modificación, sustitución y extinción de la medida de sanción.

Artículo 211. Controversias sobre condiciones de internamiento y cuestiones relacionadas con las mismas

Los sujetos legitimados por esta Ley para interponer peticiones administrativas también tendrán acción judicial ante el Juez de Ejecución con el objeto de resolver las controversias sobre los siguientes aspectos:

I. Las condiciones de internamiento y cuestiones relacionadas con las mismas, en cuyo caso será requisito indispensable haber agotado la petición administrativa;

II. La impugnación de sanciones disciplinarias o administrativas impuestas a las personas adolescentes privadas de la libertad, que podrá hacerse valer en el acto de su notificación o dentro de los diez días siguientes, y

III. Los derechos de las personas adolescentes en internamiento en materia de traslados. Esta acción podrá ejercitarse en el momento de la notificación de traslado o dentro de los diez días siguientes.

En relación a la fracción II, en tanto no quede firme la sanción administrativa no podrá ejecutarse.

Artículo 212. Traslados involuntarios con autorización previa

El traslado involuntario de las personas privadas de la libertad debe llevarse a cabo con la autorización previa del Órgano Jurisdiccional competente en el Centro de Internamiento de origen, salvo en los casos de traslados involuntarios por razones urgentes.

El traslado involuntario puede ser solicitado por el Centro de Internamiento o por el Ministerio Público, ante el Órgano Jurisdiccional competente.

El Órgano Jurisdiccional, una vez recibida la solicitud señalará audiencia, en la que se escuchará a las partes y resolverá sobre la procedencia o no del traslado.

Artículo 213. Traslados involuntarios por razones urgentes

El traslado involuntario de las personas adolescentes en internamiento puede llevarse a cabo sin la autorización previa del Órgano Jurisdiccional en los siguientes supuestos:

I. En casos de riesgo objetivo para la integridad de la persona adolescente en internamiento o la seguridad del Centro de Internamiento, la Autoridad Administrativa puede, bajo su responsabilidad, llevar a cabo el traslado involuntario; en tal caso, la Autoridad Administrativa, debe solicitar dentro de las veinticuatro horas siguientes la validación de ese traslado ante el Órgano Jurisdiccional, del Centro de Internamiento de origen.

La resolución que emita el Órgano Jurisdiccional respecto del traslado puede ser impugnada a través del recurso de apelación.

Artículo 214. Controversias sobre la duración, modificación y extinción de la medida de sanción

La persona adolescente a quien se le haya dictado una medida de sanción, su defensor o el Ministerio Público, podrán acudir ante el Juez de Ejecución para obtener un pronunciamiento judicial cuando surja alguna controversia respecto de alguna de las siguientes cuestiones:

I. El informe anual sobre el tiempo transcurrido en el Centro de Internamiento o el reporte anual sobre el buen comportamiento presentados por el Centro;

II. El tiempo transcurrido de ejecución de las medidas de sanción;

III. La sustitución de la medida de sanción; cuando no se hubiere resuelto respecto del sustitutivo de la medida de sanción; o porque devenga una causa superveniente;

IV. El incumplimiento de las condiciones impuestas para la sustitución de la medida de sanción;

V. La adecuación de la medida por su aplicación retroactiva en beneficio de la persona adolescente a quien se le haya dictado una medida de sanción;

VI. La prelación, acumulación y cumplimiento simultáneo de las medidas;

VII. El cómputo del tiempo de prisión preventiva para efecto del cumplimiento de la medida de sanción, y

VIII. Las autorizaciones de los traslados internacionales de conformidad con el párrafo séptimo del artículo 18 de la Constitución.

Cualquiera que sea la parte promovente, se emplazará a los demás sujetos procesales, sin que el Ministerio Público y la Unidad de Internamiento puedan intervenir con una misma voz.

La víctima u ofendido o su asesor jurídico, sólo podrán participar en los procedimientos ante el Juez de Ejecución, cuando el debate esté relacionado con el pago de la reparación del daño.

Artículo 215. Sustitución de la medida de sanción de internamiento por estancia domiciliaria

La sustitución de la medida de sanción de internamiento por la medida de estancia domiciliaria procederá, a juicio del Órgano Jurisdiccional, cuando la segunda se considere más conveniente para la reinserción y la reintegración social y familiar de la persona adolescente.

La Autoridad Administrativa hará los estudios pertinentes para informar al Juez si la familia de la persona adolescente está en posibilidad de hacerse cargo de la aplicación de esta medida o si ello resulta conveniente.

Artículo 216. Sustitución de la medida de sanción de internamiento por prestación de servicios a favor de la comunidad

La sustitución de la medida de sanción de internamiento por la medida de prestación de servicios a favor de la comunidad procederá, a juicio del Órgano Jurisdiccional, cuando la segunda se considere más conveniente para la reinserción y la reintegración social y familiar de la persona adolescente.

En estos casos se deberá considerar la edad de la persona adolescente, sus intereses y capacidades.

Artículo 217. Criterios para la sustitución de la medida de sanción

Para la sustitución de las demás medidas de sanción por otras de menor gravedad, el Juez de Ejecución deberá considerar, entre otras:

I. El interés superior de la niñez;

II. Las condiciones en que ha venido cumpliendo la medida, y

III. Los retos y obstáculos que ha enfrentado la persona adolescente en el cumplimiento de su medida.

CAPÍTULO IV
PROCEDIMIENTO JURISDICCIONAL

Artículo 218. Reglas del procedimiento

Las acciones y recursos judiciales se sustanciarán conforme a un sistema acusatorio y oral y se regirán por los principios de contradicción, concentración, continuidad, inmediación y publicidad.

La persona adolescente privada de la libertad deberá contar con un defensor en las acciones y recursos judiciales; mientras que el Centro podrá intervenir por conducto de la persona titular de la dirección de éste o de la persona que ésta designe.

No procederá el desistimiento de las acciones y recursos judiciales, por lo que las autoridades judiciales competentes continuarán con su tramitación hasta que éstos concluyan.

Artículo 219. Partes procesales

En los procedimientos ante el Juez de Ejecución podrán intervenir como partes procesales, de acuerdo a la naturaleza de la controversia:

I. La persona adolescente sujeta a una medida;

II. El defensor público o privado;

III. El Ministerio Público;

IV. El Titular del Centro de Internamiento o quien lo represente;

V. El Titular de la Unidad de seguimiento de las medidas de sanción o quien lo represente;

VI. El promovente de la acción o recurso, y

VII. La víctima u ofendido y su asesor jurídico, cuando el debate esté relacionado con el pago de la reparación del daño.

Cuando se trate de controversias sobre duración, modificación, sustitución o extinción de la medida de sanción, solo podrán intervenir las personas señaladas en las fracciones I, II, III, IV, V y VII, del presente artículo.

Cuando el promovente no sea la persona adolescente sujeta a una medida de internamiento, el Juez de Ejecución podrá hacerlo comparecer a la audiencia si lo estima necesario.

Artículo 220. Formulación de la solicitud

Las personas legitimadas al iniciar una controversia judicial deberán presentarla por escrito ante la administración del juzgado de ejecución, la cual deberá indicar:

I. Nombre del promovente, y cuando este sea persona diversa al que está sujeto a una medida de internamiento, deberá señalar domicilio o forma para recibir notificaciones y documentos, en términos del Código Nacional;

II. Juez competente;

III. La individualización de las partes;

IV. Señalar de manera clara y precisa la solicitud o controversia;

V. La relación sucinta de los hechos que fundamenten la solicitud;

VI. Los medios de prueba que pretende ofrecer y desahogar;

VII. Los fundamentos de derecho en los cuales basa su solicitud;

VIII. La solicitud de suspensión del acto cuando considere que se trata de una afectación de imposible reparación, y

IX. La firma del promovente o, en su caso, la impresión de su huella digital.

En caso de que no tenga a su disposición los medios de prueba, el promovente deberá señalar quién los tiene o dónde se encuentran, y en su caso, solicitará al Juez de Ejecución requiera su exhibición.

Artículo 221. Auto de inicio

Una vez recibida la solicitud, la administración del juzgado registrará la causa y la turnará al Juez competente. Recibida la causa, el Juez de Ejecución contará con un plazo de setenta y dos horas para emitir un auto en cualquiera de los siguientes sentidos:

I. Admitir la solicitud e iniciar el trámite del procedimiento;

II. Prevenir para que aclare o corrija la solicitud, si fuere necesario, o

III. Desechar por ser notoriamente improcedente.

Cuando se realice una prevención, el solicitante tendrá un plazo de setenta y dos horas para que aclare o corrija la solicitud, en caso de no hacerlo, se desechará de plano.

El auto que admita la solicitud deberá realizarse por escrito y notificarse al promovente de manera inmediata sin que pueda exceder del término de veinticuatro horas. En caso de que no se notifique, se entenderá que fue admitida la solicitud.

Las solicitudes que tengan un mismo objeto, total o parcialmente, serán acumuladas en el auto admisorio para ser resueltas en un solo acto conjuntamente, continuándose la substanciación por separado de la parte que no se hubiese acumulado.

En caso de tratarse de derechos de imposible reparación, el Juez de Ejecución de oficio o a solicitud de parte decretará de inmediato la suspensión del acto, en tanto se resuelve en definitiva.

Artículo 222. Trámite del procedimiento

En caso de ser admitida la solicitud o subsanada la prevención, el Juez notificará y entregará a las partes copia de la solicitud y sus anexos, para que dentro del plazo de cinco días contesten la acción y ofrezcan los medios de prueba que estimen pertinentes; además se requerirá a la Unidad de seguimiento de las medidas de sanción o al Centro de Internamiento conforme corresponda, para que dentro del mismo término rinda el informe que corresponda.

Rendido el informe y contestada la acción, se entregará copia de las mismas a las partes que correspondan y se señalará hora y fecha para la celebración de la audiencia, la cual deberá realizarse al menos tres días después de la notificación, sin exceder de un plazo de diez días.

En caso de que las partes ofrezcan testigos, deberán indicar el nombre, domicilio y lugar donde podrán ser citados, así como el objeto sobre el cual versará su testimonio.

En la fecha fijada se celebrará la audiencia, a la cual deberán acudir todos los interesados. La ausencia del Titular de la Unidad del seguimiento de las medidas de sanción, o del Centro de Internamiento, o quien lo represente y de la víctima u ofendido o su asesor jurídico no suspenderá la audiencia.

Artículo 223. Reglas de la audiencia

Previo a cualquier audiencia, el personal auxiliar del juzgado de ejecución llevará a cabo la identificación de toda persona que vaya a participar, para lo cual deberá proporcionar su nombre, apellidos, edad y domicilio.

Las audiencias serán presididas por el Juez de Ejecución, y se realizarán en los términos previstos en esta Ley y el Código Nacional.

Artículo 224. Desarrollo de la audiencia

La audiencia se desarrollará sujetándose a las reglas siguientes:

I. El Juez de Ejecución se constituirá en la sala de audiencias el día y hora fijados y verificará la asistencia de los intervinientes, declarará abierta la audiencia y dará una breve explicación de los motivos de la misma;

II. El Juez de Ejecución verificará que las partes hubieren sido informadas de sus derechos constitucionales y legales que les corresponden en la audiencia;

III. El Juez de Ejecución concederá el uso de la palabra al promovente y con posterioridad a las demás partes;

IV. Las partes discutirán sobre la admisión de los medios de prueba y podrán reclamar la revocación ante el desechamiento;

V. El Juez de Ejecución admitirá los medios de prueba y se procederá a su desahogo conforme a las reglas del Código Nacional;

VI. Las partes formularán los alegatos finales y de ser procedente, el Juez de Ejecución observará el derecho de réplica y dúplica cuando el debate así lo requiera;

VII. El Juez de Ejecución declarará cerrado el debate, y

VIII. El Juez de Ejecución emitirá su resolución y la explicará a las partes en la misma audiencia.

Artículo 225. Resolución

El Juez de Ejecución tendrá un término de cinco días para redactar, notificar y entregar copia a las partes de dicha resolución.

En la resolución el Juez deberá pronunciarse, incluso de oficio, sobre cualquier violación a los derechos fundamentales de la persona adolescente sujeta a la medida.

Artículo 226. Ejecución de la resolución

La resolución definitiva se ejecutará una vez que quede firme.

Transcurrido el término para el cumplimiento de la resolución por parte de la Autoridad Administrativa, el Juez de Ejecución de oficio o a petición de parte requerirá a la autoridad el cumplimiento de la misma.

Cuando la Autoridad Administrativa manifieste haber cumplido con la resolución respectiva, el Juez de Ejecución notificará tal circunstancia al promovente, para que dentro del término de tres días manifieste lo que a su interés convenga; transcurrido dicho término sin que hubiese objeción, el Juez de Ejecución dará por cumplida la resolución y se ordenará el archivo del asunto.

Cuando el interesado manifieste su inconformidad en el cumplimiento de la resolución, el Juez de Ejecución notificará a la Autoridad Administrativa tal inconformidad por el término de tres días para que manifieste lo que conforme a derecho corresponda, y transcurrido este término, se resolverá sobre el cumplimiento o no de la resolución.

Cuando la autoridad informe que la resolución solo fue cumplida parcialmente o que es de imposible cumplimiento, el Juez si considera que las razones no son fundadas ni motivadas, dará a la Autoridad Administrativa un término que no podrá exceder de tres días para que dé cumplimiento a la resolución, de no hacerlo se aplicarán las medidas de apremio que correspondan.

Cuando la Autoridad Administrativa alegue imposibilidad material o económica para el cumplimiento total o parcial de la resolución, el Juez de Ejecución, escuchando a las partes, fijará un plazo razonable para el cumplimiento.

CAPÍTULO V
MODIFICACIÓN Y CUMPLIMIENTO ANTICIPADO DE LA MEDIDA DE SANCIÓN

Artículo 227. Audiencia de modificación de la medida

El Juez de Ejecución, de oficio, revisará anualmente las medidas de sanción impuestas; en esta audiencia con base en el interés superior de la niñez, evaluará las condiciones, retos y obstáculos que ha enfrentado la persona adolescente en el cumplimiento de su medida y evaluará la posibilidad de sustituirla por otra menos grave.

Artículo 228. Ofrecimiento de medios de prueba en la audiencia de adecuación de la medida

A partir de la notificación de la audiencia de modificación de la medida y hasta un día antes, las partes y la víctima u ofendido, en su caso, podrán ofrecer los medios de prueba que consideren oportunos. El examen de admisibilidad y el desahogo de la prueba se realizarán en la audiencia.

Artículo 229. Decisión del Juez sobre la sustitución o modificación de la medida

En la audiencia se debatirá sobre la conveniencia de modificar las condiciones de cumplimiento de la medida impuesta, o bien, de sustituirla por otra menos grave que sea más conveniente para la reinserción y reintegración social y familiar de la persona adolescente, ya sea a solicitud de la Defensa o a criterio del Juez de Ejecución.

El Juez de Ejecución podrá sustituir la medida de internamiento por cualquiera de las otras medidas de privación de libertad contenidas en esta Ley.

Las medidas de privación de libertad diferentes al internamiento podrán ser sustituidas por cualquiera de las otras medidas no privativas de libertad.

El Juez deberá escuchar y tomar en cuenta la opinión de la persona adolescente y la persona responsable de ésta, en su caso, para la modificación o sustitución de la medida.

Al término de la audiencia, el Juez explicará a las partes y a la víctima u ofendido, en su caso, su determinación respecto de la procedencia o negativa de la modificación o sustitución de la medida, así como las obligaciones que en virtud de dicha decisión, deba cumplir la persona adolescente, la Autoridad Administrativa que supervisará dicha medida y demás servidores públicos que intervengan en la ejecución de la misma.

CAPÍTULO VI
MODIFICACIÓN POR INCUMPLIMIENTO DE LA MEDIDA

Artículo 230. Modificación de la medida por incumplimiento

La Autoridad Administrativa deberá vigilar el cumplimiento de la medida. En caso de incumplimiento, informará a las partes sobre el mismo.

Cuando el Ministerio Público tenga conocimiento sobre el incumplimiento de la medida, ya sea por información proporcionada por la Autoridad Administrativa o cualquier otro medio; deberá solicitar al Juez audiencia para la modificación de la medida. Dicha solicitud deberá estar debidamente fundada y motivada.

Artículo 231. Audiencia de modificación por incumplimiento

El Juez citará a las partes a una audiencia de adecuación de la medida por incumplimiento, que se realizará dentro de los diez días siguientes a la solicitud.

En la audiencia, el Juez deberá escuchar a la persona adolescente y a la Defensa, quienes deberán exponer los motivos del incumplimiento, en su caso.

Si la persona adolescente estuviese en libertad y éste no se presentara, el Juez lo apercibirá con imponerle alguna de las medidas de apremio establecidas en el Código Nacional.

Artículo 232. Determinación

Al término de la audiencia, el Juez determinará si hubo o no incumplimiento de la medida.

El Juez podrá apercibir a la persona adolescente para que dé cumplimiento a la medida en un plazo determinado, o bien, decretará la modificación de la misma por incumplimiento grave.

Artículo 233. Reiteración de incumplimiento

Si la persona adolescente no cumpliere con el apercibimiento judicial que se le hubiere hecho, el Ministerio Público podrá solicitar una nueva audiencia de modificación de la medida en la cual, de demostrarse la reiteración del incumplimiento, el Juez decretará en el acto la modificación de la medida sin que proceda un nuevo apercibimiento.

CAPÍTULO VII
CONTROL DE LA MEDIDA DE SANCIÓN DE INTERNAMIENTO

Artículo 234. Ingreso de la persona adolescente al Centro de Internamiento

En caso de que se trate de una medida de privación de la libertad, la Autoridad Administrativa verificará el ingreso de la persona adolescente al Centro de Internamiento correspondiente y que se le explicó el contenido del Reglamento al que queda sujeto y los derechos que le asisten mientras se encuentra en dicho Centro. Se elaborará un Acta en la que constarán:

I. Los datos personales de la persona adolescente sujeto a medida de sanción;

II. Conducta por la cual fue sancionada;

III. Fecha de ingreso, fecha de revisión y fecha de cumplimiento de la medida de sanción;

IV. El resultado de la revisión médica realizada a la persona adolescente;

V. El proyecto del Plan Individualizado de Ejecución;

VI. La información que las autoridades del Centro brinden a la persona adolescente sobre las reglas de comportamiento y convivencia en el interior, así como las medidas disciplinarias aplicables, y

VII. Las condiciones físicas del dormitorio en que será incorporado y de las demás instalaciones.

Artículo 235. Condiciones del Centro de Internamiento

Los Centros de Internamiento deberán contar con la capacidad para recibir personas en condiciones adecuadas y con espacios que fomenten la convivencia y eviten la exclusión social. La estructura y equipamiento de las unidades deberán cumplir, por lo menos, con lo siguiente:

I. Que existan espacios, incluidos comedores, cocinas, dormitorios y sanitarios, que respondan a las necesidades particulares de acceso y atención de quienes estén internados, tales como intimidad, estímulos visuales, requerimientos especiales con motivo de género, discapacidad, fomento de las posibilidades de asociación con sus compañeros y de participación colectiva en actividades culturales, de educación, capacitación, desarrollo artístico, desempeño de oficios, esparcimiento y recreación, así como otras necesidades derivadas del desarrollo de la vida cotidiana;

II. Que cuenten con un sistema eficaz de alarma, evacuación y buen resguardo, para los casos de incendio, inundación, movimientos telúricos o cualquier otro riesgo contra la seguridad e integridad de quienes se encuentren en el interior del Centro de Internamiento;

III. Que no estén situados en zonas de riesgo para la salud;

IV. Que cuenten con áreas separadas de acuerdo con el género, la edad y la situación jurídica de las personas que cumplen una medida de internamiento, en los términos de esta Ley;

V. Que cuenten con agua limpia y potable suficientes para que las personas adolescentes puedan disponer de ella en todo momento;

VI. Que los dormitorios cuenten con luz natural y eléctrica y tengan una capacidad máxima para cuatro personas. Deberán estar equipados con ropa de cama individual, que deberá entregarse limpia, mantenerse en buen estado y mudarse con regularidad por razones de higiene;

VII. Que las instalaciones sanitarias estén limpias y situadas de modo que las personas internadas puedan satisfacer sus necesidades fisiológicas con higiene y privacidad;

VIII. Que los comedores cuenten con mobiliario adecuado y suficiente para que la ingesta de alimentos se dé en condiciones de higiene y dignidad;

IX. Que cuenten con espacios adecuados para que toda persona internada pueda guardar sus pertenencias;

X. Que cuenten con espacios, equipos y medicamentos adecuados para la atención médica permanente, teniendo en consideración las necesidades específicas conforme a la edad y el género de las personas internadas. En caso de requerir atención especializada, se deberá llevar al adolescente al lugar correspondiente, y

XI. Que cuenten con áreas adecuadas para:

a) La visita familiar;

b) La visita con el defensor;

c) La visita íntima;

d) La convivencia, en su caso, de las adolescentes madres con sus hijos y para cubrir las necesidades de atención de éstos últimos;

e) La prestación de servicios jurídicos, médicos, de trabajo social, psicológicos y odontológicos para las personas internadas;

f) La instrucción educativa, la capacitación laboral y el desempeño de oficios;

g) La recreación al aire libre y en interiores, y

h) La celebración de servicios religiosos de acuerdo con las creencias de las personas adolescentes, de conformidad con las posibilidades del Centro de Internamiento.

Artículo 236. Reglamento del Centro de Internamiento

El régimen interior de los Centros de Internamiento estará regulado por un Reglamento que deberá incluir, por lo menos las siguientes disposiciones:

I. Los derechos, de las personas adolescentes en internamiento;

II. Las responsabilidades y deberes de las personas adolescentes al interior de los Centros;

III. Las atribuciones y responsabilidades de los servidores públicos adscritos a los Centros;

IV. Las conductas que constituyan faltas y las medidas disciplinarias a las que den lugar, señalando con claridad la intensidad y la duración de las mismas, así como los procedimientos para imponerlas;

V. Los procedimientos de autorización, vigilancia y revisión para visitantes, así como para la revisión de dormitorios y pertenencias;

VI. Los lineamientos para la visita familiar;

VII. Las condiciones de espacio, tiempo, higiene, privacidad y periodicidad, para que las personas adolescentes puedan recibir visita íntima;

VIII. Los lineamientos y procedimientos para que las personas adolescentes puedan ser propuestos para modificación de las medidas impuestas, en su beneficio;

IX. La organización de la Unidad de Internamiento;

X. Los lineamientos y requisitos para el otorgamiento de los servicios educativos, de capacitación laboral, deportivos y de salud, y

XI. Los horarios y lineamientos generales para el otorgamiento del servicio de alimentación que en ningún caso será negado ni limitado.

Artículo 237. Egreso del adolescente

Cuando la persona adolescente esté próxima a egresar del Centro de Internamiento, deberá ser preparado para la salida, con la asistencia del equipo multidisciplinario y con la colaboración de la persona responsable del mismo, si ello fuera posible.

Artículo 238. Seguridad

La Autoridad Administrativa ordenará a las autoridades del Centro de Internamiento, que se adopten las medidas necesarias para proteger la integridad física de las personas adolescentes sujetos a la medida de sanción de internamiento y de sus visitantes, así como para mantener las condiciones de vida digna y segura en el interior de los mismos.

Artículo 239. Medidas para garantizar la seguridad

Cuando las medidas a que se refiere el artículo anterior impliquen la protección de la integridad física, salud y seguridad personal de las personas adolescentes sujetos a la medida de sanción de internamiento se harán efectivas de inmediato; cuando dichas medidas impliquen correcciones y adecuaciones en los servicios e instalaciones de los Centros de Internamiento, la Autoridad Administrativa señalará un plazo prudente para que mediante su cumplimiento y ejecución se garanticen condiciones de vida digna en el interior del Centro.

CAPÍTULO VIII
RECURSOS DURANTE LA EJECUCIÓN

Artículo 240. Disposiciones generales

El derecho a recurrir solo corresponde a quien le sea expresamente otorgado y pueda resultar afectado por la resolución.

En las controversias de ejecución penal, sólo se admiten los recursos de revocación y apelación.

La parte recurrente debe interponer el recurso en el tiempo y la forma señalada en la Ley de Ejecución, con indicación específica de la parte impugnada de la resolución recurrida.

El Órgano Jurisdiccional ante el cual se haga valer el recurso solamente podrá pronunciarse sobre los agravios expresados por el o los recurrentes, sin que pueda extender el examen de la decisión recurrida a cuestiones no planteadas en ella, o más allá de los límites del recurso, a menos que advierta una violación flagrante a derechos fundamentales que deba reparar de oficio.

Si en la controversia concurren varios sujetos legitimados, pero solamente uno, o algunos promovieron recurso, la decisión favorable en el recurso que se dicte aprovechará a los demás, a menos que las razones para conceder la decisión favorable sean estrictamente personales.

Artículo 241. Revocación

El recurso de revocación se interpondrá ante el Juez de Ejecución en contra de las determinaciones que no resuelvan sobre el fondo de la petición planteada.

Artículo 242. Apelación

El recurso de apelación se interpondrá dentro de los tres días siguientes a la notificación del auto o resolución que se impugna y tiene por objeto que el Tribunal de Alzada revise la legalidad de la resolución impugnada, a fin de confirmarla, modificarla o revocarla.

Artículo 243. Procedencia del recurso de apelación

El recurso de apelación procederá en contra de las resoluciones que se pronuncien sobre:

I. Modificación o extinción de la medida de sanción;

II. Sustitución de la medida de sanción;

III. Cumplimiento de la reparación del daño;

IV. Ejecución de las sanciones disciplinarias;

V. Traslados;

VI. Afectación a los derechos de visitantes, defensores y organizaciones observadoras, y

VII. Las demás previstas en esta Ley.

Artículo 244. Efectos de la apelación

La interposición del recurso de apelación durante la tramitación del asunto no suspende la ejecución de la sentencia.

Artículo 245. Emplazamiento y remisión

Interpuesto el recurso, el Juez de Ejecución correrá traslado a las partes para que en el plazo de tres días manifiesten lo que a su derecho convenga, y en su caso ejercite su derecho de adhesión.

Una vez realizado el traslado, la unidad de gestión remitirá dentro de las veinticuatro horas siguientes las actuaciones al Tribunal de Alzada que corresponda.

Artículo 246. Tramitación

Recibidas las actuaciones en el Tribunal de Alzada, dentro de los tres días siguientes, se pronunciará sobre la admisión del recurso.

En el mismo auto en que se admita el recurso, el Tribunal de Alzada resolverá sobre el fondo del mismo, salvo que corresponda realizar previamente una audiencia conforme a las previsiones del Código Nacional, en cuyo caso la administración del Tribunal de Alzada programará la celebración de la audiencia dentro de los cinco días siguientes y al final de la misma se resolverá el recurso.

Artículo 247. Efectos

Los efectos de la sentencia podrán ser la confirmación o nulidad de la sentencia; en este último caso se determinará la reposición total o parcial del procedimiento.

En los casos en que se determine la reposición total del procedimiento, deberá conocer un juzgado de ejecución distinto, para salvar el principio de inmediación y el deber de objetividad del Órgano Jurisdiccional.

En los casos de reposición parcial, el tribunal de apelación determinará si debe conocer un Órgano Jurisdiccional diferente o el mismo.

No podrá determinarse la reposición del procedimiento, cuando se recurra únicamente por la inobservancia de derechos procesales que no vulneren derechos fundamentales o no trasciendan a la resolución.

Artículo 248. Nulidad

Será causa de nulidad de la sentencia la transgresión de una norma de fondo, que implique violaciones a derechos fundamentales. En estos casos, el tribunal de apelación modificará o revocará la sentencia. Si ello compromete el principio de inmediación, se ordenará la reposición del procedimiento.

Artículo 249. Medios de Prueba

Pueden ofrecerse medios de prueba cuando el recurso se fundamente en un defecto del proceso y se discuta la forma en que fue llevado a cabo un acto, contrariando lo señalado en los registros del debate o la sentencia.

También es admisible la prueba incluso relacionada con los hechos cuando sea indispensable para sustentar el agravio aducido.

LIBRO QUINTO

TÍTULO I
DE LA PREVENCIÓN SOCIAL DE LA VIOLENCIA Y LA DELINCUENCIA PARA PERSONAS ADOLESCENTES

CAPÍTULO ÚNICO
DISPOSICIONES GENERALES

Artículo 250. Prevención social de la violencia y delincuencia

La prevención social de la violencia y la delincuencia es el conjunto de políticas públicas, programas, estrategias y acciones orientadas a reducir factores de riesgo que favorezcan la generación de violencia y delincuencia así como a combatir las distintas causas y factores que la generan.

Artículo 251. Factores de riesgo en personas adolescentes

La prevención del delito como parte de la justicia de adolescentes tiene como finalidad el ejercicio pleno de sus derechos, evitar la comisión de delitos y la formación ciudadana, la cual tiene tres niveles:

I. La prevención primaria del delito son las medidas universales dirigidas a los adolescentes antes de que cometan comportamientos antisociales y/o delitos, mediante el desarrollo de habilidades sociales, la creación de oportunidades especialmente educativas, de preparación para el trabajo para cuando esté en edad de ejercerlo, de salud, culturales, deportivas y recreativas;

II. La prevención secundaria del delito son las medidas específicas dirigidas a las personas adolescentes que se encuentran en situaciones de mayor riesgo de cometer delitos, falta de apoyo familiar, que se encuentran fuera del sistema educativo, desocupadas, inician en el consumo de drogas o viven en contextos que afectan su desarrollo, y

III. La prevención terciaria del delito son las medidas específicas para los adolescentes que habiendo sido sujetos del Sistema de Justicia y habiendo cumplido una medida de sanción se implementan para evitar la reincidencia delictiva.

Artículo 252. Principios de la prevención social de la violencia y delincuencia

La prevención social de la violencia y delincuencia para personas adolescentes se fundamenta en los principios establecidos en la Ley General para la Prevención Social de la Violencia y la Delincuencia y en la Ley General.

Asimismo, se basa en el respeto irrestricto de la dignidad humana de las personas adolescentes, en el reconocimiento de que el respeto de sus derechos humanos y el desarrollo de todas sus potencialidades, que son condiciones indispensables para evitar la comisión de conductas antisociales y garantizar un sano desarrollo que les permita tener un proyecto de vida y una vida digna.

La prevención social del delito tiene como pilares fundamentales la cohesión, la inclusión y la solidaridad sociales, así como de la obligación de todos los ámbitos y órdenes de gobierno de garantizar que las personas adolescentes puedan desarrollarse en un ambiente de respeto y garantía efectiva de todos sus derechos, desde un enfoque holístico y no punitivo.

Artículo 253. Criterios de la prevención social de la violencia y la delincuencia

La prevención social de la violencia y la delincuencia para las personas adolescentes se fundará en los siguientes criterios:

I. La Función del Estado. Las autoridades de los tres órdenes de gobierno, en el ámbito de sus competencias, deben coadyuvar con la política nacional en el diseño, elaboración e implementación de programas eficaces de prevención de la delincuencia y la violencia, con base en el respeto de los derechos humanos; así como, en la creación y el mantenimiento de marcos institucionales para su aplicación y evaluación;

II. La Transversalidad en las Políticas Públicas de Prevención. Se deberán considerar aspectos de prevención del delito en el diseño de todos los programas y políticas sociales y económicas, especialmente en el diseño de las políticas laborales; educativas; culturales y deportivas; de salud; de vivienda y planificación urbana, desde la perspectiva de género; y, de combate contra la pobreza, la marginación social y la exclusión;

III. Dichas políticas deberán hacer particular hincapié en atender a las personas adolescentes en situación de mayor riesgo, a sus familias y las comunidades en las que vivan, desde un enfoque transformador;

IV. El compromiso de los diferentes Actores corresponsables. Sociedad civil, organizaciones empresariales, sector académico, organismos internacionales y medios de comunicación, deben formar parte activa de una prevención eficaz de la delincuencia y la violencia, en razón de la naturaleza tan variada de sus causas y de los diferentes ámbitos desde donde hay que afrontarla;

V. La Sostenibilidad Presupuestaria y Rendición de Cuentas. El Estado debe garantizar, asignando el máximo de recursos de los que se disponga, la implementación de las políticas y programas de prevención social de la delincuencia y la violencia para las personas adolescentes;

VI. Asimismo, las dependencias y autoridades responsables de la prevención social de la delincuencia y de la violencia se encuentran obligadas a transparentar y rendir cuentas respecto del ejercicio del presupuesto asignado; así como, de implementar mecanismos de evaluación de la ejecución y de los resultados previstos;

VII. El Diseño con Base en Conocimientos Interdisciplinarios. Las estrategias, políticas, programas y medidas de prevención social de la violencia y la delincuencia deben tener una amplia base de conocimientos interdisciplinarios sobre los problemas que las generan, sus múltiples causas y las prácticas que hayan resultado eficaces;

VIII. El Respeto a los Derechos Humanos. El Estado de Derecho y la Cultura de la Legalidad. En todos los aspectos de la prevención social de la violencia y la delincuencia se deben respetar el estado de derecho y los derechos humanos reconocidos en la Constitución, los Tratados Internacionales en la materia y las leyes aplicables. Asimismo, se deberá fomentar una cultura de legalidad en todos los ámbitos de la sociedad;

IX. La Perspectiva Internacional. Las estrategias y los diagnósticos de prevención social de la violencia y la delincuencia, en el ámbito nacional, deben tener en cuenta la vinculación entre los problemas de la delincuencia nacional y la delincuencia internacional;

X. La Especificidad en el Diseño. Las estrategias de prevención social de la violencia y la delincuencia deben tener en cuenta las características específicas de los diferentes actores de la sociedad, quienes coadyuvan; así como, las necesidades específicas de las personas adolescentes, con especial énfasis en aquellas que se encuentran en un estado de mayor vulnerabilidad o riesgo, y

XI. Las medidas de prevención social de la violencia y la delincuencia deben centrarse en las comunidades y han de llevarse a cabo con la coadyuvancia de la sociedad civil; así como con la participación de las diversas comunidades. Dichas medidas serán contrastadas, con base en datos objetivos.

Artículo 254. De seguridad pública

Las políticas públicas en materia de prevención social de la violencia y la delincuencia para personas adolescentes, no podrán sustentarse de manera exclusiva en acciones de seguridad pública.

Artículo 255. Del enfoque interdisciplinario

Las autoridades de los tres órdenes de gobierno, en el ámbito de sus competencias, implementarán políticas públicas de prevención social de la violencia y la delincuencia para personas adolescentes. Para ello deben analizar sistemáticamente los diversos factores de riesgo, desde un enfoque interdisciplinario y elaborar medidas pertinentes que eviten la estigmatización de las personas adolescentes.

Artículo 256. De las políticas públicas

Los tres órdenes de gobierno, en el ámbito de sus competencias, implementarán políticas y medidas para la prevención social de la violencia y la delincuencia para personas adolescentes que deberán incluir, como mínimo:

I. La creación de oportunidades, en particular educativas, para atender a las diversas necesidades de adolescentes de quienes estén en peligro latente o situación de riesgo social, que ameriten cuidado y protección especiales;

II. Los criterios especializados, cuya finalidad sea reducir los motivos, la necesidad y las oportunidades de comisión de conductas tipificadas como delitos o las condiciones que las propicien;

III. La protección de su bienestar, sano desarrollo, vida digna y proyecto de vida;

IV. La erradicación de los procesos de criminalización y etiquetamiento de las personas adolescentes, derivados de estereotipos, prejuicios, calificativos o cualquier otra connotación discriminatoria o peyorativa, y

V. La participación de las personas adolescentes en el diseño de las políticas públicas.

Artículo 257. De los programas

Los tres órdenes de gobierno formularán los programas de prevención social de la violencia y la delincuencia, en términos de las leyes aplicables, que comprendan, como mínimo, lo siguiente:

I. Análisis y diagnóstico de las causas que originan la comisión de conductas antisociales en adolescentes;

II. Delimitación precisa de las atribuciones, obligaciones y responsabilidades de todas las autoridades, entidades, organismos, instituciones y personal que se ocupan del diseño, desarrollo, instrumentación y evaluación de las actividades encaminadas a la prevención social del delito;

III. Implementación de mecanismos de coordinación y ejecución de las actividades de prevención, entre los organismos gubernamentales y no gubernamentales;

IV. Definición de políticas, estrategias y programas basados en estudios prospectivos y en la evaluación permanente, e

V. Implementación de estrategias y mecanismos eficaces para disminuir los factores de riesgo que propician los fenómenos de violencia y delincuencia en personas adolescentes.

TÍTULO II

CAPÍTULO ÚNICO
DEL RECONOCIMIENTO DE LA FUNCIÓN PREVENTIVA DE LAS FAMILIAS

Artículo 258. De la coadyuvancia de las familias

Las familias son la unidad central de la sociedad, encargadas de la integración social primaria de personas adolescentes; los gobiernos y la sociedad, deben tratar de preservar la integridad de las familias, incluidas las familias extensas y sustitutas.

La sociedad tiene la obligación de coadyuvar con las familias para cuidar y proteger a personas adolescentes, asegurando su bienestar y sano desarrollo. El Estado tiene la obligación de ofrecer servicios apropiados para lograr estos fines.

Artículo 259. De la atención de las familias

Las autoridades de los tres órdenes de gobierno, en el ámbito de sus competencias, en materia de prevención social de la violencia y de la delincuencia deben adoptar políticas que permita a las personas adolescentes crecer y desarrollarse en un ambiente familiar de estabilidad y bienestar. Asimismo, deben atender, mediante la aplicación de medidas especiales, a las familias que necesiten asistencia social para resolver situaciones de inestabilidad o conflicto, en el marco de la ley aplicable.

Artículo 260. De la colocación familiar

Las autoridades de los tres órdenes de gobierno, en el ámbito de sus competencias, garantizarán que, cuando no exista un ambiente familiar de estabilidad y bienestar debido a que las medidas especiales implementadas no tuvieron éxito; y, las familias extensas no puedan cumplir la función de acogida, se implemente la adopción u otras modalidades de colocación familiar. Dichas autoridades se encuentran obligadas a verificar que la persona adolescente que esté en esta situación, se le coloque en un ambiente familiar de estabilidad y bienestar; que le genere un sentimiento de permanencia.

Se evitará, en la medida de lo posible, y solo se utilizará como último recurso, el mantener a personas adolescentes en instituciones públicas o privadas de guarda y custodia.

Artículo 261. De la formación de las personas responsables de las personas adolescentes

Las autoridades de los tres órdenes de gobierno, en el ámbito de sus competencias, implementarán programas para brindar información y formación a madres, padres, ascendientes, y a las personas que ejercen la tutela y custodia de personas adolescentes, para ejercer, de la manera más adecuada, las responsabilidades familiares, así como para proveerles de las herramientas para resolver los conflictos inherentes a este.

Artículo 262. De la relevancia de las personas adolescentes en la sociedad

La función socializadora de personas adolescentes corresponde, principalmente, tanto a las familias, como a las familias extensas. Los sujetos obligados, por esta Ley, deben visibilizar la relevancia de las personas adolescentes en la sociedad, el respeto a sus derechos humanos, a su participación en la toma de decisiones en los ámbitos de su competencia, de su derecho a participar libre, activa y plenamente en la vida familiar, comunitaria, social, escolar, científica, cultural, deportiva y recreativa; así como en la incorporación progresiva a la ciudadanía.

TÍTULO TERCERO

CAPÍTULO ÚNICO
DE LA COADYUVANCIA (SIC) LAS AUTORIDADES DIRECTIVAS DE LOS PLANTELES DE EDUCACIÓN

Artículo 263. De la educación

La educación es parte esencial y fundamental de la prevención social de la violencia y la delincuencia. Las autoridades directivas de los planteles de educación, además de sus responsabilidades de formación académica y profesional, promoverán que la educación que se imparta a las personas adolescentes incluya:

I. Promover los valores fundamentales y fomentar el respeto de la identidad propia y de las características culturales de las personas adolescentes; de los valores sociales de las comunidades en que viven, de las culturas diferentes de la suya y de los derechos humanos y libertades fundamentales;

II. Fomentar y desarrollar en todo lo posible la personalidad, las aptitudes y la capacidad mental, física y artística de las personas adolescentes;

III. Lograr que las personas adolescentes participen activa y eficazmente en el proceso educativo;

IV. Desarrollar actividades que fomenten un sentimiento de identidad y pertenencia a la escuela y a la comunidad;

V. Alentar a las personas adolescentes a comprender y respetar opiniones y puntos de vista diversos, así como las diferencias culturales y de otra índole;

VI. Suministrar información y orientación en lo que se refiere a la formación profesional, las oportunidades de empleo y las perspectivas laborales;

(REFORMADA, D.O.F. 20 DE DICIEMBRE DE 2022)

VII. Proporcionarles tratamiento psicológico;

VIII. Reconocer, atender, erradicar y prevenir los distintos tipos de violencia, con el objeto de lograr una convivencia libre de violencia en el entorno escolar;

IX. Erradicar las medidas disciplinarias severas, en particular los castigos corporales, y

X. Prevenir que las personas adolescentes se encuentren en situaciones de riesgo.

Artículo 264. De las autoridades directivas

Las autoridades directivas de los planteles de educación promoverán que se trabaje en cooperación con madres, padres, ascendientes, personas que ejercen la tutela o la custodia y con organizaciones de la sociedad civil a fin de promover el valor de la justicia; de la observancia de la ley y de la igualdad de las personas ante ésta; propiciar la cultura de la legalidad, de la paz y la no violencia en cualquier tipo de sus manifestaciones; así como el conocimiento de los derechos humanos y el respeto a los mismos.

Artículo 265. Normas igualitarias

Las autoridades directivas de los planteles de educación deberán fomentar la adopción de políticas y normas igualitarias y justas. Las y los estudiantes estarán representados en los órganos encargados de formular la política escolar, incluida la política disciplinaria. Asimismo participarán en los órganos escolares de toma de decisiones.

TÍTULO CUARTO

CAPÍTULO ÚNICO
DEL RECONOCIMIENTO DE LA FUNCIÓN PREVENTIVA DE LA COMUNIDAD

Artículo 266. De la función preventiva de la comunidad

Los tres órdenes de gobierno, en el ámbito de sus competencias, deberán coordinarse con las autoridades correspondientes, para apoyar programas comunitarios a fin de:

I. Impulsar el establecimiento o, en su caso fortalecer, los servicios y programas de carácter comunitario, que respondan a las necesidades, problemas, intereses e inquietudes especiales de personas adolescentes y que les ofrezcan asesoramiento, orientación y alternativas adecuados para hacer efectivos sus derechos humanos, incluyendo la información necesaria para sus familias;

II. Establecer albergues o centros de alojamiento para personas adolescentes que estén en situación de mayor riesgo o vulnerabilidad que les exponga a ser víctimas de cooptación de la delincuencia, en las que se les brinde atención médica especializada, servicios de alimentación y de orientación, con absoluto respeto de sus derechos humanos, con el objeto de que se les apoye para salir de la situación en la que se encuentran, a través del soporte social y de los miembros de la comunidad;

III. Promover el establecimiento y la organización de centros de desarrollo comunitario, instalaciones y servicios de recreo que atiendan a las personas adolescentes y que les acerquen a la cultura y al deporte, particularmente a quienes se encuentren expuestos a riesgo social;

IV. Establecer centros de prevención, asistencia y tratamiento contra las adicciones especializados para personas adolescentes, que les atiendan de manera integral, con absoluto respeto de sus derechos humanos, y

V. Impulsar la creación de organizaciones juveniles de gestión de asuntos comunitarios que alienten a las personas adolescentes a desarrollar proyectos colectivos y voluntarios a favor de la comunidad, en particular proyectos cuya finalidad sea prestar ayuda a personas adolescentes en situación de mayor vulnerabilidad o riesgo.

TRANSITORIOS

Artículo Primero. Vigencia

Para los efectos señalados en el párrafo tercero del artículo segundo transitorio del Decreto por el que se reforman y adicionan diversas disposiciones de la Constitución Política de los Estados Unidos Mexicanos, publicado en el Diario Oficial de la Federación el 18 de junio de 2008, se declara que la presente legislación incorpora el Sistema Procesal Penal Acusatorio y entrará en vigor el 18 de junio de 2016.

Los requerimientos necesarios para la plena operación del Sistema Integral de Justicia Penal para Adolescentes deberán estar incorporados en un plazo no mayor a tres años a partir de la fecha de entrada en vigor del presente Decreto.

Artículo Segundo. Abrogación

Se abroga la Ley para el Tratamiento de Menores Infractores para el Distrito Federal en Materia Común y para toda la República en Materia Federal, publicada en el Diario Oficial de la Federación el 24 de diciembre de 1991 y sus posteriores reformas.

Se abrogan también las leyes respectivas de las entidades federativas vigentes a la entrada en vigor del presente Decreto, para efectos de su aplicación en los procedimientos penales para adolescentes iniciados por hechos que ocurran a partir de la entrada en vigor de la presente Ley.

Artículo Tercero. Carga cero

Los procedimientos penales para adolescentes que a la entrada en vigor del presente ordenamiento se encuentren en trámite, continuarán su sustanciación de conformidad con la legislación aplicable en el momento del inicio de los mismos.

Artículo Cuarto. Mecanismos de la revisión de las medidas de privación de libertad

Tratándose de aquellas medidas de privación de la libertad de personas adolescentes que hubieren sido decretadas por mandamiento de autoridad judicial durante los procedimientos iniciados con anterioridad a la entrada en vigor del presente Decreto; la persona adolescente sentenciada, su defensa o la persona que lo represente, podrá solicitar al Órgano Jurisdiccional competente la revisión de dicha medida conforme a las disposiciones del nuevo Sistema de Justicia para Adolescentes, aplicando siempre las disposiciones que más le beneficien, para efecto de que habiéndose dado vista a las partes y efectuada la audiencia correspondiente, el Órgano Jurisdiccional resuelva conforme el interés superior de la niñez sobre la imposición, revisión, modificación o cese, en términos de las disposiciones aplicables.

Artículo Quinto. Derogación tácita de preceptos incompatibles

Quedan derogadas todas las normas que se opongan al presente Decreto.

Artículo Sexto. Convalidación o regularización de actuaciones

Cuando por razón de competencia por fuero o territorio, se realicen actuaciones, el Órgano Jurisdiccional receptor podrá convalidarlas, siempre que de manera, fundada y motivada, se concluya que se respetaron las garantías esenciales del debido proceso en el procedimiento de origen.

Artículo Séptimo. Certificación de facilitadores.

Para la certificación de los facilitadores que se señala en el artículo 3, fracción VIII de esta Ley, se estará a lo que establece la Ley Nacional de Mecanismos Alternativos de Solución de Controversias en Materia Penal, Capítulo I, artículo 47, criterios mínimos de certificación. Dicha especialización, para los actuales operadores deberá concluirse en un plazo máximo de un año a partir de la entrada en vigor de esta Ley.

Artículo Octavo. Prohibición de acumulación de procesos

No procederá la acumulación de procedimientos de justicia para adolescentes, cuando alguno de ellos se esté tramitando conforme a la presente Ley y el otro procedimiento conforme a la Ley anterior.

Artículo Noveno. De los planes de implementación

La secretaria técnica del Consejo de Coordinación para la Implementación del Sistema de Justicia Penal, así como los Órganos Implementadores de las entidades federativas, deberán realizar los programas para el adecuado y correcto funcionamiento y cumplir con los objetivos para la operatividad del Sistema Integral de Justicia Penal para Adolescentes en coordinación con todos los operadores del Sistema Integral de Justicia.

Artículo Décimo. De la evaluación del Sistema

El Consejo de Coordinación para la Implementación del Sistema de Justicia Penal, instancia de coordinación Nacional creará un comité para la evaluación y seguimiento de la implementación de todas las acciones que se requieren para lograr la adecuada implementación de las normas del presente Decreto.

Articulo Décimo Primero. Adecuación normativa y operativa

Deberán establecerse los Protocolos que se requieren para la operación del Sistema Integral de Justicia Penal para Adolescentes en un plazo de 180 días contados a partir de la entrada en vigor del presente Decreto.

Artículo Décimo Segundo. Legislación complementaria

En un plazo que no exceda de 200 días naturales después de publicado el presente Decreto, la Federación y las entidades federativas deberán publicar las reformas a sus leyes y demás normatividad complementaria que resulten necesarias para la implementación de esta Ley.

Artículo Décimo Tercero. Procuradurías de Protección

En las entidades en las que no existan las Procuradurías de Protección que se contemplan en la Ley General de los Derechos de Niñas, Niños y Adolescentes, las facultades otorgadas a estas Procuradurías por esta Ley serán atribuidas a los Sistemas Nacional y Estatales de Desarrollo Integral de la Familia según corresponda, hasta en tanto dichas Procuradurías sean creadas.

Artículo Décimo Cuarto. Plazos para reformar otras disposiciones legales

El Congreso de la Unión contará con un plazo de 180 días naturales a partir de la publicación de la presente Ley, para reformar la Ley General del Sistema Nacional de Seguridad Pública, a efecto de incluir en la organización del Sistema Nacional de Seguridad Pública, a la Conferencia Nacional de Autoridades Administrativas Especializadas en la Ejecución de Medidas para Adolescentes, que estará integrada por los titulares en la materia de cada Entidad Federativa y del Poder Ejecutivo Federal.

Esta Conferencia estará encabezada por el titular de la Comisión Nacional de Seguridad y contará con un Secretario Técnico que será el Comisionado del Órgano Administrativo Desconcentrado de Prevención y Readaptación Social. Tendrá como objetivo principal constituirse como la instancia de análisis, difusión e instrumentación de la política pública en materia de ejecución de las medidas para adolescentes, y propiciará la homologación de normas administrativas en cada Entidad Federativa.

Artículo Décimo Quinto. Ejercicio de los recursos

Las erogaciones que se generen con motivo de la entrada en vigor del presente Decreto para las dependencias y la entidad competente de la Administración Pública Federal y al Poder Judicial Federal y de las entidades federativas, se cubrirán con cargo a sus presupuestos para el presente ejercicio fiscal y los subsecuentes.

Asimismo, las entidades federativas deberán realizar las previsiones y adecuaciones presupuestales necesarias para dar cumplimiento a las obligaciones establecidas en este Decreto.

Artículo Décimo Sexto. Coordinación de programas para la prevención del delito.

Las autoridades de la federación, de las entidades federativas, de los municipios y de las demarcaciones territoriales de la Ciudad de México, con el objeto de dar cumplimiento a lo previsto en los artículos 189, 254 y 155 de la Ley que se expide por virtud del presente Decreto, deberán implementar las políticas y acciones correspondientes, conforme a los programas vigentes y alineados a la política de prevención social de la violencia y la delincuencia.

Ciudad de México, a 14 de junio de 2016.- Sen. Roberto Gil Zuarth, Presidente.- Dip. José de Jesús Zambrano Grijalva, Presidente.- Sen. Hilda Esthela Flores Escalera, Secretaria.- Dip. Ana Guadalupe Perea Santos, Secretaria.- Rúbricas."

En cumplimiento de lo dispuesto por la fracción I del Artículo 89 de la Constitución Política de los Estados Unidos Mexicanos, y para su debida publicación y observancia, expido el presente Decreto en la Residencia del Poder Ejecutivo Federal, en la Ciudad de México, a dieciséis de junio de dos mil dieciséis.- Enrique Peña Nieto.- Rúbrica.- El Secretario de Gobernación, Miguel Ángel Osorio Chong.- Rúbrica.

Ley Nacional de Mecanismos Alternativos de Solución de Controversias en Materia Penal

N. DE E. DE CONFORMIDAD CON EL TRANSITORIO PRIMERO, EL PRESENTE ORDENAMIENTO ENTRA EN VIGOR EN LOS MISMOS TÉRMINOS Y PLAZOS EN QUE ENTRARÁ EN VIGOR EL CÓDIGO NACIONAL DE PROCEDIMIENTOS PENALES, DE CONFORMIDAD CON LO PREVISTO EN EL ARTÍCULO SEGUNDO TRANSITORIO DEL DECRETO POR EL QUE SE EXPIDE EL CÓDIGO NACIONAL DE PROCEDIMIENTOS PENALES.

ÚLTIMA REFORMA PUBLICADA EN EL DIARIO OFICIAL DE LA FEDERACIÓN: 1 DE ABRIL DE 2024.

Ley publicada en la Primera Sección del Diario Oficial de la Federación, el lunes 29 de diciembre de 2014.

Al margen un sello con el Escudo Nacional, que dice: Estados Unidos Mexicanos.- Presidencia de la República.

ENRIQUE PEÑA NIETO, Presidente de los Estados Unidos Mexicanos, a sus habitantes sabed:

Que el Honorable Congreso de la Unión, se ha servido dirigirme el siguiente

DECRETO

"EL CONGRESO GENERAL DE LOS ESTADOS UNIDOS MEXICANOS, D E C R E T A:

SE EXPIDE LA LEY NACIONAL DE MECANISMOS ALTERNATIVOS DE SOLUCIÓN DE CONTROVERSIAS EN MATERIA PENAL, SE REFORMAN DIVERSAS DISPOSICIONES DEL CÓDIGO NACIONAL DE PROCEDIMIENTOS PENALES Y SE REFORMAN Y ADICIONAN DIVERSAS DISPOSICIONES DEL CÓDIGO FEDERAL DE PROCEDIMIENTOS PENALES.

Artículo Primero. Se expide la Ley Nacional de Mecanismos Alternativos de Solución de Controversias en Materia Penal.

LEY NACIONAL DE MECANISMOS ALTERNATIVOS DE SOLUCIÓN DE CONTROVERSIAS EN MATERIA PENAL

TÍTULO PRIMERO
DE LAS GENERALIDADES

CAPÍTULO ÚNICO
DISPOSICIONES GENERALES

Artículo 1. Objeto general

Las disposiciones de esta Ley son de orden público e interés social y de observancia general en todo el territorio nacional y tienen por objeto establecer los principios, bases, requisitos y condiciones de los mecanismos alternativos de solución de controversias en materia penal que conduzcan a las Soluciones Alternas previstas en la legislación procedimental penal aplicable.

Los mecanismos alternativos de solución de controversias en materia penal tienen como finalidad propiciar, a través del diálogo, la solución de las controversias que surjan entre miembros de la sociedad con motivo de la denuncia o querella referidos a un hecho delictivo, mediante procedimientos basados en la oralidad, la economía procesal y la confidencialidad.

Artículo 2. Ámbito de competencia

Esta Ley será aplicable para los hechos delictivos que sean competencia de los órdenes federal y local en el marco de los principios y derechos previstos en la Constitución Política de los Estados Unidos Mexicanos y los tratados internacionales de los que el Estado mexicano sea parte.

La competencia de las Instituciones especializadas en mecanismos alternativos de solución de controversias en materia penal dependientes de las Procuradurías o Fiscalías y de los Poderes Judiciales de la Federación o de las entidades federativas, según corresponda, se determinará de conformidad con lo dispuesto por la legislación procedimental penal y demás disposiciones jurídicas aplicables.

Artículo 3. Glosario

Para los efectos de esta Ley se entenderá por:

I. Acuerdo: El acuerdo reparatorio celebrado entre los Intervinientes que pone fin a la controversia total o parcialmente y surte los efectos que establece esta Ley;

II. Cita: El acto realizado por el personal del Área de Seguimiento del Órgano para requerir la comparecencia de alguno de los Intervinientes en el Mecanismo Alternativo respectivo;

III. Conferencia: La Conferencia Nacional de Procuración de Justicia;

IV. Consejo: El Consejo de certificación en sede judicial;

V. Facilitador: El profesional certificado del Órgano cuya función es facilitar la participación de los Intervinientes en los Mecanismos Alternativos;

VI. Intervinientes: Las personas que participan en los Mecanismos Alternativos, en calidad de Solicitante o de Requerido, para resolver las controversias de naturaleza penal;

VII. Invitación: El acto del personal del Órgano realizado para solicitar la comparecencia de alguno de los Intervinientes en el Mecanismo Alternativo;

VIII. Ley: La Ley Nacional de Mecanismos Alternativos de Solución de Controversias en Materia Penal;

IX. Mecanismos Alternativos: La mediación, la conciliación y la junta restaurativa;

X. Órgano: La Institución especializada en Mecanismos Alternativos de Solución de Controversias en materia penal de la Federación o de las entidades federativas;

XI. Requerido: La persona física o moral convocada para solucionar la controversia penal mediante la aplicación de un mecanismo alternativo;

XII. Secretario: El Secretario Técnico de la Conferencia, así como el Secretario Técnico del Consejo;

XIII. Solicitante: La persona física o moral que acude a los Órganos de Justicia Alternativa, con la finalidad de buscar la solución de una controversia penal;

(REFORMADA, D.O.F. 20 DE MAYO DE 2021)

XIV. Unidad de Atención Inmediata: Instancia adscrita a la Fiscalía General de la República, las Procuradurías o fiscalías generales de las entidades federativas, encargada de canalizar las solicitudes al Órgano.

Artículo 4. Principios de los Mecanismos Alternativos

Son principios rectores de los Mecanismos Alternativos los siguientes:

I. Voluntariedad: La participación de los Intervinientes deberá ser por propia decisión, libre de toda coacción y no por obligación;

II. Información: Deberá informarse a los Intervinientes, de manera clara y completa, sobre los Mecanismos Alternativos, sus consecuencias y alcances;

III. Confidencialidad: La información tratada no deberá ser divulgada y no podrá ser utilizada en perjuicio de los Intervinientes dentro del proceso penal, salvo que se trate de un delito que se esté cometiendo o sea inminente su consumación y por el cual peligre la integridad física o la vida de una persona, en cuyo caso, el Facilitador lo comunicará al Ministerio Público para los efectos conducentes;

IV. Flexibilidad y simplicidad: Los mecanismos alternativos carecerán de toda forma estricta, propiciarán un entorno que sea idóneo para la manifestación de las propuestas de los Intervinientes para resolver por consenso la controversia; para tal efecto, se evitará establecer formalismos innecesarios y se usará un lenguaje sencillo;

V. Imparcialidad: Los Mecanismos Alternativos deberán ser conducidos con objetividad, evitando la emisión de juicios, opiniones, prejuicios, favoritismos, inclinaciones o preferencias que concedan u otorguen ventajas a alguno de los Intervinientes;

VI. Equidad: Los Mecanismos Alternativos propiciarán condiciones de equilibrio entre los Intervinientes;

VII. Honestidad: Los Intervinientes y el Facilitador deberán conducir su participación durante el mecanismo alternativo con apego a la verdad.

Artículo 5. Procedencia

El Mecanismo Alternativo será procedente en los casos previstos por la legislación procedimental penal aplicable.

Artículo 6. Oportunidad

Los Mecanismos Alternativos podrán ser aplicados desde el inicio del procedimiento penal y hasta antes de dictado el auto de apertura a juicio o antes de que se formulen las conclusiones, según corresponda, de conformidad con lo dispuesto en la legislación procedimental penal aplicable.

TÍTULO SEGUNDO
DE LOS MECANISMOS ALTERNATIVOS

CAPÍTULO I
DISPOSICIONES COMUNES

Artículo 7. Derechos de los Intervinientes

Los Intervinientes en los Mecanismos Alternativos tendrán los derechos siguientes:

I. Recibir la información necesaria en relación con los Mecanismos Alternativos y sus alcances;

II. Solicitar al titular del Órgano o al superior jerárquico del Facilitador la sustitución de este último, cuando exista conflicto de intereses o alguna otra causa justificada que obstaculice el normal desarrollo del Mecanismo Alternativo;

III. Recibir un servicio acorde con los principios y derechos previstos en esta Ley;

IV. No ser objeto de presiones, intimidación, ventaja o coacción para someterse a un Mecanismo Alternativo;

V. Expresar libremente sus necesidades y pretensiones en el desarrollo de los Mecanismos Alternativos sin más límite que el derecho de terceros;

VI. Dar por concluida su participación en el Mecanismo Alternativo en cualquier momento, cuando consideren que así conviene a sus intereses, siempre y cuando no hayan suscrito el Acuerdo;

VII. Intervenir personalmente en todas las sesiones del Mecanismo Alternativo;

VIII. De ser procedente, solicitar al Órgano, a través del Facilitador, la intervención de auxiliares y expertos, y

IX. Los demás previstos en la presente Ley.

Artículo 8. Obligaciones de los Intervinientes

Son obligaciones de los Intervinientes:

I. Acatar los principios y reglas que disciplinan los Mecanismos Alternativos;

II. Conducirse con respeto y observar buen comportamiento durante las sesiones de los Mecanismos Alternativos;

III. Cumplir con los Acuerdos a que se lleguen como resultado de la aplicación de un Mecanismo Alternativo;

IV. Asistir a cada una de las sesiones personalmente o por conducto de su representante o apoderado legal en los casos que establece esta Ley y demás normas aplicables, y

V. Las demás que contemplen la presente Ley y otras disposiciones aplicables.

Artículo 9. Solicitud para la aplicación del Mecanismo Alternativo y su inicio

Los Mecanismos Alternativos se solicitarán de manera verbal o escrita ante la autoridad competente. Cuando se trate de personas físicas la solicitud se hará personalmente y, en el caso de personas morales, por conducto de su representante o apoderado legal.

La solicitud contendrá la conformidad del Solicitante para participar voluntariamente en el Mecanismo Alternativo y su compromiso de ajustarse a las reglas que lo disciplinan. Asimismo se precisarán los datos generales del Solicitante, así como los nombres y datos de localización de las personas complementarias que hayan de ser invitadas a las sesiones.

Realizada la solicitud a que se refiere este artículo, o la derivación de la autoridad competente a que se refiere el artículo siguiente, dará inicio el Mecanismo Alternativo.

Artículo 10. Derivación

El Ministerio Público, una vez recibida la denuncia o querella orientará al denunciante o querellante sobre los Mecanismos Alternativos de solución de controversias y le informará en qué consisten éstos y sus alcances.

El Ministerio Público, podrá derivar el asunto al Órgano adscrito a las procuradurías o fiscalías cuando la víctima u ofendido esté de acuerdo con solicitar el inicio del Mecanismo Alternativo previsto en esta Ley, los Intervinientes se encuentren identificados, se cuente con su domicilio y se cumplan con los requisitos de oportunidad y procedencia que establece el presente ordenamiento legal. El Ministerio Público deberá realizar las actuaciones urgentes o inaplazables para salvaguardar los indicios necesarios.

Cuando el imputado haya sido vinculado a proceso, el Juez derivará el asunto al Órgano respectivo si el imputado y la víctima u ofendido están de acuerdo en solicitar el inicio del Mecanismo Alternativo previsto en esta Ley y se cumplan los requisitos de oportunidad y procedencia.

(REFORMADO, D.O.F. 20 DE MAYO DE 2021)

Artículo 11. Elección de órgano por parte de los Intervinientes

Cuando el imputado haya sido vinculado a proceso, los Intervinientes podrán optar por que el mecanismo se desarrolle en el órgano adscrito a la Fiscalía, o en el órgano adscrito al poder judicial, si lo hubiere.

Artículo 12. Admisibilidad

El Órgano, al recibir la solicitud examinará la controversia y determinará si es susceptible de resolverse a través del Mecanismo Alternativo. Una vez admitida, se turnará al Facilitador para los efectos conducentes.

Cuando se estime de manera fundada y motivada que el asunto no es susceptible de ser resuelto por un Mecanismo Alternativo, el Órgano se lo comunicará al Solicitante, y en su caso, al Ministerio Público o al Juez que haya hecho la derivación para los efectos legales a que haya lugar.

Se podrá solicitar al Órgano que reconsidere la negativa de admisión. En caso de que se estime procedente el Mecanismo Alternativo, se asignará a un Facilitador.

En su caso, se hará constar que el Solicitante acepta sujetarse al Mecanismo Alternativo, por lo que se fijará la Cita o Invitación correspondiente al Requerido a la sesión inicial.

Artículo 13. Registro del Mecanismo Alternativo

Con la solicitud planteada se abrirá y registrará el expediente del caso, mismo que contendrá una breve relación de los hechos, el Mecanismo Alternativo a aplicar y el resultado obtenido.

Artículo 14. Invitación al Requerido

La Invitación al Requerido la realizará el Órgano dentro de los cinco días hábiles siguientes contados a partir de la fecha del registro del expediente del caso, por cualquier medio que asegure la transmisión de la información en los términos de la legislación procedimental penal aplicable. La Invitación se hará preferentemente de manera personal.

Artículo 15. Contenido de la Invitación

La Invitación a que se refiere el artículo anterior deberá precisar:

I. Nombre y domicilio del Requerido;

II. Motivo de la Invitación;

III. Lugar y fecha de expedición;

IV. Indicación del día, hora y lugar de celebración de la sesión del Mecanismo Alternativo;

V. Breve explicación de la naturaleza del mecanismo con su fundamento legal, y

VI. Nombre y firma del Facilitador que la elaboró.

Artículo 16. Sesiones preliminares

El Facilitador podrá tener, cuando las características del caso así lo requieran, sesiones privadas de carácter preparatorio con todos los Intervinientes por separado, previas a la sesión conjunta del Mecanismo Alternativo, con el objeto de explicarles las características del mecanismo elegido y las reglas que deberán observar durante la realización del mismo.

El Facilitador podrá indagar con los Intervinientes, la interpretación que ellos tienen del conflicto, a efecto de preparar las preguntas y herramientas que utilizará durante el desarrollo de las sesiones conjuntas.

Artículo 17. Aceptación de sujetarse al Mecanismo Alternativo

Cuando el Solicitante y el Requerido acepten someterse a un Mecanismo Alternativo manifestarán su voluntad en ese sentido y se registrará esa circunstancia por escrito.

Artículo 18. Suspensión de la prescripción

El término de la prescripción de la acción penal se suspenderá durante la sustanciación de los Mecanismos Alternativos, a partir de la primera sesión del Mecanismo Alternativo y hasta que se actualice alguna de las causales de conclusión, salvo que ésta produzca la extinción de la acción penal.

Artículo 19. De las sesiones de Mecanismos Alternativos

Las sesiones de Mecanismos Alternativos se realizarán únicamente con la presencia de los Intervinientes y, en su caso, de auxiliares y expertos, a petición de las partes. Los Intervinientes podrán recibir orientación jurídica. Para tal efecto, cuando ambos Intervinientes cuenten con abogado, éstos podrán presenciar las sesiones, sin embargo, no podrán intervenir durante las mismas.

En caso de que se suscite alguna duda de índole jurídica que no pueda ser resuelta por los auxiliares y expertos invocados por el Facilitador, cualquiera de los Intervinientes podrá solicitar la suspensión de la sesión a fin de que pueda consultar con su abogado, si lo tuviere.

(REFORMADO, D.O.F. 1 DE ABRIL DE 2024)

Cuando los intervinientes sean personas pertenecientes a pueblos y comunidades indígenas y afromexicanas o personas que no entiendan el idioma español, deberán ser asistidos durante las sesiones por un intérprete de conformidad con la legislación procedimental penal aplicable.

Al inicio de la sesión del Mecanismo Alternativo, el Facilitador hará saber a los Intervinientes las características del mecanismo, las reglas a observar, así como sus derechos y obligaciones. Se explicará que el mecanismo es confidencial en los términos que establece la fracción III del artículo 4 de esta Ley.

Se hará saber a los Intervinientes los alcances y efectos legales de los Acuerdos que en su caso lleguen a concretarse.

El Mecanismo Alternativo se dará por concluido si alguno de los Intervinientes revela información confidencial, sin perjuicio de las responsabilidades en que se incurra por tal conducta.

Artículo 20. Mecanismo alternativo en detención por flagrancia o medida cautelar

En los casos en los que el imputado se encuentre detenido por flagrancia el Ministerio Público podrá disponer la libertad del imputado durante la investigación en términos del artículo 140 del Código Nacional de Procedimientos Penales, a efecto de que participe en el mecanismo alternativo.

En los casos en los que al imputado se le haya impuesto la medida cautelar de prisión preventiva, o alguna otra que implique privación de su libertad, se estará a lo dispuesto en el artículo 161 del Código Nacional de Procedimientos Penales, a fin de que se modifique la medida cautelar y esté en posibilidad de participar en el Mecanismo Alternativo.

CAPÍTULO II
DE LA MEDIACIÓN

Artículo 21. Concepto

Es el mecanismo voluntario mediante el cual los Intervinientes, en libre ejercicio de su autonomía, buscan, construyen y proponen opciones de solución a la controversia, con el fin de alcanzar la solución de ésta. El Facilitador durante la mediación propicia la comunicación y el entendimiento mutuo entre los Intervinientes.

Artículo 22. Desarrollo de la sesión

Una vez que los Intervinientes acuerden sujetarse a la mediación, el Facilitador hará una presentación general y explicará brevemente el propósito de la sesión, el papel que él desempeñará, las reglas y principios que rigen la sesión así como sus distintas fases; acto seguido, formulará las preguntas pertinentes a fin de que los Intervinientes puedan exponer el conflicto, plantear sus preocupaciones y pretensiones, así como identificar las posibles soluciones a la controversia existente.

El Facilitador deberá clarificar los términos de la controversia de modo que se eliminen todos los aspectos negativos y las descalificaciones entre los Intervinientes, para resaltar las áreas en las que se puede propiciar el consenso

El Facilitador podrá sustituir el Mecanismo Alternativo, con la anuencia de los interesados, cuando considere que es idóneo, dadas las características del caso concreto y la posición que tienen los Intervinientes en el conflicto.

En el caso de que los Intervinientes logren alcanzar un Acuerdo que consideren idóneo para resolver la controversia, el Facilitador lo registrará y lo preparará para la firma de los Intervinientes de conformidad con las disposiciones aplicables previstas en esta Ley.

Artículo 23. Oralidad de la sesiones

Todas las sesiones de mediación serán orales y sólo se registrará el Acuerdo alcanzado, en su caso.

Artículo 24. Pluralidad de sesiones

Cuando una sesión no sea suficiente para que los Intervinientes se avengan, se procurará conservar su voluntad para participar y se les citará, de común acuerdo, a la brevedad posible para asistir a sesiones subsecuentes para continuar con la mediación, siempre dentro del marco de lo que resulte razonable y sin que ello pueda propiciar el agravamiento de la controversia.

CAPÍTULO III
DE LA CONCILIACIÓN

Artículo 25. Concepto

Es el mecanismo voluntario mediante el cual los Intervinientes, en libre ejercicio de su autonomía, proponen opciones de solución a la controversia en que se encuentran involucrados.

Además de propiciar la comunicación entre los Intervinientes, el Facilitador podrá, sobre la base de criterios objetivos, presentar alternativas de solución diversas.

Artículo 26. Desarrollo de la sesión

La conciliación se desarrollará en los mismos términos previstos para la mediación; sin embargo, a diferencia de ésta, el Facilitador estará autorizado para proponer soluciones basadas en escenarios posibles y discernir los más idóneos para los Intervinientes, con respeto a los principios de esta Ley.

El Facilitador podrá proponer la alternativa que considere más viable para la solución de la controversia.

CAPÍTULO IV
DE LA JUNTA RESTAURATIVA

Artículo 27. Concepto

La junta restaurativa es el mecanismo mediante el cual la víctima u ofendido, el imputado y, en su caso, la comunidad afectada, en libre ejercicio de su autonomía, buscan, construyen y proponen opciones de solución a la controversia, con el objeto de lograr un Acuerdo que atienda las necesidades y responsabilidades individuales y colectivas, así como la reintegración de la víctima u ofendido y del imputado a la comunidad y la recomposición del tejido social.

Artículo 28. Desarrollo de la sesión

Es posible iniciar una junta restaurativa por la naturaleza del caso o por el número de involucrados en el conflicto. Para tal efecto, el Facilitador realizará sesiones preparatorias con cada uno de los Intervinientes a quienes les invitará y explicará la junta restaurativa, sus alcances, reglas, metodología e intentará despejar cualquier duda que éstos planteen.

Asimismo, deberá identificar la naturaleza y circunstancias de la controversia, así como las necesidades de los Intervinientes y sus perspectivas individuales, evaluar su disposición para participar en el mecanismo, la posibilidad de realizar la reunión conjunta y las condiciones para llevarla a cabo.

En la sesión conjunta de la junta restaurativa el Facilitador hará una presentación general y explicará brevemente el propósito de la sesión. Acto seguido, formulará las preguntas previamente establecidas. Las preguntas se dirigirán en primer término al imputado, posteriormente a la víctima u ofendido, en su caso a otros Intervinientes afectados por parte de la víctima u ofendido y del imputado respectivamente, y por último, a los miembros de la comunidad que hubieren concurrido a la sesión.

Una vez que los Intervinientes hubieren contestado las preguntas del Facilitador, éste procederá a coadyuvar para encontrar formas específicas en que el daño causado pueda quedar satisfactoriamente reparado. Enseguida, el Facilitador concederá la palabra al imputado para que manifieste las acciones que estaría dispuesto a realizar para reparar el daño causado, así como los compromisos que adoptará con los Intervinientes.

El Facilitador, sobre la base de las propuestas planteadas por los Intervinientes, concretará el Acuerdo que todos estén dispuestos a aceptar como resultado de la sesión de la junta restaurativa. Finalmente, el Facilitador realizará el cierre de la sesión.

En el caso de que los Intervinientes logren alcanzar una solución que consideren idónea para resolver la controversia, el Facilitador lo registrará y lo preparará para la firma de éstos, de conformidad con lo previsto en esta Ley

Artículo 29. Alcance de la reparación

La Reparación del daño derivada de la junta restaurativa podrá comprender lo siguiente:

I. El reconocimiento de responsabilidad y la formulación de una disculpa a la víctima u ofendido en un acto público o privado, de conformidad con el Acuerdo alcanzado por los intervinientes, por virtud del cual el imputado acepta que su conducta causó un daño;

II. El compromiso de no repetición de la conducta originadora de la controversia y el establecimiento de condiciones para darle efectividad, tales como inscribirse y concluir programas o actividades de cualquier naturaleza que contribuyan a la no repetición de la conducta o aquellos programas específicos para el tratamiento de adicciones;

III. Un plan de restitución que pueda ser económico o en especie, reparando o reemplazando algún bien, la realización u omisión de una determinada conducta, la prestación de servicios a la comunidad o de cualquier otra forma lícita solicitada por la víctima u ofendido y acordadas entre los Intervinientes en el curso de la sesión.

CAPÍTULO V
REGLAS GENERALES DE LOS MECANISMOS ALTERNATIVOS

Artículo 30. Sustitución del Mecanismo Alternativo

En el supuesto de que los Intervinientes hubieren participado en alguno de los Mecanismos Alternativos y no se hubiese logrado por este Mecanismo la solución de la controversia, el Facilitador podrá sugerirles que recurran a uno diverso. En caso de que los Intervinientes estuvieren de acuerdo, el Facilitador fijará fecha y hora para iniciar dicho Mecanismo en una sesión posterior.

Artículo 31. Salvaguarda de derechos

Cuando no se alcance Acuerdo, los Intervinientes conservarán sus derechos para resolver la controversia mediante las acciones legales que procedan, o bien, cuando se alcance parcialmente, respecto del conflicto que no fue posible resolver.

Del mismo modo, cuando el Acuerdo verse sobre la solución parcial de la controversia, se dejarán a salvo los derechos de los Intervinientes respecto de lo no resuelto en el Acuerdo.

Artículo 32. Conclusión anticipada de los Mecanismos Alternativos

El Mecanismo Alternativo se tendrá por concluido de manera anticipada en los casos siguientes:

I. Por voluntad de alguno de los Intervinientes;

II. Por inasistencia injustificada a las sesiones por más de una ocasión de alguno de los Intervinientes;

III. Cuando el Facilitador constate que los Intervinientes mantienen posiciones irreductibles que impiden continuar con el mecanismo y se aprecie que no se arribará a un resultado que solucione la controversia;

IV. Si alguno de los Intervinientes incurre reiteradamente en un comportamiento irrespetuoso, agresivo o con intención notoriamente dilatoria del mecanismo alternativo;

V. Por incumplimiento del Acuerdo entre los Intervinientes, y

VI. En los demás casos en que proceda dar por concluido el Mecanismo Alternativo de conformidad con la Ley.

CAPÍTULO VI
DE LOS ACUERDOS

Artículo 33. Requisitos de los Acuerdos

En caso de que el Mecanismo Alternativo concluya con una solución mutuamente acordada por los Intervinientes, el Facilitador lo hará constar por escrito con la siguiente información:

I. El lugar y la fecha de su celebración;

II. El nombre y edad, información que se cotejará con un documento fehaciente; nacionalidad, estado civil, profesión u oficio y domicilio de cada uno de los Intervinientes. En caso de representante o apoderado legal, se hará constar la documentación con la que se haya acreditado dicho carácter;

III. El número de registro del Mecanismo Alternativo;

IV. Una descripción precisa de las obligaciones de dar, hacer o no hacer que hubieran acordado los Intervinientes y, en su caso, los terceros civilmente obligados, así como la forma y tiempo en que éstas deban cumplirse el cual no podrá exceder de tres años a partir de la firma del Acuerdo;

V. La firma o huellas dactilares de quienes lo suscriban y, en su caso, el nombre de la persona o personas que hayan firmado a petición de una o ambas partes, cuando éstos no sepan o no puedan firmar;

VI. La firma del Facilitador que haya intervenido en el Mecanismo Alternativo y el sello de la dependencia, y

VII. Los efectos del incumplimiento.

El Acuerdo podrá versar sobre la solución total o parcial de la controversia. En el segundo supuesto se dejarán a salvo los derechos de los Intervinientes respecto de lo no resuelto en el Acuerdo.

El Acuerdo deberá ser validado por un licenciado en derecho del Órgano, del cual se incluirá su nombre y firma. Se entregará un ejemplar del Acuerdo a cada uno de los Intervinientes, conservándose uno en los archivos que corresponda.

El Órgano informará de dicho Acuerdo al Ministerio Público y, en su caso, al Juez de control y se observarán las reglas aplicables para la protección de datos personales.

Artículo 34. Efectos de los Acuerdos

El Acuerdo celebrado entre los Intervinientes con las formalidades establecidas por esta Ley será válido y exigible en sus términos.

Artículo 35. Cumplimiento de los Acuerdos

Corresponde al Ministerio Público o al Juez aprobar el cumplimiento del Acuerdo, en cuyo caso resolverá de inmediato sobre la extinción de la acción penal o el sobreseimiento del asunto, según corresponda. La resolución emitida por el Juez tendrá efectos de sentencia ejecutoriada.

El incumplimiento del Acuerdo dará lugar a la continuación del procedimiento penal. En caso de cumplimiento parcial de contenido pecuniario éste será tomado en cuenta por el Ministerio Público para efectos de la reparación del daño.

TÍTULO TERCERO
DEL SEGUIMIENTO DE LOS ACUERDOS

CAPÍTULO ÚNICO
SEGUIMIENTO

Artículo 36. Área de seguimiento

El Órgano contará con un área de seguimiento, la cual tendrá la obligación de monitorear e impulsar el cumplimiento de los Acuerdos alcanzados por los Intervinientes en el Mecanismo Alternativo. El seguimiento podrá consistir en:

I. Apercibimiento a los Intervinientes para el caso de incumplimiento del Acuerdo;

II. Visitas de verificación;

III. Llamadas telefónicas;

IV. Recepción o entrega de documentos, pagos, bienes u objetos;

V. Citación de los Intervinientes y demás personas que sean necesarias;

VI. Envío de correspondencia o comunicación, pudiendo usar medios electrónicos, y

VII. Cualquier otra medida necesaria para el cumplimiento del Acuerdo de conformidad con los principios y disposiciones establecidas en esta Ley.

Artículo 37. Integración

El Órgano designará personal cuya función será dar seguimiento al Acuerdo alcanzado en el Mecanismo Alternativo, con el propósito de informar al Facilitador, al Ministerio Público, al Juez competente y a los Intervinientes, sobre el cumplimiento del Acuerdo o en su caso, sobre su incumplimiento, a efecto de que se determinen las consecuencias jurídicas respectivas.

Artículo 38. Reuniones de revisión

El área de seguimiento se comunicará periódicamente con los Intervinientes, de acuerdo con la naturaleza del caso, para verificar o facilitar el cumplimiento de las obligaciones contraídas. En caso de que se produzca un incumplimiento por parte de los Intervinientes obligados, el área de seguimiento los podrá exhortar al cumplimiento o citar a una reunión de revisión, preferentemente con el Facilitador que originalmente estuvo a cargo del asunto.

El Facilitador y los Intervinientes revisarán la justificación de los motivos por los que se ha producido el incumplimiento y, en su caso, propondrán las modificaciones que deban realizarse que resulten satisfactorias para todos sin afectar la efectiva Reparación del daño.

En caso de no considerar pertinente una reunión de revisión por existir un riesgo de revictimización o porque el cumplimiento se torne imposible, se procederá de conformidad con el artículo siguiente.

Artículo 39. Comunicación

Si por riesgo de revictimización no se lleva a cabo la reunión, o bien, de la reunión de revisión se desprende que no podrá haber cumplimiento del Acuerdo alcanzado, el área de seguimiento lo comunicará de inmediato al Facilitador, al Ministerio Público y en su caso al Juez, con el objeto de que se continúe con el procedimiento penal, si la víctima así lo decide.

TÍTULO CUARTO
DE LAS BASES PARA EL FUNCIONAMIENTO DE LOS MECANISMOS ALTERNATIVOS

CAPÍTULO I
DEL ÓRGANO

Artículo 40. Del Órgano

(REFORMADO PRIMER PÁRRAFO, D.O.F. 20 DE MAYO DE 2021)

La Fiscalía General de la República y las procuradurías o fiscalías estatales deberán contar con órganos especializados en mecanismos alternativos de resolución de controversias. El Poder Judicial Federal y los poderes judiciales estatales podrán contar con dichos órganos.

Los Órganos deberán tramitar los Mecanismos Alternativos previstos en esta Ley y ejercitar sus facultades con independencia técnica y de gestión. Asimismo realizarán acciones tendientes al fomento de la cultura de paz.

Para cumplir con las finalidades señaladas en el párrafo precedente, el Órgano contará con Facilitadores certificados y demás personal profesional necesario para el ejercicio de sus funciones.

Artículo 41. Capacitación y difusión

Las instituciones mencionadas en el artículo precedente estarán obligadas a estandarizar programas de capacitación continua para su personal, así como de difusión para promover la utilización de los Mecanismos Alternativos, de conformidad con los estándares mínimos establecidos por la Conferencia o el Consejo. La certificación será un requisito fundamental para poder ser designado como Facilitador en algún Órgano y de permanencia, de conformidad con las pautas generales establecidas en esta Ley.

Artículo 42. Interdisciplinariedad

El Órgano contará con personal profesional de las disciplinas necesarias para el cumplimiento del objeto de esta Ley. Deberá contar con profesionales en derecho, así como con el personal administrativo necesario para realizar las labores de apoyo.

Artículo 43. Bases de datos

El Órgano estará obligado a conservar una base de datos de los asuntos que tramite de acuerdo con su competencia, la cual contendrá el número de asuntos que ingresaron, el estatus en que se encuentran y su resultado final. El Órgano mantendrá actualizada la base de datos y llevará a cabo estudios estadísticos en torno al funcionamiento del servicio, el porcentaje de cumplimiento e incumplimiento de los Acuerdos y los casos de reiteración de las controversias entre los Intervinientes.

Se contará con una base de datos nacional con la información anterior, a la cual podrán acceder los Órganos; los lineamientos de ésta serán dictados por la Conferencia y el Consejo y administrada por el Centro Nacional de Información del Secretariado Ejecutivo del Sistema Nacional de Seguridad Pública. Los Poderes Judiciales deberán reportar la información correspondiente a las procuradurías o fiscalías de la federación o de las entidades federativas; éstas, a su vez, remitirán la información al Centro Nacional de Información del Secretariado Ejecutivo del Sistema Nacional de Seguridad Pública.

Los reportes de la base de datos nacional servirán para verificar si alguno de los Intervinientes ha participado en Mecanismos Alternativos, si ha celebrado Acuerdos y si los ha incumplido.

Artículo 44. Autoridades auxiliares y redes de apoyo

El Órgano podrá celebrar convenios para su adecuado funcionamiento con los servicios auxiliares y complementarios prestados por instituciones públicas o privadas, que puedan coadyuvar para el adecuado cumplimiento de su función.

Se consideran como autoridades auxiliares del Órgano, para efectos de esta Ley, las dependencias y entidades de las administraciones públicas federal y de las entidades federativas, así como las demás instituciones y organismos que por la naturaleza de sus atribuciones deban intervenir en el cumplimiento de la presente Ley.

Las autoridades auxiliares deberán atender los requerimientos que en el ámbito de su competencia tenga el Órgano, el cual podrá remitir al Órgano interno de control de dichas autoridades las denuncias por la falta o inoportunidad del auxilio requerido

(REFORMADO, D.O.F. 20 DE MAYO DE 2021)

Artículo 45. Coordinación entre la Federación y entidades federativas

La Fiscalía General de la República y procuradurías y fiscalías generales de las entidades federativas, así como el Poder Judicial de la Federación y de las entidades federativas podrán celebrar convenios de colaboración para el cumplimiento de los objetivos previstos en esta Ley.

Artículo 46. Del Consejo de certificación en sede judicial

El Poder Judicial de la Federación y los poderes judiciales de las entidades federativas, que cuenten con un Órgano en los términos de la fracción X del artículo 3, conformarán un Consejo de certificación en sede judicial, para los efectos establecidos en la presente Ley y contará con una Secretaría Técnica.

Artículo 47. Criterios mínimos de certificación

La Conferencia y el Consejo serán las Instancias responsables de emitir los criterios mínimos para la certificación de Facilitadores de los Órganos de la Federación y de las entidades federativas de conformidad con lo dispuesto en esta Ley.

El Órgano contará con Facilitadores certificados de conformidad con los estándares mínimos en materia de capacitación, evaluación y certificación que emitan la Conferencia o el Consejo; para tal efecto, ésta tendrá las funciones siguientes:

I. Establecer los criterios mínimos para las capacitaciones orientadas a cubrir los requisitos de certificación o renovación de la misma, de acuerdo a los estándares establecidos en esta Ley;

II. Determinar las normas y procedimientos técnicos para la evaluación y certificación de los Facilitadores;

III. Establecer los lineamientos para la construcción de las bases de datos a las que se refiere esta Ley, y

IV. Las demás que se acuerden para el cumplimiento de lo dispuesto en este artículo.

La Conferencia y el Consejo podrán celebrar convenios de colaboración para los efectos del presente artículo.

CAPÍTULO II
DE LOS FACILITADORES

Artículo 48. Requisitos para ser Facilitador

Los Facilitadores deberán:

I. Poseer grado de Licenciatura afín a las labores que deberán desarrollar, con cédula profesional con registro federal;

II. Acreditar la certificación que establece esta Ley;

III. Acreditar las evaluaciones de control de confianza que establecen las disposiciones aplicables para los miembros de instituciones de procuración de justicia;

IV. No haber sido sentenciados por delito doloso, y

V. Los demás requisitos que establezca esta Ley y otras disposiciones que resulten aplicables.

Artículo 49. Vigencia de la certificación

El Órgano deberá realizar las tareas de certificación periódica de los Facilitadores que presten los servicios previstos en esta Ley, ésta se llevará a cabo de conformidad con los lineamientos emitidos por la Conferencia o el Consejo y tendrá una vigencia de tres años, que podrá ser renovable.

Artículo 50. Requisitos mínimos de ingreso y permanencia

Para ingresar al Órgano los Facilitadores deberán cubrir 180 horas de capacitación teórico-práctica en los Mecanismos Alternativos establecidos en esta Ley, de conformidad con los lineamientos generales emitidos por la Conferencia o el Consejo. Para permanecer como miembro del Órgano los Facilitadores deberán renovar su certificación cada tres años y cumplir con 100 horas de capacitación durante ese periodo.

Artículo 51. Obligaciones de los Facilitadores

Son obligaciones de los Facilitadores:

I. Cumplir con la certificación en los términos de las disposiciones aplicables en esta Ley;

II. Conducirse con respeto a los derechos humanos;

III. Actuar con prontitud, profesionalismo, eficacia y transparencia, en congruencia con los principios que rigen la presente Ley y las disposiciones que al efecto se establezcan;

IV. Vigilar que en los Mecanismos Alternativos no se afecten derechos de terceros, intereses de menores, incapaces, disposiciones de orden público o interés social;

V. Abstenerse de fungir como testigos, representantes jurídicos o abogados de los asuntos relativos a los Mecanismos Alternativos en los que participen;

VI. Excusarse de intervenir en asuntos en los que se vea afectada su imparcialidad;

VII. Solicitar a los Intervinientes la información necesaria para el cumplimiento eficaz de la función encomendada;

VIII. Cerciorarse de que los Intervinientes comprenden el alcance del Acuerdo, así como los derechos y obligaciones que de éste se deriven;

IX. Verificar que los Intervinientes participen de manera libre y voluntaria, exentos de coacciones o de cualquier otra influencia que vicie su voluntad;

X. Mantener el buen desarrollo de los Mecanismos Alternativos y solicitar respeto de los Intervinientes durante el desarrollo de los mismos;

XI. Asegurarse de que los Acuerdos a los que lleguen los Intervinientes sean apegados a la legalidad;

XII. Abstenerse de coaccionar a los Intervinientes para acudir, permanecer o retirarse del Mecanismo Alternativo;

XIII. Mantener la confidencialidad de la información a la que tengan acceso en el ejercicio de su función, salvo las excepciones previstas en esta Ley;

XIV. No ejercer la abogacía por sí o por interpósita persona, salvo en causa propia, de su cónyuge, concubina o concubinario, convivientes, de sus ascendientes o descendientes, de sus hermanos o de su adoptante o adoptado, y

XV. Los demás que señale la Ley y las disposiciones reglamentarias en la materia.

El incumplimiento de las disposiciones anteriores será sancionado en los términos de la legislación correspondiente.

Artículo 52. Impedimentos y Excusas

Los Facilitadores deberán excusarse o podrán ser recusados para conocer de los asuntos en que intervengan, por cualquiera de las siguientes causas de impedimento:

I. Haber intervenido en el mismo Mecanismo Alternativo como Ministerio Público, Defensor, Asesor jurídico, denunciante o querellante, o haber ejercido la acción penal particular; haber actuado como perito, consultor técnico, testigo o tener interés directo en el Mecanismo Alternativo;

II. Ser cónyuge, concubina o concubinario, conviviente, tener parentesco en línea recta sin limitación de grado en la colateral por consanguinidad y por afinidad hasta el segundo con alguno de los Intervinientes, éste cohabite o haya cohabitado con alguno de ellos;

III. Ser o haber sido tutor, curador, haber estado bajo tutela o curatela de alguna de las partes, ser o haber sido administrador de sus bienes por cualquier título;

IV. Cuando él, su cónyuge, concubina, concubinario, conviviente, o cualquiera de sus parientes en los grados que expresa la fracción II de este artículo, tengan un juicio pendiente iniciado con anterioridad con alguna de las partes;

V. Cuando él, su cónyuge, concubina, concubinario, conviviente, o cualquiera de sus parientes en los grados que expresa la fracción II de este artículo, sean acreedores, deudores, arrendadores, arrendatarios o fiadores de alguna de las partes, o tengan alguna sociedad con éstos;

VI. Cuando antes de comenzar el Mecanismo Alternativo o durante éste, haya presentado él, su cónyuge, concubina, concubinario, conviviente o cualquiera de sus parientes en los grados que expresa la fracción II de este artículo, querella, denuncia, demanda o haya entablado cualquier acción legal en contra de alguna de las partes, o hubiera sido denunciado o acusado por alguna de ellas;

VII. Haber manifestado su opinión sobre el Mecanismo Alternativo o haber hecho promesas que impliquen parcialidad a favor o en contra de alguna de las partes, o

VIII. Cuando él, su cónyuge, concubina, concubinario, conviviente o cualquiera de sus parientes en los grados que expresa la fracción II de este artículo, hubieran recibido o reciban beneficios de alguna de las partes o si, después de iniciado el Mecanismo Alternativo, hubieran recibido presentes o dádivas independientemente de cuál haya sido su valor.

TRANSITORIOS

Primero. La Ley Nacional de Mecanismos Alternativos de Solución de Controversias en Materia Penal entrará en vigor en los mismos términos y plazos en que entrará en vigor el Código Nacional de Procedimientos Penales, de conformidad con lo previsto en el artículo segundo transitorio del Decreto por el que se expide el Código Nacional de Procedimientos Penales.

Las reformas y adiciones al Código Federal de Procedimientos Penales previstas en el presente Decreto entrarán en vigor en las regiones y gradualidad en las que se lleve a cabo la declaratoria a que refiere el artículo segundo transitorio del Decreto por el que se expide el Código Nacional de Procedimientos Penales, serán aplicables para los procedimientos iniciados con anterioridad a la entrada en vigor del sistema de justicia penal acusatorio y se sustanciarán de conformidad con lo previsto en la Ley Nacional de Mecanismos Alternativos de Solución de Controversias en Materia Penal.

Segundo. Se derogan todas las disposiciones que se opongan al presente Decreto.

Tercero. A partir de la entrada en vigor del presente Decreto, el Poder Judicial de la Federación y los poderes judiciales de las entidades federativas que cuenten con un Órgano, conformarán, dentro del término de sesenta días hábiles, el Consejo a que se refiere el artículo 46 de la presente Ley.

Cuarto. La certificación inicial de Facilitadores a que se refiere la Ley Nacional de Mecanismos Alternativos de Solución de Controversias en Materia Penal deberá concluirse antes del dieciocho de junio de 2016.

Dentro de los sesenta días siguientes a la publicación de este Decreto en el Diario Oficial de la Federación, la Secretaría Técnica de la Conferencia Nacional de Procuración de Justicia, así como la Secretaría Técnica del Consejo de certificación en sede judicial deberán elaborar el proyecto de criterios mínimos de certificación de Facilitadores. Para la elaboración de los criterios referidos deberán tomar en consideración la opinión de los representantes de las zonas en que estén conformadas la Conferencia y el Consejo. El proyecto deberá ser sometido a consideración del Pleno de la Conferencia o el Consejo en la sesión plenaria siguiente al vencimiento del plazo a que se refiere este párrafo.

Quinto. La Federación y las entidades federativas emitirán las disposiciones administrativas que desarrollen lo previsto en el presente Decreto a más tardar el día de su entrada en vigor de conformidad con el artículo primero transitorio anterior.

Sexto. La Federación y las entidades federativas, en su ámbito de competencia respectivo, proveerán los recursos humanos, materiales, tecnológicos y financieros que requiera la implementación del presente Decreto, conforme a sus presupuestos autorizados. Para el presente ejercicio fiscal, la Procuraduría General de la República, cubrirá con cargo a su presupuesto autorizado las erogaciones necesarias para el cumplimiento del presente Decreto, en el ámbito de su competencia.

México, D.F., a 2 de diciembre de 2014.- Sen. Miguel Barbosa Huerta, Presidente.- Dip. Silvano Aureoles Conejo, Presidente.- Sen. María Elena Barrera Tapia, Secretaria.- Dip. Magdalena del Socorro Núñez Monreal, Secretaria.- Rúbricas."

En cumplimiento de lo dispuesto por la fracción I del Artículo 89 de la Constitución Política de los Estados Unidos Mexicanos, y para su debida publicación y observancia, expido el presente Decreto en la Residencia del Poder Ejecutivo Federal, en la Ciudad de México, Distrito Federal, a veintitrés de diciembre de dos mil catorce.- Enrique Peña Nieto.- Rúbrica.- El Secretario de Gobernación, Miguel Ángel Osorio Chong.- Rúbrica.

Ley Nacional de Extinción de Dominio

ÚLTIMA REFORMA PUBLICADA EN EL DIARIO OFICIAL DE LA FEDERACIÓN: 28 DE NOVIEMBRE DE 2025.

Ley publicada en la Edición Vespertina del Diario Oficial de la Federación, el viernes 9 de agosto de 2019.

DECRETO por el que se expide la Ley Nacional de Extinción de Dominio, y se reforman y adicionan diversas disposiciones del Código Nacional de Procedimientos Penales, de la Ley Federal para la Administración y Enajenación de Bienes del Sector Público, de la Ley de Concursos Mercantiles y de la Ley Orgánica de la Administración Pública Federal.

Al margen un sello con el Escudo Nacional, que dice: Estados Unidos Mexicanos.- Presidencia de la República.

ANDRÉS MANUEL LÓPEZ OBRADOR, Presidente de los Estados Unidos Mexicanos, a sus habitantes sabed:

Que el Honorable Congreso de la Unión, se ha servido dirigirme el siguiente DECRETO "EL CONGRESO GENERAL DE LOS ESTADOS UNIDOS MEXICANOS,

D E C R E T A:

SE EXPIDE LA LEY NACIONAL DE EXTINCIÓN DE DOMINIO, Y SE REFORMAN Y ADICIONAN DIVERSAS DISPOSICIONES DEL CÓDIGO NACIONAL DE PROCEDIMIENTOS PENALES, DE LA LEY FEDERAL PARA LA ADMINISTRACIÓN Y ENAJENACIÓN DE BIENES DEL SECTOR PÚBLICO, DE LA LEY DE CONCURSOS MERCANTILES Y DE LA LEY ORGÁNICA DE LA ADMINISTRACIÓN PÚBLICA FEDERAL.

Artículo Primero. Se expide la Ley Nacional de Extinción de Dominio

LEY NACIONAL DE EXTINCIÓN DE DOMINIO

TÍTULO PRIMERO

CAPÍTULO PRIMERO
DISPOSICIONES PRELIMINARES

Artículo 1. La presente Ley Nacional es reglamentaria del artículo 22 de la Constitución Política de los Estados Unidos Mexicanos, en materia de extinción de dominio, acorde con la Convención de las Naciones Unidas contra la Delincuencia Organizada Transnacional, la Convención de las Naciones Unidas Contra la Corrupción, la Convención de las Naciones Unidas contra el Tráfico Ilícito de Estupefacientes y Sustancias Sicotrópicas y demás instrumentos internacionales que regulan el decomiso, en su vertiente civil que es la materia de esta Ley, vinculatorios para el Estado Mexicano. Sus disposiciones son de orden público e interés social y tiene por objeto regular:

I. La extinción de dominio de Bienes a favor del Estado por conducto del Gobierno Federal y de las Entidades Federativas, según corresponda, en los términos de la presente Ley;

II. El procedimiento correspondiente;

III. Los mecanismos para que las autoridades administren los Bienes sujetos al proceso de extinción de dominio, incluidos sus productos, rendimientos, frutos y accesorios;

IV. Los mecanismos para que, atendiendo al interés público, las autoridades lleven a cabo la disposición, uso, usufructo, enajenación y Monetización de los Bienes sujetos al proceso de extinción de dominio, incluidos sus productos, rendimientos, frutos y accesorios, y

V. Los criterios para el destino de los Bienes cuyo dominio se declare extinto en sentencia y, en su caso, la destrucción de los mismos.

Para los efectos de esta Ley son hechos susceptibles de la extinción de dominio, de conformidad con el párrafo cuarto del artículo 22 de la Constitución Política de los Estados Unidos Mexicanos, los siguientes:

a) Ley Federal Contra la Delincuencia Organizada.

Los contemplados en el Título Primero, Disposiciones Generales, Capítulo Único, Naturaleza, Objeto y Aplicación de la Ley Federal Contra la Delincuencia Organizada en el artículo 2.

b) Secuestro.

Los contemplados en la Ley General para Prevenir y Sancionar los Delitos en Materia de Secuestro, Reglamentaria de la fracción XXI del artículo 73 de la Constitución Política de los Estados Unidos Mexicanos en su Capítulo II, De los Delitos en Materia de Secuestro.

c) Delitos en materia de hidrocarburos, petrolíferos y petroquímicos.

Los contemplados en la Ley Federal para Prevenir y Sancionar los Delitos Cometidos en Materia de Hidrocarburos, en el Título Segundo, De los Delitos Cometidos en Materia de Hidrocarburos, Petrolíferos o Petroquímicos y demás Activos.

d) Delitos contra la salud.

Los contemplados en la Ley General de Salud en el Titulo Décimo Octavo, Medidas de Seguridad, Sanciones y Delitos, Capítulo VII.

Los contemplados en el Código Penal Federal, en los artículos del Título Séptimo, Delitos contra la Salud, Capítulo I, con excepción del artículo 199.

e) Trata de personas.

Los contemplados en la Ley General para Prevenir, Sancionar y Erradicar los Delitos en Materia de Trata de Personas y para la Protección y Asistencia a las Víctimas de estos Delitos en su Título Segundo, De los Delitos en Materia de Trata de Personas, Capítulos I, II y III.

Los contemplados en el Código Penal Federal, en su artículo 205 Bis.

f) Delitos por hechos de corrupción.

(NOTA: EL 21 DE JUNIO DE 2021, EL PLENO DE LA SUPREMA CORTE DE JUSTICIA DE LA NACIÓN, EN LOS CONSIDERANDOS SEXTO Y SÉPTIMO, ASÍ COMO EN EL RESOLUTIVO TERCERO DE LA SENTENCIA DICTADA AL RESOLVER LA ACCIÓN DE INCONSTITUCIONALIDAD 100/2019, DECLARÓ LA INVALIDEZ DEL PÁRRAFO SEGUNDO DEL INCISO F) DE LA FRACCIÓN V DE ESTE ARTÍCULO INDICADO CON MAYÚSCULAS, LA CUAL SURTIÓ EFECTOS EL 22 DE JUNIO DE 2021 DE ACUERDO A LAS CONSTANCIAS QUE OBRAN EN LA SECRETARÍA GENERAL DE ACUERDOS DE LA SUPREMA CORTE DE JUSTICIA DE LA NACIÓN. DICHA SENTENCIA PUEDE SER CONSULTADA EN LA DIRECCIÓN ELECTRÓNICA http://www.scjn.gob.mx/).
LOS CONTEMPLADOS EN EL TÍTULO DÉCIMO, DELITOS POR HECHOS DE CORRUPCIÓN, CAPÍTULO I DEL CÓDIGO PENAL FEDERAL.

g) Encubrimiento.

(NOTA: EL 21 DE JUNIO DE 2021, EL PLENO DE LA SUPREMA CORTE DE JUSTICIA DE LA NACIÓN, EN LOS CONSIDERANDOS SEXTO Y SÉP-

TIMO, ASÍ COMO EN EL RESOLUTIVO TERCERO DE LA SENTENCIA DICTADA AL RESOLVER LA ACCIÓN DE INCONSTITUCIONALIDAD 100/2019, DECLARÓ LA INVALIDEZ DEL PÁRRAFO SEGUNDO DEL INCISO G) DE LA FRACCIÓN V DE ESTE ARTÍCULO INDICADO CON MAYÚSCULAS, LA CUAL SURTIÓ EFECTOS EL 22 DE JUNIO DE 2021 DE ACUERDO A LAS CONSTANCIAS QUE OBRAN EN LA SECRETARÍA GENERAL DE ACUERDOS DE LA SUPREMA CORTE DE JUSTICIA DE LA NACIÓN. DICHA SENTENCIA PUEDE SER CONSULTADA EN LA DIRECCIÓN ELECTRÓNICA http://www.scjn.gob.mx/).

LOS CONTEMPLADOS EN EL ARTÍCULO 400, DEL CÓDIGO PENAL FEDERAL.

h) Delitos cometidos por servidores públicos.

(NOTA: EL 21 DE JUNIO DE 2021, EL PLENO DE LA SUPREMA CORTE DE JUSTICIA DE LA NACIÓN, EN LOS CONSIDERANDOS SEXTO Y SÉPTIMO, ASÍ COMO EN EL RESOLUTIVO TERCERO DE LA SENTENCIA DICTADA AL RESOLVER LA ACCIÓN DE INCONSTITUCIONALIDAD 100/2019, DECLARÓ LA INVALIDEZ DEL PÁRRAFO SEGUNDO DEL INCISO H) DE LA FRACCIÓN V DE ESTE ARTÍCULO INDICADO CON MAYÚSCULAS, LA CUAL SURTIÓ EFECTOS EL 22 DE JUNIO DE 2021 DE ACUERDO A LAS CONSTANCIAS QUE OBRAN EN LA SECRETARÍA GENERAL DE ACUERDOS DE LA SUPREMA CORTE DE JUSTICIA DE LA NACIÓN. DICHA SENTENCIA PUEDE SER CONSULTADA EN LA DIRECCIÓN ELECTRÓNICA http://www.scjn.gob.mx/).
LOS CONTEMPLADOS EN EL TÍTULO DÉCIMO, DELITOS POR HECHOS DE CORRUPCIÓN, CAPÍTULO II, EJERCICIO ILÍCITO DE SERVICIO PÚBLICO Y EL TÍTULO DECIMOPRIMERO, DELITOS COMETIDOS CONTRA LA ADMINISTRACIÓN DE JUSTICIA, DEL CÓDIGO PENAL FEDERAL.

i) Robo de vehículos.

(NOTA: EL 21 DE JUNIO DE 2021, EL PLENO DE LA SUPREMA CORTE DE JUSTICIA DE LA NACIÓN, EN LOS CONSIDERANDOS SEXTO Y SÉPTIMO, ASÍ COMO EN EL RESOLUTIVO TERCERO DE LA SENTENCIA DICTADA AL RESOLVER LA ACCIÓN DE INCONSTITUCIONALIDAD 100/2019, DECLARÓ LA INVALIDEZ DEL PÁRRAFO SEGUNDO DEL INCISO I) DE LA FRACCIÓN V DE ESTE ARTÍCULO INDICADO CON MAYÚSCULAS, LA CUAL SURTIÓ EFECTOS EL 22 DE JUNIO DE 2021 DE ACUERDO A LAS CONSTANCIAS QUE OBRAN EN LA SECRETARÍA GENERAL DE ACUERDOS DE LA SUPREMA CORTE DE JUSTICIA DE LA NACIÓN. DICHA SENTENCIA PUEDE SER CONSULTADA EN LA DIRECCIÓN ELECTRÓNICA http://www.scjn.gob.mx/).
LOS CONTEMPLADOS EN EL CÓDIGO PENAL FEDERAL, EN SU ARTÍCULO 376 BIS.

j) Recursos de procedencia ilícita.

(NOTA: EL 21 DE JUNIO DE 2021, EL PLENO DE LA SUPREMA CORTE DE JUSTICIA DE LA NACIÓN, EN LOS CONSIDERANDOS SEXTO Y SÉPTIMO, ASÍ COMO EN EL RESOLUTIVO TERCERO DE LA SENTENCIA DICTADA AL RESOLVER LA ACCIÓN DE INCONSTITUCIONALIDAD 100/2019, DECLARÓ LA INVALIDEZ DEL PÁRRAFO SEGUNDO DEL INCISO J) DE LA FRACCIÓN V DE ESTE ARTÍCULO INDICADO CON MAYÚSCULAS, LA CUAL SURTIÓ EFECTOS EL 22 DE JUNIO DE 2021 DE ACUERDO A LAS CONSTANCIAS QUE OBRAN EN LA SECRETARÍA GENERAL DE ACUERDOS DE LA SUPREMA CORTE DE JUSTICIA DE LA NACIÓN. DICHA SENTENCIA PUEDE SER CONSULTADA EN LA DIRECCIÓN ELECTRÓNICA http://www.scjn.gob.mx/).
LOS CONTEMPLADOS EN LOS ARTÍCULOS 400 BIS Y 400 BIS 1, DEL CÓDIGO PENAL FEDERAL.

k) Extorsión.
El contemplado en el artículo 15 de la Ley General para Prevenir, Investigar y Sancionar los Delitos en Materia de Extorsión, Reglamentaria de la fracción XXI del Artículo 73 de la Constitución Política de los Estados Unidos Mexicanos, y sus agravantes.

Artículo 2. Para efectos de esta Ley se entenderá por:

I. Autoridad Administradora: El Instituto de Administración de Bienes y Activos y las autoridades competentes de las Entidades Federativas que corresponda;

II. Bienes: Todas las cosas identificadas como tales en el Código Civil Federal y en los códigos civiles de las Entidades Federativas correspondientes, que estén dentro del comercio, que se encuentren en los supuestos señalados en el artículo 7 de esta Ley;

III. Buena Fe: Conducta diligente y prudente exenta de culpa en todo acto o negocio jurídico relacionado con los Bienes objeto del procedimiento de extinción de dominio;

IV. Constitución: La Constitución Política de los Estados Unidos Mexicanos;

V. Cuenta Especial: La cuenta en la que la Autoridad Administradora, en el ámbito federal, depositará las cantidades remanentes una vez aplicados los recursos federales correspondientes en términos del artículo 234 de esta Ley, hasta en tanto se determine su destino final por el Gabinete Social de la Presidencia de la República o bien, por la autoridad que determinen las Entidades Federativas;

VI. Disposición Anticipada: Asignación de los Bienes durante el proceso de extinción de dominio previo a la emisión de la resolución definitiva para su uso, usufructo, asignación o aprovechamiento de los Bienes, para programas sociales o políticas públicas prioritarias;

VII. Entidades Federativas: Las partes integrantes de la Federación a que se refiere el artículo 43 de la Constitución;

VIII. Fiscal: La persona titular de la Fiscalía General de la República o de la Procuraduría General de Justicia o Fiscalía General de Justicia de las Entidades Federativas que correspondan;

IX. Fiscalía: La Fiscalía General de la República o, según sea el caso, la Procuraduría General de Justicia o la Fiscalía General de Justicia de las Entidades Federativas respectivas;

X. Fondo de Reserva: Cuenta en la que la Autoridad Administradora transferirá el producto de la venta de los Bienes que causaron extinción de dominio por sentencia firme, el cual no podrá ser menor al diez por ciento del producto de la venta o bien, el monto de los recursos por Venta Anticipada que no podrá ser menor al treinta por ciento del producto de la venta;

XI. Gabinete Social de la Presidencia de la República: Es la instancia colegiada de formulación y coordinación del destino de los Bienes afectos a extinción de dominio en el fuero federal, del producto de la enajenación, o bien, de su Monetización;

XII. Hecho Ilícito: Aquellos a que se refiere el párrafo cuarto del artículo 22 de la Constitución y se precisan en el artículo 1 de esta Ley;

XIII. Juez: La persona titular del órgano judicial competente de la Federación o de las Entidades Federativas, o bien, del órgano judicial que sea dotado de esa competencia para conocer de los procesos de extinción de dominio, en los términos de esta Ley;

(NOTA: EL 21 DE JUNIO DE 2021, EL PLENO DE LA SUPREMA CORTE DE JUSTICIA DE LA NACIÓN, EN LOS CONSIDERANDOS SEXTO Y SÉPTIMO, ASÍ COMO EN EL RESOLUTIVO TERCERO DE LA SENTENCIA DICTADA AL RESOLVER LA ACCIÓN DE INCONSTITUCIONALIDAD 100/2019, DECLARÓ LA INVALIDEZ DE LA PORCIÓN NORMATIVA DE LA FRACCIÓN XIV DE ESTE ARTÍCULO INDICADA CON MAYÚSCULAS, LA CUAL SURTIÓ EFECTOS EL 22 DE JUNIO DE 2021 DE ACUERDO A LAS CONSTANCIAS QUE OBRAN EN LA SECRETARÍA GENERAL DE ACUERDOS DE LA SUPREMA CORTE DE JUSTICIA DE LA NACIÓN. DI-

CHA SENTENCIA PUEDE SER CONSULTADA EN LA DIRECCIÓN ELECTRÓNICA http://www.scjn.gob.mx/).

XIV. Legítima Procedencia: El origen o la obtención lícita de los Bienes, O BIEN, EL USO O DESTINO LÍCITO DE LOS BIENES VINCULADOS AL HECHO ILÍCITO;

XV. Ley: La Ley Nacional de Extinción de Dominio;

XVI. Ministerio Público: El Ministerio Público de la Federación o el Ministerio Público de las Entidades Federativas;

XVII. Monetización: El producto de la conversión de los Bienes objeto de la extinción de dominio en su valor en dinero;

XVIII. Parte Actora: El Ministerio Público que ejercite la acción de extinción de dominio en los términos establecidos en el artículo 22 de la Constitución y esta Ley;

XIX. Persona Afectada: Cualquier persona física o jurídica que alegue una vulneración a su derecho en relación con el bien objeto del procedimiento de extinción de dominio;

XX. Parte Demandada: Aquella o aquellas personas físicas o jurídicas titulares de los Bienes objeto de extinción de dominio, en los términos establecidos en el artículo 22 de la Constitución y esta Ley;

XXI. Venta Anticipada: La enajenación de Bienes previo a la emisión de la sentencia definitiva en materia de extinción de dominio;

XXII. Víctima u Ofendido: Para efectos de esta Ley, se considerará como el titular del bien jurídico lesionado o puesto en peligro con la ejecución del Hecho Ilícito que fue sustento para el ejercicio de la acción de extinción de dominio, o bien, la persona que haya sufrido algún daño directo o menoscabo económico, físico, mental, emocional o, en general, cualquier puesta en peligro o lesión a sus bienes jurídicos o derechos, como consecuencia de los casos señalados en esta Ley.

Artículo 3. La extinción de dominio es la pérdida de los derechos que tenga una persona en relación con los Bienes a que se refiere la presente Ley, declarada por sentencia de la autoridad judicial, sin contraprestación, ni compensación alguna para su propietario o para quien se ostente o comporte como tal, ni para quien, por cualquier circunstancia, posea o detente los citados Bienes.

Artículo 4. La acción de extinción de dominio se substanciará y resolverá de acuerdo a las formas y procedimientos que esta Ley establece.

A falta de disposición expresa, sin perder la naturaleza autónoma del procedimiento, se aplicará en forma supletoria:

I. Respecto al procedimiento, la legislación procesal aplicable en materia civil federal y a falta o insuficiencia de ésta, la legislación civil aplicable en el fuero común, del lugar de ubicación del inmueble;

II. En lo relativo a la administración, enajenación y destino de los Bienes, se aplicará la Ley Federal para la Administración y Enajenación de Bienes del Sector Público o las respectivas de las Entidades Federativas;

III. En relación a la regulación de Bienes, y cualquier otra figura propia del Derecho Civil, se estará a lo previsto en el Código Civil Federal o en el código civil de la entidad federativa que corresponda, según sea el fuero del Juez que conozca del asunto, y

IV. En la preparación del ejercicio de la acción de extinción de dominio, en aquellas actuaciones a cargo del Ministerio Público, a lo previsto en el Código Nacional de Procedimientos Penales.

En el caso de averiguaciones previas o procesos penales del sistema procesal mixto, al código aplicable en la materia.

Artículo 5. Toda la información que se genere u obtenga con relación a esta Ley, se regirá en los términos de la Ley General de Transparencia y Acceso a la Información Pública, la Ley Federal de Transparencia y Acceso a la Información Pública y las correlativas de las Entidades Federativas, así como las demás disposiciones aplicables.

> (NOTA: EL 21 DE JUNIO DE 2021, EL PLENO DE LA SUPREMA CORTE DE JUSTICIA DE LA NACIÓN, EN LOS CONSIDERANDOS SEXTO Y SÉPTIMO, ASÍ COMO EN EL RESOLUTIVO TERCERO DE LA SENTENCIA DICTADA AL RESOLVER LA ACCIÓN DE INCONSTITUCIONALIDAD 100/2019, DECLARÓ LA INVALIDEZ DE LA PORCIÓN NORMATIVA DEL PÁRRAFO SEGUNDO DE ESTE ARTÍCULO INDICADA CON MAYÚSCULAS, LA CUAL SURTIÓ EFECTOS EL 22 DE JUNIO DE 2021 DE ACUERDO A LAS CONSTANCIAS QUE OBRAN EN LA SECRETARÍA GENERAL DE ACUERDOS DE LA SUPREMA CORTE DE JUSTICIA DE LA NACIÓN. DICHA SENTENCIA PUEDE SER CONSULTADA EN LA DIRECCIÓN ELECTRÓNICA http://www.scjn.gob.mx/).
>
> LA INFORMACIÓN OBTENIDA POR EL MINISTERIO PÚBLICO PARA LA PREPARACIÓN DE LA ACCIÓN DE EXTINCIÓN DE DOMINIO, SERÁ ESTRICTAMENTE RESERVADA HASTA QUE LA MISMA SEA PRESENTADA ANTE LA AUTORIDAD JUDICIAL. Las personas que sean citadas en términos

del último párrafo del artículo 190 de esta Ley, tendrán derecho a conocer la información relacionada con su persona y sus Bienes.

Artículo 6. El Fiscal General de la República, en su carácter de presidente de la Conferencia Nacional de Procuración de Justicia, elaborará y presentará anualmente al Senado de la República un informe sobre el ejercicio de las facultades que le otorga esta Ley.

Dicho informe comprenderá al menos lo siguiente:

a) El número de juicios en materia de extinción de dominio que se encuentren en trámite;

b) El número de sentencias emitidas en materia de extinción de dominio, especificando aquéllas en las que se declaró la extinción de dominio y aquéllas en las que no se declaró;

c) El valor o valor estimado de los Bienes sujetos a juicio de extinción de dominio;

d) Los ingresos obtenidos en los juicios en los que se declaró la extinción de dominio, así como el destino que se dio a los mismos;

e) El número de solicitudes de cooperación internacional en trámite y rechazadas, y

f) La relación de asuntos motivo de desistimiento.

TÍTULO SEGUNDO
DEL PROCESO ANTE LA AUTORIDAD JUDICIAL

CAPÍTULO PRIMERO
DE LA ACCIÓN DE EXTINCIÓN DE DOMINIO

Artículo 7. La acción de extinción de dominio procederá sobre aquellos Bienes de carácter patrimonial cuya Legítima Procedencia no pueda acreditarse, en particular, Bienes que sean instrumento, objeto o producto de los hechos ilícitos, sin perjuicio del lugar de su realización, tales como:

I. Bienes que provengan de la transformación o conversión, parcial o total, física o jurídica del producto, instrumentos u objeto material de hechos ilícitos a que se refiere el párrafo cuarto del artículo 22 de la Constitución;

(NOTA: EL 21 DE JUNIO DE 2021, EL PLENO DE LA SUPREMA CORTE DE JUSTICIA DE LA NACIÓN, EN LOS CONSIDERANDOS SEXTO Y SÉPTIMO, ASÍ COMO EN EL RESOLUTIVO TERCERO DE LA SENTENCIA

DICTADA AL RESOLVER LA ACCIÓN DE INCONSTITUCIONALIDAD 100/2019, DECLARÓ LA INVALIDEZ DE LA PORCIÓN NORMATIVA DE LA FRACCIÓN II DEL PÁRRAFO PRIMERO DE ESTE ARTÍCULO INDICADA CON MAYÚSCULAS, LA CUAL SURTIÓ EFECTOS EL 22 DE JUNIO DE 2021 DE ACUERDO A LAS CONSTANCIAS QUE OBRAN EN LA SECRETARÍA GENERAL DE ACUERDOS DE LA SUPREMA CORTE DE JUSTICIA DE LA NACIÓN. DICHA SENTENCIA PUEDE SER CONSULTADA EN LA DIRECCIÓN ELECTRÓNICA http://www.scjn.gob.mx/).

II. Bienes DE PROCEDENCIA LÍCITA utilizados para ocultar otros Bienes de origen ilícito, o mezclados material o jurídicamente con Bienes de ilícita procedencia;

III. Bienes respecto de los cuales el titular del bien no acredite la procedencia lícita de éstos;

(NOTA: EL 21 DE JUNIO DE 2021, EL PLENO DE LA SUPREMA CORTE DE JUSTICIA DE LA NACIÓN, EN LOS CONSIDERANDOS SEXTO Y SÉPTIMO, ASÍ COMO EN EL RESOLUTIVO TERCERO DE LA SENTENCIA DICTADA AL RESOLVER LA ACCIÓN DE INCONSTITUCIONALIDAD 100/2019, DECLARÓ LA INVALIDEZ DE LA FRACCIÓN IV DEL PÁRRAFO PRIMERO DE ESTE ARTÍCULO INDICADA CON MAYÚSCULAS, LA CUAL SURTIÓ EFECTOS EL 22 DE JUNIO DE 2021 DE ACUERDO A LAS CONSTANCIAS QUE OBRAN EN LA SECRETARÍA GENERAL DE ACUERDOS DE LA SUPREMA CORTE DE JUSTICIA DE LA NACIÓN. DICHA SENTENCIA PUEDE SER CONSULTADA EN LA DIRECCIÓN ELECTRÓNICA http://www.scjn.gob.mx/).

IV. BIENES DE ORIGEN LÍCITO CUYO VALOR SEA EQUIVALENTE A CUALQUIERA DE LOS BIENES DESCRITOS EN LAS FRACCIONES ANTERIORES, CUANDO NO SEA POSIBLE SU LOCALIZACIÓN, IDENTIFICACIÓN, INCAUTACIÓN, ASEGURAMIENTO O APREHENSIÓN MATERIAL;

(NOTA: EL 21 DE JUNIO DE 2021, EL PLENO DE LA SUPREMA CORTE DE JUSTICIA DE LA NACIÓN, EN LOS CONSIDERANDOS SEXTO Y SÉPTIMO, ASÍ COMO EN EL RESOLUTIVO TERCERO DE LA SENTENCIA DICTADA AL RESOLVER LA ACCIÓN DE INCONSTITUCIONALIDAD 100/2019, DECLARÓ LA INVALIDEZ DE LA PORCIÓN NORMATIVA DE LA FRACCIÓN V DEL PÁRRAFO PRIMERO DE ESTE ARTÍCULO INDICADA CON MAYÚSCULAS, LA CUAL SURTIÓ EFECTOS EL 22 DE JUNIO DE 2021 DE ACUERDO A LAS CONSTANCIAS QUE OBRAN EN LA SECRETARÍA GENERAL DE ACUERDOS DE LA SUPREMA CORTE DE JUSTICIA

DE LA NACIÓN. DICHA SENTENCIA PUEDE SER CONSULTADA EN LA DIRECCIÓN ELECTRÓNICA http://www.scjn.gob.mx/).

V. Bienes utilizados para la comisión de hechos ilícitos por un tercero, SI SU DUEÑO TUVO CONOCIMIENTO DE ELLO Y NO LO NOTIFICÓ A LA AUTORIDAD POR CUALQUIER MEDIO O TAMPOCO HIZO ALGO PARA IMPEDIRLO, y

VI. Bienes que constituyan ingresos, rentas, productos, rendimientos, frutos, accesorios, ganancias y otros beneficios derivados de los Bienes a que se refieren las fracciones anteriores.

Los derechos de posesión sobre Bienes que correspondan al régimen de propiedad ejidal o comunal, podrán ser objeto de extinción de dominio.

Artículo 8. La acción de extinción de dominio se ejercitará a través de un proceso jurisdiccional de naturaleza civil, de carácter patrimonial y con prevalencia a la oralidad, mediante una vía especial y procederá sobre los Bienes descritos en el artículo anterior, independientemente de quien lo tenga en su poder o lo haya adquirido.

El ejercicio de la acción de extinción de dominio corresponde al Ministerio Público.

El proceso de extinción de dominio será autónomo, distinto e independiente de aquel o aquellos de materia penal de los cuales se haya obtenido la información relativa a los hechos que sustentan la acción o de cualquier otro que se haya iniciado con anterioridad o simultáneamente.

(NOTA: EL 21 DE JUNIO DE 2021, EL PLENO DE LA SUPREMA CORTE DE JUSTICIA DE LA NACIÓN, EN LOS CONSIDERANDOS SEXTO Y SÉPTIMO, ASÍ COMO EN EL RESOLUTIVO TERCERO DE LA SENTENCIA DICTADA AL RESOLVER LA ACCIÓN DE INCONSTITUCIONALIDAD 100/2019, DECLARÓ LA INVALIDEZ DE ESTE ARTÍCULO, LA CUAL SURTIÓ EFECTOS EL 22 DE JUNIO DE 2021 DE ACUERDO A LAS CONSTANCIAS QUE OBRAN EN LA SECRETARÍA GENERAL DE ACUERDOS DE LA SUPREMA CORTE DE JUSTICIA DE LA NACIÓN. DICHA SENTENCIA PUEDE SER CONSULTADA EN LA DIRECCIÓN ELECTRÓNICA http://www.scjn.gob.mx/).

Artículo 9. Los elementos de la acción de extinción de dominio son:

1. La existencia de un Hecho Ilícito;
2. La existencia de algún bien de origen o destinación ilícita;
3. El nexo causal de los dos elementos anteriores, y
4. El conocimiento que tenga o deba haber tenido el titular, del destino del bien al Hecho Ilícito, o de que sea producto del ilícito. Este elemento no

se tendrá por cumplido cuando se acredite que el titular estaba impedido para conocerlo.

Artículo 10. El Ministerio Público podrá desistirse de la acción de extinción de dominio en cualquier momento, por causa justificada, antes de que se emita sentencia definitiva. En los mismos términos, podrá desistirse respecto de ciertos Bienes objeto de la acción de extinción de dominio, en ambos casos previo acuerdo del Fiscal, o del servidor público en quien delegue dicha facultad.

> (NOTA: EL 21 DE JUNIO DE 2021, EL PLENO DE LA SUPREMA CORTE DE JUSTICIA DE LA NACIÓN, EN LOS CONSIDERANDOS SEXTO Y SÉPTIMO, ASÍ COMO EN EL RESOLUTIVO TERCERO DE LA SENTENCIA DICTADA AL RESOLVER LA ACCIÓN DE INCONSTITUCIONALIDAD 100/2019, DECLARÓ LA INVALIDEZ DE LA PORCIÓN NORMATIVA DEL PÁRRAFO PRIMERO DE ESTE ARTÍCULO INDICADA CON MAYÚSCULAS, LA CUAL SURTIÓ EFECTOS EL 22 DE JUNIO DE 2021 DE ACUERDO A LAS CONSTANCIAS QUE OBRAN EN LA SECRETARÍA GENERAL DE ACUERDOS DE LA SUPREMA CORTE DE JUSTICIA DE LA NACIÓN. DICHA SENTENCIA PUEDE SER CONSULTADA EN LA DIRECCIÓN ELECTRÓNICA http://www.scjn.gob.mx/).

Artículo 11. LA ACCIÓN DE EXTINCIÓN DE DOMINIO ES IMPRESCRIPTIBLE EN EL CASO DE BIENES QUE SEAN DE ORIGEN ILÍCITO. Para el caso de Bienes de destinación ilícita, la acción prescribirá en veinte años, contados a partir de que el bien se haya destinado a realizar hechos ilícitos.

Las facultades del Ministerio Público para demandar la extinción de dominio, caducan en el plazo de diez años contados a partir del día siguiente a aquel en que el Ministerio Público a cargo de un procedimiento penal, informe a la unidad administrativa de la Fiscalía responsable de ejercer la acción de extinción de dominio, de la existencia de Bienes susceptibles de la aplicación de las disposiciones de esta Ley.

El uso indebido de la información derivada de las facultades del agente del Ministerio Público dará lugar a las consecuencias que las leyes señalen.

Artículo 12. Ningún acto jurídico realizado sobre Bienes afectos a la acción de extinción de dominio los legitima, sin perjuicio de los derechos de terceros de Buena Fe. En todos los casos, se entenderá que la adquisición ilícita de los Bienes no constituye justo título.

Artículo 13. La muerte de quien se hubiere encontrado sujeto a una investigación o a un proceso penal, no extingue la acción de extinción de dominio dada su naturaleza, por lo que, las consecuencias y efectos de ésta, subsisten aún contra los herederos, legatarios, causahabientes y cualquiera otra figura análoga que alegue derechos sobre los Bienes objeto de la acción.

Artículo 14. La acción de extinción de dominio se ejercerá aun cuando no se haya determinado la responsabilidad penal en los casos de los delitos previstos en el párrafo cuarto, del artículo 22 de la Constitución, siempre y cuando existan fundamentos sólidos y razonables que permitan inferir la existencia de Bienes cuyo origen o destino se enmarca en las circunstancias previstas en la presente Ley.

El Juez tendrá plenitud de jurisdicción para resolver sobre los elementos de la acción.

(NOTA: EL 21 DE JUNIO DE 2021, EL PLENO DE LA SUPREMA CORTE DE JUSTICIA DE LA NACIÓN, EN LOS CONSIDERANDOS SEXTO Y SÉPTIMO, ASÍ COMO EN EL RESOLUTIVO TERCERO DE LA SENTENCIA DICTADA AL RESOLVER LA ACCIÓN DE INCONSTITUCIONALIDAD 100/2019, DECLARÓ LA INVALIDEZ DE LA PORCIÓN NORMATIVA DEL PÁRRAFO PRIMERO DE ESTE ARTÍCULO INDICADA CON MAYÚSCULAS, LA CUAL SURTIÓ EFECTOS EL 22 DE JUNIO DE 2021 DE ACUERDO A LAS CONSTANCIAS QUE OBRAN EN LA SECRETARÍA GENERAL DE ACUERDOS DE LA SUPREMA CORTE DE JUSTICIA DE LA NACIÓN. DICHA SENTENCIA PUEDE SER CONSULTADA EN LA DIRECCIÓN ELECTRÓNICA http://www.scjn.gob.mx/).

Artículo 15. Se presumirá la Buena Fe en la adquisición Y DESTINO de los Bienes. Para gozar de esta presunción, la Parte Demandada y la o las personas afectadas, dependiendo de las circunstancias del caso, deberán acreditar suficientemente, entre otras:

I. Que consta en documento, de fecha cierta y anterior a la realización del Hecho Ilícito, de conformidad con la normatividad aplicable;

II. Que oportuna y debidamente se pagaron los impuestos y contribuciones causados por los hechos jurídicos en los cuales funde su Buena Fe, o justo título;

III. Que el bien susceptible de la acción de extinción de dominio fue adquirido de forma lícita y en el caso de la posesión, que esta se haya ejercido además el derecho que aduce de forma continua, pública y pacífica. La publicidad se establecerá a través de la inscripción de su título en el registro público de la propiedad correspondiente, siempre que ello proceda conforme a derecho y en otros casos, conforme a las reglas de prueba;

IV. La autenticidad del contrato con el que pretenda demostrar su justo título, con los medios de prueba idóneos, pertinentes y suficientes para arribar a una convicción plena del acto jurídico y su licitud;

(NOTA: EL 21 DE JUNIO DE 2021, EL PLENO DE LA SUPREMA CORTE DE JUSTICIA DE LA NACIÓN, EN LOS CONSIDERANDOS SEXTO Y SÉPTIMO, ASÍ COMO EN EL RESOLUTIVO TERCERO DE LA SENTENCIA DICTADA AL RESOLVER LA ACCIÓN DE INCONSTITUCIONALIDAD 100/2019, DECLARÓ LA INVALIDEZ DE LA FRACCIÓN V DE ESTE ARTÍCULO INDICADA CON MAYÚSCULAS, LA CUAL SURTIÓ EFECTOS EL 22 DE JUNIO DE 2021 DE ACUERDO A LAS CONSTANCIAS QUE OBRAN EN LA SECRETARÍA GENERAL DE ACUERDOS DE LA SUPREMA CORTE DE JUSTICIA DE LA NACIÓN. DICHA SENTENCIA PUEDE SER CONSULTADA EN LA DIRECCIÓN ELECTRÓNICA http://www.scjn.gob.mx/).

V. EL IMPEDIMENTO REAL QUE TUVO PARA CONOCER QUE EL BIEN AFECTO A LA ACCIÓN DE EXTINCIÓN DE DOMINIO FUE UTILIZADO COMO INSTRUMENTO, OBJETO O PRODUCTO DEL HECHO ILÍCITO O BIEN, PARA OCULTAR O MEZCLAR BIENES PRODUCTO DEL HECHO ILÍCITO;

(NOTA: EL 21 DE JUNIO DE 2021, EL PLENO DE LA SUPREMA CORTE DE JUSTICIA DE LA NACIÓN, EN LOS CONSIDERANDOS SEXTO Y SÉPTIMO, ASÍ COMO EN EL RESOLUTIVO TERCERO DE LA SENTENCIA DICTADA AL RESOLVER LA ACCIÓN DE INCONSTITUCIONALIDAD 100/2019, DECLARÓ LA INVALIDEZ DE LA FRACCIÓN VI DE ESTE ARTÍCULO INDICADA CON MAYÚSCULAS, LA CUAL SURTIÓ EFECTOS EL 22 DE JUNIO DE 2021 DE ACUERDO A LAS CONSTANCIAS QUE OBRAN EN LA SECRETARÍA GENERAL DE ACUERDOS DE LA SUPREMA CORTE DE JUSTICIA DE LA NACIÓN. DICHA SENTENCIA PUEDE SER CONSULTADA EN LA DIRECCIÓN ELECTRÓNICA http://www.scjn.gob.mx/).

VI. EN CASO DE HABERSE ENTERADO DE LA UTILIZACIÓN ILÍCITA DEL BIEN DE SU PROPIEDAD, HABER IMPEDIDO O HABER DADO AVISO OPORTUNO A LA AUTORIDAD COMPETENTE.

SE ENTENDERÁ POR AVISO OPORTUNO, EL MOMENTO EN EL CUAL LA PARTE DEMANDADA O LA PERSONA AFECTADA, HACE DEL CONOCIMIENTO A LA AUTORIDAD COMPETENTE POR CUALQUIER MEDIO QUE DEJE CONSTANCIA, DE LA COMISIÓN DE CONDUCTAS POSIBLEMENTE CONSTITUTIVAS DE LOS ILÍCITOS MATERIA DE LA EXTINCIÓN DE DOMINIO, EN EL BIEN DEL QUE SEA TITULAR, POSEEDOR O TENGAN ALGÚN DERECHO SOBRE ÉL, SIEMPRE Y CUANDO SE REALICE ANTES DE

SU CONOCIMIENTO DE LA INVESTIGACIÓN, LA DETENCIÓN, EL ASEGURAMIENTO U OTRAS DILIGENCIAS NECESARIAS PARA EL RESGUARDO DE LOS DETENIDOS O BIENES, O

VII. Cualquier otra circunstancia análoga, de conformidad con la normatividad aplicable.

En cualquier momento del proceso, el Juez permitirá que la Parte Demandada o la o las personas afectadas acrediten los supuestos anteriores, en todo acto jurídico relacionado con los Bienes objeto de la acción de extinción de dominio.

Artículo 16. El ejercicio de la acción de extinción de dominio se sustentará en la información que recabe el Ministerio Público en:

I. Las carpetas de investigación, las averiguaciones previas y los juicios penales en trámite;

II. La que se genere de las investigaciones para la prevención de los delitos que realicen las autoridades competentes de cualquier fuero;

III. La información que se genere en el sistema único de información criminal previsto en la Ley General del Sistema Nacional de Seguridad Pública;

IV. La información generada con la aplicación de la Ley General de Responsabilidades Administrativas;

V. La obtenida de las bases de datos de los órganos constitucionales autónomos; de las entidades paraestatales; otras autoridades de la Administración Pública en los tres niveles de gobierno o de algún particular;

VI. La generada por la asistencia jurídica, acuerdos y los tratados internacionales de los que el Estado Mexicano sea parte en relación con los hechos a que se refiere el párrafo cuarto del artículo 22 de la Constitución, y

VII. Cualquier otra información lícita que contenga datos o indicios útiles para la preparación de la acción de extinción de dominio.

Para el caso de que durante la etapa de preparación de la acción de extinción de dominio que realiza el Ministerio Público, se obtenga información cierta de alguna persona, que de manera eficaz, o que en forma efectiva contribuya a la obtención de evidencia para la declaratoria de extinción de dominio, o las aporte, podrá recibir una retribución de hasta el cinco por ciento del producto que el Estado obtenga por la liquidación y venta de tales Bienes, luego de realizados los pagos a que se refiere esta Ley, a juicio del Juez. Los falsos informantes o declarantes ante el Ministerio Público incurrirán en el delito de falsedad de informes dados a una autoridad o sus equivalentes en las leyes penales de las Entidades Federativas.

CAPÍTULO SEGUNDO
DE LA COMPETENCIA

Artículo 17. Es autoridad competente por materia para conocer, substanciar y resolver en primera instancia los procesos de extinción de dominio, la persona titular del juzgado competente en materia de extinción de dominio, ya sea de la Federación o de las Entidades Federativas.

Será Juez competente, aquel que corresponda al del lugar donde sucedieron los hechos ilícitos o el que corresponda a la ubicación de los Bienes, a falta de ubicación de los Bienes será Juez competente el del lugar del domicilio de la Parte Demandada, a elección del Ministerio Público.

Los citados juzgados conocerán de las acciones de extinción de dominio que ejerza el Ministerio Público, sin perjuicio del valor de los Bienes objeto de la acción.

Será Juez competente el que prevenga en el conocimiento del asunto, sin perjuicio del fuero. Cuando varios jueces conozcan del mismo asunto, continuará substanciando el proceso el Juez respectivo por prevención.

El Poder Judicial de la Federación y aquéllos de las Entidades Federativas contarán con juzgados competentes en materia de extinción de dominio, determinando por conducto de sus órganos facultados para ello, el número de juzgados necesarios de acuerdo a las cargas de trabajo, distribuidos en circuitos, distritos o cualquier otra forma de competencia territorial, de conformidad con las leyes orgánicas, reglamentos, acuerdos y demás normatividad aplicable.

Conocerán en apelación, las autoridades ante quienes se substancian en segunda instancia los procesos civiles, de acuerdo a los ordenamientos internos que rijan los respectivos poderes judiciales correspondientes.

A falta de los jueces o magistrados normalmente competentes, conocerán de los asuntos a que se refiere esta Ley, quienes deban sustituirlos de acuerdo con los ordenamientos internos citados en el párrafo que precede.

Artículo 18. Ningún Juez puede negarse a conocer de un asunto, a menos que se considere incompetente, para tal efecto, sólo deberá hacerlo en el auto que resuelva sobre la presentación de la demanda, sin perjuicio de que posteriormente sea declarado incompetente.

El auto en el que un Juez se negare a conocer por carecer de competencia, será apelable en ambos efectos.

No influyen sobre la competencia los hechos que se susciten con posterioridad a la fecha del emplazamiento.

Artículo 19. Es nulo de pleno derecho lo actuado por el Juez o tribunal que fuere declarado incompetente.

Artículo 20. Para lo referente a los impedimentos, excusas, recusaciones, facultades y obligaciones de los funcionarios judiciales, y formalidades escritas, acumulación de autos e incidentes con tramitación escrita, deberá estarse a lo dispuesto en el artículo 4, párrafo segundo, fracción I, de esta Ley.

CAPÍTULO TERCERO
LITIGIO

SECCIÓN PRIMERA
GARANTÍAS PROCESALES

Artículo 21. En la aplicación de la presente Ley, se respetarán y protegerán los derechos fundamentales y las garantías reconocidas en la Constitución y en los tratados internacionales aplicables de los que el Estado Mexicano sea parte.

Artículo 22. Durante todo el proceso, se reconocen a la Parte Demandada y a la o las personas afectadas de manera enunciativa, más no limitativa, los siguientes derechos:

I. Contar con asesoría jurídica profesional a través de profesionistas particulares o a cargo del Instituto Federal de la Defensoría Pública o su similar de las Entidades Federativas respectivamente;

II. Conocer inmediatamente después de ejecutada, los hechos y fundamentos de la medida cautelar que se decrete antes de iniciado el proceso judicial de extinción de dominio y a manifestarse respecto de la solicitud de tales medidas cuando aquellas hayan sido solicitadas durante éste;

III. Conocer los hechos y fundamentos que sustentan la acción, así como los medios de prueba presentados por el Ministerio Público;

IV. Dar contestación a la demanda, asumiendo las actitudes procesales que considere prudente;

V. Oponer las excepciones y defensas que considere pertinentes;

VI. Renunciar a la controversia, allanarse a las pretensiones del Ministerio Público y solicitar anticipadamente la sentencia definitiva que decrete la extinción de dominio;

VII. Ofrecer medios de prueba y controvertir aquellos ofrecidos por el Ministerio Público o por cualquier Persona Afectada legitimada para comparecer al proceso, y participar en su desahogo;

VIII. Formular alegatos, y

IX. Los demás que la Constitución o esta Ley les otorguen.

SECCIÓN SEGUNDA
FORMALIDADES GENERALES DEL PROCESO

Artículo 23. Las resoluciones judiciales y promociones se registrarán por escrito, sólo cuando sean emitidas fuera de audiencia y las constancias de las sentencias emitidas en audiencias.

Artículo 24. Tanto en la demanda como en la promoción de incidentes, se acompañarán los documentos base de la acción y de las copias respectivas para traslado.

Artículo 25. Quien se ostente como agente del Ministerio Público, goza de la presunción de legitimidad en su nombramiento o designación; no obstante, podrá, desde la presentación del primer escrito, exhibir copia certificada del o los documentos donde consten aquellos, sin que la falta de exhibición deba considerarse como elemento para destruir la presunción legal en cita.

Las personas afectadas podrán impugnar la legitimación del Ministerio Público cuando, por causas fundadas, consideren que existe suplantación o bien, ha dejado de surtir efectos el nombramiento respectivo. En tales casos, la carga de la prueba corresponde a la Persona Afectada.

La impugnación de la legitimación del Ministerio Público se substanciará vía incidental, sin suspender el proceso. La Fiscalía podrá sustituir al agente que representa al Ministerio Público.

Artículo 26. El secretario del juzgado deberá certificar el medio en donde se encuentre registrada la audiencia respectiva, identificar dicho medio con el número de expediente y tomar las medidas necesarias para evitar que pueda alterarse.

Se podrá solicitar copia simple o certificada de las actas o copia en medio electrónico de los registros que obren en el procedimiento, la que deberá ser certificada en los términos del párrafo anterior a costa del litigante y previo el pago correspondiente.

Artículo 27. Las actuaciones serán nulas cuando les falte alguna de las formalidades esenciales de manera que quede sin defensa cualquiera de las partes y cuando la Ley expresamente lo determine; pero no podrá ser invocada esa nulidad por la parte que dio lugar a ella.

Artículo 28. La nulidad establecida en beneficio de una de las partes no puede ser invocada por la otra.

Artículo 29. Las notificaciones que se hicieren en forma distinta de la prevenida en esta Ley, serán nulas. La parte agraviada podrá promover el respectivo incidente sobre declaración de nulidad de lo actuado, desde la notificación hecha indebidamente. Igual derecho existirá en caso de omisión de notificación. Si la Persona Afectada se hubiere manifestado en juicio, sabedora de la providencia, sin promover la nulidad, la notificación surtirá desde entonces sus efectos, como si estuviese legalmente hecha.

Artículo 30. La nulidad de una actuación debe reclamarse incidentalmente en la audiencia subsecuente a cualquier acto que implique conocimiento tácito o expreso de la nulidad, pues de lo contrario, aquélla queda revalidada de pleno derecho, con excepción de la nulidad por defecto en el emplazamiento.

Artículo 31. Si al tramitarse la nulidad de actuaciones, la parte contraria estuviere conforme, se decretará desde luego de manera inmediata la nulidad. Si la contraria no estuviere conforme, sin suspender el procedimiento, se continuará con el trámite incidental correspondiente.

Artículo 32. Las resoluciones son:

I. Simples determinaciones de trámite y entonces, se llamarán decretos;

II. Determinaciones que se ejecuten provisionalmente y que se llaman autos provisionales;

III. Decisiones que tienen fuerza de definitivas y que impiden o paralizan definitivamente la prosecución del juicio y se llaman autos definitivos;

IV. Resoluciones que preparan el conocimiento y decisión del negocio ordenando, admitiendo o desechando pruebas y se llaman autos preparatorios, y

V. Sentencias definitivas.

Artículo 33. Todas las resoluciones de primera y segunda instancia serán autorizadas por jueces y magistrados con firma entera.

Artículo 34. Las sentencias deben ser claras, precisas y congruentes con las demandas y las contestaciones y con las demás pretensiones deducidas oportunamente en el pleito, condenando o absolviendo a la Parte Demandada y decidiendo todos los puntos litigiosos que hayan sido objeto del debate.

Cuando éstos hubieren sido varios, se hará el pronunciamiento correspondiente a cada uno de ellos.

Artículo 35. Quedan abolidas las antiguas fórmulas de las sentencias y basta con que el Juez apoye sus puntos resolutivos en preceptos legales o principios jurídicos, de acuerdo con el artículo 14 Constitucional.

Artículo 36. Los jueces y tribunales no podrán, bajo ningún pretexto, aplazar, dilatar ni negar la resolución de las cuestiones que hayan sido discutidas en el pleito.

Artículo 37. Las sentencias deben contener el lugar, fecha y Juez o tribunal que las pronuncie; los nombres de las partes contendientes y el carácter con que litiguen y el objeto del pleito.

Artículo 38. Los decretos y los autos que deban constar por escrito, deben dictarse dentro de veinticuatro horas después del último trámite o de la promoción correspondiente.

Artículo 39. Los decretos, los autos y las sentencias serán pronunciados necesariamente dentro del término que para cada uno de ellos establece la Ley, bajo pena de responsabilidad de la autoridad judicial, a menos que de las propias constancias obre la imposibilidad que tuvo para ello, caso contrario se sancionará como retraso en la administración de justicia.

Artículo 40. Toda sentencia tiene a su favor la presunción de haberse pronunciado según la forma prescrita por el derecho, con conocimiento de causa y por Juez legítimo con jurisdicción para darla.

Artículo 41. La sentencia firme produce consecuencias jurídicas para quienes litigaron y para las personas afectadas llamadas legalmente al juicio.

Artículo 42. Las resoluciones judiciales dictadas con el carácter de provisionales pueden modificarse en sentencia interlocutoria o en la definitiva.

Artículo 43. Son correcciones disciplinarias:

I. Apercibimiento;

II. Multa que no exceda de doscientas Unidades de Medidas de Actualización, y

III. Arresto hasta por treinta y seis horas.

Artículo 44. Los tribunales, para hacer cumplir sus determinaciones, pueden emplear, los siguientes medios de apremio:

I. Multa hasta por la cantidad de tres mil Unidades de Medidas de Actualización;

II. El auxilio de la fuerza pública;

III. Rompimiento de chapas y cerraduras, y

IV. Arresto hasta por treinta y seis horas.

El Juez podrá imponer cualquiera de estas medidas de apremio sin que sea necesario que se ciña al orden señalado, debiendo fundar y motivar su resolución.

Si fuere insuficiente el apremio, se procederá contra la persona que incurra en rebeldía por el delito de desobediencia.

SECCIÓN TERCERA
TIEMPO Y LUGAR EN QUE HAN DE EFECTUARSE LOS ACTOS JUDICIALES

Artículo 45. Las actuaciones judiciales se practicarán en días y horas hábiles, excepto las de carácter urgente, tales como la solicitud de medida cautelar y las audiencias eminentemente orales, que podrán practicarse en cualquier día y hora.

Son días hábiles todos los del año, menos los sábados, domingos y aquellos que la Ley o los órganos competentes de cada Poder Judicial, ya de la Federación, ya de las Entidades Federativas, declaren festivos.

Son horas hábiles las comprendidas entre las siete y las diecinueve horas.

Si una diligencia se inició en día y hora hábiles, puede llevarse hasta su fin, sin interrupción y sin necesidad de habilitación expresa.

Artículo 46. Siempre que deba tener lugar un acto judicial en día y hora señalados y, por cualquier circunstancia no se efectúe, la persona titular de la Secretaría hará constar en los autos, la razón por la cual no se practicó.

Atendiendo al contenido de la certificación a la que se refiere el párrafo que precede, el Juez deberá dictar de oficio los acuerdos pertinentes, supliendo para tal efecto las irregularidades o subsanando cualquier omisión que advierta, dictando las medidas pertinentes o decretando las consecuencias procesales que correspondan, de tal manera que el proceso siga su curso.

Artículo 47. Los plazos judiciales empezarán a correr el día siguiente de aquel en que surta efectos el emplazamiento, citación o notificación y se contará, en ellos, el día del vencimiento.

Artículo 48. Cuando fueren varias las partes, el plazo se contará desde el día siguiente a aquel en que todas hayan quedado notificadas; si el plazo fuere común a todas ellas.

Artículo 49. En ningún plazo se contarán los días en que no puedan tener lugar las actuaciones judiciales, salvo disposición en contrario.

Artículo 50. En los autos se asentará razón del día en que comienza a correr un plazo y el del término en que aquel concluye. La constancia deberá asentarse precisamente el día en que surta sus efectos la notificación de la resolución en que se conceda el plazo o mande abrir el término. Lo mismo se hará en el caso del artículo anterior.

Atendiendo a que las partes tienen acceso a las constancias procesales, la falta de la razón no surte más efectos que los de la responsabilidad de la persona omisa, sin que haya lugar a nulidad alguna.

Artículo 51. Concluidos los plazos fijados a las partes, se tendrá por perdido el derecho que dentro de ellos debió ejercitarse, sin necesidad de acuse de rebeldía.

Artículo 52. Cuando la práctica de un acto o diligencia judicial deba efectuarse fuera del lugar en que se radique el negocio y se deba fijar un plazo para ello o esté fijado por la Ley, se ampliará en un día más por cada cuarenta kilómetros de distancia o fracción que exceda de la mitad, entre el lugar de radicación y del que deba tener lugar el acto o ejercitarse el derecho. La distancia se calculará sobre la vía de transportes más usual, que sea más breve en tiempo.

Se exceptúan de lo dispuesto en el párrafo anterior, los casos en que, atendiendo a la distancia, se señale expresamente por la Ley un plazo para los actos indicados.

Artículo 53. Los plazos o términos que, por disposición de la Ley, no son individuales, se tienen por comunes para todas las partes.

Artículo 54. Los plazos judiciales, salvo disposición en contrario, no pueden suspenderse, ni ampliarse después de concluidos. No obstante, pueden darse por terminados, por acuerdo de las partes, cuando estén establecidos en su favor. El acuerdo aludido deberá constar por escrito y ser ratificado ante el Juez.

Artículo 55. Para fijar y determinar los plazos, los meses se regularán según el calendario del año y los días se entenderán de veinticuatro horas naturales, contadas de las cero a las veinticuatro horas.

Artículo 56. En caso de que hubieren de practicarse actos judiciales o diligencias en el extranjero, se estará a lo dispuesto en la presente Ley.

Artículo 57. Cuando la Ley no señale plazo para la práctica de algún acto judicial o para el ejercicio de algún derecho, se tendrá por señalado tres días.

Artículo 58. Las diligencias que no puedan practicarse en el lugar de la residencia del tribunal en que se siga el juicio, deberán encomendarse a otro Juez federal o a otro de las Entidades Federativas competentes en extinción de dominio que corresponda, preferentemente, del mismo fuero de aquel donde se substancia el asunto.

Artículo 59. Los exhortos y despachos que se reciban se diligenciarán el siguiente día al que cause estado el acuerdo que los admita a trámite. Si por la naturaleza de la diligencia o del desahogo del medio de prueba encomendado o bien, por causas no imputables a las partes y al tribunal fuera imposible cumplimentarlo en el plazo de referencia, deberá cumplirse dentro del plazo improrrogable de diez días.

Si fuere imposible el desahogo de la diligencia o medio de prueba encomendado en el plazo aludido, el Juez exhortado o aquel a quien se le haya encomendado el despacho respectivo, devolverá las constancias dentro de las veinticuatro horas siguientes al Juez que conoce del asunto, quien, recibidas las constancias, procederá a declarar la imposibilidad para desahogar la diligencia o medio de prueba encomendados y, en tratándose de medios de prueba, procederá a declararla desierta.

Artículo 60. Para ser diligenciados los exhortos de los tribunales de la República, no se requiere la previa legalización de las firmas del tribunal que los expida.

SECCIÓN CUARTA
FORMALIDADES EN AUDIENCIAS

Artículo 61. En las audiencias, se observarán especialmente los principios de oralidad, publicidad, igualdad, inmediación, contradicción, continuidad y concentración, con las limitaciones y modalidades previstas en esta Ley.

Artículo 62. El Juez recibirá, por sí, todas las declaraciones y presidirá todos los actos de prueba, bajo pena de nulidad de las actuaciones.

Artículo 63. Las audiencias serán públicas, con el fin de que a ellas accedan no sólo las partes que intervienen en el procedimiento sino también el público en general, con las excepciones previstas en esta Ley.

Los periodistas y los medios de comunicación podrán acceder al lugar en el que se desarrolle la audiencia en los casos y condiciones que determine el órgano jurisdiccional conforme a lo dispuesto por la Constitución, esta Ley y los acuerdos generales que emita el Consejo de la Judicatura respectivo o la instancia competente del tribunal.

Artículo 64. Las audiencias se llevarán a cabo de forma continua, sucesiva y secuencial, salvo los casos excepcionales previstos en esta Ley.

Las audiencias se desarrollarán preferentemente en un mismo día o en días consecutivos hasta su conclusión, en los términos previstos en esta Ley, salvo los casos excepcionales establecidos en este ordenamiento.

Las audiencias se desarrollarán de forma oral, pudiendo auxiliarse las partes con documentos o con cualquier otro medio. En la práctica de las actuaciones procesales se utilizarán los medios técnicos disponibles que permitan darle mayor agilidad, exactitud y autenticidad a las mismas, sin perjuicio de conservar registro de lo acontecido.

Artículo 65. El órgano jurisdiccional propiciará que las partes se abstengan de leer documentos completos o apuntes de sus actuaciones que demuestren falta de argumentación y desconocimiento del asunto. Sólo se podrán leer registros de la preparación de la acción para apoyo de memoria, así como para demostrar o superar contradicciones; la parte interesada en dar lectura a algún documento o registro solicitará al juzgador que presida la audiencia, autorización para proceder a ello indicando específicamente el motivo de su solicitud conforme lo establece este artículo, sin que ello sea motivo de que se reemplace la argumentación oral.

Los actos procesales deberán realizarse en idioma español. Los medios de prueba cuyo contenido se encuentra en un idioma distinto al español deberán ser traducidos y, a fin de dar certeza jurídica sobre las manifestaciones del declarante, se dejará registro de su declaración en el idioma de origen.

Durante el interrogatorio y contrainterrogatorio del testigo o del perito, podrán leer parte de los documentos por ellos elaborados o cualquier otro registro de actos en los que hubiera participado, realizando cualquier tipo de manifestación, cuando fuera necesario para apoyar la memoria del respectivo declarante, superar o evidenciar contradicciones, o solicitar las aclaraciones pertinentes.

Con el mismo propósito se podrá leer durante la declaración de un perito parte del dictamen que él hubiere elaborado.

Artículo 66. Cuando las personas no hablen o no entiendan el idioma español, deberá proveerse traductor o intérprete y se les permitirá hacer uso de su propia lengua o idioma, al igual que las personas que tengan algún impedimento para darse a entender. En el caso de que la Parte Demandada o la

Persona Afectada no hable o entienda el idioma español, deberá ser asistido por traductor o intérprete para comunicarse con su asesor jurídico en las diligencias en que intervenga. La Parte Demandada o la Persona Afectada podrá nombrar traductor o intérprete de su confianza, por su cuenta.

Si se trata de una persona con algún tipo de discapacidad, tiene derecho a que se le facilite un intérprete o aquellos medios tecnológicos que le permitan obtener de forma comprensible la información solicitada o, a falta de éstos, a alguien que sepa comunicarse con ella. En los actos de comunicación, los órganos jurisdiccionales deberán tener certeza de que la persona con discapacidad ha sido informada de las decisiones judiciales que deba conocer y de que comprende su alcance. Para ello deberá utilizarse el medio que, según el caso, garantice que tal comprensión exista.

Cuando a solicitud fundada de la persona con discapacidad, o a juicio de la autoridad competente, sea necesario adoptar otras medidas para salvaguardar su derecho a ser debidamente asistida, la persona con discapacidad podrá recibir asistencia en materia de estenografía proyectada, en los términos de la ley de la materia, por un intérprete de lengua de señas o a través de cualquier otro medio que permita un entendimiento cabal de todas y cada una de las actuaciones.

(REFORMADO PRIMER PÁRRAFO, D.O.F. 1 DE ABRIL DE 2024)

Artículo 67. En el caso de las personas pertenecientes a pueblos y comunidades indígenas y afromexicanas, se les nombrará intérprete que tenga conocimiento de su lengua y cultura indígenas, aun cuando hablen el español, si así lo solicitan.

El órgano jurisdiccional garantizará el acceso a traductores e intérpretes que coadyuvarán en el proceso según se requiera.

Las personas serán interrogadas en idioma español, mediante la asistencia de un traductor o intérprete. En ningún caso las partes o los testigos podrán ser intérpretes.

Artículo 68. El órgano jurisdiccional celebrará las audiencias en la sala u oficina judicial que corresponda, excepto si ello puede provocar una grave alteración del orden público, no garantiza los derechos de la Parte Demandada o Persona Afectada, la defensa de alguno de los intereses comprometidos en el procedimiento u obstaculiza seriamente su realización, en cuyo caso se celebrarán en el lugar que para tal efecto designe el órgano jurisdiccional y bajo las medidas de seguridad que éste determine, de conformidad con lo que establezca la legislación aplicable.

Artículo 69. Dentro de cualquier audiencia y antes de que toda persona mayor de dieciocho años de edad inicie su declaración, se le informará de las sanciones penales que la ley establece a los que se conducen con falsedad, se nieguen a declarar o a otorgar la protesta de ley; acto seguido se le tomará protesta de decir verdad.

A quienes tengan entre doce años de edad y menos de dieciocho, se les protestará para que se conduzcan con verdad en sus manifestaciones ante el órgano jurisdiccional, lo que se hará en presencia de la persona que ejerza la patria potestad o tutela y asistencia legal pública o privada, y se les explicará que, de conducirse con falsedad, incurrirán en una conducta tipificada como delito en la ley penal y se harán acreedores a una medida de conformidad con las disposiciones aplicables.

A las personas menores de doce años de edad que deseen declarar, se les exhortará para que se conduzcan con verdad.

Artículo 70. Los actos procedimentales que deban ser resueltos por el órgano jurisdiccional se llevarán a cabo mediante audiencias, salvo los casos de excepción que prevea esta Ley. Las cuestiones debatidas en una audiencia deberán ser resueltas en ella.

Artículo 71. El orden en las audiencias estará a cargo del órgano jurisdiccional. Toda persona que altere el orden en éstas podrá ser acreedora a una medida de apremio sin perjuicio de que se pueda solicitar su retiro de la sala de audiencias y su puesta a disposición de la autoridad competente.

Antes y durante las audiencias, las partes tendrán derecho a comunicarse con su abogado o asesor jurídico, pero no con el público. Si infringe esa disposición, el órgano jurisdiccional podrá imponerle una medida de apremio.

Si alguna persona del público se comunica o intenta comunicarse con alguna de las partes, el órgano jurisdiccional podrá ordenar que sea retirada de la audiencia e imponerle una medida de apremio.

Artículo 72. Previo a cualquier audiencia, se llevará a cabo la identificación de toda persona que vaya a declarar, para lo cual deberá proporcionar su nombre, apellidos, edad y domicilio. Dicho registro lo llevará a cabo el personal auxiliar de la sala, dejando constancia de la manifestación expresa de la voluntad del declarante de hacer públicos, o no, sus datos personales.

Artículo 73. El órgano jurisdiccional podrá, por razones de orden o seguridad en el desarrollo de la audiencia, prohibir el ingreso a:

I. Personas armadas, salvo que cumplan funciones de vigilancia o custodia;

II. Personas que porten distintivos gremiales o partidarios;

III. Personas que porten objetos peligrosos o prohibidos o que no observen las disposiciones que se establezcan, o

IV. Cualquier otra que el órgano jurisdiccional considere como inapropiada para el orden o seguridad en el desarrollo de la audiencia.

El órgano jurisdiccional podrá limitar el ingreso del público a una cantidad determinada de personas, según la capacidad de la sala de audiencia, así como de conformidad con las disposiciones aplicables.

Las audiencias serán públicas, con excepción de aquellas que, a juicio del tribunal, considere que sean secretas o privadas. El acuerdo será reservado.

Artículo 74. Las audiencias se realizarán con la presencia ininterrumpida de quien o quienes integren el órgano jurisdiccional y de las partes que intervienen en el proceso, salvo disposición en contrario. La Parte Demandada o Persona Afectada no podrá retirarse de la audiencia sin autorización del órgano jurisdiccional.

Si las partes abandonan el sitio donde se desarrolla la audiencia, ésta continuará con los presentes, y se considerarán en rebeldía los que abandonaron el lugar, y precluidos los derechos no ejercidos durante su ausencia.

En el caso de que el asesor jurídico, abogado o el Ministerio Público se ausenten de la audiencia sin causa justificada, se les impondrá una multa de cincuenta a doscientas Unidades de Medida de Actualización, sin perjuicio de las sanciones administrativas o penales que correspondan.

Si el Ministerio Público no comparece a la audiencia o se ausenta de la misma, se procederá a su remplazo dentro de la misma audiencia. Para tal efecto, se notificará por cualquier medio a su superior jerárquico para que lo designe de inmediato.

Artículo 75. El Ministerio Público, el asesor jurídico o abogados sustitutos, podrán solicitar al órgano jurisdiccional que aplace el inicio de la audiencia o suspenda la misma por un plazo que no podrá exceder de diez días para la adecuada preparación de su intervención en el juicio. El órgano jurisdiccional resolverá considerando la complejidad del caso, las circunstancias de la ausencia del abogado, asesor jurídico o del Ministerio Público y las posibilidades de aplazamiento.

El órgano jurisdiccional deberá imponer las medidas de apremio necesarias para garantizar que las partes comparezcan en juicio.

Artículo 76. Quienes asistan a la audiencia deberán permanecer en la misma respetuosamente, en silencio y no podrán introducir instrumentos que permitan grabar imágenes de video, sonidos o gráficas. Tampoco podrán portar armas ni adoptar un comportamiento intimidatorio, provocativo, contrario al decoro, ni alterar o afectar el desarrollo de la audiencia.

Para asegurar el orden en las audiencias o restablecerlo cuando hubiere sido alterado, así como para garantizar la observancia de sus decisiones en audiencia, el órgano jurisdiccional podrá aplicar indistintamente cualquiera de los medios de apremio establecidos en esta Ley.

Artículo 77. Todas las audiencias previstas en esta Ley serán registradas por cualquier medio que tenga a su disposición el órgano jurisdiccional.

La grabación o reproducción de imágenes o sonidos se considerará como parte de las actuaciones y registros, y se conservarán en resguardo del Poder Judicial para efectos del conocimiento de otros órganos distintos que conozcan del mismo procedimiento y de las partes, garantizando siempre su conservación.

Las resoluciones del órgano jurisdiccional serán dictadas en forma oral, con expresión de sus fundamentos y motivaciones, quedando los intervinientes en ellas y quienes estaban obligados a asistir formalmente notificados de su emisión, lo que constará en el registro correspondiente en los términos previstos en esta Ley, sin perjuicio de que se realice la constancia por escrito en el caso de la sentencia.

Artículo 78. El debate será público, pero el órgano jurisdiccional podrá resolver excepcionalmente, aun de oficio, que se desarrolle total o parcialmente a puerta cerrada, cuando:

I. Pueda afectar la integridad de alguna de las partes, o de alguna persona citada para participar en el;

II. La seguridad pública o la seguridad nacional puedan verse gravemente afectadas;

III. Peligre un secreto oficial, particular, comercial o industrial, cuya revelación indebida sea punible;

IV. El órgano jurisdiccional lo estime conveniente;

V. Se afecte el interés superior de niñas, niños y adolescentes en términos de lo establecido por los tratados y las leyes en la materia, o

VI. Esté previsto en ésta o en otra ley.

La resolución que decrete alguna de estas excepciones será fundada y motivada, constando en el registro de la audiencia.

Una vez desaparecida la causa de excepción anteriormente señalada, se permitirá ingresar nuevamente al público y, el juzgador que presida la audiencia, informará brevemente sobre el resultado esencial de los actos desarrollados a puerta cerrada.

Artículo 79. Si por las circunstancias del caso, las partes que intervienen en el procedimiento consideran necesaria la asistencia de un consultor en una ciencia, arte o técnica, así lo plantearán al órgano jurisdiccional. El consultor técnico podrá acompañar en las audiencias a la parte con quien colabora, para apoyarla técnicamente.

Artículo 80. Las determinaciones del Juez serán emitidas oralmente de manera fundada y motivada. En las audiencias se presume la actuación legal de las partes y del órgano jurisdiccional, por lo que no es necesario que aquellas invoquen los preceptos legales en que se fundamenten, salvo los casos en que durante las audiencias alguna de estas solicite la fundamentación expresa de la parte contraria.

Artículo 81. Las audiencias podrán suspenderse por el Juez cuando exista un impedimento u obstáculo para continuar la misma, o se requiera un lapso para la deliberación, y fijará el tiempo u hora de reanudación de la audiencia.

Artículo 82. El Juez dictará la sentencia una vez concluida la fase de alegatos o en continuación de audiencia en el término de ocho días hábiles. A continuación, el Juez emitirá una constancia con los puntos resolutivos de la sentencia y expedirá en el acto copias de la misma para cada una de las partes.

SECCIÓN QUINTA
NOTIFICACIONES

Artículo 83. El emplazamiento a juicio se hará de conformidad con las reglas siguientes:

I. El actuario se cerciorará de que la persona que deba ser emplazada vive, trabaja o tiene su domicilio en la casa o local señalado por el actor para el emplazamiento;

II. Si está presente la Parte Demandada o su representante legal, el actuario le hará saber de la demanda incoada en su contra, le entregará física o electrónicamente las copias de traslado correspondientes, le indicará el plazo con el que cuenta para formular la contestación a la demanda y le notificará la resolución que ordene el emplazamiento, dejándole un instructivo de notificación que contenga los pormenores previstos en esta Ley;

III. En el caso de que la Parte Demandada o su representante o las personas afectadas se nieguen a atender el emplazamiento o a recibir el instructivo o las copias de traslado, el actuario le prevendrá por una vez que las copias de traslado quedarán a su disposición en el juzgado y el instructivo será fijado en el tablero notificador del juzgado; si prevenido que fuere, no recibiere el instructivo y las copias de traslado, se procederá a fijarlo en el mencionado tablero y surtirá sus efectos el emplazamiento como si hubieran sido recibidos el instructivo y las copias por la persona emplazada, y

IV. Si no está presente la Parte Demandada o la Persona Afectada o su representante legal, se le dejará citatorio para que espere al actuario a una hora hábil determinada, la cual deberá estar comprendida entre las seis y las setenta y dos horas siguientes. El citatorio se dejará con los parientes o domésticos del interesado o con cualquiera otra persona que viva o trabaje en el domicilio señalado. Si no obstante el citatorio, no está presente el interesado o su representante legal, el emplazamiento se hará con cualquier persona que se encuentre en el domicilio señalado y, si estuviere éste cerrado o la persona que se encuentre se negare a recibir las copias de traslado, el actuario procederá a hacer el emplazamiento fijando el instructivo respectivo en los tableros notificadores del juzgado y las copias de traslado a su disposición en el juzgado, surtiendo efectos conforme con la fracción III de este mismo artículo. No obstante ello, cuando el actor haya proporcionado otro domicilio de la Parte Demandada o de la Persona Afectada, el lugar en el que éste trabaje o tenga el principal asiento de sus negocios, el actuario deberá trasladarse a dicho lugar, sin necesidad de que el juzgador dicte determinación para ello, a efecto de proceder a emplazarlo y si no lo encontrase procederá a emplazarlo a través de la fijación del instructivo en los tableros notificadores del juzgado y dejará a su disposición en el juzgado las copias de traslado.

Cuando la persona que se pretende emplazar o el representante de ésta ocurre, con identificación idónea consistente en instrumento público, ante el actuario antes de que se proceda a hacer el emplazamiento, éste se hará en el juzgado u oficina de actuarios, de conformidad con lo previsto en la fracción II de este artículo, de lo cual se dejará la constancia correspondiente en autos.

En todos los casos, se levantará acta pormenorizada, autorizada con la firma del actuario, en la que se asienten con claridad los medios empleados para la identificación del domicilio en el que se actúa, la certeza de que el mismo corresponde a la Parte Demandada o Persona Afectada y todos los pormenores de la diligencia de emplazamiento. Además, se recabará la firma de la persona con la que se haya entendido el emplazamiento y, en su caso, la de aquella que haya recibido el citatorio al que se refiere la fracción IV de este artículo, así como de las demás personas que hayan intervenido en uno y otro, o, en su defecto, asentar las razones que se tuvieron para no recabarse determinada firma.

Para el caso de que la demanda presentada por el Ministerio Público sea contra aquellos que estuvieren recluidos o sujetos a internamiento en algún centro penitenciario, de readaptación, reinserción o cualquier otro análogo, sin perjuicio de su denominación, por encontrarse sujetos a proceso penal o a ejecución de pena, bastará que por escrito autorice a persona o personas determinadas para efectuar la consulta de las actuaciones correspondientes, facilitando en todo momento el acceso a las mismas, para salvaguardar su derecho fundamental de defensa en el juicio de extinción de dominio.

Artículo 84. En caso de que la Parte Demandada o la Persona Afectada conocida se encuentre privada de su libertad, la notificación personal se hará en el lugar donde se encuentre detenida, el notificador deberá cerciorarse de la identidad de la persona, mediante documento oficial o por identificación de la autoridad penitenciaria, entregar copia de la resolución que se notifique, de la demanda y de los documentos base de la acción; recabar nombre o media filiación y, en su caso, firma de la persona con quien se entienda la diligencia, asentando, en su caso, los medios por los cuales se asegure de su identidad, así como los de la persona que la identifique. Asimismo, en el acta de notificación constarán los datos de identificación del secretario o actuario que la practique.

En todos los casos deberá levantarse acta circunstanciada de la diligencia que se practique.

El Juez podrá habilitar al personal del juzgado para practicar las notificaciones en días y horas inhábiles.

Artículo 85. A la Autoridad Administradora se le notificará mediante oficio.

Artículo 86. En todo caso y para emplazar a juicio a cualquier persona que tenga un derecho sobre el o los Bienes patrimoniales objeto de la acción, en razón de los efectos universales del presente juicio, la notificación se realizará a través de la publicación de edictos por tres veces consecutivas en el Diario Oficial de la Federación o Gaceta o Periódico Oficial del Gobierno del Estado respectivo, y por Internet, en la página de la Fiscalía, a fin de hacer accesible el conocimiento de la notificación a que se refiere este artículo por cualquier persona interesada.

Toda Persona Afectada que considere tener interés jurídico sobre los Bienes materia de la acción de extinción de dominio deberá comparecer dentro de los treinta días hábiles siguientes, contados a partir de cuando haya surtido efectos la publicación del último edicto, a efecto de dar contestación a la demanda, acreditar su interés jurídico y expresar lo que a su derecho convenga.

Artículo 87. En un plazo no mayor de cinco días hábiles contados a partir de que se dicte el auto admisorio, el Juez deberá ordenar las diligencias necesarias para que se efectúen las notificaciones correspondientes en los términos de esta Ley. La notificación surtirá efectos al día siguiente en que hubiera sido practicada. El edicto surtirá efectos de notificación personal al día siguiente de su publicación.

La única notificación personal que se realizará en el domicilio de la Parte Demandada será la del emplazamiento en los términos de la presente Ley. Todas las demás se practicarán mediante comparecencia del interesado al local del juzgado y en su defecto, al no comparecer antes de la publicación por lista, se tendrán por notificadas para los efectos de ley. Las resoluciones dictadas en las audiencias se tendrán por notificadas en el acto, sin necesidad de formalidad, a quienes estuvieron presentes o debieron estarlo.

Artículo 88. Procede el emplazamiento por edictos:

I. Cuando se trate de la Parte Demandada o de Persona Afectada inciertas;

II. Cuando se trate de Parte Demandada o de Persona Afectada cuyo domicilio se ignora. En este caso, el juicio deberá seguirse con los trámites y solemnidades a que se refiere el Capítulo correspondiente de esta Ley, y

III. En todos los demás casos previstos por esta Ley.

Al efecto, utilizarán los mismos edictos publicados por tres veces consecutivas en el Diario Oficial de la Federación o Gaceta o Periódico Oficial del Gobierno del Estado donde se ubique el inmueble, y por Internet, en la página de la Fiscalía, referidos en el artículo 86, en los que se le haga saber que debe presentarse la persona que se emplaza o notifica dentro de un plazo de treinta días hábiles a partir de que surta efectos la última publicación.

Artículo 89. Todas las publicaciones en el Diario Oficial de la Federación, en la Gaceta o en el Periódico Oficial de las Entidades Federativas que ordene la autoridad judicial en los términos de esta Ley, no causará pago de derecho alguno.

Artículo 90. Previo a la solicitud de la práctica del emplazamiento por medio de edictos, a petición del Ministerio Público, el Juez podrá ordenar que se practique en el lugar en donde se encuentre la Parte Demandada. Para tal efecto, el Ministerio Público deberá proporcionar a la autoridad judicial las referencias relativas a los datos de localización de quien deba ser emplazado.

Artículo 91. Para la aplicación de esta Ley, los efectos del emplazamiento son:

I. Prevenir el juicio en favor del Juez que lo ordena;

II. Sujetar a la persona emplazada a seguir el juicio ante el Juez que ordenó el emplazamiento, siendo competente al tiempo de la notificación, aunque posteriormente la Parte Demandada o personas afectadas cambien de domicilio o por cualquier otro motivo legal pudiera darse otra competencia;

III. Imponer a la Parte Demandada y a la Persona Afectada la carga procesal de contestar ante el Juez que ordenó el emplazamiento, salvo siempre el derecho de promover la incompetencia en los términos previstos por esta Ley, y

IV. Producir todas las consecuencias de la interpelación judicial.

Artículo 92. Cuando se trate de notificar o citar por primera vez al Ministerio Público, esto se hará mediante la entrega que haga el actuario al agente del Ministerio Público de la Unidad Especializada que señala esta Ley y si no existiere, al titular de la Fiscalía, de un instructivo con los requisitos y formalidades de acuerdo a esta Ley.

La citación o notificación de cualquier otro servidor público o autoridad se hará mediante oficio que se entregue en la oficina que corresponda por conducto del actuario, de correo certificado, de una autoridad idónea o de parte interesada, de lo cual se agregará la constancia del acuse de recepción.

Artículo 93. Cuando se trate de citar a testigos, peritos o cualquier otra persona distinta a las partes del juicio y que no puedan ser presentados por las partes, se hará la citación por medio del actuario o de quien haga las veces de acuerdo a la normatividad de cada tribunal, mediante la entrega en el domicilio que corresponda de un instructivo, de correo certificado o de los funcionarios públicos de la Federación y de los Estados a que alude el artículo 108 de la Constitución, de lo cual se agregará la constancia del acuse de recibido.

Artículo 94. Cuando hubiere que citar a cualquiera de las personas señaladas en el artículo anterior, cuyo domicilio se ignore, sea que haya desaparecido, no tenga domicilio fijo o se desconozca donde se encuentra, la notificación se realizará por un solo edicto en el Diario Oficial de la Federación, Gaceta o Periódico Oficial del Gobierno del Estado que corresponda y por la página de Internet del Ministerio Público. Para este último caso, la Fiscalía deberá habilitar un sitio especial en su portal de Internet a fin de que cualquier interesado pueda acceder al conocimiento de esta notificación.

Artículo 95. Las notificaciones que no deban ser personales se harán por medio de lista, la cual se dará por hecha y surtirá sus efectos al día siguiente al de su publicación.

Al efecto, se hará constar en los autos respectivos la fecha de publicación de la resolución que se notifique a través de lista, así como los nombres completos de las personas que quedarán notificadas por ese medio.

De ser el caso según el cual la persona que se pretende notificar ocurre, con identificación idónea consistente en instrumento público, antes de la publicación por lista, la notificación se le hará en el juzgado, de lo cual se dejará la constancia correspondiente en autos.

Artículo 96. Diariamente, antes de las doce horas, se deberá fijar en los tableros del juzgado o en el lugar visible destinado para ello, la lista de notificación debidamente firmada y sellada por el actuario. Dicha lista contendrá el número de expediente, la fecha de la resolución y la resolución que se ordena notificar.

Artículo 97. Deben firmar las notificaciones las personas que las hacen y aquéllas a quienes las realicen. Si estas últimas no supieren o no quisieren firmar, se hará constar esta circunstancia, imprimiéndose de ser posible, en el primer caso, huellas digitales.

A toda persona se le dará copia simple, sellada, de la resolución que se le notifique.

Diariamente, antes de las doce horas, el actuario del juzgado o tribunal deberá fijar en lugar visible de las oficinas mencionadas, la lista de notificación firmada por él.

Los actuarios o quienes hagan sus funciones en los términos de las disposiciones de cada tribunal, harán constar en los autos respectivos las fechas de publicación de las resoluciones en la lista, bajo la pena de imposición de sesenta veces la Unidad de Medida y Actualización. En caso de reincidencia, se duplicará y se dará vista al Consejo de la Judicatura respectivo o al órgano encargado de aplicar las sanciones administrativas que correspondan. Lo anterior, sin perjuicio de los daños y perjuicios que pueda ocasionar a la persona que resulta perjudicada por la omisión en todos los casos.

Artículo 98. Cuando la persona que debe ser por primera vez notificada residiere en lugar distinto del en que se radique el proceso, se librará el exhorto correspondiente al Juez de extinción de dominio o al Juez con competencia civil, más cercano, sin perjuicio de su fuero.

CAPÍTULO CUARTO
DE LAS PRUEBAS

SECCIÓN PRIMERA
REGLAS GENERALES

Artículo 99. Para conocer la verdad, puede el Juez valerse de cualquier persona, sea parte o tercero y de cualquier cosa o documento, ya sea que pertenezca a las partes o a un tercero, sin más limitaciones de que las pruebas estén reconocidas por la Ley y tengan relación inmediata con los hechos controvertidos.

El Juez no tiene límites temporales para ordenar la aportación de las pruebas que juzguen indispensables para formar su convicción respecto del contenido de la litis, ni rigen para ellos las limitaciones y prohibiciones, en materia de prueba, establecidas en relación con las partes.

Artículo 100. El Juez podrá decretar, en todo tiempo, sea cual fuere la naturaleza del negocio, la práctica o ampliación de cualquier diligencia probatoria, siempre que se estime necesaria y sea conducente para el conocimiento de la verdad sobre los puntos controvertidos. En la práctica de esas diligencias, obrarán como lo estimen procedente, para obtener el mejor resultado de ellas, sin lesionar los derechos de las partes y procurando en todo su igualdad.

Artículo 101. Las pruebas deberán ser ofrecidas en la demanda y en la contestación y se admitirán o desecharán, según sea el caso, en la fase correspondiente.

Artículo 102. Corresponde a cada una de las partes probar su dicho, salvo que a juicio del Juez alguna de las partes se halle en mejor situación para aportar los medios de prueba sobre los hechos materia del debate, caso en el cual, el Juez requerirá de manera precisa y justificada a la parte en mejor situación, que aporte el o los medios de prueba y le dará término para ello, con la prevención aplicable para el caso de no exhibir el o los medios de prueba requeridos.

Artículo 103. El que afirma que otro contrajo una liga jurídica, sólo debe probar el hecho o acto que la originó y no que la obligación subsiste.

Artículo 104. El que funda su derecho en una regla general no necesita probar que su caso siguió la regla general y no la excepción; pero quien alega que el caso está en la excepción de una regla general, debe probar que así es.

Artículo 105. Sólo los hechos son objeto de prueba. Las negaciones indefinidas no requieren prueba.

El derecho estará sujeto a prueba únicamente cuando se funde en leyes extranjeras o en usos, costumbres o jurisprudencia.

Artículo 106. No requieren prueba:

I. Los hechos notorios;

II. Los hechos no controvertidos;

III. Los hechos confesados;
IV. Los hechos imposibles, y
V. Los hechos notoriamente inverosímiles.

Artículo 107. Los hechos notorios pueden ser invocados por el Juez, aunque no hayan sido alegados ni probados por las partes.

Para informarse del texto, vigencia, sentido y alcance del derecho extranjero, el Juez podrá valerse de informes oficiales al respecto, los que podrá solicitar al Servicio Exterior Mexicano, así como disponer y admitir las diligencias probatorias que considere necesarias o que ofrezcan las partes.

Artículo 108. El que niega sólo está obligado a probar:
I. Cuando la negación envuelva la afirmación expresa de un hecho;
II. Cuando se desconozca la presunción legal que tenga a su favor el colitigante, y
III. Cuando se desconozca la capacidad.

Artículo 109. Ni la prueba, en general, ni los medios de prueba establecidos por la ley, son renunciables.

Artículo 110. El Juez debe recibir las pruebas que le presenten las partes siempre que no sean contrarias a derecho y se refieran a los puntos cuestionados.

Artículo 111. Cuando una de las partes se oponga a la inspección o reconocimiento ordenados por el Juez, para conocer sus condiciones físicas o mentales, o no conteste las preguntas que le dirija, deben tenerse por ciertas las afirmaciones de la contraparte, salvo prueba en contrario. Lo mismo se hará si una de las partes no exhibe, a la inspección del tribunal, la cosa o documento que tiene en su poder o de que puede disponer.

Artículo 112. Los terceros están obligados, en todo tiempo, a prestar auxilio a los tribunales, en las averiguaciones de la verdad. Deben, sin demora, exhibir documentos y cosas que tengan en su poder, cuando para ello fueren requeridos.

El Juez tiene la facultad y el deber de compeler a los terceros, por los medios de apremio más eficaces, para que cumplan con esta obligación; pero, en caso de oposición, oirán las razones en que la funden y resolverán sin ulterior recurso.

De la mencionada obligación están exentas las personas que deban guardar secreto profesional, en los casos en que se trate de probar contra la parte con la que estén relacionados.

Artículo 113. Los daños y perjuicios que se ocasionen a terceros, por comparecer o exhibir cosas o documentos, serán indemnizados por la parte que ofreció la prueba, o por ambas, a excepción de que el Juez haya procedido de oficio.

Artículo 114. En cualquier momento del juicio o antes de iniciarse éste, cuando se demuestre que haya peligro de que una persona desaparezca o se ausente del lugar del juicio o de que una cosa desaparezca o se altere y la declaración de la primera o la inspección de la segunda sea indispensable para la resolución de la cuestión controvertida, podrá el tribunal ordenar la recepción de la prueba correspondiente.

Artículo 115. La Ley reconoce como medios de prueba, de manera enunciativa, más no limitativa:

I. La declaración de parte;

II. Los documentos públicos;

III. Los documentos privados;

IV. Periciales;

V. El reconocimiento o inspección judicial;

VI. Los testigos;

VII. Las fotografías, escritos y notas taquigráficas, y, en general, todos aquellos elementos aportados por los descubrimientos de la ciencia;

VIII. Las presunciones, y

IX. Demás medios que produzcan convicción en el juzgador.

SECCIÓN SEGUNDA
DEL OFRECIMIENTO DE PRUEBAS

Artículo 116. Las pruebas sólo podrán ser ofrecidas en la demanda y en la contestación y se admitirán o desecharán, se ordenará su preparación en la audiencia inicial, y se desahogarán en la audiencia principal las que se refieran a los temas materia de la misma.

La ausencia de cualquiera de las partes no impedirá la celebración de la audiencia.

Artículo 117. Las partes, al ofrecer los medios de prueba, deberán relacionarlos con los hechos fundatorios de su acción o excepciones, según corresponda y expresarán con claridad los argumentos que justifican la pertinencia de la prueba, sin perjuicio de que, además, deberán cumplir con los requisitos de cada uno de ellos.

Artículo 118. La prueba pericial procede cuando sean necesarios conocimientos especiales en alguna ciencia, arte, industria u oficio o la mande la ley. Deberá ofrecerse cumpliendo los siguientes requisitos:

I. Deberá expresarse la materia, determinando con claridad la ciencia, arte, industria u oficio en la cual versará;

II. Se expresarán los puntos sobre los que versará, y

III. Se determinarán las cuestiones que deben resolver los peritos.

Artículo 119. Los documentos deberán ser presentados al ofrecerse la prueba documental. Después de este momento procesal, no podrán admitirse, con excepción de los casos siguientes:

I. Aquellos que oportunamente hubieren sido pedidos y no fueren remitidos al juzgado, sino hasta después, y

II. Los documentos supervenientes. Se consideran como tales, los documentos justificativos de hechos ocurridos con posterioridad o de los anteriores cuya existencia ignoraba quien los presente, aseverándolo así bajo protesta de decir verdad.

Artículo 120. Los documentos privados se exhibirán preferentemente originales, salvo en los casos en que ello resulte materialmente imposible, lo que deberá el oferente manifestar bajo protesta de decir verdad. En tratándose de documentos públicos, estos deberán preferentemente ser exhibidos en original, caso contrario, deberán presentarse copias certificadas o autorizadas por fedatario público, en el caso de las copias de la carpeta de investigación deberán ser autenticadas.

Artículo 121. Las partes están obligadas, al ofrecer la prueba de documentos, a manifestar si se encuentran a su disposición o no. Se entenderá que el actor tiene a su disposición los documentos y deberá acompañarlos precisamente a los escritos que fijan la litis principal o a la controversia incidental, siempre que existan los originales en un protocolo o archivo público del que pueda pedir y obtener copias autorizadas de ellos.

Al ofrecer documentos que no estén a disposición del oferente, deberá expresar el archivo en que se encuentren o si se encuentran en poder de terceros y si son propios o ajenos, solicitando su remisión o exhibición en los autos.

Artículo 122. Los documentos que ya se exhibieron antes de la etapa procesal descrita en los artículos que preceden y las constancias de autos se tomarán como prueba, aunque no se ofrezcan.

Artículo 123. Al ofrecerse la inspección judicial, se expresará:

I. El objeto u objetos sobre los que deberá practicarse, y

II. Los puntos sobre los que deba versar.

Artículo 124. Al ofrecerse la prueba de testigos, el oferente deberá:

I. Ofrecer al menos dos y máximo tres testigos para acreditar un hecho, con excepción de que se trate de testigo único o singular;

II. Proporcionar el nombre y el domicilio de los testigos;

III. Manifestar si se compromete a presentar a los testigos o si solicita que sean citados por el Juez. En este último caso, de no ofrecer la prueba proporcionando el domicilio de los testigos donde habrá de practicarse la citación, la testimonial que corresponda, no será admitida, y

IV. Si la persona que deba rendir testimonio tuviere su domicilio fuera del lugar de la jurisdicción del Juez y tuviera que remitirse exhorto para su desahogo o bien, cuando los testigos sean de aquellos funcionarios públicos de la Federación y de los Estados a que alude el artículo 108 de la Constitución, deberá adjuntar, además, un interrogatorio que contenga las preguntas al tenor del cual se desahogará la prueba y un juego de copias simples del mismo. El interrogatorio deberá exhibirse firmado al calce y en un sobre cerrado debidamente rotulado con la leyenda que lo identifique.

Artículo 125. Las fotografías, escritos, copias fotostáticas, notas taquigráficas y, en general, todos aquellos elementos aportados por los descubrimientos de la ciencia, deberán ofrecerse:

I. Exhibiendo aquellos instrumentos que se encuentren en poder del oferente;

II. Asumiendo la carga procesal de exhibir aquellos aparatos, dispositivos y en general, cualquier medio necesario para la reproducción en audiencia judicial de aquellos elementos aportados por la ciencia que así lo requieran, y

III. Concatenando el medio de prueba con la pericial, en el caso que así se requiera. En tal caso, deberán cumplirse, además, con los requisitos del ofrecimiento de aquella.

Su incorporación a juicio será mediante su exhibición y explicación.

SECCIÓN TERCERA
DE LA ADMISIÓN DE PRUEBAS

Artículo 126. En la audiencia inicial, previa oportunidad de debate sobre la legalidad, pertinencia y conducencia de las pruebas la admisibilidad, el Juez procederá a dictar auto decisorio de pruebas. Aquellos que los cumplan, serán admitidos, de lo contrario, serán desechados de plano.

Los medios de prueba admitidos serán preparados en los términos de la presente Ley.

En el caso de aquellos datos de prueba provenientes de la carpeta de investigación o medios de prueba provenientes del procedimiento penal mixto, estos serán prueba legalmente pre constituida, que no debe repetirse en juicio, salvo el derecho de las partes de objetar su valor y alcance probatorio, de redargüirlos de falsos y de ofrecer prueba en contrario, y será valorada por el órgano jurisdiccional de manera libre y lógica, y para su desahogo bastará su incorporación con explicación sintética en la audiencia. El Ministerio Público podrá ofrecer medios de prueba para su perfeccionamiento, en particular podrá hacerlo cuando haya objeción, impugnación u ofrecimiento de prueba en contrario, lo que realizará en la audiencia inicial.

(NOTA: EL 21 DE JUNIO DE 2021, EL PLENO DE LA SUPREMA CORTE DE JUSTICIA DE LA NACIÓN, EN LOS CONSIDERANDOS SEXTO Y SÉPTIMO, ASÍ COMO EN EL RESOLUTIVO TERCERO DE LA SENTENCIA DICTADA AL RESOLVER LA ACCIÓN DE INCONSTITUCIONALIDAD 100/2019, DECLARÓ LA INVALIDEZ POR EXTENSIÓN, DE LA PORCIÓN NORMATIVA DEL PÁRRAFO CUARTO DE ESTE ARTÍCULO INDICADA CON MAYÚSCULAS, LA CUAL SURTIÓ EFECTOS EL 22 DE JUNIO DE 2021 DE ACUERDO A LAS CONSTANCIAS QUE OBRAN EN LA SECRETARÍA GENERAL DE ACUERDOS DE LA SUPREMA CORTE DE JUSTICIA DE LA NACIÓN. DICHA SENTENCIA PUEDE SER CONSULTADA EN LA DIRECCIÓN ELECTRÓNICA http://www.scjn.gob.mx/).

El Ministerio Público, sin perjuicio de las actuaciones en el procedimiento penal, podrá ofrecer otros medios de prueba conducentes para acreditar los elementos de la acción. DE IGUAL MANERA, PODRÁ OFRECER PRUEBAS QUE PERMITAN ESTABLECER LA ACTUACIÓN DE MALA FE DE LA PARTE DEMANDADA Y, EN SU CASO, QUE TUVO CONOCIMIENTO DE LA UTILIZACIÓN ILÍCITA DE LOS BIENES Y QUE, NO OBSTANTE, NO LO NOTIFICÓ A LA AUTORIDAD O HIZO ALGO PARA IMPEDIRLO.

A petición de cualquiera de las partes, el Juez podrá ordenar a la parte que esté en posibilidad de aportar la prueba ofrecida por algún otro de los colitigantes, que la presente o exhiba, otorgándole el término necesario para ello. El Juez apercibirá al requerido con aplicar medidas de apremio para el caso de incumplimiento y tener por probado el hecho o afirmación relacionada con el medio de prueba requerido. Si a pesar del apremio, el requerido injustificadamente incumple, se hará efectivo el apercibimiento de tener por acreditado el hecho o lo afirmado por el oferente.

Las partes deberán expresar sus consideraciones sobre la legalidad, pertinencia y conducencia de las pruebas que ofrezcan y aportar todos los elementos para su desahogo en la audiencia señalada para el juicio.

El Juez deberá cerciorarse respecto a que los datos o medios de prueba ofrecidos tengan relación con el hecho, excepción o defensa del juicio de extinción de dominio con el que la relacionan.

El Juez podrá ordenar que las constancias admitidas sean resguardadas, fuera del expediente, para preservar su secrecía, pero en todo caso garantizará que las partes tengan acceso a las mismas.

SECCIÓN CUARTA
DECLARACIÓN DE PARTE

DESAHOGO

Artículo 127. La declaración de parte se desahogará conforme a las siguientes reglas:

I. La oferente podrá pedir que los colitigantes o la contraparte se presente a declarar sobre los interrogatorios que, en el acto de la audiencia se formulen;

II. Los interrogatorios podrán formularse libremente sin más limitación que las preguntas se refieran a hechos propios del declarante que sean objeto del debate. El Juez, en el acto de la audiencia, calificará las preguntas que se formulen oralmente y el declarante dará respuesta a aquellas calificadas de legales, y

III. Previo el apercibimiento correspondiente, en caso de que la persona que deba declarar no asista sin justa causa o no conteste las preguntas que se le formulen, de oficio se hará efectivo el apercibimiento y se tendrán por ciertos los hechos que la contraparte pretenda acreditar con esta probanza, salvo prueba en contrario.

No se admitirá la declaración de parte a cargo del Ministerio Público.

SECCIÓN QUINTA
DOCUMENTOS

DESAHOGO

Artículo 128. La incorporación de los documentos al juicio se hará mediante relación de ellos y lectura de los datos esenciales y conducentes al hecho que se pretende acreditar con ellos en la audiencia principal.

SECCIÓN SEXTA
PRUEBA PERICIAL

PREPARACIÓN Y DESAHOGO

Artículo 129. Tratándose de la prueba pericial, los peritos ofrecidos por las partes deberán comparecer a la audiencia para exponer su opinión técnica, sujetos al interrogatorio y contrainterrogatorio de las partes. En el caso de los peritos del Ministerio Público, podrán ser sustituidos por otros de la especialidad si los que suscribieron el dictamen ya no laboran para la institución emisora.

Los peritos deben tener título en la ciencia o arte a que pertenezca la cuestión sobre que ha de oírse su parecer, si la profesión o el arte estuviere legalmente reglamentado.

Si la profesión o el arte no estuviere legalmente reglamentado o, estándolo, no hubiere peritos en el lugar, podrán ser nombradas cualesquiera personas entendidas, a juicio del Juez, aun cuando no tengan título.

Artículo 130. Cada perito nombrado por las partes rendirá su dictamen. Si fueren más de dos los litigantes, de ser posible, nombrarán un perito los que sostuvieren unas mismas pretensiones y otro los que las contradigan.

Si los que deben nombrar un perito no pudieren ponerse de acuerdo, el Juez designará uno de entre los que propongan los interesados.

Artículo 131. Ofrecida y admitida la pericial, el Juez concederá a los demás interesados el término de tres días para que adicionen los puntos de la pericial, apercibidos de que, en caso de no hacerlo, precluirá su derecho y se procederá al desahogo de la prueba solo con los puntos determinados por el oferente.

Transcurrido aquel sin que los interesados hubieren adicionado los puntos sobre los cuales habría de versar la pericial, se tendrá por precluido su derecho.

Artículo 132. La prueba se desahogará en la audiencia, pudiendo las partes y el Juez pedir a los peritos, todas las aclaraciones que estimen conducentes y exigirles la práctica de nuevas diligencias para el conocimiento o esclarecimiento de la verdad. Los peritos presentarán sus respectivos peritajes, con asistencia o no de las partes.

Artículo 133. En el caso del artículo anterior, se observarán las reglas siguientes:

I. El perito que dejare de concurrir, sin causa justa, calificada por el Juez, será responsable de los daños y perjuicios que, por su falta, se causaren;

II. Los peritos estarán obligados a considerar, en su dictamen, las observaciones de los interesados y del Juez, y

III. Los peritos darán su dictamen en la audiencia, siempre que sea materialmente posible; de lo contrario, se les señalará un término prudente para que lo rindan, en continuación de audiencia.

Artículo 134. El Juez en todos los casos en que haya de conceder plazos para la emisión de dictámenes periciales, deberá tomar las providencias necesarias atendiendo a la fecha en la cual habrá de celebrarse la continuación de la audiencia principal.

Artículo 135. Si el objeto del dictamen pericial fuere la práctica de un avalúo, los peritos tenderán a fijar el valor comercial, teniendo en cuenta los precios de plaza, los frutos que, en su caso, produjere o fuere capaz de producir la cosa, objeto del avalúo, y todas las circunstancias que puedan influir en la determinación del valor comercial, salvo que, por convenio o por disposición de la ley, sean otras las bases para el avalúo.

Artículo 136. Los honorarios de cada perito serán pagados por la parte que lo nombró.

SECCIÓN SÉPTIMA
RECONOCIMIENTO O INSPECCIÓN JUDICIAL

PREPARACIÓN Y DESAHOGO

Artículo 137. La inspección judicial puede practicarse a petición de parte o por disposición del Juez, cuando pueda servir para aclarar o demostrar hechos relativos a la contienda que no requieran conocimientos técnicos especiales.

Artículo 138. Una vez admitida, el Juez procederá a preparar la producción de la inspección judicial para el caso de ser admitida en la audiencia inicial. Para tal efecto, procederá a requerir a quien corresponda para que presente o exhiba ante el Juez, el o los objetos que habrán de ser inspeccionados, empleando los apercibimientos correspondientes.

Las partes podrán concurrir a la inspección y hacer las observaciones que estimen oportunas, sin que ello implique la ampliación de los puntos sobre los que versa la prueba.

Artículo 139. En la diligencia, el Juez podrá realizar de oficio las observaciones que considere pertinentes para el conocimiento de la verdad.

De la diligencia se obtendrá registro por los medios tecnológicos a disposición del juzgado, levantará acta circunstanciada, que firmarán los que a ella concurran y así quisieren hacerlo.

A juicio del Juez o a petición de parte, se levantarán planos o se tomarán fotografías del lugar u objetos inspeccionados.

Artículo 140. La incorporación del reconocimiento o inspección judicial se hará mediante relación de los registros obtenidos en el acto de producción de la prueba, y la reproducción de las partes esenciales y conducentes al hecho que se pretende acreditar con ellos en la audiencia principal.

SECCIÓN OCTAVA
PRUEBA DE TESTIGOS

PREPARACIÓN Y DESAHOGO

Artículo 141. Todas las personas que tengan conocimiento de los hechos que las partes deben probar, están obligados a declarar como testigos.

Artículo 142. Las partes deberán presentar a sus testigos, para cuyo efecto se les entregarán las cédulas de notificación. Sin embargo, cuando realmente estuvieren imposibilitadas para hacerlo, lo manifestarán así bajo protesta de decir verdad y pedirán que se les cite.

El Juez ordenará la citación con el apercibimiento que, en caso de desobediencia, se les aplicarán y se les hará comparecer mediante el uso de los medios de apremio señalados en esta Ley.

Cuando la citación deba ser realizada por el Juez, ésta se hará mediante cédula por lo menos con dos días de anticipación al día en que deban declarar, sin contar el día en que se verifique la diligencia de notificación, el día siguiente hábil en que surta efectos la misma, ni el señalado para recibir la declaración. Si el testigo citado de esta forma no asistiere a rendir su declaración en la audiencia programada, el Juez le hará efectivo el apercibimiento realizado y reprogramará su desahogo. En este caso, podrá suspenderse la audiencia.

La prueba se declarará desierta si, aplicados los medios de apremio señalados en la Ley, no se logra la presentación de los testigos. Igualmente, en caso de que el señalamiento del domicilio de algún testigo resulte inexacto o de comprobarse que se solicitó su citación con el propósito de retardar el procedimiento, se impondrá al oferente una sanción pecuniaria a favor del colitigante hasta por la cantidad señalada como multa en esta Ley. El Juez despachará de oficio ejecución en contra del infractor, sin perjuicio de que se denuncie la falsedad en que hubiere incurrido, declarándose desierta de oficio la prueba testimonial.

Artículo 143. Las partes interrogarán y contrainterrogarán oralmente a los testigos. Las preguntas estarán concebidas en términos claros y precisos, limitándose a los hechos o puntos controvertidos objeto de esta prueba, debiendo el Juez impedir preguntas contrarias a estos requisitos, así como aquellas que resulten ociosas o impertinentes. Para conocer la verdad sobre los puntos controvertidos, el Juez también puede, de oficio, interrogar ampliamente a los testigos.

SECCIÓN NOVENA
FOTOGRAFÍAS, ESCRITOS O NOTAS TAQUIGRÁFICAS Y, EN GENERAL, TODOS AQUELLOS ELEMENTOS APORTADOS POR LOS DESCUBRIMIENTOS DE LA CIENCIA PREPARACIÓN Y DESAHOGO

Artículo 144. Para acreditar hechos o circunstancias en relación con el negocio que se ventila, pueden las partes presentar fotografías, copias fotostáticas, escritos, notas taquigráficas, registros dactiloscópicos, fonográficos y demás elementos que produzcan convicción en el ánimo del Juez y, en general, toda clase de elementos aportados por los descubrimientos de la ciencia.

Quedan comprendidas dentro del término fotografías, las cintas cinematográficas y cualesquiera otras producciones fotográficas.

Artículo 145. En todo caso en que se necesiten conocimientos técnicos especiales para la apreciación de los medios de prueba a que se refiere este Capítulo, se adminiculará con la prueba pericial cuando las partes lo pidan o él lo juzgue conveniente. En tal caso, se seguirán también las reglas de la prueba pericial.

La parte que ofrezca los medios de prueba a que se refiere esta sección, deberá ministrar al Juez los aparatos o elementos necesarios para que pueda apreciarse el valor de los registros y reproducirse los sonidos, figuras, imágenes o cualesquiera otras presentaciones que deba ser conocida por la autoridad, durante el desarrollo de la audiencia principal.

Artículo 146. Los escritos y notas taquigráficas pueden presentarse por vía de prueba, siempre que se acompañe la traducción de ellos, haciéndose especificación exacta del sistema taquigráfico empleado.

SECCIÓN DÉCIMA
DESAHOGO Y VALORACIÓN DE LOS MEDIOS DE PRUEBA

Artículo 147. El Juez podrá declarar desierta la prueba ofrecida cuando el oferente no haya cumplido con los requisitos impuestos a su cargo para su desahogo, o bien, éste sea materialmente imposible.

Artículo 148. Dentro de la audiencia principal, las pruebas se desahogarán de la siguiente manera:

a) Abierta la audiencia, el Juez hará saber el objeto de ésta, llamará a las partes, peritos, testigos y demás personas que intervendrán, a quienes se les tomará en ese acto la protesta de ley y precisará quienes permanecerán en el recinto.

b) El Juez hará una relación de las pruebas admitidas, así como de los acuerdos probatorios aprobados y los medios de prueba pendientes de desahogar y posteriormente recibirá dichos medios de prueba, primero los del Ministerio Público y luego los demás, de preferencia en el orden que fueron admitidos.

c) El Juez conducirá el desahogo de las pruebas, de conformidad con los principios previstos para el proceso, considerando las formalidades de la audiencia en términos de esta Ley.

Artículo 149. Las pruebas serán apreciadas en conjunto, de manera libre y de acuerdo con las reglas de la sana crítica y las reglas de la lógica.

CAPÍTULO QUINTO
ALEGATOS

Artículo 150. Los alegatos son las argumentaciones que formulan las partes, en un plazo máximo de treinta minutos cada una, una vez concluidas las fases postulatoria y probatoria, mediante las cuales se exponen las razones de hecho y de derecho en defensa de sus intereses jurídicos, pretendiendo demostrar al juzgador que las pruebas desahogadas confirman su derecho y no así los argumentos y probanzas de su contraparte.

CAPÍTULO SEXTO
RESOLUCIONES JUDICIALES

Artículo 151. En los casos en que no haya prevención especial de la Ley, las resoluciones judiciales sólo expresarán el Juez que las dicte, el lugar, la fecha y sus fundamentos legales, con la mayor brevedad y la determinación judicial y se firmarán por el Juez, magistrados o autoridades que las pronuncie, siendo autorizadas, las escritas o las constancias de las dictadas en audiencia por la persona responsable de la Secretaría.

Artículo 152. Los decretos deberán dictarse al dar cuenta el secretario con la promoción respectiva. Lo mismo se observará respecto de los autos que, para ser dictados, no requieran citación para audiencia; en caso contrario, se pronunciarán dentro del término que fije la ley o, en su defecto, dentro de tres días.

La sentencia se dictará en la forma y términos que previene esta Ley.

Las resoluciones judiciales que se dicten serán orales, excepto los casos previstos en esta Ley.

(REFORMADO, D.O.F. 1 DE ABRIL DE 2024)

Artículo 153. A fin de garantizarles a las personas pertenecientes a pueblos y comunidades indígenas y afromexicanas el acceso pleno a la jurisdicción del Estado en los procedimientos en que sean parte, el Juez deberá considerar, al momento de dictar la resolución, sus usos, costumbres y especificidades culturales.

Artículo 154. El Juez no podrá variar ni modificar sus resoluciones después de firmadas; pero sí aclarar algún concepto o suplir cualquier omisión que contengan.

Estas aclaraciones podrán hacerse de oficio dentro del día hábil siguiente al de la notificación de la sentencia o resolución, o a instancia de parte presentada dentro del día siguiente al que surte efectos la notificación.

En este último caso, el Juez resolverá lo que estime procedente dentro del día siguiente al de la presentación del escrito en el que se solicitará la aclaración.

La interposición de la aclaración interrumpe el término para la apelación.

Artículo 155. El auto que resuelva sobre la aclaración o adición de una resolución, se reputará parte integrante de ésta y no admitirá recurso alguno.

Artículo 156. La aclaración interrumpe el plazo para interponer el recurso de apelación.

CAPÍTULO SÉPTIMO
MEDIO DE IMPUGNACIÓN

Artículo 157. Procederá el recurso de revocación en contra de los decretos. El recurso deberá interponerse en el día siguiente a que surta efectos la notificación de la resolución recurrida. Admitido el recurso, el Juez dará vista a las demás partes por tres días y transcurrido dicho término resolverá en tres días. Dicha resolución no admitirá recurso alguno.

Artículo 158. Procede el recurso de apelación en contra de:
I. Los autos;
II. Resoluciones dictadas en audiencias, y
III. Sentencia definitiva.

Artículo 159. Están legitimadas para interponer el recurso de apelación las partes, si creyeren haber recibido algún agravio.

Quien interponga la apelación deberá conducirse con moderación y respeto, absteniéndose de denostar a la autoridad jurisdiccional, de lo contrario, se aplicará una corrección disciplinaria, sin perjuicio de quedar sujeto a las penas en que incurra, según sea el caso.

Artículo 160. El recurso de apelación tiene por objeto que el superior jerárquico del Juez, de acuerdo a la organización de cada tribunal, confirme, revoque o modifique las resoluciones dictadas en la primera instancia.

Artículo 161. La apelación se admitirá:
I. En el efecto devolutivo;
II. En el efecto preventivo, y
III. En ambos efectos.

Artículo 162. El efecto preventivo significa que, interpuesta la apelación, se tendrá presente cuando el recurrente apele también la sentencia definitiva. En tal caso, deberán expresarse ordenadamente y por separado, aunque en el mismo escrito, los agravios que causan todas las resoluciones recurridas.

Procederá en el efecto preventivo la que se interponga en contra de las resoluciones señaladas en las fracciones I y II del artículo 158, salvo prohibición expresa en esta Ley.

El efecto devolutivo implica devolver la jurisdicción al tribunal de alzada, sin suspender el procedimiento ni la ejecución de la resolución apelada.

Artículo 163. La apelación admitida en ambos efectos suspende la ejecución de la resolución hasta que se resuelva el recurso, con excepción de aquellas resoluciones que se refieran a la administración, custodia, conservación y cualesquiera otra relacionada con los Bienes asegurados judicialmente, siempre que la apelación no verse sobre alguno de estos puntos.

En tratándose de que el Juez deba emitir alguna determinación relativa a los Bienes asegurados en los términos del párrafo que precede, el Juez conservará testimonio de las constancias necesarias para tal efecto.

La apelación en ambos efectos procede contra el auto que desecha la demanda, cualquier resolución que pone fin al juicio, los autos que nieguen las medidas cautelares y la sentencia definitiva dictada por el Juez de extinción de dominio.

Artículo 164. La apelación debe interponerse:

I. Por escrito, ante el tribunal que haya pronunciado la resolución recurrida;

II. Dentro de los tres días siguientes a que surta efectos la notificación de la resolución de que se trate, salvo la sentencia definitiva que deberá interponerse dentro de los nueve días siguientes;

III. Expresando los agravios en el mismo escrito en que se interponga el recurso, salvo las admitidas en el efecto preventivo, los que se expresarán al interponer el recurso en contra de la sentencia definitiva;

IV. Adjuntando copias simples del escrito respectivo para cada parte, y

V. Señalando domicilio para recibir notificaciones en segunda instancia. En caso de no hacerlo, las resoluciones emitidas en la segunda instancia le serán notificadas por medio de lista.

Artículo 165. El Juez analizará minuciosamente el escrito de apelación y dentro del plazo de veinticuatro horas, determinará si se interpuso en los términos del artículo anterior. De ser así, procederá a:

I. Dar trámite a la substanciación del recurso interpuesto, sin realizar pronunciamiento alguno respecto a su admisión;

II. Formar un cuaderno de apelación que contenga las actuaciones relativas al recurso interpuesto;

III. Ordenar se corra traslado al colitigante para que, dentro del mismo plazo otorgado, previsto en el artículo que precede, para la interposición del recurso, conteste los agravios si a su interés conviene, y

IV. Proceder a requerir a la parte colitigante para que dentro del plazo previsto en la fracción que antecede, señale domicilio para recibir notificaciones en segunda instancia, bajo apercibimiento de que, en caso de no hacerlo, las resoluciones respectivas les serán notificadas por medio de lista. Transcurrido el plazo al que alude la fracción III que antecede, remitirá a su superior jerárquico que deba conocer de la apelación en segunda instancia de acuerdo a los ordenamientos internos que lo rijan, los autos originales del juicio de extinción de dominio y el cuaderno de apelación respectivo.

El Juez desechará de plano el recurso de apelación si el recurrente, al interponerlo, no cumple con los requisitos y formalidades previstas en esta Ley, declarando precluido el derecho de la parte que corresponda.

Artículo 166. Recibidas las constancias por el tribunal de segunda instancia, éste procederá a dictar auto dentro de las veinticuatro horas siguientes en el cual:

I. Radicará el asunto en segunda instancia;

II. Analizará minuciosamente si se interpuso en los términos establecidos en el artículo 164 de esta Ley, y

III. Si la apelación es admitida, citará a las partes para oír resolución, la cual deberá dictarse dentro del plazo de quince días contados a partir de que surta efectos la notificación del auto al que se refiere este artículo, bajo responsabilidad de la autoridad que conozca en segunda instancia por el retardo en la administración de justicia.

Artículo 167. Emitida la resolución, procederá a notificarla y devolverá al Juez los autos que hubiere enviado, con testimonio del fallo para que actúe en los términos que corresponda.

Artículo 168. En todos los casos en que la autoridad de segunda instancia determine que la resolución recurrida no fue interpuesta conforme al artículo 164 de esta Ley:

I. Desechará el recurso;

II. Declarará firme las resoluciones respectivas y, en tratándose de la sentencia definitiva, que ésta ha causado ejecutoria, y

III. Devolverá al Juez los autos que hubiere enviado, con testimonio de la resolución respectiva para que actúe en los términos que procedan.

Artículo 169. La resolución que emita el tribunal de segunda instancia al pronunciarse sobre la apelación, deberá contener lo siguiente:

I. La declaración de procedencia o improcedencia de la o las apelaciones correspondientes, realizando un pronunciamiento por cada uno de los recursos interpuestos, y

II. La determinación relativa a la consecuencia del resultado del o los recursos interpuestos por cada resolución, determinando con claridad si las confirma, las revoca o las modifica. En caso de modificar el o los fallos sujetos a su revisión, determinará claramente las partes de la resolución de la autoridad primigenia sujeta a cambios y los términos que deben prevalecer.

En todo caso, el tribunal se concretará en su fallo, a apreciar los hechos tal como hubieren sido probados en la primera instancia.

CAPÍTULO OCTAVO
GASTOS Y COSTAS JUDICIALES

Artículo 170. Por ningún acto judicial se cobrarán costas, ni aun cuando se actuare con testigos de asistencia o se practicaren diligencias fuera del lugar del juicio.

Artículo 171. Cada parte será responsable de las costas o gastos que originen las diligencias que promueva.

En ningún caso habrá condena en costas judiciales, sin perjuicio del resultado del fallo.

TÍTULO TERCERO
DEL PROCESO ESPECIAL DE EXTINCIÓN DE DOMINIO

Artículo 172. El procedimiento constará de dos etapas:

I. Una preparatoria, que estará a cargo del Ministerio Público para la investigación y acreditación de los elementos de la acción de conformidad a las atribuciones asignadas en la presente Ley, y

II. Una Judicial, que comprende las fases de admisión, notificación, contestación de la demanda, audiencia inicial, audiencia principal, recursos y ejecución de la sentencia.

CAPÍTULO PRIMERO
DE LAS MEDIDAS CAUTELARES

Artículo 173. El Juez, a solicitud del Ministerio Público, podrá dictar la medida cautelar consistente en el aseguramiento de Bienes, con el objeto de evitar que los Bienes en que deba ejercitarse la acción de extinción de dominio, se oculten, alteren o dilapiden, sufran menoscabo o deterioro económico, sean mezclados o que se realice cualquier acto traslativo de dominio, incluso previo a la presentación de la demanda, garantizando en todo momento su conservación.

> (NOTA: EL 21 DE JUNIO DE 2021, EL PLENO DE LA SUPREMA CORTE DE JUSTICIA DE LA NACIÓN, EN LOS CONSIDERANDOS SEXTO Y SÉPTIMO, ASÍ COMO EN EL RESOLUTIVO TERCERO DE LA SENTENCIA DICTADA AL RESOLVER LA ACCIÓN DE INCONSTITUCIONALIDAD 100/2019, DECLARÓ LA INVALIDEZ DE LA PORCIÓN NORMATIVA DEL PÁRRAFO SEGUNDO DE ESTE ARTÍCULO INDICADA CON MAYÚSCULAS, LA CUAL SURTIÓ EFECTOS EL 22 DE JUNIO DE 2021 DE ACUERDO A LAS CONSTANCIAS QUE OBRAN EN LA SECRETARÍA GENERAL DE ACUERDOS DE LA SUPREMA CORTE DE JUSTICIA DE LA NACIÓN. DICHA SENTENCIA PUEDE SER CONSULTADA EN LA DIRECCIÓN ELECTRÓNICA http://www.scjn.gob.mx/).

Las actuaciones que limiten derechos fundamentales serán adoptadas previa orden judicial. EN CASO DE URGENCIA U OTRA NECESIDAD DEBIDAMENTE FUNDAMENTADA, EL MINISTERIO PÚBLICO PODRÁ ADOPTAR TALES MEDIDAS, DEBIENDO SOMETERLAS A CONTROL JUDICIAL POSTERIOR TAN PRONTO SEA POSIBLE.

Artículo 174. El Juez, a petición del Ministerio Público, podrá ordenar que se mantengan las cosas en el estado que guarden al dictarse la medida, sin prejuzgar sobre la legalidad de la situación que se mantiene, ni sobre cualquier circunstancia relativa al fondo del asunto. El Juez, en cualquier momento del proceso, emitirá las órdenes y requerimientos para hacer valer su determinación.

Artículo 175. Las medidas cautelares podrán decretarse:

I. Durante el juicio, y

II. Antes de iniciarse el juicio.

En el primer caso, se substanciará vía incidental y conocerá de éste el Juez que, al ser presentada la solicitud de la medida cautelar, esté conociendo del asunto.

En tratándose del segundo supuesto, se tramitará a petición directa por el Ministerio Público y se notificará la medida cautelar a la Persona Afectada inmediatamente después de ejecutada ésta.

Artículo 176. Para decretar las medidas cautelares solicitadas como acto prejudicial, será competente el Juez que lo fuere para el negocio principal. Si los autos estuvieren en segunda instancia, será competente para dictar la medida cautelar el Juez que conoció de ellos en primera instancia.

En caso de urgencia, puede dictarla el del lugar donde se halle la persona o la cosa objeto de la providencia y efectuada se remitirán las actuaciones al competente.

Contra el auto que niegue u ordene la medida cautelar prevista en esta Ley, será procedente el recurso de apelación. Se admitirá en ambos efectos respecto de las resoluciones que las nieguen. Contra las que concedan medidas cautelares se admitirá en el efecto devolutivo.

Artículo 177. El Ministerio Público que solicite la medida cautelar:

I. Deberá determinar con precisión el o los Bienes que pide sean objeto de la medida, describiéndolos de ser posible para facilitar su identificación, y

II. Deberá acreditar el derecho que le asiste para pedirla.

Dada la naturaleza de la acción, se presume la necesidad de decretarla.

Artículo 178. En el aseguramiento de Bienes, se podrá ordenar la inmovilización provisional e inmediata de fondos, activos, cuentas y demás valores e instrumentos financieros que se encuentren dentro del sistema financiero o en instituciones similares u homólogas, cuando dichos Bienes se encuentren vinculados con los hechos ilícitos materia de la extinción de dominio.

Por inmovilización provisional e inmediata se entenderá la prohibición temporal de transferir, depositar, adquirir, dar, recibir, cambiar, invertir, transportar, traspasar, convertir, enajenar, trasladar, gravar, mover o retirar fondos o activos, cuando estos estén relacionados con investigaciones de hechos a que se refiere el párrafo cuarto del artículo 22 de la Constitución.

Artículo 179. El Juez ordenará el aseguramiento de los Bienes objeto de la acción de extinción de dominio que estén identificados o que sean susceptibles de identificar, entendiéndose como tales, aquellas cuentas, depósitos, inversiones, fondos o activos cuyo titular sea la Parte Demandada y cuya determinación precisa surge con motivo de los informes a los que se refiere esta Ley, que brinden las instituciones correspondientes.

Cuando el Juez ordene el aseguramiento de un establecimiento mercantil o de una empresa o cualquier inmueble, inmediatamente notificará a la Autoridad

Administradora con la finalidad de que el establecimiento mercantil, empresa, unidad económica o negocio asegurado sea transferido para su administración, de conformidad con las legislaciones aplicables.

Tratándose de empresas o establecimientos mercantiles aseguradas en las que se encuentren productos que violen la Ley Federal para Prevenir y Sancionar los Delitos Cometidos en Materia de Hidrocarburos, previo a que la empresa sea transferida a la Autoridad Administradora, se retirará el producto ilícito de los contenedores del establecimiento o empresa y se suministrarán los hidrocarburos lícitos con el objeto de continuar las actividades, siempre y cuando la empresa cuente con los recursos para la compra del producto; suministro que se llevará a cabo una vez que la empresa haya sido transferida a la Autoridad Administradora para su administración, disposición, uso, usufructo, enajenación y Monetización, atendiendo criterios de oportunidad e interés público.

Artículo 180. Toda medida cautelar quedará anotada preventivamente en el registro público que corresponda. La Autoridad Administradora a la que se refiere esta Ley, deberá ser notificada del otorgamiento o levantamiento de toda medida cautelar.

Los registradores de instrumentos públicos deberán darle expedites dentro del trámite de registro.

Tratándose de Bienes comunales o ejidales, la medida cautelar se anotará en el Registro Agrario Nacional, y se ordenará a los órganos de representación ejidal o comunal observar su cumplimiento.

Las medidas cautelares dictadas por el Juez serán inscritas sin pago de derechos en el Registro Público que corresponda.

Artículo 181. Los Bienes asegurados no podrán ser transmisibles por herencia o legado o por cualquier otro acto durante la vigencia de esta medida. En caso contrario, los nuevos adquirentes se consideran causahabientes de la Parte Demandada.

Tampoco se podrá realizar anotación de gravámenes sobre el bien, para lo cual se informará por cualquier medio. El registro correspondiente informará al Juez, los requerimientos de diversa autoridad de hacer anotaciones e inscripciones en el asiento registral o folio relativo al bien materia del proceso.

Artículo 182. Durante la sustanciación del procedimiento, el Ministerio Público podrá solicitar al Juez la ampliación de la medida cautelar respecto de los Bienes sobre los que se haya ejercitado acción.

También se podrá solicitar medida cautelar con relación a otros Bienes sobre los que no se hayan solicitado en un principio, pero que se encuentren relacionados con la investigación de hechos ilícitos.

Artículo 183. La Parte Demandada o cualquier Persona Afectada no podrán ofrecer garantía para obtener el levantamiento de la medida cautelar, la cual, en su caso, deberá prevalecer hasta que la sentencia cause ejecutoria y de resultar fundada y procedente la acción, hasta que aquella sea ejecutada; salvo los casos expresamente determinados por esta Ley.

El Ministerio Público, solo por causas justificadas y previo acuerdo con el Fiscal, o el servidor público en quien delegue esa facultad, podrá solicitar el levantamiento de la medida cautelar en cualquier momento.

Artículo 184. Son causas justificadas para que el Ministerio Público o el servidor público en quien delegue esa facultad, previo acuerdo con el Fiscal, pueda solicitar el levantamiento de la medida cautelar:

I. La constancia fehaciente en los autos de que los Bienes objeto de la medida fueron adquiridos por un tercero de Buena Fe;

II. La Venta Anticipada de los Bienes objeto de la medida;

III. La utilización provisional de los Bienes objeto de la medida, y

IV. La solicitud de la administradora en aquellos casos en que el aseguramiento es una limitante o impedimento para el ejercicio de las atribuciones de aquella.

Artículo 185. En el caso de que la medida cautelar sea levantada, o bien, el Ministerio Público no obtenga una sentencia favorable sobre los Bienes objeto de la acción de extinción de dominio, queda expedito el derecho de la Parte Demandada o de la Persona Afectada para pedir el pago de daños y perjuicios en un juicio diverso.

Artículo 186. Una vez materializada la medida cautelar que, en su caso, se haya solicitado, el Ministerio Público deberá resolver dentro de los cuatro meses siguientes sobre el archivo temporal de las actuaciones o el ejercicio de la acción de extinción de dominio. Por motivos debidamente fundados, se podrá prorrogar este plazo por una sola ocasión y hasta por la mitad de dicho plazo.

Artículo 187. Si el Ministerio Público no cumple con lo dispuesto en el artículo que precede, la medida cautelar se revocará luego que la pida la Parte Demandada.

Artículo 188. No podrá dictarse otra medida cautelar, que la establecida en esta Ley.

Artículo 189. Todas las autoridades, instituciones, dependencias y en general, cualquier instancia que deba ejecutar algún mandamiento judicial decretado en términos del presente Capítulo, deberá cumplimentarlo dentro del plazo de veinticuatro horas y, dentro de tres días, deberá rendir un informe detallado y justificado sobre el cumplimiento otorgado y sobre la situación jurídica respecto de los Bienes objeto de la medida cautelar.

CAPÍTULO SEGUNDO
ETAPA PREPARATORIA

PREPARACIÓN DE LA ACCIÓN DE EXTINCIÓN DE DOMINIO

Artículo 190. El Ministerio Público, deberá realizar las investigaciones necesarias para establecer la procedencia y sustento de la acción y, en su caso, probar ante el Juez su pretensión, para lo cual podrá ordenar a la policía de investigación los actos requeridos, solicitar la intervención de los servicios periciales, así como el apoyo de las unidades de análisis de información.

Toda autoridad que, en razón de su cargo o funciones, tenga conocimiento de la existencia de Bienes que puedan ser objeto de la acción de extinción de dominio, están obligados a denunciar o dar aviso inmediatamente a la Fiscalía.

En los supuestos del párrafo anterior, la autoridad que haya realizado la denuncia, presentará toda la información con la que cuente a la Fiscalía con la finalidad de que se formalice la acción de extinción de dominio y auxiliará en la preparación de la acción, en el ámbito de sus competencias.

Tan pronto como un Ministerio Público a cargo de un procedimiento penal tenga conocimiento de la existencia de Bienes susceptibles de la aplicación de las disposiciones de la presente Ley, informará a la unidad administrativa de la Fiscalía responsable de ejercer la acción de extinción de dominio.

(NOTA: EL 21 DE JUNIO DE 2021, EL PLENO DE LA SUPREMA CORTE DE JUSTICIA DE LA NACIÓN, EN LOS CONSIDERANDOS SEXTO Y SÉP-

TIMO, ASÍ COMO EN EL RESOLUTIVO TERCERO DE LA SENTENCIA DICTADA AL RESOLVER LA ACCIÓN DE INCONSTITUCIONALIDAD 100/2019, DECLARÓ LA INVALIDEZ DE LA PORCIÓN NORMATIVA DEL PÁRRAFO QUINTO DE ESTE ARTÍCULO INDICADA CON MAYÚSCULAS, LA CUAL SURTIÓ EFECTOS EL 22 DE JUNIO DE 2021 DE ACUERDO A LAS CONSTANCIAS QUE OBRAN EN LA SECRETARÍA GENERAL DE ACUERDOS DE LA SUPREMA CORTE DE JUSTICIA DE LA NACIÓN. DICHA SENTENCIA PUEDE SER CONSULTADA EN LA DIRECCIÓN ELECTRÓNICA http://www.scjn.gob.mx/).

Dentro de la preparación de la extinción de dominio se podrá solicitar, a la autoridad judicial, acceso a las bases de datos en búsqueda de la información necesaria para la procedencia de la acción y, en general, en todas aquellas involucradas con la operación, registro y control de derechos patrimoniales. EN LOS CASOS EN LOS CUALES NO SE PUEDA RECABAR LA AUTORIZACIÓN RESPECTIVA, POR RAZÓN DE LA HORA, DEL DÍA, DE LA DISTANCIA O DEL PELIGRO EN LA DEMORA, SE DEBERÁ INFORMAR Y JUSTIFICAR DENTRO DE LOS CINCO DÍAS SIGUIENTES, ANTE EL ÓRGANO JURISDICCIONAL.

Para solicitar la información de los clientes de las instituciones de crédito y demás entidades integrantes del sistema financiero, de los fideicomisos, en protección del derecho a la privacidad de sus clientes y usuarios, así como la tributaria protegida por el secreto fiscal, se realizará previa autorización judicial, quien hará el requerimiento y una vez recabada la información la hará del conocimiento del Ministerio Público para el solo efecto de la acción de extinción de dominio.

Para el ejercicio de estas funciones las entidades mencionadas facilitarán la consulta y cruce de bases de datos de conformidad con las disposiciones de carácter general que al efecto se emitan.

En razón de la naturaleza y fin de la acción, no será oponible la secrecía bancaria, cambiaria, bursátil o tributaria, ni se impedirá el acceso a la información contenida en bases de datos dentro de los procedimientos de extinción de dominio en cualquiera de sus etapas.

La información que se entregará a la unidad especializada por la autoridad o el servidor público que haya realizado las diligencias respecto de Bienes que puedan ser objeto a extinción de dominio en el ejercicio de sus funciones, deberá contener como mínimo lo siguiente:

I. Identificar los Bienes que puedan ser objeto de la acción de extinción de dominio;

II. Identificar a los titulares de los derechos sobre los Bienes que llegaren a tener relación con una causal de extinción de dominio, y

III. Aportar datos, elementos, indicios y pruebas con las que cuenten para el ejercicio de la acción de extinción de dominio.

Una vez que el Ministerio Público considere que cuenta con los elementos suficientes para ejercitar la acción de extinción de dominio y previo a la presentación de la demanda, deberá citar al titular del bien sobre el que se pretenda aplicar, con la finalidad de que pueda comparecer para justificar su Legítima Procedencia del bien, en un plazo que no excederá de diez días hábiles para ello, apercibido que de no hacerlo se tendrá por precluido su derecho en esta etapa de preparación, sin perjuicio de su defensa en el juicio.

CAPÍTULO TERCERO
FASES PROCESALES

Artículo 191. El proceso de extinción de dominio inicia con la presentación de la demanda del Ministerio Público, la cual deberá contener:

I. El Juez ante el que se promueva;

II. La descripción de los Bienes respecto de los cuales se solicita la extinción de dominio, señalando su ubicación y demás datos para su identificación y localización;

III. Copia certificada o autenticada de los documentos pertinentes que se hayan integrado en la preparación de la acción y, en su caso, las constancias del procedimiento penal respectivo, relacionados con los Bienes objeto de la acción de extinción de dominio;

IV. El nombre de quien se ostente como Ministerio Público y el domicilio que señale para oír y recibir las notificaciones de carácter personal;

V. El nombre de la Parte Demandada y, en su caso, de las personas afectadas conocidas y su domicilio. En caso de ignorarlo, deberá manifestarlo bajo protesta de decir verdad;

VI. La acción ejercida, así como las pretensiones reclamadas inherentes a aquella;

VII. Los hechos en que funde la acción y las prestaciones reclamadas, numerándolos y narrándolos sucintamente con claridad y precisión, de tal manera que la Parte Demandada pueda producir su contestación y defensa;

VIII. Los fundamentos de derecho, procurando citar los preceptos legales o principios jurídicos aplicables;

IX. La medida provisional que solicite, en su caso;

X. La solicitud de las medidas cautelares necesarias en los términos que establece esta Ley;

XI. Las constancias, documentos y demás instrumentos a su disposición con los que sustente la acción;

XII. Las pruebas que se ofrecen, debiendo en ese momento exhibir las documentales o señalar el archivo donde se encuentren, cumpliendo para tal efecto con los requisitos legales correspondientes;

XIII. El número de copias simples necesario para correr traslado a cada una de las personas demandadas, tanto de la demanda, como de los documentos que se anexan, pudiendo realizar dicha entrega con los medios electrónicos disponibles, previa constancia de su recepción.

Si excedieren los documentos de cincuenta hojas, quedarán en el tribunal para que se instruya a la Parte Demandada o a la Persona Afectada que corresponda, y

XIV. El nombre y firma del agente del Ministerio Público.

No se dará curso a la demanda si no se acompañan las copias correspondientes. Las copias podrán acompañarse en medios electrónicos.

Artículo 192. El Ministerio Público podrá solicitar, como medida provisional, la anotación preventiva de la demanda en el Registro Público de la Propiedad o en cualquier otro registro, según corresponda.

Artículo 193. Una vez presentada la demanda con los documentos que acrediten la procedencia de la acción y demás pruebas que ofrezca el Ministerio Público, el Juez contará con un plazo de tres días para resolver sobre la admisión de la demanda y ordenar la notificación de ésta a la Parte Demandada o a su representante legal y, en su caso, la publicación del edicto a que se refiere esta Ley.

Artículo 194. Si la demanda fuere obscura o irregular, el Juez debe prevenir al Ministerio Público para que la aclare, corrija o complete de acuerdo con los artículos anteriores, señalando en concreto sus defectos dentro del plazo de tres días, hecho lo cual le dará curso; en caso contrario, se le tendrá por no presentada. El Juez puede hacer esta prevención por una sola vez. El auto que determine que no se da curso a la demanda será apelable en ambos efectos.

Aclarada la demanda, el Juez le dará curso o la desechará de plano. Desechada la demanda, el Ministerio Público podrá volver a presentarla si subsana la deficiencia.

Artículo 195. El Juez, en el auto de admisión, señalará los Bienes materia del juicio, el nombre de la o las partes demandadas, concediéndoles el plazo de quince días hábiles contados a partir de la fecha en que surta efectos el emplazamiento para contestar la demanda. En dicho auto, el Juez proveerá lo conducente en relación con las medidas provisionales y cautelares que en su caso hubiera solicitado el Ministerio Público en la demanda.

Si los documentos con los que se le corriera traslado excedieren de quinientas fojas, por cada cien de exceso o fracción se aumentará un día más de plazo para contestar la demanda sin que pueda exceder de veinte días hábiles.

Contra el auto que niegue la admisión de la demanda procederá el recurso de apelación en ambos efectos; el que la admita será apelable en efecto preventivo.

En el auto que admita la demanda, el Juez ordenará sea emplazada la Parte Demandada dentro del plazo de cinco días en los términos previstos en la presente Ley, apercibiéndolo de declararlo confeso de los hechos de la demanda que deje de contestar o conteste de manera diversa a la prevista por este ordenamiento, así como de la preclusión de los demás derechos que, como consecuencia de su rebeldía, no ejercite oportunamente.

Artículo 196. El plazo para contestar la demanda será de quince días hábiles contados a partir del día siguiente de aquel en que surta efectos el emplazamiento.

Transcurrido el plazo para contestar la demanda, sin haber sido contestada la demanda, se hará la declaración de rebeldía, teniéndosele por contestada la demanda en sentido afirmativo y por precluido sus derechos procesales que no hizo valer oportunamente.

El rebelde podrá comparecer al proceso en cualquier momento y podrá hacer valer los derechos que no le hayan precluido.

Artículo 197. Para hacer la declaración en rebeldía, el Juez examinará escrupulosamente si el emplazamiento se hizo legalmente y con las formalidades respectivas y, en caso contrario, procederá a declararlo nulo de oficio y de inmediato mandará reponerlo e impondrá una sanción disciplinaria al actuario, de quinientas veces la Unidad de Medida y Actualización vigente, cuando apareciere responsable.

Artículo 198. La Parte Demandada y la Persona Afectada formularán la contestación en los términos prevenidos para la demanda, deberán adjuntar a ésta los documentos justificativos de sus excepciones y deberán ofrecer las pruebas que las acrediten.

En el escrito de contestación, la Parte Demandada y la Persona Afectada deberán referirse a cada uno de los hechos aducidos por el Ministerio Público, confesándolos o negándolos, expresando los que ignoren por no ser propios, anexando las copias respectivas para el traslado en medio electrónico para las demás partes.

El silencio y las evasivas harán que se tengan por confesados o admitidos los hechos sobre los que no se suscitó controversia.

Artículo 199. Las excepciones que se tengan, cualquiera que sea su naturaleza, se harán valer simultáneamente en la contestación y nunca después, a no ser que fueren supervenientes.

No es procedente en los juicios de extinción de dominio la reconvención.

Artículo 200. Las excepciones que no tengan señalado trámite especial se discutirán al propio tiempo y se decidirán en la misma sentencia.

Artículo 201. Son excepciones dilatorias:

I. Incompetencia del Juez;

II. Litispendencia, y

III. Conexidad.

Artículo 202. El Juez o tribunal que de las actuaciones de la incompetencia deduzca que se interpuso sin razón y con el claro propósito de alargar o entorpecer el juicio, impondrá una multa a la parte promovente, de mil a tres mil Unidades de Medida y Actualización vigente, según la cuantía.

Artículo 203. Aceptadas las pretensiones por la Parte Demandada, previa ratificación del escrito de allanamiento respectivo ante la presencia judicial, se pronunciará sentencia.

En tal caso, la Federación o las Entidades Federativas según corresponda, atendiendo al deber de lealtad y objetividad con la que se deben conducir las partes, si la Parte Demandada se allana a la demanda, a criterio del Juez, se otorgará a la Parte Demandada hasta el cinco por ciento del producto que se obtenga por la liquidación y venta de los Bienes materia del proceso, luego de realizados los pagos y reservas a que se refiere esta Ley.

Artículo 204. La litis quedará fijada con los hechos controvertidos por las partes.

Artículo 205. Queda abolida la práctica de oponer excepciones o defensas contradictorias, aun cuando sea con el carácter de subsidiarias, debiendo los jueces desechar éstas de plano.

Artículo 206. El órgano jurisdiccional, en un plazo de cinco días hábiles contados a partir del vencimiento del plazo para la o las contestaciones de la demanda, incluido el supuesto del emplazamiento por edicto, dictará auto en el cual señalará día y hora para la celebración de la audiencia inicial, la cual deberá celebrarse dentro del plazo de quince días hábiles siguientes.

Artículo 207. Cualquier cuestión que se suscite durante el desarrollo de las audiencias, será resuelta por el Juez de inmediato previa audiencia de las partes y el desahogo de los medios de prueba que el Juez considere necesarios.

Artículo 208. La audiencia inicial comprenderá lo siguiente:

a) Depuración procesal;

b) Fijación de la litis;

c) Acuerdos probatorios;

d) Admisión o inadmisión y, en su caso, mandato de preparación de pruebas;

e) En su caso, revisión de medidas cautelares y provisionales, y

f) Señalamiento de día y hora para la celebración de la audiencia principal.

Al cierre de la audiencia inicial se tendrán por precluidos los derechos que no se ejercieron, sin necesidad de declaratoria.

Declarada abierta la audiencia inicial, el Juez resolverá las excepciones dilatorias y revisará de oficio la personería de la Parte Demandada y de las personas afectadas.

A continuación, el Juez precisará sucintamente las pretensiones del Ministerio Público, así como las excepciones y defensas de la Parte Demandada y de las personas afectadas, fijando los hechos controvertidos y las cuestiones de derecho objeto de debate.

El Juez se pronunciará sobre la propuesta de acuerdos probatorios de las partes, en cuanto hace a hechos controvertidos, aprobando los propuestos siempre que sea conforme a derecho.

Los hechos no controvertidos se aceptarán en sus términos, salvo el derecho de ofrecer prueba en contrario.

El Juez procederá a la admisión de los medios de prueba ofrecidos en la demanda y contestación o contestaciones, así como las relacionadas con la objeción de documentos, cuando no exista acuerdo probatorio y siempre que las pruebas sean legales, conducentes y pertinentes.

Tendrá por desahogadas las que por su naturaleza así lo permitan, dictará las medidas necesarias para el desahogo de las restantes en la audiencia principal y ordenará su preparación a cargo de la persona oferente. Solo si ésta acredita antes de la audiencia que tiene imposibilidad jurídica o material para presentar al juzgado un medio de prueba, el Juez dictará las medidas para hacerlo llegar a aquella o que el órgano de la prueba se presente a la audiencia.

Cuando se advierta la falta de algún requisito en el ofrecimiento de un medio de prueba, el Juez la desechará.

Al terminar la audiencia inicial, el Juez señalará el día y hora para la celebración de la audiencia principal dentro de los quince días siguientes, en la que recibirá las pruebas.

Artículo 209. La audiencia principal comprenderá:

a) Desahogo de pruebas;

b) Alegatos, y

c) Sentencia.

Al cierre de la fase de desahogo de pruebas precluirán los derechos que no se ejercieron.

Artículo 210. La audiencia principal se celebrará estén o no presentes las partes, así como los testigos o peritos cuya presentación quedará a cargo de la parte que los ofrezca.

La falta de asistencia de los peritos o testigos que el Juez haya citado para la audiencia tampoco impedirá su desahogo, pero se impondrá a los faltistas debidamente citados una multa de hasta cien veces el valor diario de la Unidad de Medida y Actualización vigente y, en caso de insolvencia, arresto por treinta y seis horas y se ordenará su presentación a la propia audiencia o a la fecha de reanudación de la audiencia con auxilio de la fuerza pública y apercibimiento de que en caso de resistirse al mandamiento judicial, se dará vista al Ministerio Público para que inicie la investigación por desacato.

Una vez iniciada la audiencia, sin la presencia de alguna de las partes, esta podrá incorporarse en cualquier momento, hasta antes de cerrada la etapa de alegatos, pero quedarán precluidos los derechos que hayan dejado de ejercitarse hasta ese momento.

El Juez podrá suspender la audiencia y citar para su continuación dentro de un plazo no menor de tres ni mayor de diez días hábiles, en los casos estrictamente necesarios.

Iniciada la audiencia, el Juez otorgará a las partes el derecho de realizar las argumentaciones relativas a la acción y a las excepciones, respectivamente, conforme lo acordado en la audiencia inicial, para mejor entendimiento de todos los intervinientes.

Las partes pueden renunciar a este derecho y pedir que se pase directo al desahogo de pruebas.

Declarada abierta la audiencia principal, se dará cuenta de la presentación e identificación de las partes, interesados, testigos, peritos y demás personas que deban intervenir. Luego, se procederá al desahogo de pruebas, iniciando por las admitidas al Ministerio Público y posteriormente a las de la Parte Demandada y finalmente, las de las personas afectadas, en su caso.

Dentro de la audiencia y una vez desahogadas las pruebas, las partes podrán presentar alegatos, y una vez concluida la etapa de alegatos, el Juez dictará sentencia en la misma audiencia o dentro de los ocho días siguientes, bajo pena de responsabilidad del Juez por retardo en la administración de justicia.

Artículo 211. La sentencia deberá señalar:

I. La decisión sobre cada una de las pretensiones del Ministerio Público;

II. La explicación de la desestimación de las pruebas de las partes, y

III. La relación sucinta de los fundamentos y motivos que lo sustentan.

Comunicada a las partes la decisión de no declarar la extinción de dominio, el órgano jurisdiccional dispondrá, en forma inmediata, el levantamiento de las medidas cautelares que se hubieren decretado.

Artículo 212. Una vez que cause ejecutoria la sentencia que resuelva la extinción del bien, el Juez ordenará su ejecución y la aplicación de los Bienes a favor del Estado, en los términos de lo dispuesto en esta Ley y en la legislación que resulte aplicable.

Los Bienes sobre los que sea declarada la extinción de dominio o el producto de la enajenación de los mismos, serán adjudicados al Gobierno Federal o a aquél de la entidad federativa de que se trate y puestos a disposición para su destino final a través de la Autoridad Administradora. Las acciones, partes sociales o cualquier título que represente una parte alícuota del capital social o patrimonio de la sociedad o asociación de que se trate, no computarán para considerar a las emisoras como entidades paraestatales.

Todos los pagos administrativos o contribuciones que generen la ejecución de la declaratoria de extinción de dominio, estarán exentos del pago de impuestos, derechos y aportaciones de mejoras establecidas en la normatividad fiscal aplicable.

Artículo 213. La sentencia de extinción de dominio será conforme a la letra o a la interpretación jurídica de la ley, y a falta de ésta se fundará en los principios generales del derecho, debiendo contener el lugar en que se pronuncie, el juzgado que la dicte, un extracto claro y sucinto de las cuestiones planteadas y de las pruebas rendidas, así como la fundamentación y motivación, y terminará resolviendo con precisión y congruencia los puntos en controversia.

(NOTA: EL 21 DE JUNIO DE 2021, EL PLENO DE LA SUPREMA CORTE DE JUSTICIA DE LA NACIÓN, EN LOS CONSIDERANDOS SEXTO Y SÉPTIMO, ASÍ COMO EN EL RESOLUTIVO TERCERO DE LA SENTENCIA DICTADA AL RESOLVER LA ACCIÓN DE INCONSTITUCIONALIDAD 100/2019, DECLARÓ LA INVALIDEZ POR EXTENSIÓN, DE LA PORCIÓN NORMATIVA DEL PÁRRAFO PRIMERO DE ESTE ARTÍCULO INDICADA CON MAYÚSCULAS, LA CUAL SURTIÓ EFECTOS EL 22 DE JUNIO DE 2021 DE ACUERDO A LAS CONSTANCIAS QUE OBRAN EN LA SECRETARÍA GENERAL DE ACUERDOS DE LA SUPREMA CORTE DE JUSTICIA DE LA NACIÓN. DICHA SENTENCIA PUEDE SER CONSULTADA EN LA DIRECCIÓN ELECTRÓNICA http://www.scjn.gob.mx/).

Artículo 214. En caso de que se dicte sentencia que declare la extinción de dominio de los Bienes, el Juez también podrá declarar la extinción de otros derechos reales, principales o accesorios, u otros derechos sobre éstos SI SE PRUEBA QUE SU TITULAR CONOCÍA LA CAUSA QUE DIO ORIGEN A LA ACCIÓN DE EXTINCIÓN DE DOMINIO.

Cuando, con anterioridad, se haya hecho constar el aseguramiento de los Bienes en los registros públicos, el Juez ordenará la cancelación de la medida cautelar y solicitará la inscripción de la sentencia de extinción de dominio.

En caso de garantías, su titular deberá demostrar la preexistencia del crédito garantizado y, en su caso, que se tomaron las medidas que la normatividad establece para el otorgamiento y destino del crédito, de lo contrario, el Juez declarará extinta la garantía.

En caso de que el Juez declare improcedente la acción de extinción de dominio, de todos o de alguno de los Bienes, ordenará la devolución de los Bienes no extintos de manera inmediata o cuando no sea posible, ordenará la entrega de su valor actualizado a su legítimo propietario o poseedor, junto con los intereses, rendimientos y accesorios en cantidad líquida que efectivamente se hayan producido, si los hubiere conforme a su naturaleza, durante el tiempo en que hayan sido administrados.

Artículo 215. La sentencia oral deberá declarar la extinción del dominio o la no acreditación de la acción de extinción de dominio.

En este último caso, el Juez resolverá sobre el levantamiento de las medidas cautelares y provisionales que se hayan impuesto y la persona a la que se hará la devolución de los Bienes o se entregará el equivalente del valor de los mismos, conforme a lo dispuesto por esta Ley. El Juez deberá pronunciarse sobre todos los Bienes materia de la controversia.

Cuando hayan sido varios los Bienes en extinción de dominio, se hará, con la debida separación, la declaración correspondiente a cada uno de éstos.

Las sentencias por las que se resuelva la improcedencia de la acción de extinción de dominio no prejuzgan respecto de las medidas cautelares de aseguramiento con fines de decomiso, embargo precautorio para efectos de reparación del daño u otras que la autoridad judicial a cargo del proceso penal acuerde.

En el caso de sentencia que declare la extinción de dominio, la disposición de los Bienes se realizará conforme a lo establecido en esta Ley.

Artículo 216. Si luego de concluido el procedimiento de extinción de dominio mediante sentencia firme se supiera de la existencia de otros Bienes relacionados con el mismo Hecho Ilícito, se iniciará un nuevo procedimiento de extinción de dominio.

La absolución de la Persona Afectada en el proceso penal por no haberse establecido su responsabilidad, o la no aplicación de la pena de decomiso de Bienes, no prejuzga respecto de la legitimidad de bien alguno.

Artículo 217. El Juez, al dictar la sentencia, determinará procedente la extinción de dominio de los Bienes materia del procedimiento, siempre que se acrediten los elementos de la acción en los términos de esta Ley.

La sentencia también resolverá, entre otras determinaciones, lo relativo a los derechos preferentes en los términos que dispone esta Ley.

Artículo 218. La acción de extinción de dominio no procederá respecto de los Bienes asegurados que hayan causado abandono a favor del Gobierno Federal o de las Entidades Federativas, o aquellos Bienes respecto de los cuales se haya decretado su decomiso en sentencia ejecutoriada.

Artículo 219. Las resoluciones del Juez de la causa penal no tendrán influencia sobre la determinación del Juez competente en materia de extinción de dominio.

Artículo 220. Causan ejecutoria las siguientes sentencias:

I. Las que no fueran recurridas o, habiéndolo sido, se haya declarado desierto el interpuesto, o haya desistido el recurrente de él, y

II. Las consentidas expresamente por las partes, sus representantes legítimos o sus mandatarios con poder bastante.

Artículo 221. En el caso de la fracción II del artículo anterior, las sentencias causan ejecutoria por ministerio de ley; en el caso de la fracción I, se requiere declaración judicial, la que será hecha a petición de parte. La declaración se hará por el tribunal de apelación, en la resolución que declare desierto el recurso. Si la sentencia no fuere recurrida, previa certificación de esta circunstancia por la Secretaría, la declaración la hará el tribunal que la haya pronunciado y, en caso de desistimiento, será hecha por el tribunal ante el que se haya hecho valer.

TÍTULO CUARTO

CAPÍTULO ÚNICO
DE LA CADUCIDAD

Artículo 222. El proceso caducará cuando cualquiera que sea el estado del procedimiento, no se haya efectuado algún acto procesal ni promoción durante un término mayor de un año, así sea con el solo fin de pedir el dictado de la resolución pendiente.

El término debe contarse a partir de la fecha en que se haya realizado el último acto procesal o en que se haya hecho la última promoción que impulse el procedimiento.

Con la caducidad de la instancia no se extinguen ni las acciones ni las excepciones de las partes, por lo que podrían iniciar otro juicio.

El abandono de la segunda instancia solo da lugar a la pérdida del recurso y a la devolución de los autos, quedando firme la resolución recurrida.

TÍTULO QUINTO

CAPÍTULO PRIMERO
DE LA TRANSFERENCIA, ADMINISTRACIÓN Y DESTINO DE BIENES

Artículo 223. Los Bienes a que se refiere esta Ley serán transferidos a la Autoridad Administradora de conformidad con lo establecido en la legislación aplicable.

Tratándose de Bienes tales como armas de fuego, municiones y explosivos, así como los narcóticos, flora y fauna protegidos, materiales peligrosos y demás Bienes cuya propiedad o posesión se encuentre prohibida, restringida o especialmente regulada, se procederá en los términos de la legislación federal aplicable.

Artículo 224. A los productos, rendimientos, frutos y accesorios de los Bienes durante el tiempo que dure la administración, se les dará el mismo tratamiento que a los Bienes que los generen.

Artículo 225. La administración de los Bienes comprende su recepción, registro, custodia, conservación y supervisión.

La Autoridad Administradora llevará a cabo su disposición, uso, usufructo, enajenación y Monetización, atendiendo al interés público, con base en criterios de oportunidad del destino y, en su caso, la destrucción de los mismos, en términos de las disposiciones aplicables.

Artículo 226. Los Bienes sujetos a un procedimiento de extinción de dominio deberán de representar un interés económico para el Estado, por lo que, dichos Bienes deberán contar con valor pecuniario susceptibles de administración y que sean generadores de beneficios económicos o de utilidad para éste.

Artículo 227. La Autoridad Administradora podrá proceder a la venta o Disposición Anticipada de los Bienes sujetos a proceso de extinción de dominio, con excepción de los que las autoridades consideren objeto de prueba que imposibiliten su destino.

Artículo 228. La Venta Anticipada de los Bienes sujetos al proceso de extinción de dominio procederá en los siguientes casos:

(NOTA: EL 21 DE JUNIO DE 2021, EL PLENO DE LA SUPREMA CORTE DE JUSTICIA DE LA NACIÓN, EN LOS CONSIDERANDOS SEXTO Y SÉPTIMO, ASÍ COMO EN EL RESOLUTIVO TERCERO DE LA SENTENCIA DICTADA AL RESOLVER LA ACCIÓN DE INCONSTITUCIONALIDAD 100/2019, DECLARÓ LA INVALIDEZ DEL INCISO A) DEL PÁRRAFO PRIMERO DE ESTE ARTÍCULO INDICADO CON MAYÚSCULAS, LA CUAL SURTIÓ EFECTOS EL 22 DE JUNIO DE 2021 DE ACUERDO A LAS CONSTANCIAS QUE OBRAN EN LA SECRETARÍA GENERAL DE ACUERDOS DE LA SUPREMA CORTE DE JUSTICIA DE LA NACIÓN. DICHA SENTENCIA PUEDE SER CONSULTADA EN LA DIRECCIÓN ELECTRÓNICA http://www.scjn.gob.mx/).

a) QUE DICHA ENAJENACIÓN SEA NECESARIA DADA LA NATURALEZA DE DICHOS BIENES;

b) Que representen un peligro para el medio ambiente o para la salud;

c) Que por el transcurso del tiempo puedan sufrir pérdida, merma o deterioro o que, en su caso, se pueda afectar gravemente su funcionamiento;

d) Que su administración o custodia resulten incosteables o causen perjuicios al erario;

e) Que se trate de Bienes muebles fungibles, consumibles, perecederos, semovientes u otros animales, o

f) Que se trate de Bienes que, sin sufrir deterioro material, se deprecien sustancialmente por el transcurso del tiempo.

El producto de la venta, menos los gastos de administración correspondientes, será depositado en la Cuenta Especial, previa reserva que establece el último párrafo del artículo 237 del presente ordenamiento.

Artículo 229. Los Bienes en proceso de extinción de dominio podrán disponerse de forma anticipada a favor de las dependencias y entidades de la Administración Pública Federal, de la Fiscalía General de la República, así como de los gobiernos de las Entidades Federativas y municipios, según lo determine el Gabinete Social de la Presidencia de la República o, en el ámbito local, la autoridad que corresponda, para que se destinen al servicio público, los utilicen en programas sociales u otras políticas públicas prioritarias. Lo anterior, de conformidad con las disposiciones aplicables.

Artículo 230. Los Bienes objeto de la acción de extinción de dominio podrán disponerse o venderse de manera anticipada, a través de:

I. Compraventa, permuta y cualesquiera otras formas jurídicas de transmisión de la propiedad, a través de licitación pública, subasta, remate o adjudicación directa, y

II. Donación.

Los procedimientos de enajenación serán de orden público y tendrán por objeto enajenar de forma económica, eficaz, imparcial y transparente los Bienes que sean transferidos; asegurar las mejores condiciones en la enajenación de los Bienes; obtener el mayor valor de recuperación posible y las mejores condiciones de oportunidad, así como la reducción de los costos de administración y custodia, de conformidad con la Ley Federal de Administración y Enajenación de Bienes del Sector Público, o las disposiciones aplicables en el ámbito local.

Artículo 231. La Autoridad Administradora podrá dar en uso, depósito o comodato, los Bienes sujetos a proceso de extinción de dominio, cuando:

a) Permitan a la administración pública obtener un beneficio mayor que el resultante de su Venta Anticipada, o no se considere procedente dicha enajenación en forma previa a la sentencia definitiva, y

b) Resulten idóneos para la prestación de un servicio público.

Previa solicitud de la Persona Afectada y una vez acreditada la propiedad y licitud de la posesión de los inmuebles asegurados, estos podrán quedar en posesión de su propietario, poseedor o de alguno de sus ocupantes, en calidad de depositario, siempre y cuando no se afecte el interés social ni el orden público, ni sean objeto de prueba.

Para efecto de lo señalado en el párrafo anterior, la Autoridad Administradora estará a lo que el Juez determine. El Juez deberá especificar el nombre y condiciones para realizar la depositaría.

Los depositarios que tengan administración de Bienes, presentarán cada mes, al Juez y a la Autoridad Administradora, un informe detallado de los frutos obtenidos y de los gastos erogados, con todos los comprobantes respectivos y copias de éstos para las partes en el procedimiento de extinción de dominio. Los frutos obtenidos en moneda de curso legal serán depositados en una cuenta bancaria aperturada para ese fin específico que le indique la Autoridad Administradora. El depositario que no rinda el informe mensual, será separado de la administración.

Quienes queden en posesión de los inmuebles, no podrán enajenar o gravar los inmuebles a su cargo y estarán obligados a las disposiciones legales aplicables.

En el caso de las Entidades Federativas, se estará a lo dispuesto por la legislación local aplicable.

Artículo 232. Se considera como Bienes respecto de los cuales se podrá proceder a su destrucción los siguientes:

I. Los que por su estado de conservación no se les pueda dar otro destino;

II. Los que se encuentren en evidente estado de descomposición, adulteración o contaminación que no los hagan aptos para ser consumidos o que puedan resultar nocivos para la salud de las personas;

III. Productos o subproductos de flora y fauna silvestre, productos forestales plagados o que tengan alguna enfermedad que impida su aprovechamiento, así como Bienes o residuos peligrosos, cuando exista riesgo inminente de desequilibrio ecológico o casos de contaminación con repercusiones peligrosas para los ecosistemas o la salud pública. En estos casos se deberá solicitar la intervención de las autoridades competentes;

IV. Los que, por su volumen, la enajenación, disposición o donación resulte inviable por las repercusiones que se pudiesen tener en el mercado interno;

V. Los que el Juez determine que deban ser destruidos;

VI. Respecto de los cuales exista disposición legal que ordene su destrucción, y

VII. Los Bienes apócrifos.

En toda destrucción se deberán observar las disposiciones de seguridad, salud, protección al medio ambiente y demás que resulten aplicables. La Autoridad Administradora deberá probar fehacientemente la destrucción de dichos Bienes.

Artículo 233. Los Bienes cuyo dominio haya sido extinto por sentencia firme en el ámbito Federal, podrán destinarse a favor de las dependencias y entidades de la Administración Pública Federal, de la Fiscalía General de la República, así como de los gobiernos de las Entidades Federativas y municipios, según lo determine el Gabinete Social de la Presidencia de la República para que se destinen al servicio público, los utilicen en programas sociales u otras políticas públicas prioritarias. Lo anterior, de conformidad con las disposiciones aplicables.

En el ámbito local, los Bienes cuyo dominio haya sido extinto por sentencia firme, podrán destinarse conforme lo determinen las disposiciones locales aplicables.

En el caso de tierras ejidales o comunales se resolverá, como consecuencia de la extinción de dominio, que el Estado cuando recupere la propiedad, la ponga a disposición de la Asamblea Ejidal o Comunal para que la reasignen en beneficio del núcleo agrario o de persona distinta conforme a la Ley Agraria.

Artículo 234. En su caso, el valor de realización de los Bienes, incluidos sus productos, rendimientos, frutos y accesorios cuya extinción de dominio haya sido declarada mediante sentencia ejecutoriada, se destinará descontando los gastos de administración conforme a la ley aplicable, hasta donde alcance, conforme al orden de prelación siguiente, al pago de:

I. La reparación del daño causado a las víctimas de los delitos a que se refiere el presente ordenamiento, en términos de la Ley General de Víctimas;

II. En el caso de recursos que hayan pasado a formar parte del patrimonio de la Federación, al pago de las erogaciones derivadas de la ejecución de programas sociales de prevención social del delito, programas para el fortalecimiento de las instituciones de seguridad pública y procuración de justicia, conforme a los objetivos establecidos en el Plan Nacional de Desarrollo, y

III. En el caso de las Entidades Federativas, éstas destinarán dichos recursos para los fines señalados en las fracciones anteriores del presente artículo en los términos que determine su legislación.

Cuando de las constancias que obren en la carpeta de investigación o averiguación previa o en el proceso penal de que se trate, se advierta la extinción de la responsabilidad penal en virtud de la muerte del imputado o por prescripción, el Ministerio Público o la autoridad judicial, respectivamente, de oficio, podrán reconocer la calidad de Víctima u Ofendido, siempre que existan elementos suficientes, para el efecto exclusivo de que éste tenga derecho a la reparación del daño causado.

El destino del valor de realización de los Bienes, incluidos sus productos, rendimientos, frutos y accesorios, a que se refiere este artículo, se sujetará a las disposiciones aplicables en materia de transparencia y de fiscalización.

Artículo 235. La Autoridad Administradora no podrá disponer de los Bienes, aunque haya sido decretada la extinción de dominio, si en alguna causa penal en trámite se haya ordenado la conservación de éstos por sus efectos probatorios, siempre que dicho auto o resolución haya sido notificado previamente a dicha autoridad.

Artículo 236. Para efecto de lo señalado en esta Ley, la Autoridad Administradora estará a lo que el Juez determine, siempre que exista cantidad líquida suficiente derivada del procedimiento de extinción de dominio correspondiente. En todo caso, el Juez deberá especificar en su sentencia o resolución correspondiente, los montos a liquidar, la identidad de los acreedores y el orden de preferencia entre los mismos.

El Ministerio Público deberá, en su caso, representar los intereses de quien se conduzca como Víctima u Ofendido por los actos y hechos ilícitos a los que se refiere esta Ley, y por los que se ejercitó la acción de extinción de dominio.

Artículo 237. Los gastos de administración y enajenación y los que se generen por la publicación de edictos ordenados durante el procedimiento en materia de extinción de dominio, se pagarán con cargo a los productos, rendimientos, frutos y accesorios de los Bienes que se pusieron a disposición para su administración y, en su caso, con cargo a la Cuenta Especial a que se refiere esta Ley.

Asimismo, de los recursos obtenidos de la venta de Bienes extintos, la Autoridad Administradora deberá prever un Fondo de Reserva para restituir aquellos que ordene la autoridad judicial mediante sentencia firme, los cuales no podrán ser menores al diez por ciento del producto de la venta. En el caso de los recursos obtenidos de la venta de Bienes en proceso de extinción de dominio, la reserva de los recursos no será menor al treinta por ciento del producto de la venta.

Artículo 238. En caso de restitución del bien sujeto al proceso de extinción de dominio ordenada por la autoridad judicial mediante sentencia firme, cuando el bien haya sido vendido de manera anticipada, se pagará el producto de la venta más los productos, rendimientos, frutos y accesorios, menos los gastos de administración que correspondan. En caso de que el bien haya sido donado o destruido, o existe una condición que imposibilite su devolución, se pagará el valor del avalúo del bien al momento del aseguramiento. En ambos supuestos, el pago se realizará con cargo al fondo descrito en el último párrafo del artículo anterior.

CAPÍTULO SEGUNDO
DE LA CUENTA ESPECIAL

Artículo 239. Los remanentes del valor de los Bienes, así como los productos, rendimientos, frutos y accesorios que se hayan generado, que le corresponden al Gobierno Federal, conforme a la presente Ley, se depositarán por la Autoridad Administradora en una Cuenta Especial, administrada por esta, hasta en tanto se determine su destino final por el Gabinete Social de la Presidencia de la República.

En el ámbito local, la Cuenta Especial será regulada conforme lo determinen las disposiciones estatales aplicables.

En ningún caso los recursos a que se refiere este artículo podrán ser utilizados en gasto corriente o pago de salarios.

TÍTULO SEXTO

CAPÍTULO ÚNICO
DE LAS UNIDADES

Artículo 240. Las fiscalías contarán con unidades especializadas en materia de extinción de dominio, con el objeto de lograr una mayor eficiencia en los procedimientos de extinción de dominio de los Bienes destinados a estos.

Dichas unidades contarán con agentes del Ministerio Público que investigaran, ejercitarán la acción de extinción de dominio e intervendrán en el procedimiento, en los términos de esta Ley, los demás ordenamientos legales aplicables y los acuerdos que emita la persona titular de la Fiscalía.

Artículo 241. Las unidades especializadas tendrán por lo menos las siguientes atribuciones:

I. Ejercer las facultades y obligaciones referidas en esta Ley para el Ministerio Público;

II. Generar, recabar, analizar y consolidar información fiscal, patrimonial y financiera relacionada con hechos que pudieran estar vinculados con la comisión de algún delito;

III. Emitir lineamientos y jerarquizar, por niveles de riesgo, la información que obtengan;

IV. Diseñar y establecer métodos y procedimientos de recolección, procesamiento, análisis y clasificación de la información fiscal, patrimonial y financiera que obtenga;

V. Proponer al Fiscal, la celebración de convenios de colaboración con las instituciones y entidades financieras, empresas, asociaciones, sociedades, corredurías públicas y demás agentes económicos en materia de información sobre operaciones en las que pudiera detectarse la intervención de la delincuencia organizada o que tengan por finalidad ocultar el origen ilícito de los Bienes vinculados a actividades delictivas;

VI. Requerir a las unidades administrativas, órganos desconcentrados, delegaciones y organismos auxiliares de la Administración Pública Municipal, Estatal y Federal, así como a los organismos autónomos y los particulares, que proporcionen la información y documentación necesaria para el ejercicio de las atribuciones que se le confieren;

VII. Colaborar en la investigación y persecución de los delitos con diferentes autoridades con base en los análisis de la información fiscal, financiera y patrimonial que sea de su conocimiento;

VIII. Ser el enlace entre las autoridades administrativas, órganos desconcentrados, delegaciones y organismos auxiliares de la Administración Pública Estatal y las diversas dependencias y entidades de la Administración Pública Federal y de otras Entidades Federativas en los asuntos de su competencia, para el intercambio de información, así como negociar, celebrar e implementar acuerdos con esas instancias;

IX. Coordinarse con las autoridades competentes para la práctica de los actos de fiscalización que resulten necesarios con motivo del ejercicio de sus facultades;

X. Llevar el registro, inventario y control administrativo de los Bienes que se encuentren bajo medidas cautelares o sujetos al procedimiento de extinción de dominio, en los términos de esta Ley;

XI. Recabar informes de los depositarios de los Bienes sujetos a medidas cautelares y, en su caso, requerir al Ministerio Público para que realice las promociones conducentes ante la autoridad judicial con relación a la depositaría y administración de los mismos;

XII. Operar una base de datos que lleve el registro de los asuntos a dictaminar sobre la procedencia de su investigación con fines de extinción de dominio, los actos de preparación de la acción de extinción y las actuaciones en el juicio de extinción de dominio, los recursos procesales y la ejecución de la sentencia judicial que procure la continuidad, celeridad y confidencialidad del procedimiento;

XIII. Presentar las denuncias de los hechos presuntamente constitutivos de delito que conozcan por las investigaciones que realicen;

XIV. Interconectar el sistema informático con las herramientas informáticas institucionales, con el sistema de Bienes asegurados y con los sistemas de otras instituciones para el intercambio de información, agilizando la gestión de la unidad, y

XV. Las demás que le confieren otras disposiciones legales aplicables y que determine el Fiscal según sea el caso.

Artículo 242. Las dependencias, entidades y organismos de los diferentes órdenes de gobierno, están obligadas a proporcionar la información que les requieran las unidades con motivo del ejercicio de sus funciones.

Las operaciones relevantes en las que se detecte la intervención de miembros de la delincuencia o que tengan por objeto actos jurídicos con relación a Bienes a los que se refiere esta Ley, que se determinen en los protocolos que emita el Fiscal, deberán ser informadas a la unidad especializada, en los términos que se establezcan en los mismos y en las demás normas aplicables.

TÍTULO SÉPTIMO

CAPÍTULO ÚNICO
DEL REGISTRO NACIONAL DE EXTINCIÓN DE DOMINIO

Artículo 243. Existirá una base de datos que contendrá el Registro Nacional de Extinción de Dominio administrado por la Secretaría Técnica de la Conferencia Nacional de Procuración de Justicia en el que las fiscalías inscribirán las demandas de extinción de dominio y las sentencias, así como los Bienes que comprenden, y en el que podrán consultar los Bienes afectos a los procedimientos de extinción de dominio en el país, las sentencias y su cumplimiento.

TÍTULO OCTAVO

CAPÍTULO ÚNICO
DE LA COOPERACIÓN INTERNACIONAL

Artículo 244. Cuando los Bienes se encuentren en el extranjero o sujetos a la jurisdicción de un estado extranjero, la medida cautelar y la ejecución de la sentencia que se dicte con motivo del procedimiento de extinción de dominio, se substanciarán por vía de asistencia jurídica internacional en términos de los tratados e instrumentos internacionales de los que los Estados Unidos Mexicanos sea parte o, en su defecto, con base en la reciprocidad internacional.

Esta Ley regula en el Estado Mexicano los artículos 12 de la Convención de las Naciones Unidas contra la Delincuencia Organizada Transnacional; 31 de la Convención de las Naciones Unidas Contra la Corrupción; y 5 de la Convención de las Naciones Unidas contra el Tráfico Ilícito de Estupefacientes y Sustancias Sicotrópicas, en cuanto al decomiso civil o no penal.

Artículo 245. Para efectos de lo dispuesto en el artículo anterior, el Ministerio Público solicitará al Juez la expedición de copias certificadas del auto que imponga la medida cautelar o de la sentencia, así como de las demás constancias del procedimiento que sean necesarias.

Para la instrumentación del mecanismo de cooperación internacional, el Ministerio Público de las Entidades Federativas deberá requerir el auxilio de las autoridades federales competentes.

Artículo 246. Los Bienes que se recuperen con base en la cooperación internacional, o el producto de éstos, serán destinados a los fines que establece esta Ley.

Los gastos de administración y venta, así como el pago de contribuciones y gravámenes a que estuvieren sujetos los Bienes mencionados en el párrafo anterior, que sean realizados por la autoridad competente de un estado extranjero, se pagarán con cargo al producto de la venta de los Bienes que fueron base en la cooperación internacional.

Artículo 247. Cuando por virtud del procedimiento de extinción de dominio sea necesario practicar notificaciones en el extranjero, éstas se realizarán en términos de los instrumentos jurídicos internacionales o por rogatoria, de conformidad con la legislación en materia procesal civil aplicable. En estos casos, se suspenderán los plazos que establece esta Ley hasta tener por realizada, conforme a derecho, la diligencia requerida.

Artículo 248. Cuando la autoridad competente de un gobierno extranjero presente solicitud de asistencia jurídica, de conformidad con lo dispuesto en los instrumentos jurídicos internacionales de los que los Estados Unidos Mexicanos sea parte o por virtud de la reciprocidad internacional, cuyo fin sea la recuperación de Bienes para los efectos de esta Ley, ubicados en territorio nacional o sujetos a la jurisdicción del Estado Mexicano, se procederá como sigue:

I. La solicitud de asistencia jurídica internacional se tramitará por la Fiscalía General de la República o por la autoridad central que establezca el instrumento internacional de que se trate y, en su defecto, por la Secretaría de Relaciones Exteriores;

II. Con base en la solicitud de asistencia jurídica internacional, el Ministerio Público ejercitará ante el Juez la acción de extinción de dominio y solicitará la medida cautelar a que se refiere esta Ley, y

III. El procedimiento se desahogará en los términos que establece el presente ordenamiento.

Artículo 249. La acción de extinción de dominio con base en la petición de asistencia jurídica internacional será procedente siempre que:

I. Una orden judicial de la imposición de la medida cautelar, o de la decisión definitiva de extinción de dominio expedida por el Estado solicitante;

II. Una descripción de los Bienes afectados, su ubicación y, cuando proceda, el valor estimado de los mismos;

III. Una exposición explícita de los hechos en que se base la solicitud y la información que proceda para ejecutar la orden;

IV. Indicar las medidas adoptadas por el Estado parte requirente para dar notificación adecuada a la Parte Demandada para garantizar el debido proceso, y

V. Los Bienes respecto de los cuales se solicite la extinción de dominio se ubiquen en alguna de las causales que contempla la Ley.

Las notificaciones se realizarán en términos de los instrumentos jurídicos internacionales o por rogatoria, de conformidad con la legislación en materia procesal civil aplicable. En estos casos, se suspenderán los plazos que establece esta Ley hasta tener por realizada, conforme a derecho, la diligencia requerida.

Artículo 250. En caso de que se dicte sentencia que declare la extinción de dominio de los Bienes de que se trate, una vez que cause ejecutoria, se ordenará la entrega de estos o el producto de su venta, por conducto de la Fiscalía y de la Secretaría de Relaciones Exteriores, a la autoridad extranjera competente, salvo que exista acuerdo de asistencia jurídica respecto de un mecanismo sobre compartición de activos, caso en el cual se entregará la parte o partes que correspondan.

La entrega de los Bienes se hará previa deducción de los gastos propios de su administración y el pago de contribuciones y gravámenes a que estuvieren sujetos.

Artículo 251. En caso de que el Juez resuelva devolver los Bienes a su titular por declarar improcedente la acción de extinción de dominio, se comunicará al Estado extranjero la resolución respectiva, sin perjuicio de que los Bienes puedan ser objeto de afectación de dominio por otras causas, o bien, de decomiso, en virtud de algún procedimiento penal en los términos del Código Nacional de Procedimientos Penales.

TRANSITORIOS

Primero. El presente Decreto entrará en vigor al día siguiente de su publicación en el Diario Oficial de la Federación.

Segundo. A partir de la entrada en vigor del presente Decreto, se abroga la Ley Federal de Extinción de Dominio, Reglamentaria del artículo 22 de la Constitución Política de los Estados Unidos Mexicanos, así como las leyes de extinción de dominio de las Entidades Federativas, y se derogan todas las disposiciones legales, reglamentarias y administrativas, que se opongan a lo dispuesto en el presente Decreto.

Tercero. En un plazo que no excederá de ciento ochenta días contados a partir de la entrada en vigor del presente Decreto, las Legislaturas de las Entidades Federativas deberán armonizar su legislación respectiva con el presente Decreto.

Cuarto. Los procesos en materia de extinción de dominio iniciados con fundamento en la Ley Federal de Extinción de Dominio, Reglamentaria del artículo 22 de la Constitución Política de los Estados Unidos Mexicanos y en la legislación de las Entidades Federativas, deberán concluirse y ejecutarse conforme a la legislación vigente al momento de su inicio; las sentencias dictadas con base en los ordenamientos que dejarán de tener vigencia a la entrada del presente Decreto surtirán todos sus efectos jurídicos. Las investigaciones en preparación de la acción de extinción de dominio deberán continuarse con la presente Ley.

Quinto. Los recursos que actualmente administra el Servicio de Administración y Enajenación de Bienes en materia de extinción de dominio y aquellos que eventualmente reciba con motivo del inicio de la acción en términos de la Ley Federal de Extinción de Dominio, Reglamentaria del artículo 22 de la Constitución Política de los Estados Unidos Mexicanos que se abroga, continuarán bajo su administración y serán destinados a la cuenta especial a que se refiere el artículo 239 de la Ley Nacional de Extinción de Dominio, previa constitución del diez por ciento de estos recursos para el Fondo de Reserva a que se refiere el diverso 237, de dicho ordenamiento nacional.

El producto de la venta de los Bienes en proceso de extinción o que hayan sido declarados extintos conforme a los procedimientos de la legislación vigente aplicable.

Los recursos destinados o pendientes de destinarse al Fondo a que se refiere el artículo Segundo Transitorio del Decreto por el que se expide la Ley Federal de Extinción de Dominio, Reglamentaria del artículo 22 de la Constitución Política de los Estados Unidos Mexicanos; y se reforma y adiciona la Ley de Amparo, Reglamentaria de los artículos 103 y 107 de la Constitución Política de los Estados Unidos Mexicanos, publicado en el Diario Oficial de la Federación el veintinueve de mayo de dos mil nueve, serán transferidos a la cuenta especial.

Sexto. El presente Decreto será aplicable para los procedimientos de preparación de la acción de extinción de dominio que se inicien a partir de su entrada en vigor, con independencia de que los supuestos para su procedencia hayan sucedido con anterioridad, siempre y cuando no se haya ejercido la acción de extinción de dominio.

(REFORMADO, D.O.F. 22 DE ENERO DE 2020)

Séptimo. Todas las referencias que hagan mención al Servicio de Administración y Enajenación de Bienes en la normatividad vigente, se entenderán realizadas al Instituto para Devolver al Pueblo lo Robado, por lo que las obligaciones a cargo de dicho organismo que se generen con la entrada en vigor del presente Decreto, se cubrirán con cargo al presupuesto aprobado para el ejercicio fiscal en curso, por lo que no se requerirán recursos adicionales para tales efectos y no se incrementará el presupuesto del organismo descentralizado, y en caso de que se realice alguna modificación a su estructura orgánica, ésta deberá realizarse mediante movimientos compensados conforme a las disposiciones jurídicas aplicables, los cuales serán cubiertos por el Instituto para Devolver al Pueblo lo Robado a costo compensado, por lo que no se autorizarán ampliaciones a su presupuesto para el presente ejercicio fiscal ni subsecuentes como resultado de la entrada en vigor del presente Decreto.

Octavo. Las erogaciones que se generen con motivo de la entrada en vigor del presente Decreto, se realizarán con cargo a los presupuestos aprobados a los ejecutores de gasto responsables para el presente ejercicio fiscal y los subsecuentes, por lo que no se autorizarán recursos adicionales para tales efectos.

Noveno. El Consejo de la Judicatura Federal contará con un plazo que no podrá exceder de seis meses contados a partir de la publicación del presente Decreto, para crear los juzgados competentes en materia de extinción de dominio a que se refiere la Ley Nacional de Extinción de Dominio, mientras tanto, serán competentes los jueces de distrito en materia civil y que no tengan jurisdicción especial, de conformidad con los acuerdos que para tal efecto determine el Consejo de la Judicatura Federal, aplicando similares términos para el fuero común; debiendo utilizarse para el desahogo de las audiencias a que se refiere la Ley Nacional de Extinción de Dominio las salas existentes en los Centros de Justicia Federales y en los centros de justicia respectivos de las Entidades Federativas, en las que actualmente se desahogan las audiencias con la característica de oralidad.

Décimo. El titular del Ejecutivo Federal, dentro de un plazo que no excederá los ciento ochenta días contados a partir de la entrada en vigor del presente Decreto, deberá expedir las adecuaciones correspondientes a las disposiciones reglamentarias respectivas.

Décimo Primero. El Gabinete Social de la Presidencia de la República, por conducto de su Secretaría Técnica expedirá en los noventa días naturales posteriores a la entrada en vigor del presente Decreto, su reglamento interior.

Décimo Segundo. Dentro del año siguiente a la entrada en vigor de la Ley Nacional de Extinción de Dominio, la persona titular de la Fiscalía General de la República, realizará una convocatoria pública para la revisión del marco constitucional y jurídico en materia de extinción de dominio. Dicha convocatoria tendrá como objetivo la identificación, discusión y formulación de las reformas constitucionales y de la Ley Nacional de Extinción de Dominio para su óptimo funcionamiento. Los resultados obtenidos serán públicos y se comunicarán al Congreso de la Unión con el fin de que éste realice las adecuaciones al marco jurídico que considere sean necesarias y pertinentes.

Ciudad de México, a 25 de julio de 2019.- Sen. Martí Batres Guadarrama, Presidente.- Dip. María de los Dolores Padierna Luna, Vicepresidenta en funciones de Presidente.- Sen. Nancy de la Sierra Arámburo, Secretaria.- Dip. Karla Yuritzi Almazán Burgos, Secretaria.- Rúbricas."

En cumplimiento de lo dispuesto por la fracción I del Artículo 89 de la Constitución Política de los Estados Unidos Mexicanos, y para su debida publicación y observancia, expido el presente Decreto en la Residencia del Poder Ejecutivo Federal, en la Ciudad de México, a 9 de agosto de 2019.- Andrés Manuel López Obrador.- Rúbrica.- La Secretaria de Gobernación, Dra. Olga María del Carmen Sánchez Cordero Dávila.- Rúbrica.

Ley General de Víctimas

ÚLTIMA REFORMA PUBLICADA EN EL DIARIO OFICIAL DE LA FEDERACIÓN: 1 DE ABRIL DE 2024.

Ley publicada en la Primera Sección del Diario Oficial de la Federación, el miércoles 9 de enero de 2013.

Al margen un sello con el Escudo Nacional, que dice: Estados Unidos Mexicanos.- Congreso de la Unión.

"EL CONGRESO GENERAL DE LOS ESTADOS UNIDOS MEXICANOS, D E C R E T A:

SE EXPIDE LA LEY GENERAL DE VÍCTIMAS

Artículo único.- Se expide la Ley General de Víctimas.

LEY GENERAL DE VÍCTIMAS

TÍTULO PRIMERO
DISPOSICIONES GENERALES

CAPÍTULO I
APLICACIÓN, OBJETO E INTERPRETACIÓN

(REFORMADO PRIMER PÁRRAFO, D.O.F. 3 DE ENERO DE 2017)

Artículo 1. La presente Ley general es de orden público, de interés social y observancia en todo el territorio nacional, en términos de lo dispuesto por los artículos 1o., párrafo tercero, 17, 20 y 73, fracción XXIX-X, de la Constitución Política de los Estados Unidos Mexicanos, Tratados Internacionales celebrados y ratificados por el Estado Mexicano, y otras leyes en materia de víctimas.

En las normas que protejan a víctimas en las leyes expedidas por el Congreso, se aplicará siempre la que más favorezca a la persona.

(REFORMADO, D.O.F. 3 DE ENERO DE 2017)

La presente Ley obliga, en sus respectivas competencias, a las autoridades de todos los ámbitos de gobierno, y de sus poderes constitucionales, así como a cualquiera de sus oficinas, dependencias, organismos o instituciones públicas o privadas que velen por la protección de las víctimas, a proporcionar ayuda, asistencia o reparación integral. Las autoridades de todos los ámbitos de gobierno deberán actuar conforme a los principios y criterios establecidos en esta Ley, así como brindar atención inmediata en especial en materias de salud, educación y asistencia social, en caso contrario quedarán sujetos a las responsabilidades administrativas, civiles o penales a que haya lugar.

(REFORMADO, D.O.F. 3 DE MAYO DE 2013)

La reparación integral comprende las medidas de restitución, rehabilitación, compensación, satisfacción y garantías de no repetición, en sus dimensiones individual, colectiva, material, moral y simbólica. Cada una de estas medidas será implementada a favor de la víctima teniendo en cuenta la gravedad y magnitud del hecho victimizante cometido o la gravedad y magnitud de la violación de sus derechos, así como las circunstancias y características del hecho victimizante.

Artículo 2. El objeto de esta Ley es:

(REFORMADA, D.O.F. 3 DE MAYO DE 2013)

I. Reconocer y garantizar los derechos de las víctimas del delito y de violaciones a derechos humanos, en especial el derecho a la asistencia, protección, atención, verdad, justicia, reparación integral, debida diligencia y todos los demás derechos consagrados en ella, en la Constitución, en los Tratados Internacionales de derechos humanos de los que el Estado Mexicano es Parte y demás instrumentos de derechos humanos;

II. Establecer y coordinar las acciones y medidas necesarias para promover, respetar, proteger, garantizar y permitir el ejercicio efectivo de los derechos de las víctimas; así como implementar los mecanismos para que todas las autoridades en el ámbito de sus respectivas competencias cumplan con sus obligaciones de prevenir, investigar, sancionar y lograr la reparación integral;

III. Garantizar un efectivo ejercicio del derecho de las víctimas a la justicia en estricto cumplimiento de las reglas del debido proceso;

IV. Establecer los deberes y obligaciones específicos a cargo de las autoridades y de todo aquel que intervenga en los procedimientos relacionados con las victimas;

V. Establecer las sanciones respecto al incumplimiento por acción o por omisión de cualquiera de sus disposiciones.

(REFORMADO, D.O.F. 3 DE MAYO DE 2013)

Artículo 3. Esta Ley se interpretará de conformidad con la Constitución y con los Tratados Internacionales favoreciendo en todo tiempo la protección más amplia de los derechos de las personas.

CAPÍTULO II
CONCEPTO, PRINCIPIOS Y DEFINICIONES

(REFORMADO, D.O.F. 3 DE MAYO DE 2013)

Artículo 4. Se denominarán víctimas directas aquellas personas físicas que hayan sufrido algún daño o menoscabo económico, físico, mental, emocional, o en general cualquiera puesta en peligro o lesión a sus bienes jurídicos o derechos como consecuencia de la comisión de un delito o violaciones a sus derechos humanos reconocidos en la Constitución y en los Tratados Internacionales de los que el Estado Mexicano sea Parte.

Son víctimas indirectas los familiares o aquellas personas físicas a cargo de la víctima directa que tengan una relación inmediata con ella.

Son víctimas potenciales las personas físicas cuya integridad física o derechos peligren por prestar asistencia a la víctima ya sea por impedir o detener la violación de derechos o la comisión de un delito.

La calidad de víctimas se adquiere con la acreditación del daño o menoscabo de los derechos en los términos establecidos en la presente Ley, con independencia de que se identifique, aprehenda, o condene al responsable del daño o de que la víctima participe en algún procedimiento judicial o administrativo.

Son víctimas los grupos, comunidades u organizaciones sociales que hubieran sido afectadas en sus derechos, intereses o bienes jurídicos colectivos como resultado de la comisión de un delito o la violación de derechos.

Artículo 5. Los mecanismos, medidas y procedimientos establecidos en esta Ley, serán diseñados, implementados y evaluados aplicando los principios siguientes:

Dignidad.- La dignidad humana es un valor, principio y derecho fundamental base y condición de todos los demás. Implica la comprensión de la persona como titular y sujeto de derechos y a no ser objeto de violencia o arbitrariedades por parte del Estado o de los particulares.

En virtud de la dignidad humana de la víctima, todas las autoridades del Estado están obligadas en todo momento a respetar su autonomía, a considerarla y tratarla como fin de su actuación. Igualmente, todas las autoridades del Estado están obligadas a garantizar que no se vea disminuido el mínimo existencial al que la víctima tiene derecho, ni sea afectado el núcleo esencial de sus derechos.

(REFORMADO, D.O.F. 3 DE MAYO DE 2013)

En cualquier caso, toda norma, institución o acto que se desprenda de la presente Ley serán interpretados de conformidad con los derechos humanos reconocidos por la Constitución y los Tratados Internacionales de los que el Estado Mexicano sea Parte, aplicando siempre la norma más benéfica para la persona.

(REFORMADO, D.O.F. 3 DE MAYO DE 2013)

Buena fe.- Las autoridades presumirán la buena fe de las víctimas. Los servidores públicos que intervengan con motivo del ejercicio de derechos de las víctimas no deberán criminalizarla o responsabilizarla por su situación de víctima y deberán brindarle los servicios de ayuda, atención y asistencia desde el momento en que lo requiera, así como respetar y permitir el ejercicio efectivo de sus derechos.

(REFORMADO PRIMER PÁRRAFO, D.O.F. 3 DE MAYO DE 2013)

Complementariedad.- Los mecanismos, medidas y procedimientos contemplados en esta Ley, en especial los relacionados con la de asistencia, ayuda, protección, atención y reparación integral a las víctimas, deberán realizarse de manera armónica, eficaz y eficiente entendiéndose siempre como complementarias y no excluyentes.

Tanto las reparaciones individuales, administrativas o judiciales, como las reparaciones colectivas deben ser complementarias para alcanzar la integralidad que busca la reparación.

(REFORMADO PRIMER PÁRRAFO, D.O.F. 3 DE MAYO DE 2013)

Debida diligencia.- El Estado deberá realizar todas las actuaciones necesarias dentro de un tiempo razonable para lograr el objeto de esta Ley, en especial la prevención, ayuda, atención, asistencia, derecho a la verdad, justicia y reparación integral a fin de que la víctima sea tratada y considerada como sujeto titular de derecho.

El Estado deberá remover los obstáculos que impidan el acceso real y efectivo de las víctimas a las medidas reguladas por la presente Ley, realizar prioritariamente acciones encaminadas al fortalecimiento de sus derechos, contribuir a su recuperación como sujetos en ejercicio pleno de sus derechos y deberes, así como evaluar permanentemente el impacto de las acciones que se implementen a favor de las víctimas.

(REFORMADO PRIMER PÁRRAFO, D.O.F. 3 DE MAYO DE 2013)

Enfoque diferencial y especializado.- Esta Ley reconoce la existencia de grupos de población con características particulares o con mayor situación de vulnerabilidad en razón de su edad, género, preferencia u orientación sexual, etnia, condición de discapacidad y otros, en consecuencia, se reconoce que ciertos daños requieren de una atención especializada que responda a las particularidades y grado de vulnerabilidad de las víctimas.

(REFORMADO, D.O.F. 1 DE ABRIL DE 2024)

Las autoridades que deban aplicar esta Ley ofrecerán, en el ámbito de sus respectivas competencias, garantías especiales y medidas de protección a los grupos expuestos a un mayor riesgo de violación de sus derechos, como niñas y niños, jóvenes, mujeres, adultos mayores, personas en situación de discapacidad, migrantes, personas pertenecientes a pueblos y comunidades indígenas y afromexicanas, personas defensoras de derechos humanos, periodistas y personas en situación de desplazamiento interno. En todo momento se reconocerá el interés superior del menor.

Este principio incluye la adopción de medidas que respondan a la atención de dichas particularidades y grado de vulnerabilidad, reconociendo igualmente que ciertos daños sufridos por su gravedad requieren de un tratamiento especializado para dar respuesta a su rehabilitación y reintegración a la sociedad.

(REFORMADO, D.O.F. 3 DE MAYO DE 2013)

Enfoque transformador.- Las autoridades que deban aplicar la presente Ley realizarán, en el ámbito de sus respectivas competencias, los esfuerzos necesarios encaminados a que las medidas de ayuda, protección, atención, asistencia y reparación integral a las que tienen derecho las víctimas contribuyan a la eliminación de los esquemas de discriminación y marginación que pudieron ser la causa de los hechos victimizantes.

Gratuidad.- Todas las acciones, mecanismos, procedimientos y cualquier otro trámite que implique el derecho de acceso a la justicia y demás derechos reconocidos en esta Ley, serán gratuitos para la víctima.

Igualdad y no discriminación.- En el ejercicio de los derechos y garantías de las víctimas y en todos los procedimientos a los que se refiere la presente Ley, las autoridades se conducirán sin distinción, exclusión o restricción, ejercida por razón de sexo, raza, color, orígenes étnicos, sociales, nacionales, lengua, religión, opiniones políticas, ideológicas o de cualquier otro tipo, género, edad, preferencia u orientación sexual, estado civil, condiciones de salud, pertenencia a una minoría nacional, patrimonio y discapacidades, o cualquier otra que tenga por objeto o efecto impedir o anular el reconocimiento o el ejercicio de los derechos y la igualdad real de oportunidades de las personas. Toda garantía o mecanismo especial deberá fundarse en razones de enfoque diferencial.

Integralidad, indivisibilidad e interdependencia.- Todos los derechos contemplados en esta Ley se encuentran interrelacionados entre sí. No se puede garantizar el goce y ejercicio de los mismos sin que a la vez se garantice el resto de los derechos. La violación de un derecho pondrá en riesgo el ejercicio de otros.

Para garantizar la integralidad, la asistencia, atención, ayuda y reparación integral a las víctimas se realizará de forma multidisciplinaria y especializada.

(ADICIONADO, D.O.F. 3 DE ENERO DE 2017)

Interés superior de la niñez.- El interés superior de la niñez deberá ser considerado de manera primordial en la toma de decisiones sobre una cuestión debatida que involucre niñas, niños y adolescentes. Cuando se presenten diferentes interpretaciones, se elegirá la que satisfaga de manera más efectiva este principio rector.

Cuando se tome una decisión que afecte a niñas, niños o adolescentes, en lo individual o colectivo, se deberán evaluar y ponderar las posibles repercusiones a fin de salvaguardar su interés superior y sus garantías procesales.

(REFORMADO, D.O.F. 3 DE MAYO DE 2013)

Máxima protección.- Toda autoridad de los órdenes de gobierno debe velar por la aplicación más amplia de medidas de protección a la dignidad, libertad, seguridad y demás derechos de las víctimas del delito y de violaciones a los derechos humanos.

Las autoridades adoptarán en todo momento, medidas para garantizar la seguridad, protección, bienestar físico y psicológico e intimidad de las víctimas.

(ADICIONADO, D.O.F. 3 DE MAYO DE 2013)

Mínimo existencial.- Constituye una garantía fundada en la dignidad humana como presupuesto del Estado democrático y consiste en la obligación del Estado de proporcionar a la víctima y a su núcleo familiar un lugar en el que se les preste la atención adecuada para que superen su condición y se asegure su subsistencia con la debida dignidad que debe ser reconocida a las personas en cada momento de su existencia.

(REFORMADO PRIMER PÁRRAFO, D.O.F. 3 DE MAYO DE 2013)

No criminalización.- Las autoridades no deberán agravar el sufrimiento de la víctima ni tratarla en ningún caso como sospechosa o responsable de la comisión de los hechos que denuncie.

Ninguna autoridad o particular podrá especular públicamente sobre la pertenencia de las víctimas al crimen organizado o su vinculación con alguna actividad delictiva. La estigmatización, el prejuicio y las consideraciones de tipo subjetivo deberán evitarse.

(REFORMADO, D.O.F. 3 DE MAYO DE 2013)

Victimización secundaria.- Las características y condiciones particulares de la víctima no podrán ser motivo para negarle su calidad. El Estado tampoco podrá exigir mecanismos o procedimientos que agraven su condición ni establecer requisitos que obstaculicen e impidan el ejercicio de sus derechos ni la expongan a sufrir un nuevo daño por la conducta de los servidores públicos.

(REFORMADO, D.O.F. 3 DE MAYO DE 2013)

Participación conjunta.- Para superar la vulnerabilidad de las víctimas, el Estado deberá implementar medidas de ayuda, atención, asistencia y reparación integral con el apoyo y colaboración de la sociedad civil y el sector privado, incluidos los grupos o colectivos de víctimas.

La víctima tiene derecho a colaborar con las investigaciones y las medidas para lograr superar su condición de vulnerabilidad, atendiendo al contexto, siempre y cuando las medidas no impliquen un detrimento a sus derechos.

(REFORMADO, D.O.F. 3 DE MAYO DE 2013)

Progresividad y no regresividad.- Las autoridades que deben aplicar la presente Ley tendrán la obligación de realizar todas las acciones necesarias para garantizar los derechos reconocidos en la misma y no podrán retroceder o supeditar los derechos, estándares o niveles de cumplimiento alcanzados.

Publicidad.- Todas las acciones, mecanismos y procedimientos deberán ser públicos, siempre que esto no vulnere los derechos humanos de las víctimas o las garantías para su protección.

(REFORMADO, D.O.F. 3 DE MAYO DE 2013)

El Estado deberá implementar mecanismos de difusión eficaces a fin de brindar información y orientación a las víctimas acerca de los derechos, garantías y recursos, así como acciones, mecanismos y procedimientos con los que cuenta, los cuales deberán ser dirigidos a las víctimas y publicitarse de forma clara y accesible.

(REFORMADO, D.O.F. 3 DE MAYO DE 2013)

Rendición de cuentas.- Las autoridades y funcionarios encargados de la implementación de la Ley, así como de los planes y programas que esta Ley regula, estarán sujetos a mecanismos efectivos de rendición de cuentas y de evaluación que contemplen la participación de la sociedad civil, particularmente de víctimas y colectivos de víctimas.

(REFORMADO, D.O.F. 3 DE MAYO DE 2013)

Transparencia.- Todas las acciones, mecanismos y procedimientos que lleve a cabo el Estado en ejercicio de sus obligaciones para con las víctimas, deberán instrumentarse de manera que garanticen el acceso a la información, así como el seguimiento y control correspondientes.

Las autoridades deberán contar con mecanismos efectivos de rendición de cuentas y de evaluación de las políticas, planes y programas que se instrumenten para garantizar los derechos de las víctimas.

Trato preferente.- Todas las autoridades en el ámbito de sus competencias tienen la obligación de garantizar el trato digno y preferente a las víctimas.

[N. DE E. DE LAS REFORMAS APROBADAS POR EL ARTÍCULO PRIMERO DEL DECRETO SIN NÚMERO, PUBLICADO EN EL D.O.F. 3 DE MAYO

DE 2013, SE MODIFICO DE FORMA SUSTANCIAL LA ESTRUCTURA DEL PRESENTE ARTÍCULO.]

Artículo 6. Para los efectos de esta Ley, se entenderá por:

(REFORMADA, D.O.F. 3 DE ENERO DE 2017)

I. Asesor Jurídico: Asesor Jurídico Federal de Atención a Víctimas adscritos a la Comisión Ejecutiva y sus equivalentes en las entidades federativas;

(REFORMADA, D.O.F. 3 DE MAYO DE 2013)

II. Asesoría Jurídica: Asesoría Jurídica Federal de Atención a Víctimas y sus equivalentes en las entidades federativas;

(REFORMADA, D.O.F. 3 DE ENERO DE 2017)

III. Comisiones de víctimas: Comisiones Estatales de Atención Integral a Víctimas y de la Ciudad de México;

IV. Comisión Ejecutiva: Comisión Ejecutiva de Atención a Víctimas;

(REFORMADA, D.O.F. 3 DE MAYO DE 2013)

V. Compensación: Erogación económica a que la víctima tenga derecho en los términos de esta Ley;

VI. Daño: Muerte o lesiones corporales, daños o perjuicios morales y materiales, salvo a los bienes de propiedad de la persona responsable de los daños; pérdidas de ingresos directamente derivadas de un interés económico; pérdidas de ingresos directamente derivadas del uso del medio ambiente incurridas como resultado de un deterioro significativo del medio ambiente, teniendo en cuenta los ahorros y los costos; costo de las medidas de restablecimiento, limitado al costo de las medidas efectivamente adoptadas o que vayan a adoptarse; y costo de las medidas preventivas, incluidas cualesquiera pérdidas o daños causados por esas medidas, en la medida en que los daños deriven o resulten;

(REFORMADA, D.O.F. 3 DE MAYO DE 2013)

VII. Delito: Acto u omisión que sancionan las leyes penales;

VIII. (DEROGADA, D.O.F. 6 DE NOVIEMBRE DE 2020)

(REFORMADA [N. DE E. ADICIONADA], D.O.F. 3 DE ENERO DE 2017)

IX. Fondo estatal: El fondo de ayuda, asistencia y reparación integral en cada entidad federativa;

(REFORMADA, D.O.F. 3 DE ENERO DE 2017)

X. Hecho victimizante: Actos u omisiones que dañan, menoscaban o ponen en peligro los bienes jurídicos o derechos de una persona convirtiéndola en víctima. Estos pueden estar tipificados como delitos o constituir una violación a los derechos humanos reconocidos por la Constitución y los Tratados Internacionales de los que México forme parte;

(REFORMADA, D.O.F. 3 DE ENERO DE 2017)

XI. Ley: Ley General de Víctimas;

(REFORMADA, D.O.F. 3 DE ENERO DE 2017)

XII. Plan: Plan Anual Integral de Atención a Víctimas;

(REFORMADA, D.O.F. 3 DE ENERO DE 2017)

XIII. Programa: Programa de Atención Integral a Víctimas;

(REFORMADA, D.O.F. 3 DE ENERO DE 2017)

XIV. Procedimiento: Procedimientos seguidos ante autoridades judiciales o administrativas;

(REFORMADA, D.O.F. 6 DE NOVIEMBRE DE 2020)

XV. Recursos de Ayuda: Gastos de ayuda inmediata, ayuda, asistencia, atención y rehabilitación previstos en los títulos segundo, tercero y cuarto de la Ley, que corresponda cubrir a la Federación o a las entidades federativas, en el ámbito de sus respectivas competencias;

(REFORMADA, D.O.F. 3 DE ENERO DE 2017)

XVI. Registro: Registro Nacional de Víctimas, que incluye el registro federal y los registros de las entidades federativas;

(REFORMADA, D.O.F. 3 DE ENERO DE 2017)

XVII. Reglamento: Reglamento de la Ley General de Víctimas;

(REFORMADA, D.O.F. 3 DE ENERO DE 2017)

XVIII. Sistema: Sistema Nacional de Atención a Víctimas;

(REFORMADA, D.O.F. 3 DE ENERO DE 2017)

XIX. Víctima: Persona física que directa o indirectamente ha sufrido daño o el menoscabo de sus derechos producto de una violación de derechos humanos o de la comisión de un delito;

(REFORMADA [N. DE E. Y REUBICADA ANTES FRACCIÓN XVIII], D.O.F. 3 DE ENERO DE 2017)

XX. Víctima potencial: Las personas físicas cuya integridad física o derechos peligren por prestar asistencia a la víctima ya sea por impedir o detener la violación de derechos o la comisión de un delito, y

(REFORMADA [N. DE E. REUBICADA ANTES FRACCIÓN XIX], D.O.F. 3 DE ENERO DE 2017)

XXI. Violación de derechos humanos: Todo acto u omisión que afecte los derechos humanos reconocidos en la Constitución o en los Tratados Internacionales, cuando el agente sea servidor público en el ejercicio de sus funciones o atribuciones o un particular que ejerza funciones públicas. También se considera violación de derechos humanos cuando la acción u omisión referida sea realizada por un particular instigado o autorizado, explícita o implícitamente por un servidor público, o cuando actúe con aquiescencia o colaboración de un servidor público.

TÍTULO SEGUNDO
DE LOS DERECHOS DE LAS VÍCTIMAS

(REFORMADA SU DENOMINACIÓN, D.O.F. 3 DE MAYO DE 2013)

CAPÍTULO I
DE LOS DERECHOS EN LO GENERAL DE LAS VÍCTIMAS

(REFORMADO, D.O.F. 3 DE MAYO DE 2013)

Artículo 7. Los derechos de las víctimas que prevé la presente Ley son de carácter enunciativo y deberán ser interpretados de conformidad con lo dispuesto en la Constitución, los tratados y las leyes aplicables en materia de atención a víctimas, favoreciendo en todo tiempo la protección más amplia de sus derechos.

Las víctimas tendrán, entre otros, los siguientes derechos:

I. A una investigación pronta y eficaz que lleve, en su caso, a la identificación y enjuiciamiento de los responsables de violaciones al Derecho Internacional de los derechos humanos, y a su reparación integral;

II. A ser reparadas por el Estado de manera integral, adecuada, diferenciada, transformadora y efectiva por el daño o menoscabo que han sufrido en sus derechos como consecuencia de violaciones a derechos humanos y por los daños que esas violaciones les causaron;

III. A conocer la verdad de lo ocurrido acerca de los hechos en que le fueron violados sus derechos humanos para lo cual la autoridad deberá informar los resultados de las investigaciones;

IV. A que se le brinde protección y se salvaguarde su vida y su integridad corporal, en los casos previstos en el artículo 34 de la Ley Federal contra la Delincuencia Organizada;

V. A ser tratadas con humanidad y respeto de su dignidad y sus derechos humanos por parte de los servidores públicos y, en general, por el personal de las instituciones públicas responsables del cumplimiento de esta Ley, así como por parte de los particulares que cuenten con convenios para brindar servicios a las víctimas;

VI. A solicitar y a recibir ayuda, asistencia y atención en forma oportuna, rápida, equitativa, gratuita y efectiva por personal especializado en atención al daño sufrido desde la comisión del hecho victimizante, con independencia del lugar en donde ella se encuentre, así como a que esa ayuda, asistencia y atención no dé lugar, en ningún caso, a una nueva afectación;

VII. A la verdad, a la justicia y a la reparación integral a través de recursos y procedimientos accesibles, apropiados, suficientes, rápidos y eficaces;

VIII. A la protección del Estado, incluido el bienestar físico y psicológico y la seguridad del entorno con respeto a la dignidad y privacidad de la víctima, con independencia de que se encuentren dentro un procedimiento penal o de cualquier otra índole. Lo anterior incluye el derecho a la protección de su intimidad contra injerencias ilegítimas, así como derecho a contar con medidas de protección eficaces cuando su vida o integridad personal o libertad personal sean amenazadas o se hallen en riesgo en razón de su condición de víctima y/o del ejercicio de sus derechos;

IX. A solicitar y a recibir información clara, precisa y accesible sobre las rutas y los medios de acceso a los procedimientos, mecanismos y medidas que se establecen en la presente Ley;

X. A solicitar, acceder y recibir, en forma clara y precisa, toda la información oficial necesaria para lograr el pleno ejercicio de cada uno de sus derechos;

XI. A obtener en forma oportuna, rápida y efectiva todos los documentos que requiera para el ejercicio de sus derechos, entre éstos, los documentos de identificación y las visas;

XII. A conocer el estado de los procesos judiciales y administrativos en los que tenga un interés como interviniente;

XIII. A ser efectivamente escuchada por la autoridad respectiva cuando se encuentre presente en la audiencia, diligencia o en cualquier otra actuación y antes de que la autoridad se pronuncie;

XIV. A ser notificada de las resoluciones relativas a las solicitudes de ingreso al Registro y de medidas de ayuda, de asistencia y reparación integral que se dicten;

XV. A que el consulado de su país de origen sea inmediatamente notificado conforme a las normas internacionales que protegen el derecho a la asistencia consular, cuando se trate de víctimas extranjeras;

XVI. A la reunificación familiar cuando por razón del tipo de victimización su núcleo familiar se haya dividido;

XVII. A retornar a su lugar de origen o a reubicarse en condiciones de voluntariedad, seguridad y dignidad;

XVIII. A acudir y a participar en escenarios de diálogo institucional;

XIX. A ser beneficiaria de las acciones afirmativas y programas sociales públicos para proteger y garantizar sus derechos;

XX. A participar en la formulación, implementación y seguimiento de la política pública de prevención, ayuda, atención, asistencia y reparación integral;

(REFORMADA, D.O.F. 1 DE ABRIL DE 2024)

XXI. A que las políticas públicas que son implementadas con base en la presente Ley tengan un enfoque transversal de género y diferencial, particularmente en atención a la infancia, los adultos mayores, los pueblos y comunidades indígenas y afromexicanas y las personas en situación de desplazamiento interno;

XXII. A no ser discriminadas ni limitadas en sus derechos;

XXIII. A recibir tratamiento especializado que le permita su rehabilitación física y psicológica con la finalidad de lograr su reintegración a la sociedad;

XXIV. A acceder a los mecanismos de justicia disponibles para determinar la responsabilidad en la comisión del delito o de la violación de los derechos humanos;

XXV. A tomar decisiones informadas sobre las vías de acceso a la justicia o mecanismos alternativos;

XXVI. A una investigación pronta y efectiva que lleve a la identificación, captura, procesamiento y sanción de manera adecuada de todos los responsables del daño, al esclarecimiento de los hechos y a la reparación del daño;

XXVII. A participar activamente en la búsqueda de la verdad de los hechos y en los mecanismos de acceso a la justicia que estén a su disposición, conforme a los procedimientos establecidos en la ley de la materia;

XXVIII. A expresar libremente sus opiniones e intereses ante las autoridades e instancias correspondientes y a que éstas, en su caso, sean consideradas en las decisiones que afecten sus intereses;

XXIX. Derecho a ejercer los recursos legales en contra de las decisiones que afecten sus intereses y el ejercicio de sus derechos;

(REFORMADA, D.O.F. 3 DE ENERO DE 2017)

XXX. A que se les otorgue, la ayuda provisional de los Recursos de Ayuda de la Comisión Ejecutiva o de las Comisiones de víctimas en los términos de la presente Ley;

XXXI. A recibir gratuitamente la asistencia de un intérprete o traductor de su lengua, en caso de que no comprendan el idioma español o tenga discapacidad auditiva, verbal o visual;

XXXII. A trabajar de forma colectiva con otras víctimas para la defensa de sus derechos, incluida su reincorporación a la sociedad;

(REFORMADA, D.O.F. 3 DE ENERO DE 2017)

XXXIII. A participar en espacios colectivos donde se proporcione apoyo individual o colectivo que le permita relacionarse con otras víctimas;

(REFORMADA [N. DE E. ADICIONADA], D.O.F. 3 DE ENERO DE 2017)

XXXIV. Toda comparecencia ante el órgano investigador, el juez o tribunal, organismo público de protección de los derechos humanos, o ante cualquiera otra autoridad o perito que requiera la presencia de la Víctima, se considerará justificada para los efectos laborales y escolares, teniendo ella derecho a gozar del total de los emolumentos a que se refiere la Ley Federal del Trabajo;

(REFORMADA, D.O.F. 25 DE ABRIL DE 2023)

XXXV. La protección de las víctimas del delito de feminicidio, secuestro, desaparición forzada de personas, otras formas de privación de la libertad contrarias a la Ley, trata de personas, tortura y otros tratos o penas crueles, inhumanos o degradantes, de los intervinientes o colaboradores en un procedimiento penal, así como de las personas o familiares cercanas a todos ellos, se otorgará además de lo dispuesto por esta Ley en términos de la legislación aplicable.

(ADICIONADA, D.O.F. 25 DE ABRIL DE 2023)

XXXVI. Acceso universal a la justicia, mediante la asesoría jurídica especializada que el Estado proporcione por sí, a través de convenios con organizaciones de defensa de derechos humanos pertenecientes a la sociedad civil o de instituciones privadas, debidamente especializadas y certificadas en el rubro de la representación y la asesoría en materia penal; el órgano jurisdiccional; el tribunal de enjuiciamiento; el tribunal de alzada y, en su caso, los jueces de ejecución dictarán las medidas conducentes encaminadas a que se materialice este derecho en la respectiva etapa procesal, en todo lugar en que se desarrolle el proceso;

(ADICIONADA, D.O.F. 25 DE ABRIL DE 2023)

XXXVII. Que se proporcione a las víctimas, ofendidos y sus familiares que así lo requieran, un traductor o intérprete según su nacionalidad, idioma, lengua o condición de discapacidad;

(ADICIONADA, D.O.F. 25 DE ABRIL DE 2023)

XXXVIII. El Ministerio Público y los órganos jurisdiccionales, de verificar que la víctima u ofendidos no se encuentran en condiciones para rendir su declaración, deberán reconocer su derecho a tener un periodo de espera y estabilización física y psicoemocional;

(REFORMADA, D.O.F. 6 DE NOVIEMBRE DE 2020)

XXXIX. Tener acceso ágil, eficaz y transparente a los Recursos de Ayuda y Fondos Estatales en términos de esta Ley, y

(ADICIONADA [N. DE E. REFORMADA Y REUBICADA], D.O.F. 3 DE ENERO DE 2017)

XL. Los demás señalados por la Constitución, los Tratados Internacionales, esta Ley y cualquier otra disposición en la materia o legislación especial.

CAPÍTULO II
DE LOS DERECHOS DE AYUDA, ASISTENCIA Y ATENCIÓN

(REFORMADO PRIMER PÁRRAFO, D.O.F. 3 DE ENERO DE 2017)

Artículo 8. Las víctimas recibirán ayuda provisional, oportuna y rápida de los Recursos de Ayuda de la Comisión Ejecutiva o de las Comisiones de víctimas de las entidades federativas según corresponda, de acuerdo a las necesidades inmediatas que tengan relación directa con el hecho victimizante para atender y garantizar la satisfacción de sus necesidades de alimentación, aseo personal, manejo de abastecimientos, atención médica y psicológica de emergencia, transporte de emergencia y alojamiento transitorio en condiciones dignas y seguras, a partir del momento de la comisión del delito o de la violación de los derechos o en el momento en el que las autoridades tengan conocimiento del delito o de la violación de derechos. Las medidas de ayuda provisional se brindarán garantizando siempre un enfoque transversal de género y diferencial, y durante el tiempo que sea necesario para garantizar que la víctima supere las condiciones de necesidad inmediata.

(REFORMADO, D.O.F. 3 DE ENERO DE 2017)

Las víctimas de delitos o de violaciones de derechos que atenten contra la vida, contra la libertad o la integridad, así como de desplazamiento interno, recibirán ayuda médica y psicológica especializada de emergencia en los términos de la presente Ley.

(REFORMADO, D.O.F. 3 DE MAYO DE 2013)

Los servidores públicos deberán brindar información clara, precisa y accesible a las víctimas y sus familiares, sobre cada una de las garantías, mecanismos y procedimientos que permiten el acceso oportuno, rápido y efectivo a las medidas de ayuda contempladas en la presente Ley.

(REFORMADO, D.O.F. 3 DE ENERO DE 2017)

Las medidas de ayuda inmediata, ayuda, asistencia, atención, rehabilitación y demás establecidas en los Títulos Segundo, Tercero, Cuarto y Quinto de esta Ley, se brindarán por las instituciones públicas de los gobiernos Federal, de las entidades federativas y municipios en el ámbito de sus competencias, a través de los programas, mecanismos y servicios con que cuenten, salvo en los casos urgentes o de extrema necesidad en los que se podrá recurrir a instituciones privadas.

(ADICIONADO, D.O.F. 3 DE ENERO DE 2017)

Las víctimas podrán requerir que las medidas materia de esta Ley le sean proporcionadas por una institución distinta a aquélla o aquéllas que hayan estado involucradas en el hecho victimizante, ya sea de carácter público o privado, a fin de evitar un nuevo proceso de victimización.

(ADICIONADO, D.O.F. 3 DE ENERO DE 2017)

La Comisión Ejecutiva, así como las Comisiones de víctimas de las entidades federativas deberán otorgar, con cargo a sus Recursos de Ayuda que corresponda, medidas de ayuda provisional, ayuda, asistencia, atención y rehabilitación que requiera la víctima para garantizar que supere las condiciones de necesidad que tengan relación directa con el hecho victimizante.

(REFORMADO, D.O.F. 6 DE NOVIEMBRE DE 2020)

En casos urgentes, de extrema necesidad o aquellos en que las instituciones de carácter público no cuenten con la capacidad de brindar la atención que requiere, la Comisión Ejecutiva o Comisiones de víctimas podrán autorizar que la víctima acuda a una institución de carácter privado con cargo a los Recursos de Ayuda o al Fondo Estatal, según corresponda.

(REFORMADO, D.O.F. 6 DE NOVIEMBRE DE 2020)

La Comisión Ejecutiva, así como las Comisiones de víctimas, en el ámbito de sus competencias, deberán otorgar, con cargo al presupuesto autorizado de la Comisión Ejecutiva o del Fondo Estatal que corresponda, los Recursos de Ayuda que requiera la víctima para garantizar que supere las condiciones de necesidad que tengan relación con el hecho víctimizante. La Comisión Ejecutiva o las Comisiones de víctimas requerirán a la víctima en un plazo de treinta días, los comprobantes del gasto que se hayan generado con motivo del otorgamiento de dichas medidas, de conformidad con los criterios de comprobación a los que hace referencia el párrafo segundo del artículo 136 de la Ley.

(REFORMADO, D.O.F. 6 DE NOVIEMBRE DE 2020)

La Comisión Ejecutiva deberá cubrir medidas de ayuda inmediata de acuerdo con su disponibilidad presupuestaria cuando la Comisión Estatal lo solicite por escrito en caso de no contar con disponibilidad de recursos, y se comprometa a resarcirlos en términos de lo previsto en la fracción XVII del artículo 81 de la Ley.

Artículo 9. Las víctimas tendrán derecho a la asistencia y a la atención, los cuales se garantizarán incluyendo siempre un enfoque transversal de género y diferencial.

Se entiende por asistencia el conjunto integrado de mecanismos, procedimientos, programas, medidas y recursos de orden político, económico, social, cultural, entre otros, a cargo del Estado, orientado a restablecer la vigencia efectiva de los derechos de las víctimas, brindarles condiciones para llevar una vida digna y garantizar su incorporación a la vida social, económica y política. Entre estas medidas, las víctimas contarán con asistencia médica especializada incluyendo la psiquiátrica, psicológica, traumatológica y tanatológica.

(REFORMADO, D.O.F. 3 DE MAYO DE 2013)

Se entiende por atención, la acción de dar información, orientación y acompañamiento jurídico y psicosocial a las víctimas, con el objeto de facilitar su acceso a los derechos a la verdad, a la justicia y a la reparación integral, cualificando el ejercicio de los mismos.

Las medidas de asistencia y atención no sustituyen ni reemplazan a las medidas de reparación integral, por lo tanto, el costo o las erogaciones en que incurra el Estado en la prestación de los servicios de atención y asistencia, en ningún caso serán descontados de la compensación a que tuvieran derecho las víctimas.

(ADICIONADO, D.O.F. 3 DE ENERO DE 2017)

La Federación y las Entidades Federativas, en el ámbito de sus respectivas competencias, deben cubrir las erogaciones derivadas de las medidas de ayuda inmediata, ayuda, asistencia, atención y rehabilitación que brinden la

Comisión Ejecutiva o las Comisiones de víctimas a través de sus respectivos Recursos de Ayuda.

CAPÍTULO III
DEL DERECHO DE ACCESO A LA JUSTICIA

(REFORMADO PRIMER PÁRRAFO, D.O.F. 3 DE MAYO DE 2013)

Artículo 10. Las víctimas tienen derecho a un recurso judicial adecuado y efectivo, ante las autoridades independientes, imparciales y competentes, que les garantice el ejercicio de su derecho a conocer la verdad, a que se realice con la debida diligencia una investigación inmediata y exhaustiva del delito o de las violaciones de derechos humanos sufridas por ellas; a que los autores de los delitos y de las violaciones de derechos, con el respeto al debido proceso, sean enjuiciados y sancionados; y a obtener una reparación integral por los daños sufridos.

Las víctimas tendrán acceso a los mecanismos de justicia de los cuales disponga el Estado, incluidos los procedimientos judiciales y administrativos. La legislación en la materia que regule su intervención en los diferentes procedimientos deberá facilitar su participación.

CAPÍTULO IV
DE LOS DERECHOS DE LAS VÍCTIMAS EN EL PROCESO PENAL

(REFORMADO, D.O.F. 3 DE MAYO DE 2013)

Artículo 11. Para garantizar los derechos establecidos en el artículo 10 de la presente Ley, las víctimas tendrán acceso a los mecanismos y procedimientos previstos en la Constitución, en las leyes locales y federales aplicables y en los Tratados Internacionales.

(REFORMADO, D.O.F. 3 DE MAYO DE 2013)

Artículo 12. Las víctimas gozarán de los siguientes derechos:

I. A ser informadas de manera clara, precisa y accesible de sus derechos por el Ministerio Público o la primera autoridad con la que tenga contacto o que conozca del hecho delictivo, tan pronto éste ocurra. El Ministerio Público deberá comunicar a la víctima los derechos que reconocen la Constitución Política de los Estados Unidos Mexicanos, los Tratados Internacionales y esta Ley a su favor, dejando constancia en la carpeta de investigación de este hecho, con total independencia de que exista o no un probable responsable de los hechos;

II. A que se les repare el daño en forma expedita, proporcional y justa en los términos a que se refiere el artículo 64 de esta Ley y de la legislación aplicable. En los casos en que la autoridad judicial dicte una sentencia condenatoria no podrá absolver al responsable de dicha reparación. Si la víctima o su Asesor Jurídico no solicitaran la reparación del daño, el Ministerio Público está obligado a hacerlo;

III. A coadyuvar con el Ministerio Público; a que se les reciban todos los datos o elementos de prueba con los que cuenten, tanto en la investigación como en el proceso, a que se desahoguen las diligencias correspondientes, y a intervenir en el juicio como partes plenas ejerciendo durante el mismo sus derechos los cuales en ningún caso podrán ser menores a los del imputado. Asimismo, tendrán derecho a que se les otorguen todas las facilidades para la presentación de denuncias o querellas;

(REFORMADA, D.O.F. 3 DE ENERO DE 2017)

IV. A ser asesoradas y representadas dentro de la investigación y el proceso por un Asesor Jurídico. En los casos en que no quieran o no puedan contratar un abogado, les será proporcionado por el Estado a solicitud de la víctima de acuerdo al procedimiento que determine esta Ley y su Reglamento; esto incluirá su derecho a elegir libremente a su representante legal;

V. A impugnar ante la autoridad judicial las omisiones del Ministerio Público en la investigación de los delitos, así como las resoluciones de reserva, no ejercicio, desistimiento de la acción penal o suspensión del procedimiento, con independencia de que se haya reparado o no el daño;

VI. A comparecer en la fase de la investigación o al juicio y a que sean adoptadas medidas para minimizar las molestias causadas, proteger su intimidad, identidad y otros datos personales;

VII. A que se garantice su seguridad, así como la de sus familiares y la de los testigos en su favor contra todo acto de amenaza, intimidación o represalia;

VIII. A rendir o ampliar sus declaraciones sin ser identificados dentro de la audiencia, teniendo la obligación el juez de resguardar sus datos personales y, si lo solicitan, hacerlo por medios electrónicos;

IX. A obtener copia simple gratuita y de inmediato de las diligencias en las que intervengan;

X. A solicitar medidas precautorias o cautelares para la seguridad y protección de las víctimas, ofendidos y testigos de cargo, para la investigación y persecución de los probables responsables del delito y para el aseguramiento de bienes para la reparación del daño;

XI. A que se les informe sobre la realización de las audiencias donde se vaya a resolver sobre sus derechos y a estar presentes en las mismas;

XII. A que se les notifique toda resolución que pueda afectar sus derechos y a impugnar dicha resolución, y

XIII. En los casos que impliquen graves violaciones a los derechos humanos, a solicitar la intervención de expertos independientes, a fin de que colaboren con las autoridades competentes en la investigación de los hechos y la realización de peritajes. Las organizaciones de la sociedad civil o grupos de víctimas podrán solicitar que grupos de esos expertos revisen, informen y emitan recomendaciones para lograr el acceso a la justicia y a la verdad para las víctimas.

(REFORMADO, D.O.F. 6 DE NOVIEMBRE DE 2020)

La Comisión Ejecutiva con cargo a los recursos autorizados para tal fin, así como las Comisiones de víctimas de las entidades federativas con cargo a su Fondo Estatal, según corresponda, podrán cubrir los gastos que se originen con motivo de la contratación de expertos independientes o peritos a que se refiere el párrafo anterior.

(ADICIONADO, D.O.F. 3 DE ENERO DE 2017)

Sólo se podrán contratar servicios de expertos independientes o peritos internacionales, cuando no se cuente con personal nacional capacitado en la materia.

(REFORMADO, D.O.F. 3 DE MAYO DE 2013)

Artículo 13. Cuando el imputado se sustraiga de la acción de la justicia, deje de presentarse ante la autoridad jurisdiccional competente que conozca de su caso los días que se hubieran señalado para tal efecto u omita comunicar a la autoridad jurisdiccional competente los cambios de domicilio que tuviere o se ausentase del lugar del juicio de autorización de la autoridad jurisdiccional competente, esta última ordenará, sin demora alguna, que entregue la suma que garantiza la reparación del daño a la víctima, dejando constancia en el expediente del pago definitivo de la cantidad depositada, lo que no implica que se haya efectuado la reparación integral del daño correspondiente.

En los casos en que la garantía fuese hecha por hipoteca o prenda, la autoridad jurisdiccional competente remitirá dichos bienes a la autoridad fiscal correspondiente para su cobro, el cual deberá entregarse sin dilación a la víctima. En los mismos términos los fiadores están obligados a pagar en forma inmediata la reparación del daño, aplicándose para su cobro, en todo caso, el procedimiento económico coactivo que las leyes fiscales señalen.

(REFORMADO, D.O.F. 3 DE MAYO DE 2013)

Artículo 14. Las víctimas tienen derecho a intervenir en el proceso penal y deberán ser reconocidas como sujetos procesales en el mismo, en los términos de la Constitución y de los Tratados Internacionales de derechos humanos, pero si no se apersonaran en el mismo, serán representadas por un Asesor Jurídico o en su caso por el Ministerio Público, y serán notificadas personalmente de todos los actos y resoluciones que pongan fin al proceso, de los recursos interpuestos ya sean ordinarios o extraordinarios, así como de las modificaciones en las medidas cautelares que se hayan adoptado por la existencia de un riesgo para su seguridad, vida o integridad física o modificaciones a la sentencia.

(REFORMADO, D.O.F. 3 DE MAYO DE 2013)

Artículo 15. Las víctimas tienen derecho a que se les explique el alcance y trascendencia de los exámenes periciales a los que podrán someterse dependiendo de la naturaleza del caso, y en caso de aceptar su realización a ser acompañadas en todo momento por su Asesor Jurídico o la persona que consideren.

(REFORMADO, D.O.F. 6 DE NOVIEMBRE DE 2020)

La Comisión Ejecutiva con cargo a los recursos autorizados para tal fin, así como las Comisiones de víctimas de las entidades federativas con cargo a su Fondo Estatal, según corresponda, podrán cubrir los costos de los exámenes a que se refiere el párrafo anterior.

(ADICIONADO, D.O.F. 3 DE ENERO DE 2017)

Sólo se podrán contratar servicios de expertos independientes o peritos internacionales, cuando no se cuente con personal nacional capacitado en la materia.

Artículo 16. (DEROGADO, D.O.F. 3 DE ENERO DE 2017)

(REFORMADO, D.O.F. 3 DE MAYO DE 2013)

Artículo 17. Las víctimas tendrán derecho a optar por la solución de conflictos conforme a las reglas de la justicia alternativa, a través de instituciones como la conciliación y la mediación, a fin de facilitar la reparación del daño y la reconciliación de las partes y las medidas de no repetición.

No podrá llevarse la conciliación ni la mediación a menos de que quede acreditado a través de los medios idóneos, que la víctima está en condiciones de tomar esa decisión. El Ministerio Público y las procuradurías de las entidades federativas llevarán un registro y una auditoría sobre los casos en que la víctima haya optado por alguna de las vías de solución alterna de conflictos, notificando en todo caso a las instancias de protección a la mujer a fin de que se cercioren que la víctima tuvo la asesoría requerida para la toma de dicha decisión. Se sancionará a los servidores públicos que conduzcan a las víctimas a tomar estas decisiones sin que éstas estén conscientes de las consecuencias que conlleva.

CAPÍTULO V
DEL DERECHO A LA VERDAD

(REFORMADO, D.O.F. 3 DE MAYO DE 2013)

Artículo 18. Las víctimas y la sociedad en general tienen el derecho de conocer los hechos constitutivos del delito y de las violaciones a derechos humanos de que fueron objeto, la identidad de los responsables, las circunstancias que hayan propiciado su comisión, así como tener acceso a la justicia en condiciones de igualdad.

(REFORMADO, D.O.F. 3 DE MAYO DE 2013)

Artículo 19. Las víctimas tienen el derecho imprescriptible a conocer la verdad y a recibir información específica sobre las violaciones de derechos o los delitos que las afectaron directamente, incluidas las circunstancias en que ocurrieron los hechos y, en los casos de personas desaparecidas, ausentes, no localizadas, extraviadas o fallecidas, a conocer su destino o paradero o el de sus restos.

Toda víctima que haya sido reportada como desaparecida tiene derecho a que las autoridades competentes inicien de manera eficaz y urgente las acciones para lograr su localización y, en su caso, su oportuno rescate.

(REFORMADO, D.O.F. 3 DE MAYO DE 2013)

Artículo 20. Las víctimas y la sociedad tienen derecho a conocer la verdad histórica de los hechos.

Las víctimas tienen derecho a participar activamente en la búsqueda de la verdad de los hechos y en los diferentes mecanismos previstos en los ordenamientos legales en los cuales se les permitirá expresar sus opiniones y preocupaciones cuando sus intereses sean afectados. Las víctimas deberán decidir libremente su participación y tener la información suficiente sobre las implicaciones de cada uno de estos mecanismos.

(REFORMADO, D.O.F. 3 DE MAYO DE 2013)

Artículo 21. El Estado, a través de las autoridades respectivas, tiene la obligación de iniciar, de inmediato y tan pronto como se haga de su conocimiento, todas las diligencias a su alcance para determinar el paradero de las personas desaparecidas. Toda víctima de desaparición tiene derecho a que las autoridades desplieguen las acciones pertinentes para su protección con el objetivo de preservar, al máximo posible, su vida y su integridad física y psicológica.

Esto incluye la instrumentación de protocolos de búsqueda conforme a la legislación aplicable y los Tratados Internacionales de los que México sea Parte.

Esta obligación, incluye la realización de las exhumaciones de cementerios, fosas clandestinas o de otros sitios en los que se encuentren o se tengan razones fundadas para creer que se encuentran cuerpos u osamentas de las víctimas. Las exhumaciones deberán realizarse con la debida diligencia y competencia y conforme a las normas y protocolos internacionales sobre la materia, buscando garantizar siempre la correcta ubicación, recuperación y posterior identificación de los cuerpos u osamentas bajo estándares científicos reconocidos internacionalmente.

Los familiares de las víctimas tienen el derecho a estar presentes en las exhumaciones, por sí y/o a través de sus asesores jurídicos; a ser informadas sobre los protocolos y procedimientos que serán aplicados; y a designar peritos independientes, acreditados ante organismo nacional o internacional de protección a los derechos humanos, que contribuyan al mejor desarrollo de las mismas.

(REFORMADO, D.O.F. 6 DE NOVIEMBRE DE 2020)

La Comisión Ejecutiva con cargo a los recursos autorizados para tal fin, así como las Comisiones de víctimas de las entidades federativas con cargo a su Fondo Estatal, según corresponda, podrán cubrir los costos de los exámenes a que se refiere el párrafo anterior. Sólo se podrán contratar servicios de expertos independientes o peritos internacionales, cuando no se cuente con personal nacional capacitado en la materia.

(REFORMADO, D.O.F. 3 DE ENERO DE 2017)

Una vez plenamente identificados y realizadas las pruebas técnicas y científicas a las que está obligado el Estado y que han sido referidas en esta Ley, en el Código Nacional de Procedimientos Penales y la legislación aplicable, la entrega de los cuerpos u osamentas de las víctimas a sus familiares, deberá hacerse respetando plenamente su dignidad y sus tradiciones religiosas y culturales. Las autoridades competentes, a solicitud de los familiares, generarán los mecanismos necesarios para repatriar los restos de las víctimas ya identificados, de conformidad con lo que establezca el Reglamento de esta Ley.

En caso necesario, a efecto de garantizar las investigaciones, la autoridad deberá notificar a los familiares la obligación de no cremar los restos, hasta en tanto haya una sentencia ejecutoriada. Las autoridades ministeriales tampoco podrán autorizar ni procesar ninguna solicitud de gobierno extranjero para la cremación de cadáveres, identificados o sin identificar, hasta en tanto no haya sentencia ejecutoriada.

(REFORMADO, D.O.F. 3 DE ENERO DE 2017)

Con independencia de los derechos previstos en esta Ley, el reconocimiento de la personalidad jurídica de las víctimas de desaparición de personas y el procedimiento para conocer y resolver de las acciones judiciales de declaración especial de ausencia por desaparición se sujetarán a lo que dispongan las leyes en la materia, a fin de que las víctimas indirectas ejerzan de manera expedita los derechos patrimoniales y familiares del ausente para salvaguardar los intereses esenciales del núcleo familiar.

(REFORMADO, D.O.F. 3 DE MAYO DE 2013)

Artículo 22. Para garantizar el ejercicio pleno de este derecho de las víctimas, sus familiares y la sociedad, el Estado podrá generar mecanismos para la investigación independiente, imparcial y competente, que cumpla, entre otros, con los siguientes objetivos:

I. El esclarecimiento histórico preciso de las violaciones de derechos humanos, la dignificación de las víctimas y la recuperación de la memoria histórica;

II. La determinación de la responsabilidad individual o institucional de los hechos;

III. El debate sobre la historia oficial donde las víctimas de esas violaciones puedan ser reconocidas y escuchadas;

IV. La contribución a la superación de la impunidad mediante la recomendación de formulación de políticas de investigación, y

V. La recomendación de las reparaciones, reformas institucionales y otras políticas necesarias para superar las condiciones que facilitaron o permitieron las violaciones de derechos.

Para el cumplimiento de estos objetivos, deberán realizarse consultas que incluyan la participación y la opinión de las víctimas, grupos de víctimas y de sus familiares.

La investigación deberá garantizar los derechos de las víctimas y de los testigos, asegurándose su presencia y declaración voluntarias. Se deberá garantizar la confidencialidad de las víctimas y los testigos cuando ésta sea una medida necesaria para proteger su dignidad e integridad y adoptará las medidas necesarias para garantizar su seguridad. Asimismo, en los casos de las personas que se vean afectadas por una acusación, deberá proporcionarles la oportunidad de ser escuchadas y de confrontar o refutar las pruebas ofrecidas en su contra, ya sea de manera personal, por escrito o por medio de representantes designados.

La investigación deberá seguir protocolos de actuación con el objetivo de garantizar que las declaraciones, conclusiones y pruebas recolectadas puedan ser utilizadas en procedimientos penales como pruebas con las debidas formalidades de ley.

(REFORMADO, D.O.F. 3 DE MAYO DE 2013)

Artículo 23. Las organizaciones de la sociedad civil, tales como asociaciones profesionales, organizaciones no gubernamentales e instituciones académicas, podrán proporcionar a la autoridad competente, los resultados que arrojen sus investigaciones de violaciones a los derechos humanos, con el fin de contribuir con la búsqueda y conocimiento de la verdad. Las autoridades deberán dar las garantías necesarias para que esta actividad se pueda realizar de forma libre e independiente.

(REFORMADO, D.O.F. 3 DE MAYO DE 2013)

Artículo 24. Las autoridades están obligadas a la preservación de los archivos relativos a las violaciones de los derechos humanos así como a respetar y garantizar el derecho de acceder a los mismos.

El Estado tiene el deber de garantizar la preservación de dichos archivos y de impedir su sustracción, destrucción, disimulación o falsificación, así como de permitir su consulta pública, particularmente en interés de las víctimas y sus familiares con el fin de garantizar el pleno ejercicio de sus derechos.

Cuando la consulta de los archivos persiga favorecer la investigación histórica, las formalidades de autorización tendrán por única finalidad salvaguardar la integridad y la seguridad de las víctimas y de otras personas y, en ningún caso, podrán aplicarse las formalidades de autorización con fines de censura.

Los tribunales nacionales e internacionales, los organismos nacionales e internacionales de derechos humanos, así como los investigadores que trabajen esta responsabilidad, podrán consultar libremente los archivos relativos a las violaciones de los derechos humanos. Este acceso será garantizado cumpliendo los requisitos pertinentes para proteger la vida privada, incluidos en particular las seguridades de confidencialidad proporcionadas a las víctimas y a otros testigos como condición previa de su testimonio.

En estos casos, no se podrá denegar la consulta de los archivos por razones de seguridad nacional excepto que, en circunstancias excepcionales, la restricción se encuentre previamente establecida en la ley, la autoridad haya demostrado que la restricción es necesaria en una sociedad democrática para proteger un interés de seguridad nacional legítimo y que la denegación sea objeto de revisión por la autoridad competente, a la vez que puede ser sujeta a examen judicial independiente.

(REFORMADO, D.O.F. 3 DE MAYO DE 2013)

Artículo 25. Toda persona tendrá derecho a saber si sus datos personales se encuentran en los archivos estatales y, en ese caso, después de ejercer su derecho de consulta, a impugnar la legitimidad de las informaciones y contenidos que le conciernan ejerciendo el derecho que corresponda. La autoridad garantizará que el documento modificado después de la impugnación incluya una referencia clara a las informaciones y contenidos del documento cuya validez se impugna y ambos se entregarán juntos cuando se solicite el primero. Para casos de personas fallecidas, este derecho podrá ser ejercido por sus familiares considerando las relaciones de parentesco que establece el Código Civil Federal.

CAPÍTULO VI
DEL DERECHO A LA REPARACIÓN INTEGRAL

(REFORMADO, D.O.F. 3 DE MAYO DE 2013)

Artículo 26. Las víctimas tienen derecho a ser reparadas de manera oportuna, plena, diferenciada, transformadora, integral y efectiva por el daño que han sufrido como consecuencia del delito o hecho victimizante que las ha afectado o de las violaciones de derechos humanos que han sufrido, comprendiendo medidas de restitución, rehabilitación, compensación, satisfacción y medidas de no repetición.

(REFORMADO, D.O.F. 3 DE MAYO DE 2013)

Artículo 27. Para los efectos de la presente Ley, la reparación integral comprenderá:

I. La restitución busca devolver a la víctima a la situación anterior a la comisión del delito o a la violación de sus derechos humanos;

II. La rehabilitación busca facilitar a la víctima hacer frente a los efectos sufridos por causa del hecho punible o de las violaciones de derechos humanos;

III. La compensación ha de otorgarse a la víctima de forma apropiada y proporcional a la gravedad del hecho punible cometido o de la violación de derechos humanos sufrida y teniendo en cuenta las circunstancias de cada caso. Ésta se otorgará por todos los perjuicios, sufrimientos y pérdidas económicamente evaluables que sean consecuencia del delito o de la violación de derechos humanos;

IV. La satisfacción busca reconocer y restablecer la dignidad de las víctimas;

V. Las medidas de no repetición buscan que el hecho punible o la violación de derechos sufrida por la víctima no vuelva a ocurrir;

VI. Para los efectos de la presente Ley, la reparación colectiva se entenderá como un derecho del que son titulares los grupos, comunidades u organizaciones sociales que hayan sido afectadas por la violación de los derechos individuales de los miembros de los colectivos, o cuando el daño comporte un impacto colectivo. La restitución de los derechos afectados estará orientada a la reconstrucción del tejido social y cultural colectivo que reconozca la afectación en la capacidad institucional de garantizar el goce, la protección y la promoción de los derechos en las comunidades, grupos y pueblos afectados.

(ADICIONADA, D.O.F. 25 DE ABRIL DE 2023)

VII. La declaración que restablezca la dignidad y la reputación de la víctima u ofendido y de las personas vinculadas a ella, a través de los medios que solicite, y

(ADICIONADA, D.O.F. 25 DE ABRIL DE 2023)

VIII. La disculpa pública de reconocimiento de hechos y aceptación de responsabilidad, cuando en el delito participe un servidor público o agente de autoridad, lo anterior con independencia de otras responsabilidades en que incurra el Estado por la omisión de cumplimiento en la presente Ley.

(ADICIONADO, D.O.F. 25 DE ABRIL DE 2023)

Cuando una persona sea declarada penalmente responsable de la comisión del delito de feminicidio, el órgano jurisdiccional de conocimiento deberá condenarla al pago de la reparación integral del daño, a favor de la víctima u ofendidos, en todos los casos.

(ADICIONADO, D.O.F. 25 DE ABRIL DE 2023)

Cuando sean servidores o agentes estatales los que actúen a título oficial y cometan cualquiera de los delitos materia de esta Ley, las víctimas serán resarcidas por el Estado, conforme a la legislación en materia de responsabilidad patrimonial estatal.

Las medidas colectivas que deberán implementarse tenderán al reconocimiento y dignificación de los sujetos colectivos victimizados; la reconstrucción del proyecto de vida colectivo, y el tejido social y cultural; la recuperación psicosocial de las poblaciones y grupos afectados y la promoción de la reconciliación y la cultura de la protección y promoción de los derechos humanos en las comunidades y colectivos afectados.

(REFORMADO, D.O.F. 6 DE NOVIEMBRE DE 2020)

Las medidas de reparación integral previstas en el presente artículo podrán cubrirse con cargo a los recursos autorizados para tal fin o a los Fondos Estatales, según corresponda.

(DEROGADA SU DENOMINACIÓN, D.O.F. 3 DE MAYO DE 2013)

TÍTULO TERCERO

(REFORMADA SU DENOMINACIÓN, D.O.F. 3 DE MAYO DE 2013)

CAPÍTULO I
MEDIDAS DE AYUDA INMEDIATA

(REFORMADO, D.O.F. 3 DE MAYO DE 2013)

Artículo 28. La gravedad del daño sufrido por las víctimas será el eje que determinará prioridad en su asistencia, en la prestación de servicios y en la implementación de acciones dentro de las instituciones encargadas de brindarles atención y tratamiento.

(REFORMADO, D.O.F. 1 DE ABRIL DE 2024)

Los servicios a que se refiere la presente Ley tomarán en cuenta si la víctima pertenece a un grupo en condiciones de vulnerabilidad, sus características y necesidades especiales, particularmente tratándose de los grupos expuestos a un mayor riesgo de violación de sus derechos, como niñas, niños y adolescentes, mujeres, adultos mayores, personas con discapacidad, migrantes, personas pertenecientes a pueblos y comunidades indígenas y afromexicanas, personas defensoras de derechos humanos, periodistas y personas en situación de desplazamiento interno.

(ADICIONADO, D.O.F. 3 DE ENERO DE 2017)

Las medidas de ayuda inmediata previstas en el presente Capítulo podrán cubrirse con cargo a los Recursos de Ayuda, según corresponda, en coordinación con las autoridades correspondientes en el ámbito de sus competencias.

(REFORMADO, D.O.F. 3 DE ENERO DE 2017)

Artículo 29. Las instituciones hospitalarias públicas Federales, de las entidades federativas y de los municipios tienen la obligación de dar atención de emergencia de manera inmediata a las víctimas que lo requieran, con independencia de su capacidad socioeconómica o nacionalidad y sin exigir condición previa para su admisión.

(REFORMADO, D.O.F. 3 DE MAYO DE 2013)

Artículo 30. Los servicios de emergencia médica, odontológica, quirúrgica y hospitalaria consistirán en:

I. Hospitalización;

II. Material médico quirúrgico, incluidas prótesis y demás instrumentos, que la persona requiera para su movilidad, conforme al dictamen dado por el médico especialista en la materia;

III. Medicamentos;

IV. Honorarios médicos, en caso de que el sistema de salud más accesible para la víctima no cuente con los servicios que ella requiere de manera inmediata;

V. Servicios de análisis médicos, laboratorios e imágenes diagnósticas;

VI. Transporte y ambulancia;

VII. Servicios de atención mental en los casos en que, como consecuencia de la comisión del delito o de la violación a sus derechos humanos, la persona quede gravemente afectada psicológica y/o psiquiátricamente;

VIII. Servicios odontológicos reconstructivos por los daños causados como consecuencia del delito o la violación a los derechos humanos;

IX. Servicios de interrupción voluntaria del embarazo en los casos permitidos por ley, con absoluto respeto de la voluntad de la víctima, y

X. La atención para los derechos sexuales y reproductivos de las mujeres víctimas.

(REFORMADO, D.O.F. 3 DE ENERO DE 2017)

En caso de que la institución médica a la que acude o es enviada la víctima no cuente con lo señalado en las fracciones II y III y sus gastos hayan sido cubiertos por la víctima o en el caso de la fracción IV, la Federación, las entidades federativas o los municipios, según corresponda, los reembolsarán de manera completa e inmediata, de conformidad con lo que establezcan las normas reglamentarias aplicables.

(REFORMADO, D.O.F. 3 DE ENERO DE 2017)

Artículo 31. La Federación, las entidades federativas o municipios donde se haya cometido el hecho victimizante apoyarán a las víctimas indirectas con los gastos funerarios que deban cubrirse por el fallecimiento de la víctima directa en todos los casos en los cuales la muerte sobrevenga como resultado del hecho victimizante. Estos gastos incluirán los de transporte, cuando el fallecimiento se haya producido en un lugar distinto al de su lugar de origen o cuando sus familiares decidan inhumar su cuerpo en otro lugar. Por ningún motivo se prohibirá a las víctimas ver los restos de sus familiares, si es su deseo hacerlo. Si los familiares de las víctimas deben desplazarse del lugar en el que se encuentran hacia otro lugar para los trámites de reconocimiento, se deberán cubrir también sus gastos. El pago de los apoyos económicos aquí mencionados, se gestionará conforme lo establezcan las normas reglamentarias correspondientes a los Recursos de Ayuda de la Comisión Ejecutiva y de las Comisiones de víctimas de las entidades federativas según corresponda.

(REFORMADO, D.O.F. 3 DE MAYO DE 2013)

Artículo 32. La Comisión Ejecutiva definirá y garantizará la creación de un Modelo de Atención Integral en Salud con enfoque psicosocial, de educación y asistencia social, el cual deberá contemplar los mecanismos de articulación y coordinación entre las diferentes autoridades obligadas e instituciones de asistencia pública que conforme al Reglamento de esta Ley presten los servicios subrogados a los que ella hace referencia. Este modelo deberá contemplar el servicio a aquellas personas que no sean beneficiarias de un sistema de prestación social o será complementario cuando los servicios especializados necesarios no puedan ser brindados por el sistema al cual pertenece.

(REFORMADO PRIMER PÁRRAFO, D.O.F. 3 DE ENERO DE 2017)

Artículo 33. Los Gobiernos federal y de las entidades federativas, a través de sus organismos, dependencias y entidades de salud pública, así como aquellos municipios que cuenten con la infraestructura y la capacidad de prestación de servicios, en el marco de sus competencias serán las entidades obligadas a otorgar el carnet que identifique a las víctimas ante el sistema de salud, con el fin de garantizar la asistencia y atención urgentes para efectos reparadores.

(REFORMADO, D.O.F. 3 DE MAYO DE 2013)

El proceso de credencialización se realizará de manera gradual y progresiva dando prioridad a las víctimas de daños graves a la salud e integridad personal. No obstante, aquellas víctimas que no cuenten con dicho carnet y requieran atención inmediata deberán ser atendidas de manera prioritaria.

(REFORMADO, D.O.F. 3 DE MAYO DE 2013)

Artículo 34. En materia de asistencia y atención médica, psicológica, psiquiátrica y odontológica, la víctima tendrá todos los derechos establecidos por la Ley General de Salud para los Usuarios de los Servicios de Salud, y tendrá los siguientes derechos adicionales:

(REFORMADA, D.O.F. 3 DE ENERO DE 2017)

I. A que se proporcione gratuitamente atención médica y psicológica permanente de calidad en cualquiera de los hospitales públicos federales, de las entidades federativas y municipales, de acuerdo a su competencia, cuando se trate de lesiones, enfermedades y traumas emocionales provenientes del delito o de la violación a los derechos humanos sufridos por ella. Estos servicios se brindarán de manera permanente, cuando así se requiera, y no serán negados, aunque la víctima haya recibido las medidas de ayuda que se establecen en la presente Ley, las cuales, si así lo determina el médico, se continuarán brindando hasta el final del tratamiento;

(REFORMADA, D.O.F. 3 DE ENERO DE 2017)

II. Los Gobiernos federal y de las entidades federativas, a través de sus organismos, dependencias y entidades de salud pública, así como aquellos municipios que cuenten con la infraestructura y la capacidad de prestación de servicios, en el marco de sus competencias deberán otorgar citas médicas en un periodo no mayor a ocho días, a las víctimas que así lo soliciten, salvo que sean casos de atención de emergencia en salud, en cuyo caso la atención será inmediata;

III. Una vez realizada la valoración médica general o especializada, según sea el caso, y la correspondiente entrega de la formula médica, se hará la entrega inmediata de los medicamentos a los cuales la víctima tenga derecho y se le canalizará a los especialistas necesarios para el tratamiento integral, si así hubiese lugar;

IV. Se le proporcionará material médico quirúrgico, incluida prótesis y demás instrumentos o aparatos que requiera para su movilidad conforme al dictamen dado por el médico especialista en la materia así como los servicios de análisis médicos, laboratorios e imágenes diagnósticas y los servicios odontológicos reconstructivos que requiera por los daños causados como consecuencia del hecho punible o la violación a sus derechos humanos;

V. Se le proporcionará atención permanente en salud mental en los casos en que, como consecuencia del hecho victimizante, quede gravemente afectada psicológica y/o psiquiátricamente, y

VI. La atención materno-infantil permanente cuando sea el caso incluyendo programas de nutrición.

(ADICIONADO, D.O.F. 3 DE ENERO DE 2017)

No podrá negarse la garantía de ejercer los derechos que protege este artículo a ninguna víctima que se encuentre fuera de su jurisdicción de derechohabientes.

(REFORMADO, D.O.F. 3 DE MAYO DE 2013)

Artículo 35. A toda víctima de violación sexual, o cualquier otra conducta que afecte su integridad física o psicológica, se le garantizará el acceso a los servicios de anticoncepción de emergencia y de interrupción voluntaria del embarazo en los casos permitidos por la ley, con absoluto respeto a la voluntad de la víctima; asimismo, se le realizará práctica periódica de exámenes y tratamiento especializado, durante el tiempo necesario para su total recuperación y conforme al diagnóstico y tratamiento médico recomendado; en particular, se considerará prioritario para su tratamiento el seguimiento de eventuales contagios de enfermedades de transmisión sexual y del Virus de Inmunodeficiencia Humana.

En cada una de las entidades públicas que brinden servicios, asistencia y atención a las víctimas, se dispondrá de personal capacitado en el tratamiento de la violencia sexual con un enfoque transversal de género.

(REFORMADO, D.O.F. 3 DE ENERO DE 2017)

Artículo 36. Los Gobiernos federal y de las entidades federativas, a través de sus organismos, dependencias y entidades de salud pública, así como aquellos municipios que cuenten con la infraestructura y la capacidad de prestación de servicios, definirán los procedimientos para garantizar de manera gratuita los servicios de asistencia médica preoperatoria, postoperatoria, quirúrgica, hospitalaria y odontológica a que hubiese lugar de acuerdo al concepto médico y valoración, que permita atender lesiones transitorias y permanentes y las demás afectaciones de la salud física y psicológica que tengan relación causal directa con las conductas.

(REFORMADO, D.O.F. 3 DE MAYO DE 2013)

Artículo 37. En caso de que la institución médica a la que acude o es enviada la víctima no cumpla con lo señalado en los artículos anteriores y sus gastos hayan sido cubiertos por la víctima, la autoridad competente del orden de gobierno que corresponda, se los reembolsará de manera completa y expedita, teniendo dichas autoridades, el derecho de repetir contra los responsables. Las normas reglamentarias aplicables establecerán el procedimiento necesario para solicitar el reembolso a que se refiere este artículo.

CAPÍTULO II
MEDIDAS EN MATERIA DE ALOJAMIENTO Y ALIMENTACIÓN

(REFORMADO, D.O.F. 3 DE ENERO DE 2017)

Artículo 38. El Sistema Nacional para el Desarrollo Integral de la Familia (DIF) o su análogo, similar o correlativo en las entidades federativas y los municipios, y las instituciones de las que dependen las casas de refugio y acogida que existan y brinden estos servicios en el ámbito federal, estatal, del Distrito Federal o municipal, contratarán servicios o brindarán directamente alojamiento y alimentación en condiciones de seguridad y dignidad a las víctimas que se encuentren en especial condición de vulnerabilidad o que se encuentren amenazadas o en situación de desplazamiento de su lugar de residencia por causa del delito cometido contra ellas o de la violación de sus derechos humanos. El alojamiento y la alimentación se brindarán durante el tiempo que sea necesario para garantizar que la víctima supere las condiciones de emergencia, exista una solución duradera y pueda retornar libremente en condiciones seguras y dignas a su hogar.

(REFORMADA SU DENOMINACIÓN, D.O.F. 3 DE ENERO DE 2017)

CAPÍTULO III
MEDIDAS EN MATERIA DE TRASLADO

(REFORMADO, D.O.F. 3 DE MAYO DE 2013)

Artículo 39. Cuando la víctima se encuentre en un lugar distinto al de su lugar de residencia y desee regresar al mismo, las autoridades competentes de los diversos órdenes de gobierno, pagarán los gastos correspondientes, garantizando, en todos los casos, que el medio de transporte usado por la víctima para su regreso es el más seguro y el que le cause menos trauma de acuerdo con sus condiciones.

(ADICIONADO, D.O.F. 3 DE ENERO DE 2017)

Artículo 39 Bis. Las autoridades competentes del orden de gobierno que corresponda cubrirán los gastos relacionados con los apoyos de traslados de las víctimas, que comprenden los conceptos de transportación, hospedaje y alimentación, cuando la víctima tenga que trasladarse por las siguientes causas:

I. Formular denuncia o querella a efecto de que tengan reconocida su calidad procesal;

II. Desahogar diligencias o comparecer ante el Ministerio Público, sus autoridades auxiliares o bien para acudir ante las autoridades judiciales, las Comisiones Nacional o Estatales de Derechos Humanos u otra autoridad relacionada con los hechos victimizantes;

III. Solicitar a alguna institución nacional medidas de seguridad o protección de las autoridades competentes, cuando la víctima considere que existe un probable riesgo a su vida o integridad física o psicoemocional, y

IV. Recibir atención especializada o de tratamiento por alguna institución nacional, pública o privada cuando así sea autorizado en términos del quinto párrafo del artículo 8 de esta Ley, para el apoyo médico, psicológico o social que requiera.

(REFORMADO, D.O.F. 6 DE NOVIEMBRE DE 2020)

En caso de que las Comisiones de víctimas no hayan cubierto los gastos, la Comisión Ejecutiva de conformidad con los lineamientos que para tal efecto emita deberá brindar la ayuda a que se refiere el presente artículo sujeto a su disponibilidad presupuestaria.

Las Comisiones de víctimas deberán reintegrar los gastos en términos de lo previsto en la fracción XVII del artículo 81 de la Ley.

CAPÍTULO IV
MEDIDAS EN MATERIA DE PROTECCIÓN

(REFORMADO PRIMER PÁRRAFO, D.O.F. 3 DE ENERO DE 2017)

Artículo 40. Cuando la víctima se encuentre amenazada en su integridad personal o en su vida o existan razones fundadas para pensar que estos derechos están en riesgo, en razón del delito o de la violación de derechos humanos sufrida, las autoridades del orden federal, de las entidades federativas o municipales de acuerdo con sus competencias y capacidades, adoptarán con carácter inmediato, las medidas que sean necesarias para evitar que la víctima sufra alguna lesión o daño.

(REFORMADO, D.O.F. 3 DE MAYO DE 2013)

Las medidas de protección a las víctimas se deberán implementar con base en los siguientes principios:

I. Principio de protección: Considera primordial la protección de la vida, la integridad física, la libertad y la seguridad de las personas;

II. Principio de necesidad y proporcionalidad: Las medidas de protección deben responder al nivel de riesgo o peligro en que se encuentre la persona destinataria, y deben ser aplicadas en cuanto sean necesarias para garantizar su seguridad o reducir los riesgos existentes;

III. Principio de confidencialidad: Toda la información y actividad administrativa o jurisdiccional relacionada con el ámbito de protección de las personas, debe ser reservada para los fines de la investigación o del proceso respectivo, y

IV. Principio de oportunidad y eficacia: Las medidas deben ser oportunas, específicas, adecuadas y eficientes para la protección de la víctima y deben ser otorgadas e implementadas a partir del momento y durante el tiempo que garanticen su objetivo.

(REFORMADO, D.O.F. 3 DE ENERO DE 2017)

Serán sancionadas administrativa, civil o penalmente, de conformidad con las leyes aplicables, los servidores públicos federales, de las entidades federativas o municipales que contribuyan a poner en riesgo la seguridad de las víctimas, ya sea a través de intimidación, represalias, amenazas directas, negligencia o cuando existan datos suficientes que demuestren que las víctimas podrían ser nuevamente afectadas por la colusión de dichas autoridades con los responsables de la comisión del delito o con un tercero implicado que amenace o dañe la integridad física o moral de una víctima.

(REFORMADO, D.O.F. 3 DE MAYO DE 2013)

Artículo 41. Las medidas adoptadas deberán ser acordes con la amenaza que tratan de conjurar y deberán tener en cuenta la condición de especial vulnerabilidad de las víctimas, así como respetar, en todos los casos, su dignidad.

CAPÍTULO V
MEDIDAS EN MATERIA DE ASESORÍA JURÍDICA

(REFORMADO, D.O.F. 3 DE ENERO DE 2017)

Artículo 42. Las autoridades del orden federal, de las entidades federativas y municipios brindarán de inmediato a las víctimas información y asesoría completa y clara sobre los recursos y procedimientos judiciales, administrativos o de otro tipo a los cuales ellas tienen derecho para la mejor defensa de sus intereses y satisfacción de sus necesidades, así como sobre el conjunto de derechos de los que son titulares en su condición de víctima. La Comisión Ejecutiva garantizará lo dispuesto en el presente artículo a través de la Asesoría Jurídica federal o de las entidades federativas, en los términos del título correspondiente.

(REFORMADO, D.O.F. 3 DE MAYO DE 2013)

Artículo 43. La información y asesoría deberán brindarse en forma gratuita y por profesionales conocedores de los derechos de las víctimas, garantizándoles a ellas siempre un trato respetuoso de su dignidad y el acceso efectivo al ejercicio pleno y tranquilo de todos sus derechos.

N. DE E. DE LAS REFORMAS APROBADAS POR EL ARTÍCULO PRIMERO DEL DECRETO SIN NÚMERO, PUBLICADO EN EL D.O.F. 3 DE MAYO DE 2013, SE MODIFICO DE FORMA SUSTANCIAL LA ESTRUCTURA DEL PRESENTE TÍTULO.

(REFORMADA SU DENOMINACIÓN, D.O.F. 3 DE MAYO DE 2013)

TÍTULO CUARTO
MEDIDAS DE ASISTENCIA Y ATENCIÓN

CAPÍTULO I
DISPOSICIONES GENERALES

(REFORMADO, D.O.F. 3 DE MAYO DE 2013)

Artículo 44. La Comisión Ejecutiva como responsable de la creación y gestión del Registro Nacional de Víctimas a que hace referencia el Título Séptimo de esta Ley garantizará que el acceso de las víctimas al Registro se haga de manera efectiva, rápida y diferencial con el fin de permitirles disfrutar de las medidas de asistencia y atención establecidos en la presente Ley.

El sistema nacional de seguridad pública recabará y concentrará información estadística sobre víctimas asistidas por las comisiones ejecutivas de las entidades federativas, por modalidades de asistencia, ayuda o reparación y por tipo de delito o violación de derechos que la motivare. La información tendrá carácter público y en ningún caso incluirá datos personales.

(REFORMADO, D.O.F. 1 DE ABRIL DE 2024)

Artículo 45. Conforme a los lineamientos desarrollados por la Comisión Ejecutiva, las secretarías, dependencias, organismos y entidades del orden federal y de las entidades federativas del sector salud, educación, desarrollo social y las demás obligadas, así como aquellos municipios que cuenten con la infraestructura y la capacidad de prestación de servicios, en el marco de sus competencias y fundamentos legales de actuación, deberán tener en cuenta las principales afectaciones y consecuencias del hecho victimizante, respetando siempre los principios generales establecidos en la presente Ley y en particular el enfoque diferencial para los grupos expuestos a un mayor riesgo de violación de sus derechos, como niñas, niños y adolescentes, mujeres, adultos mayores, personas con discapacidad, migrantes, pueblos y comunidades indígenas y afromexicanas, personas defensoras de derechos humanos, periodistas y personas en situación de desplazamiento interno.

(REFORMADO, D.O.F. 3 DE ENERO DE 2017)

Artículo 46. Todas las medidas de asistencia, atención, protección o servicios otorgados por las instituciones públicas federales, de las entidades federativas y de los municipios a las víctimas por cualquier hecho, serán gratuitos y éstas recibirán un trato digno con independencia de su capacidad socio- económica y sin exigir condición previa para su admisión a éstos que las establecidas en la presente Ley.

(REFORMADO, D.O.F. 1 DE ABRIL DE 2024)

Artículo 47. Las políticas y acciones establecidas en este Capítulo tienen por objeto asegurar el acceso de las víctimas a la educación y promover su permanencia en el sistema educativo si como consecuencia del delito o de la violación a derechos humanos se interrumpen los estudios, para lo cual se tomarán medidas para superar esta condición provocada por el hecho victimizante, particularmente niñas, niños y adolescentes, mujeres, personas con discapacidad, migrantes, personas pertenecientes a pueblos y comunidades indígenas y afromexicanas y personas en situación de desplazamiento interno. La educación deberá contar con enfoque transversal de género y diferencial, de inclusión social y con perspectiva de derechos. Se buscará garantizar la exención para las víctimas de todo tipo de costos académicos en las instituciones públicas de educación preescolar, primaria, secundaria y media superior.

(REFORMADO, D.O.F. 3 DE MAYO DE 2013)

Artículo 48. Las instituciones del sistema educativo nacional impartirán educación de manera que permita a la víctima incorporarse con prontitud a la sociedad y, en su oportunidad, desarrollar una actividad productiva.

(REFORMADO, D.O.F. 3 DE MAYO DE 2013)

Artículo 49. Todas las autoridades educativas en el ámbito de sus competencias otorgarán apoyos especiales a las escuelas que, por la particular condición de la asistencia y atención a víctimas, enfrenten mayor posibilidad de atrasos o deserciones, debiendo promover las acciones necesarias para compensar los problemas educativos derivados de dicha condición.

(REFORMADO, D.O.F. 3 DE MAYO DE 2013)

Artículo 50. El Estado a través de sus organismos descentralizados y de los particulares con autorización o con reconocimiento de validez oficial de estudios, está obligado a prestar servicios educativos para que gratuitamente, cualquier víctima o sus hijos menores de edad, en igualdad efectiva de condiciones de acceso y permanencia en los servicios educativos que el resto de la población, pueda cursar la educación preescolar, la primaria y la secundaria. Estos servicios se prestarán en el marco del federalismo y la concurrencia previstos en la Constitución Política de los Estados Unidos Mexicanos y conforme a la distribución de la función social educativa establecida en la Ley de Educación aplicable.

(REFORMADO, D.O.F. 3 DE MAYO DE 2013)

Artículo 51. La víctima o sus familiares tendrán el derecho de recibir becas completas de estudio en instituciones públicas, como mínimo hasta la educación media superior para sí o los dependientes que lo requieran.

(REFORMADO, D.O.F. 3 DE ENERO DE 2017)

Artículo 52. Los Gobiernos federal y de las entidades federativas, a través de sus secretarías, dependencias, entidades y organismos de educación, así como aquellos municipios que cuenten con la infraestructura y la capacidad de prestación de servicios, en el marco de sus competencias deberán entregar a los niños, niñas y adolescentes víctimas, los respectivos paquetes escolares y uniformes para garantizar las condiciones dignas y su permanencia en el sistema educativo.

(REFORMADO, D.O.F. 3 DE MAYO DE 2013)

Artículo 53. La víctima o sus hijos menores de edad, deberán tener acceso a los libros de texto gratuitos y demás materiales educativos complementarios que la Secretaría de Educación Pública proporcione.

(REFORMADO, D.O.F. 3 DE ENERO DE 2017)

Artículo 54. Los Gobiernos federal y de las entidades federativas, a través de sus secretarías, dependencias, entidades y organismos de educación y las instituciones de educación superior, en el marco de su autonomía, establecerán los apoyos para que las víctimas participen en los procesos de selección, admisión y matrícula que les permitan acceder a los programas académicos ofrecidos por estas instituciones, para lo cual incluirán medidas de exención del pago de formulario de inscripción y de derechos de grado.

(REFORMADA SU DENOMINACIÓN, D.O.F. 3 DE MAYO DE 2013)

CAPÍTULO II
MEDIDAS ECONÓMICAS Y DE DESARROLLO

(REFORMADO, D.O.F. 3 DE MAYO DE 2013)

Artículo 55. Dentro de la política de desarrollo social el Estado en sus distintos órdenes, tendrá la obligación de garantizar que toda víctima reciba los beneficios del desarrollo social conforme a sus necesidades, particularmente para atender a las víctimas que hayan sufrido daños graves como consecuencia del hecho victimizante.

(REFORMADO, D.O.F. 3 DE MAYO DE 2013)

Artículo 56. Son derechos para el desarrollo social, la educación, la salud, la alimentación, la vivienda, el disfrute de un medio ambiente sano, el trabajo y la seguridad social y los relativos a la no discriminación en los términos de la Constitución Política de los Estados Unidos Mexicanos y de los Tratados Internacionales de derechos humanos.

(REFORMADO, D.O.F. 3 DE ENERO DE 2017)

Artículo 57. La Federación, las entidades federativas y los municipios en sus respectivos ámbitos, formularán y aplicarán políticas y programas de asistencia, que incluyan oportunidades de desarrollo productivo e ingreso en beneficio de las víctimas destinando los recursos presupuéstales necesarios y estableciendo metas cuantificables para ello.

(REFORMADO, D.O.F. 3 DE MAYO DE 2013)

Artículo 58. Las autoridades competentes de los diversos órganos de gobierno están obligadas a proporcionar la información necesaria de dichos programas, sus reglas de acceso, operación, recursos y cobertura, sin que pueda por ningún motivo excluir de dichos programas a las víctimas.

(REFORMADO, D.O.F. 3 DE MAYO DE 2013)

Artículo 59. Las víctimas estarán sujetas a lo que determinen las leyes fiscales respectivas.

(REFORMADA SU DENOMINACIÓN, D.O.F. 3 DE MAYO DE 2013)

CAPÍTULO III
MEDIDAS DE ATENCIÓN Y ASISTENCIA EN MATERIA DE PROCURACIÓN Y ADMINISTRACIÓN DE JUSTICIA

(REFORMADO, D.O.F. 3 DE MAYO DE 2013)

Artículo 60. Las medidas de atención y asistencia en materia de procuración y administración de justicia serán permanentes y comprenden, como mínimo:

I. La asistencia a la víctima durante cualquier procedimiento administrativo relacionado con su condición de víctima;

II. La asistencia a la víctima en el proceso penal durante la etapa de investigación;

III. La asistencia a la víctima durante el juicio;

IV. La asistencia a la víctima durante la etapa posterior al juicio.

Estas medidas se brindarán a la víctima con independencia de la representación legal y asesoría que dé a la víctima el Asesor Jurídico.

TÍTULO QUINTO
MEDIDAS DE REPARACIÓN INTEGRAL

CAPÍTULO I
MEDIDAS DE RESTITUCIÓN

(REFORMADO, D.O.F. 3 DE MAYO DE 2013)

Artículo 61. Las víctimas tendrán derecho a la restitución en sus derechos conculcados, así como en sus bienes y propiedades si hubieren sido despojadas de ellos.

Las medidas de restitución comprenden, según corresponda:

(REFORMADA, D.O.F. 3 DE ENERO DE 2017)

I. Restablecimiento de la libertad, en caso de secuestro o desaparición de persona;

II. Restablecimiento de los derechos jurídicos;

III. Restablecimiento de la identidad;

IV. Restablecimiento de la vida y unidad familiar;

V. Restablecimiento de la ciudadanía y de los derechos políticos;

(REFORMADA, D.O.F. 3 DE ENERO DE 2017)

VI. Regreso digno y seguro al lugar original de residencia u origen;

VII. Reintegración en el empleo, y

VIII. Devolución de todos los bienes o valores de su propiedad que hayan sido incautados o recuperados por las autoridades incluyendo sus frutos y accesorios, y si no fuese posible, el pago de su valor actualizado. Si se trata de bienes fungibles, el juez podrá condenar a la entrega de un objeto igual al que fuese materia de delito sin necesidad de recurrir a prueba pericial.

En los casos en que una autoridad judicial competente revoque una sentencia condenatoria, se eliminarán los registros de los respectivos antecedentes penales.

CAPÍTULO II
MEDIDAS DE REHABILITACIÓN

(REFORMADO, D.O.F. 3 DE MAYO DE 2013)

Artículo 62. Las medidas de rehabilitación incluyen, entre otras y según proceda, las siguientes:

I. Atención médica, psicológica y psiquiátrica especializadas;

II. Servicios y asesoría jurídicos tendientes a facilitar el ejercicio de los derechos de las víctimas y a garantizar su disfrute pleno y tranquilo;

III. Servicios sociales orientados a garantizar el pleno restablecimiento de los derechos de la víctima en su condición de persona y ciudadana;

IV. Programas de educación orientados a la capacitación y formación de las víctimas con el fin de garantizar su plena reintegración a la sociedad y la realización de su proyecto de vida;

V. Programas de capacitación laboral orientados a lograr la plena reintegración de la víctima a la sociedad y la realización de su proyecto de vida, y

VI. Todas aquellas medidas tendientes a reintegrar a la víctima a la sociedad, incluido su grupo, o comunidad.

(REFORMADO, D.O.F. 3 DE MAYO DE 2013)

Artículo 63. Cuando se otorguen medidas de rehabilitación se dará un trato especial a los niños y niñas víctimas y a los hijos de las víctimas y a adultos mayores dependientes de éstas.

CAPÍTULO III
MEDIDAS DE COMPENSACIÓN

(REFORMADO, D.O.F. 3 DE MAYO DE 2013)

Artículo 64. La compensación se otorgará por todos los perjuicios, sufrimientos y pérdidas económicamente evaluables que sean consecuencia de la comisión de los delitos a los que se refiere el artículo 68 de este ordenamiento o de la violación de derechos humanos, incluyendo el error judicial, de conformidad con lo que establece esta Ley y su Reglamento. Estos perjuicios, sufrimientos y pérdidas incluirán, entre otros y como mínimo:

I. La reparación del daño sufrido en la integridad física de la víctima;

II. La reparación del daño moral sufrido por la víctima o las personas con derecho a la reparación integral, entendiendo por éste, aquellos efectos nocivos de los hechos del caso que no tienen carácter económico o patrimonial y no pueden ser tasados en términos monetarios. El daño moral comprende tanto los sufrimientos y las aflicciones causados a las víctimas directas e indirectas, como el menoscabo de valores muy significativos para las personas y toda perturbación que no sea susceptible de medición pecuniaria;

III. El resarcimiento de los perjuicios ocasionados o lucro cesante, incluyendo el pago de los salarios o percepciones correspondientes, cuando por lesiones se cause incapacidad para trabajar en oficio, arte o profesión;

IV. La pérdida de oportunidades, en particular las de educación y prestaciones sociales;

V. Los daños patrimoniales generados como consecuencia de delitos o violaciones a derechos humanos;

VI. El pago de los gastos y costas judiciales del Asesor Jurídico cuando éste sea privado;

VII. El pago de los tratamientos médicos o terapéuticos que, como consecuencia del delito o de la violación a los derechos humanos, sean necesarios para la recuperación de la salud psíquica y física de la víctima, y

VIII. Los gastos comprobables de transporte, alojamiento, comunicación o alimentación que le ocasione trasladarse al lugar del juicio o para asistir a su tratamiento, si la víctima reside en municipio o delegación distintos al del enjuiciamiento o donde recibe la atención.

Las normas reglamentarias aplicables establecerán el procedimiento y el monto de gasto comprobable mínimo que no deberá ser mayor al veinticinco por ciento del monto total.

La compensación subsidiaria a las víctimas de los delitos señaladas en el artículo 68 de esta Ley, consistirá en apoyo económico cuya cuantía tomará en cuenta la proporcionalidad del daño y los montos señalados en el artículo 67 de este ordenamiento.

(ADICIONADO, D.O.F. 3 DE ENERO DE 2017)

En los casos de la fracción VIII, cuando se hayan cubierto con los Recursos de Ayuda, no se tomarán en consideración para la determinación de la compensación.

(ADICIONADO, D.O.F. 3 DE ENERO DE 2017)

La Comisión Ejecutiva o las Comisiones de víctimas, según corresponda, expedirán los lineamientos respectivos a efecto de que a la víctima no se le cause mayores cargas de comprobación.

(REFORMADO, D.O.F. 3 DE MAYO DE 2013)

Artículo 65. Todas las víctimas de violaciones a los derechos humanos serán compensadas, en los términos y montos que determine la resolución que emita en su caso:

a) Un órgano jurisdiccional nacional;

b) Un órgano jurisdiccional internacional o reconocido por los Tratados Internacionales ratificados por México;

c) Un organismo público de protección de los derechos humanos;

d) Un organismo internacional de protección de los derechos humanos reconocido por los Tratados Internacionales ratificados por México, cuando su resolución no sea susceptible de ser sometida a la consideración de un órgano jurisdiccional internacional previsto en el mismo tratado en el que se encuentre contemplado el organismo en cuestión.

Lo anterior sin perjuicio de las responsabilidades civiles, penales y administrativas que los mismos hechos pudieran implicar y conforme lo dispuesto por la presente Ley.

En los casos de víctimas de delitos se estará a lo dispuesto en los montos máximos previstos en el artículo 67.

(REFORMADO, D.O.F. 3 DE MAYO DE 2013)

Artículo 66. Cuando se trate de resoluciones judiciales que determinen la compensación a la víctima a cargo del sentenciado, la autoridad judicial ordenará la reparación con cargo al patrimonio de éste, o en su defecto, con cargo a los recursos que, en su caso, se obtengan de la liquidación de los bienes decomisados al sentenciado.

Sólo en caso de que no se actualicen los supuestos anteriores, se estará a lo dispuesto en el artículo 67 de esta Ley.

(REFORMADO PRIMER PÁRRAFO, D.O.F. 6 DE NOVIEMBRE DE 2020)

Artículo 67. La Comisión Ejecutiva con cargo a los recursos autorizados para tal fin, así como las Comisiones de víctimas de las entidades federativas con cargo a su Fondo Estatal, según corresponda, determinarán el monto del pago de una compensación en forma subsidiaria, en términos de la presente Ley y la legislación local aplicable, así como de las normas reglamentarias correspondientes, tomando en cuenta:

(REFORMADO, D.O.F. 3 DE MAYO DE 2013)

a) La determinación del Ministerio Público cuando el responsable se haya sustraído de la justicia, haya muerto o desaparecido o se haga valer un criterio de oportunidad;

(REFORMADO, D.O.F. 3 DE MAYO DE 2013)

b) La resolución firme emitida por la autoridad judicial;

(REFORMADO, D.O.F. 3 DE MAYO DE 2013)

La determinación de la Comisión Ejecutiva correspondiente deberá dictarse dentro del plazo de noventa días contados a partir de emitida la resolución correspondiente.

(REFORMADO, D.O.F. 3 DE ENERO DE 2017)

El monto de la compensación subsidiaria a la que se podrá obligar al Estado, en sus ámbitos federal o local, será hasta de quinientas Unidades de Medida y Actualización mensuales, que ha de ser proporcional a la gravedad del daño sufrido y no podrá implicar el enriquecimiento para la víctima.

(REFORMADO, D.O.F. 3 DE ENERO DE 2017)

Artículo 68. La Federación y las entidades federativas compensarán a través de las Comisiones en el ámbito de su competencia, de forma subsidiaria el daño causado a la víctima de los delitos que ameriten prisión preventiva oficiosa o en aquellos casos en que la víctima haya sufrido daño o menoscabo a su libertad, daño o menoscabo al libre desarrollo de su personalidad o si la víctima directa hubiera fallecido o sufrido un deterioro incapacitante en su integridad física o mental como consecuencia del delito, cuando así lo determine la autoridad judicial.

(REFORMADO, D.O.F. 6 DE NOVIEMBRE DE 2020)

La Comisión Ejecutiva podrá cubrir la compensación subsidiaria para asegurar su cumplimiento, con cargo a los recursos autorizados para tal fin, cuando la Comisión de víctimas de la entidad federativa lo solicite por escrito en términos de lo previsto en la fracción XVII del artículo 81 de la Ley.

(REFORMADO, D.O.F. 3 DE MAYO DE 2013)

Artículo 69. La Comisión Ejecutiva correspondiente ordenará la compensación subsidiaria cuando la víctima, que no haya sido reparada, exhiba ante ella todos los elementos a su alcance que lo demuestren y presente ante la Comisión sus alegatos. La víctima podrá presentar entre otros:

I. Las constancias del agente del ministerio público que competa de la que se desprenda que las circunstancias de hecho hacen imposible la consignación del presunto delincuente ante la autoridad jurisdiccional y por lo tanto hacen imposible el ejercicio de la acción penal;

II. La sentencia firme de la autoridad judicial competente, en la que se señalen los conceptos a reparar, y la reparación obtenida de donde se desprendan los conceptos que el sentenciado no tuvo la capacidad de reparar;

III. La resolución emitida por autoridad competente u organismo público de protección de los derechos humanos de donde se desprenda que no ha obtenido la reparación del daño, de la persona directamente responsable de satisfacer dicha reparación.

(REFORMADO, D.O.F. 6 DE NOVIEMBRE DE 2020)

Artículo 70. La compensación subsidiaria a favor de las víctimas de delitos se cubrirá por la Comisión Ejecutiva con cargo a los recursos autorizados para tal fin o con cargo a los Fondos Estatales, según corresponda, en términos de esta Ley y su Reglamento.

(REFORMADO, D.O.F. 6 DE NOVIEMBRE DE 2020)

Artículo 71. La Federación a través de la Comisión Ejecutiva o las entidades federativas, según corresponda, tendrán la obligación de exigir que el sentenciado restituya a la Comisión Ejecutiva o a los Fondos Estatales los recursos erogados por concepto de la compensación subsidiaria otorgada a la víctima por el delito que aquél cometió.

(REFORMADO, D.O.F. 3 DE MAYO DE 2013)

Artículo 72. La obtención de la compensación subsidiaria no extingue el derecho de la víctima a exigir reparación de cualquier otra naturaleza.

CAPÍTULO IV
MEDIDAS DE SATISFACCIÓN

(REFORMADO, D.O.F. 3 DE MAYO DE 2013)

Artículo 73. Las medidas de satisfacción comprenden, entre otras y según corresponda:

I. La verificación de los hechos y la revelación pública y completa de la verdad, en la medida en que esa revelación no provoque más daños o amenace la seguridad y los intereses de la víctima, de sus familiares, de los testigos o de personas que han intervenido para ayudar a la víctima o para impedir que se produzcan nuevos delitos o nuevas violaciones de derechos humanos;

II. La búsqueda de las personas desaparecidas y de los cuerpos u osamentas de las personas asesinadas, así como la ayuda para recuperarlos, identificarlos y volver a inhumarlos según el deseo explícito o presunto de la víctima o las prácticas culturales de su familia y comunidad;

III. Una declaración oficial o decisión judicial que restablezca la dignidad, la reputación y los derechos de la víctima y de las personas estrechamente vinculadas a ella;

IV. Una disculpa pública de parte del Estado, los autores y otras personas involucradas en el hecho punible o en la violación de los derechos, que incluya el reconocimiento de los hechos y la aceptación de responsabilidades;

V. La aplicación de sanciones judiciales o administrativas a los responsables de las violaciones de derechos humanos, y

VI. La realización de actos que conmemoren el honor, la dignidad y la humanidad de las víctimas, tanto vivas como muertas.

CAPÍTULO V
MEDIDAS DE NO REPETICIÓN

(REFORMADO, D.O.F. 3 DE MAYO DE 2013)

Artículo 74. Las medidas de no repetición son aquéllas que se adoptan con el fin de evitar que las víctimas vuelvan a ser objeto de violaciones a sus derechos y para contribuir a prevenir o evitar la repetición de actos de la misma naturaleza. Estas consistirán en las siguientes:

I. El ejercicio de un control efectivo por las autoridades civiles de las fuerzas armadas y de seguridad;

II. La garantía de que todos los procedimientos penales y administrativos se ajusten a las normas nacionales e internacionales relativas a la competencia, independencia e imparcialidad de las autoridades judiciales y a las garantías del debido proceso;

III. El fortalecimiento de la independencia del Poder Judicial;

IV. La limitación en la participación en el gobierno y en las instituciones políticas de los dirigentes políticos que hayan planeado, instigado, ordenado o cometido graves violaciones de los derechos humanos;

V. La exclusión en la participación en el gobierno o en las fuerzas de seguridad de los militares, agentes de inteligencia y otro personal de seguridad declarados responsables de planear, instigar, ordenar o cometer graves violaciones de los derechos humanos;

VI. La protección de los profesionales del derecho, la salud y la información;

VII. La protección de los defensores de los derechos humanos;

VIII. La educación, de modo prioritario y permanente, de todos los sectores de la sociedad respecto de los derechos humanos y la capacitación en esta materia de los funcionarios encargados de hacer cumplir la ley, así como de las fuerzas armadas y de seguridad;

IX. La promoción de la observancia de los códigos de conducta y de las normas éticas, en particular los definidos en normas internacionales de derechos humanos y de protección a los derechos humanos, por los funcionarios públicos incluido el personal de las fuerzas armadas y de seguridad, los establecimientos penitenciarios, los medios de información, el personal de servicios médicos, psicológicos y sociales, además del personal de empresas comerciales;

X. La promoción de mecanismos destinados a prevenir, vigilar y resolver por medios pacíficos los conflictos sociales, y

XI. La revisión y reforma de las leyes, normas u ordenamientos legales que contribuyan a las violaciones manifiestas de las normas internacionales de derechos humanos o las permitan.

(REFORMADO, D.O.F. 3 DE MAYO DE 2013)

Artículo 75. Se entienden como medidas que buscan garantizar la no repetición de los delitos ni de las violaciones a derechos humanos, las siguientes:

I. Supervisión de la autoridad;

II. Prohibición de ir a un lugar determinado u obligación de residir en él, en caso de existir peligro inminente para la víctima;

III. Caución de no ofender;

IV. La asistencia a cursos de capacitación sobre derechos humanos, y

V. La asistencia a tratamiento de deshabituación o desintoxicación dictada por un juez y sólo en caso de que la adicción hubiera sido la causa de la comisión del delito o hecho victimizante.

(REFORMADO, D.O.F. 3 DE MAYO DE 2013)

Artículo 76. Se entiende por supervisión de la autoridad, la consistente en la observación y orientación de los sentenciados, ejercidas por personal especializado, con la finalidad de coadyuvar a la protección de la víctima y la comunidad.

Esta medida se establecerá cuando la privación de la libertad sea sustituida por otra sanción, sea reducida la pena privativa de libertad o se conceda la suspensión condicional de la pena.

(REFORMADO, D.O.F. 3 DE MAYO DE 2013)

Artículo 77. El juez en la sentencia exigirá una garantía de no ofender que se hará efectiva si el acusado violase las disposiciones del artículo anterior, o de alguna forma reincidiera en los actos de molestia a la víctima. Esta garantía no deberá ser inferior a la de la multa aplicable y podrá ser otorgada en cualquiera de las formas autorizadas por las leyes.

(REFORMADO, D.O.F. 3 DE MAYO DE 2013)

Artículo 78. Cuando el sujeto haya sido sentenciado por delitos o violación a los derechos humanos cometidos bajo el influjo o debido al abuso de sustancias alcohólicas, estupefacientes, psicotrópicos o similares, independientemente de la pena que corresponda, sólo si el juez así lo ordena, se aplicarán cursos y tratamientos para evitar su reincidencia y fomentar su deshabituación o desintoxicación.

N. DE E. DE LAS REFORMAS APROBADAS POR EL ARTÍCULO PRIMERO DEL DECRETO SIN NÚMERO, PUBLICADO EN EL D.O.F. 3 DE MAYO DE 2013, SE MODIFICO DE FORMA SUSTANCIAL LA ESTRUCTURA DEL PRESENTE TÍTULO.

TÍTULO SEXTO
SISTEMA NACIONAL DE ATENCIÓN A VÍCTIMAS

CAPÍTULO I
CREACIÓN Y OBJETO

(REFORMADO, D.O.F. 3 DE MAYO DE 2013)

Artículo 79. El Sistema Nacional de Atención a Víctimas será la instancia superior de coordinación y formulación de políticas públicas y tendrá por objeto proponer, establecer y supervisar las directrices, servicios, planes, programas, proyectos, acciones institucionales e interinstitucionales, y demás políticas públicas que se implementen para la protección, ayuda, asistencia, atención, acceso a la justicia, a la verdad y a la reparación integral a las víctimas en los ámbitos local, federal y municipal.

(REFORMADO, D.O.F. 3 DE ENERO DE 2017)

El Sistema Nacional de Atención a Víctimas está constituido por todas las instituciones y entidades públicas federales, estatales, del Gobierno de la Ciudad de México y municipales, organismos autónomos, y demás organizaciones públicas o privadas, encargadas de la protección, ayuda, asistencia, atención, defensa de los derechos humanos, acceso a la justicia, a la verdad y a la reparación integral de las víctimas, a que se refiere el Capítulo II del presente Título.

El Sistema tiene por objeto la coordinación de instrumentos, políticas, servicios y acciones entre las instituciones y organismos ya existentes y los creados por esta Ley para la protección de los derechos de las víctimas.

(REFORMADO, D.O.F. 3 DE ENERO DE 2017)

Para la operación del Sistema y el cumplimiento de sus atribuciones, el Sistema contará con una Comisión Ejecutiva y Comisiones de víctimas, quienes conocerán y resolverán los asuntos de su competencia, de conformidad con las disposiciones aplicables.

(REFORMADO, D.O.F. 3 DE ENERO DE 2017)

Las Comisiones de víctimas tienen la obligación de atender, asistir y, en su caso, reparar a las víctimas de delitos del fuero común o de violaciones a derechos humanos cometidos por servidores públicos del orden estatal o municipal.

(ADICIONADO, D.O.F. 3 DE ENERO DE 2017)

Las víctimas podrán acudir directamente a la Comisión Ejecutiva cuando no hubieren recibido respuesta dentro de los treinta días naturales siguientes, cuando la atención se hubiere prestado de forma deficiente o cuando se hubiere negado. En estos casos, la Comisión Ejecutiva podrá otorgar las medidas de atención inmediata, en términos de lo previsto por el Reglamento.

(ADICIONADO, D.O.F. 3 DE ENERO DE 2017)

En el caso de víctimas de desplazamiento interno que se encuentren en una entidad federativa distinta de su entidad de origen la Comisión Ejecutiva y las Comisiones Ejecutivas en el ámbito de sus competencias, cuando proceda, garantizarán su debido registro, atención y reparación, en términos de esta Ley.

(REFORMADO, D.O.F. 3 DE ENERO DE 2017)

Artículo 80. El Gobierno Federal, de las entidades federativas y los municipios, en el ámbito de sus respectivas competencias, así como los sectores social y privado, deberán coordinarse para establecer los mecanismos de organización, supervisión, evaluación y control de los servicios en materia de protección, ayuda, asistencia y atención, acceso a la justicia, a la verdad y reparación integral a víctimas, previstos en esta Ley.

(REFORMADO, D.O.F. 3 DE MAYO DE 2013)

Artículo 81. Para el cumplimiento de su objeto, el Sistema tendrá las siguientes atribuciones:

(REFORMADA, D.O.F. 3 DE ENERO DE 2017)

I. Promover la coordinación y colaboración entre las instituciones, entidades públicas federales, estatales, del Gobierno de la Ciudad de México y municipales, organismos autónomos encargados de la protección, ayuda, asistencia, atención, defensa de los derechos humanos, acceso a la justicia, a la verdad y a la reparación integral de las víctimas;

II. Formular propuestas para la elaboración del Programa de Atención Integral a Víctimas y demás instrumentos programáticos relacionados con la protección, ayuda, asistencia, atención, defensa de los derechos humanos, acceso a la justicia, a la verdad y a la reparación integral de las víctimas;

(REFORMADA, D.O.F. 3 DE ENERO DE 2017)

III. Analizar y evaluar los resultados que arrojen las evaluaciones que se realicen a la Comisión Ejecutiva de Atención a Víctimas y a su equivalente en las entidades federativas.

IV. Elaborar propuestas de reformas en materia de atención a víctimas;

V. Integrar los comités que sean necesarios para el desempeño de sus funciones;

VI. Fijar criterios uniformes para la regulación de la selección, ingreso, formación, permanencia, capacitación, profesionalización, evaluación, reconocimiento, certificación y registro del personal de las instituciones de atención a víctimas, de conformidad con lo dispuesto en esta Ley y demás disposiciones aplicables;

VII. Promover una estrategia de supervisión y acompañamiento que busca el desarrollo profesional y la especialización conjunta de los miembros de las instituciones de atención a víctimas;

VIII. Promover que las legislaciones aplicables prevean un procedimiento ágil, eficaz y uniforme para la imposición de sanciones administrativas al personal de las instituciones de atención a víctimas, por incumplimiento de los deberes previstos en esta Ley y demás que se establezcan en los ordenamientos correspondientes;

IX. Impulsar la participación de la comunidad en las actividades de atención a víctimas;

X. Fijar criterios de cooperación y coordinación para la atención médica, psicológica y jurídica de víctimas del delito, así como de gestoría de trabajo social respecto de las mismas;

XI. Fomentar la cultura de respeto a las víctimas y a sus derechos;

XII. Formular estrategias de coordinación en materia de combate a la corrupción y de atención a víctimas;

XIII. Proponer programas de cooperación internacional en materia de atención a víctimas;

XIV. Establecer lineamientos para el desahogo de procedimientos de atención a víctimas;

XV. Expedir sus reglas de organización y funcionamiento;

(REFORMADA, D.O.F. 3 DE ENERO DE 2017)

XVI. Promover la uniformidad de criterios jurídicos;

(REFORMADO [N. DE E. ESTE PÁRRAFO], D.O.F. 6 DE NOVIEMBRE DE 2020)

XVII. Promover la celebración de convenios de coordinación entre la Comisión Ejecutiva y las Comisiones de víctimas para establecer las reglas de reintegración de los recursos erogados por la Comisión Ejecutiva, ya sea por conceptos de Recursos de Ayuda o de compensación subsidiaria. Dichos convenios garantizarán los criterios de transparencia, oportunidad, eficiencia y rendición de cuentas y deberán contener como mínimo:

(REFORMADO [N. DE E. ADICIONADO], D.O.F. 3 DE ENERO DE 2017)

a) La obligación de las Comisiones de víctimas de entregar por escrito a la Comisión Ejecutiva la solicitud fundada y motivada de apoyo para la atención de la víctima;

(REFORMADO [N. DE E. ADICIONADO], D.O.F. 3 DE ENERO DE 2017)

b) La obligación de las Comisiones de víctimas de acompañar a cada solicitud de apoyo copia certificada del estado financiero que guarda su Fondo Estatal en el que demuestre que no cuenta con recursos suficientes para la atención de la víctima;

(REFORMADO [N. DE E. ADICIONADO], D.O.F. 3 DE ENERO DE 2017)

c) El plazo para restituir los recursos solicitados a la Comisión Ejecutiva, el cual no podrá exceder del primer semestre del siguiente ejercicio fiscal.

(REFORMADO [N. DE E. ADICIONADO], D.O.F. 3 DE ENERO DE 2017)

En caso de incumplimiento al reintegro, la Federación compensará el monto respectivo con cargo a las transferencias de recursos federales que correspondan a la entidad federativa de que se trate, y

(REFORMADO [N. DE E. ADICIONADO], D.O.F. 3 DE ENERO DE 2017)

d) La obligación de la Comisión Ejecutiva de dar aviso a la Auditoria Superior de la Federación en caso de incumplimiento de pago de la entidad federativa, y

(ADICIONADA [N. DE E. REFORMADA], D.O.F. 3 DE ENERO DE 2017)

XVIII. Las demás que le otorgue esta Ley y otras disposiciones aplicables.

CAPÍTULO II
INTEGRACIÓN DEL SISTEMA NACIONAL DE ATENCIÓN A VÍCTIMAS

(REFORMADO, D.O.F. 3 DE MAYO DE 2013)

Artículo 82. El Sistema Nacional de Atención a Víctimas estará integrado por las instituciones, entidades, organismos y demás participantes, aquí enumerados, incluyendo en su caso las instituciones homólogas en los ámbitos estatal y municipal:

I. Poder Ejecutivo:

(REFORMADO, D.O.F. 28 DE ABRIL DE 2022)

a) La persona titular de la Presidencia de la República, quien lo presidirá;

(REFORMADO, D.O.F. 28 DE ABRIL DE 2022)

b) La persona titular de la Presidencia de la Comisión de Justicia de la Conferencia Nacional de Gobernadores, y

(REFORMADO, D.O.F. 28 DE ABRIL DE 2022)

c) La persona titular de la Secretaría de Gobernación.

II. Poder Legislativo:

(REFORMADO, D.O.F. 28 DE ABRIL DE 2022)

a) La persona titular de la Presidencia de la Comisión de Justicia de la Cámara de Diputados;

(REFORMADO, D.O.F. 28 DE ABRIL DE 2022)

b) La persona titular de la Presidencia de la Comisión de Justicia del Senado de la República, y

(REFORMADO, D.O.F. 28 DE ABRIL DE 2022)

c) Una persona integrante del poder legislativo de los estados y del Congreso de la Ciudad de México.

III. Poder Judicial:

(REFORMADO, D.O.F. 28 DE ABRIL DE 2022)

a) La persona titular de la Presidencia del Consejo de la Judicatura Federal.

IV. Organismos Públicos:

(REFORMADO, D.O.F. 28 DE ABRIL DE 2022)

a) La persona titular de la Presidencia de la Comisión Nacional de los Derechos Humanos, y

(REFORMADO, D.O.F. 28 DE ABRIL DE 2022)

b) Una persona representante de organismos públicos de protección de los derechos humanos de las entidades federativas.

(REFORMADA, D.O.F. 28 DE ABRIL DE 2022)

V. La Comisión Ejecutiva de Atención a Víctimas y una persona representante de las comisiones ejecutivas locales.

(REFORMADO, D.O.F. 28 DE ABRIL DE 2022)

Artículo 83. Quienes integren el Sistema se reunirán en Pleno o en comisiones las cuales se deberán crear de conformidad con lo establecido en el Reglamento de esta Ley.

El Pleno se reunirá por lo menos una vez cada seis meses a convocatoria de su Presidencia quien integrará la agenda de los asuntos a tratar y en forma extraordinaria, cada que una situación urgente así lo requiera. Las personas integrantes tienen obligación de comparecer a las sesiones.

El quórum para las reuniones del Sistema se conformará con la mitad más una de sus personas integrantes. Los acuerdos se tomarán por la mayoría de las personas presentes con derecho a voto.

Corresponderá a la Presidencia del Sistema la facultad de promover en todo tiempo la efectiva coordinación y funcionamiento del Sistema. Las personas integrantes del mismo podrán formular propuestas de acuerdos que permitan el mejor funcionamiento del Sistema.

La persona que presida el Sistema será suplida en sus ausencias por la persona titular de la Secretaría de Gobernación. Quienes integren el Sistema deberán asistir personalmente.

Tendrán el carácter de personas invitadas a las sesiones del Sistema o de las comisiones previstas en esta Ley, las instituciones u organizaciones privadas o sociales, los colectivos o grupos de víctimas o las demás instituciones nacionales o extranjeras, que por acuerdo de la persona titular de la Comisión Ejecutiva deban participar en la sesión que corresponda.

El Reglamento establecerá el mecanismo de invitación correspondiente. Las personas invitadas acudirán a las reuniones con derecho a voz, pero sin voto.

(REFORMADA SU DENOMINACIÓN, D.O.F. 3 DE MAYO DE 2013)

CAPÍTULO III
DE LA ESTRUCTURA OPERATIVA DEL SISTEMA NACIONAL DE ATENCIÓN A VÍCTIMAS

(REFORMADO PRIMER PÁRRAFO, D.O.F. 3 DE ENERO DE 2017)

Artículo 84. La Comisión Ejecutiva es un organismo con personalidad jurídica y patrimonio propios; con autonomía técnica, de gestión y contará con los recursos que le asigne el Presupuesto de Egresos de la Federación.

(ADICIONADO, D.O.F. 3 DE ENERO DE 2017)

Las medidas y reparaciones que dicte la Comisión Ejecutiva, serán determinadas por el Comisionado Ejecutivo en los términos de la fracción XIII del artículo 95 de esta Ley.

(ADICIONADO, D.O.F. 3 DE ENERO DE 2017)

La Comisión Ejecutiva tendrá por objeto garantizar, promover y proteger los derechos de las víctimas del delito y de violaciones a derechos humanos, en especial los derechos a la asistencia, a la protección, a la atención, a la verdad, a la justicia, a la reparación integral y a la debida diligencia, en términos del artículo 2 de la Ley; así como desempeñarse como el órgano operativo del Sistema y las demás que esta Ley señale.

(ADICIONADO, D.O.F. 3 DE ENERO DE 2017)

El domicilio de la Comisión Ejecutiva es en la Ciudad de México, y podrá establecer delegaciones y oficinas en otras entidades federativas, cuando así lo autorice la Junta de Gobierno, de acuerdo a su disponibilidad presupuestaria.

(REFORMADO, D.O.F. 3 DE MAYO DE 2013)

En la ejecución de las funciones, acciones, planes y programas previstos en esta Ley, la Comisión Ejecutiva garantizará la representación y participación directa de las víctimas y organizaciones de la sociedad civil, propiciando su intervención en la construcción de políticas públicas, así como el ejercicio de labores de vigilancia, supervisión y evaluación de las instituciones integrantes del Sistema con el objetivo de garantizar un ejercicio transparente de sus atribuciones.

(REFORMADO, D.O.F. 6 DE NOVIEMBRE DE 2020)

De la Comisión Ejecutiva depende la Asesoría Jurídica Federal, el Registro Nacional de Víctimas y el área responsable de efectuar los pagos que, en su caso, corresponda efectuar a las víctimas por concepto de Recursos de Ayuda, asistencia, reparación integral y compensación, en términos de esta Ley, el Reglamento y demás disposiciones aplicables.

(REFORMADO, D.O.F. 6 DE NOVIEMBRE DE 2020)

A fin de garantizar el acceso efectivo de las víctimas a los derechos, garantías, mecanismos, procedimientos y servicios que establece esta Ley, el Gobierno Federal contará con un área responsable de efectuar los pagos que, en su caso, corresponda efectuar a las víctimas por concepto de Recursos de Ayuda, asistencia y reparación integral, una asesoría jurídica y un registro de víctimas, los cuales operarán a través de las instancias correspondientes, para la atención a víctimas en los términos dispuestos por esta Ley.

(REFORMADO, D.O.F. 3 DE ENERO DE 2017)

Las entidades federativas contarán con una asesoría jurídica, un registro de víctimas y un Fondo estatal en los términos de esta Ley y de lo que disponga la legislación aplicable.

(ADICIONADO, D.O.F. 3 DE ENERO DE 2017)

Artículo 84 Bis. El patrimonio de la Comisión Ejecutiva se integra:

I. Con los recursos que le asigne la Cámara de Diputados a través del Presupuesto de Egresos de la Federación;

II. Los bienes muebles e inmuebles que le sean asignados, y

III. Los demás ingresos, rendimientos, bienes, derechos y obligaciones que adquiera o se le adjudiquen por cualquier título jurídico.

(REFORMADO, D.O.F. 28 DE ABRIL DE 2022)

Artículo 84 Ter. La Comisión Ejecutiva cuenta con una Junta de Gobierno y un Comisionado o Comisionada Ejecutiva para su administración, así como con una Asamblea Consultiva, como órgano de consulta y vinculación con las víctimas y la sociedad.

(ADICIONADO, D.O.F. 3 DE ENERO DE 2017)

Artículo 84 Quáter. La organización y funcionamiento de la Junta de Gobierno se regirá por lo dispuesto en esta Ley y las demás disposiciones aplicables, estará integrada de la siguiente manera:

(REFORMADO [N. DE E. ESTE PÁRRAFO], D.O.F. 28 DE ABRIL DE 2022)

I. Una persona representante de las siguientes secretarías de Estado:

a) Gobernación quien la presidirá;

b) Hacienda y Crédito Público;

c) Educación Pública;

d) Salud;

(REFORMADA, D.O.F. 28 DE ABRIL DE 2022)

II. Cuatro personas representantes de la Asamblea Consultiva, designadas por ésta, y

(REFORMADA, D.O.F. 28 DE ABRIL DE 2022)

III. La persona titular de la Comisión Ejecutiva.

(REFORMADO, D.O.F. 28 DE ABRIL DE 2022)

Las personas integrantes referidas en la fracción I del párrafo anterior, serán las personas titulares de cada Institución y sus suplentes tendrán el nivel de Subsecretaría, Dirección General o su equivalente. En sus decisiones las personas integrantes tendrán derecho de voz y voto. En la integración de la Junta de Gobierno se garantizará en todo momento el principio de paridad de género establecido en el artículo 41 de la Constitución Política de los Estados Unidos Mexicanos.

(REFORMADO, D.O.F. 28 DE ABRIL DE 2022)

La Junta de Gobierno contará con una Secretaría Técnica.

(ADICIONADO, D.O.F. 3 DE ENERO DE 2017)

Artículo 84 Quinquies. La Junta de Gobierno celebrará sesiones ordinarias por lo menos cuatro veces al año y las extraordinarias que propondrá su Presidente, el Comisionado Ejecutivo o al menos 3 de sus integrantes.

(REFORMADO, D.O.F. 28 DE ABRIL DE 2022)

Artículo 84 Sexies. La Junta de Gobierno sesionará válidamente con la asistencia de la mayoría de sus integrantes, siempre que esté presente la persona Titular de la Presidencia de la Junta de Gobierno. Los acuerdos se adoptarán por mayoría de votos de sus integrantes presentes.

(ADICIONADO, D.O.F. 3 DE ENERO DE 2017)

Artículo 84 Septies. La Junta de Gobierno tendrá exclusivamente las siguientes atribuciones:

(REFORMADA, D.O.F. 28 DE ABRIL DE 2022)

I. Aprobar y modificar su reglamento de sesiones, con base en la propuesta que presente el Comisionado o Comisionada Ejecutiva;

(REFORMADA, D.O.F. 28 DE ABRIL DE 2022)

II. Aprobar las disposiciones normativas que el Comisionado o Comisionada Ejecutiva someta a su consideración en términos de la Ley y el Reglamento;

(REFORMADA, D.O.F. 28 DE ABRIL DE 2022)

III. Definir los criterios, prioridades y metas de la Comisión Ejecutiva que proponga el Comisionado o Comisionada Ejecutiva;

IV. Conocer de los convenios y acuerdos de colaboración, coordinación y concertación que celebre la Comisión Ejecutiva de acuerdo con esta Ley, y

V. Aquellas que por su naturaleza jurídica le correspondan.

En ningún caso la Junta de Gobierno tendrá competencia para conocer de los recursos de ayuda y la reparación integral que la Comisión Ejecutiva otorgue a las víctimas.

(ADICIONADO, D.O.F. 3 DE ENERO DE 2017)

Artículo 84 Octies. La Asamblea Consultiva es un órgano de opinión y asesoría de las acciones, políticas públicas, programas y proyectos que desarrolle la Comisión Ejecutiva.

(REPUBLICADO, D.O.F. 28 DE ABRIL DE 2022)

La Asamblea Consultiva estará integrada por nueve representantes de colectivos de víctimas, organizaciones de la sociedad civil y académicos quienes serán electos por la Junta de Gobierno y cuyo cargo tendrá carácter honorífico.

Para efectos del párrafo anterior, la Comisión Ejecutiva emitirá una convocatoria pública, que establecerá los criterios de selección, la cual deberá ser publicada en el Diario Oficial de la Federación.

La convocatoria para integrar la Asamblea Consultiva atenderá a un criterio de representación regional rotativa de cuando menos una institución, organización, colectivo o grupo por región.

(REFORMADO, D.O.F. 28 DE ABRIL DE 2022)

Las bases de la convocatoria pública deben ser emitidas por la Comisionada o el Comisionado Ejecutivo y atender, cuando menos, a criterios de experiencia nacional o internacional en trabajos de protección, atención, asistencia, justicia, verdad y reparación integral de víctimas; desempeño destacado en actividades profesionales, de servicio público, sociedad civil o académicas, así como experiencia laboral o de conocimientos especializados, en materias afines a la Ley.

(REFORMADO, D.O.F. 28 DE ABRIL DE 2022)

La elección de las personas que integren la Asamblea Consultiva deberá garantizar el respeto a los principios que dan marco a esta Ley, especialmente los de paridad y enfoque diferencial.

Las funciones de la Asamblea Consultiva estarán previstas en el Reglamento de la Ley, las personas integrantes durarán en su cargo cuatro años, y podrán ser ratificadas sólo por un período igual, en los términos de lo dispuesto en dicho ordenamiento.

(REFORMADO, D.O.F. 28 DE ABRIL DE 2022)

Artículo 85. La Comisión Ejecutiva estará a cargo de una Comisionada o Comisionado Ejecutivo quien se elegirá por el voto de las dos terceras partes de los miembros presentes del Senado de la República, de la terna que enviará el Ejecutivo Federal, previa consulta pública a los colectivos de víctimas, personas expertas y organizaciones de la sociedad civil especializadas en la materia.

(REFORMADO PRIMER PÁRRAFO, D.O.F. 28 DE ABRIL DE 2022)

Artículo 86. Para ser Comisionada o Comisionado Ejecutivo se requiere:

(REFORMADA, D.O.F. 28 DE ABRIL DE 2022)

I. Contar con ciudadanía mexicana;

(REFORMADA, D.O.F. 28 DE ABRIL DE 2022)

II. No haber sido condenada o condenado por la comisión de un delito doloso o inhabilitado como servidora o servidor público;

(REFORMADA, D.O.F. 3 DE ENERO DE 2017)

III. Haberse desempeñado destacadamente en actividades profesionales, de servicio público, en sociedad civil o académicas relacionadas con la materia de esta Ley, por lo menos en los dos años previos a su designación;

(REFORMADA [N. DE E. ADICIONADA], D.O.F. 3 DE ENERO DE 2017)

IV. Contar con título profesional, y

(ADICIONADA [N. DE E. REFORMADA], D.O.F. 3 DE ENERO DE 2017)

V. No haber desempeñado cargo de dirección nacional o estatal en algún partido político, dentro de los dos años previos a su designación.

(REFORMADO, D.O.F. 28 DE ABRIL DE 2022)

En la elección de la titularidad de la Comisión Ejecutiva, deberá garantizarse el respeto a los principios que dan marco a esta Ley, especialmente los de enfoque transversal de género y diferencial.

(REFORMADO, D.O.F. 28 DE ABRIL DE 2022)

La persona titular de la Comisión Ejecutiva se desempeñará en su cargo por cinco años sin posibilidad de reelección. Durante el mismo no podrá tener ningún otro empleo, cargo o comisión, salvo en instituciones docentes, científicas o de beneficencia.

(REFORMADO, D.O.F. 6 DE NOVIEMBRE DE 2020)

Artículo 87. El Comisionado Ejecutivo para el desarrollo de las actividades de la Comisión Ejecutiva designará a las personas responsables de la Asesoría Jurídica, el Registro Nacional de Víctimas y el área responsable de efectuar los pagos que, en su caso, corresponda efectuar a las víctimas por concepto de Recursos de Ayuda, asistencia, reparación integral y compensación.

(REFORMADO, D.O.F. 3 DE MAYO DE 2013)

Artículo 88. La Comisión Ejecutiva tendrá las siguientes funciones y facultades:

I. Ejecutar y dar seguimiento a los acuerdos y resoluciones adoptadas por el Sistema;

II. Garantizar el acceso a los servicios multidisciplinarios y especializados que el Estado proporcionará a las víctimas de delitos o por violación a sus derechos humanos, para lograr su reincorporación a la vida social;

III. Elaborar anualmente el proyecto de Programa de Atención Integral a Víctimas con el objeto de crear, reorientar, dirigir, planear, coordinar, ejecutar y supervisar las políticas públicas en materia de atención a víctimas, y proponerlo para su aprobación al Sistema;

IV. Proponer al Sistema una política nacional integral y políticas públicas de prevención de delitos y violaciones a derechos humanos, así como de atención, asistencia, protección, acceso a la justicia, a la verdad y reparación integral a las víctimas u ofendidos de acuerdo con los principios establecidos en esta Ley;

V. Instrumentar los mecanismos, medidas, acciones, mejoras y demás políticas acordadas por el Sistema;

VI. Proponer al Sistema un mecanismo de seguimiento y evaluación de las obligaciones previstas en esta Ley;

VII. Proponer al Sistema las medidas previstas en esta Ley para la protección inmediata de las víctimas cuando su vida o su integridad se encuentre en riesgo;

VIII. Coordinar a las instituciones competentes para la atención de una problemática específica, de acuerdo con los principios establecidos en esta Ley, así como los de coordinación, concurrencia y subsidiariedad;

IX. Asegurar la participación de las víctimas tanto en las acciones tendientes a garantizar el cumplimiento de las obligaciones derivadas de sentencias internacionales en materia de derechos humanos dictadas en contra del Estado Mexicano, como en aquellas acciones que permitan garantizar el cumplimiento de recomendaciones de organismos internacionales de derechos humanos no jurisdiccionales;

X. Establecer mecanismos para la capacitación, formación, actualización y especialización de funcionarios públicos o dependientes de las instituciones, de conformidad con lo dispuesto en esta Ley;

XI. Realizar las acciones necesarias para la adecuada operación del Registro Nacional de Víctimas, que incluye el registro federal, y de la Asesoría Jurídica Federal de Atención a Víctimas;

XII. Establecer las directrices para alimentar de información el Registro Nacional de Víctimas. La Comisión Ejecutiva dictará los lineamientos para la transmisión de información de las instituciones que forman parte del Sistema, incluidas las autoridades federales, cuidando la confidencialidad de la información pero permitiendo que pueda haber un seguimiento y revisión de los casos que lo lleguen a requerir;

XIII. Rendir un informe anual ante el Sistema, sobre los avances del Programa y demás obligaciones previstas en esta Ley;

(REFORMADA, D.O.F. 6 DE NOVIEMBRE DE 2020)

XIV. Vigilar el adecuado ejercicio de su presupuesto a fin de garantizar su óptimo y eficaz funcionamiento, con base en los principios de publicidad, transparencia y rendición de cuentas;

XV. Solicitar al órgano competente se apliquen las medidas disciplinarias y sanciones correspondientes;

XVI. Elaborar anualmente las tabulaciones de montos compensatorios en los términos de esta Ley y su Reglamento;

XVII. Hacer recomendaciones al Sistema, mismo que deberá dar respuesta oportuna a aquéllas;

(REFORMADA, D.O.F. 6 DE NOVIEMBRE DE 2020)

XVIII. Nombrar a los titulares de la Asesoría Jurídica Federal, del Registro y del área responsable de efectuar los pagos que, en su caso, corresponda efectuar a las víctimas por concepto de Recursos de Ayuda, asistencia, reparación integral y compensación;

XIX. Emitir opinión sobre el proyecto de Reglamento de la presente Ley y sus reformas y adiciones;

XX. Formular propuestas de política integral nacional de prevención de violaciones a derechos humanos, atención, asistencia, protección, acceso a la justicia, a la verdad y reparación integral a las víctimas de acuerdo con los principios establecidos en esta Ley;

XXI. Proponer medidas, lineamientos o directrices de carácter obligatorio que faciliten condiciones dignas, integrales y efectivas para la atención y asistencia de las víctimas, que permitan su recuperación y restablecimiento para lograr el pleno ejercicio de su derecho a la justicia, a la verdad y a la reparación integral;

(REFORMADA, D.O.F. 3 DE ENERO DE 2017)

XXII. Promover la coordinación interinstitucional de las dependencias, instituciones y órganos que integran el Sistema así como los comités de las entidades federativas, cuidando la debida representación de todos sus integrantes y especialmente de las áreas, instituciones, grupos de víctimas u organizaciones que se requieran para el tratamiento de una problemática específica, de acuerdo con los principios establecidos en esta Ley y los de coordinación, concurrencia, subsidiariedad, complementariedad y delegación;

XXIII. Establecer medidas que contribuyan a garantizar la reparación integral, efectiva y eficaz de las víctimas que hayan sufrido un daño como consecuencia de la comisión de un delito o de la violación de sus derechos humanos;

XXIV. Proponer al Sistema las directrices o lineamientos que faciliten el acceso efectivo de las víctimas a la verdad y a la justicia;

(REFORMADA, D.O.F. 3 DE ENERO DE 2017)

XXV. Emitir los lineamientos para la canalización oportuna y eficaz de los recursos humanos, técnicos, administrativos y económicos que sean necesarios para el cumplimiento de las acciones, planes, proyectos y programas de atención, asistencia, acceso a la justicia, a la verdad y reparación integral de las víctimas en los ámbitos federal, de las entidades federativas y municipal;

XXVI. Crear una plataforma que permita integrar, desarrollar y consolidar la información sobre las víctimas a nivel nacional a fin de orientar políticas, programas, planes y demás acciones a favor de las víctimas para la prevención del delito y de violaciones a los derechos humanos, atención, asistencia, acceso a la verdad, justicia y reparación integral con el fin de llevar a cabo el monitoreo, seguimiento y evaluación del cumplimiento de las políticas, acciones y responsabilidades establecidas en esta Ley. La Comisión Ejecutiva dictará los lineamientos para la transmisión de información de las instituciones que forman parte del Sistema, cuidando la confidencialidad de la información pero permitiendo que pueda haber un seguimiento y revisión de los casos que lo lleguen a requerir;

XXVII. Adoptar las acciones necesarias para garantizar el ingreso de las víctimas al Registro;

XXVIII. Coadyuvar en la elaboración de los protocolos generales de actuación para la prevención, atención e investigación de delitos o violaciones a los derechos humanos.

Las autoridades de los distintos órdenes de gobierno deberán adecuar sus manuales, lineamientos, programas y demás acciones, a lo establecido en estos protocolos, debiendo adaptarlos a la situación local siempre y cuando contengan el mínimo de procedimientos y garantías que los protocolos generales establezcan para las víctimas;

XXIX. En casos de graves violaciones a derechos humanos o delitos graves cometidos contra un grupo de víctimas, proponer al Sistema los programas integrales emergentes de ayuda, atención, asistencia, protección, acceso a justicia, a la verdad y reparación integral;

XXX. (DEROGADA, D.O.F. 3 DE ENERO DE 2017)

XXXI. Realizar diagnósticos nacionales que permitan evaluar las problemáticas concretas que enfrentan las víctimas en términos de prevención del delito o de violaciones a los derechos humanos, atención, asistencia, acceso a la justicia, derecho a la verdad y reparación integral del daño;

XXXII. Generar diagnósticos específicos sobre las necesidades de las entidades federativas y municipios en materia de capacitación, recursos humanos y materiales que se requieran para garantizar un estándar mínimo de atención digna a las víctimas cuando requieran acciones de ayuda, apoyo, asistencia o acceso a la justicia, a la verdad y a la reparación integral de tal manera que sea disponible y efectiva. Estos diagnósticos servirán de base para la canalización o distribución de recursos y servicios que corresponda al Sistema Nacional de Atención a Víctimas;

XXXIII. Brindar apoyo a las organizaciones de la sociedad civil que se dedican a la ayuda, atención y asistencia a favor de las víctimas, priorizando aquéllas que se encuentran en lugares donde las condiciones de acceso a la ayuda, asistencia, atención y reparación integral es difícil debido a las condiciones precarias de desarrollo y marginación;

XXXIV. Implementar los mecanismos de control, con la participación de la sociedad civil, que permitan supervisar y evaluar las acciones, programas, planes y políticas públicas en materia de víctimas. La supervisión deberá ser permanente y los comités u órganos específicos que se instauren al respecto, deberán emitir recomendaciones que deberán ser respondidas por las instituciones correspondientes;

(REFORMADA, D.O.F. 6 DE NOVIEMBRE DE 2020)

XXXV. Hacer públicos los informes anuales sobre el funcionamiento de la Asesoría Jurídica Federal y del área responsable de efectuar los pagos que, en su caso, corresponda efectuar a las víctimas por concepto de Recursos de Ayuda, asistencia, reparación integral y compensación, así como sobre el Programa y las recomendaciones pertinentes a fin de garantizar un óptimo y eficaz funcionamiento, siguiendo los principios de publicidad y transparencia;

(REFORMADA [N. DE E. ADICIONADA], D.O.F. 3 DE ENERO DE 2017)

XXXVI. Conocer y aprobar los casos a que se refiere el artículo 88 Bis de la Ley, y

(ADICIONADA [N. DE E. REUBICADA], D.O.F. 3 DE ENERO DE 2017)

XXXVII. Las demás que se deriven de la presente Ley.

(ADICIONADO, D.O.F. 3 DE ENERO DE 2017)

Artículo 88 Bis. La Comisión Ejecutiva podrá ayudar, atender, asistir y, en su caso, cubrir una compensación subsidiaria en términos de esta Ley, en aquellos casos de víctimas de delitos del fuero común o de violaciones a derechos humanos cometidos por servidores públicos del orden estatal o municipal en los siguientes supuestos:

I. Cuando en el lugar de la comisión del delito o de la violación a derechos humanos no se cuente con el Fondo respectivo o carezca de fondos suficientes;

II. Cuando se trate de violaciones graves de derechos humanos así calificados por ley o autoridad competente;

III. Cuando el Ministerio Público de la Federación o la Comisión Nacional de los Derechos Humanos, ejerzan su facultad de atracción en el ámbito de sus competencias;

IV. Cuando exista una resolución por parte de algún organismo internacional, jurisdiccional o no jurisdiccional, de protección de derechos humanos, cuya competencia derive de un tratado en el que el Estado mexicano sea parte o bien del reconocimiento expreso de competencia formulado por éste;

V. Cuando las circunstancias del caso lo justifiquen, por estar involucradas autoridades de diversas entidades federativas, o cuando aquél posea trascendencia nacional por cualquier otro motivo, y

VI. Cuando la Comisión Ejecutiva, atendiendo a las características propias del hecho delictivo o violatorio de derechos humanos, así como a las circunstancias de ejecución o la relevancia social del mismo, así lo determine en los siguientes supuestos:

a) Cuando una autoridad competente determine que existe un riesgo a la vida o integridad física de la víctima;

b) Cuando el hecho constitutivo de delito trascienda el ámbito de una o más entidades federativas, y

c) A solicitud de la Secretaría de Gobernación, cuando el hecho constitutivo victimizante revista trascendencia nacional.

La Comisión Ejecutiva podrá valorar estos casos, de oficio, o a petición de la Comisión Nacional de los Derechos Humanos, los organismos públicos de derechos humanos locales, las Comisiones de víctimas locales, la autoridad ministerial o jurisdiccional correspondiente, o bien de las víctimas o sus representantes. La determinación que al respecto realice la Comisión Ejecutiva deberá atender a la obligación de garantizar de manera oportuna y efectiva los derechos de las víctimas.

(REFORMADO, D.O.F. 6 DE NOVIEMBRE DE 2020)

Los recursos erogados bajo este supuesto deberán ser reintegrados a la tesorería de la Comisión Ejecutiva, por la Comisión de víctimas local con cargo al Fondo Local correspondiente, en cuanto éste cuente con los recursos para tal efecto, o por la entidad federativa, con cargo a su presupuesto, en caso de que aún no exista la Comisión de víctimas local o se haya constituido el Fondo Estatal.

(REFORMADO, D.O.F. 3 DE ENERO DE 2017)

Artículo 89. La Comisión Ejecutiva podrá celebrar convenios de coordinación, colaboración y concertación con las entidades e instituciones federales así como con las entidades e instituciones homologas de las entidades federativas, incluidos los organismos autónomos de protección de los derechos humanos que sean necesarios para el cumplimiento de los fines del Sistema.

(REFORMADO, D.O.F. 3 DE MAYO DE 2013)

Artículo 90. En los casos de graves violaciones a los derechos humanos o delitos cometidos contra un grupo de víctimas, las organizaciones no gubernamentales, los poderes ejecutivos y legislativos de las entidades federativas, el Congreso de la Unión, los municipios, o cualquier otra institución pública o privada que tenga entre sus fines la defensa de los derechos humanos podrán proponer el establecimiento de programas emergentes de ayuda, atención, asistencia, protección, acceso a la justicia, acceso a la verdad y reparación integral de las víctimas.

(REFORMADO, D.O.F. 3 DE ENERO DE 2017)

Estos programas también podrán ser creados por la Comisión Ejecutiva a propuesta del Comisionado Ejecutivo cuando del análisis de la información con que se cuente se determine que se requiere la atención especial de determinada situación o grupos de víctimas.

(REFORMADO PRIMER PÁRRAFO, D.O.F. 1 DE ABRIL DE 2024)

Artículo 91. Los diagnósticos nacionales que elabore la Comisión Ejecutiva deberán ser situacionales y focalizados a situaciones específicas que se enfrenten en determinado territorio o que enfrentan ciertos grupos de víctimas tales como niños y niñas, personas pertenecientes a pueblos y comunidades indígenas y afromexicanas, migrantes, mujeres, personas con discapacidad, de delitos tales como violencia familiar, sexual, secuestro, homicidios o de determinadas violaciones a derechos humanos tales como desaparición forzada, ejecución arbitraria, tortura, tratos crueles, inhumanos o degradantes, detención arbitraria, entre otros.

(REFORMADO, D.O.F. 3 DE MAYO DE 2013)

Los diagnósticos servirán de base para crear programas especiales, reorganizar o redireccionar acciones, políticas públicas o leyes que de acuerdo a su naturaleza y competencia llevan a cabo los integrantes del Sistema, así como para canalizar o distribuir los recursos necesarios.

(REFORMADO, D.O.F. 3 DE MAYO DE 2013)

La Comisión Ejecutiva podrá también contar con la asesoría de grupos de expertos en temas específicos, solicitar opiniones de organismos nacionales o internacionales públicos de derechos humanos, instituciones u organizaciones públicas o privadas nacionales o extranjeros con amplia experiencia en cierta problemática relacionada con la atención, asistencia, justicia; verdad y reparación integral a las víctimas. Los recursos destinados para tal efecto deberán ser públicos, monitoreables y de fácil acceso para la sociedad civil.

(REFORMADO, D.O.F. 3 DE MAYO DE 2013)

Se deberá procurar en todo momento, además de la especialización técnica y científica, el aporte de los grupos de víctimas y organizaciones de base que trabajen directamente con víctimas.

Artículo 92. (DEROGADO, D.O.F. 3 DE ENERO DE 2017)

(REFORMADO, D.O.F. 3 DE ENERO DE 2017)

Artículo 93. La Comisión Ejecutiva cuenta con un comité interdisciplinario evaluador con las siguientes facultades:

(REFORMADA, D.O.F. 6 DE NOVIEMBRE DE 2020)

I. Elaborar los proyectos de dictamen de acceso a los recursos para el otorgamiento de los Recursos de Ayuda;

II. Elaborar los proyectos de dictamen de reparación integral y, en su caso, la compensación, previstas en la Ley y el Reglamento;

III. Elaborar los proyectos de dictamen para la creación de fondos de emergencia, y

IV. Las demás establecidas en la Ley y el Reglamento.

Artículo 94. (DEROGADO, D.O.F. 3 DE ENERO DE 2017)

(REFORMADO PRIMER PÁRRAFO, D.O.F. 3 DE ENERO DE 2017)

Artículo 95. El Comisionado Ejecutivo, tendrá las siguientes facultades:

(REFORMADA, D.O.F. 3 DE MAYO DE 2013)

I. Administrar, representar legalmente y dirigir el cumplimiento de las atribuciones de la Comisión Ejecutiva;

(REFORMADA, D.O.F. 3 DE ENERO DE 2017)

II. Convocar y dar seguimiento a las sesiones que realice la Junta de Gobierno;

(REFORMADA, D.O.F. 3 DE MAYO DE 2013)

III. Crear los lineamientos, mecanismos, instrumentos e indicadores para el seguimiento y vigilancia de las funciones de la Comisión Ejecutiva;

(REFORMADA, D.O.F. 3 DE ENERO DE 2017)

IV. Notificar a los integrantes del Sistema los acuerdos asumidos y dar seguimiento a los mismos;

(REFORMADA, D.O.F. 3 DE MAYO DE 2013)

V. Coordinar las funciones del Registro Nacional de Víctimas, incluido el registro federal, mediante la creación de lineamientos, mecanismos, instrumentos e indicadores para implementar y vigilar el debido funcionamiento de dicho registro;

(REFORMADA, D.O.F. 6 DE NOVIEMBRE DE 2020)

VI. Rendir cuentas a la Cámara de Diputados cuando sea requerido, sobre las funciones encomendadas a la Comisión Ejecutiva y a las áreas que la integran;

(REFORMADA, D.O.F. 3 DE MAYO DE 2013)

VII. Coordinar las acciones para el cumplimiento de las funciones de la Comisión Ejecutiva;

(REFORMADA, D.O.F. 3 DE MAYO DE 2013)

VIII. Garantizar el registro de las víctimas que acudan directamente ante la Comisión Ejecutiva a solicitar su inscripción en el Registro Nacional de Víctimas, así como los servicios de ayuda, asistencia, atención, acceso a la justicia, acceso a la verdad y reparación integral que soliciten a través de las instancias competentes, dando seguimiento hasta la etapa final para garantizar el cumplimiento eficaz de las funciones de las instituciones;

(REFORMADA, D.O.F. 3 DE ENERO DE 2017)

IX. Suscribir los convenios de colaboración, coordinación o concertación o la contratación de expertos que se requiera para el cumplimiento de sus funciones;

(REFORMADA, D.O.F. 3 DE MAYO DE 2013)

X. Realizar los programas operativos anuales y los requerimientos presupuestales anuales que corresponda a la Comisión Ejecutiva;

(REFORMADA, D.O.F. 3 DE MAYO DE 2013)

XI. Aplicar las medidas que sean necesarias para garantizar que las funciones de la Comisión Ejecutiva se realicen de manera adecuada, eficiente, oportuna, expedita y articulada;

(REFORMADA, D.O.F. 3 DE ENERO DE 2017)

XII. Recabar información que pueda mejorar la gestión y desempeño de la Comisión Ejecutiva;

(REFORMADA [N. DE E. ADICIONADA], D.O.F. 3 DE ENERO DE 2017)

XIII. Determinar a propuesta del Comité Interdisciplinario Evaluador, los Recursos de Ayuda y la reparación integral que la Comisión Ejecutiva otorgue a las víctimas. Para lo cual, el Comisionado Ejecutivo se podrá apoyar de la asesoría de la Asamblea Consultiva, y

(ADICIONADA [N. DE E. REFORMADA], D.O.F. 3 DE ENERO DE 2017)

XIV. Las demás que se requiera para el eficaz cumplimiento de las funciones de la Comisión Ejecutiva en términos de la legislación aplicable.

(REFORMADA SU DENOMINACIÓN, D.O.F. 3 DE MAYO DE 2013)

CAPÍTULO IV
REGISTRO NACIONAL DE VÍCTIMAS

(REFORMADO, D.O.F. 3 DE MAYO DE 2013)

Artículo 96. El Registro Nacional de Víctimas, es el mecanismo administrativo y técnico que soporta todo el proceso de ingreso y registro de las víctimas del delito y de violaciones de derechos humanos al Sistema, creado en esta Ley.

El Registro Nacional de Víctimas constituye un soporte fundamental para garantizar que las víctimas tengan un acceso oportuno y efectivo a las medidas de ayuda, asistencia, atención, acceso a la justicia y reparación integral previstas en esta Ley.

(REFORMADO, D.O.F. 3 DE ENERO DE 2017)

El Registro Nacional de Víctimas es una unidad administrativa de la Comisión Ejecutiva.

(REFORMADO, D.O.F. 3 DE ENERO DE 2017)

El Registro es la unidad administrativa encargada de llevar y salvaguardar el padrón de víctimas, a nivel nacional, e inscribir los datos de las víctimas del delito y de violaciones a derechos humanos del orden federal, y por excepción del orden local en los casos a que se refiere el artículo 88 Bis de la presente Ley.

(REFORMADO, D.O.F. 3 DE ENERO DE 2017)

Las entidades federativas contarán con sus propios registros. La Federación, y las entidades federativas estarán obligadas a intercambiar, sistematizar, analizar y actualizar la información que diariamente se genere en materia de víctimas del delito y de violaciones a derechos humanos para la debida integración del Registro. La integración del registro federal estará a cargo de la Comisión Ejecutiva.

(REFORMADO, D.O.F. 3 DE ENERO DE 2017)

El Comisionado Ejecutivo dictará las medidas necesarias para la integración y preservación de la información administrada y sistematizada en el Registro Nacional de Víctimas, incluida aquella contenida en el registro federal.

Los integrantes del Sistema estarán obligados a compartir la información en materia de víctimas que obren en sus bases de datos con el Registro Nacional de Víctimas.

(REFORMADO, D.O.F. 3 DE MAYO DE 2013)

Artículo 97. El Registro Nacional de Víctimas será integrado por las siguientes fuentes:

I. Las solicitudes de ingreso hechas directamente por las víctimas del delito y de violaciones de derechos humanos, a través de su representante legal o de algún familiar o persona de confianza ante la Comisión Ejecutiva o ante sus equivalentes en las entidades federativas, según corresponda;

II. Las solicitudes de ingreso que presenten cualquiera de las autoridades y particulares señalados en el artículo 99 de esta Ley, como responsables de ingresar el nombre de las víctimas del delito o de violación de derechos humanos al Sistema, y

(REFORMADA, D.O.F. 3 DE ENERO DE 2017)

III. Los registros de víctimas existentes al momento de la entrada en vigor de la presente Ley que se encuentren en cualquier institución o entidad del ámbito federal, de las entidades federativas o municipal, así como de las comisiones públicas de derechos humanos en aquellos casos en donde se hayan dictado recomendaciones, medidas precautorias o bien se hayan celebrado acuerdos de conciliación.

Las entidades e instituciones generadoras y usuarias de la información sobre las víctimas y que posean actualmente registros de víctimas, pondrán a disposición del Registro Nacional de Víctimas la información que generan y administran, de conformidad con lo establecido en las leyes que regulan el manejo de datos personales, para lo cual se suscribirán los respectivos acuerdos de confidencialidad para el uso de la información.

En los casos en que existiere soporte documental de los registros que reconocen la calidad de víctima, deberá entregarse copia digital al Registro Nacional de Víctimas. En caso que estos soportes no existan, las entidades a que se refiere este artículo certificarán dicha circunstancia.

Dichas entidades serán responsables por el contenido de la información que transmiten al Registro Nacional de Víctimas.

(REFORMADO PRIMER PÁRRAFO, D.O.F. 3 DE ENERO DE 2017)

Artículo 98. Las solicitudes de ingreso se realizarán en forma totalmente gratuita, ante la Comisión Ejecutiva y sus correlativos de las entidades federativas, según corresponda de acuerdo a la competencia. Las solicitudes derivadas de delitos federales o de violaciones donde participen autoridades federales, serán presentadas a la Comisión Ejecutiva quien llevará el registro federal.

(REFORMADO, D.O.F. 3 DE MAYO DE 2013)

Los mexicanos domiciliados en el exterior, podrán presentar la incorporación de datos al Registro Nacional de Víctimas ante la Embajada o Consulado del país donde se encuentren. En los países en que no exista representación del Estado mexicano, podrán acudir al país más cercano que cuente con sede diplomática.

(REFORMADO, D.O.F. 3 DE MAYO DE 2013)

La información que acompaña la incorporación de datos al registro se consignará en el formato único de declaración diseñado por la Comisión Ejecutiva y su utilización será obligatoria por parte de las autoridades responsables de garantizar el ingreso al mismo, de conformidad con lo dispuesto en la Ley. El formato único de incorporación al registro deberá ser accesible a toda persona y de uso simplificado y buscará recoger la información necesaria para que la víctima pueda acceder plenamente a todos sus derechos, incluidos los que se le reconocen en la presente Ley.

(REFORMADO, D.O.F. 3 DE MAYO DE 2013)

La solicitud de inscripción de la víctima no implica de oficio su ingreso al Registro. Para acceder a las medidas de atención, asistencia y reparación integral previstos en esta Ley, deberá realizarse el ingreso, y valoración por parte de la autoridad correspondiente en cumplimiento de las disposiciones del Capítulo III del presente Título.

(REFORMADO, D.O.F. 3 DE MAYO DE 2013)

El ingreso al Registro podrá solicitarse y tramitarse de manera personal y directa por la víctima, o a través de representante que, además de cumplir con las disposiciones aplicables, esté debidamente inscrito en el padrón de representantes que al efecto establezca la Comisión Ejecutiva o las correspondientes a las entidades federativas, conforme a lo que se determine en las disposiciones reglamentarias correspondientes.

(REFORMADO, D.O.F. 3 DE MAYO DE 2013)

Artículo 99. Para que las autoridades competentes de la Federación, las entidades federativas u otras que se faculten por la presente Ley, procedan a la inscripción de datos de la víctima en el Registro se deberá, como mínimo, tener la siguiente información:

I. Los datos de identificación de cada una de las víctimas que solicitan su ingreso o en cuyo nombre se solicita el ingreso. En caso que la víctima por cuestiones de seguridad solicite que sus datos personales no sean públicos, se deberá asegurar la confidencialidad de sus datos. En caso de que se cuente con ella, se deberá mostrar una identificación oficial;

II. En su caso, el nombre completo, cargo y firma del servidor público de la entidad que recibió la solicitud de inscripción de datos al Registro y el sello de la dependencia;

III. La firma y huella dactilar de la persona que solicita el registro; en los casos que la persona manifieste no poder o no saber firmar, se tomará como válida la huella dactilar;

IV. Las circunstancias de modo, tiempo y lugar previas, durante y posteriores a la ocurrencia de los hechos victimizantes;

V. El funcionario que recabe la declaración la asentará en forma textual, completa y detallada en los términos que sea emitida;

VI. Los datos de contacto de la persona que solicita el registro, y

VII. La información del parentesco o relación afectiva con la víctima de la persona que solicita el registro, cuando no es la víctima quien lo hace. En caso que el ingreso lo solicite un servidor público deberá detallarse nombre, cargo y dependencia o institución a la que pertenece.

En el caso de faltar información, la Comisión Ejecutiva pedirá a la entidad que tramitó inicialmente la inscripción de datos, que complemente dicha información en el plazo máximo de diez días hábiles. Lo anterior no afecta, en ningún sentido, la garantía de los derechos de las víctimas que solicitaron en forma directa al Registro Nacional o en cuyo nombre el ingreso fue solicitado.

(REFORMADO, D.O.F. 3 DE MAYO DE 2013)

Artículo 100. Será responsabilidad de las entidades e instituciones que reciban solicitudes de ingreso al Registro Nacional de Víctimas:

I. Garantizar que las personas que solicitan el ingreso en el Registro Nacional de Víctimas sean atendidas de manera preferencial y orientadas de forma digna y respetuosa;

II. Para las solicitudes de ingreso en el Registro tomadas en forma directa, diligenciar correctamente, en su totalidad y de manera legible, el formato único de declaración diseñado por la Comisión Ejecutiva;

III. Disponer de los medios tecnológicos y administrativos necesarios para la toma de la declaración, de acuerdo con los parámetros que la Comisión Ejecutiva determine;

(REFORMADA, D.O.F. 3 DE ENERO DE 2017)

IV. Remitir el original de las declaraciones tomadas en forma directa, el siguiente día hábil a la toma de la declaración al lugar que la Comisión Ejecutiva o a las Comisiones de las entidades federativas según la competencia;

V. Orientar a la persona que solicite el ingreso sobre el trámite y efectos de la diligencia;

VI. Recabar la información necesaria sobre las circunstancias de tiempo, modo y lugar que generaron el hecho victimizante, así como su caracterización socioeconómica, con el propósito de contar con información precisa que facilite su valoración, de conformidad con el principio de participación conjunta consagrado en esta Ley;

VII. Indagar las razones por las cuales no se llevó a cabo con anterioridad la solicitud de registro;

VIII. Verificar los requisitos mínimos de legibilidad en los documentos aportados por el declarante y relacionar el número de folios que se adjunten con la declaración;

IX. Garantizar la confidencialidad, reserva y seguridad de la información y abstenerse de hacer uso de la información contenida en la solicitud de registro o del proceso de diligenciamiento para obtener provecho para sí o para terceros, o por cualquier uso ajeno a lo previsto en esta Ley, y a las relativas a la Protección de Datos Personales;

X. Entregar una copia o recibo o constancia de su solicitud de registro a las víctimas o a quienes hayan realizado la solicitud, y

XI. Cumplir con las demás obligaciones que determine la Comisión Ejecutiva.

Bajo ninguna circunstancia la autoridad podrá negarse a recibir la solicitud de registro a las víctimas a que se refiere la presente Ley.

(REFORMADO PRIMER PÁRRAFO [N. DE E. ANTES ARTÍCULO 103], D.O.F. 3 DE MAYO DE 2013)

Artículo 101. Presentada la solicitud, deberá ingresarse la misma al Registro, y se procederá a la valoración de la información recogida en el formato único junto con la documentación remitida que acompañe dicho formato.

(REFORMADO, D.O.F. 3 DE MAYO DE 2013)

Para mejor proveer, la Comisión Ejecutiva y las comisiones de víctimas, podrán solicitar la información que consideren necesaria a cualquiera de las autoridades del orden federal, local y municipal, las que estarán en el deber de suministrarla en un plazo que no supere los diez días hábiles.

(REFORMADO, D.O.F. 3 DE MAYO DE 2013)

Si hubiera una duda razonable sobre la ocurrencia de los hechos se escuchará a la víctima o a quien haya solicitado la inscripción, quienes podrán asistir ante la comisión respectiva. En caso de hechos probados o de naturaleza pública deberá aplicarse el principio de buena fe a que hace referencia esta Ley.

(REFORMADO, D.O.F. 3 DE MAYO DE 2013)

La realización del proceso de valoración al que se hace referencia en los párrafos anteriores, no suspende, en ningún caso, las medidas de ayuda de emergencia a las que tiene derecho la víctima, conforme lo establece el Título Tercero de esta Ley.

(REFORMADO PRIMER PÁRRAFO, D.O.F. 3 DE MAYO DE 2013)

No se requerirá la valoración de los hechos de la declaración cuando:

(REFORMADA, D.O.F. 3 DE MAYO DE 2013)

I. Exista sentencia condenatoria o resolución por parte de la autoridad jurisdiccional o administrativa competente;

II. Exista una determinación de la Comisión Nacional de los Derechos Humanos o de las comisiones estatales en esta materia que dé cuenta de esos hechos, incluidas recomendaciones, conciliaciones o medidas precautorias;

(REFORMADA, D.O.F. 3 DE MAYO DE 2013)

III. La víctima haya sido reconocida como tal por el Ministerio Público, por una autoridad judicial, o por un organismo público de derechos humanos, aun cuando no se haya dictado sentencia o resolución;

(REFORMADA, D.O.F. 3 DE MAYO DE 2013)

IV. Cuando la víctima cuente con informe que le reconozca tal carácter emitido por algún mecanismo internacional de protección de derechos humanos al que México le reconozca competencia, y

(REFORMADA, D.O.F. 3 DE MAYO DE 2013)

V. Cuando la autoridad responsable de la violación a los derechos humanos le reconozca tal carácter.

(REFORMADO, D.O.F. 3 DE MAYO DE 2013)

Artículo 102. La víctima tendrá derecho, además, a conocer todas las actuaciones que se realicen a lo largo del proceso de registro. Cuando sea un tercero quien solicite el ingreso, deberá notificársele por escrito si fue aceptado o no el mismo.

(REFORMADO, D.O.F. 3 DE MAYO DE 2013)

Artículo 103. Se podrá cancelar la inscripción en el Registro Nacional de Víctimas cuando, después de realizada la valoración contemplada en el artículo 101, incluido haber escuchado a la víctima o a quien haya solicitado la inscripción, la Comisión Ejecutiva o sus equivalentes en las entidades federativas encuentren que la solicitud de registro es contraria a la verdad respecto de los hechos victimizantes de tal forma que sea posible colegir que la persona no es víctima. La negación se hará en relación con cada uno de los hechos y no podrá hacerse de manera global o general.

La decisión que cancela el ingreso en el Registro deberá ser fundada y motivada. Deberá notificarse personalmente y por escrito a la víctima, a su representante legal, a la persona debidamente autorizada por ella para notificarse, o a quien haya solicitado la inscripción con el fin de que la víctima pueda interponer, si lo desea, recurso de reconsideración de la decisión ante la Comisión Ejecutiva para que ésta sea aclarada, modificada, adicionada o revocada de acuerdo al procedimiento que establezca el Reglamento de la presente Ley.

La notificación se hará en forma directa. En el caso de no existir otro medio más eficaz para hacer la notificación personal se le enviará a la víctima una citación a la dirección, al número de fax o al correo electrónico que figuren en el formato único de declaración o en los demás sistemas de información a fin de que comparezca a la diligencia de notificación personal. El envío de la citación se hará dentro de los cinco días siguientes a la adopción de la decisión de no inclusión y de la diligencia de notificación se dejará constancia en el expediente.

(REFORMADO, D.O.F. 3 DE MAYO DE 2013)

Artículo 104. La información sistematizada en el Registro Nacional de Víctimas incluirá:

I. El relato del hecho victimizante, como quedó registrado en el formato único de declaración. El relato inicial se actualizará en la medida en que se avance en la respectiva investigación penal o a través de otros mecanismos de esclarecimiento de los hechos;

II. La descripción del daño sufrido;

III. La identificación del lugar y la fecha en donde se produjo el hecho victimizante;

IV. La identificación de la víctima o víctimas del hecho victimizante;

V. La identificación de la persona o entidad que solicitó el registro de la víctima, cuando no sea ella quien lo solicite directamente;

VI. La identificación y descripción detallada de las medidas de ayuda y de atención que efectivamente hayan sido garantizadas a la víctima;

VII. La identificación y descripción detallada de las medidas de reparación que, en su caso, hayan sido otorgadas a la víctima, y

VIII. La identificación y descripción detallada de las medidas de protección que, en su caso, se hayan brindado a la víctima.

La información que se asiente en el Registro Nacional de Víctimas deberá garantizar que se respeta el enfoque diferencial.

(REFORMADO, D.O.F. 3 DE MAYO DE 2013)

Artículo 105. La Comisión Ejecutiva elaborará un plan de divulgación, capacitación y actualización sobre el procedimiento para la recepción de la declaración y su trámite hasta la decisión de inclusión o no en el Registro Nacional de Víctimas. Las entidades encargadas de recibir y tramitar la inscripción de datos en el Registro garantizarán la implementación de este plan en los respectivos órdenes federal, estatal y municipal.

(REFORMADA SU DENOMINACIÓN, D.O.F. 3 DE MAYO DE 2013)

CAPÍTULO V
INGRESO DE LA VÍCTIMA AL REGISTRO

(REFORMADO, D.O.F. 3 DE MAYO DE 2013)

Artículo 106. El ingreso de la víctima al Registro se hará por la denuncia, la queja, o la noticia de hechos que podrá realizar la propia víctima, la autoridad, el organismo público de protección de derechos humanos o un tercero que tenga conocimiento sobre los hechos.

(REFORMADO, D.O.F. 3 DE MAYO DE 2013)

Artículo 107. Toda autoridad que tenga contacto con la víctima, estará obligada a recibir su declaración, la cual consistirá en una narración de los hechos con los detalles y elementos de prueba que la misma ofrezca, la cual se hará constar en el formato único de declaración. El Ministerio Público, los defensores públicos, los asesores jurídicos de las víctimas y las comisiones de derechos humanos no podrán negarse a recibir dicha declaración.

Cuando las autoridades citadas no se encuentren accesibles, disponibles o se nieguen a recibir la declaración, la víctima podrá acudir a cualquier otra autoridad federal, estatal o municipal para realizar su declaración, las cuales tendrán la obligación de recibirla, entre las cuales en forma enunciativa y no limitativa, se señalan las siguientes:

I. Embajadas y consulados de México en el extranjero;

II. Instituciones de salud y educación, ya sean públicas o privadas;

III. Institutos de Mujeres;

IV. Albergues;

V. Defensoría Pública, y

VI. Síndico municipal.

(REFORMADO, D.O.F. 3 DE MAYO DE 2013)

Artículo 108. Una vez recibida la denuncia, queja o noticia de hechos, deberán ponerla en conocimiento de la autoridad más inmediata en un término que no excederá de veinticuatro horas.

En el caso de las personas que se encuentren bajo custodia del Estado, estarán obligados de recibir la declaración las autoridades que estén a cargo de los centros de readaptación social.

Cuando un servidor público, en especial los que tienen la obligación de tomar la denuncia de la víctima sin ser autoridad ministerial o judicial, tenga conocimiento de un hecho de violación a los derechos humanos, como: tortura, tratos crueles, inhumanos o degradantes, detención arbitraria, desaparición forzada, ejecución arbitraria, violencia sexual, deberá denunciarlo de inmediato.

(REFORMADO, D.O.F. 3 DE MAYO DE 2013)

Artículo 109. Cualquier autoridad, así como los particulares que tengan conocimiento de un delito o violación a derechos humanos, tendrá la obligación de ingresar el nombre de la víctima al Registro, aportando con ello los elementos que tenga.

Cuando la víctima sea mayor de 12 años podrá solicitar su ingreso al registro por sí misma o a través de sus representantes.

En los casos de víctimas menores de 12 años, se podrá solicitar su ingreso, a través de su representante legal o a través de las autoridades mencionadas en el artículo 99.

(REFORMADO, D.O.F. 3 DE MAYO DE 2013)

Artículo 110. El reconocimiento de la calidad de víctima, para efectos de esta Ley, se realiza por las determinaciones de cualquiera de las siguientes autoridades:

I. El juzgador penal, mediante sentencia ejecutoriada;

II. El juzgador penal o de paz que tiene conocimiento de la causa;

III. El juzgador en materia de amparo, civil o familiar que tenga los elementos para acreditar que el sujeto es víctima;

(REFORMADA, D.O.F. 3 DE ENERO DE 2017)

IV. Los organismos públicos de protección de los derechos humanos;

(REFORMADA, D.O.F. 3 DE ENERO DE 2017)

V. Los organismos internacionales de protección de derechos humanos a los que México les reconozca competencia;

(ADICIONADA, D.O.F. 3 DE ENERO DE 2017)

VI. La autoridad responsable de la violación a los derechos humanos que le reconozca tal carácter;

(ADICIONADA, D.O.F. 3 DE ENERO DE 2017)

VII. La Comisión Ejecutiva, y

(ADICIONADA, D.O.F. 3 DE ENERO DE 2017)

VIII. El Ministerio Público.

(REFORMADO, D.O.F. 6 DE NOVIEMBRE DE 2020)

El reconocimiento de la calidad de víctima tendrá como efecto que la víctima pueda acceder a los Recursos de Ayuda, a la reparación integral y a la compensación, de conformidad con lo previsto en la presente Ley y en el Reglamento.

(REFORMADO, D.O.F. 3 DE MAYO DE 2013)

Artículo 111. El reconocimiento de la calidad de víctima tendrá como efecto:

I. El acceso a los derechos, garantías, acciones, mecanismos y procedimientos, en los términos de esta Ley y las disposiciones reglamentarias, y

II. En el caso de lesiones graves, delitos contra la libertad psicosexual, violencia familiar, trata de personas, secuestro, tortura, tratos crueles, inhumanos o degradantes, desaparición, privación de la libertad y todos aquellos que impidan a la víctima por la naturaleza del daño atender adecuadamente la defensa de sus derechos; que el juez de la causa o la autoridad responsable del procedimiento, de inmediato, suspendan todos los juicios y procedimientos administrativos y detengan los plazos de prescripción y caducidad, así como todos los efectos que de éstos se deriven, en tanto su condición no sea superada, siempre que se justifique la imposibilidad de la víctima de ejercer adecuadamente sus derechos en dichos juicios y procedimientos.

(REFORMADO, D.O.F. 6 DE NOVIEMBRE DE 2020)

Al reconocerse su calidad de víctima, ésta podrá acceder a los Recursos de Ayuda y a la reparación integral, de conformidad con lo previsto en la presente Ley y en el Reglamento. El procedimiento y los elementos a acreditar, se determinarán en el Reglamento correspondiente.

(REFORMADO, D.O.F. 3 DE MAYO DE 2013)

Artículo 112. El Sistema Nacional de Atención a Víctimas garantizará los servicios de ayuda, atención, asistencia, acceso a la justicia, a la verdad y a la reparación integral de los extranjeros que hayan sido víctimas del delito o de violaciones a derechos humanos en México, firmando los convenios de colaboración correspondientes con las autoridades competentes del país donde la víctima retorne y con apoyo de los consulados mexicanos en dicho país.

N. DE E. DE LAS REFORMAS APROBADAS POR EL ARTÍCULO PRIMERO DEL DECRETO SIN NÚMERO, PUBLICADO EN EL D.O.F. 3 DE MAYO DE 2013, SE MODIFICO DE FORMA SUSTANCIAL LA ESTRUCTURA DEL PRESENTE TÍTULO.

TÍTULO SÉPTIMO
DE LA DISTRIBUCIÓN DE COMPETENCIAS

(REFORMADO, D.O.F. 3 DE MAYO DE 2013)

Artículo 113. Los distintos órdenes de gobierno, coadyuvarán para el cumplimiento de los objetivos de esta Ley de conformidad con las competencias previstas en el presente ordenamiento y demás instrumentos legales aplicables.

(REFORMADA SU DENOMINACIÓN, D.O.F. 3 DE MAYO DE 2013)

CAPÍTULO I
DE LA FEDERACIÓN

(REFORMADO, D.O.F. 3 DE MAYO DE 2013)

Artículo 114. Corresponde al Gobierno Federal:

I. Garantizar el ejercicio pleno de los derechos de las víctimas;

II. Formular y conducir la política nacional integral para reconocer y garantizar los derechos de las víctimas;

III. Garantizar en el ámbito de su competencia, el cabal cumplimiento de la presente Ley y de los instrumentos internacionales aplicables;

IV. Elaborar, coordinar y aplicar el Programa a que se refiere la Ley, auxiliándose de las demás autoridades encargadas de implementar el presente ordenamiento legal;

V. Asegurar la difusión y promoción de los derechos de las víctimas indígenas con base en el reconocimiento de la composición pluricultural de la nación;

(REFORMADA, D.O.F. 3 DE ENERO DE 2017)

VI. Realizar a través de la Comisión Nacional de los Derechos Humanos y con el apoyo de las Comisiones de las entidades federativas, y de las instancias locales, campañas de información, con énfasis en la doctrina de la protección integral de los derechos humanos de las víctimas, en el conocimiento de las leyes y las medidas y los programas que las protegen, así como de los recursos jurídicos que las asisten;

VII. Impulsar la formación y actualización de acuerdos interinstitucionales de coordinación entre las diferentes instancias de gobierno, de manera que sirvan de cauce para lograr la atención integral de las víctimas para facilitar la actuación de la Comisión Ejecutiva;

VIII. Celebrar convenios de cooperación, coordinación y concertación en la materia;

IX. Coadyuvar con las instituciones públicas o privadas dedicadas a la atención de víctimas;

X. Garantizar que los derechos de las víctimas y la protección de las mismas sean atendidos de forma preferente por todas las autoridades, en el ámbito de sus respectivas competencias;

XI. Evaluar y considerar la eficacia de las acciones del Programa, con base en resultados medibles;

XII. Desarrollar todos los mecanismos necesarios para el cumplimiento de la presente Ley, y

XIII. Las demás que le confieran esta Ley u otros ordenamientos aplicables.

(REFORMADO, D.O.F. 3 DE MAYO DE 2013)

Artículo 115. Corresponde al Gobierno Federal en materia de coordinación interinstitucional:

I. Instrumentar las medidas necesarias para prevenir violaciones de los derechos de las víctimas;

II. Diseñar la política integral con un enfoque transversal de género para promover la cultura de respeto a los derechos humanos de las víctimas;

III. Elaborar el Programa en coordinación con el Sistema;

IV. Coordinar y dar seguimiento a las acciones de los distintos órdenes de gobierno en materia de reparación integral, no repetición, ayuda y asistencia de las víctimas;

V. Coordinar y dar seguimiento a los trabajos de promoción y defensa de los derechos humanos de las víctimas, que lleven a cabo las dependencias y entidades de la Administración Pública Federal;

VI. Establecer, utilizar, supervisar y mantener todos los instrumentos y acciones encaminados al mejoramiento del Sistema y del Programa;

VII. Ejecutar y dar seguimiento a las acciones del Programa, con la finalidad de evaluar su eficacia y rediseñar las acciones y medidas que así lo requieran;

VIII. Vigilar y promover directrices para que los medios de comunicación fortalezcan la dignidad y el respeto hacia las víctimas;

IX. Sancionar conforme a la ley a los medios de comunicación que no cumplan con lo estipulado en la fracción anterior;

X. Realizar un diagnóstico nacional y otros estudios complementarios de manera periódica sobre las víctimas en todos los ámbitos, que proporcione información objetiva para la elaboración de políticas gubernamentales en materia de prevención, atención, ayuda y protección de las víctimas;

XI. Difundir a través de diversos medios, los resultados del Sistema y del Programa a los que se refiere esta Ley;

XII. Celebrar convenios de cooperación, coordinación y concertación en la materia, y

XIII. Las demás previstas para el cumplimiento de la presente Ley.

(REFORMADO, D.O.F. 3 DE MAYO DE 2013)

Artículo 116. Las instancias públicas, competentes en las materias de seguridad pública, desarrollo social, desarrollo integral de la familia, salud, educación y relaciones exteriores, de cada uno de los órdenes de gobierno, dentro de su ámbito de competencia, deberán:

I. Organizar, desarrollar, dirigir y adecuar las medidas necesarias, a través de planes, programas, líneas de acción, convenios de cooperación y coordinación, entre otros, para garantizar los derechos de las víctimas de delitos o de violación a sus derechos humanos;

II. Llevar a cabo las acciones necesarias tendientes a capacitar a su personal para asegurar el acceso a los servicios especializados que éstas proporcionen a las víctimas, y con ello lograr el pleno ejercicio de sus derechos y garantizar su reinserción a la vida cotidiana;

III. Canalizar a las víctimas a las instituciones que les prestan ayuda, atención y protección especializada;

IV. Generar, tomar, realizar e implementar las acciones que sean necesarias, en coordinación con las demás autoridades, para alcanzar los objetivos y el respeto irrestricto de los derechos establecidos en la presente Ley;

(REFORMADA, D.O.F. 1 DE ABRIL DE 2024)

V. Implementar programas de prevención y erradicación de la violencia, especialmente la ejercida contra niñas, niños, jóvenes, mujeres, personas pertenecientes a pueblos y comunidades indígenas y afromexicanas, adultos mayores, dentro y fuera del seno familiar;

VI. Participar, ejecutar y dar seguimiento activamente a las acciones del Programa que les corresponda, con la finalidad de diseñar nuevos modelos de prevención y atención a las víctimas, en colaboración con las demás autoridades encargadas de la aplicación de la presente Ley;

VII. Definir y promover al interior de cada institución políticas que promuevan el respeto irrestricto de los derechos humanos, con base en los principios establecidos en la presente Ley, a fin de fomentar la cultura de los derechos humanos y el respeto a la dignidad de las personas;

VIII. Denunciar ante la autoridad competente, cuando tenga conocimiento de violaciones a derechos humanos, y en el caso de nacionales que se encuentren en el extranjero, se deberán establecer los mecanismos de información para que conozcan a dónde acudir en caso de encontrarse en calidad de víctimas;

IX. Apoyar a las autoridades encargadas de efectuar la investigación del delito o de violaciones a derechos humanos, proporcionando la información que sea requerida por la misma, y

(REFORMADA [N. DE E. ADICIONADA], D.O.F. 3 DE ENERO DE 2017)

X. Generar los espacios públicos para cumplir, en el ámbito de sus atribuciones lo que mandata la Ley;

(ADICIONADA, D.O.F. 3 DE ENERO DE 2017)

XI. Brindar las medidas de atención prioritaria, determinadas por la Comisión Ejecutiva y las Comisiones de víctimas, en términos de esta Ley, y

(ADICIONADA [N. DE E. REUBICADA], D.O.F. 3 DE ENERO DE 2017)

XII. Las demás previstas para el cumplimiento de la presente Ley, las normas reglamentarias respectivas y el Programa.

En materia educativa, las autoridades competentes establecerán un programa de becas permanente para el caso de las víctimas directas e indirectas que se encuentren cursando los niveles de educación primaria, secundaria, preparatoria o universidad en instituciones públicas, con la finalidad de que puedan continuar con sus estudios. Estos apoyos continuarán hasta el término de su educación superior.

En los casos en que la víctima esté cursando sus estudios en una institución privada, el apoyo se brindará hasta la conclusión del ciclo escolar en curso.

En materia de relaciones exteriores, promover, propiciar y asegurar en el exterior la coordinación de acciones en materia de cooperación internacional de las dependencias y entidades de la Administración Pública Federal, que garanticen la protección de los derechos de las víctimas, así como intervenir en la celebración de tratados, acuerdos y convenciones internacionales que se vinculen con la protección de los derechos humanos de las víctimas en los que el país sea parte.

Las instituciones del sector salud, de manera integral e interdisciplinaria brindarán atención médica, psicológica y servicios integrales a las víctimas, asegurando que en la prestación de los servicios se respeten sus derechos humanos.

Las dependencias e instituciones de seguridad pública deberán salvaguardar la integridad y patrimonio de las víctimas en situación de peligro cuando se vean amenazadas por disturbios y otras situaciones que impliquen violencia o riesgos inminentes o durante la prevención de la comisión de algún delito o violación a sus derechos humanos.

(REFORMADA SU DENOMINACIÓN, D.O.F. 3 DE MAYO DE 2013)

CAPÍTULO II
DEL ACCESO A LA JUSTICIA

(REFORMADO PRIMER PÁRRAFO, D.O.F. 3 DE ENERO DE 2017)

Artículo 117. En materia de acceso a la justicia, corresponde al Gobierno Federal y a las entidades federativas, en el ámbito de sus respectivas competencias:

(REFORMADA, D.O.F. 3 DE MAYO DE 2013)

I. Promover la formación y especialización de agentes de la Policía Federal Investigadora, agentes del Ministerio Público, Peritos y de todo el personal encargado de la procuración de justicia en materia de derechos humanos;

(REFORMADA, D.O.F. 20 DE MAYO DE 2021)

II. Proporcionar a las víctimas orientación y asesoría para su eficaz atención y protección, de conformidad con la Ley de la Fiscalía General de la República, su Estatuto Orgánico y demás ordenamientos aplicables;

(REFORMADA, D.O.F. 3 DE MAYO DE 2013)

III. Dictar las medidas necesarias para que la Víctima reciba atención médica de emergencia;

(REFORMADA, D.O.F. 3 DE MAYO DE 2013)

IV. Proporcionar a las instancias encargadas de realizar estadísticas las referencias necesarias sobre el número de víctimas atendidas;

(REFORMADA, D.O.F. 3 DE MAYO DE 2013)

V. Brindar a las víctimas la información integral sobre las instituciones públicas o privadas encargadas de su atención;

(REFORMADA, D.O.F. 3 DE MAYO DE 2013)

VI. Proporcionar a las víctimas información objetiva que les permita reconocer su situación;

(REFORMADA, D.O.F. 3 DE MAYO DE 2013)

VII. Promover la cultura de respeto a los derechos humanos de las víctimas y garantizar la seguridad de quienes denuncian;

(REFORMADA, D.O.F. 3 DE MAYO DE 2013)

VIII. Celebrar convenios de cooperación, coordinación y concertación en la materia, y

(REFORMADA, D.O.F. 3 DE MAYO DE 2013)

IX. Las demás previstas para el cumplimiento de la presente Ley, y las normas reglamentarias aplicables.

(REFORMADA SU DENOMINACIÓN, D.O.F. 3 DE MAYO DE 2013)

CAPÍTULO III
DE LAS ENTIDADES FEDERATIVAS

(REFORMADO, D.O.F. 3 DE MAYO DE 2013)

Artículo 118. Corresponde a las entidades federativas, de conformidad con lo dispuesto por esta Ley y los ordenamientos locales aplicables en la materia:

I. Instrumentar y articular sus políticas públicas en concordancia con la política nacional integral, para la adecuada atención y protección a las víctimas;

II. Ejercer sus facultades reglamentarias para la aplicación de la presente Ley;

III. Coadyuvar en la adopción y consolidación del Sistema;

IV. Participar en la elaboración del Programa;

V. Fortalecer e impulsar la creación de las instituciones públicas y privadas que prestan atención a las víctimas;

VI. Promover, en coordinación con el Gobierno Federal, programas y proyectos de atención, educación, capacitación, investigación y cultura de los derechos humanos de las víctimas de acuerdo con el Programa;

VII. Impulsar programas locales para el adelanto y desarrollo de las mujeres y mejorar su calidad de vida;

VIII. Impulsar la creación de refugios para las víctimas conforme al modelo de atención diseñado por el Sistema;

IX. Promover programas de información a la población en la materia;

X. Impulsar programas reeducativos integrales de los imputados;

XI. Difundir por todos los medios de comunicación el contenido de esta Ley;

XII. Rendir ante el Sistema un informe anual sobre los avances de los programas locales;

XIII. Revisar y evaluar la eficacia de las acciones, las políticas públicas, los programas estatales, con base en los resultados de las investigaciones que al efecto se realicen;

XIV. Impulsar la participación de las organizaciones privadas dedicadas a la promoción y defensa de los derechos humanos, en la ejecución de los programas estatales;

XV. Recibir de las organizaciones privadas, las propuestas y recomendaciones sobre atención y protección de las víctimas, a fin de mejorar los mecanismos en la materia;

XVI. Proporcionar a las instancias encargadas de realizar estadísticas, la información necesaria para la elaboración de éstas;

XVII. Impulsar reformas, en el ámbito de su competencia, para el cumplimiento de los objetivos de la presente Ley, y

XVIII. Celebrar convenios de cooperación, coordinación y concertación en la materia, y aplicables a la materia, que les conceda la Ley u otros ordenamientos legales.

Las autoridades federales harán las gestiones necesarias para propiciar que las autoridades locales reformen su legislación a favor y apoyo a las víctimas.

(REFORMADA SU DENOMINACIÓN, D.O.F. 3 DE MAYO DE 2013)

CAPÍTULO IV
DE LOS MUNICIPIOS

(REFORMADO, D.O.F. 3 DE MAYO DE 2013)

Artículo 119. Corresponde a los municipios, de conformidad con esta Ley y las leyes locales en la materia, las atribuciones siguientes:

I. Instrumentar y articular, en concordancia con la política nacional y estatal, la política municipal, para la adecuada atención y protección a las víctimas;

II. Coadyuvar con el Gobierno Federal y las entidades federativas, en la adopción y consolidación del Sistema;

III. Promover, en coordinación con las entidades federativas, cursos de capacitación a las personas que atienden a víctimas;

IV. Ejecutar las acciones necesarias para el cumplimiento del Programa;

V. Apoyar la creación de programas de reeducación integral para los imputados;

VI. Apoyar la creación de refugios seguros para las víctimas;

VII. Participar y coadyuvar en la protección y atención a las víctimas;

VIII. Celebrar convenios de cooperación, coordinación y concertación en la materia, y

IX. Las demás aplicables a la materia, que les conceda la Ley u otros ordenamientos legales aplicables.

(REFORMADA SU DENOMINACIÓN, D.O.F. 3 DE MAYO DE 2013)

CAPÍTULO V
DE LOS SERVIDORES PÚBLICOS

(REFORMADO, D.O.F. 3 DE MAYO DE 2013)

Artículo 120. Todos los servidores públicos, desde el primer momento en que tengan contacto con la víctima, en el ejercicio de sus funciones y conforme al ámbito de su competencia, tendrán los siguientes deberes:

I. Identificarse oficialmente ante la víctima, detallando nombre y cargo que detentan;

II. Desarrollar con la debida diligencia las atribuciones reconocidas en esta Ley, en cumplimiento de los principios establecidos en el artículo 5 de la presente Ley;

III. Garantizar que se respeten y apliquen las normas e instrumentos internacionales de derechos humanos;

IV. Tratar a la víctima con humanidad y respeto a su dignidad y sus derechos humanos;

V. Brindar atención especial a las víctimas para que los procedimientos administrativos y jurídicos destinados a la administración de justicia y conceder una reparación no generen un nuevo daño, violación, o amenaza a la seguridad y los intereses de la víctima, familiares, testigos o personas que hayan intervenido para ayudar a la víctima o impedir nuevas violaciones;

VI. Evitar todo trato o conducta que implique victimización secundaria o incriminación de la víctima en los términos del artículo 5 de la presente Ley;

VII. Brindar a la víctima orientación e información clara, precisa y accesible sobre sus derechos, garantías y recursos, así como sobre los mecanismos, acciones y procedimientos que se establecen o reconocen en la presente Ley;

VIII. Entregar en forma oportuna, rápida y efectiva, todos los documentos que requiera para el ejercicio de sus derechos, entre ellos, los documentos de identificación y las visas;

IX. No obstaculizar ni condicionar el acceso de la víctima a la justicia y la verdad, así como a los mecanismos, medidas y procedimientos establecidos por esta Ley;

X. Presentar ante el Ministerio Público, o en su caso, ante los organismos públicos de derechos humanos, las denuncias y quejas que en cumplimiento de esta Ley reciban. Dicha presentación oficial deberá hacerse dentro de los tres días hábiles contados a partir de que la víctima, o su representante, formuló o entregó la misma;

XI. Ingresar a la víctima al Registro Nacional de Víctimas, cuando así lo imponga su competencia;

XII. Aportar a la autoridad correspondiente los documentos, indicios o pruebas que obren en su poder, cuando éstos le sean requeridos o se relacionen con la denuncia, queja o solicitud que la víctima haya presentado en los términos de la presente Ley;

XIII. Investigar o verificar los hechos denunciados o revelados, procurando no vulnerar más los derechos de las víctimas;

XIV. Garantizar que la víctima tenga un ejercicio libre de todo derecho y garantía así como de mecanismos, procedimientos y acciones contempladas en esta Ley;

XV. Realizar de oficio las acciones tendientes a la búsqueda de personas desaparecidas, extraviadas, ausentes o no localizadas, así como la identificación de personas, cadáveres o restos encontrados;

XVI. Prestar ayuda para restablecer el paradero de las víctimas, recuperarlos, identificarlos y en su caso, inhumarlos según el deseo explícito o presunto de la víctima o las tradiciones o prácticas culturales de su familia y comunidad;

XVII. Adoptar o solicitar a la autoridad competente, de forma inmediata y específica, las medidas necesarias para lograr que cese la violación de derechos humanos denunciada o evidenciada;

XVIII. Permitir el acceso a lugares, documentos, expedientes, conceder entrevistas y demás solicitudes que les requieran los organismos públicos de defensa de los derechos humanos, cuando éstas sean realizadas en el ámbito de su competencia y con el objeto de investigar presuntas violaciones a derechos humanos;

XIX. Abstenerse de solicitar o recibir por parte de las víctimas o sus representantes, gratificaciones monetarias o en especie, dádivas, favores o ventajas de cualquier índole, y

XX. Dar vista a la autoridad ministerial sobre la comisión de cualquier hecho que pudiera constituir la comisión de un delito o violación de derechos, siempre que éste se persiga de oficio. La vista en ningún caso condicionará, limitará o suspenderá la ayuda o servicios a los que la víctima tenga derecho.

El incumplimiento de los deberes aquí señalados en esta Ley para los servidores públicos, será sancionado con la responsabilidad administrativa o penal correspondiente.

(REFORMADO, D.O.F. 3 DE MAYO DE 2013)

Artículo 121. Todo particular que ejerza funciones públicas en virtud de mecanismos de concesión, permiso, contratación o cualquier otro medio idóneo, estará sujeto a los deberes antes detallados, con los alcances y limitaciones del ámbito de su competencia. Las obligaciones regirán desde el primer momento en que tenga contacto con la víctima en cumplimento de las medidas a que se refieren los Títulos Tercero y Cuarto de esta Ley.

(REFORMADO, D.O.F. 3 DE MAYO DE 2013)

Artículo 122. Toda alteración en los registros o informes generará responsabilidad disciplinaria por quien lo refrende o autorice, asimismo generará responsabilidad subsidiaria de su superior jerárquico. Ello sin perjuicio de las responsabilidades administrativas o penales que se generen.

(REFORMADA SU DENOMINACIÓN, D.O.F. 3 DE MAYO DE 2013)

CAPÍTULO VI
DEL MINISTERIO PÚBLICO

(REFORMADO, D.O.F. 3 DE MAYO DE 2013)

Artículo 123. Corresponde al Ministerio Público, además de los deberes establecidos en el presente ordenamiento, lo siguiente:

I. Informar a la víctima, desde el momento en que se presente o comparezca ante él, los derechos que le otorga la Constitución y los tratados internacionales, el código penal y procesal penal respectivo y las demás disposiciones aplicables, así como el alcance de esos derechos, debiendo dejar constancia escrita de la lectura y explicación realizada;

II. Vigilar el cumplimiento de los deberes consagrados en esta Ley, en especial el deber legal de búsqueda e identificación de víctimas desaparecidas;

III. Solicitar el embargo precautorio de los bienes susceptibles de aplicarse a la reparación integral del daño sufrido por la víctima, así como el ejercicio de otros derechos;

IV. Solicitar las medidas cautelares o de protección necesarias para la protección de la víctima, sus familiares y/o sus bienes, cuando sea necesario;

V. Solicitar las pruebas conducentes a fin de acreditar, determinar y cuantificar el daño de la víctima, especificando lo relativo a daño moral y daño material, siguiendo los criterios de esta Ley;

VI. Dirigir los estudios patrimoniales e investigaciones pertinentes a fin de determinar la existencia de bienes susceptibles de extinción de dominio;

VII. Solicitar la reparación del daño de acuerdo con los criterios señalados en esta Ley;

VIII. Informar sobre las medidas alternativas de resolución de conflictos que ofrece la Ley a través de instituciones como la conciliación y la mediación, y a garantizar que la opción y ejercicio de las mismas se realice con pleno conocimiento y absoluta voluntariedad;

IX. Cuando los bienes asegurados sean puestos bajo la custodia de la víctima o le sean devueltos, deberá informar claramente a ésta los alcances de dicha situación, y las consecuencias que acarrea para el proceso;

X. Cuando se entregue a la víctima el cuerpo o restos humanos del familiar o personas cercanas, y no haya causado ejecutoria, le deberán informar que pesa sobre ella el deber de no someter los mismos a cremación. Dicho deber sólo puede ser impuesto a la víctima en aras de hacer efectivo su derecho a la verdad y a la justicia, y

XI. Las demás acciones que establezcan las disposiciones jurídicas aplicables en materia de atención integral a víctimas y reparación integral.

(REFORMADA SU DENOMINACIÓN, D.O.F. 3 DE MAYO DE 2013)

CAPÍTULO VII
DE LOS INTEGRANTES DEL PODER JUDICIAL

(REFORMADO, D.O.F. 3 DE MAYO DE 2013)

Artículo 124. Corresponde a los integrantes del Poder Judicial en el ámbito de su competencia:

I. Garantizar los derechos de las víctimas en estricta aplicación de la Constitución y los tratados internacionales;

II. Dictar las medidas correctivas necesarias a fin de evitar que continúen las violaciones de derechos humanos o comisión de ciertos ilícitos;

III. Imponer las sanciones disciplinarias pertinentes;

IV. Resolver expedita y diligentemente las solicitudes que ante ellos se presenten;

V. Dictar las medidas precautorias necesarias para garantizar la seguridad de las víctimas, y sus bienes jurídicos;

VI. Garantizar que la opción y ejercicio de las medidas alternativas de resolución de conflictos se realice en respeto de los principios que sustentan la justicia restaurativa, en especial, la voluntariedad;

VII. Velar por que se notifique a la víctima cuando estén de por medio sus intereses y derechos, aunque no se encuentre legitimada procesalmente su coadyuvancia;

VIII. Permitir participar a la víctima en los actos y procedimientos no jurisdiccionales que solicite, incluso cuando no se encuentre legitimada procesalmente su coadyuvancia;

IX. Escuchar a la víctima antes de dictar sentencia, así como antes de resolver cualquier acto o medida que repercuta o se vincule con sus derechos o intereses;

X. Cuando los bienes asegurados sean puestos bajo la custodia de la víctima o le sean devueltos, deberá informar claramente a ésta los alcances de dicha situación, y las consecuencias que acarrea para el proceso, y

XI. Las demás acciones que dispongan las disposiciones jurídicas aplicables en materia de atención a víctimas de delito y reparación integral.

(REFORMADA SU DENOMINACIÓN, D.O.F. 3 DE MAYO DE 2013)

CAPÍTULO VIII
DEL ASESOR JURÍDICO DE LAS VÍCTIMAS

(REFORMADO, D.O.F. 3 DE MAYO DE 2013)

Artículo 125. Corresponde al Asesor Jurídico de las Víctimas:

(REFORMADA, D.O.F. 3 DE ENERO DE 2017)

I. Procurar hacer efectivos cada uno de los derechos y garantías de la víctima, en especial el derecho a la protección, la verdad, la justicia y a la reparación integral. Por lo que podrá contar con servicios de atención médica y psicológica, trabajo social y aquellas que considere necesarias para cumplir con el objetivo de esta fracción;

II. Brindar a la víctima información clara, accesible y oportuna sobre los derechos, garantías, mecanismos y procedimientos que reconoce esta Ley;

(REFORMADA, D.O.F. 3 DE ENERO DE 2017)

III. Tramitar, supervisar o, cuando se requiera, implementar las medidas de ayuda inmediata, ayuda, asistencia, atención y rehabilitación previstas en la presente Ley;

(REFORMADA, D.O.F. 3 DE ENERO DE 2017)

IV. Asesorar y asistir a las víctimas en todo acto o procedimiento ante la autoridad;

(REFORMADA, D.O.F. 3 DE ENERO DE 2017)

V. Formular denuncias o querellas;

(REFORMADA, D.O.F. 3 DE ENERO DE 2017)

VI. Representar a la víctima en todo procedimiento jurisdiccional o administrativo derivado de un hecho victimizante.

VII. (DEROGADA, D.O.F. 3 DE ENERO DE 2017)

(ADICIONADO, D.O.F. 3 DE ENERO DE 2017)

Artículo 125 Bis. La Asesoría Jurídica se integrará por los abogados, peritos, profesionales y técnicos de las diversas disciplinas que se requieren para la defensa de los derechos previstos en esta Ley.

La Asesoría Jurídica para el cumplimiento de los objetos de la presente Ley contará con un servicio civil de carrera que comprende la selección, ingreso, adscripción, permanencia, formación, promoción, capacitación, prestaciones, estímulos y sanciones, en términos del Reglamento.

(REFORMADA SU DENOMINACIÓN, D.O.F. 3 DE MAYO DE 2013)

CAPÍTULO IX
DE LOS FUNCIONARIOS DE ORGANISMOS PÚBLICOS DE PROTECCIÓN DE DERECHOS HUMANOS

(REFORMADO, D.O.F. 3 DE MAYO DE 2013)

Artículo 126. Además de los deberes establecidos para todo servidor público, los funcionarios de organismos públicos de protección de derechos humanos, en el ámbito de su competencia, deberán:

I. Recibir las quejas por presuntas violaciones a derechos humanos;

II. Recibir las denuncias por presuntos hechos delictivos y remitir las mismas al Ministerio Público;

III. Investigar las presuntas violaciones a derechos humanos;

IV. Respetar, en el marco de sus investigaciones, los protocolos internacionales para documentación de casos de presuntas violaciones de derechos humanos;

V. Solicitar, cuando sea conducente, medidas cautelares necesarias para garantizar la seguridad de las víctimas, familiares o bienes jurídicos;

VI. Dar seguimiento a las solicitudes que plantee ante la autoridad ejecutiva o judicial; en caso de advertir omisiones o incumplimientos por la autoridad o particular, denunciar las mismas por las vías pertinentes;

VII. Utilizar todos los mecanismos nacionales e internacionales para que de manera eficaz y oportuna, se busque fincar las responsabilidades administrativas, civiles o penales por graves violaciones a derechos humanos, y

VIII. Recomendar las reparaciones a favor de las víctimas de violaciones a los derechos humanos con base en los estándares y elementos establecidos en la presente Ley.

(REFORMADA SU DENOMINACIÓN, D.O.F. 3 DE MAYO DE 2013)

CAPÍTULO X
DE LAS POLICÍAS

(REFORMADO, D.O.F. 3 DE MAYO DE 2013)

Artículo 127. Además de los deberes establecidos para todo servidor público, y las disposiciones específicas contempladas en los ordenamientos respectivos, a los miembros de las policías de los distintos órdenes de gobierno, en el ámbito de su competencia, les corresponde:

I. Informar a la víctima, desde el momento en que se presente o comparezca ante él, los derechos que le otorga la Constitución y los tratados internacionales, el código penal y procesal penal respectivo y las demás disposiciones aplicables, así como el alcance de esos derechos, debiendo dejar constancia escrita de la lectura y explicación realizada;

II. Permitir la participación de la víctima y su defensor en procedimientos encaminados a la procuración de justicia, así como el ejercicio de su coadyuvancia;

III. Facilitar el acceso de la víctima a la investigación, con el objeto de respetar su derecho a la verdad;

IV. Colaborar con los tribunales de justicia, el ministerio público, las procuradurías, contralorías y demás autoridades en todas las actuaciones policiales requeridas;

V. Remitir los datos de prueba e informes respectivos, con debida diligencia en concordancia con el artículo 5 de la presente Ley;

VI. Respetar las mejores prácticas y los estándares mínimos de derecho internacional de los derechos humanos, y

VII. Mantener actualizados los registros en cumplimiento de esta Ley y de las leyes conforme su competencia.

(REFORMADA SU DENOMINACIÓN, D.O.F. 3 DE MAYO DE 2013)

CAPÍTULO XI
DE LA VÍCTIMA

(REFORMADO, D.O.F. 3 DE MAYO DE 2013)

Artículo 128. A la víctima corresponde:

I. Actuar de buena fe;

II. Cooperar con las autoridades que buscan el respeto de su derecho a la justicia y a la verdad, siempre que no implique un riesgo para su persona, familia o bienes jurídicos;

III. Conservar los bienes objeto de aseguramiento cuando éstos le hayan sido devueltos o puestos bajo su custodia, así como no cremar los cuerpos de familiares a ellos entregados, cuando la autoridad así se lo solicite, y por el lapso que se determine necesario, y

IV. Cuando tenga acceso a información reservada, respetar y guardar la confidencialidad de la misma.

(REFORMADO, D.O.F. 3 DE MAYO DE 2013)

Artículo 129. Todo empleador de una víctima, sea público o privado, deberá permitir y respetar que la misma haga uso de los mecanismos, acciones y procedimientos reconocidos para hacer efectivos sus derechos y garantías, aunque esto implique ausentismo.

(REFORMADA SU DENOMINACIÓN, D.O.F. 6 DE NOVIEMBRE DE 2020)

TÍTULO OCTAVO
DE LOS RECURSOS DE AYUDA, ASISTENCIA Y REPARACIÓN INTEGRAL

CAPÍTULO I
OBJETO E INTEGRACIÓN

(REFORMADO, D.O.F. 6 DE NOVIEMBRE DE 2020)

Artículo 130. En el otorgamiento de los Recursos de Ayuda y la reparación integral de las víctimas del delito y las víctimas de violaciones a los derechos humanos deberán observarse los criterios de transparencia, oportunidad, eficiencia y rendición de cuentas.

La víctima podrá acceder de manera subsidiaria a las ayudas, asistencia y reparación integral que otorgue la Comisión Ejecutiva con cargo a los recursos autorizados para tal fin, en los términos previstos en esta Ley y en el Reglamento, sin perjuicio de las responsabilidades y sanciones administrativas, penales y civiles que resulten.

(REFORMADO, D.O.F. 6 DE NOVIEMBRE DE 2020)

Artículo 131. Para ser beneficiarios del apoyo de las ayudas, asistencia y reparación integral, además de los requisitos que al efecto establezca esta Ley y su Reglamento, las víctimas deberán estar inscritas en el Registro a efecto de que la Comisión Ejecutiva realice una evaluación integral de su entorno familiar y social con el objeto de contar con los elementos suficientes para determinar las medidas de ayuda, asistencia, protección, reparación integral y, en su caso, la compensación.

(REFORMADO, D.O.F. 6 DE NOVIEMBRE DE 2020)

Artículo 132. En términos de las disposiciones aplicables la Comisión Ejecutiva recibirá:

I. El producto de la enajenación de los bienes que sean decomisados en los procedimientos penales, en la proporción que corresponda, una vez que se haya cubierto la compensación, en los términos establecidos en el Código Nacional de Procedimientos Penales o en la legislación respectiva, y

II. Los recursos provenientes de las fianzas o garantías que se hagan efectivas cuando los procesados incumplan con las obligaciones impuestas por la autoridad.

Lo anterior a efecto de que dichos recursos sean destinados para el pago de las ayudas, asistencia y reparación integral a víctimas, en términos de esta Ley y el Reglamento.

La aplicación de recursos establecidos en otros mecanismos a favor de la víctima y los previstos en esta Ley se hará de manera complementaria, a fin de evitar su duplicidad. El acceso a los recursos a favor de cada víctima no podrá ser superior a los límites establecidos en esta Ley y las disposiciones correspondientes.

Las compensaciones subsidiarias se cubrirán con cargo al presupuesto autorizado de la Comisión Ejecutiva para el ejercicio fiscal en el que se presente la solicitud o con cargo a los recursos del Fondo estatal que corresponda. La Comisión Ejecutiva velará por la maximización del uso de los recursos, priorizando en todo momento aquellos casos de mayor gravedad.

Artículo 133. (DEROGADO, D.O.F. 6 DE NOVIEMBRE DE 2020)

Artículo 134. (DEROGADO, D.O.F. 6 DE NOVIEMBRE DE 2020)

Artículo 135. (DEROGADO, D.O.F. 6 DE NOVIEMBRE DE 2020)

CAPÍTULO II
DE LA ADMINISTRACIÓN

(REFORMADO PRIMER PÁRRAFO, D.O.F. 6 DE NOVIEMBRE DE 2020)

Artículo 136. La Comisión Ejecutiva administrará directamente los recursos autorizados en su presupuesto para dar cumplimiento a lo previsto en la presente Ley y el Reglamento, observando en todo momento los criterios de transparencia, oportunidad, eficiencia y rendición de cuentas.

(REFORMADO, D.O.F. 6 DE NOVIEMBRE DE 2020)

La Comisión Ejecutiva proveerá a las víctimas que corresponda los recursos para cubrir las medidas a que se refieren los Títulos Segundo, Tercero y Cuarto de la Ley. La víctima deberá comprobar el ejercicio del monto a más tardar a los treinta días posteriores de haber recibido el recurso. El Reglamento establecerá los criterios de comprobación, dentro de los cuales deberá señalar aquellos en los que los organismos públicos de protección de derechos humanos podrán auxiliar en la certificación del gasto.

Artículo 137. (DEROGADO, D.O.F. 6 DE NOVIEMBRE DE 2020)

Artículo 138. (DEROGADO, D.O.F. 6 DE NOVIEMBRE DE 2020)

(REFORMADO, D.O.F. 6 DE NOVIEMBRE DE 2020)

Artículo 139. La Comisión Ejecutiva determinará el apoyo o asistencia que corresponda otorgar a la víctima incluida la medida de compensación, previa opinión que al respecto emita el Comité interdisciplinario evaluador, en términos de la presente Ley y el Reglamento.

(REFORMADO, D.O.F. 6 DE NOVIEMBRE DE 2020)

Artículo 140. Los Recursos de Ayuda, asistencia y reparación integral que se otorguen al amparo de esta Ley y del Reglamento, serán fiscalizados anualmente por la Auditoría Superior de la Federación.

(REFORMADO PRIMER PÁRRAFO, D.O.F. 6 DE NOVIEMBRE DE 2020)

Artículo 141. La Federación se subrogará en los derechos de las víctimas para cobrar el importe que por concepto de compensación haya erogado en su favor con cargo al presupuesto de la Comisión Ejecutiva para dar cumplimiento a lo previsto en la presente Ley y el Reglamento. Dichos recursos deberán enterarse a la tesorería de la Comisión Ejecutiva, mismos que serán utilizados para continuar otorgando la compensación prevista en el Título Quinto del presente ordenamiento.

(REFORMADO, D.O.F. 3 DE MAYO DE 2013)

Para tal efecto, se aportarán a la Federación los elementos de prueba necesarios para el ejercicio de los derechos derivados de la subrogación.

(REFORMADO, D.O.F. 3 DE MAYO DE 2013)

El Ministerio Público estará obligado a ofrecer los elementos probatorios señalados en el párrafo anterior, en los momentos procesales oportunos, a fin de garantizar que sean valorados por el juzgador al momento de dictar sentencia, misma que deberá prever de manera expresa la subrogación a favor de la Federación en el derecho de la víctima a la reparación del daño y el monto correspondiente a dicha subrogación, en los casos en que así proceda.

(REFORMADO, D.O.F. 3 DE MAYO DE 2013)

En el caso de las compensaciones por error judicial, éstas se cubrirán con cargo al presupuesto del Poder Judicial correspondiente.

(REFORMADO, D.O.F. 3 DE MAYO DE 2013)

Artículo 142. La Federación ejercerá el procedimiento económico coactivo para hacer efectiva la subrogación del monto de la reparación conforme a las disposiciones aplicables, sin perjuicio de que dicho cobro pueda reclamarse por la víctima en la vía civil, para cobrar la reparación del daño del sentenciado o de quien esté obligado a cubrirla, en términos de las disposiciones que resulten aplicables.

(REFORMADO, D.O.F. 6 DE NOVIEMBRE DE 2020)

Artículo 143. El Reglamento precisará el funcionamiento, alcance y criterios específicos de asignación de los Recursos de Ayuda, asistencia y reparación integral.

CAPÍTULO III
DEL PROCEDIMIENTO

(REFORMADO PRIMER PÁRRAFO, D.O.F. 6 DE NOVIEMBRE DE 2020)

Artículo 144. Para acceder a los Recursos de Ayuda, asistencia y reparación integral, la víctima deberá presentar su solicitud ante la Comisión Ejecutiva de conformidad con lo señalado por esta Ley y su Reglamento.

(REFORMADO, D.O.F. 3 DE MAYO DE 2013)

Quien reciba la solicitud la remitirá a la Comisión Ejecutiva o comisiones de víctimas en un plazo que no podrá exceder los dos días hábiles.

(REFORMADO, D.O.F. 3 DE MAYO DE 2013)

Las determinaciones de las comisiones respecto a cualquier tipo de pago, compensación o reparación del daño tendrán el carácter de resoluciones administrativas definitivas. Contra dichas resoluciones procederá el juicio de amparo.

(REFORMADO, D.O.F. 3 DE ENERO DE 2017)

Artículo 145. En cuanto reciba una solicitud, la Comisión Ejecutiva la turnará al comité interdisciplinario evaluador, para la integración del expediente que servirá de base para la determinación del Comisionado Ejecutivo en torno a los Recursos de Ayuda y, en su caso, la reparación que requiera la víctima.

(REFORMADO, D.O.F. 3 DE MAYO DE 2013)

Artículo 146. El Comité Interdisciplinario evaluador deberá integrar dicho expediente en un plazo no mayor de cuatro días, el cual deberá contener como mínimo:

I. Los documentos presentados por la víctima;

II. Descripción del daño o daños que haya sufrido la víctima;

III. Detalle de las necesidades que requiera la víctima para enfrentar las consecuencias del delito o de la violación a sus derechos humanos, y

IV. En caso de contar con ello, relación de partes médicos o psicológicos donde detallen las afectaciones que tiene la víctima con motivo de la comisión del delito o de la violación a los derechos humanos.

(REFORMADO, D.O.F. 3 DE MAYO DE 2013)

Artículo 147. En el caso de la solicitud de ayuda o apoyo deberá agregarse además:

I. Estudio de trabajo social elaborado por el Comité Interdisciplinario evaluador en el que se haga una relación de las condiciones de victimización que enfrenta la víctima y las necesidades que requiere satisfacer para enfrentar las secuelas de la victimización;

II. Dictamen médico donde se especifique las afectaciones sufridas, las secuelas y el tratamiento, prótesis y demás necesidades que requiere la persona para su recuperación;

III. Dictamen psicológico en caso de que la víctima requiera atención a la salud mental donde se especifique las necesidades que requieren ser cubiertas para la recuperación de la víctima, y

IV. Propuesta de resolución que se propone adopte la Comisión Ejecutiva donde se justifique y argumente jurídicamente la necesidad de dicha ayuda.

La víctima sólo estará obligada a entregar la información, documentación y pruebas que obren en su poder. Es responsabilidad del Comité lograr la integración de la carpeta respectiva.

(REFORMADO, D.O.F. 3 DE MAYO DE 2013)

Artículo 148. Recibida la solicitud, ésta pasará a evaluación del comité interdisciplinario evaluador para que integre la carpeta con los documentos señalados en el artículo anterior, analice, valore y concrete las medidas que se otorgarán en cada caso.

El Reglamento de esta Ley especificará el procedimiento que se seguirá para el otorgamiento de la ayuda.

La Comisión Ejecutiva deberá integrar el expediente completo en un plazo no mayor a veinte días hábiles y resolver con base a su dictamen la procedencia de la solicitud.

(REFORMADO PRIMER PÁRRAFO, D.O.F. 6 DE NOVIEMBRE DE 2020)

Artículo 149. Las solicitudes para acceder a los recursos en materia de reparación serán procedentes siempre que la víctima:

(REFORMADA, D.O.F. 3 DE MAYO DE 2013)

I. Cuente con sentencia ejecutoria en la que se indique que sufrió el daño por dichos ilícitos, así como el monto a pagar y/o otras formas de reparación;

(REFORMADA, D.O.F. 3 DE MAYO DE 2013)

II. No haya alcanzado el pago total de los daños que se le causaron;

(REFORMADA, D.O.F. 3 DE MAYO DE 2013)

III. No haya recibido la reparación integral del daño por cualquier otra vía, lo que podrá acreditarse con el oficio del juez de la causa penal o con otro medio fehaciente, y

(REFORMADA, D.O.F. 3 DE MAYO DE 2013)

IV. Presente solicitud de asistencia, ayuda o reparación integral, siempre y cuando dicha solicitud sea avalada por la Comisión Ejecutiva.

(REFORMADO, D.O.F. 3 DE MAYO DE 2013)

Artículo 150. Las solicitudes que se presenten en términos de este Capítulo se atenderán considerando:

I. La condición socioeconómica de la víctima;

II. La repercusión del daño en la vida familiar;

III. La imposibilidad de trabajar como consecuencia del daño;

IV. El número y la edad de los dependientes económicos, y

(REFORMADA, D.O.F. 6 DE NOVIEMBRE DE 2020)

V. La disponibilidad presupuestaria.

CAPÍTULO IV
DE LA REPARACIÓN

(REFORMADO, D.O.F. 3 DE MAYO DE 2013)

Artículo 151. Si el Estado no pudiese hacer efectiva total o parcialmente la orden de compensación, establecida por mandato judicial o por acuerdo de la Comisión Ejecutiva, deberá justificar la razón y tomar las medidas suficientes para cobrar su valor, o gestionar lo pertinente a fin de lograr que se concrete la reparación integral de la víctima.

(REFORMADO, D.O.F. 3 DE MAYO DE 2013)

Artículo 152. Cuando la determinación y cuantificación del apoyo y reparación no haya sido dada por autoridad judicial u organismo nacional o internacional de protección de los derechos humanos, ésta deberá ser realizada por la Comisión Ejecutiva. Si la misma no fue documentada en el procedimiento penal, esta Comisión procederá a su documentación e integración del expediente conforme lo señalan los artículos 145, 146 y 169.

(REFORMADO, D.O.F. 3 DE MAYO DE 2013)

Artículo 153. Cuando parte del daño sufrido se explique a consecuencia del actuar u omitir de la víctima, dicha conducta podrá ser tenida en cuenta al momento de determinar la indemnización.

(REFORMADO, D.O.F. 3 DE MAYO DE 2013)

Artículo 154. Cuando el daño haya sido causado por más de un agente y no sea posible identificar la exacta participación de cada uno de ellos, se establecerá una responsabilidad subsidiaria frente a la víctima, y se distribuirá el monto del pago de la indemnización en partes iguales entre todos los cocausantes previo acuerdo de la Comisión Ejecutiva.

(REFORMADO, D.O.F. 3 DE MAYO DE 2013)

Artículo 155. Las medidas de ayuda y asistencia podrán ser de diversa índole, en cumplimiento de las disposiciones de esta Ley y su Reglamento. La reparación integral deberá cubrirse mediante moneda nacional, con la excepción de que se podrá pagar en especie de acuerdo a la resolución dictada por la Comisión Ejecutiva.

(REFORMADO, D.O.F. 3 DE MAYO DE 2013)

Artículo 156. La Comisión Ejecutiva tendrá facultades para cubrir las necesidades en términos de asistencia, ayuda y reparación integral, a través de los programas gubernamentales federales, estatales o municipales con que se cuente.

(REFORMADO, D.O.F. 6 DE NOVIEMBRE DE 2020)

Artículo 157. Cuando proceda el pago de la reparación, se registrará el fallo judicial que lo motivó y el monto de la indemnización, mismos que estarán disponibles para su consulta pública.

(ADICIONADO CON LOS ARTÍCULOS QUE LO INTEGRAN, D.O.F. 3 DE ENERO DE 2017)

CAPÍTULO V
DE LOS FONDOS DE AYUDA, ASISTENCIA Y REPARACIÓN INTEGRAL EN CADA ENTIDAD FEDERATIVA

(ADICIONADO, D.O.F. 3 DE ENERO DE 2017)

Artículo 157 Bis. El Fondo estatal se conformará con los recursos que destinen las entidades federativas expresamente para dicho fin.

(REFORMADO PRIMER PÁRRAFO, D.O.F. 6 DE NOVIEMBRE DE 2020)

Artículo 157 Ter. La suma de las asignaciones anuales que cada entidad federativa aporte a su respectivo Fondo estatal, será igual al 50% de los recursos que se autoricen a la Comisión Ejecutiva en el Presupuesto de Egresos de la Federación del ejercicio fiscal de que se trate, para el pago de ayudas, asistencia y reparación integral en términos de esta Ley y el Reglamento.

(ADICIONADO, D.O.F. 3 DE ENERO DE 2017)

La aportación anual que deberá realizar cada entidad federativa al Fondo estatal respectivo, para alcanzar el monto total que corresponde a la suma de las asignaciones anuales referidas en el párrafo anterior, se calculará con base en un factor poblacional. Dicho factor será equivalente a la proporción de la población de dicha entidad federativa con respecto del total nacional, de acuerdo con el último censo o conteo de población que publique el Instituto Nacional de Estadística y Geografía.

(ADICIONADO, D.O.F. 3 DE ENERO DE 2017)

La aportación anual de cada entidad federativa se deberá efectuar, siempre y cuando, el patrimonio del Fondo estatal al inicio del ejercicio sea inferior al monto de aportación que corresponde a la entidad federativa de acuerdo con el párrafo anterior. Dicha aportación se deberá efectuar a más tardar al 31 de marzo de cada ejercicio.

(REFORMADO, D.O.F. 6 DE NOVIEMBRE DE 2020)

Artículo 157 Quáter. De los recursos que constituyan el patrimonio de cada uno de los Fondos estatales, se deberá mantener una reserva del 20% para cubrir los reintegros que, en su caso, deban realizarse a la tesorería de la

Comisión Ejecutiva, de acuerdo con lo establecido en los artículos 8, 39 Bis, 68 y 88 Bis de esta Ley.

(ADICIONADO, D.O.F. 3 DE ENERO DE 2017)

Artículo 157 Quinquies. La constitución de cada Fondo estatal será con independencia de la existencia de otros ya establecidos para la atención a víctimas. La aplicación de recursos establecidos en otros mecanismos a favor de las víctimas y los de esta Ley, se hará de manera complementaria, a fin de evitar su duplicidad. El acceso a los recursos a favor de cada víctima no podrá ser superior a los límites establecidos en esta Ley.

TÍTULO NOVENO
DE LA CAPACITACIÓN, FORMACIÓN, ACTUALIZACIÓN Y ESPECIALIZACIÓN

(REFORMADO, D.O.F. 3 DE MAYO DE 2013)

Artículo 158. Los integrantes del Sistema que tengan contacto con la víctima en cumplimento de medidas de atención, asistencia, ayuda, apoyo, reparación integral o cualquier mecanismo de acceso a la justicia, deberán incluir dentro de sus programas contenidos temáticos sobre los principios, derechos, mecanismos, acciones y procedimientos reconocidos por esta Ley; así como las disposiciones específicas de derechos humanos contenidos en la Constitución y tratados internacionales, protocolos específicos y demás instrumentos del derecho internacional de los derechos humanos.

Dichas entidades deberán diseñar e implementar un sistema de seguimiento que logre medir el impacto de la capacitación en los miembros de sus respectivas dependencias. A dicho efecto deberá tenerse en cuenta, entre otros aspectos, las denuncias y quejas hechas contra dichos servidores, las sanciones impuestas, las entrevistas y sondeos directos practicados a las víctimas.

(REFORMADO, D.O.F. 3 DE MAYO DE 2013)

Artículo 159. Todo procedimiento de ingreso, selección, permanencia, estímulo, promoción y reconocimiento de servidores públicos que, por su competencia, tengan trato directo o brinden su servicio a víctimas en cumplimento de medidas de asistencia, ayuda, apoyo, reparación integral o cualquier mecanismo de acceso a la justicia, deberá incluir dentro de los criterios de valoración, un rubro relativo a derechos humanos.

(REFORMADO, D.O.F. 3 DE MAYO DE 2013)

Artículo 160. La Conferencia Nacional de Procuración de Justicia y la Conferencia Nacional de Secretarios de Seguridad Pública en cumplimiento con las facultades atribuidas en la Ley General del Sistema Nacional de Seguridad Pública, deberá disponer lo pertinente para que los contenidos temáticos señalados en la presente Ley sean parte de las estrategias, políticas y modelos de profesionalización, así como los de supervisión de los programas correspondientes en los institutos de capacitación.

(REFORMADO, D.O.F. 3 DE MAYO DE 2013)

Artículo 161. Los servicios periciales federales y de las entidades federativas deberán capacitar a sus funcionarios y empleados con el objeto de que la víctima reciba atención especializada de acuerdo al tipo de victimización sufrido, y tenga expeditos los derechos que le otorga la Constitución Política de los Estados Unidos Mexicanos y los tratados internacionales de derechos humanos.

(REFORMADO, D.O.F. 3 DE MAYO DE 2013)

Artículo 162. Los institutos y academias que sean responsables de la capacitación, formación, actualización y especialización de los servidores públicos ministeriales, policiales y periciales, federales, estatales y municipales, deberán coordinarse entre sí con el objeto de cumplir cabalmente los Programas Rectores de Profesionalización señalados en la Ley General del Sistema Nacional de Seguridad Pública y los lineamientos mínimos impuestos por el presente capítulo de esta Ley.

Asimismo, deberán proponer convenios de colaboración con universidades y otras instituciones educativas, públicas o privadas, nacionales o extranjeras, con el objeto de brindar formación académica integral y de excelencia a los servidores públicos de sus respectivas dependencias.

Las obligaciones enunciadas en el presente artículo rigen también para las entidades homólogas de capacitación, formación, actualización y especialización de los miembros del Poder Judicial y la Secretaría de Defensa Nacional, en los distintos órdenes de gobierno.

(REFORMADO, D.O.F. 3 DE MAYO DE 2013)

Artículo 163. La Comisión Nacional de Derechos Humanos y las instituciones públicas de protección de los derechos humanos en las entidades federativas deberán coordinarse con el objeto de cumplir cabalmente las atribuciones a ellas referidas.

Dichas instituciones deberán realizar sus labores prioritariamente enfocadas a que la asistencia, apoyo, asesoramiento y seguimiento sea eficaz y permita un ejercicio real de los derechos de las víctimas.

(REFORMADO, D.O.F. 3 DE MAYO DE 2013)

Artículo 164. Como parte de la asistencia, atención y reparación integral, se brindará a las víctimas formación, capacitación y orientación ocupacional.

La formación y capacitación se realizará con enfoque diferencial y transformador. Se ofrecerá a la víctima programas en virtud de su interés, condición y contexto, atendiendo a la utilidad de dicha capacitación o formación. El objeto es brindar a la víctima herramientas idóneas que ayuden a hacer efectiva la atención y la reparación integral, así como favorecer el fortalecimiento y resiliencia de la víctima.

Asimismo, deberá brindarse a la víctima orientación ocupacional específica que le permita optar sobre los programas, planes y rutas de capacitación y formación más idóneos conforme su interés, condición y contexto.

(REFORMADO, D.O.F. 3 DE ENERO DE 2017)

Para el cumplimiento de lo descrito se aplicarán los programas existentes en los distintos órdenes de gobierno al momento de la expedición de la presente Ley, garantizando su coherencia con los principios rectores, derechos y garantías detallados en la misma. Cuando en el Gobierno Federal o en los gobiernos de las entidades federativas no cuenten con el soporte necesario para el cumplimiento de las obligaciones aquí referidas, deberán crear los programas y planes específicos.

(REFORMADA SU DENOMINACIÓN, D.O.F. 3 DE MAYO DE 2013)

TÍTULO DÉCIMO
DE LA ASESORÍA JURÍDICA FEDERAL Y DE LAS ENTIDADES FEDERATIVAS DE ATENCIÓN A VÍCTIMAS

CAPÍTULO ÚNICO

(REFORMADO, D.O.F. 3 DE MAYO DE 2013)

Artículo 165. Se crea en la Comisión Ejecutiva, la Asesoría Jurídica Federal de Atención a Víctimas, área especializada en asesoría jurídica para víctimas.

Las entidades federativas deberán crear en el ámbito de sus respectivas competencias su propia Asesoría Jurídica de Atención a Víctimas o, en su caso, adaptar las estructuras previamente existentes en los términos de esta Ley.

Las Asesorías Jurídicas de Atención a Víctimas de las entidades federativas serán, del mismo modo, órganos dependientes de la unidad análoga a la Comisión Ejecutiva que exista en la entidad, gozarán de independencia técnica y operativa y tendrán las mismas funciones, en el ámbito de sus competencias.

(REFORMADO PRIMER PÁRRAFO, D.O.F. 18 DE FEBRERO DE 2022)

Artículo 166. La Asesoría Jurídica estará integrada por asesores jurídicos de atención a víctimas, peritos, intérpretes o traductores lingüísticos y profesionistas técnicos de diversas disciplinas que se requieran para la defensa de los derechos de las víctimas.

(REFORMADO, D.O.F. 3 DE ENERO DE 2017)

Con independencia de lo anterior, cuando no se cuente con el personal profesional necesario, la Asesoría Jurídica podrá contar, de manera excepcional, con el servicio de particulares para ejercer las funciones de asesores jurídicos, en términos de lo dispuesto en el artículo 121 y 125 de esta Ley.

(REFORMADO, D.O.F. 3 DE MAYO DE 2013)

Artículo 167. La Asesoría Jurídica Federal tiene a su cargo las siguientes funciones:

I. Coordinar el servicio de Asesoría Jurídica para Víctimas en asuntos del fuero federal, a fin de garantizar los derechos de las víctimas contenidos en esta Ley, en tratados internacionales y demás disposiciones aplicables;

II. Coordinar el servicio de representación y asesoría jurídica de las víctimas en materia penal, civil, laboral, familiar, administrativa y de derechos humanos del fuero federal, a fin de garantizar el acceso a la justicia, a la verdad y la reparación integral;

III. Seleccionar y capacitar a los servidores públicos adscritos a la Asesoría Jurídica Federal;

IV. Designar por cada Unidad Investigadora del Ministerio Público de la Federación, Tribunal de Circuito, por cada Juzgado Federal que conozca de materia penal y Visitaduría de la Comisión Nacional de los Derechos Humanos, cuando menos a un Asesor Jurídico de las Víctimas y al personal de auxilio necesario;

V. Celebrar convenios de coordinación con todos aquellos que pueden coadyuvar en la defensa de los derechos de las víctimas, y

VI. Las demás que se requiera para la defensa de los derechos de las víctimas.

La Asesoría Jurídica de las entidades federativas tendrán las mismas funciones en el ámbito de su competencia.

(REFORMADO PRIMER PÁRRAFO, D.O.F. 18 DE FEBRERO DE 2022)

Artículo 168. La víctima tendrá derecho a solicitar a la Comisión Ejecutiva o a las Comisiones de víctimas, según corresponda, que le proporcione un Asesor Jurídico en caso de que no quiera o no pueda contratar un abogado particular, el cual elegirá libremente desde el momento de su ingreso al Registro. En este caso, la Comisión Ejecutiva del Sistema Nacional de Víctimas deberá nombrarle uno a través de la Asesoría Jurídica Federal, así como un intérprete o traductor lingüístico cuando la víctima no comprenda el idioma español o tenga discapacidad auditiva, verbal o visual.

(REFORMADO, D.O.F. 18 DE FEBRERO DE 2022)

La víctima tendrá el derecho de que su abogado comparezca a todos los actos en los que ésta sea requerida, y de contar con un intérprete o traductor de su lengua, cuando así se requiera.

(REFORMADO, D.O.F. 3 DE MAYO DE 2013)

El servicio de la Asesoría Jurídica será gratuito y se prestará a todas las víctimas que quieran o pueden contratar a un abogado particular y en especial a:

I. Las personas que estén desempleadas y no perciban ingresos;

II. Los trabajadores jubilados o pensionados, así como sus cónyuges;

III. Los trabajadores eventuales o subempleados;

IV. Los indígenas, y

V. Las personas que por cualquier razón social o económica tengan la necesidad de estos servicios.

(REFORMADO, D.O.F. 3 DE MAYO DE 2013)

Artículo 169. Se crea la figura del Asesor Jurídico Federal de Atención a Víctimas el cual tendrá las funciones siguientes:

I. Asistir y asesorar a la víctima desde el primer momento en que tenga contacto con la autoridad;

II. Representar a la víctima de manera integral en todos los procedimientos y juicios en los que sea parte, para lo cual deberá realizar todas las acciones legales tendientes a su defensa, incluyendo las que correspondan en materia de derechos humanos tanto en el ámbito nacional como internacional;

III. Proporcionar a la víctima de forma clara, accesible, oportuna y detallada la información y la asesoría legal que requiera, sea esta en materia penal, civil, familiar, laboral y administrativa;

IV. Informar a la víctima, respecto al sentido y alcance de las medidas de protección, ayuda, asistencia, atención y reparación integral, y en su caso, tramitarlas ante las autoridades judiciales y administrativas;

V. Dar el seguimiento a todos los trámites de medidas de protección, ayuda, asistencia y atención, que sean necesarias para garantizar la integridad física y psíquica de las víctimas, así como su plena recuperación;

VI. Informar y asesorar a los familiares de la víctima o a las personas que ésta decida, sobre los servicios con que cuenta el Estado para brindarle ayuda, asistencia, asesoría, representación legal y demás derechos establecidos en esta Ley, en los Tratados Internacionales y demás leyes aplicables;

VII. Llevar un registro puntual de las acciones realizadas y formar un expediente del caso;

VIII. Tramitar y entregar copias de su expediente a la víctima, en caso de que ésta las requiera;

IX. Vigilar la efectiva protección y goce de los derechos de las víctimas en las actuaciones del Ministerio Público en todas y cada una de las etapas del procedimiento penal y, cuando lo amerite, suplir las deficiencias de éste ante la autoridad jurisdiccional correspondiente cuando el Asesor Jurídico Federal de las Víctimas considere que no se vela efectivamente por la tutela de los derechos de las víctimas por parte del Ministerio Público, y

X. Las demás que se requieran para la defensa integral de los derechos de las víctimas.

(REFORMADO, D.O.F. 18 DE FEBRERO DE 2022)

Artículo 170. Las entidades federativas contarán con Asesores Jurídicos de Atención a Víctimas adscritos a su respectiva unidad de Asesoría Jurídica de Atención a Víctimas, los cuales tendrán las funciones enunciadas en el artículo anterior, en su ámbito de competencia. También contarán con intérpretes o traductores lingüísticos que darán atención a las víctimas que no comprendan el idioma español o tengan discapacidad auditiva, verbal o visual.

(REFORMADO, D.O.F. 3 DE MAYO DE 2013)

Artículo 171. Para ingresar y permanecer como Asesor Jurídico se requiere:

I. Ser mexicano o extranjero con calidad migratoria de inmigrado en ejercicio de sus derechos políticos y civiles;

II. Ser licenciado en derecho, con cédula profesional expedida por la autoridad competente;

III. Aprobar los exámenes de ingreso y oposición correspondientes, y

IV. No haber sido condenado por delito doloso con sanción privativa de libertad mayor de un año.

(REFORMADO, D.O.F. 3 DE MAYO DE 2013)

Artículo 172. El Asesor Jurídico será asignado inmediatamente por la Comisión Ejecutiva, sin más requisitos que la solicitud formulada por la víctima o a petición de alguna institución, organismo de derechos humanos u organización de la sociedad civil.

(REFORMADO, D.O.F. 3 DE MAYO DE 2013)

Artículo 173. El servicio civil de carrera para los Asesores Jurídicos, comprende la selección, ingreso, adscripción, permanencia, promoción, capacitación, prestaciones, estímulos y sanciones. Este servicio civil de carrera se regirá por las disposiciones establecidas en las disposiciones reglamentarias aplicables.

(REFORMADO, D.O.F. 3 DE MAYO DE 2013)

Artículo 174. El Director General, los Asesores Jurídicos y el personal técnico de la Asesoría Jurídica Federal serán considerados servidores públicos de confianza.

Artículo 175. (DEROGADO, D.O.F. 3 DE ENERO DE 2017)

Artículo 176. (DEROGADO, D.O.F. 3 DE ENERO DE 2017)

Artículo 177. (DEROGADO, D.O.F. 3 DE ENERO DE 2017)

Artículo 178. (DEROGADO, D.O.F. 3 DE ENERO DE 2017)

(REFORMADO, D.O.F. 3 DE MAYO DE 2013)

Artículo 179. El Director General de la Asesoría Jurídica Federal deberá reunir para su designación, los requisitos siguientes:

I. Ser ciudadano mexicano y estar en pleno ejercicio de sus derechos;

II. Acreditar experiencia de tres años en el ejercicio de la abogacía, relacionada especialmente, con las materias afines a sus funciones; y poseer, al día de la designación, título y cédula profesional de licenciado en derecho, expedido por la autoridad o institución legalmente facultada para ello con antigüedad mínima de cinco años computada al día de su designación, y

III. Gozar de buena reputación, prestigio profesional y no haber sido condenado por delito doloso con sanción privativa de libertad mayor de un año. Empero, si se tratare de ilícitos como el robo, fraude, falsificación, abuso de confianza u otro que lesione seriamente la reputación de la persona en el concepto público, inhabilitará a ésta para ocupar el cargo cualquiera que haya sido la penalidad impuesta.

La Comisión Ejecutiva procurará preferir, en igualdad de circunstancias, a quien haya desempeñado el cargo de Asesor Jurídico, defensor público o similar.

(REFORMADO, D.O.F. 3 DE MAYO DE 2013)

Artículo 180. El Director General de la Asesoría Jurídica Federal tendrá las atribuciones siguientes:

I. Organizar, dirigir, evaluar y controlar los servicios de Asesoría Jurídica de las Víctimas que se presten, así como sus unidades administrativas;

II. Conocer de las quejas que se presenten contra los Asesores Jurídicos de atención a víctimas y, en su caso, investigar la probable responsabilidad de los empleados de la Asesoría Jurídica Federal;

III. Vigilar que se cumplan todas y cada una de las obligaciones impuestas a los Asesores Jurídicos; determinando, si han incurrido en alguna causal de responsabilidad por parte de éstos o de los empleados de la Asesoría Jurídica Federal;

IV. Proponer a la Junta Directiva las políticas que estime convenientes para la mayor eficacia de la defensa de los derechos e intereses de las víctimas;

V. Proponer a la Comisión Ejecutiva, las sanciones y correcciones disciplinarias que se deban imponer a los Asesores Jurídicos;

VI. Promover y fortalecer las relaciones de la Asesoría Jurídica Federal con las instituciones públicas, sociales y privadas que por la naturaleza de sus funciones, puedan colaborar al cumplimiento de sus atribuciones y de manera preponderante con las Asesorías Jurídicas de Atención a Víctimas de las entidades federativas;

VII. Proponer a la Junta Directiva el proyecto de Plan Anual de Capacitación y Estímulos de la Asesoría Jurídica Federal, así como un programa de difusión de sus servicios;

VIII. Elaborar un informe anual de labores sobre las actividades integrales desarrolladas por todos y cada uno de los Asesores Jurídicos que pertenezcan a la Asesoría Jurídica Federal, el cual deberá ser publicado;

IX. Elaborar la propuesta de anteproyecto de presupuesto que se someta a la consideración de la Junta Directiva, y

X. Las demás que sean necesarias para cumplir con el objeto de esta Ley.

Artículo 181. (DEROGADO, D.O.F. 3 DE MAYO DE 2013)

Artículo 182. (DEROGADO, D.O.F. 3 DE MAYO DE 2013)

Artículo 183. (DEROGADO, D.O.F. 3 DE MAYO DE 2013)

Artículo 184. (DEROGADO, D.O.F. 3 DE MAYO DE 2013)

Artículo 185. (DEROGADO, D.O.F. 3 DE MAYO DE 2013)

Artículo 186. (DEROGADO, D.O.F. 3 DE MAYO DE 2013)

Artículo 187. (DEROGADO, D.O.F. 3 DE MAYO DE 2013)

Artículo 188. (DEROGADO, D.O.F. 3 DE MAYO DE 2013)

Artículo 189. (DEROGADO, D.O.F. 3 DE MAYO DE 2013)

TRANSITORIOS

Primero.- La presente Ley entrará en vigor 30 días después de su publicación en el Diario Oficial de la Federación.

Segundo.- Se derogan todas las disposiciones legales que se opongan a la presente Ley.

Tercero.- El Reglamento de la presente Ley deberá expedirse dentro de los seis meses siguientes a la fecha en que la Ley entre en vigor.

Cuarto.- El Sistema Nacional de Ayuda, Atención y Reparación Integral de Víctimas a que se refiere la presente Ley deberá crearse dentro de los noventa días naturales a partir de la entrada en vigor de esta Ley.

Quinto.- La Comisión Ejecutiva de Atención a Víctimas a que se refiere la presente Ley deberá elegirse dentro de los treinta días naturales a partir de configuración (sic) del sistema.

Sexto.- La Comisión Ejecutiva se instalará por primera vez con la designación de nueve consejeros. La primera terna durará en su encargo un año; la segunda terna, tres años y la tercera terna, cinco años.

Séptimo.- En un plazo de 180 días naturales los Congresos Locales deberán armonizar todos los ordenamientos locales relacionados con la presente Ley.

Octavo.- En un plazo de 180 días naturales deberán ser reformadas las Leyes y Reglamentos de las instituciones que prestan atención médica a efecto de reconocer su obligación de prestar la atención de emergencia en los términos del artículo 38 de la presente Ley.

Noveno.- Las autoridades relacionadas en el artículo 81 que integrarán el Sistema Nacional de Víctimas en un término de 180 días naturales deberán reformar sus Reglamentos a efecto de señalar la Dirección, Subdirección, Jefatura de Departamento que estarán a cargo de las obligaciones que le impone esta nueva función.

Décimo.- Las Procuradurías General de la República y de todas las Entidades Federativas, deberán generar los protocolos necesarios en materia pericial, a que se refiere la presente Ley en un plazo de 180 días naturales.

Décimo Primero.- Las Instituciones Federales, Estatales, del Distrito Federal y Municipales deberán reglamentar sobre la capacitación de los servidores públicos a su cargo sobre el contenido del rubro denominado De la Capacitación, Formación, Actualización y Especialización, en la presente Ley.

Décimo Segundo.- El Gobierno Federal deberá hacer las previsiones presupuestales necesarias para la operación de la presente Ley y establecer una partida presupuestal específica en el Presupuesto de Egresos de la Federación para el siguiente ejercicio fiscal a su entrada en vigor.

Décimo Tercero.- Las funciones de la defensoría en materia de víctimas que le han sido asignadas a los Defensores Públicos Federales por la Ley General para Prevenir y Sancionar los Delitos en Materia de Secuestro, reglamentaria de la fracción XXI del artículo 73 de la Constitución Política de los Estados Unidos Mexicanos, serán asumidas por la Asesoría Jurídica Federal a partir de la entrada en vigor de la presente Ley.

Décimo Cuarto.- Los asesores y abogados adscritos a las diversas instancias de procuración de justicia y atención a víctimas recibirán una capacitación por parte de la Asesoría Jurídica Federal a efecto de que puedan concursar como Abogados Victimales.

Décimo Quinto.- Todas las Instituciones encargadas de la capacitación deberán establecer planes y programas tendientes a capacitar a su personal a efecto de dar cumplimiento a esta Ley.

Décimo Sexto.- Las instituciones ya existentes al momento de la entrada en vigor de la presente Ley operarán con su estructura y presupuesto, sin perjuicio de las asignaciones especiales que reciban para el cumplimiento de las obligaciones que esta Ley les impone.

México, D. F., a 30 de abril de 2012.

SEN. JOSE GONZÁLEZ MORFIN, Presidente.- Dip. Guadalupe Acosta Naranjo, Presidente.- SEN. RENAN CLEOMINIO ZOREDA NOVELO, Secretario.- Dip. Guadalupe Pérez Domínguez, Secretaria.- Rúbricas."

El presente decreto se publica en atención al oficio No. DGPL.-2P3A.-6469, suscrito por el Senador José González Morfin, Presidente de la Mesa Directiva de la Cámara de Senadores, con el fin de dar cumplimiento a lo dispuesto por el artículo 72, apartado B de la Constitución Política de los Estados Unidos Mexicanos, y para su debida observancia.

Selección Jurisprudencial

Registro digital: 2031533

SUSPENSIÓN CONDICIONAL DEL PROCESO. ESTÁNDAR PARA CALIFICAR LA OPOSICIÓN DE LA VÍCTIMA U OFENDIDO A ESA FORMA DE SOLUCIÓN ALTERNA DEL PROCEDIMIENTO PENAL.

Hechos: En el desarrollo de la etapa intermedia, en su fase oral, dentro de un procedimiento penal seguido por el delito de violencia familiar, se planteó la suspensión condicional del proceso. Al actualizarse la oposición fundada de la víctima y advertirse el incumplimiento de la reparación integral del daño fue negada por el Juez de Control. Dicha determinación fue confirmada por el tribunal de alzada, por lo cual el imputado promovió amparo alegando desproporcional la decisión, ya que para tener acceso a la solución alterna se contemplaron dos rubros: la reparación del daño moral y el resultado de la práctica de un estudio de daño emergente y lucro cesante, extremos que desde su óptica se encontraban colmados con el plan de pagos propuesto.

Criterio jurídico: Este Tribunal Colegiado de Circuito determina que para evaluar la oposición fundada de la víctima u ofendido en la autorización de la suspensión condicional de proceso, únicamente deben tomarse en consideración los argumentos que guarden relación con los hechos y datos de prueba existentes hasta ese momento y su vinculación con los requisitos de procedencia previstos en el artículo 192 del Código Nacional de Procedimientos Penales.

Justificación: La suspensión condicional del proceso tiene como premisa la voluntad de las partes (imputado y víctima u ofendido) involucradas en la controversia para evitar el procedimiento penal a través de este proceso restaurativo, en el que el investigado acepte los hechos materia de imputación (o al menos no los cuestione, sin que ello implique aceptar su culpabilidad) y, derivado de un ejercicio de conciliación con la víctima, acepte pagar la reparación del daño causado de manera integral. En caso contrario, al existir una oposición a la forma alterna de solución del procedimiento ésta debe ser fundada y sustentarse estrictamente en aspectos objetivos que guarden relación con los hechos hasta ese momento verificables, sin que resulten justificables argumentos subjetivos o diversos a los requisitos legales establecidos, por no guardar pertinencia con la suspensión condicional. Ello, bajo la consideración de que un ejercicio de valoración probatoria no es propio de la naturaleza de este mecanismo.

Registro digital: 2031515

VIDEOGRABACIONES DE LAS AUDIENCIAS DESAHOGADAS EN EL PROCESO PENAL ACUSATORIO CONTENIDAS EN DISPOSITIVOS DE ALMACENAMIENTO DIGITAL SIN AUTENTICAR. SU NATURALEZA JURÍDICA Y VALOR PROBATORIO.

Hechos: Una persona reclamó en amparo indirecto la imposición de una medida cautelar y solicitó la suspensión con efectos restitutorios. En la demanda ofreció como prueba un dispositivo de almacenamiento portátil que contenía los registros de audio y video de la audiencia en la que se emitió el acto reclamado. El Juzgado de Distrito negó la suspensión con efectos restitutorios. La parte quejosa interpuso recurso de queja argumentando que no se tomaron en consideración las videograbaciones exhibidas.

Criterio jurídico: Los dispositivos de almacenamiento digital que contienen las videograbaciones de las audiencias desahogadas en el proceso penal acusatorio, cuyo contenido no ha sido autenticado por autoridad competente: 1) tienen la naturaleza jurídica de prueba documental electrónica, y 2) no tienen el valor probatorio pleno que tienen las documentales públicas, pero poseen eficacia demostrativa sujeta al arbitrio del juzgador y, por regla general, su contenido debe ser adminiculado, corroborado o robustecido con otros elementos probatorios.

Justificación: De los artículos 93, fracción VII y 210-A del Código Federal de Procedimientos Civiles, de aplicación supletoria a la Ley de Amparo, se advierte que se reconoce como prueba a todos aquellos elementos aportados por los descubrimientos de la ciencia, entre otros, la información generada o comunicada que conste en medios electrónicos, ópticos o en cualquier otra tecnología. Por tanto, el dispositivo de información electrónica que contiene las videograbaciones de audiencias celebradas en procedimientos penales de corte acusatorio tiene el carácter de prueba electrónica. En cuanto a su valor probatorio, se tomará en cuenta primordialmente la fiabilidad del método en que haya sido generada, comunicada, recibida o archivada y, en su caso, si es posible atribuir a las personas obligadas el contenido de la información relativa y ser accesible para su ulterior consulta. En consecuencia, la eficacia demostrativa de las videograbaciones de audiencias penales contenidas en un dispositivo como prueba documental electrónica está limitada en función de la posibilidad que en cada caso tenga el juzgador, de confirmar que se trata precisamente de la o las audiencias relacionadas con el acto reclamado, de las mismas partes involucradas, y que los registros de audio y video que contiene no presentan ediciones, supresiones o alteraciones. De no poder confirmar con otros elementos de convicción que el contenido no ha sido alterado, deberá considerar que ese medio de prueba es insuficiente para formar convicción y decidir exclusivamente con base en él.

Registro digital: 2031504

PROCEDIMIENTO ABREVIADO. SU NATURALEZA LIMITA AL JUEZ DE CONTROL PARA MODIFICAR LA FORMA DE INTERVENCIÓN DE LA PERSONA IMPUTADA PLANTEADA POR EL MINISTERIO PÚBLICO.

Hechos: El Ministerio Público solicitó el procedimiento abreviado para una persona imputada a quien atribuyó su participación como coautor del delito, en términos del artículo 13, fracción III, del Código Penal Federal. El Juez de Control aceptó la solicitud y condenó al acusado, pero precisó que la forma de intervención se llevó a cabo como auxiliador del delito, conforme a la fracción VI del referido artículo. En consecuencia y de acuerdo con el artículo 64 Bis del citado ordenamiento, redujo la pena de prisión solicitada por la Fiscalía.

Criterio jurídico: Este Tribunal Colegiado de Circuito determina que la naturaleza del procedimiento abreviado limita al Juez de Control para modificar la forma de intervención de la persona imputada planteada por el Ministerio Público.

Justificación: De conformidad con los artículos 20, apartado A, fracción VII, de la Constitución Política de los Estados Unidos Mexicanos, 201, 203, 205 y 206, del Código Nacional de Procedimientos Penales, la acusación derivada de la solicitud de procedimiento abreviado debe contener la enunciación de los hechos atribuidos al acusado, su clasificación jurídica y el grado de su intervención, así como las penas y el monto de reparación del daño. En tal virtud, acorde con lo resuelto por la Primera Sala de la Suprema Corte de Justicia de la Nación en los amparos directos en revisión 1619/2015, 532/2019 y 2990/2022, en el amparo en revisión 100/2021 y en la contradicción de criterios 50/2019, así como con el criterio del entonces Pleno del Decimoséptimo Circuito en la contradicción de tesis 3/2019, el Juez de Control sólo participa como mediador del acuerdo al que lleguen las partes a fin de concluir el proceso penal con una admisión de responsabilidad sobre los hechos de la acusación. Esto es, su función es verificar el cumplimiento de los requisitos inherentes a la aceptación y consentimiento del imputado a fin de admitir la solicitud, o en su defecto, rechazar la petición al advertir incongruencias o irregularidades en los planteamientos del Ministerio Público, limitándose a analizar la congruencia, idoneidad, pertinencia y suficiencia de los medios de convicción invocados en la acusación para justificar la sentencia de condena. De ahí que su función en el marco del procedimiento abreviado no es modular el acuerdo alcanzado entre las partes, sino verificar que se cumplan los requisitos que le dan validez.

Registro digital: 2031463

IMPRESCRIPTIBILIDAD DE LOS DELITOS COMETIDOS CONTRA NIÑAS, NIÑOS Y ADOLESCENTES. EL ARTÍCULO 106, ÚLTIMO PÁRRAFO, DE LA LEY GENERAL DE LOS DERECHOS DE NIÑAS, NIÑOS Y ADOLESCENTES, ES APLICABLE A TODOS LOS PROCEDIMIENTOS PENALES.

Hechos: Los Tribunales Colegiados de Circuito contendientes sustentaron criterios contradictorios al analizar si la porción normativa referida, al prever que no podrá declararse la caducidad ni la prescripción en perjuicio de niñas, niños y adolescentes, impide la prescripción de la acción penal en todos los delitos, o si su aplicación se limita a procedimientos civiles o administrativos, dejando la prescripción penal sujeta a la legislación local.

Criterio jurídico: La imprescriptibilidad prevista en el artículo 106, último párrafo, de la Ley General de los Derechos de Niñas, Niños y Adolescentes es aplicable a todos los procedimientos penales cuando las víctimas pertenezcan a este grupo vulnerable.

Justificación: Conforme a la jurisprudencia de la Suprema Corte de Justicia de la Nación, el principio del interés superior de la niñez se configura como: 1) derecho sustantivo; 2) principio jurídico interpretativo fundamental; y 3) norma de procedimiento. Esto último faculta a las personas juzgadoras a flexibilizar excepcionalmente normas procesales —como plazos, caducidad o cosa juzgada— si repercuten desproporcionadamente en los derechos de niñas, niños y adolescentes, sin imponer cargas indebidas a terceros ni afectar la eficacia judicial.

Lo anterior encuentra respaldo en los artículos 1o. y 4o. de la Constitución Política de los Estados Unidos Mexicanos, 19 de la Convención Americana sobre Derechos Humanos y 3 de la Convención sobre los Derechos del Niño, que consagran: a) el principio pro persona y la obligación de adoptar la interpretación más favorable, integrando a los tratados internacionales como vinculantes; b) el interés superior de la niñez como criterio rector en todas las decisiones del Estado; c) la obligación de garantizar medidas especiales de protección y el acceso efectivo a la justicia; y d) la priorización del interés superior de la niñez en decisiones judiciales y administrativas, velando por su bienestar y acceso a la justicia. Por su parte, la Primera Sala del Máximo Tribunal del país en el amparo directo 16/2024, del que derivó la tesis aislada 1a. XIV/2025 (11a.), de rubro: "DELITOS SEXUALES COMETIDOS EN CONTRA DE PERSONAS MENORES DE EDAD. LA APLICACIÓN DE LA LEY GENERAL DE LOS DERECHOS DE NIÑAS, NIÑOS Y ADOLESCENTES NO VULNERA EL PRINCIPIO DE NO RETROACTIVIDAD DE LA LEY.", interpretó el artículo 106, último párrafo, como una norma procedimental aplicable a todos los procedimientos jurisdiccionales, incluidos los penales, sin limitarse a la materia civil o administrativa, partiendo del principio "donde la ley no distingue, no es dable distinguir". Ello, para evitar interpretaciones restrictivas.

Lo anterior se armoniza con el principio de progresividad de los derechos humanos, reflejado en las reformas al Código Penal para la Ciudad de México que incorporaron la imprescriptibilidad de los delitos sexuales cometidos contra menores de edad, aplicable a cualquier delito que los afecte. En consecuencia, el artículo 106, último párrafo, de la Ley General de los Derechos de Niñas, Niños y Adolescentes, emitida con fundamento en el artículo 73, fracción XXIX-P, de la Constitución Política de los Estados Unidos Mexicanos, opera como una norma de orden público y de aplicación general, que impide declarar prescrita la acción penal en perjuicio de ese grupo vulnerable, asegurando la tutela efectiva de sus derechos y la sanción de los responsables, conforme a los principios de progresividad de los derechos humanos, pro persona y del interés superior de la niñez.

Registro digital: 2031425

DECLARACIÓN DE UN TESTIGO PROTEGIDO. SI EN SU DESAHOGO SE VIOLÓ EL PRINCIPIO DE INMEDIACIÓN, DEBE ORDENARSE LA REPOSICIÓN DEL PROCEDIMIENTO PARA QUE SE DESARROLLE UN NUEVO JUICIO ORAL, SIN QUE ELLO VULNERE SU DERECHO A RESGUARDAR SU IDENTIDAD Y SEGURIDAD.

Hechos: En la audiencia de juicio oral se desahogó la declaración de la víctima del delito en el área de testigos protegidos, mediante sistema de videoconferencia con la proyección en la sala de audiencias de una imagen distorsionada que impedía al Tribunal de Enjuiciamiento observar su persona y rostro.

Criterio jurídico: Este Tribunal Colegiado de Circuito determina que cuando en el desahogo de la declaración de un testigo protegido se vulnera el principio de inmediación, al carecer del componente consistente en la percepción directa y personal de los elementos probatorios que deben tener los Jueces, debe ordenarse la reposición del procedimiento para que se desarrolle un nuevo juicio oral, sin que lo anterior implique vulneración a su derecho de resguardar su identidad y seguridad.

Justificación: La Primera Sala de la Suprema Corte de Justicia de la Nación, al resolver el amparo directo en revisión 492/2017 definió los tres componentes del principio de inmediación establecido en el artículo 20, apartado A, fracción II, de la Constitución Política de los Estados Unidos Mexicanos y determinó que su vulneración constituye una violación procesal que amerita reponer el juicio oral, ante la falta de fiabilidad en la debida integración de la prueba.

No se desconoce que debe salvaguardarse el derecho de las víctimas y/o de los testigos que requieran medidas especiales de protección, de resguardar su identidad y seguridad, de conformidad con los artículos 12, fracción VIII, de la Ley General de Víctimas y 109, fracción XXVI, 366 y 367 del Código Nacional de Procedimientos Penales.

Sin embargo, tal obligación admite una excepción, pues debe ponderarse y aquilatarse de forma que no vulnere el derecho de defensa adecuada del acusado, ni los principios que rigen el sistema de justicia penal acusatorio, en el caso concreto, el de inmediación, en su componente de la percepción directa y personal que deben tener los Jueces sobre el desahogo de la prueba.

Cuando se vulnera el principio de inmediación en el desahogo de la declaración de un testigo protegido, debe ordenarse la reposición del procedimiento para que se desarrolle un nuevo juicio oral, con la precisión de que el Tribunal de Enjuiciamiento puede emplear las medidas necesarias durante la audiencia de juicio, a fin de salvaguardar el derecho de las víctimas y/o testigos protegidos o especiales, a que se garantice el resguardo de su identidad y seguridad, así como el de respetar el principio de inmediación en su componente de recepción directa y sin obstáculos de la prueba producida, esto es, que prevalezcan simultáneamente tanto el referido derecho de las víctimas y testigos especiales, como el respeto al principio de inmediación en todos sus componentes.

Registro digital: 2031421

ORDEN DE CATEO. SU EJECUCIÓN NO CONSTITUYE UN ACTO CONSUMADO DE MODO IRREPARABLE, POR LO QUE PROCEDE EL AMPARO INDIRECTO CONTRA SUS EFECTOS Y CONSECUENCIAS.

Hechos: Los Tribunales Colegiados de Circuito contendientes sustentaron criterios contradictorios al analizar si procede el amparo indirecto contra los efectos y consecuencias de la orden de cateo y su ejecución. Mientras que uno estimó que al haberse ejecutado la orden de cateo debía considerarse como acto consumado de forma irreparable, lo que actualiza la causa de improcedencia contenida en el artículo 61, fracción XVI, de la Ley de Amparo; el otro sostuvo que los efectos que genera la ejecución de la orden de cateo se proyectan en el tiempo, por lo que debe analizarse el fondo del asunto, de ahí que no se actualiza dicha causal de improcedencia.

Criterio jurídico: El Pleno Regional en Materias Penal y de Trabajo de la Región Centro-Sur, con residencia en la Ciudad de México, determina que la ejecución de una orden de cateo no constituye un acto consumado de modo irreparable, por lo que contra sus efectos y consecuencias procede el amparo indirecto.

Justificación: La ejecución de la orden de cateo constituye un acto de autoridad cuyos efectos y consecuencias tienen la capacidad de infringir derechos fundamentales de manera continua y persistente. Por tanto, no puede considerarse como un acto consumado de modo irreparable en términos del artículo 61, fracción XVI, de la Ley de Amparo.

Al reconocer la procedencia del amparo indirecto se constata el estricto apego de la orden de cateo y su ejecución a los requisitos de los artículos 16 de la Constitución Federal y 283 del Código Nacional de Procedimientos Penales. Asimismo, se permite la restitución efectiva de los derechos a la dignidad humana, a la seguridad jurídica, a la propiedad o a la posesión que el quejoso reclame como afectados por la ejecución de la orden de cateo.

Registro digital: 2031370

ORDEN DE APREHENSIÓN. PREVIAMENTE A ANALIZAR SI SE JUSTIFICA LA NECESIDAD DE CAUTELA PARA SU EMISIÓN, EL JUEZ DEBE VERIFICAR QUE SE CUMPLAN LOS REQUISITOS FORMALES Y DE FONDO.

Hechos: Una persona acusada del delito de violación promovió amparo indirecto contra la orden de aprehensión librada en su contra. El Juzgado de Distrito, sin analizar los requisitos formales y de fondo establecidos para su emisión, concedió el amparo al estimar que el Juez de Control no motivó exhaustivamente la necesidad de cautela advertida por el Ministerio Público pues, a su consideración, en este segmento de la resolución (necesidad de cautela) se limitó a enunciar los datos de prueba que tomó en consideración en otros apartados del fallo (hecho delictivo y presunta responsabilidad), sin abundar ni realizar el análisis lógico-jurídico respectivo. Contra esta determinación la parte tercero interesada interpuso recurso de revisión.

Criterio jurídico: Este Tribunal Colegiado de Circuito determina que para librar una orden de aprehensión (como medida excepcional de conducción al proceso), la persona juzgadora debe verificar, previo a analizar el tema de la necesidad de cautela, que se cumplan los requisitos formales y de fondo.

Justificación: El dictado de una orden de aprehensión constituye una misma resolución con independencia de que en ella se deba abordar tanto lo relativo al acreditamiento de los requisitos formales y de fondo, exigidos por los artículos 16 constitucional y 141, fracción III, del Código Nacional de Procedimientos Penales (atinentes al acreditamiento preliminar del hecho delictivo y la probable responsabilidad), así como lo referente a la justificación de la necesidad de cautela. Sin embargo, no es factible ocuparse solamente de este último tema sin verificar previamente la justificación de la medida de conducción. La persona juzgadora debe analizar, previo al tema de la necesidad de cautela, los requisitos formales y de fondo del asunto, esto es, que se cumpla con lo establecido constitucional y legalmente para su emisión, y no limitarse de manera exclusiva al estudio de la cautela, pues existe una prelación lógica en esos aspectos, que inicia por la justificación de la conducción al proceso y luego a la de la forma excepcional de hacerlo, ya que se trata de una misma resolución secuenciada en cuanto al orden en que deben ser analizados los aspectos (tópicos) que la conforman y la "cautela" como regla de justificación de la forma de conducción; no es lo primero sino el aspecto final necesario, pero sólo si previamente se reúnen los requisitos constitucionales y legales para justificar la necesidad de conducción a proceso en sí misma como orden de aprehensión. Por tanto, no es legal ni racionalmente correcto ocuparse únicamente de la cautela y no de los requisitos constitucionales previos.

Registro digital: 2031281

ORDEN DE APREHENSIÓN. LA VÍCTIMA DEL DELITO TIENE INTERÉS JURÍDICO PARA RECLAMAR EN AMPARO INDIRECTO LA OMISIÓN DE LA AUTORIDAD MINISTERIAL DE EJECUTARLA.

Hechos: El apoderado legal de una empresa promovió amparo indirecto contra la omisión de la autoridad ministerial de ejecutar la orden de aprehensión librada contra uno de sus exempleados por el delito de robo en una causa penal en la que tiene el carácter de ofendida. El Juzgado de Distrito desechó de plano la demanda, al estimar actualizada de manera manifiesta e indudable la causa de improcedencia relativa a la falta de interés jurídico. Contra esta determinación interpuso recurso de queja.

Criterio jurídico: Este Tribunal Colegiado de Circuito determina que la víctima del delito cuenta con interés jurídico para reclamar en amparo indirecto la omisión de la autoridad ministerial de ejecutar la orden de aprehensión librada contra el imputado.

Justificación: De los artículos 16, párrafo cuarto, 20, apartado C, fracciones I, II y VII, y 21, párrafos primero y segundo, de la Constitución Política de los Estados Unidos Mexicanos y 145 del Código Nacional de Procedimientos Penales, se advierte el interés jurídico de la víctima u ofendido del delito para reclamar en amparo indirecto la omisión de ejecutar la orden de aprehensión por parte del agente del Ministerio Público y de otras autoridades auxiliares encargadas de cumplimentarla. La ejecución de la orden de aprehensión y la vigilancia de que se realice corresponden a la autoridad ministerial y a la policía ministerial bajo su mando. La víctima u ofendido del delito cuenta con el derecho a: 1) ser informado del procedimiento penal; 2) que se desahoguen las diligencias correspondientes; y 3) impugnar las omisiones del Ministerio Público. Por tanto, procede el amparo indirecto contra la omisión de ejecutar la orden de aprehensión contra el imputado, pues su ejecución representa una diligencia tendente a poner al detenido a disposición del Juez de Control, para efecto de que el Ministerio Público solicite la celebración de la audiencia inicial a partir de la formulación de la imputación.

Registro digital: 2031268

RECURSO INNOMINADO PREVISTO EN EL ARTÍCULO 258 DEL CÓDIGO NACIONAL DE PROCEDIMIENTOS PENALES. POR REGLA GENERAL, LA OPORTUNIDAD DE SU INTERPOSICIÓN DEBE ANALIZARSE PREVIO A CONVOCAR A LA AUDIENCIA RESPECTIVA.

Hechos: En una carpeta de investigación, la víctima impugnó la determinación del Ministerio Público de no ejercer la acción penal mediante el recurso innominado previsto en el precepto mencionado. En la audiencia respectiva el Juez de Control decretó la extemporaneidad del recurso con base en el debate entre las partes. Contra esta determinación se promovió amparo indirecto. El Juzgado de Distrito lo negó al considerar correcto que la oportunidad del recurso se dilucidara con base en el debate entre las partes, porque así se observó el principio de contradicción.

Criterio jurídico: Este Tribunal Colegiado de Circuito determina que, por regla general, la oportunidad del recurso innominado previsto en el artículo 258 del Código Nacional de Procedimientos Penales, al ser un presupuesto procesal, debe analizarse por el Juez de Control de manera oficiosa antes de convocar a las partes a la audiencia relativa.

Justificación: El artículo mencionado no establece el momento procesal en el que la persona juzgadora debe verificar si los presupuestos procesales del recurso que regula se actualizan. Sin embargo, su interpretación lógica y funcional conduce a afirmar que dicho estudio debe realizarse antes de que las partes sean convocadas a la audiencia respectiva, la cual tiene como propósito decidir en definitiva la cuestión planteada. Esto es, si fue correcta la determinación del Ministerio Público sobre la abstención de investigar, el archivo temporal, la aplicación de un criterio de oportunidad o el no ejercicio de la acción penal. Ese estudio no podría realizarse ante la ausencia de los presupuestos procesales, lo cual presupone que este último tópico debe analizarse por el Juez de Control, por regla general, previo a dicha audiencia, para lo cual, de ser el caso, deberá recabar las constancias necesarias para ello. No tendría sentido que convocara a las partes a una audiencia que se tornaría estéril e innecesaria si en ella se declarara incompetente para conocer del recurso o lo declarara extemporáneo o improcedente.

Registro digital: 2031267

RECURSO INNOMINADO PREVISTO EN EL ARTÍCULO 258 DEL CÓDIGO NACIONAL DE PROCEDIMIENTOS PENALES. EL ANÁLISIS DE SUS PRESUPUESTOS PROCESALES NO ESTÁ SUJETO AL PRINCIPIO DE CONTRADICCIÓN.

Hechos: En una carpeta de investigación la víctima impugnó la determinación del Ministerio Público de no ejercer la acción penal mediante el recurso innominado previsto en el precepto mencionado. En la audiencia respectiva el Juez de Control decretó la extemporaneidad del recurso con base en el debate entre las partes. Contra esta determinación se promovió amparo indirecto. El Juzgado de Distrito lo negó al considerar correcto que la oportunidad del recurso se dilucidara con base en el debate entre las partes, porque así se observó el principio de contradicción.

Criterio jurídico: Este Tribunal Colegiado de Circuito determina que el análisis de los presupuestos procesales del recurso innominado previsto en el artículo 258 del Código Nacional de Procedimientos Penales no está sujeto al principio de contradicción.

Justificación: El principio de contradicción en el sistema penal acusatorio implica que toda afirmación, petición o pretensión formulada por una de las partes en el proceso debe comunicarse a la contraria para que pueda expresar su conformidad u oposición y sus razones, con el objeto de que influyan en la decisión judicial. Sin embargo, ello no debe llegar al extremo de que el examen de los presupuestos procesales de los medios de impugnación deba sujetarse al debate entre las partes, ya que de aquéllos depende su validez o procedencia.

Sostener lo contrario implicaría que pudieran desecharse recursos que conforme a la ley fueran procedentes o, peor aún, que se admitieran los que legalmente no lo sean, lo cual no sólo desvirtuaría el sistema impugnativo previsto en el Código Nacional de Procedimientos Penales, sino que podría incidir en que no se logren los objetivos que persigue dicho ordenamiento: esclarecer los hechos, proteger al inocente, procurar que el culpable no quede impune y que se repare el daño.

Tratándose del recurso innominado establecido en el artículo 258 referido, el principio de contradicción opera por lo que hace al fondo del asunto, esto es, a lo fundado o infundado del recurso, mas no al examen de los presupuestos procesales, habida cuenta que, por regla general, éstos deben examinarse de oficio y con todo cuidado por la autoridad jurisdiccional, previo a convocar a las partes a la audiencia respectiva.

Registro digital: 2031237

RECONOCIMIENTO DEL ACUSADO EN LA SALA DE AUDIENCIA DE JUICIO ORAL. REQUIERE DEL APORTE DE INFORMACIÓN OBJETIVA Y SUFICIENTE.

Hechos: En la sala de audiencia de juicio oral la víctima identificó al acusado debido a que lo había visto en otras audiencias del proceso y porque terceras personas le dijeron que él era responsable de los hechos. Esa declaración fue fundamental para sustentar la sentencia de condena.

Criterio jurídico: Este Tribunal Colegiado de Circuito determina que el señalamiento o imputación que un testigo realiza contra la persona acusada en la audiencia de juicio, requiere que aquél aporte información objetiva y suficiente para estimar que el reconocimiento es genuino.

Justificación: El diseño estructural de las salas en las que se llevan a cabo los juicios penales y se desarrollan las audiencias es un factor determinante para inducir el reconocimiento de la persona acusada. En gran parte de los casos, ésta se encuentra en un espacio físico comúnmente denominado "burbuja", ubicado frente a los testigos, y es señalada por las partes y el órgano jurisdiccional como persona "investigada", "imputada", "acusada" o "sentenciada". En ocasiones el propio órgano jurisdiccional o la Fiscalía, previamente a la declaración de un testigo, le refieren en dónde se ubica la persona acusada. Incluso, en algunos casos en que se debe recibir el testimonio en una sala distinta de la del juicio, el declarante tiene a la vista a la persona acusada por medio de videograbación y en ella se agrega la leyenda de "imputada" o "acusada".

Estos escenarios no son apropiados para realizar el reconocimiento de la persona acusada, porque el diseño de la sala y la dinámica de la audiencia parten de la identificación y participación de las partes, por lo que ninguna identificación sería libre de inducción. Por ello, no basta el simple señalamiento o imputación que un testigo realice en la audiencia de juicio, sino que requiere del aporte de información objetiva y suficiente que permita al órgano jurisdiccional llegar al convencimiento de que el reconocimiento es genuino y no consecuencia de la inducción derivada de la sala de audiencia.

Registro digital: 2031207

RECURSO INNOMINADO PREVISTO EN EL ARTÍCULO 258 DEL CÓDIGO NACIONAL DE PROCEDIMIENTOS PENALES. PROCEDE EN CONTRA DE LA ABSTENCIÓN, OMISIÓN O NO ADMISIÓN DE RECIBIR LA DENUNCIA O REALIZAR ACTOS DE INVESTIGACIÓN POR PARTE DEL MINISTERIO PÚBLICO.

Hechos: Una persona denunció ante el Ministerio Público hechos posiblemente constitutivos del delito de fraude genérico, ya sea consumado o en grado de tentativa. Sin ordenar diligencia alguna que le permitiera esclarecer los hechos, la representación social se abstuvo de realizar los actos de investigación, al considerar que la conducta puesta a su consideración no encuadraba en el tipo penal planteado. Tal determinación fue confirmada por el Juez de Control.

Criterio jurídico: Este Tribunal Colegiado determina que las determinaciones del Ministerio Público consistentes en la no admisión de la querella o denuncia, la abstención de iniciar actos de investigación o darle continuidad, el archivo temporal, la aplicación de un criterio de oportunidad y el no ejercicio de la acción penal, pueden ser impugnadas ante el Juez de control mediante el recurso innominado previsto por el artículo 258 del Código Nacional de Procedimientos Penales.

Justificación: Es así, porque el artículo 109, fracción XXI, del Código Nacional, establece que el derecho de la víctima u ofendido a impugnar las abstenciones o negligencias que cometa el Ministerio Público en el desempeño de sus funciones, debe hacerse valer en los términos previstos en el mismo código y en las demás disposiciones legales aplicables, de ahí que, el medio de defensa previsto en el artículo 258 sea el idóneo para impugnar las omisiones del Ministerio Público, como pueden ser la no admisión de la denuncia o querella, paralización o evasión de indagar, todo ello encuadra en su función como órgano encargado de investigar los hechos constitutivos de algún delito.

Registro digital: 2031138

CALIDAD DE VÍCTIMA EN LA CARPETA DE INVESTIGACIÓN. PARA DETERMINAR SI LA TIENE EL DENUNCIANTE, EL MINISTERIO PÚBLICO DEBE FUNDAMENTAR SU

ANÁLISIS EN LOS HECHOS DENUNCIADOS Y NO EN LA CLASIFICACIÓN JURÍDICA QUE AQUÉL HAYA SEÑALADO.

Hechos: Una persona acudió al Ministerio Público a denunciar a un servidor público por hechos probablemente constitutivos de delitos y solicitó que se le reconociera la calidad de víctima. El Ministerio Público determinó que no le correspondía ese carácter, al considerar que los hechos posiblemente constitutivos de delitos se cometieron en agravio de la sociedad, y hasta el momento no existían datos de prueba que acreditaran que el denunciante sufrió un daño o menoscabo en sus derechos. Inconforme, promovió juicio de amparo. El Juzgado de Distrito negó la protección constitucional.

Criterio jurídico: Este Tribunal Colegiado de Circuito considera que para determinar si el denunciante tiene el carácter de víctima en la carpeta de investigación, el Ministerio Público debe fundamentar su análisis en los hechos denunciados y no en la clasificación jurídica que aquél les haya otorgado.

Justificación: El artículo 21 de la Constitución Federal establece que el Ministerio Público es la autoridad facultada para investigar los delitos y ejercer la acción penal ante la autoridad judicial. En su calidad de órgano técnico tiene la obligación de realizar la investigación de manera inmediata, eficiente, exhaustiva, profesional e imparcial, libre de estereotipos y discriminación. Además, conforme al artículo 212 del Código Nacional de Procedimientos Penales debe explorar todas las líneas de investigación posibles para recabar datos que permitan esclarecer el hecho señalado por la ley como delito, así como identificar a la persona que lo cometió.

La obligación de agotar todas las líneas de investigación reviste especial relevancia, ya que es el Ministerio Público —y no el denunciante— quien ostenta la facultad de ejercer la acción penal y posee la capacidad técnico-jurídica para hacerlo, siendo además el único órgano competente para establecer una clasificación jurídica preliminar.

La calidad de víctima del delito se determina a partir de los hechos denunciados y no de la clasificación jurídica que el denunciante les atribuya, ya que corresponde al Ministerio Público establecer una clasificación jurídica preliminar al ejercer la acción penal. Incluso conforme al artículo 316, penúltimo párrafo, del mencionado código, el Juez de Control puede modificarla, siempre que no se alteren los hechos materia de la investigación. Por ello, resulta fundamental que tanto la investigación como la determinación del carácter de víctima se analicen con base en los hechos denunciados y no en la clasificación jurídica que el denunciante haya señalado.

Registro digital: 2029311

DATOS DE PRUEBA PRESENTADOS POR LA PERSONA IMPUTADA O SU DEFENSOR EN EL PLAZO CONSTITUCIONAL O SU AMPLIACIÓN. NO LES ES APLICABLE LA CARGA DE JUSTIFICAR SU PERTINENCIA.

Hechos: La defensa de la persona imputada ofreció diversos datos y medios de prueba, en términos del artículo 314 del Código Nacional de Procedimientos Penales, los cuales fueron desechados. En amparo indirecto se estimó que, en relación con un dato de prueba, fue correcto el desechamiento porque se omitió justificar su pertinencia.

Criterio jurídico: Este Tribunal Colegiado de Circuito determina que a los datos de prueba presentados por la persona imputada o su defensor en el plazo constitucional o su ampliación, no les es aplicable la carga de justificar su pertinencia.

Justificación: La Primera Sala de la Suprema Corte de Justicia de la Nación, al resolver el amparo en revisión 1070/2019, del que derivó la tesis aislada 1a. XX/2020 (10a.), estableció que conforme al artículo 314, segundo párrafo, del Código Nacional de Procedimientos Penales, como regla general, la persona imputada o su defensor podrán, durante el plazo constitucional o su ampliación, presentar los datos de prueba que consideren necesarios, y sólo en caso de delitos que ameriten prisión preventiva oficiosa u otra medida cautelar personal, podrá admitirse el desahogo de medios de prueba ofrecidos por aquéllos cuando, al inicio de la audiencia o su continuación, se justifique su pertinencia.
Conforme a esa regla general, la persona imputada o su defensor pueden presentar los datos de prueba que consideren necesarios sin mayor formalidad para su ofrecimiento y sin que pueda hacerse extensiva a éstos la carga impuesta en el referido precepto para los medios de prueba, consistente en justificar su pertinencia.
Dicha interpretación garantiza un efectivo acceso a la justicia y es acorde con el principio pro persona, pues permite que la imputada o su defensor presenten datos de prueba, sin imponerles un requisito que no está expresamente previsto.

Registro digital: 2029296

ORDEN DE APREHENSIÓN EN EL SISTEMA PENAL ACUSATORIO. EL CÓMPUTO DEL PLAZO DE QUINCE DÍAS PARA PROMOVER AMPARO INDIRECTO EN SU CONTRA, INICIA A PARTIR DEL DÍA SIGUIENTE AL EN QUE LA PERSONA QUEJOSA HAYA TENIDO CONOCIMIENTO DE AQUÉLLA O DE SU EJECUCIÓN, O AL EN QUE SE HAYA OSTENTADO SABEDORA DE SU EXISTENCIA.

Hechos: Una persona promovió amparo indirecto contra la orden de aprehensión girada en su contra en el proceso penal acusatorio; sin embargo, no lo hizo dentro del plazo genérico de quince días previsto en el artículo 17 de la Ley de Amparo, a pesar de que, bajo protesta de decir verdad, manifestó que tuvo conocimiento de su existencia por el dicho de sus vecinos, quienes le informaron que policías ministeriales se constituyeron en su domicilio con la finalidad de cumplimentarla.

Criterio jurídico: Este Tribunal Colegiado de Circuito determina que el cómputo del plazo de quince días para promover la demanda de amparo indirecto contra la orden de aprehensión en el sistema penal acusatorio y oral, inicia a partir del día siguiente al en que la persona quejosa haya tenido conocimiento de aquélla o de su ejecución, por cualquier medio, o al en que se haya ostentado sabedora de su existencia, sin necesidad de que hubiere tenido conocimiento completo o integral de su contenido.

Justificación: De la tesis de jurisprudencia P./J. 115/2010, del Pleno de la Suprema Corte de Justicia de la Nación, se advierte que, por regla general, el plazo para promover amparo debe computarse a partir del día siguiente al en que la persona quejosa tenga conocimiento completo del acto reclamado; sin embargo, ese criterio encuentra una salvedad tratándose de una orden de aprehensión emitida dentro de un procedimiento seguido bajo las reglas del sistema penal acusatorio y oral, pues dada su naturaleza y la fase en que se emite, destaca la necesidad de su sigilo, ya que los datos recabados por el Ministerio Público deben mantenerse en reserva, para que no se ponga en peligro el éxito de la investigación; aunado a que se traduce en una forma excepcional de conducción al proceso de la persona imputada, donde se han descartado la citación u orden de comparecencia. Situación que justifica y torna indispensable darle un trato distinto con respecto al criterio general sostenido por el Alto Tribunal, con el objeto de dar operatividad a los artículos 17 y 18 de la Ley de Amparo, y evitar el uso indefinido e indiscriminado de la acción de control constitucional que puede derivar en perjuicio de las personas víctimas u ofendidas o de la sociedad en general, a la luz de los principios de seguridad y certeza jurídicas. Ello, en la medida en que el espacio temporal previsto en el artículo 17 citado tiene como propósito que no se menoscaben los derechos fundamentales de otras personas, particularmente el de seguridad jurídica, de modo que se requiere armonizar el inicio del plazo para reclamar actos como el que nos ocupa, con el derecho de los terceros —incluida la sociedad en general— que están en espera de la certidumbre que les brinda la firmeza de la decisión de la autoridad, pues en estos casos el acceso a la justicia y la seguridad jurídica constituyen derechos de un mismo rango que, por la independencia que les caracteriza, exigen de un necesario equilibrio, en aras de obtener su respeto integral con el menor sacrificio posible de su tutela.

Sin que esta circunstancia implique vulnerar las defensas de la persona quejosa, pues en este caso es viable la suplencia de la queja deficiente en términos del artículo 79, fracción III, inciso a), de la Ley de Amparo, de modo que basta con que se presente la demanda, sin mayor asesoría y sin necesidad de formular conceptos de violación, para que el órgano de amparo examine oficiosamente la legalidad de la orden de aprehensión; aunado a que en el trámite del proceso constitucional puede ampliarse la demanda respecto de los conceptos de violación, al tenor de la fracción II del artículo 111 de la propia ley, una vez que sean notificados los informes justificados y se conozca plenamente el acto reclamado; a lo que se suma que la manifestación de la quejosa con respecto a la fecha en que tuvo conocimiento del acto reclamado, constituye una confesión que hace prueba plena.

Registro digital: 2029263

AUTO DE VINCULACIÓN A PROCESO. AL RECLAMARSE EN EL JUICIO DE AMPARO INDIRECTO, EL JUEZ DE DISTRITO SÓLO DEBE CONSTATAR SU LEGALIDAD Y CONSTITUCIONALIDAD, SIN PONDERAR LOS DATOS DE PRUEBA QUE PERMITIERON SU DICTADO PUES, DE ACUERDO CON LOS PRINCIPIOS DE CONTRADICCIÓN E INMEDIACIÓN, ELLO CORRESPONDE AL JUEZ DE CONTROL.

Hechos: Una persona promovió amparo indirecto contra el auto de vinculación a proceso dictado en su contra; como se negó la protección constitucional, interpuso recurso de revisión, en el que alegó que el Juez de Distrito no realizó un ejercicio de ponderación probatoria respecto de los datos de prueba incorporados en la carpeta de investigación.

Criterio jurídico: Este Tribunal Colegiado de Circuito determina que al reclamarse en amparo indirecto el auto de vinculación a proceso, el Juez de Distrito sólo debe constatar su legalidad y constitucionalidad, sin ponderar los datos de prueba que permitieron su dictado pues, de acuerdo con los principios de contradicción e inmediación, ello corresponde al Juez de Control.

Justificación: La Primera Sala de la Suprema Corte de Justicia de la Nación, al resolver la contradicción de tesis 87/2016, de la que derivó la tesis de jurisprudencia 1a./J. 35/2017 (10a.), estableció que para la emisión del auto de vinculación a proceso no se exige la comprobación del cuerpo del delito ni la justificación de la probable responsabilidad, sino que basta con que el Juez de Control encuadre la conducta a la norma penal, que permita identificar, con independencia de la metodología que adopte, el tipo penal aplicable, a fin de fijar la materia de la investigación complementaria y el eventual juicio; luego, si "la oralidad" constituye el instrumento que permite que se materialicen durante el desarrollo del procedimiento, entre otros, los principios de contradicción e inmediación, es incuestionable que los juzgadores deben dirimir verbalmente los conflictos que les sean planteados por los intervinientes, al exponer en la audiencia respectiva, fundada y motivadamente, el sentido de sus resoluciones, en cumplimiento al artículo 16 de la Constitución Política de los Estados Unidos Mexicanos, mediante la videograbación en la que se registra el desarrollo de la audiencia en la que se dictó el auto aludido; de ahí que si éste se reclama en el juicio de amparo indirecto, habrá de analizarse en sede constitucional la determinación emitida oralmente; por consiguiente, el ejercicio de ponderación corresponde llevarlo a cabo al Juez de Control, al tener contacto directo con el dato de prueba idóneo y pertinente para establecer razonablemente la existencia de un hecho delictivo y la probable participación del imputado, bajo el método de la libre apreciación, no así al órgano de control constitucional, toda vez que el juicio de amparo se circunscribe al análisis de la legalidad y consecuente constitucionalidad del acto reclamado.

Registro digital: 2029241

DOCUMENTOS COMO EVIDENCIA MATERIAL EN EL SISTEMA PENAL ACUSATORIO. SU VALORACIÓN POR EL TRIBUNAL DE ENJUICIAMIENTO SIN QUE SE HAYAN INCORPORADO AL DEBATE EN EL JUICIO ES ILEGAL.

Hechos: En la audiencia intermedia se ofreció y admitió como medio de prueba la entrevista realizada a una persona que falleció durante el proceso penal, así como el acta de defunción correspondiente; elementos que debían incorporarse por el policía ministerial que recabó ese registro de investigación. Durante el juicio oral el Ministerio Público desistió del testimonio del policía y leyó de manera directa el dato relativo a la entrevista, sin efectuar la incorporación de dicha acta. En el fallo condenatorio se otorgó valor probatorio a la lectura de la entrevista, bajo el argumento de que se demostró el fallecimiento del testigo con el acta de defunción admitida en el auto de apertura a juicio oral.

Criterio jurídico: Este Tribunal Colegiado de Circuito determina que la valoración por el Tribunal de Enjuiciamiento de documentos como evidencia material en el sistema penal acusatorio, sin que se hayan incorporado al debate en el juicio es ilegal.

Justificación: El sistema penal acusatorio se rige por los principios de inmediación y contradicción, además de ser de corte acusatorio y oral, lo que implica que es a las partes a quienes corresponde producir el debate ante el Tribunal de Enjuiciamiento con la finalidad de crear convicción en éste sobre los temas materia de controversia. El artículo 383, primer párrafo, del Código Nacional de Procedimientos Penales establece que los documentos, objetos y otros elementos de convicción, previamente a su incorporación a juicio, deben exhibirse al imputado, a los testigos o intérpretes y a los peritos, para que los reconozcan o informen sobre ellos; de lo que se obtiene que un documento que se admitió en el auto de apertura a juicio oral, no puede valorarse directamente por el Tribunal de Enjuiciamiento, sino que tiene que incorporarse al debate mediante la persona que lo produjo o recabó, es decir, no es suficiente que haya sido admitido por la persona juzgadora de Control, sino que debe desahogarse en el juicio a través de su incorporación.

Registro digital: 2029262

SUSTRACCIÓN A LA ACCIÓN DE LA JUSTICIA. NO ES NECESARIO QUE PREVIO A SU DECLARATORIA SE FORMULE LA IMPUTACIÓN (ARTÍCULO 141, PÁRRAFO CUARTO, DEL CÓDIGO NACIONAL DE PROCEDIMIENTOS PENALES).

Hechos: Los Tribunales Colegiados de Circuito contendientes sustentaron criterios contradictorios al analizar si para declarar al imputado sustraído de la acción de la justicia, conforme al párrafo cuarto del artículo 141 del Código Nacional de Procedimientos Penales, es necesario que previamente se le haya formulado la imputación. Mientras que uno consideró que no es necesario que previamente se haya celebrado audiencia inicial y formulado la imputación, ya que puede ocurrir en la fase de investigación inicial o en una citación judicial como forma de conducción a la audiencia inicial; el otro estimó que es necesario que el imputado esté sometido al proceso, es decir, que se haya presentado a la audiencia inicial de formulación de la imputación.

Criterio jurídico: El Pleno Regional en Materias Penal y de Trabajo de la Región Centro-Norte, con residencia en la Ciudad de México, determina que para que la autoridad judicial declare sustraído de la acción de la justicia a cierta persona no es necesario que previamente se le haya formulado imputación.

Justificación: De la interpretación sistemática de los artículos 62, 90, 141, párrafo cuarto, 142, 143, y 145, del Código Nacional de Procedimientos Penales, y acorde con lo desarrollado por la Suprema Corte de Justicia de la Nación respecto de la orden de aprehensión prevista en el párrafo tercero del artículo 16 de la Constitución Política de los Estados Unidos Mexicanos, para declarar sustraído de la acción de la justicia a cierta persona no es necesario que previamente se le haya formulado imputación.

En caso de acreditarse una injustificada inasistencia a una citación judicial, el Ministerio Público deberá solicitar la comparecencia del imputado y de no haber acudido, solicitar el libramiento de una orden de aprehensión.

Por otra parte, si el párrafo cuarto del citado artículo 141 incluye como causa de aprehensión no haber comparecido a una "citación judicial", y su fracción I prevé la orden judicial de "citatorio al imputado para la audiencia inicial", ello pone de manifiesto que puede haber supuestos de incumplimiento a una citación judicial antes de la audiencia inicial.

Que el imputado se fugue del lugar donde está detenido puede configurarse previo a que tenga cualquier contacto con la autoridad judicial, esto es, en investigación inicial cuando es detenido en flagrancia. Respecto a que se ausente del domicilio sin avisar y tenga la obligación de informarlo, puede ocurrir en una detención en flagrancia en la que se otorgue la libertad durante la investigación y se le imponga la obligación de no ausentarse o cambiar de domicilio, informarlo a la autoridad, o bien, comparecer cuantas veces sea citado para la práctica de diligencias de investigación.

En cualquiera de esos escenarios la autoridad ministerial podrá solicitar una orden de aprehensión contra el imputado por haberse sustraído de la acción de la justicia. Ello demuestra que esos supuestos no necesariamente ocurren una vez que el fiscal tuvo éxito en llevar la investigación a la fase complementaria, sino también en la de investigación inicial.

Registro digital: 2029222

SENTENCIA ESCRITA EN MATERIA PENAL. NO PUEDE INCORPORAR ELEMENTOS DE JUICIO QUE EL TRIBUNAL DE ENJUICIAMIENTO NO MENCIONÓ AL DICTAR EL FALLO EN LA AUDIENCIA ORAL.

Hechos: En la audiencia de juicio oral, el Tribunal de Enjuiciamiento afirmó que los hechos imputados al sentenciado se acreditaron con los medios de prueba que se desahogaron en esa diligencia, y respecto a la valoración probatoria "se abundaría en la sentencia respectiva", es decir, se haría en la sentencia escrita que se emitiría con posterioridad; además, en esta última valoró un elemento de juicio no referido explícitamente en el respectivo fallo oral.

Criterio jurídico: Este Tribunal Colegiado de Circuito determina que la sentencia escrita no puede incorporar elementos de juicio que el Tribunal de Enjuiciamiento no mencionó al dictar el fallo en la audiencia oral.

Justificación: De conformidad con el primer párrafo del artículo 20 de la Constitución Política de los Estados Unidos Mexicanos, el principio de oralidad constituye una característica fundamental del sistema de justicia penal acusatorio, lo que se refleja en el contenido de las audiencias orales, para generar mayor transparencia en el proceso, lo cual es acorde con el diverso principio de inmediación. Los artículos

67, 400, 401, 403 y 404 del Código Nacional de Procedimientos Penales prevén que si bien las resoluciones se emitirán oralmente, también deben constar por escrito con posterioridad; sin embargo, el primero de los preceptos citados restringe en su penúltimo párrafo dicha facultad al disponer: "En ningún caso, la resolución escrita deberá exceder el alcance de la emitida oralmente", lo cual es acorde con el principio de inmediatez, que se refleja en el plazo dispuesto para dictar la sentencia escrita con posterioridad al fallo verbal, y la forma en que surtirá efectos. No obsta a lo anterior que en el propio código también se establezca que la motivación que sustenta el fallo debe ser sucinta, pues no debe llegar al extremo de que el fallo verbal sea incompleto o inexacto y que, con posterioridad, en la versión escrita se permita subsanar dichas omisiones, lo que generaría que el fallo dependa de los términos de la decisión escrita, y la finalidad del sistema de justicia oral es la contraria, esto es, que el contenido del fallo escrito se sustente en las bases de apreciación expuestas en la audiencia de juicio oral. De ahí que si el Tribunal de Enjuiciamiento, al dictar la sentencia oral, enuncia que alguna decisión o motivación se reflejará cuando se emita la escrita e incorpora en ésta elementos de juicio que omitió mencionar en aquélla, el tribunal de apelación debe considerarla ilegal.

Registro digital: 2028998

TESTIMONIO DE OÍDAS. ES UNA FORMA ESPECÍFICA DE PRUEBA DE REFERENCIA POR LO QUE, POR REGLA GENERAL, NO ES SUSCEPTIBLE DE SER VALORADO EN EL DICTADO DE LA SENTENCIA.

Hechos: Dos personas condenadas por el delito de privación de la libertad en su modalidad de secuestro exprés agravado promovieron amparo contra la sentencia definitiva. Reclamaron que se les condenó con base en "testimonios de oídas", ya que las víctimas no comparecieron a la audiencia de juicio y sus declaraciones se incorporaron mediante las testimoniales de los elementos aprehensores que refirieron haberlas entrevistado. El Tribunal Colegiado de Circuito negó el amparo, pues consideró que, dado que el sistema penal acusatorio se rige por un sistema de valoración de las pruebas libre y lógica, lo trascendente son las razones objetivas que se plasmen respecto del valor probatorio que se les confiera. Los sentenciados recurrieron dicha determinación.

Criterio jurídico: El testimonio de oídas es una forma específica de prueba de referencia, por lo que, por regla general, no constituye prueba válida susceptible de ser valorada en el dictado de la sentencia, pues contraviene los principios de inmediación y contradicción.

Justificación: Por testimonio de oídas se entiende la declaración de un testigo que dice haber percibido una comunicación de un tercero, con la cual se pretende acreditar que lo comunicado por el tercero es cierto. El testimonio de oídas es una forma específica de prueba de referencia, la cual se entiende como toda declaración (escrita, oral, corporal o de cualquier otra índole) realizada fuera de juicio oral, que se introduce a juicio oral con el propósito de demostrar la veracidad de su contenido. No es testimonio de oídas ni prueba de referencia la referencia al dicho de otra persona cuando sólo pretende demostrarse la existencia de la comunicación, con independencia de la veracidad de lo dicho. Por ejemplo, cuando se utiliza para impugnar la credibilidad de un testigo o porque la existencia de la comunicación constituye un elemento del tipo, o en cualquier otro contexto en el que la existencia de la declaración sea relevante para la demostración de los hechos materia de la acusación, siempre y cuando quien da cuenta de la comunicación tenga conocimiento directo de ésta. Un mismo testigo puede ser directo sobre algunas cuestiones (que dice conocer por haberlas percibido con sus propios sentidos) y de oídas respecto de otras (que dice conocer porque alguien más se lo dijo). Por tal motivo, la distinción no siempre puede establecerse con base en la persona que rinde el testimonio, sino de las manifestaciones que pretenda introducir y la forma en la que dice haber adquirido conocimiento de ellas. En el sistema penal adversarial, los principios de inmediación y contradicción regulan el modo en que debe formarse e incorporarse la prueba a fin de garantizar que los hechos no se demuestren a cualquier costo y por cualquier medio, sino sólo a través de las pruebas obtenidas con pleno respeto a los derechos fundamentales y principios que rigen al proceso penal. Conforme al párrafo primero y las fracciones II, III y IV del apartado A del artículo 20 constitucional, el testimonio de oídas no constituye prueba válida para soportar una sentencia penal, pues no se desahoga por el sujeto de prueba de manera oral, personal y directa ante el Tribunal de Enjuiciamiento ni es sometida al escrutinio de un ejercicio contradictorio.

Registro digital: 160184

SISTEMA PROCESAL PENAL ACUSATORIO Y ORAL. SE SUSTENTA EN EL PRINCIPIO DE CONTRADICCIÓN.

Del primer párrafo del artículo 20 de la Constitución Política de los Estados Unidos Mexicanos, reformado mediante Decreto publicado en el Diario Oficial de la Federación el 18 de junio de 2008, se advierte que el sistema procesal penal acusatorio y oral se sustenta en el principio de contradicción que contiene, en favor de las partes, el derecho a tener acceso directo a todos los datos que obran en el legajo o carpeta de la investigación llevada por el Ministerio Público (exceptuando los expresamente establecidos en la ley) y a los ofrecidos por el imputado y su defensor para controvertirlos; participar en la audiencia pública en que se incorporen y desahoguen, presentando, en su caso, versiones opuestas e interpretaciones de los resultados de dichas diligencias; y, controvertirlos, o bien, hacer las aclaraciones que estimen pertinentes, de manera que tanto el Ministerio Público como el imputado y su defensor, puedan participar activamente inclusive en el examen directo de las demás partes intervinientes en el proceso tales como peritos o testigos. Por ello, la presentación de los argumentos y contraargumentos de las partes procesales y de los datos en que sustenten sus respectivas teorías del caso (vinculación o no del imputado a proceso), debe ser inmediata, es decir, en la propia audiencia, a fin de someterlos al análisis directo de su contraparte, con el objeto de realzar y sostener el choque adversarial de las pruebas y tener la misma oportunidad de persuadir al juzgador; de tal suerte que ninguno de ellos tendrá mayores prerrogativas en su desahogo.

Registro digital: 2018012

PRINCIPIO DE INMEDIACIÓN COMO REGLA PROCESAL. REQUIERE LA NECESARIA PRESENCIA DEL JUEZ EN EL DESARROLLO DE LA AUDIENCIA.

En el procedimiento penal acusatorio, adversarial y oral, el mecanismo institucional que permite a los jueces emitir sus decisiones es la realización de una audiencia, en la cual las partes —cara a cara— presentan verbalmente sus argumentos, la evidencia que apoya su posición y cuentan, además, con la oportunidad de controvertir oralmente las afirmaciones de su contraparte. Acorde con esa lógica operativa, el artículo 20, apartado A, fracción II, de la Constitución Política de los Estados Unidos Mexicanos en vigor, dispone que "toda audiencia se desarrollará en presencia del juez", lo que implica que el principio de inmediación en esta vertiente busca como objetivos: garantizar la corrección formal del proceso y velar por el debido respeto de los derechos de las partes, al asegurar la presencia del juez en las actuaciones judiciales, así como evitar una de las prácticas más comunes que llevaron al agotamiento del procedimiento penal tradicional, en el que la mayoría de las audiencias no se dirigían por un juez, sino que su realización se delegó al secretario del juzgado y, en esa misma proporción, también se delegaron el desahogo y la valoración de las pruebas.

Registro digital: 2005716

DERECHO AL DEBIDO PROCESO. SU CONTENIDO.

Dentro de las garantías del debido proceso existe un "núcleo duro", que debe observarse inexcusablemente en todo procedimiento jurisdiccional, y otro de garantías que son aplicables en los procesos que impliquen un ejercicio de la potestad punitiva del Estado. Así, en cuanto al "núcleo duro", las garantías del debido proceso que aplican a cualquier procedimiento de naturaleza jurisdiccional son las que esta Suprema Corte de Justicia de la Nación ha identificado como formalidades esenciales del procedimiento, cuyo conjunto integra la "garantía de audiencia", las cuales permiten que los gobernados ejerzan sus defensas antes de que las autoridades modifiquen su esfera jurídica definitivamente. Al respecto, el Tribunal en Pleno de esta Suprema Corte de Justicia de la Nación, en la jurisprudencia P./J. 47/95, publicada en el Semanario Judicial de la Federación y su Gaceta, Novena Época, Tomo II, diciembre de 1995, página 133, de rubro: "FORMALIDADES ESENCIALES DEL PROCEDIMIENTO. SON LAS QUE GARANTIZAN UNA ADECUADA Y OPORTUNA DEFENSA PREVIA AL ACTO PRIVATIVO.", sostuvo que las formalidades esenciales del procedimiento son: (i) la notificación del inicio del procedimiento; (ii) la oportunidad de ofrecer y desahogar las pruebas en que se finque la defensa; (iii) la oportunidad de alegar; y, (iv) una resolución que dirima las cuestiones debatidas y cuya impugnación ha sido considerada por esta Primera Sala como parte de esta formalidad. Ahora bien, el otro núcleo es identificado comúnmente con el elenco de garantías mínimo que debe tener toda persona cuya esfera jurídica pretenda modificarse mediante la actividad punitiva del Estado, como ocurre, por ejemplo, con el derecho penal, migratorio, fiscal o administrativo, en donde se exigirá que se hagan compatibles las garantías con la materia específica del asunto. Por tanto, dentro de esta categoría de garantías del debido proceso, se identifican dos especies: la primera, que corresponde a todas las personas independientemente de su condición, nacionalidad, género, edad, etcétera, dentro de las que están, por ejemplo, el derecho a contar con un abogado, a no declarar contra sí mismo o a conocer la causa del procedimiento sancionatorio; y la segunda, que es la combinación del elenco mínimo de garantías con el derecho de igualdad ante la ley, y que protege a aquellas personas que pueden encontrarse en una situación de desventaja frente al ordenamiento jurídico, por pertenecer a algún grupo vulnerable, por ejemplo, el derecho a la notificación y asistencia consular, el derecho a contar con un traductor o intérprete, el derecho de las niñas y los niños a que su detención sea notificada a quienes ejerzan su patria potestad y tutela, entre otras de igual naturaleza.

Registro digital: 2012336

DERECHO DEL INCULPADO A SER JUZGADO EN UN PLAZO RAZONABLE. PARA DETERMINAR SI EXISTE VIOLACIÓN A ESTA PRERROGATIVA, PREVISTA EN EL ARTÍCULO 20, APARTADO B, FRACCIÓN VII, DE LA CONSTITUCIÓN FEDERAL, ES NECESARIO ACUDIR A LA FIGURA DEL "PLAZO RAZONABLE", ESTABLECIDA EN EL SISTEMA INTERAMERICANO DE DERECHOS HUMANOS Y ANALIZAR CADA CASO CONCRETO.

Para determinar si existe violación al precepto mencionado y, por ende, a la prerrogativa del inculpado de ser juzgado en un plazo razonable, es necesario acudir a la figura del "plazo razonable" establecida en el derecho internacional de los derechos humanos, en específico, al contenido de ese tema en el sistema interamericano de derechos humanos, aun cuando el referido artículo constitucional disponga que debe ser antes de cuatro meses —tratándose de delitos cuya pena máxima no exceda de dos años de prisión— y antes de un año —si la pena excediere de ese tiempo—. Lo anterior, toda vez que la Corte Interamericana de Derechos Humanos ha considerado que no siempre es posible para las autoridades judiciales cumplir con los plazos legalmente establecidos y, por tanto, ciertos retrasos justificados pueden ser válidos para resolver de mejor forma el caso; por lo que si lo que resulta improcedente o incompatible con las previsiones de la Convención Americana sobre Derechos Humanos, es que se produzcan dilaciones indebidas o arbitrarias, procede que, en cada caso en concreto, se analice si hay motivos que justifiquen la dilación o si, por el contrario, se trata de un retraso indebido o arbitrario.

Registro digital: 2021097

DEFENSA ADECUADA EN SU VERTIENTE MATERIAL. DIRECTRICES A SEGUIR PARA EVALUAR SI ESTE DERECHO HA SIDO VIOLADO.

En virtud de que el órgano jurisdiccional durante el procedimiento penal se encuentra obligado a cerciorarse de que el derecho a gozar de una defensa adecuada no se torne ilusorio a través de una asistencia jurídica inadecuada, es procedente que los juzgadores evalúen la defensa proporcionada por el abogado. Por lo anterior, esta Primera Sala de la Suprema Corte de Justicia de la Nación considera que para determinar si el citado derecho en su vertiente material fue violado, dado que no toda deficiencia o error en la conducción de la defensa implica dicha vulneración, el juzgador debe seguir las siguientes directrices: a) analizar que las supuestas deficiencias sean ajenas a la voluntad del imputado y corresponden a la incompetencia o negligencia del defensor y no a una intención del inculpado de entorpecer o evadir indebidamente el proceso; b) evaluar que las fallas de la defensa no sean consecuencia de la estrategia defensiva del abogado, valorando las cuestiones de hecho más que de fondo para enfocarse principalmente en la actitud del abogado frente al proceso penal; y, c) valorar si la falta de defensa afectó en el sentido del fallo en detrimento del inculpado tomando en consideración caso por caso al apreciar el juicio en su conjunto. Ahora bien, si después de realizar esta tarea evaluativa el Juez determina que alguna de las citadas fallas resultó en la vulneración del derecho del imputado a contar con una defensa adecuada en su vertiente material, tendrá la obligación de informarle tal circunstancia con la finalidad de otorgarle la posibilidad de decidir si desea cambiar de abogado, ya sea que él nombre a uno particular, se le asigne uno de oficio, o continuar con su mismo defensor; si éste opta por cambiar de abogado, el Juez deberá otorgar tiempo suficiente para preparar nuevamente su defensa y poder subsanar las fallas o deficiencias de la defensa anterior. Por otro lado, si decide mantener a su defensor particular, el Juez nombrará un defensor público para que colabore en la defensa y pueda evitarse que se vulneren sus derechos.

Registro digital: 2008181

VÍCTIMA. ALCANCE DEL CONCEPTO PREVISTO EN EL ARTÍCULO 4 DE LA LEY GENERAL DE VÍCTIMAS.

Conforme al artículo 4, primer párrafo, de la Ley General de Víctimas, se denominan "víctimas directas" aquellas personas físicas que hayan sufrido algún daño o menoscabo económico, físico, mental, emocional o, en general, cualquier puesta en peligro o lesión a sus bienes jurídicos o derechos como consecuencia de la comisión de un delito o de violaciones a sus derechos humanos reconocidos en la Constitución Política de los Estados Unidos Mexicanos y en los tratados internacionales de los que el Estado Mexicano sea parte. Así, de una interpretación sistemática de dicho precepto se colige que existen dos connotaciones del carácter señalado: una que surge de un acto delictivo y otra que se produce con la violación a uno o más derechos humanos. Por tanto, toda persona a la que se le concede el amparo y protección de la Justicia Federal adquiere la calidad de víctima directa, para efectos de la ley mencionada, al haberse demostrado la violación a sus derechos humanos.

Registro digital: 2011486

REPARACIÓN DEL DAÑO DERIVADA DEL DELITO. SE RIGE POR LOS PRINCIPIOS CONSTITUCIONALES DE INDEMNIZACIÓN JUSTA E INTEGRAL.

Toda indemnización correspondiente a la reparación del daño debe ser justa e integral. Tal alcance cobra mayor relevancia cuando se trata de reparar los daños y perjuicios que ha sufrido la víctima del delito, en tanto que el derecho a la reparación se encuentra previsto expresamente en la Constitución General y tomando en consideración que el hecho ilícito que da lugar a la reparación constituye un delito y no un simple evento dañoso. Así, el derecho fundamental de las víctimas a ser resarcidas por los daños derivados de un delito, contenido en el artículo 20 de la Constitución General, debe interpretarse como el derecho de la víctima del delito a una indemnización "justa". Esto es, proporcional a la gravedad de las violaciones y al daño sufrido, atendiendo a las directrices y principios que han establecido los organismos internacionales en la materia.

Registro digital: 2011533

REPARACIÓN DEL DAÑO EN MATERIA PENAL. PARA SU CUANTIFICACIÓN, EL JUEZ DEBE VALORAR LOS DAÑOS PRESENTES, ASÍ COMO LAS CONSECUENCIAS FUTURAS.

Tanto los daños patrimoniales como los morales, tienen dos tipos de proyecciones: presentes y futuras. Se considera que el daño es actual cuando éste se encuentra ya producido al momento de dictarse sentencia. Este daño comprende todas las pérdidas efectivamente sufridas. Por su parte, el daño futuro es aquel que todavía no se ha producido al dictarse sentencia, pero se presenta como una previsible prolongación o agravación de un daño actual, o como un nuevo menoscabo futuro, derivado de una situación del hecho actual. Para que los daños futuros puedan dar lugar a una reparación, la probabilidad de que el beneficio ocurriera debe ser real y seria, y no una mera ilusión o conjetura del damnificado. Así pues, para determinar el alcance real de la reparación del daño derivado del delito, el juez debe valorar no sólo las afectaciones actuales, sino también las consecuencias futuras.

Registro digital: 2021167

DERECHO DE LA VÍCTIMA U OFENDIDO A SER INFORMADO POR EL MINISTERIO PÚBLICO DEL DESARROLLO DEL PROCEDIMIENTO PENAL ACUSATORIO. CUANDO LO SOLICITE RESPECTO DE LA RECOLECCIÓN DE INDICIOS O DATOS DE PRUEBA EN LA ETAPA INICIAL, A FIN DE SATISFACER LOS REQUISITOS DE FUNDAMENTACIÓN Y MOTIVACIÓN, LA RESPUESTA NO SE AGOTA SI NO SE PRECISAN, POR LO MENOS, LAS LÍNEAS DE INVESTIGACIÓN QUE JUSTIFIQUEN LA NECESIDAD DE ORDENAR DILIGENCIAS PERTINENTES Y ÚTILES.

El artículo 109, fracción V, del Código Nacional de Procedimientos Penales establece que la víctima u ofendido tiene derecho a ser informado, cuando así lo solicite, del desarrollo del procedimiento penal, entre otros, por el Ministerio Público. Por otro lado, si bien es cierto que la etapa de investigación inicial tiene por objeto que la representación social reúna los indicios necesarios para el esclarecimiento de los hechos y, en su caso, los datos de prueba para sustentar el ejercicio de la acción penal; además, en términos del artículo 131, fracción V, del citado código, el Ministerio Público tiene la obligación de ordenar la recolección de indicios y medios de prueba que deberán servir para sus respectivas resoluciones; también lo es que conforme al artículo 212 de la referida legislación, existe el deber de investigación penal, lo que implica que la indagatoria deberá realizarse de manera inmediata, eficiente, exhaustiva, profesional e imparcial, libre de estereotipos y discriminación, pero orientada a explorar todas las líneas de investigación posibles que permitan allegarse de datos para el esclarecimiento del hecho que la ley señala como delito, así como la identificación de quien lo cometió o participó en él. Por consiguiente, cuando la víctima u ofendido solicite información respecto de la recolección de indicios o datos de prueba ordenados por el Ministerio Público en la referida fase inicial, a fin de satisfacer los requisitos de fundamentación y motivación previstos en el artículo 16 de la Constitución Política de los Estados Unidos Mexicanos, la respuesta no se agota si no se precisan, por lo menos, las líneas de investigación que justifiquen la necesidad de ordenar diligencias pertinentes y útiles para demostrar los tópicos aludidos; lo anterior, pues al constituir un derecho para la víctima u ofendido el que esté informado del desarrollo del procedimiento penal, el Ministerio Público queda conminado a precisar la estrategia de persecución penal que amerita el caso particular, esto es, la metodología de priorización, ya que su función es la conducción de la investigación y la decisión sobre el ejercicio de la acción penal; por tanto, sus actuaciones deben guiarse por los principios relativos al deber de lealtad y el de objetividad.

Registro digital: 2013214

PRESUNCIÓN DE INOCENCIA COMO REGLA DE TRATO EN SU VERTIENTE EXTRAPROCESAL. ELEMENTOS A PONDERAR PARA DETERMINAR SI LA EXPOSICIÓN DE DETENIDOS ANTE MEDIOS DE COMUNICACIÓN PERMITE CUESTIONAR LA FIABILIDAD DEL MATERIAL PROBATORIO.

La sola exhibición de personas imputadas en los medios de comunicación representa una forma de maltrato que favorece el terreno de ilegalidad y que propicia otras violaciones a derechos humanos. Por tanto, estas acciones deben ser desalentadas con independencia de si ello influye en el dicho de quienes atestiguan contra el inculpado. Al respecto, pueden consultarse las tesis aisladas de la Primera Sala de la Suprema Corte de Justicia de la Nación: 1a. CLXXVI/2013 (10a.) y 1a. CLXXVIII/2013

(10a.), (1) de rubros: "PRESUNCIÓN DE INOCENCIA COMO REGLA DE TRATO EN SU VERTIENTE EXTRAPROCESAL. SU CONTENIDO Y CARACTERÍSTICAS." y "PRESUNCIÓN DE INOCENCIA Y DERECHO A LA INFORMACIÓN. SU RELACIÓN CON LA EXPOSICIÓN DE DETENIDOS ANTE LOS MEDIOS DE COMUNICACIÓN.". Ahora bien, cuando se plantea una violación en este sentido, la exposición mediática (y la información asociada a ella) tienen que ser suficientemente robustas para que pueda considerarse que han generado una percepción estigmatizante y que ésta ha elevado, de modo indudablemente significativo, la probabilidad de que los testimonios y las pruebas recabadas contengan información parcial y, por ende, cuestionable. Algunos de los elementos que el juez puede ponderar al llevar a cabo esta operación son: 1. El grado de intervención y participación del Estado en la creación y/o en la divulgación de la información. Cuando el Estado es quien deliberadamente interviene para crear una imagen negativa y contribuye a su formación, los jueces deben ser especialmente escépticos para juzgar el material probatorio. 2. La intensidad del ánimo estigmatizante que subyace a la acusación y su potencial nocividad. 3. La diversidad de fuentes noticiosas y el grado de homogeneidad en el contenido que las mismas proponen. Con apoyo en este criterio, el juez valora si el prejuicio estigmatizante ha sido reiterado en diversas ocasiones y analiza su nivel de circulación. También analiza si existen posiciones contrarias a este estigma que, de facto, sean capaces de contrarrestar la fuerza de una acusación. Cabe aclarar que si bien la existencia de una sola nota o la cobertura en un solo medio puede generar suficiente impacto, eso ocurriría en situaciones excepcionales, donde el contenido y la gravedad de la acusación fueran suficientemente gravosas por sí mismas para generar un efecto estigmatizante. 4. La accesibilidad que los sujetos relevantes tienen a esa información. Al valorar este aspecto, el juez puede analizar el grado de cercanía que él mismo, los testigos o los sujetos que intervienen en el proceso tienen con respecto a la información cuestionada. Si la información es demasiado remota, existirán pocas probabilidades de que el juzgador o tales sujetos hayan tenido acceso a la misma; consecuentemente, la fiabilidad de las pruebas difícilmente podría ser cuestionada. Estos criterios no pretenden ser una solución maximalista, capaz de cubrir todos los supuestos. Se trata, tan sólo, de criterios orientadores que facilitan la tarea de los tribunales al juzgar este tipo de alegatos. Es decir, se trata de indicadores que, por sí mismos, requieren apreciación a la luz de cada caso concreto. De ningún modo deben interpretarse en el sentido de que sólo existirá impacto en el proceso cuando un supuesto reúna todos los elementos ahí enunciados. En conclusión, el solo hecho de que los medios de comunicación generen publicaciones donde las personas sean concebidas como "delincuentes", ciertamente viola el principio de presunción de inocencia en su vertiente de regla procesal. Sin embargo, para evaluar el impacto que estas publicaciones pueden tener en un proceso penal, es necesario que los jueces realicen una ponderación motivada para establecer si se está en condiciones de dudar sobre la fiabilidad del material probatorio.

Registro digital: 2017515

AUDIENCIAS EN EL SISTEMA PROCESAL PENAL ACUSATORIO Y ORAL. EL JUZGADOR NO ESTÁ IMPEDIDO PARA DESARROLLAR UNA TÉCNICA DE DIRECCIÓN DE AQUÉLLAS, SIEMPRE QUE EXISTA RESPETO AL EQUILIBRIO PROCESAL Y SE GARANTICE A LAS PARTES SU DERECHO A MANIFESTAR LIBREMENTE SUS PROPIAS ALEGACIONES O LAS DE LA CONTRARIA.

El sistema procesal penal acusatorio y oral se rige por los principios de publicidad, contradicción, concentración, continuidad e inmediación, y se basa en una metodología de audiencias, cuyos ejes rectores se establecen en el artículo 20 de la Constitución Política de los Estados Unidos Mexicanos, entre otros, que las audiencias se desarrollarán en presencia del Juez, sin que pueda delegar en ninguna persona el desahogo y la valoración de los aspectos que en ella deban hacerse. De esta manera, el Juez, con base en el principio de contradicción indicado, si bien es cierto que sólo puede decidir sobre lo que aduzcan los asistentes, respetando el equilibrio procesal entre las partes, esto es, únicamente está facultado para pronunciarse respecto de los argumentos jurídicos expuestos por éstas; también lo es que dicha limitación dispositiva no le impide destacar o señalar, en un primer orden, al inicio de la diligencia, la naturaleza de ésta, su esencia, objeto o litis, cuya dirección le atañe (ordenar el debate) y, en su caso, cuestionar a los intervinientes con preguntas aclaratorias neutras, sobre contenidos o datos necesarios para pronunciarse e, incluso, hacer notar deficiencias o incongruencias que advierta (administrar el debate), pero siempre respetando el equilibrio procesal y garantizando el derecho de las partes a manifestar libremente sus propias alegaciones o las de la contraria (racionabilidad argumentativa). Lo anterior tiene su justificación, si se estima que los operadores jurídicos a nivel nacional, transitan en un periodo de adaptación a un nuevo sistema procesal, lo que implica concebir que el Juez debe guiar o dirigir (no sustituir) el debido ejercicio de las partes, pero sin rayar en protagonismos que se traduzcan en obstáculo para que éstas, bajo el pretexto de simples formulismos, puedan ejercer su libertad de argumentación y correspondiente prueba; de ahí que la consabida dirección finalmente debe tender a la obtención, captura y procesamiento de la información necesaria y suficiente para resolver lo conducente en cada diligencia judicial.

Registro digital: 2028952

INDIVIDUALIZACIÓN DE LA SANCIÓN PENAL. LA SALA CUENTA CON ARBITRIO JUDICIAL PARA MODIFICAR EL GRADO DE CULPABILIDAD DE LA PERSONA SENTENCIADA ESTABLECIDO EN PRIMERA INSTANCIA Y, COMO CONSECUENCIA, IMPONER LA PENA CORRESPONDIENTE.

Hechos: En el recurso de apelación interpuesto contra la sentencia definitiva condenatoria, al estudiar la forma de intervención de la persona sentenciada, la Sala resolvió que fue a título de coautor material y no de auxiliador como lo indicó la persona juzgadora de la causa; sin embargo, en observancia al principio non reformatio in peius, al establecer el grado de culpabilidad la ubicó en un rango medio, el cual se dispuso con antelación a uno de sus cosentenciados, en cumplimiento a lo ordenado en un juicio de amparo, e indicó que era procedente aplicar la disminución de las tres cuartas partes de la pena, en términos del artículo 64 bis del Código Penal para el Distrito Federal (abrogado), no obstante ser menor a la que le correspondería si se hubiera atendido al grado de culpabilidad precisado.

Criterio jurídico: Este Tribunal Colegiado de Circuito determina que al individualizar la sanción penal la Sala cuenta con arbitrio judicial para modificar el grado de culpabilidad de la persona sentenciada establecido en primera instancia y, como consecuencia, imponer la pena correspondiente.

Justificación: La cuantificación de la pena corresponde exclusivamente a la autoridad judicial, quien goza de autonomía para fijar el monto que en su amplio arbitrio estime justo dentro de los máximos y mínimos señalados en la ley, lo cual debe efectuar de manera fundada y motivada.

En el recurso de apelación la Sala no está obligada a asignar la pena mínima, sino que debe atender al caso concreto e imponer fundada y motivadamente la que considere pertinente acorde al grado de culpabilidad, ya que de lo contrario la individualización de la sanción penal no sería discrecional como lo establece la ley, sino un acto reglado u obligatorio.

Registro digital: 2028878

DERECHO A LA VERDAD Y DERECHO A UNA RESPUESTA JUDICIAL EFECTIVA A FAVOR DE LAS VÍCTIMAS DEL DELITO. SU CUMPLIMIENTO A TRAVÉS DE UNA SENTENCIA CONDENATORIA.

Hechos: Una persona fue condenada por el delito de homicidio cometido en agravio de una mujer, quien al momento de su muerte tenía diecinueve años y era estudiante. El Tribunal de Alzada modificó la sentencia sólo por la individualización de la pena, por lo que la madre de la víctima (víctima indirecta) promovió amparo directo en el que argumentó que ese órgano jurisdiccional no cumplió con la obligación de juzgar con perspectiva de género, lo que impidió reclasificar el delito a feminicidio. El Tribunal Colegiado de Circuito del conocimiento negó el amparo porque no advirtió una situación de violencia o vulnerabilidad que, por cuestiones de género, ameritara un método destinado a remediar un efecto discriminatorio por razón del sexo al que pertenece la víctima. Contra esta resolución la quejosa interpuso el recurso de revisión.

Criterio jurídico: La Primera Sala de la Suprema Corte de Justicia de la Nación determina que para las víctimas u ofendidos de los delitos, el dictado de una sentencia condenatoria no sólo representa un presupuesto necesario para acceder a la reparación del daño, sino que también constituye, por sí misma, una forma de reparación vinculada con el derecho a la verdad, pues conlleva un reconocimiento de que una persona ha sufrido un ilícito, el correlativo fracaso del Estado en su deber de prevenir el delito, y que ha sido perseguido y sancionado conforme a las leyes penales aplicables.

Justificación: La obligación de juzgar con perspectiva de género e interseccionalidad no se agota con la investigación eficaz de los hechos y el acceso a la justicia en las etapas procesales de los juicios penales porque ello derivaría en una tutela judicial incompleta para las víctimas, lo que tornaría nugatorio ese derecho y otros derivados, como el derecho a la reparación y el derecho a la verdad. La verdad es un reconocimiento del sufrimiento de las víctimas y no solamente una decisión de adecuación típica, que consiste en la entrega de un relato correspondiente con los hechos, suficientemente probado y surgido de una investigación exhaustiva y diligentemente conducida. La verdad no es cualquier versión. Las explicaciones para los hechos inconsistentes con la evidencia disponible o producto de una selección o interpretación arbitraria de la misma no satisfacen el derecho a la verdad. El derecho a una respuesta judicial efectiva se entiende como la determinación de los hechos en la vía penal, que constituye una explicación suficiente y satisfactoria sobre los hechos victimizantes y, por ende, debe erigirse como una explicación congruente y respetuosa de los mismos. Para que una sentencia condenatoria cumpla con los estándares mencionados, lo que de suyo implica la atención del mandato de fundamentación y motivación a que hace referencia el marco constitucional, es necesario que garantice la reivindicación del derecho vulnerado por el ilícito y la convicción de que no habrá impunidad.

Registro digital: 2028864

BIEN JURÍDICO TUTELADO. PARA DETERMINARLO COMO MERECEDOR DE LA PROTECCIÓN POR LAS NORMAS PENALES, EL PODER LEGISLATIVO DEBE JUSTIFICAR SU IMPORTANCIA SOCIAL SUFICIENTE Y LA NECESIDAD DE SU PROTECCIÓN PENAL.

Hechos: Una persona dedicada a la prestación del servicio público de transporte promovió juicio de amparo indirecto en el que reclamó, entre otros artículos, el 250 Ter del Código Penal para el Estado de Baja California por estimarlo incompatible con los principios de lesividad e intervención mínima, en relación con el de proporcionalidad en materia penal. La persona Juzgadora de Distrito sobreseyó en el juicio; inconforme la parte quejosa interpuso recurso de revisión. El Tribunal Colegiado de Circuito del conocimiento levantó el sobreseimiento.

Criterio jurídico: La Primera Sala de la Suprema Corte de Justicia de la Nación considera que, para la imposición de un bien jurídico como merecedor de protección por las normas penales, es indispensable que los presupuestos relativos a su importancia social suficiente y necesidad de protección penal hayan pasado por un ejercicio auténtico de discusión y consenso en sede legislativa.

Justificación: La Primera Sala, en la jurisprudencia 1a./J. 114/2010 de rubro: "PENAS Y SISTEMA PARA SU APLICACIÓN. CORRESPONDE AL PODER LEGISLATIVO JUSTIFICAR EN TODOS LOS CASOS Y EN FORMA EXPRESA, LAS RAZONES DE SU ESTABLECIMIENTO EN LA LEY.", determinó que las autoridades legislativas están obligadas a justificar, en todos los casos y en forma expresa, las razones del establecimiento de las penas y el sistema de su aplicación cuando una persona despliega una conducta considerada como delito. Así, para la definición legislativa de un bien jurídico como tutelable por las normas penales, dentro de ese ejercicio de justificación se encuentra la obligación de los órganos legislativos de motivar la importancia social suficiente del bien en cuestión y la necesidad de su protección por las normas penales. Ahora bien, la autoridad legislativa correspondiente, para justificar la importancia social suficiente del bien jurídico en cuestión, debe realizar lo siguiente: a) identificar el fundamento constitucional sustantivo del bien cuya protección penal se pretenda; b) realizar un ejercicio reflexivo tendente a reconocer si se trata de un bien considerado socialmente como indiscutido, en la medida en que pertenece a una conciencia social determinada y cuya vulneración implique una afectación directa sobre la individualidad de las personas; y, c) identificar y graduar la afectación real que la conducta que se pretende disuadir ha provocado, provoca o puede llegar a provocar sobre el ejercicio efectivo de los derechos humanos. Por otro lado, la autoridad legislativa, para justificar la necesidad de proteger el bien jurídico en cuestión por las normas penales, debe demostrar que son insuficientes otros medios de defensa menos lesivos de los derechos humanos de las personas, particularmente, la libertad personal; para lo cual se debe considerar seriamente que la protección penal de un bien sólo es necesaria frente a formas de ataque que son especialmente peligrosas y efectivamente lesivas de un bien jurídico o que lo colocan suficientemente en peligro de ser lesionado; además de que la medida penal debe constituirse siempre como la más ventajosa para la protección del bien jurídico en cuestión dentro de todas las alternativas posibles y existentes en el propio ordenamiento.

Registro digital: 2028676

PRUEBA TESTIMONIAL EN LA AUDIENCIA DE JUICIO ORAL. CARECE DE VALOR PROBATORIO LA RENDIDA POR UN POLICÍA DE INVESTIGACIÓN CUANDO VERSE SOBRE LO DICHO EN ENTREVISTAS EFECTUADAS EN LA INVESTIGACIÓN DEL DELITO SI LAS PERSONAS ENTREVISTADAS NO COMPARECEN A JUICIO.

Hechos: Los Tribunales Colegiados de Circuito contendientes sustentaron criterios contradictorios al analizar el valor probatorio de las testimoniales rendidas por policías de investigación en la audiencia de juicio oral, cuando versen sobre lo dicho en entrevistas efectuadas en la investigación del delito, si las personas entrevistadas no comparecen a juicio. Mientras que uno sostuvo que tienen valor probatorio de indicio, y adminiculadas con otros medios de prueba pueden generar convicción sobre los hechos; el otro estimó que carecen de ese valor, al tratarse de una versión de los hechos conocida por referencia de terceros en torno a aspectos que no les constan de manera directa.

Criterio jurídico: El Pleno Regional en Materias Penal y de Trabajo de la Región Centro-Norte, con residencia en la Ciudad de México, determina que carece de valor probatorio la prueba testimonial rendida por un policía de investigación en la audiencia de juicio oral, cuando verse sobre lo dicho en entrevistas efectuadas en cumplimiento de sus obligaciones enunciadas en el artículo 132 del Código Nacional de Procedimientos Penales, si las personas entrevistadas no comparecen a juicio.

Justificación: Conforme a los artículos 20, apartado A, de la Constitución Política de los Estados Unidos Mexicanos, 6o., 9o., 259, 261, 263 y 385 del Código Nacional de Procedimientos Penales, que regulan los principios rectores del procedimiento penal acusatorio de inmediación y contradicción, así como la valoración de la prueba testimonial, toda información incorporada al juicio oral por medio de esa probanza, independientemente del encargado de rendirla (sujeto, parte o tercero), debe satisfacer el parámetro constitucional y legal de la prueba, que implica atender a los principios mencionados.

La prueba rendida en los términos referidos no puede interpretarse como una de las excepciones al desahogo del testimonio conforme a las reglas generales de producción de la testimonial, pues éstas deben interpretarse en sentido estricto y restringido al implicar un menoscabo al ejercicio de defensa, por lo que es necesario: 1) que se superen las condiciones de oportunidad de interrogar y contrainterrogar al testigo en audiencias previas cuando no sea posible la producción de la prueba testimonial en juicio, y 2) que ésta no constituya el principal sustento de la acusación y el fallo.

Registro digital: 2028561

REGLAS DE LA SANA CRÍTICA (LÓGICA, MÁXIMAS DE LA EXPERIENCIA Y CONOCIMIENTO CIENTÍFICO). SU CONCEPTO PARA EFECTOS DE VALORACIÓN DE PRUEBAS POR PARTE DEL TRIBUNAL DE ENJUICIAMIENTO EN EL SISTEMA PENAL ACUSATORIO.

Hechos: Los Tribunales Colegiados de Circuito analizaron asuntos relacionados con la valoración por parte del Tribunal de Enjuiciamiento de las pruebas aportadas al juicio en el Sistema Penal Acusatorio, con base en las reglas de la sana crítica (lógica, máximas de la experiencia o conocimiento científico).

Criterio jurídico: El Pleno Regional en Materias Penal y de Trabajo de la Región Centro-Norte, con residencia en la Ciudad de México, sostiene que la sana crítica es el conjunto de reglas establecidas para orientar la actividad intelectual en la apreciación de las pruebas y una fórmula de valoración en la que se interrelacionan las reglas de la lógica, los conocimientos científicos y las máximas de la experiencia, las cuales influyen en la autoridad como fundamento de la razón, en función al conocimiento de las cosas, dado por la ciencia o por la experiencia, y que deben ser aplicadas al valorar las pruebas aportadas al juicio.

Justificación: La Primera Sala de la Suprema Corte de Justicia de la Nación, en el amparo directo en revisión 945/2018 precisó que: 1. la valoración de la prueba constituye la fase decisoria del procedimiento probatorio, ya que es el pronunciamiento judicial sobre el conflicto sometido a enjuiciamiento; y 2. cuando se aduce que las pruebas se apreciarán de conformidad con las reglas de la sana crítica, no se está haciendo referencia a una sujeción del juzgador a la ley, que le establece el valor a la prueba, ni tampoco a una absoluta libertad que implicaría arbitrariedad (íntima convicción), sino a una libertad reglada, ya que para valorar la prueba debe tener en cuenta que su conclusión no sea contraria a las reglas de la lógica, las máximas de la experiencia ni a los conocimientos científicos.

La lógica es entendida como la ciencia que estudia los pensamientos en cuanto a sus formas mentales para facilitar el raciocinio correcto y verdadero, y permite apreciar con corrección, claridad, orden, profundidad e ilación de los hechos.
El conocimiento científico implica el saber sistematizado, producto de un proceso de comprobación, y por regla general es aportado al juicio por expertos en un sector específico del conocimiento.
Las máximas de la experiencia son normas de conocimiento general que surgen de lo ocurrido habitualmente en múltiples casos, y por ello pueden aplicarse en todos los demás, de la misma especie, porque están fundadas en el saber común de la gente, dado por las vivencias y la experiencia social, en un lugar y un momento determinados.

Registro digital: 2028458

ASEGURAMIENTO DE VEHÍCULO POR EL MINISTERIO PÚBLICO. ES UNA TÉCNICA DE INVESTIGACIÓN QUE REQUIERE CONTROL JUDICIAL PREVIO.

Hechos: El Ministerio Público decretó el aseguramiento de un vehículo relacionado con un hecho con apariencia de delito, respecto del que una persona tercera ajena a la carpeta de investigación respectiva dijo ser propietaria y adquirente de buena fe, sin agotar previamente el procedimiento previsto en el artículo 252 del Código Nacional de Procedimientos Penales, es decir, sin solicitar la autorización previa de un Juez de Control y definir la temporalidad durante la cual permanecerá el bien sujeto al aseguramiento.

Criterio jurídico: Este Tribunal Colegiado de Circuito determina que el aseguramiento de vehículos por el Ministerio Público es una técnica de investigación que requiere control judicial previo.

Justificación: Conforme al artículo 252 del Código Nacional de Procedimientos Penales, requieren autorización previa del Juez de Control todos los actos de investigación que impliquen afectación a derechos establecidos en la Constitución Política de los Estados Unidos Mexicanos y, en el caso, el aseguramiento de vehículo, que es de carácter temporal y provisional, es un acto de molestia que puede menoscabar los derechos de propiedad y posesión, al restringir temporalmente la libre disposición de ese bien, aunado a que esa técnica de investigación no se encuentra dentro de las hipótesis relativas a los actos de investigación exentos de dicho control judicial, establecidas en el artículo 252 del mismo ordenamiento.
Máxime que el precepto señalado es acorde con la institución del control judicial previo en materia penal, prevista en el artículo 16, párrafo décimo cuarto, constitucional, así como con lo resuelto por el Pleno de la Suprema Corte de Justicia de la

Nación, en relación con el alcance de esa disposición fundamental, en la acción de inconstitucionalidad 10/2014 y su acumulada 11/2014, al analizar la validez del artículo 242 del Código Nacional de Procedimientos Penales, relativo al aseguramiento de bienes o derechos relacionados con operaciones financieras.

Registro digital: 2019618

ORDEN DE APREHENSIÓN. REQUISITOS MÍNIMOS QUE DEBE CONTENER LA CONSTANCIA EMITIDA POR EL JUEZ DE CONTROL PARA LOGRAR SU EJECUCIÓN.

La orden de aprehensión para su emisión, conforme al nuevo sistema de justicia penal, requiere de datos que establezcan que se cometió un hecho señalado por la ley como delito y que existe la probabilidad de que el indiciado lo cometió o participó en su comisión, ya que el objetivo es poner al detenido a disposición del juez de control para que el Ministerio Público formule imputación y exprese los datos de prueba correspondientes, a fin de que se dicte el auto de vinculación a proceso y se formalice la investigación. Así, para que se pueda llevar a cabo la ejecución de la orden de detención, es necesario que el juez de control proporcione a los elementos aprehensores una constancia que contenga los puntos resolutivos de la determinación que emitió de manera oral, así como copia del audio y video de la audiencia relativa, que les permita identificar plenamente al gobernado y que éste pueda imponerse adecuadamente de la decisión que afecta su derecho a la libertad personal, por tanto, los requisitos mínimos que debe contener la aludida constancia son los siguientes: a) el nombre y apellidos de la persona que se pretende detener; b) la causa penal instruida por su probable participación en la comisión de un hecho que la ley señala como delito, previsto y sancionado en el ordenamiento sustantivo aplicable; c) el juez de control que la pronunció y d) la fecha en que se expidió. Con tales elementos se otorgará certeza y seguridad jurídica al particular, y se asegurará la prerrogativa de defensa contra una detención que no cumpla con la exigencia constitucional.

Registro digital: 2018006

PROCEDIMIENTO ABREVIADO. SU NATURALEZA FRENTE A LOS DERECHOS DE LA VÍCTIMA U OFENDIDO DEL DELITO.

El procedimiento abreviado no debe equipararse con un "mini juicio", "procedimiento reducido en tiempo", "sumario" o "corto", en atención sólo al interés del imputado, si conforme a su naturaleza, se trata de una solución anticipada al conflicto penal que presupone, en esencia, una forma de resolución preacordada que desde el punto de vista político-criminológico pretende no sólo solucionar dicho conflicto anticipadamente, desde una perspectiva de tiempo, sino también, y esto como condición, garantizando los derechos de la sociedad, representada por el Ministerio Público, a fin de evitar la impunidad y, además, los derechos de la víctima u ofendido del delito que, en su caso, igualmente exigen su derecho de acceso a la justicia, conocimiento de la verdad y reparación del daño, esto es, de una tutela judicial efectiva ante los tribunales.

Registro digital: 2031528

PROCEDIMIENTO ABREVIADO. UNA VEZ FORMULADA LA SOLICITUD RESPECTIVA Y ACEPTADA POR EL IMPUTADO, SU TRAMITACIÓN QUEDA SUJETA AL JUEZ DE CONTROL, POR LO QUE RESULTA JURÍDICAMENTE INADMISIBLE QUE EL MINISTERIO PÚBLICO PRETENDA RETIRARLA DEJANDO A UN LADO EL CONTROL JUDICIAL.

Hechos: El representante social de la Federación como parte en el proceso penal acusatorio, solicitó al Juez de Control la apertura del procedimiento abreviado previo acuerdo entre las partes. En la audiencia respectiva la defensa solicitó a la persona juzgadora ejercer su facultad constitucional para ajustar las penas conforme a las reglas relativas al concurso real, lo que se analizó y resolvió en la sentencia respectiva con la reducción de las penas correspondientes.

Inconforme, el Ministerio Público interpuso recurso de apelación en el que el tribunal de alzada estimó fundado el agravio formulado al considerar que esa solicitud alteraba el consentimiento de las partes y revocó la sentencia dictada ordenando la tramitación del procedimiento ordinario. Ante ello, uno de los sentenciados promovió amparo indirecto, mismo que fue negado, por lo que interpuso recurso de revisión.

Criterio jurídico: Este Tribunal Colegiado de Circuito determina que una vez formulada la solicitud de procedimiento abreviado previo acuerdo entre las partes, su tramitación pasa a la esfera de control judicial, por lo que resulta jurídicamente inadmisible que la representación social retire la solicitud, pues corresponde al Juez de Control resolver sobre su procedencia, verificar la validez del consentimiento y, en su caso, imponer la pena correspondiente.

Justificación: Del análisis de los artículos 17, 20, apartado A, fracción VII y 21, párrafo tercero, de la Constitución Política de los Estados Unidos Mexicanos, 105, fracción V, 201 y 202 del Código Nacional de Procedimientos Penales, se desprende que el procedimiento abreviado es una forma de terminación anticipada sujeta a la autorización y supervisión del Juez de Control, lo que garantiza el respeto a los derechos humanos del imputado y de la víctima, entre ellos el derecho a una defensa adecuada.

En dicho procedimiento el Juez de Control actúa como garante del debido proceso, en observancia al principio pro persona, por lo que su función no se limita a autorizar el acuerdo, sino que puede individualizar la pena dentro de los límites legales, e incluso imponer una sanción menor a la propuesta cuando así lo justifiquen las reglas del concurso real de delitos.

En ese sentido, aun cuando la solicitud del procedimiento es facultad exclusiva del Ministerio Público, no debe ser considerada arbitraria, pues corresponde al Juez de Control, como rector del proceso, autorizar y resolver en audiencia sobre su procedencia.

Es por ello que el Ministerio Público, una vez formulada la solicitud y aceptada por las partes, no puede retirarla, pues el procedimiento se encuentra ya en sede judicial. Permitirlo implicaría desconocer la potestad jurisdiccional del Juez y debilitar el control de legalidad propio del sistema penal acusatorio.